今すぐ使える

かんたん

LINE(ライン) & Instagram(インスタグラム) & Twitter(ツイッター) & Facebook(フェイスブック)

完全(コンプリート)ガイドブック

困った解決 & 便利技

改訂2版

リンクアップ 著

技術評論社

本書の使い方

- 本書は、SNS の操作に関する質問に、Q&A 方式で回答しています。
- 目次やインデックスの分類を参考にして、知りたい操作のページに進んでください。
- 画面を使った操作の手順を追うだけで、SNS の操作がわかるようになっています。

クエスチョン名は具体的な質問や疑問を表しています。

クエスチョンという単位ごとに、SNSの機能や操作について解説しています。

クエスチョンに対する回答を簡潔に表しています。

番号付きの記述で、操作の順番が一目瞭然です。

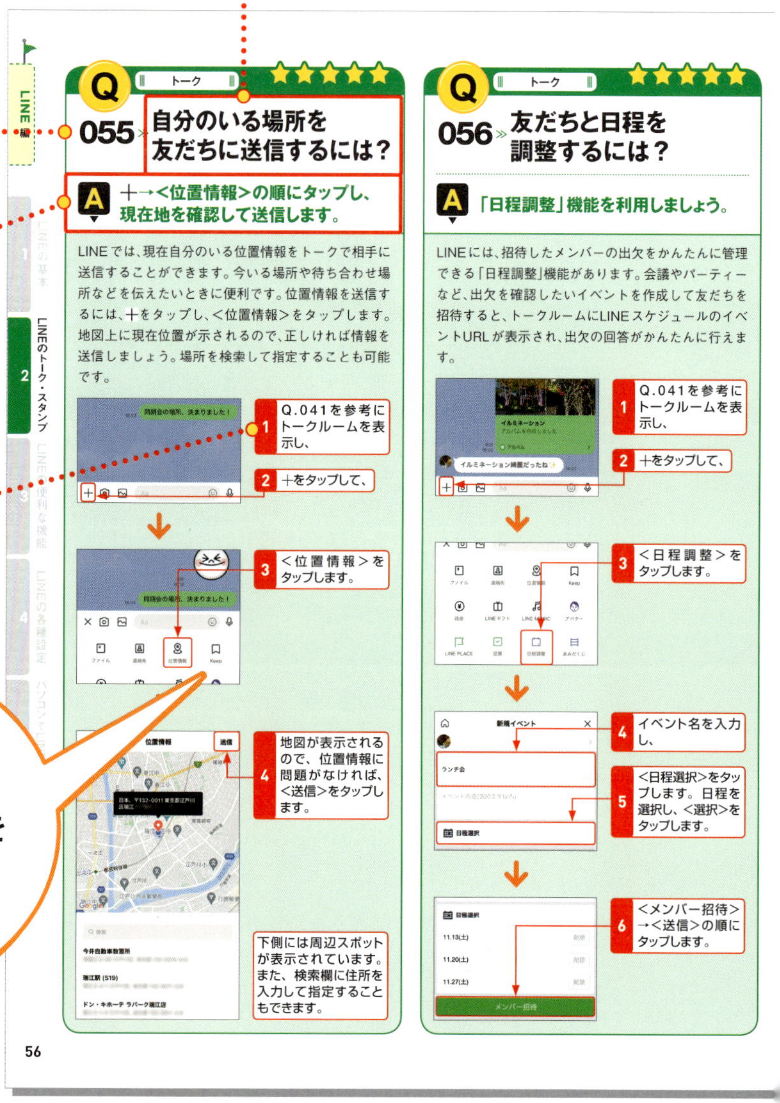
LINE編

1 LINEの基本

2 LINEのトーク・スタンプ

3 LINEの便利な機能

4 LINEの各種設定

Q トーク

055 自分のいる場所を友だちに送信するには？

A ＋→<位置情報>の順にタップし、現在地を確認して送信します。

LINEでは、現在自分のいる位置情報をトークで相手に送信することができます。今いる場所や待ち合わせ場所などを伝えたいときに便利です。位置情報を送信するには、＋をタップし、<位置情報>をタップします。地図上に現在位置が表示されるので、正しければ情報を送信しましょう。場所を検索して指定することも可能です。

1 Q.041を参考にトークルームを表示し、

2 ＋をタップして、

3 <位置情報>をタップします。

4 地図が表示されるので、位置情報に問題がなければ、<送信>をタップします。

下側には周辺スポットが表示されています。また、検索欄に住所を入力して指定することもできます。

Q トーク

056 友だちと日程を調整するには？

A 「日程調整」機能を利用しましょう。

LINEには、招待したメンバーの出欠をかんたんに管理できる「日程調整」機能があります。会議やパーティーなど、出欠を確認したいイベントを作成して友だちを招待すると、トークルームにLINEスケジュールのイベントURLが表示され、出欠の回答がかんたんに行えます。

1 Q.041を参考にトークルームを表示し、

2 ＋をタップして、

3 <日程調整>をタップします。

4 イベント名を入力し、

5 <日程選択>をタップします。日程を選択し、<選択>をタップします。

6 <メンバー招待>→<送信>の順にタップします。

56

特長1

質問は、**読者の方から実際に寄せられたもの**を参考に作成されています！

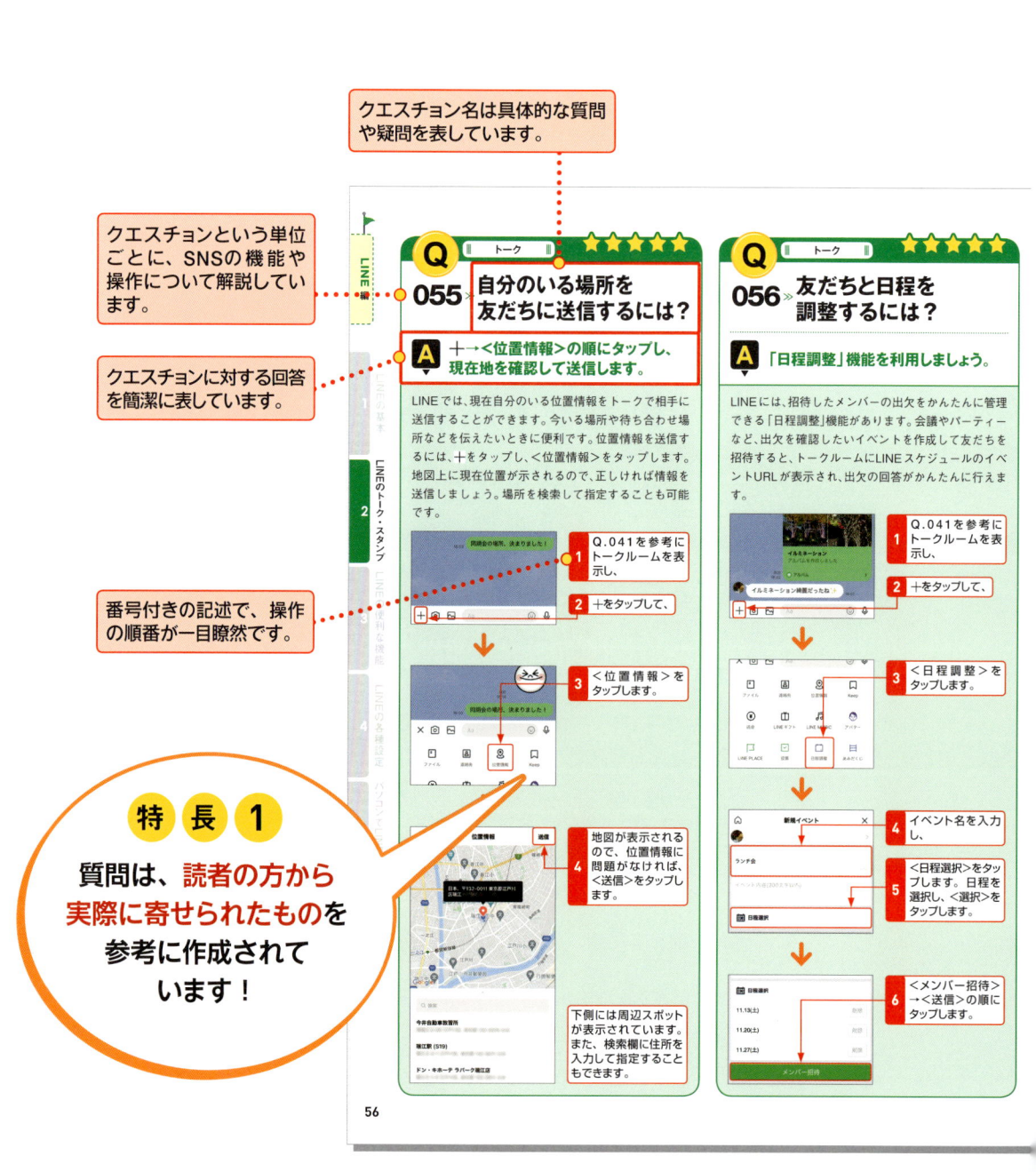

特長 2

やわらかい上質な紙を使っているので、開いたら閉じにくい！

クエスチョンの分類分けを示しています。

よく使う操作を星の数で表しています。

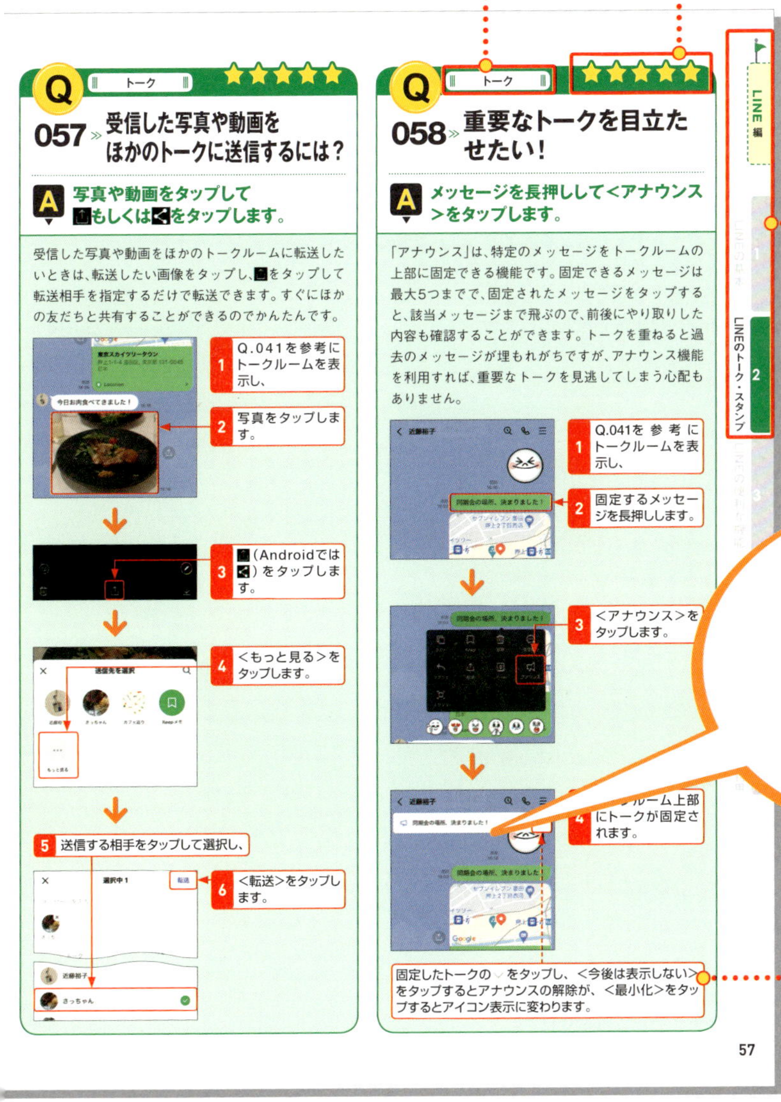

Q トーク ★★★★★

057 » 受信した写真や動画をほかのトークに送信するには？

A 写真や動画をタップしてもしくはをタップします。

受信した写真や動画をほかのトークルームに転送したいときは、転送したい画像をタップし、をタップして転送相手を指定するだけで転送できます。すぐにほかの友だちと共有することができるのでかんたんです。

1 Q.041を参考にトークルームを表示し、

2 写真をタップします。

3 （Androidでは）をタップします。

4 <もっと見る>をタップします。

5 送信する相手をタップして選択し、

6 <転送>をタップします。

Q トーク ★★★★★

058 » 重要なトークを目立たせたい！

A メッセージを長押しして<アナウンス>をタップします。

「アナウンス」は、特定のメッセージをトークルームの上部に固定できる機能です。固定できるメッセージは最大5つまでで、固定されたメッセージをタップすると、該当メッセージまで飛ぶので、前後にやり取りした内容も確認することができます。トークを重ねると過去のメッセージが埋もれがちですが、アナウンス機能を利用すれば、重要なトークを見逃してしまう心配もありません。

1 Q.041を参考にトークルームを表示し、

2 固定するメッセージを長押しします。

3 <アナウンス>をタップします。

4 トークルーム上部にトークが固定されます。

固定したトークのをタップし、<今後は表示しない>をタップするとアナウンスの解除が、<最小化>をタップするとアイコン表示に変わります。

LINE編 1 LINEのトーク・スタンプ 2

57

どの章を見ているかすぐわかるように、ページの両側にインデックス（見出し）を表示しています。

特長 3

操作すべき箇所がよくわかるようになっています。

操作の基本的な流れ以外は、このように番号がない記述になっています。

Contents

基本編

第1章 SNSの基本とプライバシー&セキュリティ

LINE 編

第1章 LINEの基本

Contents

第3章 LINEの便利機能

グループ

LINE VOOM

通話

公式アカウント

便利機能

第4章 LINEの各種設定

第5章 パソコンでLINEを利用

Contents

Instagram 編

第1章 Instagramの基本

第2章 Instagramの閲覧・投稿

Contents

Contents

第3章 Twitterの便利機能

第4章 Twitterの各種設定

第5章 パソコンでTwitterを利用

Facebook 編

第1章 Facebookの基本

第2章 Facebookの閲覧・投稿

第4章 Facebookの各種設定

通知設定

セキュリティ

第5章 パソコンでFacebookを利用

Facebook の基本

画面構成

プロフィール設定

友達追加

投稿

ご注意：ご購入・ご利用の前に必ずお読みください

- 本書に記載された内容は、情報の提供のみを目的としています。したがって、本書を用いた運用は、必ずお客様自身の責任と判断によって行ってください。これらの情報の運用の結果について、技術評論社および著者はいかなる責任も負いません。

- ソフトウェアやアプリに関する記述は、特に断りのないかぎり、2022 年 1 月現在での最新バージョンをもとにしています。ソフトウェアやアプリはバージョンアップされる場合があり、本書の説明とは機能内容や画面図などが異なってしまうこともあり得ます。あらかじめご了承ください。

- インターネットの情報については、URL や画面などが変更されている可能性があります。ご注意ください。

- 本書は以下の環境で動作を確認しています。ご利用時には、一部内容が異なることがあります。あらかじめご了承ください。
  スマートフォン：iPhone 13（iOS 15.2.1）／Xperia Ace II SO-41B（Android 11）
  パソコンの OS：Windows 10

以上の注意事項をご承諾いただいた上で、本書をご利用願います。これらの注意事項をお読みいただかずに、お問い合わせいただいても、技術評論社および著者は対処しかねます。あらかじめご承知おきください。

第1章

SNSの基本とプライバシー&セキュリティ

Q SNSの基本 ★★★★★

001 » SNSって何？

A ユーザーどうしが交流できるサービスです。

SNSは「Social Networking Service」の略称で、インターネット上で情報発信したり、ユーザーどうしで交流したりできるサービスです。代表的なものとしては、「LINE」「Instagram」「Twitter」「Facebook」の4つのSNSが挙げられ、各サービスともにアカウントを作成することで利用可能です。

友だちとメッセージでやり取りしたり、今起きていることをリアルタイムにつぶやいたり、写真や動画を添付して近況を伝えたりするなど、さまざまな用途で利用することができます。また、グループ機能やアンケート機能など、便利な機能が備わっているSNSもあります。

さらに、共通の話題や同じ趣味を持ったユーザーと交流することもできるため、世界中のさまざまな人とコミュニケーションを取ることができます。今やコミュニケーションの一手段として使われています。

SNSのしくみ

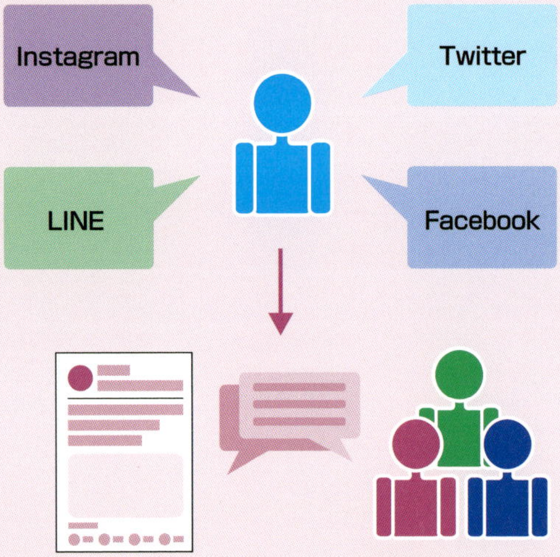

家族や友だちとメッセージでやり取りしたり、近況を投稿したり、さまざまなユーザーと交流したりすることができます。

情報発信できる

投稿には「いいね!」やコメントを付けられるため、よりコミュニケーションを深めることができます。また、シェア機能を活用すれば、自分の意見を添えて投稿したり、より多くの人に拡散したりすることが可能です。

さまざまな人と交流できる

LINEの「オープンチャット」機能を利用すれば、友だちになっていなくても、共有の趣味を持つユーザーどうしでコミュニケーションを取ることができます。オープンチャットはニックネームでの利用が可能なため、セキュリティ面でも安心です。

SNSの基本

★★★★★

Q 002 » LINE、Instagram、Twitter、Facebookの特長を知りたい！

A SNSによって機能や用途が異なります。

主なSNSとして挙げられるのが「LINE」「Instagram」「Twitter」「Facebook」です。利用しているユーザーも多く、コミュニケーションに特化したSNSや、写真の投稿に特化したSNSなど、それぞれで機能や用途が異なります。ここでは各SNSの特長を押さえておきましょう。

LINE

友だち登録している人と無料で通話やメッセージのやり取りが行える、コミュニケーションに特化したSNSです。1対1でのやり取りはもちろん、グループトークをしたり、ビデオ通話をしたりすることも可能です。さまざまなキャラクターを使ったスタンプを使えるのが特長です。

Instagram

写真や動画の投稿に特化したSNSです。キャプションやタグを付けて交流できるのが特長で、投稿だけでなく、動画を生配信できる「ライブ」、最大60秒の短尺動画「リール」、投稿が24時間で消える「ストーリーズ」など、多くの機能を利用することができます。

Twitter

一度に投稿できる文字数は140字までで、匿名で利用することができるSNSです。リアルタイム性が高く、情報の拡散性にすぐれていることから、今話題になっている情報をいち早くつかむことができます。

Facebook

実名登録が必須のSNSです。文字数に制限はないため長文投稿が可能で、写真や動画を添付することもできます。「Messenger」を利用すれば、友だちとダイレクトにやり取りすることができます。

SNSの基本 ★★★★★

Q 003 » パソコンとスマートフォンどちらで始めるのがよい？

A 自分が使いやすいほうを選びましょう。

各SNSは、スマートフォンもしくはパソコンで利用することができます。パソコンの場合は画面が大きいため、「ホーム」画面に各機能にアクセスするためのメニュー項目が表示されていることが多く、スマートフォンで複数のステップを踏んでいた操作を、ワンクリックで実行できるため便利です。
スマートフォンであればそのとき起きた出来事などを手軽に投稿できますが、写真を大画面で見たり、じっくり考えて投稿したりしたいときは、パソコンを利用するのがよいでしょう。また、同じアカウントでログインすれば常に同じ状態で利用できるため、外出しているときはスマートフォンから、家にいるときはパソコンからというような使い分けも可能です。ただし、たとえばInstagramの場合は、パソコンからではリールやストーリーズの投稿ができないなど、一部の機能に制限があるSNSもあります。

上図は、パソコンでTwitterを開いた状態です。左側には各機能にアクセスするためのメニューが、中央にはタイムラインが、右側にはトレンドのキーワードやおすすめユーザーなどが表示されており、1画面でさまざまな情報にアクセスできるようになっています。

SNSの基本 ★★★★★

Q 004 » SNSのアプリをインストールするには？

A iPhoneでは<App Store>、Androidでは<Playストア>からインストールします。

SNSのアプリは、iPhoneの場合は<App Store>アプリから、Androidスマートフォンの場合は<Playストア>アプリからインストールを行います。検索ボックスにインストールしたいSNSの名前を入力し、<インストール>をタップしましょう。ここでは<Twitter>アプリを例に解説していますが、ほかのSNSも同様の操作でインストールできます。

1 ホーム画面で<App Store>（Androidでは<Playストア>）をタップして起動し、

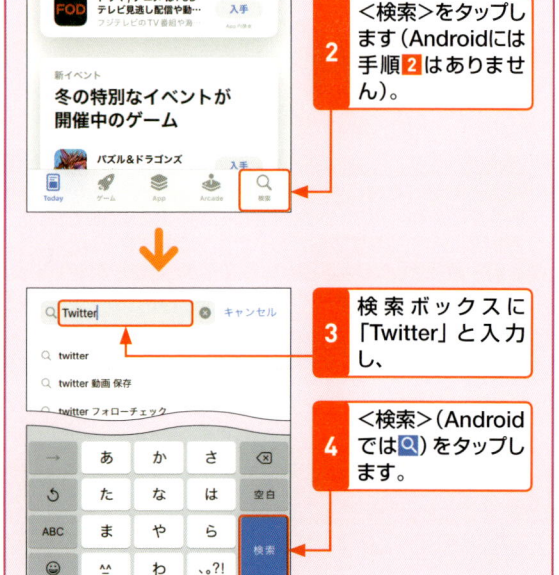

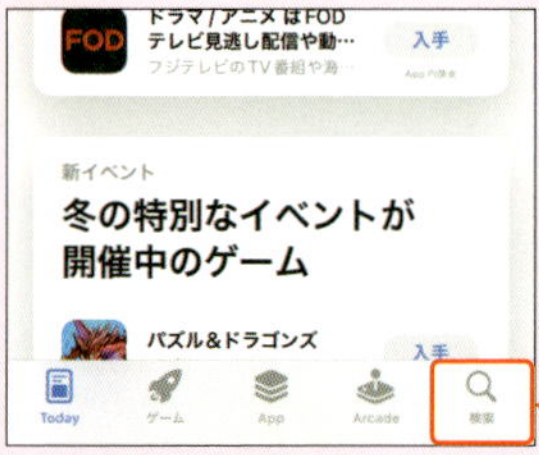

2 <検索>をタップします（Androidには手順2はありません）。

3 検索ボックスに「Twitter」と入力し、

4 <検索>（Androidでは🔍）をタップします。

5 <入手>→<インストール>（Androidでは<インストール>）の順にタップして、アプリをインストールします。

Q 005 SNSの基本 ★★★★★

SNSのアプリを起動するには？

A ホーム画面でSNSのアイコンをタップします。

SNSのアプリをインストールすると、ホーム画面やアプリ一覧画面にSNSのアプリアイコンが表示されます。起動したいSNSのアプリアイコンをタップすると、アプリが起動します。初回起動時はログイン画面が表示されるので、アカウントを作成してログインしましょう。詳しくは、各SNSの第1章を参照してください。

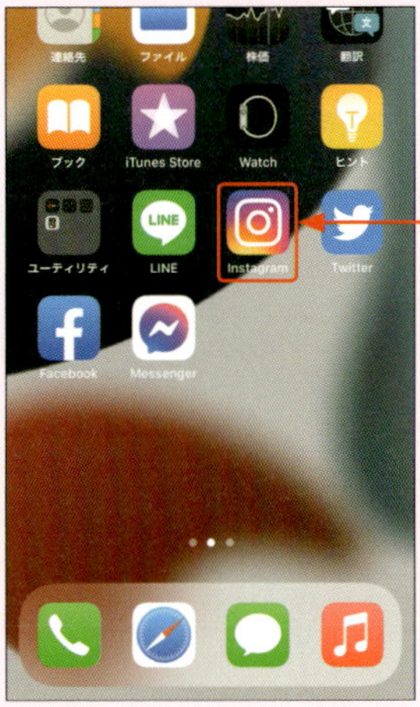

1 ホーム画面またはアプリ一覧画面でSNSのアプリアイコン（ここでは<Instagram>）をタップすると、

2 アプリが起動します。

Q 006 SNSの基本 ★★★★★

SNSのアプリを更新するには？

A iPhoneでは<App Store>、Androidでは<Playストア>からアップデートします。

SNSのアプリはアップデートが行われることがあります。アップデートすることで、新機能を利用できたり、不具合などが改善されたりするため、常に最新の状態にしておきましょう。アプリの更新は、iPhoneでは<App Store>アプリ、Androidでは<Playストア>アプリから行います。

1 Q.004手順 1 を参考に<App Store>アプリ（Androidでは<Playストア>アプリ）を起動し、

2 画面右上のアカウントアイコン（Androidではアカウントアイコン→<アプリとデバイスの管理>の順に）をタップします。

3 「利用可能なアップデート」にあるアプリの<アップデート>をタップすると、最新のバージョンに更新されます（Androidでは<利用可能なアップデートがあります>→<更新>の順にタップします）。

<すべてをアップデート>（Androidでは<すべて更新>）をタップすると、アップデート可能なアプリをまとめて更新できます。

SNSの基本

007 » アカウントって何？

A サービスの利用に必要なIDや権利のことです。

アカウントは、インターネット上のサービスを利用するユーザーを識別するためのIDや権利のことを指します。LINE、Instagram、Twitter、Facebookでもアカウント作成は必須で、基本的に携帯電話番号またはメールアドレスとパスワードを用いて登録を行います。SNSによっては生年月日や性別を設定する場合もあります。サービスによって異なりますが、アカウントには、名前や生年月日、メールアドレスや携帯電話番号といった基本情報のほか、プロフィール写真や利用履歴、友だちとのやり取りなど、さまざまな個人情報が関連付けられます。

左図は<Twitter>アプリの表示です。SNSによって異なりますが、アカウント作成時には、名前や携帯電話番号またはメールアドレスなどの情報の入力が求められます。

アカウント作成に必要な情報

SNS	必要な情報
LINE	名前、電話番号、パスワード
Instagram	名前、電話番号またはメールアドレス、パスワード、生年月日
Twitter	名前、電話番号またはメールアドレス、パスワード、生年月日
Facebook	名前、電話番号またはメールアドレス、パスワード、生年月日、性別

SNSによって必要な情報は異なりますが、「名前」「電話番号またはメールアドレス」「パスワード」はいずれのSNSにも共通しています。

SNSの基本

008 » ログインって何？

A IDやパスワードを入力してサービスに接続することです。

ログインは、サービスを利用するために認証を行うことで、多くの場合、アカウント作成時に登録した携帯電話番号またはメールアドレスとパスワードを入力することでログインが完了します。なお、一度ログインしておけば、ログアウトしない限り、アプリを終了しても、次回以降は起動すると自動でログインされ、すぐに利用を開始できます。

ここでは<Facebook>アプリでのログイン方法を紹介しますが、そのほかのSNSでも操作はほぼ同様です。

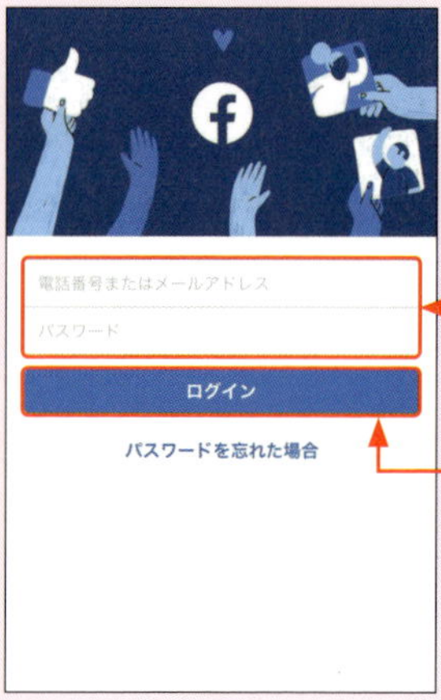

1 ホーム画面でアプリをタップして起動し、

2 電話番号またはメールアドレスとパスワードを入力して、

3 <ログイン>をタップします。

4 ログインできます。

セキュリティ ★★★★★

Q 009 » アカウント名とパスワードは使いまわしてもよい？

A アカウントの乗っ取りや個人情報漏えいのリスクがあります。

利用サービスが増えていくと、覚えておくのが面倒などの理由で、アカウント名やパスワードをいつも同じものにしてしまいがちですが、アカウント名やパスワードの使い回しはリスクをはらんでいます。1つのサービスの情報が盗まれてしまうと、そのほかのサービスでも同様のことが起こりかねません。安易なパスワードを設定している場合はかんたんに推測され、アカウントが乗っ取られたり、個人情報が盗まれたりする可能性が非常に高いため、サービスごとに変えておくほうが安心です。また、パスワードは名前や生年月日などを入れた単純なものは推測されやすいため、複雑なものを設定するようにしましょう。

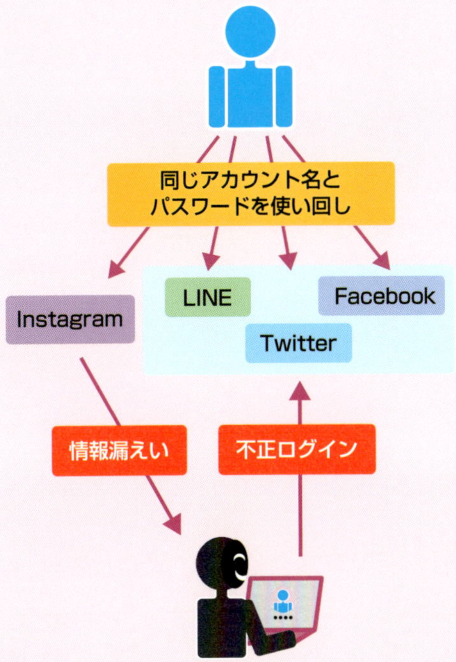

同じアカウント名とパスワードを使い回していると、1つのサービスの情報が盗まれたときにほかのサービスにも不正ログインされるおそれがあります。各サービスで異なるアカウント名やパスワードを設定しておくとよいでしょう。

セキュリティ ★★★★★

Q 010 » アカウントの乗っ取りって何？

A 第三者に不正ログインされることです。

自分のアカウントが悪意ある第三者によって不正ログインされることです。アカウントが乗っ取られると、個人情報が漏えいするだけでなく、本人になりすまして偽の情報を投稿されたり、ネット詐欺に遭ったり、場合によってはクレジットカードを不正利用されたりするケースもあります。IDやパスワードを使い回さない、パスワードは複雑な組み合わせにするなど、事前にしっかり対策を取っておくことで、被害に遭うリスクを減らすことができます。

アカウント乗っ取りの主な被害例

1	電話番号やメールアドレスなどの個人情報が漏えいする
2	ログインできなくなる
3	本人になりすまして知人や友だちに不正なメッセージが送信される
4	位置情報を利用している場合は場所を特定されるおそれがある
5	場合によってはクレジットカードが不正利用される可能性がある

ログイン履歴を確認する

InstagramやFacebook、Twitterではログイン履歴を確認することができます。身に覚えのないログイン履歴があった場合は削除することもできるので、定期的に確認してみるとよいでしょう。

Q 011 セキュリティ ★★★★★

自分以外がログインできないようにするには？

A セキュリティを強化します。

第三者からの不正ログインを防ぐためには、複雑なパスワードを設定するなどの対策はありますが、そのほかにも、「二段階認証」を設定することで、ログイン時のセキュリティをより強固にすることができます。また、各SNSでは、そのほかのアプリと連携して利用できる機能が備わっており、こうした機能を悪用して不正ログインされるケースも少なくありません。不要な連携アプリは解除したりするなどしておくと安心です。

二段階認証を設定する

左図は<Facebook>アプリの表示です。不明なデバイスからのログインを検知した際は、ログイン時にパスワードに加えて認証コードの入力が必要になります。

アプリ連携を解除する

左図は<Twitter>アプリの表示です。身に覚えのないアプリや不要なアプリとの連携を解除することで、不正ログインの防止にもつながります。

Q 012 プライバシー ★★★★★

アドレス帳との連携を許可しても大丈夫？

A 友だちに知られたくない場合は連携しないほうが安心です。

各SNSにはアドレス帳との連携機能が備わっており、スマートフォン内のアドレス帳に登録されている電話番号やメールアドレスをもとに、知り合いの可能性が高いアカウントを自動で検出してくれます。一度有効にしておけば、あとからアドレス帳に追加した情報も自動的に同期されます。知り合いのアカウントを見つけやすくなるため便利ですが、知られたくない相手に自分のアカウントが知られてしまう可能性もあります。アカウントを知られたくないときは、アドレス帳との連携はオフにしておきましょう。

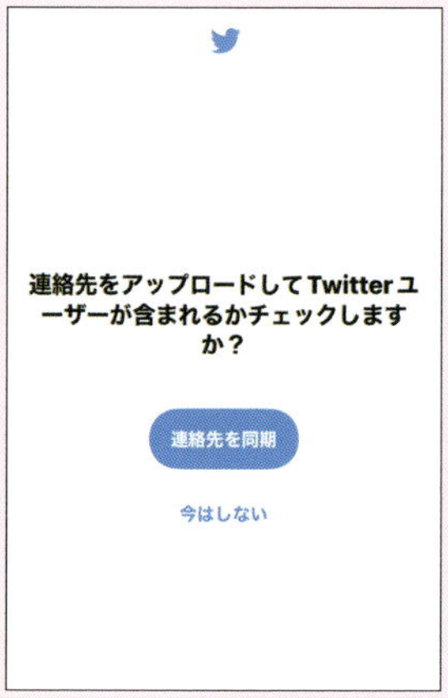

アプリによって画面は異なりますが、アドレス帳と連携させると、「知り合いかも」や「おすすめユーザー」などに表示されるようになります。

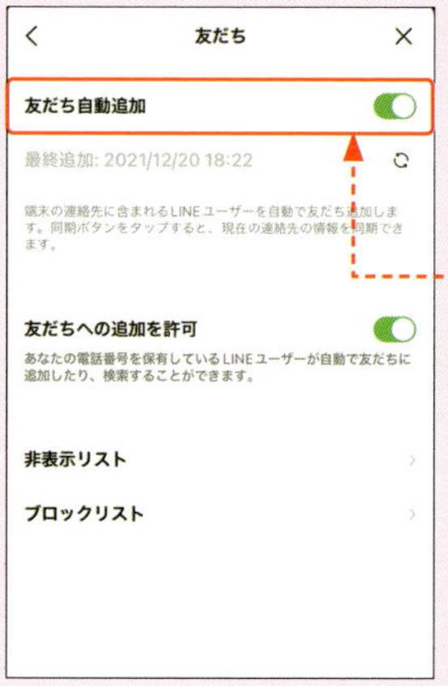

LINEでは、「友だち自動追加」をオンにすると、アドレス帳の情報からLINEを使っているユーザーを自動で検出し、友だちに追加します。

Q プライバシー ★★★★★

013 » 実名での登録が必要？

A Facebookだけは実名登録が必須です。

アカウントを作成するときには名前の入力が求められますが、「LINE」「Instagram」「Twitter」「Facebook」の中で実名登録が必須なのは「Facebook」のみです。そのほかのサービスは実名での登録が不要なため、自分の好きな名前で登録することができます。Facebookもあとからニックネームの表示に変えることができるので、実名表示に抵抗がある人は変えておくとよいでしょう。なお、実名での登録は、プロフィール情報などから個人を特定されるおそれもあるため、セキュリティ面に不安を感じる場合は、ニックネームなどに変えておくと安心です。

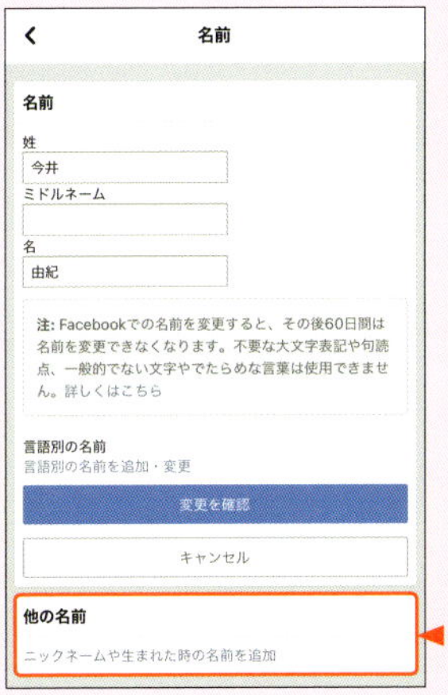

Facebookでは実名登録が必須ですが、アカウント作成後にニックネームを追加することで、名前の表示を変更することができます。

名前には、漢字のほか、ひらがなや英数字などを設定することができます。名前はいつでも変更できますが、変更後は一定期間変更できなくなるなど、回数や期間が定められている場合があります。

Q プライバシー ★★★★★

014 » 知らない人からメッセージが来るって本当？

A スパムメッセージが届くことがあります。

各SNSにはメッセージ機能が備わっており、友だちや知り合いとダイレクトにコミュニケーションを取ることができますが、友だちになっていないアカウントに対してもメッセージを送ることができるため、知らない人からメッセージが届くこともあります。たとえば、メッセージにリンクを貼り付けて悪質なサイトに誘導したり、出会い目的のメッセージや怪しい勧誘メッセージなどです。各SNSでは、友だちになっていないアカウントやフォローしていないアカウントからのメッセージを受け取らない設定にできるため、不安な場合は有効にしておくとよいでしょう。

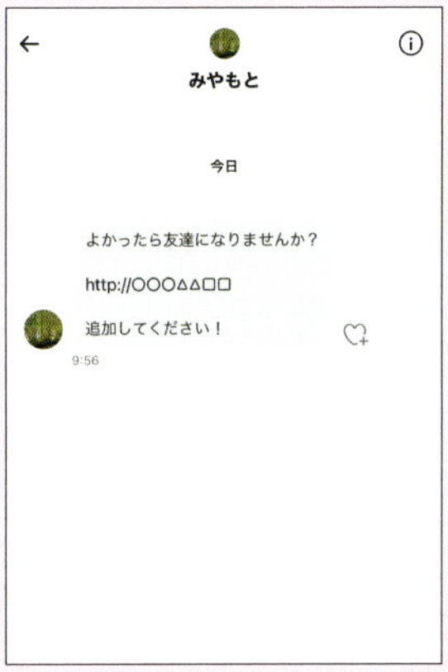

知らないアカウントからメッセージが届くことがあります。リンクを貼り付け、別のWebサイトに誘導して登録させる詐欺まがいの手口の可能性もあります。

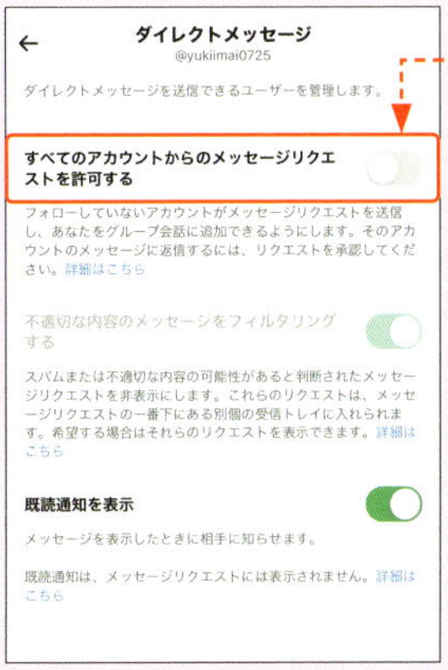

フォローしていないアカウントや友だち以外からのメッセージの受信を拒否する設定にすることができます。

Q 015 ≫ ニュースや広告のリンクはクリックしないほうがよい？

プライバシー ★★★★★

A クリックしないほうが安全です。

SNSのアプリでは、Webサイトの閲覧履歴やアプリ内での行動履歴などに基づいて、そのユーザーに最適だと思われる広告が自動で表示されるようになっています。広告はストーリーズやタイムライン、検索結果画面など、SNSによって表示される場所が異なります。気になる広告は思わずクリックしてしまいがちですが、中にはSNSを利用した詐欺目的の広告も紛れ込んでいます。個人情報を盗まれるリスクもあるため、安易にクリックしないようにしましょう。万一クリックしてしまった場合は、すぐに画面を閉じましょう。なお、広告は非表示にしたり、悪質だと思われる広告は報告したりすることが可能です。

タイムラインやストーリーズなどに広告が表示されます。偽のWebサイトに誘導し、アカウントを作成させて個人情報を抜き取る悪質な広告もあります。

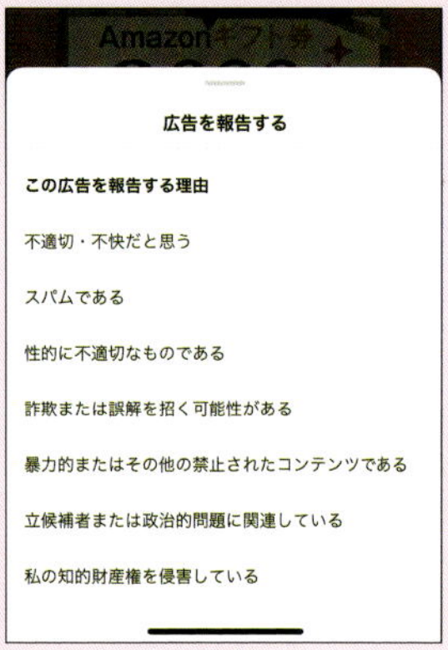

悪質な広告や違反だと思われる広告は、運営側に報告することができます。

Q 016 ≫ 自分の発言が「炎上」しないようにするには？

プライバシー ★★★★★

A 内容をよく確認してから投稿しましょう。

「炎上」とは、投稿された内容などに対して、誹謗中傷や批判などを含んだコメントなどが集中的に飛び交う状態のことです。中でも「Twitter」は非常に拡散性の高いSNSとして知られており、不用意な投稿や暴言などを含んだ投稿はもちろんのこと、一見問題ないような投稿でも、悪意ある第三者によって拡散されれば瞬く間に炎上してしまいます。炎上すれば、アカウントが停止される可能性も考えられます。自分の投稿が炎上しないようにするためにも、投稿前にもう一度内容を見直すようにしましょう。誹謗中傷は当然のことですが、差別的な発言や法律に抵触するような内容は炎上を招く要因です。

炎上対策の一例

1	誹謗中傷や不用意な批判をしない
2	差別的な発言をしない
3	法律に抵触するような写真を上げたり発言したりしない
4	モラルに欠けた投稿や不謹慎な投稿をしない
5	誤解されるような投稿をしない

Facebookでは公開範囲を細かく設定することができるので、投稿内容に応じて設定しましょう。アカウントを非公開にする方法も有効です。

Q プライバシー ★★★★★

017 » 投稿した写真から自分の居場所がばれるって本当？

A 写っているものから特定される可能性があります。

LINE、Instagram、Twitter、Facebookなどの大手SNSでは、写真に付加されている位置情報が自動で削除されて投稿されます。そのため、位置情報をオンにした状態で撮影した写真を投稿しても、居場所がばれる心配はありません。どうしても不安なときは、位置情報はオフにした状態で撮影しましょう。ただし、写っている人物や建物、反射などで写り込んだものなどから場所が特定される可能性があります。特定されると個人情報が流出するおそれがあるため、公開範囲を友だちに限定したり、アカウントを非公開にしたりするなどして、慎重に投稿するようにしましょう。

位置情報を削除する（iPhone の場合）

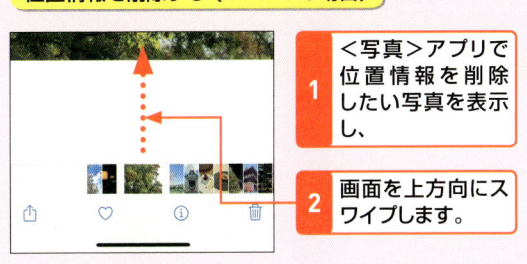

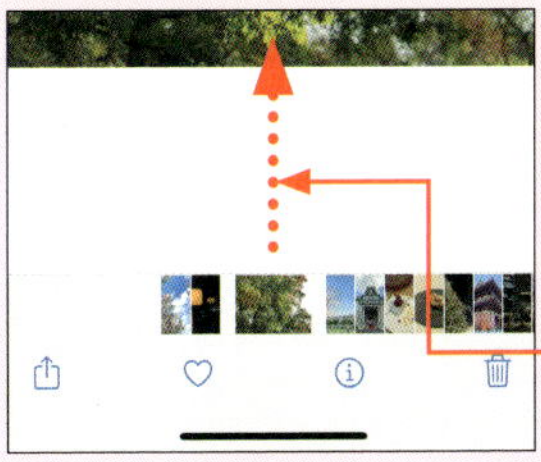

1 ＜写真＞アプリで位置情報を削除したい写真を表示し、

2 画面を上方向にスワイプします。

3 地図の＜調整＞をタップします。

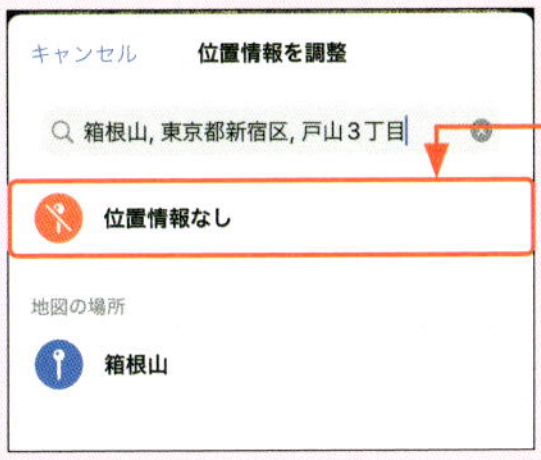

4 ＜位置情報なし＞をタップすると、位置情報が削除されます。

Q その他 ★★★★★

018 » アプリの動作がおかしいときは？

A アプリの再インストールや再ログインを行います。

アプリが起動しなかったり、利用中にフリーズしたり、突然強制終了したりするなど、アプリに何らかの不具合が発生したときは、以下の対処法を試してみるとよいでしょう。また、インターネット環境がない場所では、読み込みに時間がかかったり、最新情報に更新されなかったりするなど、正常に動かないこともあるため、通信状況が問題ないかどうかも確認してみてください。アプリ側ではなく、スマートフォン側の問題である可能性もあるため、OSが最新のバージョンになっているかどうかも確認しておきましょう。

不具合が起きたときの対処法

1	アプリをログアウトして再ログインする
2	アプリやスマートフォンを再起動する
3	アプリやOSを最新バージョンにする
4	キャッシュや不要なアプリを削除する
5	アプリを再インストールする

Q その他 ★★★★★

019 » 本書の画面と実際の操作画面が違う？

A アプリが更新されるためです。

各SNSアプリは、最新機能の追加や不具合解消のために、アップデートが行われることがあります。セキュリティも強化されるため、常に最新バージョンを利用することをおすすめします（Q.006参照）。ただし、SNSアプリは比較的頻繁にアップデートが行われるため、本書執筆時点の画面と実際の操作画面では、一部の画面が異なる可能性があります。設定や投稿など、基本的な操作に大きな違いはないため、本書を参考に操作してみてください。

Q その他 ★★★★★

020 »「フォロー」や「ハッシュタグ」などのSNS専用の用語をまとめて知りたい！

A よく使われる用語を押さえておきましょう。

SNSではさまざまな専門用語が飛び交っています。SNSを使いこなすためにも、それぞれの用語の意味を理解しておきましょう。ここではよく使われる主な用語を紹介します。

●共通

タイムライン

自分や友だち、フォローしているアカウントなどの投稿がまとめて表示される場所です。一般的に時系列順に表示されます。

フォロー

ほかのユーザーの投稿を自分のタイムラインに表示させることです。フォローすることで、投稿をすぐに確認できます。

フォロワー

自分をフォローしているユーザーのことです。自分が投稿すると、フォロワーのタイムラインにも表示されます。

相互フォロー

自分とほかのユーザーがフォローし合っている状態のことです。投稿はお互いのタイムラインに表示されます。

ハッシュタグ

特定の話題やキーワードなどを検索しやすくするためのものです。「#」のあとにキーワードを入れる形が一般的です。

DM（ダイレクトメッセージ）

ほかのユーザーと個別にメッセージのやり取りが行える機能です。1対1はもちろん、複数人でやり取りすることも可能です。

タグ付け

投稿した文章や画像に、関連する人物のユーザー名を付ける機能です。いっしょにいることを伝えたいときなどに便利です。

●Instagram

ストーリーズ

通常の投稿とは異なり、投稿後24時間で自動的に消去される機能です。テキストのほか、画像や動画も投稿できます。

インスタ映え

Instagramで使われる用語です。写真や動画を投稿した際に、見栄えよく写っているという意味で用いられます。

●Twitter

ツイート

Twitterで文章を投稿することです。テキストだけでなく、画像や動画を添付して投稿することができます。

リツイート

ほかのユーザーのツイートを引用してツイートすることです。コメントを付けて投稿することも可能です。

リプライ

タイムライン上のツイートに対して返信することです。返信には、「@」のあとに返信相手のユーザー名が表示されています。

バズる

特定の話題に関し、多くの人に拡散されて注目が集まることです。「いいね!」やリツイートなどによって起こる現象です。

●Facebook

ニュースフィード

Facebookの機能で、自分や友だち、フォローしているFacebookページなどの投稿が時系列順に表示される場所のことです。

公開範囲

自分の情報や投稿をどの範囲まで公開するかを決めるものです。特定の友だちなど、細かく絞り込むことも可能です。

第1章

LINEの基本

Q LINEの基本

021 » LINEのアカウントを登録するには？

A スマートフォンの電話番号を利用して登録します。

LINEを利用するためには、アカウントを登録して端末の認証を行う必要があります。アカウントを新規に登録するには、電話番号が必要です。

1 ホーム画面で<LINE>をタップし、

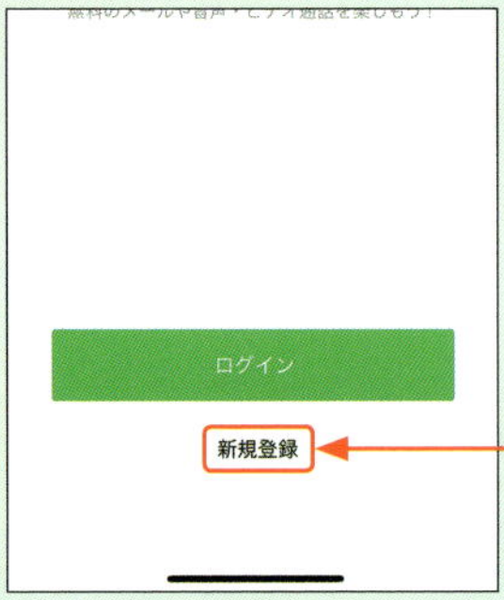

2 <新規登録>をタップします。

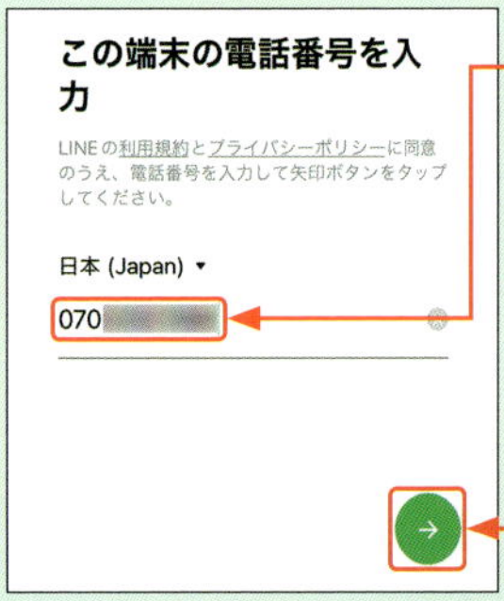

3 電話番号を入力し、

4 ●をタップします。

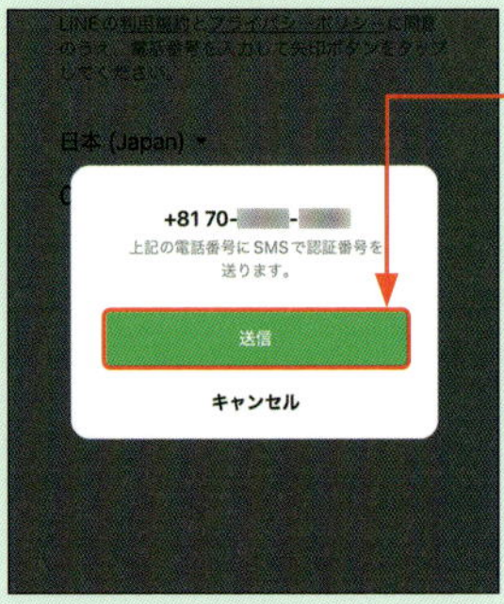

5 <送信>（Androidでは<OK>）をタップします。

6 入力した電話番号にSMSで認証番号が届くので確認します。

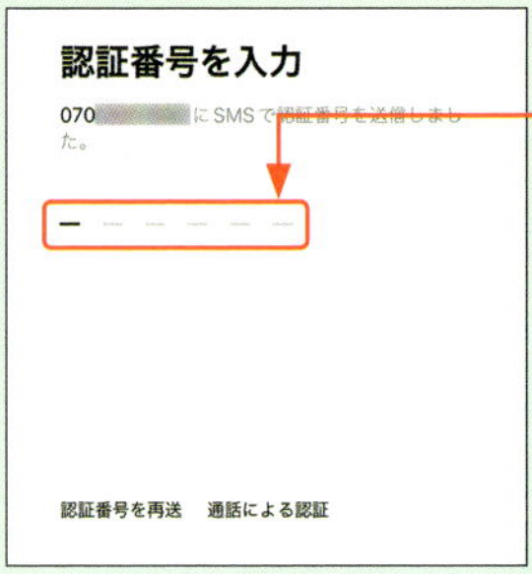

7 認証番号を入力すると自動で認証されます。

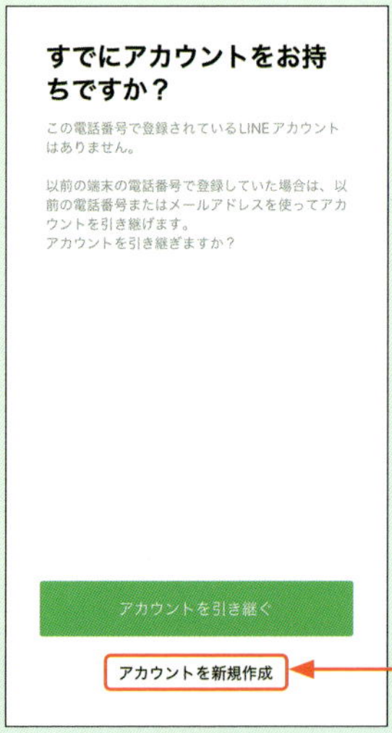

8 <アカウントを新規作成>をタップします。

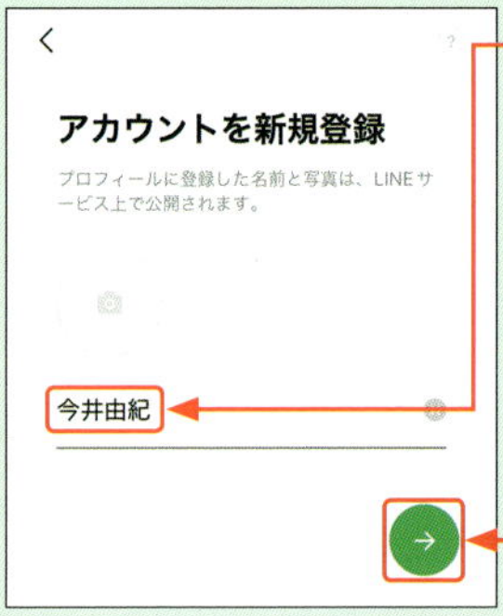

9 名前を入力して、

10 ●をタップします。

パスワードを登録
パスワードは、半角英字と半角数字の両方を含む半角6文字以上で登録してください。
11 パスワードを2回入力し、
12 ➔をタップします。
友だち追加設定
以下の設定をオンにすると、LINEは友だち追加のためにあなたの電話番号や端末の連絡先を利用します。
詳細を確認するには各設定をタップしてください。
友だち自動追加
友だちへの追加を許可
13 ＜友だち自動追加＞と＜友だちへの追加を許可＞をタップしてオン／オフを切り替え、
14 ➔をタップします。
年齢確認
より安心できる利用環境を提供するため、年齢確認を行ってください。
SoftBank をご契約の方
Y!Mobile/LINEMO をご契約の方
LINE モバイルをご契約の方
その他の事業者をご契約の方
あとで
15 ＜あとで＞をタップします（キャリアによって画面が異なります）。
サービス向上のための情報利用に関するお願い
同意する
同意しない
16 「サービス向上のための情報利用に関するお願い」画面が表示されたら、＜同意する＞をタップします。
サービス向上のための情報利用に関するお願い
上記の位置情報の利用に同意する（任意）
LINE Beaconの利用に同意する（任意）
OK
17 同意する項目にタップしてチェックを付け、
18 ＜OK＞をタップします。
今井由紀
友だちリスト
友だち
グループ作成
19 アカウントの登録が完了します。

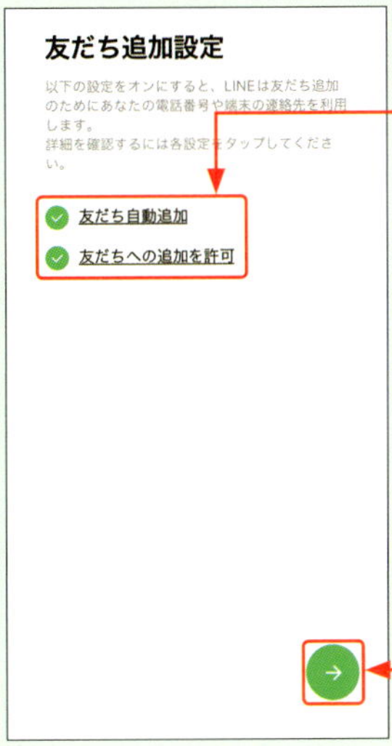

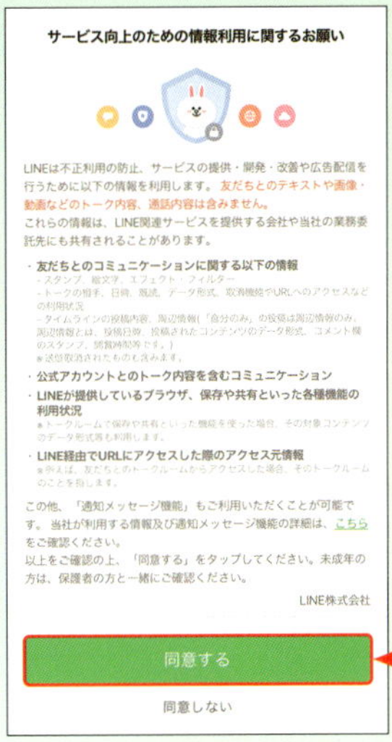

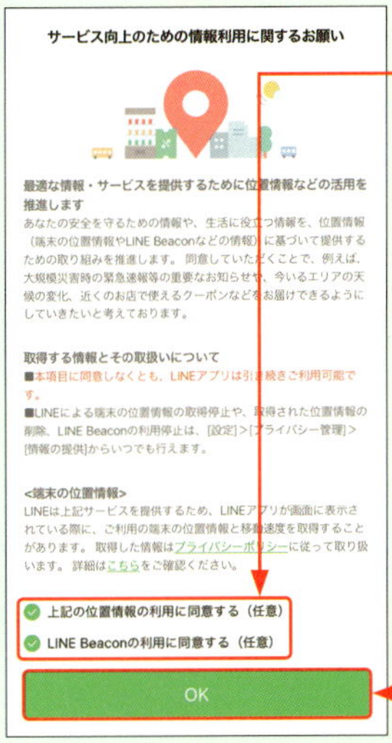

Q 画面構成 ★★★★★

022 » LINEの画面の見方がわからない！

A **画面構成を確認しましょう。**

LINEには、「トーク」や「タイムライン」などさまざまな機能があり、画面下部のメニューをタップすることで、すばやく画面を切り替えることができます。基本的に、iPhone、Androidによる操作や機能に違いはありませんが、一部の画面ではアイコンや表示位置などが異なっています。ここでは、よく使われる「ホーム」タブと「トーク」タブについて説明します。なお、「ホーム」タブでは、<友だち>または<グループ>をタップすると、友だちまたはグループの一覧を確認することができます。

「ホーム」タブ

❶ホーム	友だちリストの確認や、LINEの各サービスにアクセスすることができます。
❷トーク	友だちとトークをしたり、通話を楽しんだりすることができます。
❸VOOM	LINE VOOMの動画を視聴したり、投稿したりすることができます。
❹ニュース	最新ニュースのほか、国内外やエンタメ、スポーツなどのニュースを見ることができます。
❺ウォレット	お金にまつわるサービスがまとめられています。LINE Payの利用やお得なクーポンの取得などが行えます。

「トーク」タブ

❶	トークを「受信時間」「未読メッセージ」「お気に入り」の順に並べ替えられます。
❷	トークリストの非表示や削除などが行えます。
❸	オープンチャットに参加したり作成したりできます。
❹	トークルームを作成できます。
❺	トーク内のメッセージを検索することができます。
❻	トークの一覧が❶で設定した順に表示されます。

Q ‖プロフィール設定‖ ★★★★★

023 » プロフィールの表示名を変更したい！

A 「プロフィール」画面の「名前」で自由に設定できます。

プロフィールでは、LINEで使用する表示名を設定することができます。友だちがスマートフォンのアドレス帳で自分を自動登録した場合は、その登録名がLINEで表示される名前になりますが、登録されていない場合はプロフィールで設定した名前が表示されます。

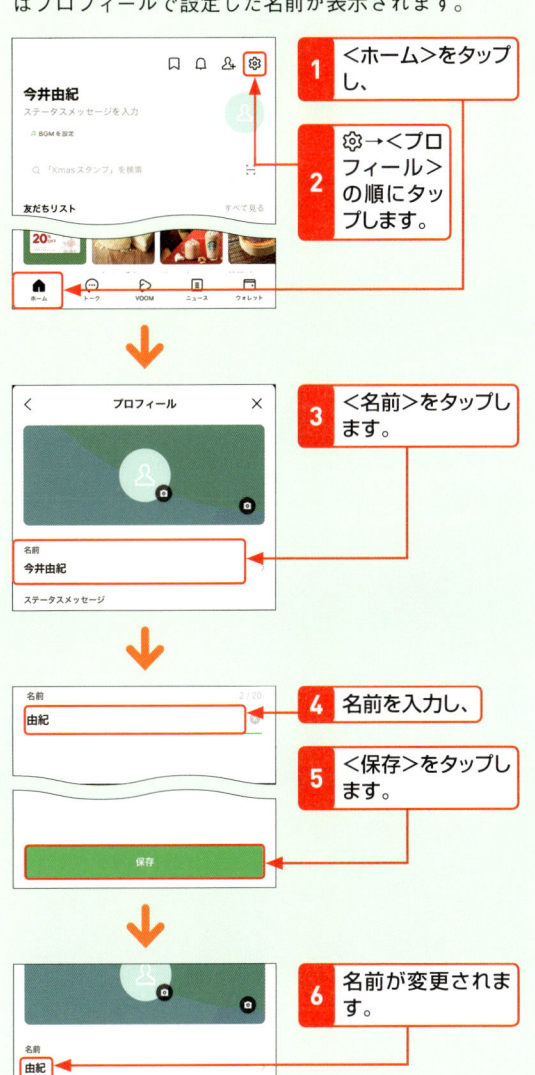

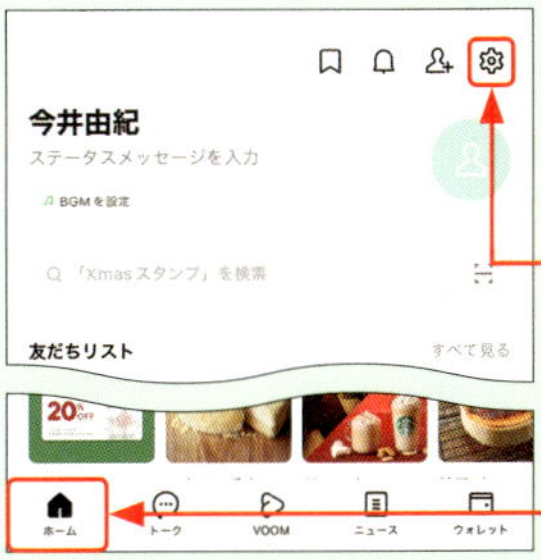

1 <ホーム>をタップし、

2 ⚙→<プロフィール>の順にタップします。

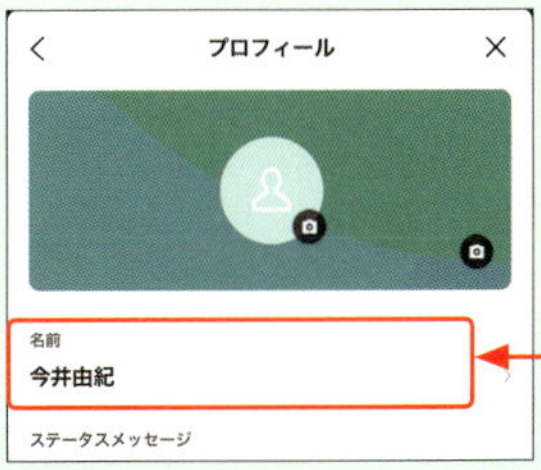

3 <名前>をタップします。

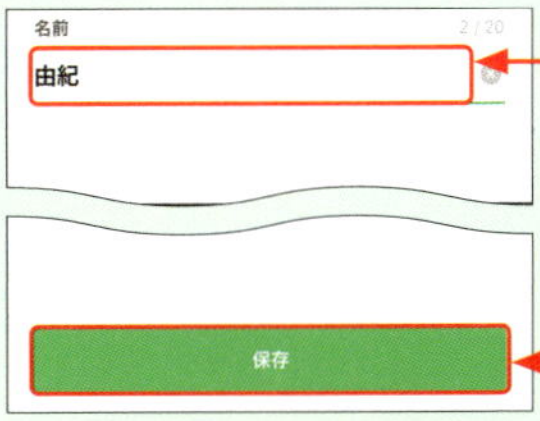

4 名前を入力し、

5 <保存>をタップします。

6 名前が変更されます。

Q ‖プロフィール設定‖ ★★★★★

024 » プロフィール画像を設定するには？

A アルバムから選んだり、その場で撮影したりして設定できます。

プロフィールでは、「ホーム」タブや「トーク」タブなどに表示するプロフィール画像を設定することができます。アルバムから選択したり、その場で撮影したりできるほか、アバター（Q.025参照）を設定することも可能です。イラスト画像はもちろん、風景や動物、食べ物など、自分の好きな画像を設定しましょう。また、背景画像を設定することもできます。

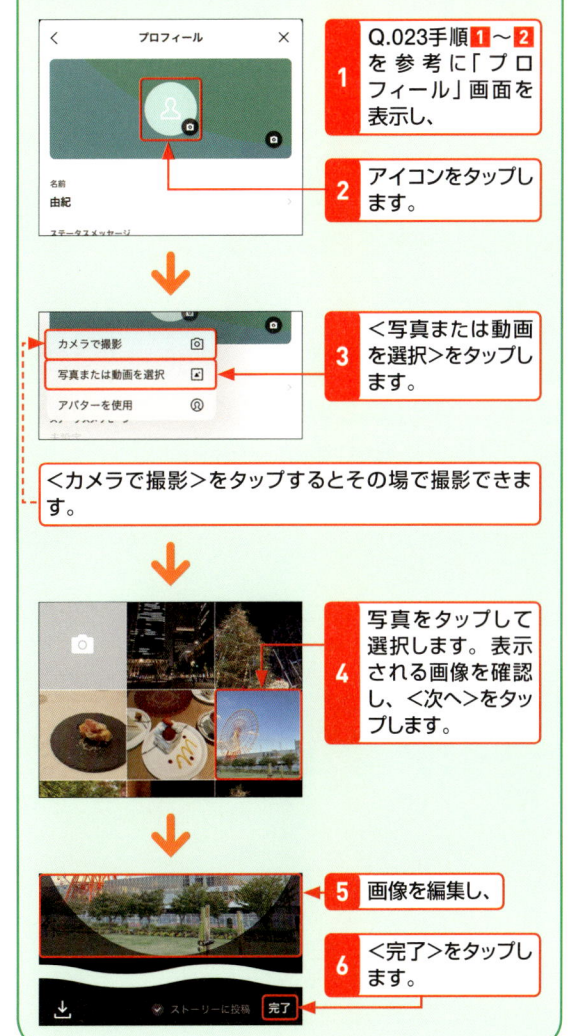

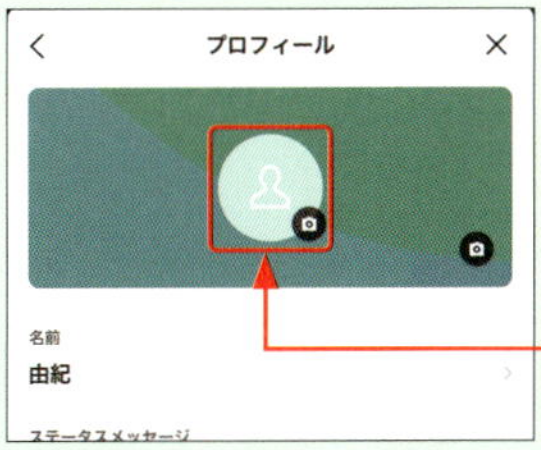

1 Q.023手順1～2を参考に「プロフィール」画面を表示し、

2 アイコンをタップします。

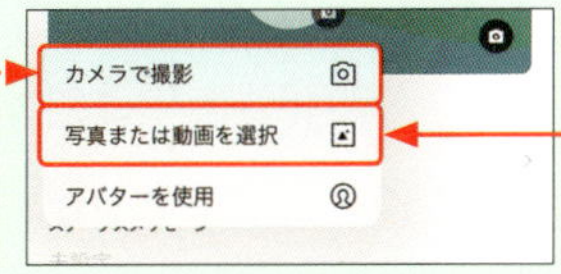

3 <写真または動画を選択>をタップします。

<カメラで撮影>をタップするとその場で撮影できます。

4 写真をタップして選択します。表示される画像を確認し、<次へ>をタップします。

5 画像を編集し、

6 <完了>をタップします。

Q プロフィール設定

025 » プロフィール画像にアバターを設定するには？

A 自分のプロフィールから<アバター>をタップして設定します。

LINEでは、自分の顔写真をキャラクター風にできる「アバター」を作成することができます。ヘアスタイルや顔のパーツを編集することはもちろん、服装を変えることも可能なので、オリジナルのアバターに仕上げることができます。作成したアバターはプロフィール画像や背景に設定できるほか、ビデオ通話やカメラ撮影時に使うことも可能です。アバターは、自撮りで作成する方法と、デフォルトで用意されている基本アバターから選択して作成する方法の2種類ありますが、ここでは自撮りで作成する方法を紹介します。

1 <ホーム>をタップし、

2 自分のプロフィールアイコンまたは名前をタップします。

3 <アバター>をタップし、

4 <自撮りで作成>をタップします。

<基本アバターから選択>をタップすると、デフォルトで用意されているアバターを使用できます。

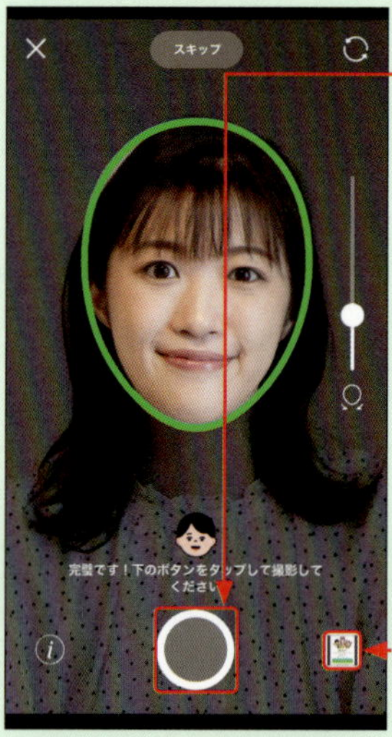

5 カメラの枠内に自分の顔を写し、◎をタップします。

右下のサムネイルをタップすると、撮影済みの写真を使用できます。

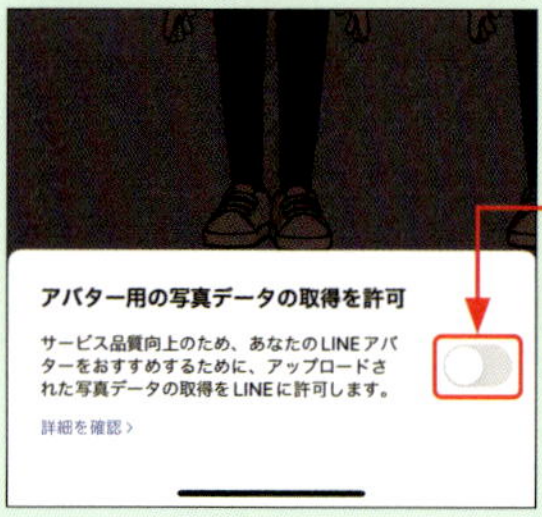

6 初めて利用する場合は、「アバター用の写真データの取得を許可」が表示されるので、タップしてオンにします。

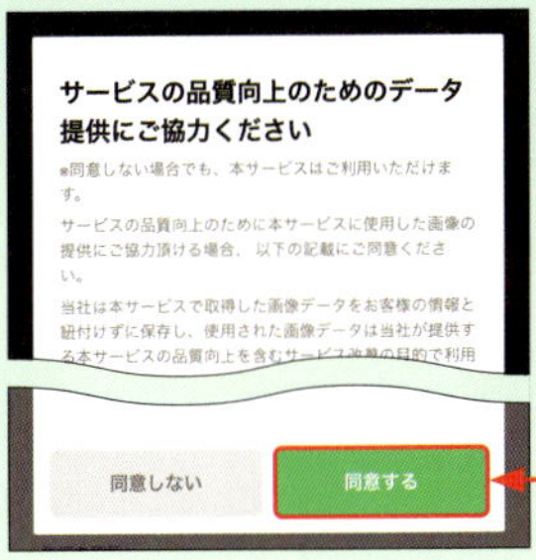

7 「サービスの品質向上のための～」画面が表示されたら、<同意する>をタップすると、

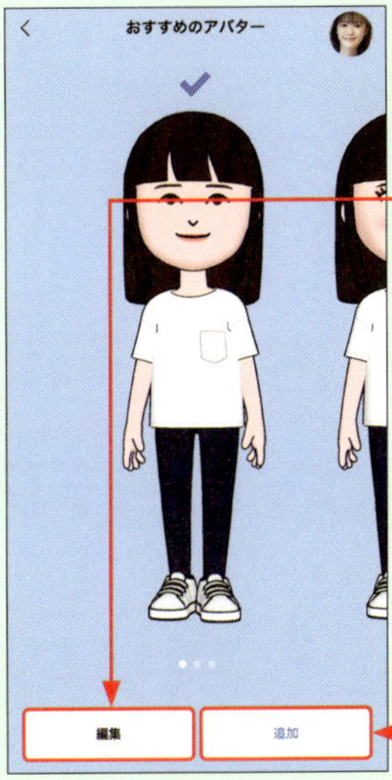

8 アバターが自動生成されます。

9 さらに編集する場合は<編集>をタップします。

このままで問題ない場合は<追加>をタップすると、手順12の画面が表示されます。

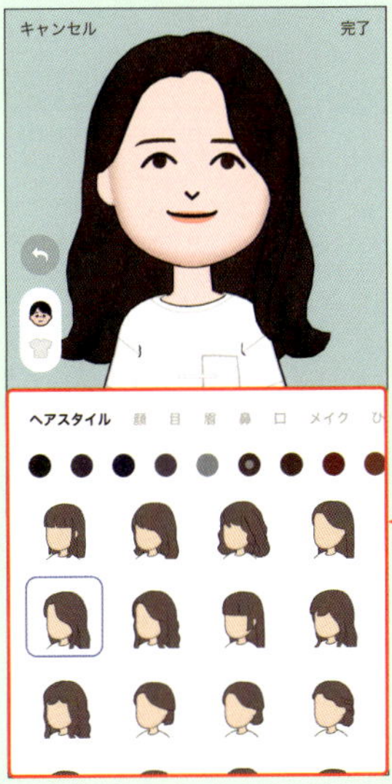

10 髪型や輪郭、顔のパーツや服装などを好みに合わせてカスタマイズし、

11 問題なければ、<完了>をタップします。

12 アバターが作成されます。

13 <プロフィールに設定>をタップします。

14 画面左側のアイコンをタップして背景とポーズを設定し、

15 <次へ>をタップして、画面の指示に従って設定します。

Q プロフィール設定 ★★★★★

026 » プロフィールにステータスメッセージを表示させたい！

A 「プロフィール」画面からかんたんに設定できます。

「ステータスメッセージ」は、自分の気持ちや状況を友だちに伝える機能です。たとえば、機種変更をして過去のメッセージが消えてしまったり、今は忙しくて返信ができなかったりするときなどにステータスメッセージを設定しておくとよいでしょう。友だち全員に状況を伝えることができて便利です。

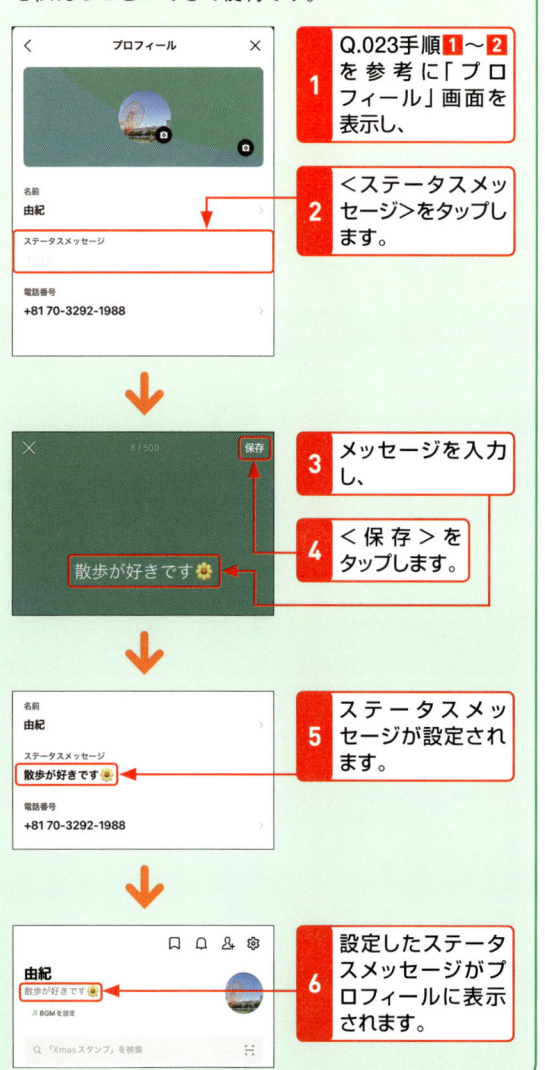

1 Q.023手順1～2を参考に「プロフィール」画面を表示し、

2 <ステータスメッセージ>をタップします。

3 メッセージを入力し、

4 <保存>をタップします。

5 ステータスメッセージが設定されます。

6 設定したステータスメッセージがプロフィールに表示されます。

Q プロフィール設定 ★★★★

027 » プロフィールに誕生日を設定するには？

A 「プロフィール」画面で誕生日を設定できます。

「プロフィール」画面から、誕生日（生年月日・年齢）を設定できます。誕生日を設定しておくと、「LINE Profile+（プロフィールプラス）」と自動的に連携されます（別途登録が必要）。連携サービスを利用するときなど、そのつど個人情報を入力する必要がないため、面倒な作業を省略できます。

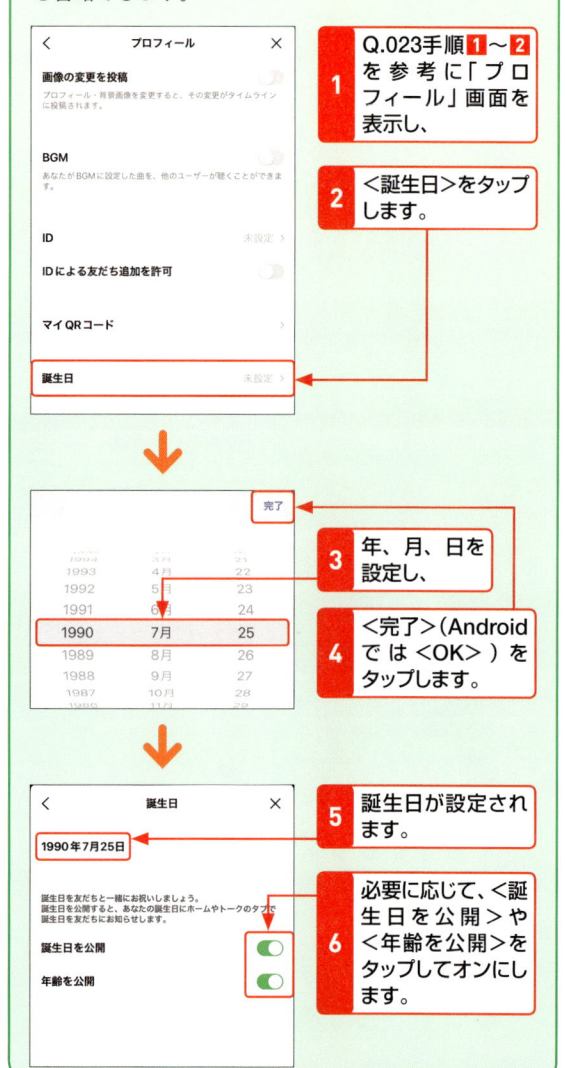

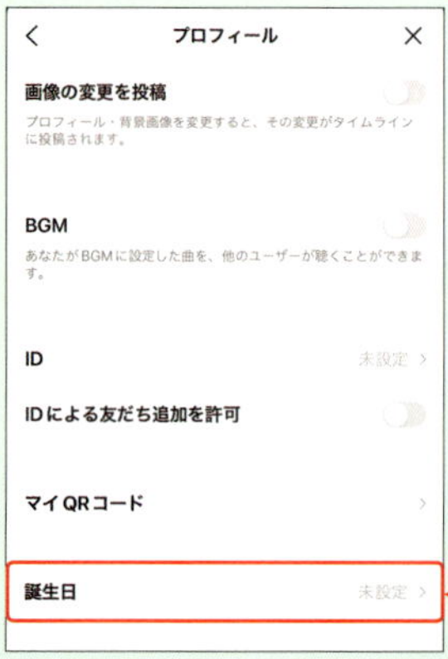

1 Q.023手順1～2を参考に「プロフィール」画面を表示し、

2 <誕生日>をタップします。

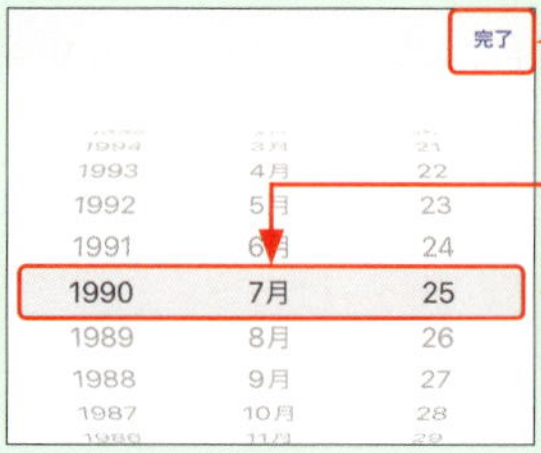

3 年、月、日を設定し、

4 <完了>（Androidでは<OK>）をタップします。

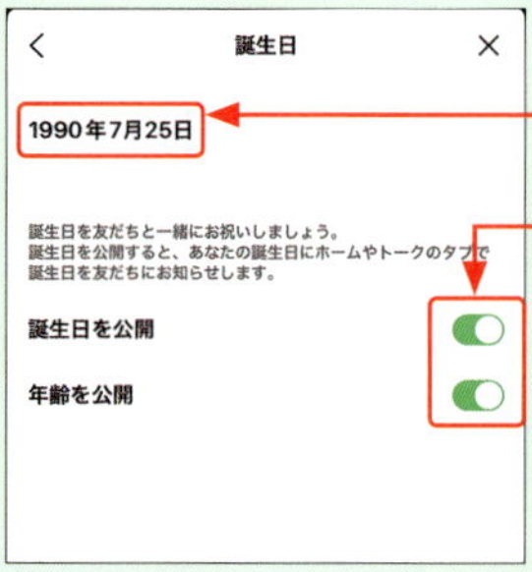

5 誕生日が設定されます。

6 必要に応じて、<誕生日を公開>や<年齢を公開>をタップしてオンにします。

プロフィール設定

Q 028 » プロフィールに音楽を流せるの？

A <LINE MUSIC>と連携してBGMを設定できます。

プロフィールに「音楽（BGM）」を設定するには、<LINE MUSIC>アプリをインストールする必要があります。<LINE MUSIC>アプリをインストールすると、アプリに収録された曲の中から好きなものを無料でBGMに設定できます。BGMを設定すると、プロフィールやタイムライン上でその曲が流れます。

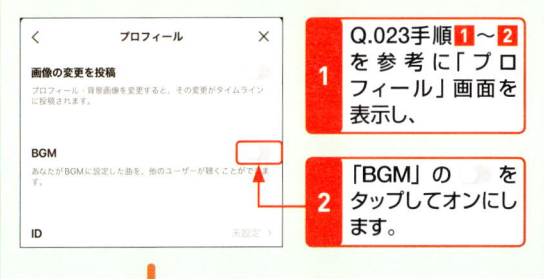

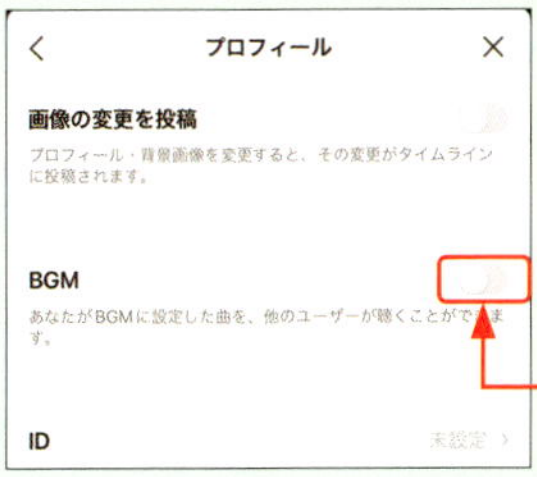

1 Q.023手順1～2を参考に「プロフィール」画面を表示し、

2 「BGM」の を タップしてオンにします。

<LINE MUSIC>アプリをインストールしていない場合は、<OK>（Androidでは<はい>）をタップしてインストールし、初回は画面の指示に従ってログインします。

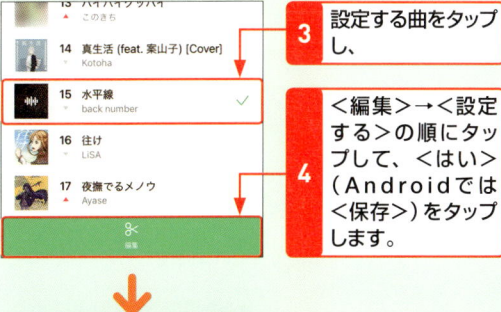

3 設定する曲をタップし、

4 <編集>→<設定する>の順にタップして、<はい>（Androidでは<保存>）をタップします。

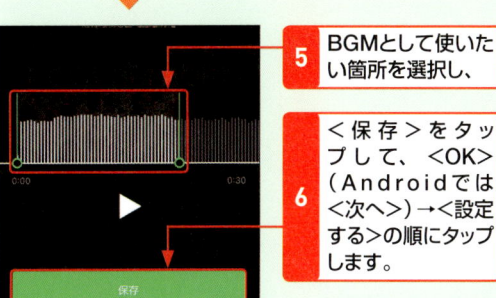

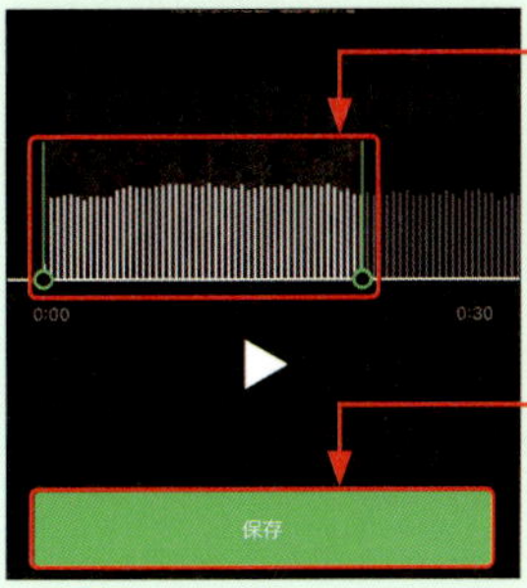

5 BGMとして使いたい箇所を選択し、

6 <保存>をタップして、<OK>（Androidでは<次へ>）→<設定する>の順にタップします。

友だち追加

Q 029 » LINE IDって何？

A 「LINE ID」はLINE用のアカウントです。

「LINE ID」はLINE用のアカウントです。LINE IDを設定しなくてもLINEは利用できますが、設定しておくと、LINE IDで検索するだけで友だちに追加してもらうことができます。また、友だちのLINE IDを知っていれば、検索するだけでかんたんに友だち登録ができるので便利です。なお、一度設定したLINE IDは変更できません。また、犯罪防止の観点から、18歳未満のユーザーはLINE IDを使った検索が制限されています。使用する際には「年齢認証」（Q.031参照）が必要になります。この年齢認証は、契約しているキャリアによって行われます。格安SIMでは年齢確認が行えない場合があるため、利用している格安SIMの対応状況を確認してください。年齢確認が行えない場合は、LINE IDは利用できません。

LINE IDは、「プロフィール」画面から設定したり、確認したりすることができます。

年齢確認に対応した主な格安SIM

LINEモバイル	ahamo
LINEMO	mineo
Y!mobile	IIJmio
UQ mobile	イオンモバイル
Povo	楽天モバイル

Q 友だち追加 ★★★★★

030 » LINE IDを設定するには？

A 「プロフィール」画面から設定します。

LINE IDは、「プロフィール」画面の「ID」から設定します。設定できるのは、小文字の半角英数字と3種類の記号「.」「-」「_」のみで、最大文字数は20文字です。まず、設定したいIDを入力して、そのIDが使用可能かどうかを確認します。すでに使用されているIDの場合は別のIDを入力し、問題ない場合はそのIDを設定します。なお、設定したIDをあとから変更することはできません。

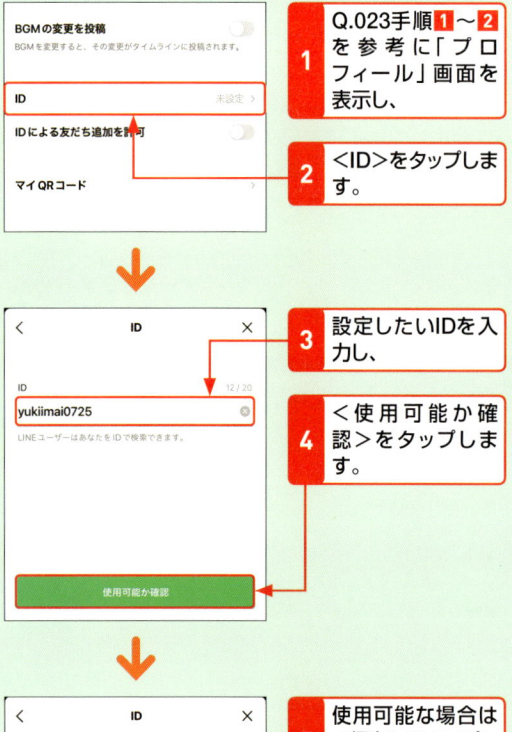

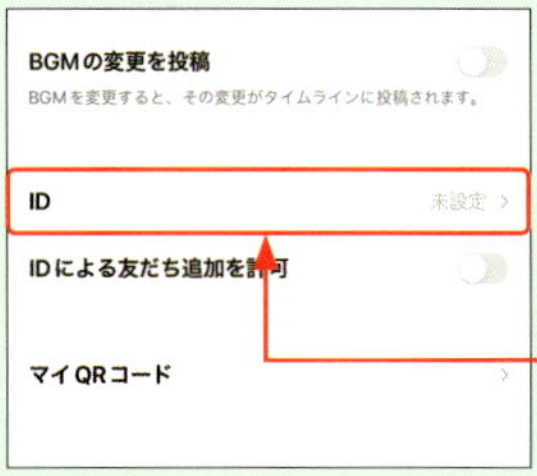

1 Q.023手順1～2を参考に「プロフィール」画面を表示し、

2 <ID>をタップします。

3 設定したいIDを入力し、

4 <使用可能か確認>をタップします。

5 使用可能な場合は<保存>をタップします。

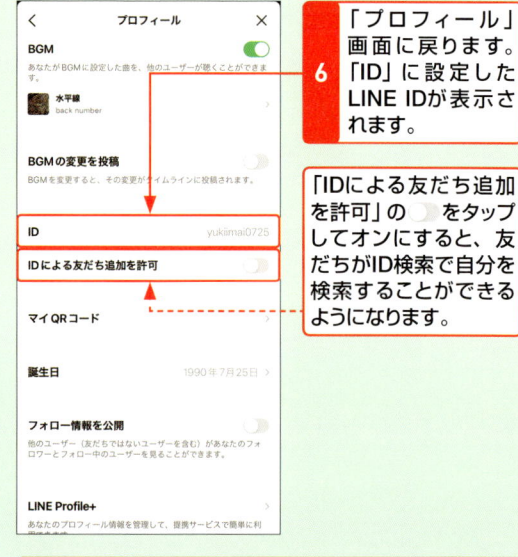

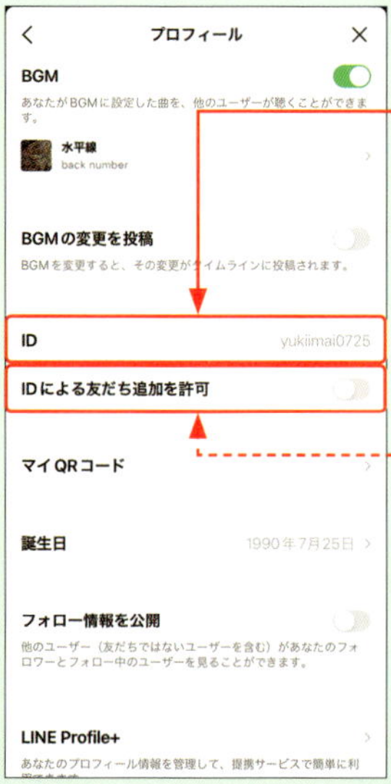

6 「プロフィール」画面に戻ります。「ID」に設定したLINE IDが表示されます。

「IDによる友だち追加を許可」の をタップしてオンにすると、友だちがID検索で自分を検索することができるようになります。

「IDによる友だち追加を許可」の をタップしてオンにすると、年齢認証をしていない場合、「年齢確認」画面が表示されます。該当する項目（キャリアによって画面が異なります）をタップし、画面の指示に従って年齢認証を行います（Q.031参照）。

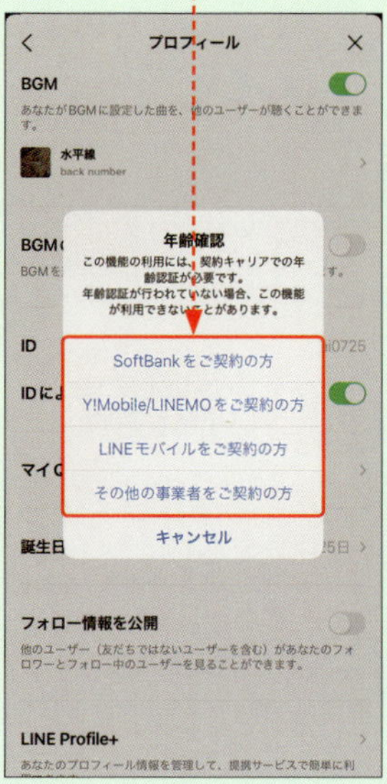

Q 友だち追加

031 » 年齢認証って何？

A 利用者の年齢を確認するための機能です。

LINEには、友だちを追加できる「ID検索」(Q.032参照)という機能があります。しかし、出会い系や詐欺行為に悪用される可能性があることから、ID検索機能を利用するには、利用者の年齢を確認する「年齢認証」を行う必要があります(Q.029参照)。18歳以上であることを証明できないユーザーは、機能の一部が制限され、LINE IDでユーザーを検索したり、友だちを追加したりすることはできません。

1 <ホーム>をタップし、

2 ⚙をタップします。

3 <年齢確認>をタップします。

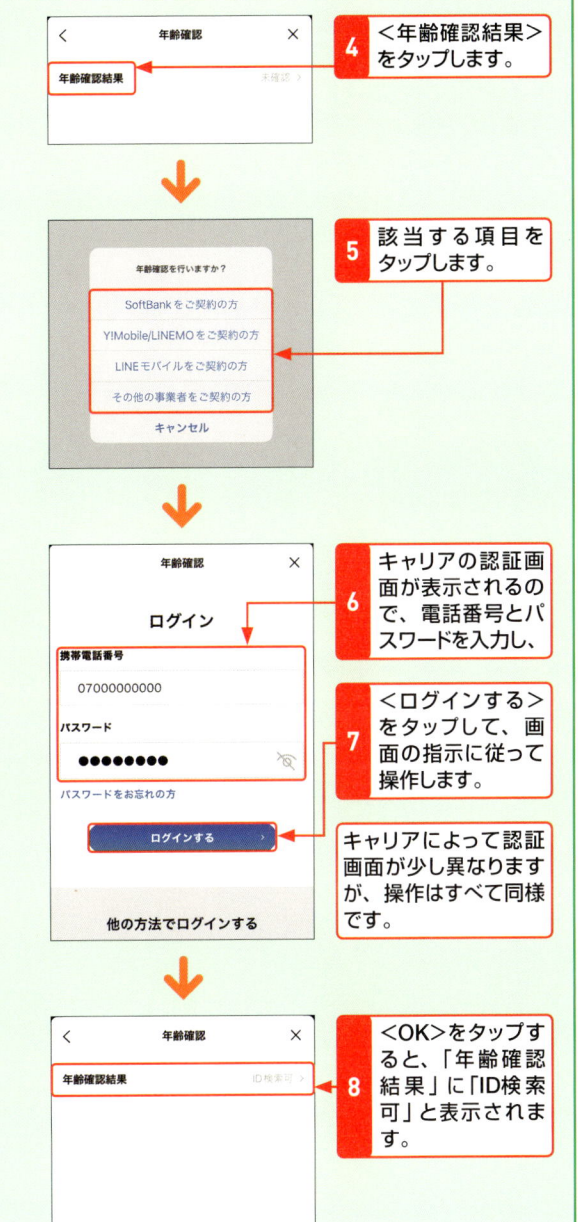

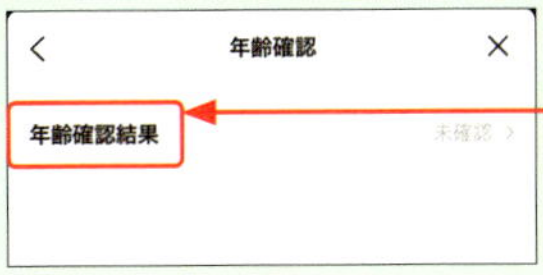

4 <年齢確認結果>をタップします。

5 該当する項目をタップします。

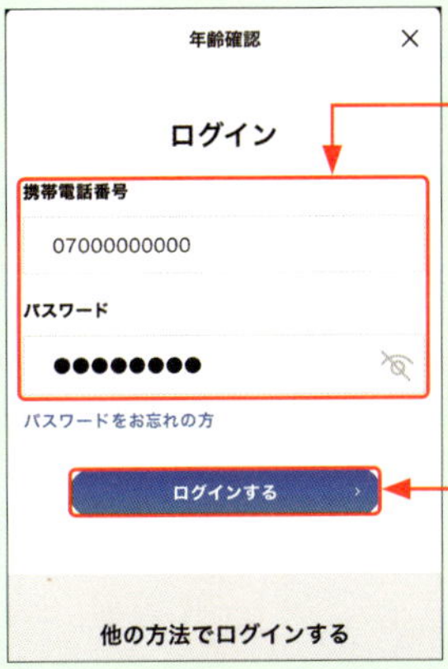

6 キャリアの認証画面が表示されるので、電話番号とパスワードを入力し、

7 <ログインする>をタップして、画面の指示に従って操作します。

キャリアによって認証画面が少し異なりますが、操作はすべて同様です。

8 <OK>をタップすると、「年齢確認結果」に「ID検索可」と表示されます。

Q 友だち追加 ★★★★★

032 » ID検索で友だちを追加するには？

A 「友だち追加」画面の<検索>からIDを指定して検索します。

ID検索で友だちを追加する場合は、「友だち追加」画面の<検索>から、「ID」を指定して検索します。アカウント登録時に年齢認証を行わなかった場合は、検索時に「年齢確認」画面が表示されます。また、ID検索を利用するには、検索される相手が「IDによる友だち追加を許可」をオンにしている必要があり、この操作を行う際にも年齢認証が必要です。

<ホーム>をタップして「ホーム」タブを表示しておきます。

1 をタップします。

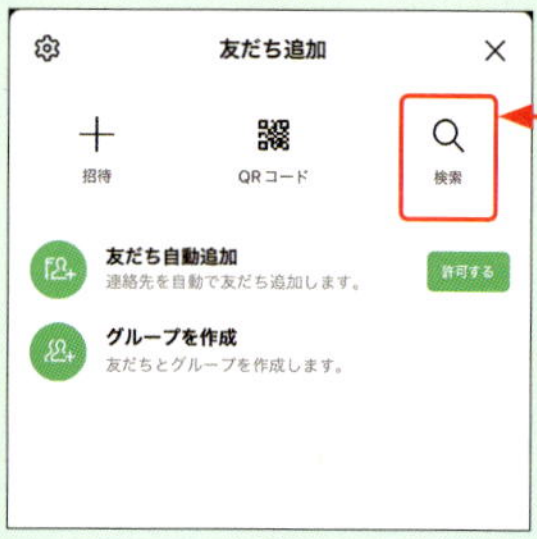

2 <検索>をタップします。

3 <ID>をタップしてオンにし、

4 IDを入力して、

5 をタップします。

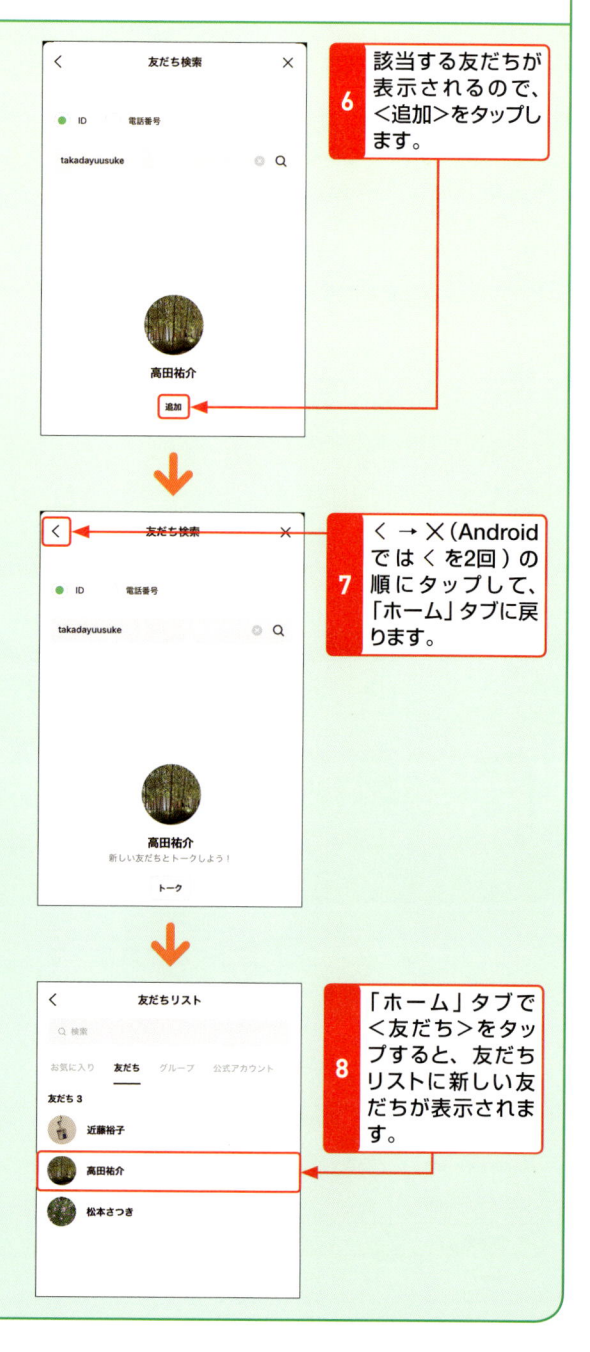

6 該当する友だちが表示されるので、<追加>をタップします。

7 < → ×（Androidでは<を2回）の順にタップして、「ホーム」タブに戻ります。

8 「ホーム」タブで<友だち>をタップすると、友だちリストに新しい友だちが表示されます。

友だち追加 ★★★★★

Q 033 » QRコードで友だちを追加するには？

A 表示されたQRコードを読み込んで追加します。

LINEのユーザーにはそれぞれ固有のQRコードがあり、QRコードを読み込むことで、相手を友だちに追加できます。相手のスマートフォンなどでQRコードを表示してもらうか、QRコードをメールに添付して送ってもらいましょう。QRコードは、「友だち追加」画面の＜QRコード＞をタップすると表示されるQRコードリーダーを使って読み込むことができます。

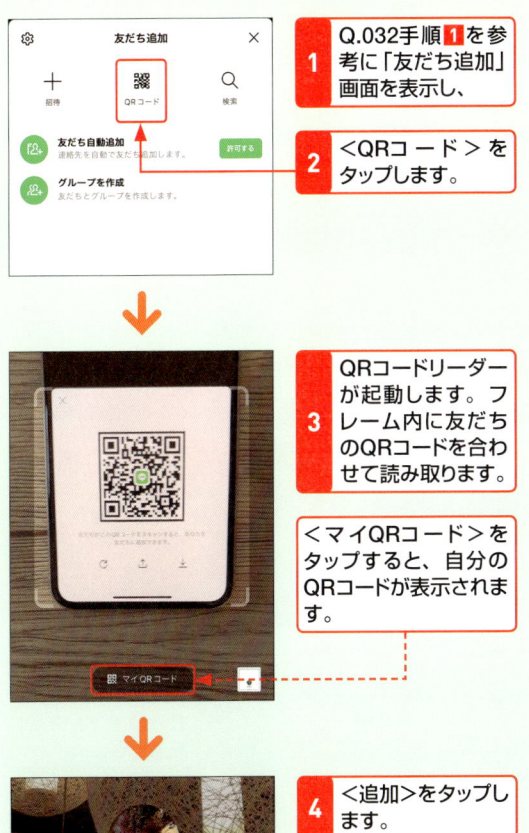

1 Q.032手順1を参考に「友だち追加」画面を表示し、

2 ＜QRコード＞をタップします。

3 QRコードリーダーが起動します。フレーム内に友だちのQRコードを合わせて読み取ります。

＜マイQRコード＞をタップすると、自分のQRコードが表示されます。

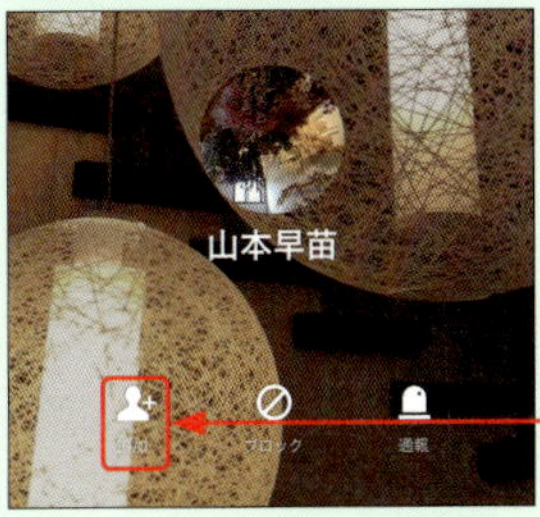

4 ＜追加＞をタップします。

友だち追加 ★★★★★

Q 034 » アドレス帳を使って友だちを追加するには？

A 「友だち自動追加」をオンにしておきます。

「友だち自動追加」をオンにしておくと、スマートフォンのアドレス帳に電話番号が登録されているLINEユーザーを自動的に「友だち」として追加することができます。なお、自動で友だちに追加すると、友だちになった相手に通知メッセージが届きます。友だちの自動追加を利用したくない場合は、「友だち」画面の「友だち自動追加」をオフにしておきましょう。

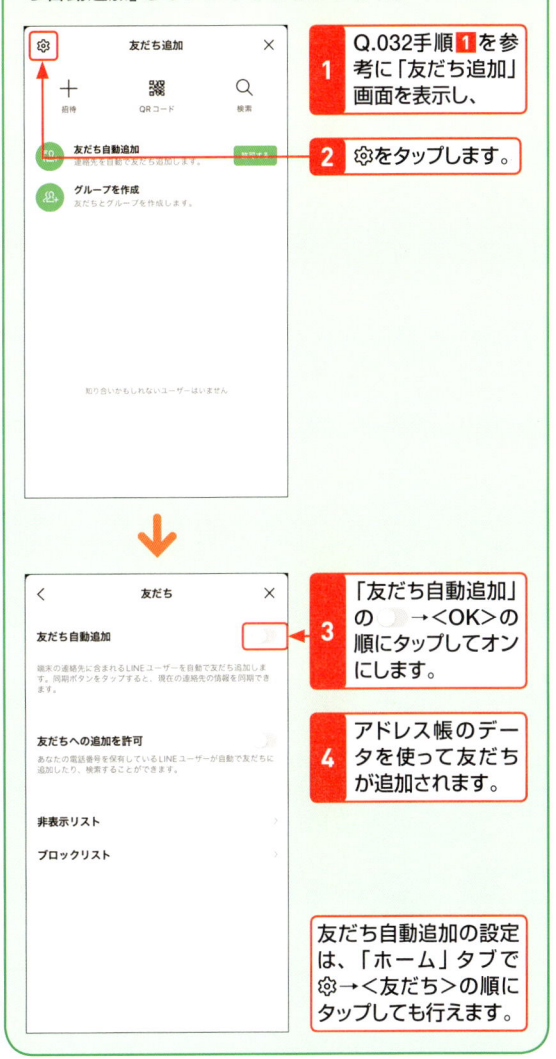

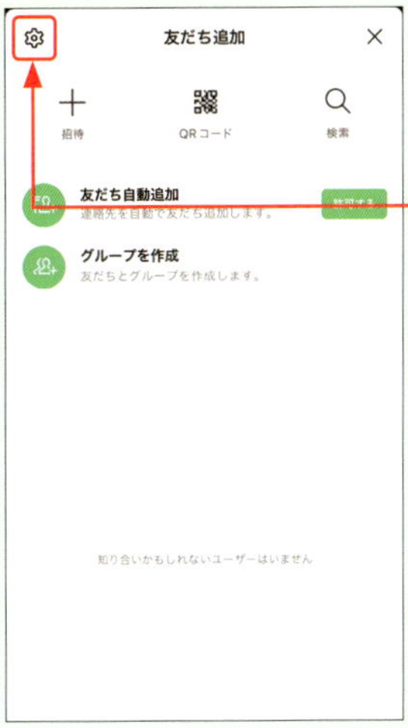

1 Q.032手順1を参考に「友だち追加」画面を表示し、

2 ⚙をタップします。

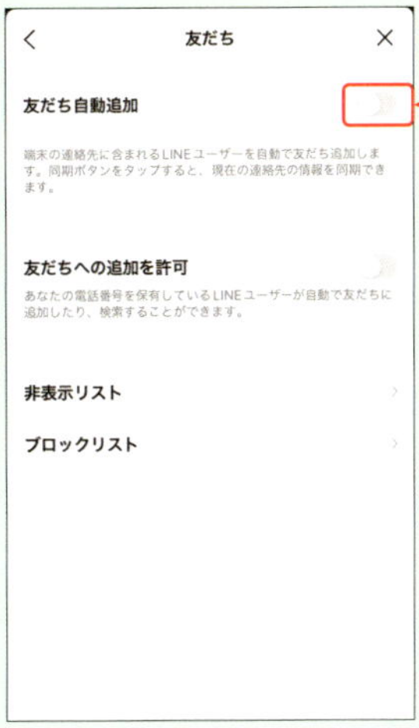

3 「友だち自動追加」の◯→＜OK＞の順にタップしてオンにします。

4 アドレス帳のデータを使って友だちが追加されます。

友だち自動追加の設定は、「ホーム」タブで⚙→＜友だち＞の順にタップしても行えます。

Q 友だち追加 ★★★★★

035 » 電話番号で友だちを追加するには？

A 「友だち追加」画面の<検索>から電話番号を指定して検索します。

電話番号で友だちを検索して追加する場合は、「友だち追加」画面の<検索>から、電話番号を指定して検索します。電話番号検索もID検索と同様に「年齢認証」が必要で、アカウント登録時に年齢認証を行わなかった場合は、検索時に「年齢確認」画面が表示されます。なお、相手の「友だちへの追加を許可」がオンになっていない場合は、相手が表示されません。

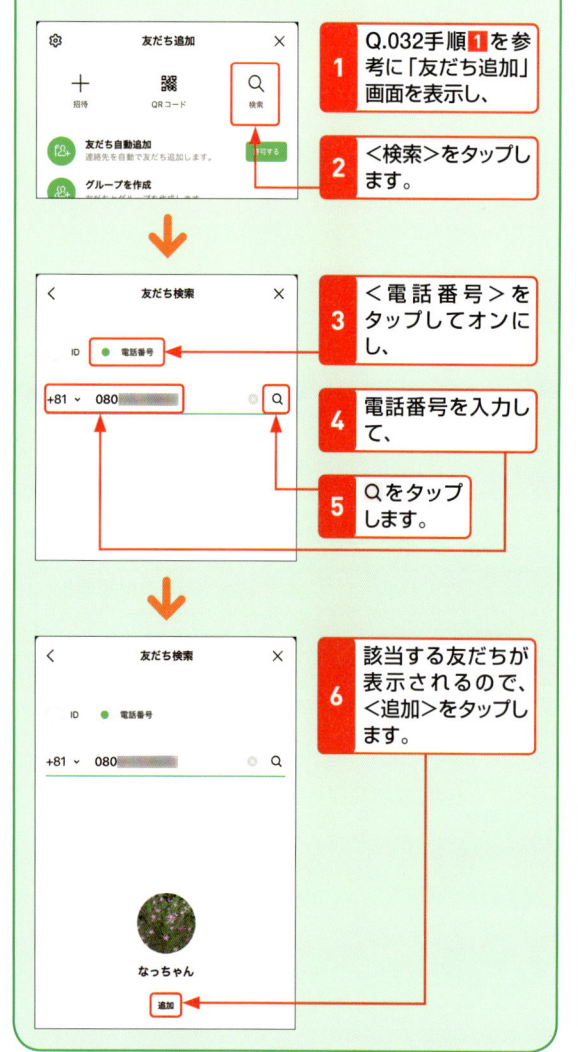

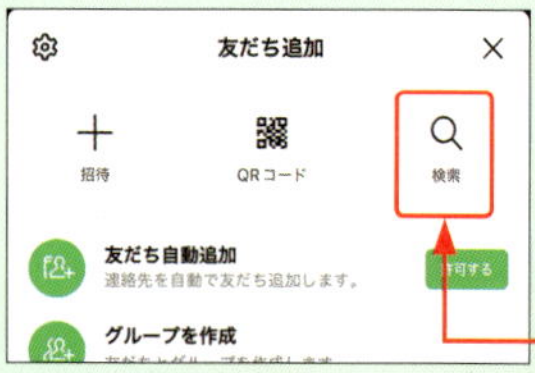

1 Q.032手順1を参考に「友だち追加」画面を表示し、

2 <検索>をタップします。

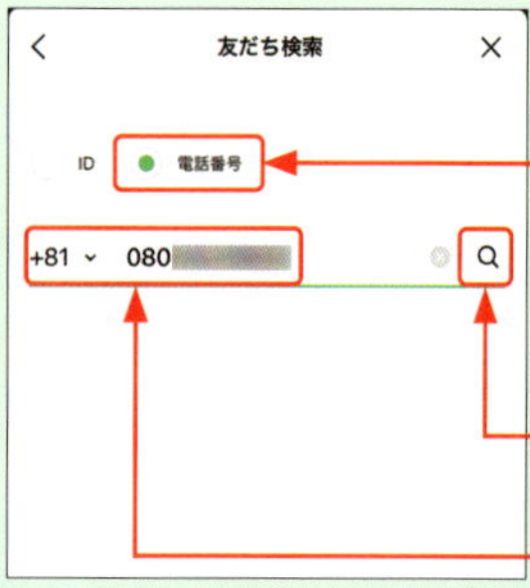

3 <電話番号>をタップしてオンにし、

4 電話番号を入力して、

5 Qをタップします。

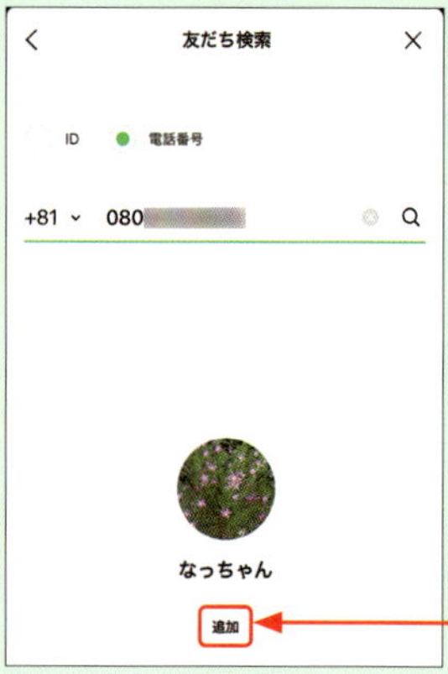

6 該当する友だちが表示されるので、<追加>をタップします。

Q 友だち追加 ★★★★★

036 » 友だちの表示名を変更するには？

A 友だちリストで友だちをタップし、✎をタップします。

友だちの名前は、友だちがプロフィールに登録している名前（Q.023参照）になっていたり、スマートフォンのアドレス帳に登録している名前が表示されたりするようになっています。友だちの表示名は変えることができるので、なじみのある名前にしたり、会社名を付けたりするなどして、自分にとってわかりやすい名前を付けておくと、誰であるかがひと目でわかるようになります。なお、名前を変更しても、そのことが相手に通知されることはありません。

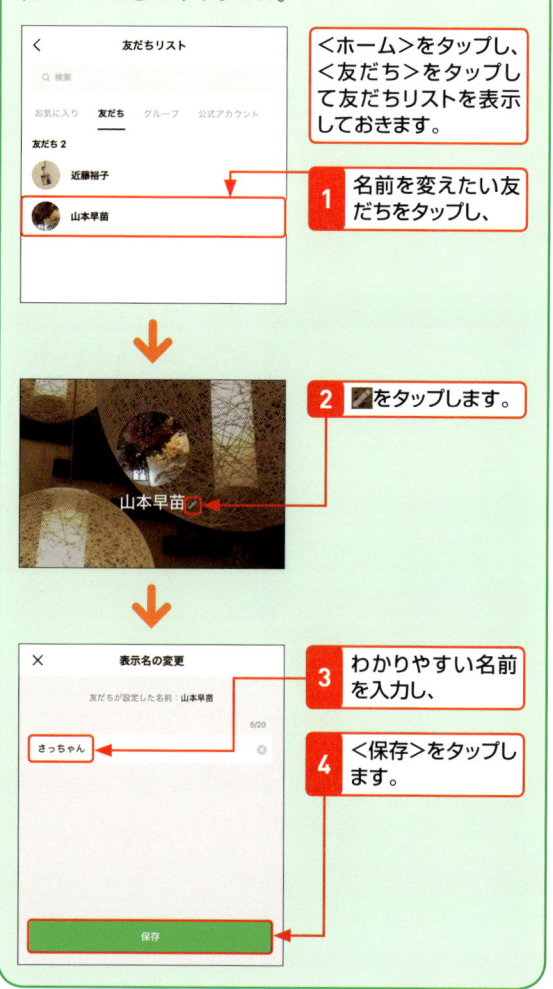

<ホーム>をタップし、<友だち>をタップして友だちリストを表示しておきます。

1 名前を変えたい友だちをタップし、

2 ✎をタップします。

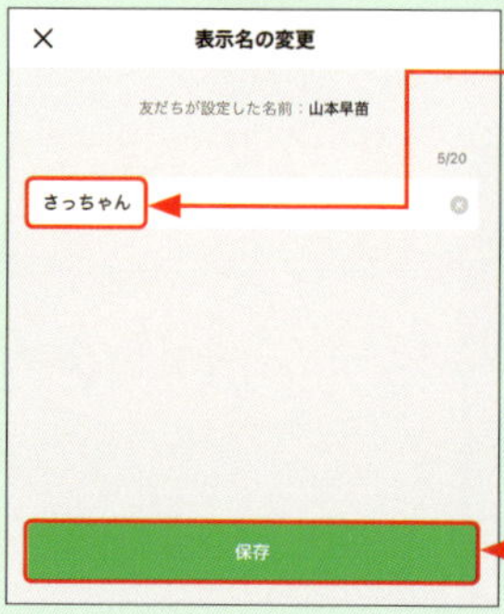

3 わかりやすい名前を入力し、

4 <保存>をタップします。

Q 友だち追加 ★★★★★

037 »「知り合いかも？」で友だちを追加するには？

A 友だちの横に表示されている👤+をタップします。

「友だち追加」画面の「新しい知り合いかも ？」に表示された友だちを追加するには、名前の横に表示される👤+をタップします。アイコンをタップするとすぐに友だちとして追加されます。追加された友だちの名前をタップすれば、すぐにトークを楽しむことができます。

1 「友だち追加」画面の「新しい知り合いかも?」に表示されている友だちの横の👤+をタップします。

2 「ホーム」タブで<友だち>をタップすると、友だちリストに追加されます。

Q 友だち追加 ★★★★★

038 »「知り合いかも？」って何？

A あなたを友だちとして追加した友だちが表示されます。

「友だち追加」画面の「新しい知り合いかも ？」というカテゴリ内には、あなたを友だちとして追加したLINEユーザーが追加した理由とともに表示されます。知り合いであれば友だちに追加しましょう。知り合いではない、またはトークなどを楽しむような間柄ではない人の場合は、「ブロック」することでまったく交流できなくすることもできます。

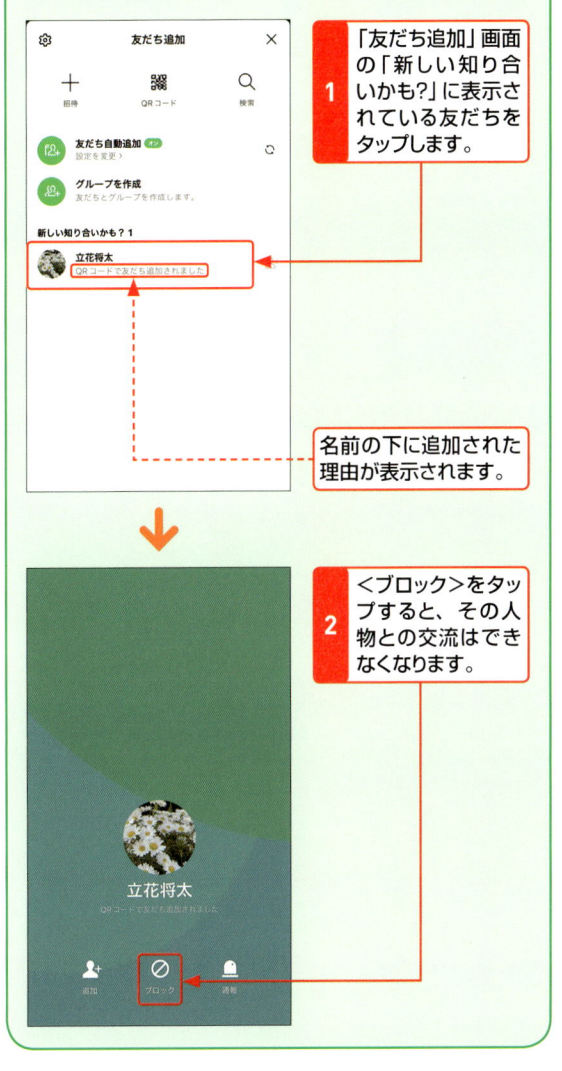

1 「友だち追加」画面の「新しい知り合いかも?」に表示されている友だちをタップします。

名前の下に追加された理由が表示されます。

2 <ブロック>をタップすると、その人物との交流はできなくなります。

Q 友だち追加 ★★★★★

039 » LINEを使っていない友だちを招待するには？

A 「SMS」または「メールアドレス」を使って招待できます。

「友だち追加」画面の＜招待＞をタップすると、LINEを利用していない友だちを招待することができます。招待には「SMS」と「メールアドレス」の2つの方法があり、いずれかを選択して招待します。招待文が自動で作成されるので、内容を確認して送信すると、送った相手にLINEへの招待メールが届きます。

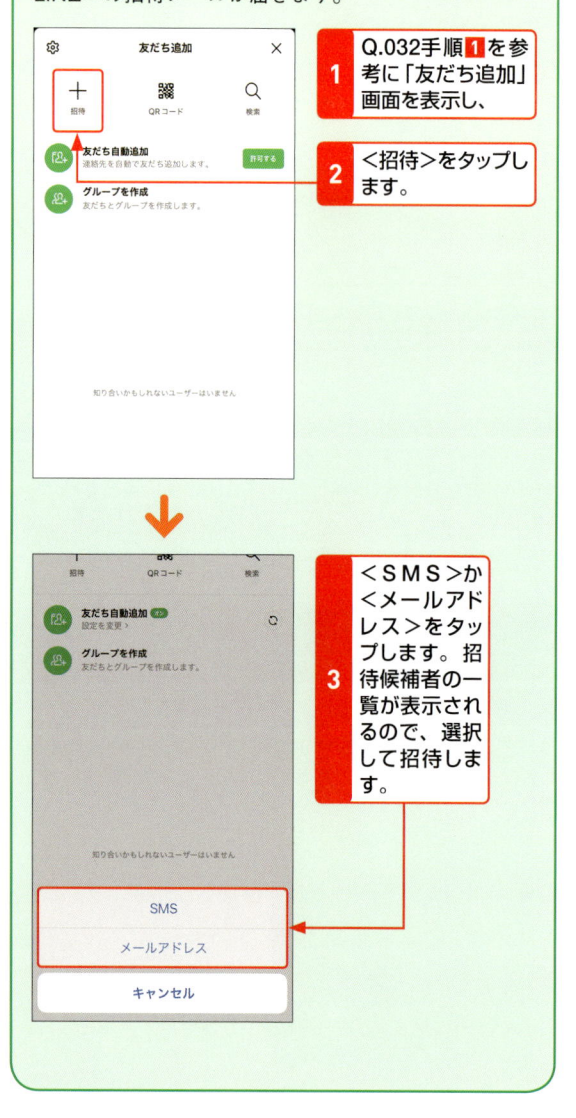

1 Q.032手順1を参考に「友だち追加」画面を表示し、

2 ＜招待＞をタップします。

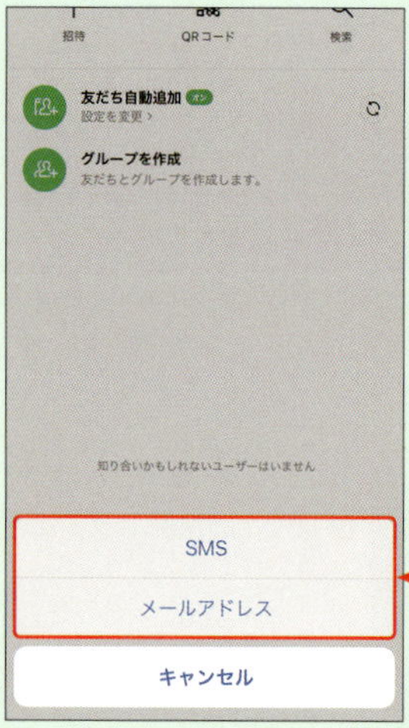

3 ＜SMS＞か＜メールアドレス＞をタップします。招待候補者の一覧が表示されるので、選択して招待します。

Q 友だち追加 ★★★★★

040 » 友だちリストを整理するには？

A 仲のよい人を「お気に入り」に登録したり苦手な人を「非表示」にしたりします。

友だちの数が増えてきたら、友だちリストを整理して上手に管理できるようにしましょう。頻繁にやり取りする友だちを「お気に入り」に登録したり、連絡を取らなくなった友だちを「非表示」にしたりしてわかりやすくすることで、友だちリスト内を整理し、使いやすくすることができます。

友だちを非表示にする

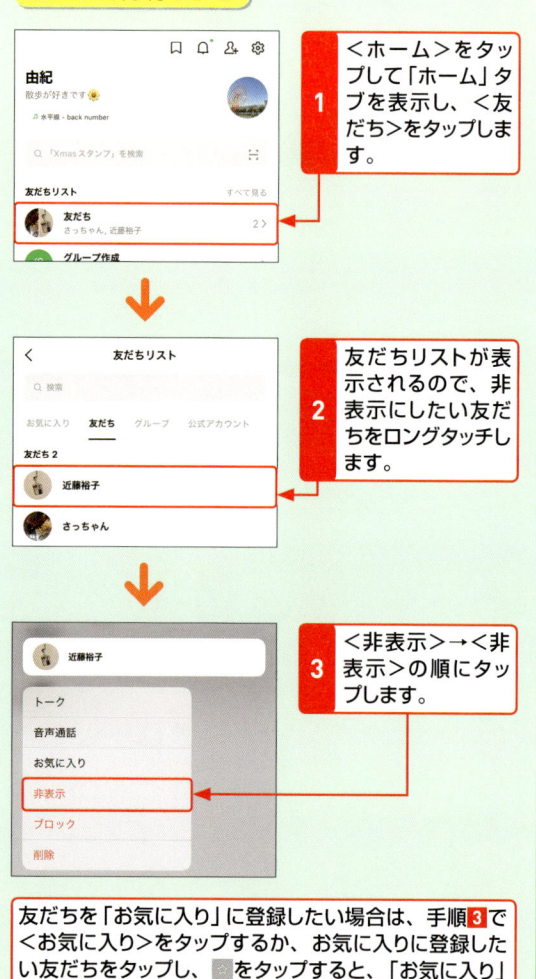

1 ＜ホーム＞をタップして「ホーム」タブを表示し、＜友だち＞をタップします。

2 友だちリストが表示されるので、非表示にしたい友だちをロングタッチします。

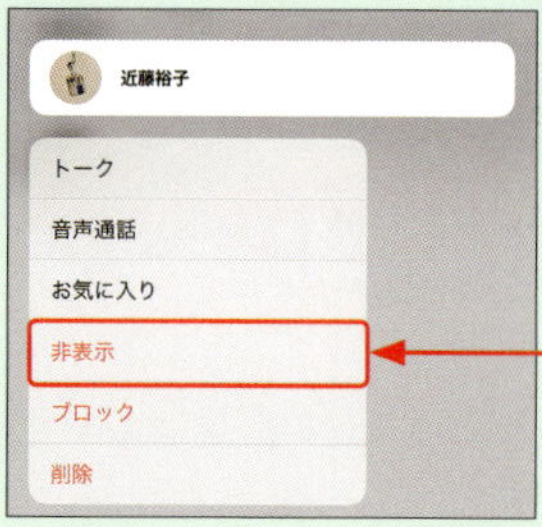

3 ＜非表示＞→＜非表示＞の順にタップします。

友だちを「お気に入り」に登録したい場合は、手順3で＜お気に入り＞をタップするか、お気に入りに登録したい友だちをタップし、☆をタップすると、「お気に入り」に登録されます。

第2章

LINEのトーク・スタンプ

Q 041 トーク ★★★★★
トークルームを作成するには？

A トークしたい友だちの<トーク>をタップします。

LINEでは、友だちどうしで「トーク」と呼ばれるメッセージをやり取りすることができます。トークを始めるときは、「ホーム」タブでトークしたい友だちをタップし、<トーク>をタップするとトークルームが作成され、メッセージのやり取りができるようになります。リアルタイムでメッセージを送受信できるので、チャット感覚で楽しめます。まずは親しい友だちと気軽にトークを始めてみましょう。

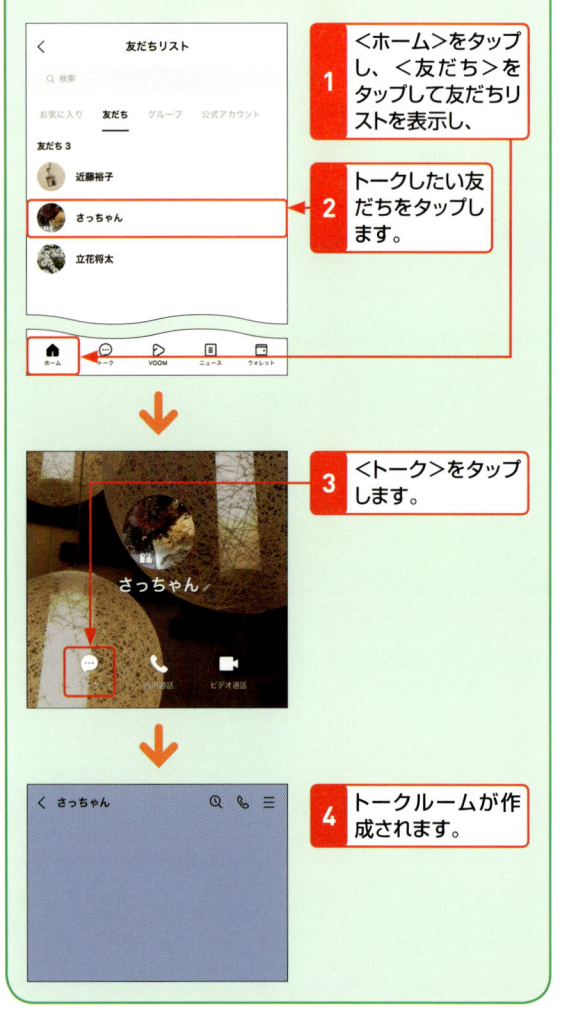

1 <ホーム>をタップし、<友だち>をタップして友だちリストを表示し、

2 トークしたい友だちをタップします。

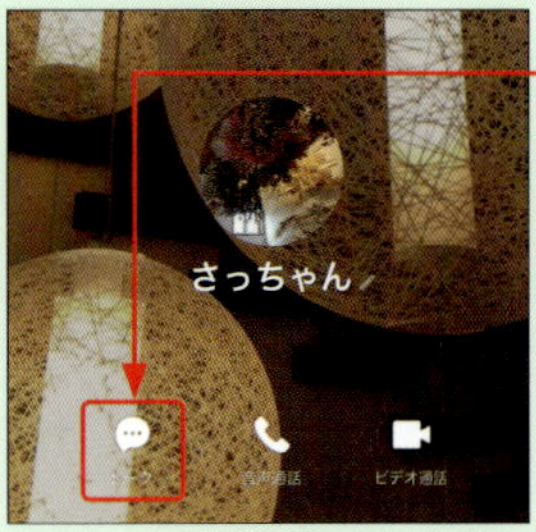

3 <トーク>をタップします。

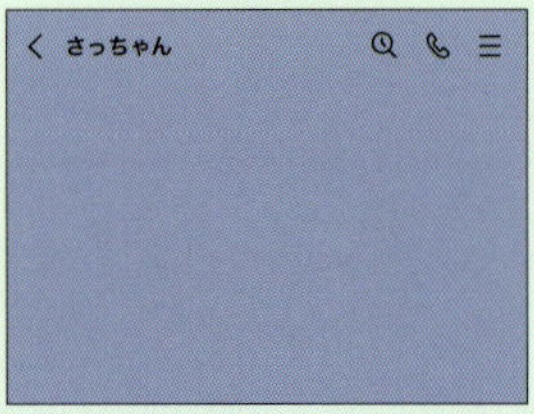

4 トークルームが作成されます。

Q 042 トーク ★★★★★
友だちにメッセージを送信したい！

A トークルームでメッセージを作成して送信します。

友だちにメッセージを送るときは、トークしたい友だちのトークルームを開き、メッセージを入力して➤をタップします。自分が送信したメッセージは、トークルームの右側に緑色の吹き出しで表示されます。トークルームに表示されているメッセージを長押しすると、メッセージのコピーや削除、送信取り消し（Q.048参照）できるメニューが表示されます。

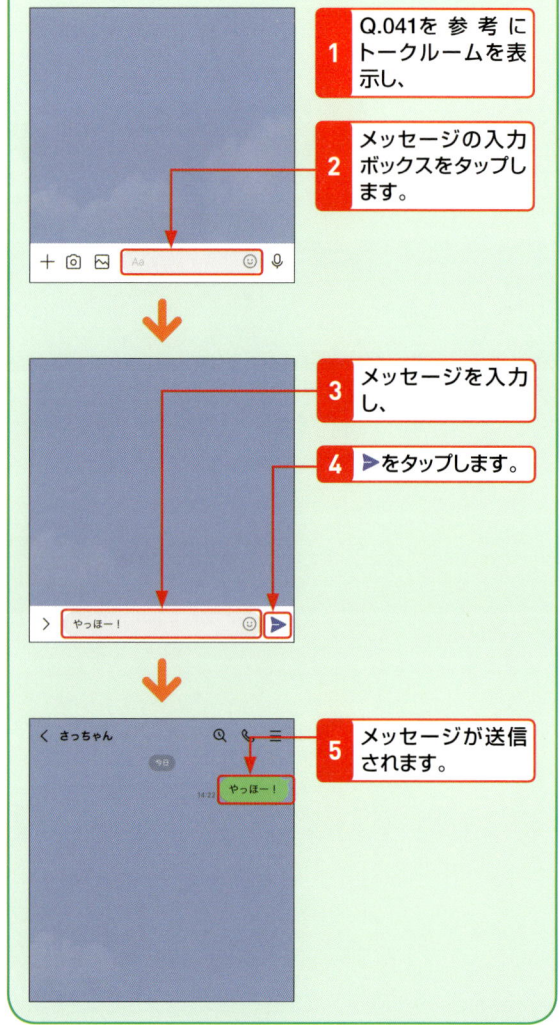

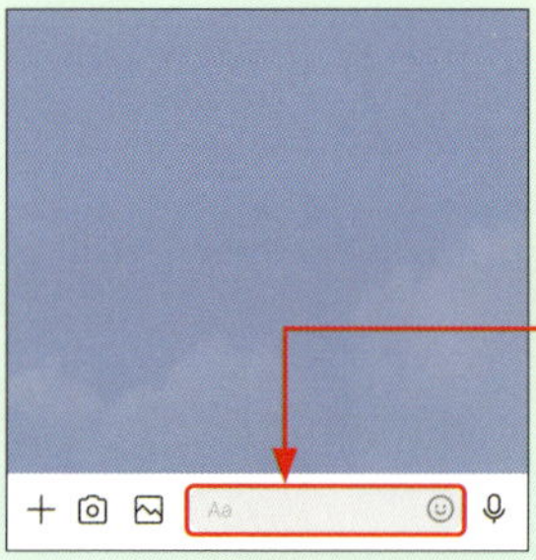

1 Q.041を参考にトークルームを表示し、

2 メッセージの入力ボックスをタップします。

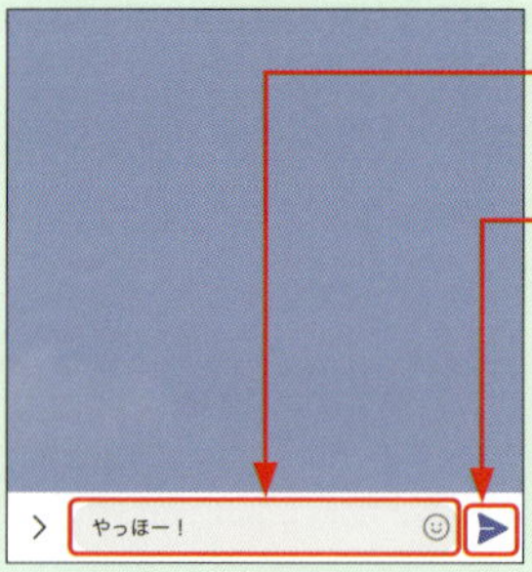

3 メッセージを入力し、

4 ➤をタップします。

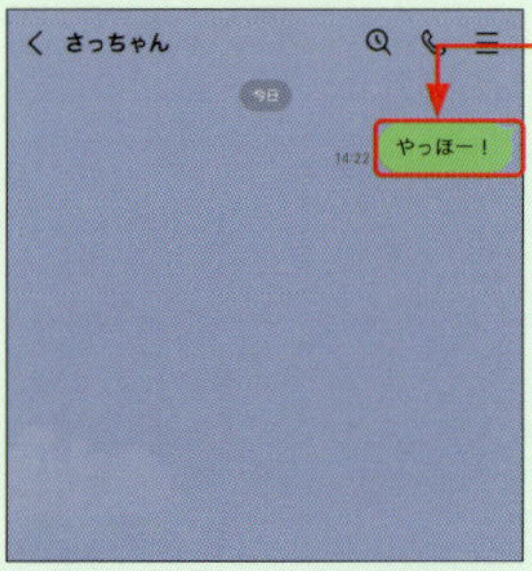

5 メッセージが送信されます。

Q トーク ★★★★★

043 » 受信したメッセージを確認するには？

A 通知が表示されたトークルームをタップします。

友だちからのメッセージを受信すると、通知が表示されます。画面下の「トーク」に受信したメッセージの件数が表示され、タップすると各トークルームで受信したメッセージ数が表示されます。メッセージは、トークルーム名をタップして確認します。なお、友だちから送信されたメッセージは、トークルームの左側に白色の吹き出しで表示されます。

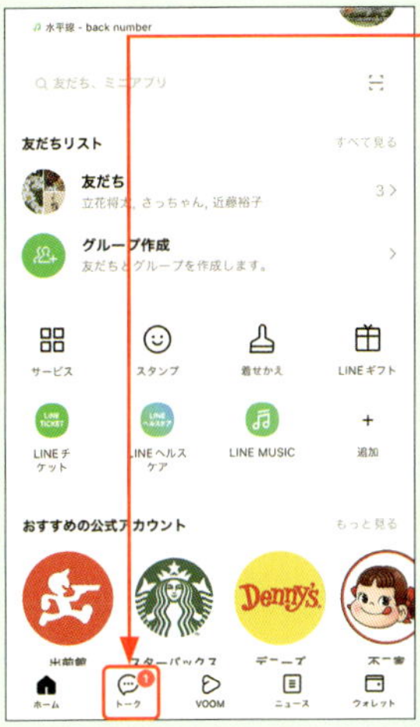

1 <トーク>をタップします。

2 「トーク」タブが表示されます。

3 通知の表示されたトークルームをタップします。

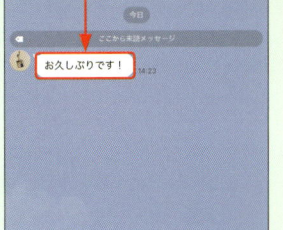

4 友だちからのメッセージが表示されます。

読んでいないメッセージがある場合は、「ここから未読メッセージ」という文言が表示されます。どこからが未読であるのかを判別しやすくなります。

<LINE>アプリを開いていないときにメッセージを受信すると、<LINE>アプリのアイコンに受信したメッセージの数が表示されます。メッセージを読むときは、<LINE>をタップして<LINE>アプリを起動したあとに、同じ手順でトークルームを表示します。

Q トーク ★★★★★

044 » 通知センターで受信したメッセージを確認するには？

A 通知をタップするかスワイプします。

LINEの画面を表示していないときに友だちからメッセージを受信すると、画面に通知が表示されます。表示された通知をタップするとトークルームが表示され、メッセージの内容を確認することができます。なお、通知は画面がロックされていても受け取ることができます。

ホーム画面に通知が表示された場合

1 表示された通知をタップします。

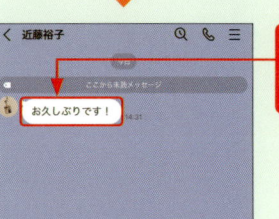

2 トークルームが表示され、メッセージを確認できます。

ロック画面に通知が表示された場合

1 通知が表示されます。通知を右方向にスワイプ（Androidではダブルタップ）します。

2 パスコードが設定されている場合は、パスコードを入力します。

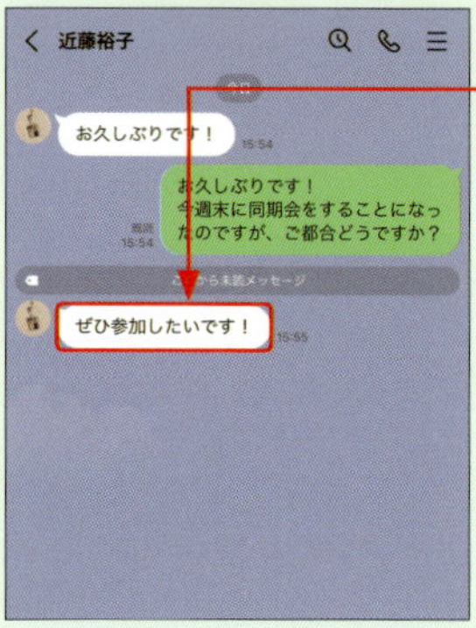

3 トークルームが表示され、メッセージを確認できます。

Q トーク ★★★★★

045 » メッセージにリアクションしたい！

A メッセージを長押ししてアイコンをタップします。

送受信したメッセージや写真にはリアクションを付けることができます。リアクションには6種類のアイコンが用意されているので、特定のメッセージや写真に反応したいときなどに利用するとよいでしょう。一度付けたリアクションは、削除したり変更したりすることも可能です。なお、リアクションは送受信してから7日以内のメッセージにしか送信できません。また、リアクションを送っても相手に通知はされませんが、メッセージの下にリアクションアイコンが表示されるため、誰が何のアイコンを押したかは確認できます。

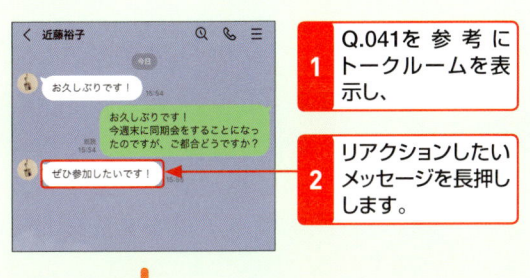

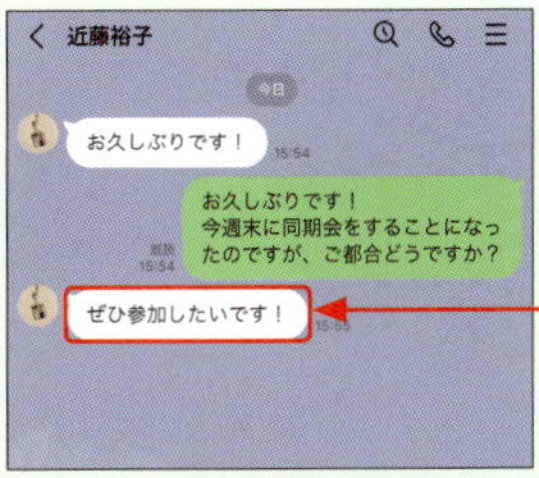

1 Q.041を参考にトークルームを表示し、

2 リアクションしたいメッセージを長押しします。

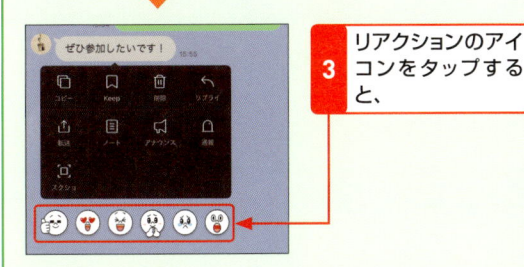

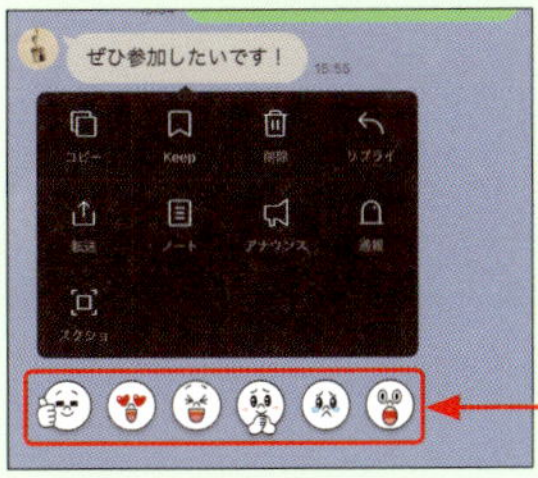

3 リアクションのアイコンをタップすると、

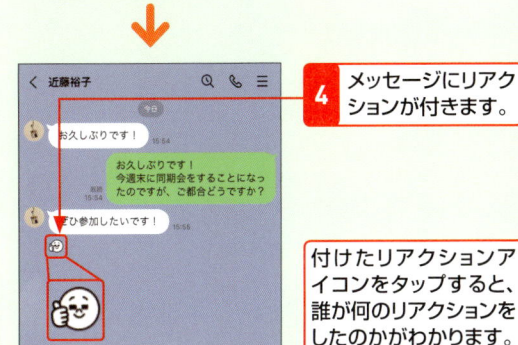

4 メッセージにリアクションが付きます。

付けたリアクションアイコンをタップすると、誰が何のリアクションをしたのかがわかります。

Q トーク ★★★★★

046 » 既読って何？

A メッセージが読まれたしるしです。

自分の送ったメッセージが読まれると、メッセージの吹き出しの横に「既読」と表示されます。反対に、送られてきたメッセージを表示すると、相手のトークルームに「既読」と表示されます。既読は、相手がそのメッセージを読んだしるしで、このしるしによって、送信者はそのメッセージが読まれたかどうかを確認することができます。なお、グループでトークをしている場合は、「既読」の隣に確認したメンバーの人数が表示されます。

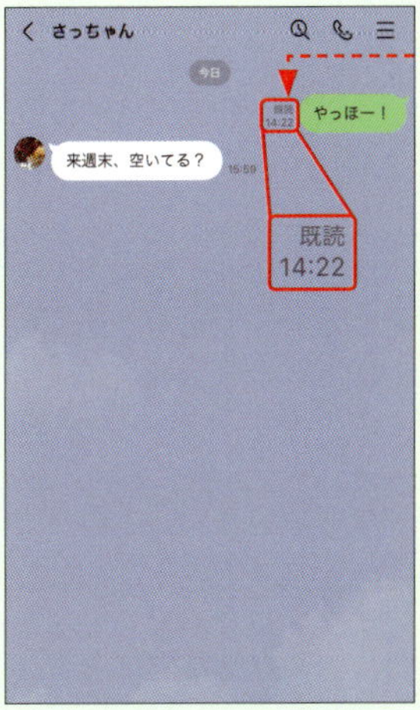

メッセージが読まれると「既読」と表示されます。

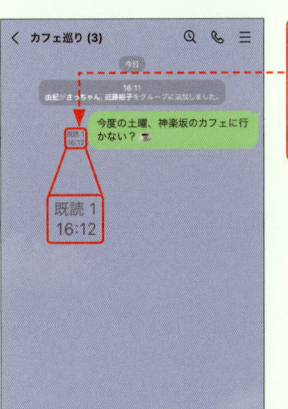

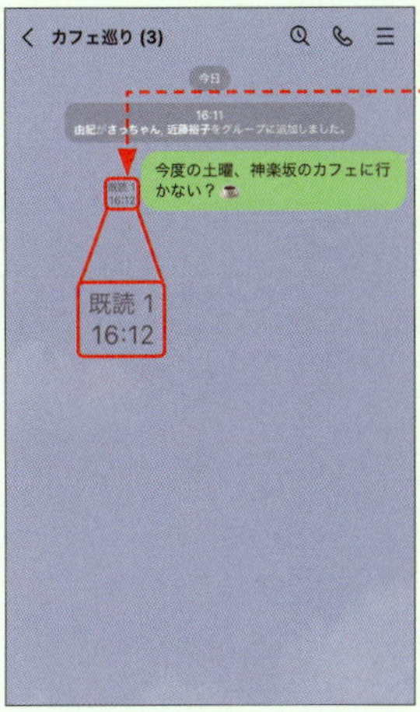

グループでトークをしている場合は、「既読」の隣にメッセージを読んだ人数が表示されます。

Q トーク ★★★★★

047 » 絵文字や顔文字を送信したい！

A 入力ボックスの右側にある☺をタップします。

トークでは、文字だけでなく「顔文字」や「絵文字」を送ることができます。入力ボックスの右側にある☺をタップすると、登録されている絵文字や顔文字の中から好きなものを選んで送信することができます。また、メッセージ入力欄に「笑う」や「泣く」などのキーワードを入れて入力すると、キーワードに合った絵文字や顔文字が上部に表示され、選択して送ることができます。

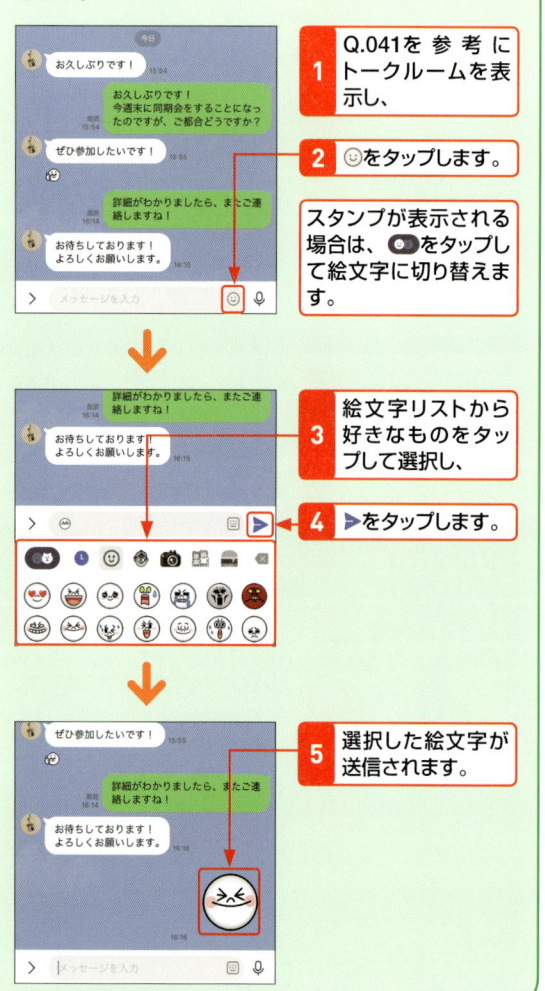

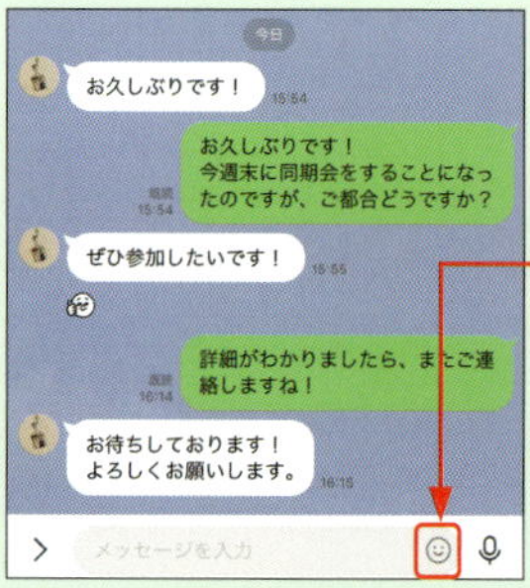

1 Q.041を参考にトークルームを表示し、

2 ☺をタップします。

スタンプが表示される場合は、をタップして絵文字に切り替えます。

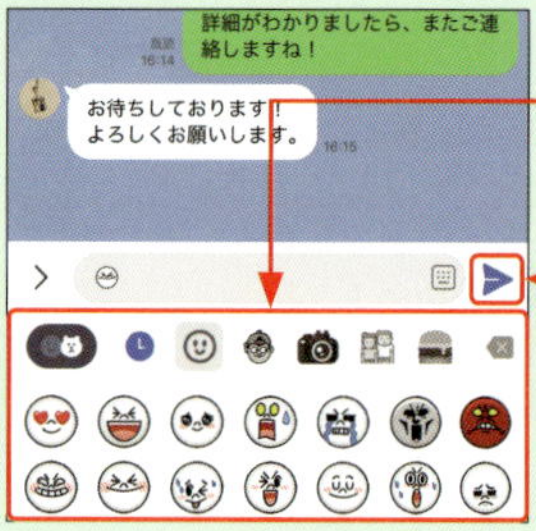

3 絵文字リストから好きなものをタップして選択し、

4 ➤をタップします。

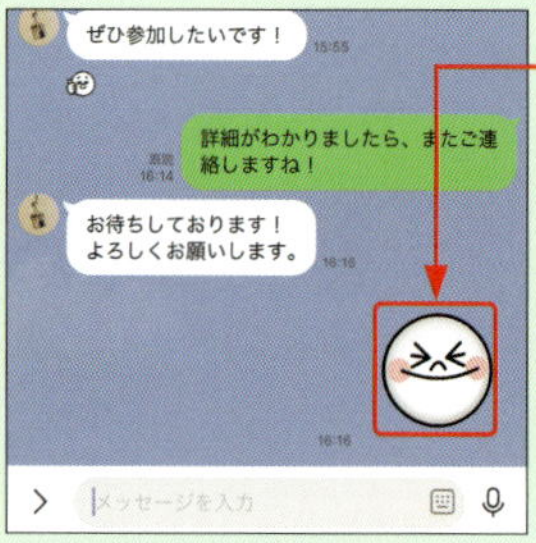

5 選択した絵文字が送信されます。

Q トーク ★★★★★

048 » 送信した内容を取り消すには？

A メッセージを長押しして＜送信取消＞をタップします。

LINEには、メッセージの送信を取り消せる「送信取消」機能があります。誤ってメッセージを送ってしまったときなど、送信を取り消せるので便利です。テキストメッセージのほかに、写真や動画、スタンプも取り消すことができます。なお、送信を取り消せるのは、送信後24時間以内のものです。また、メッセージを取り消すとそのことがトークルーム上に表示されます。

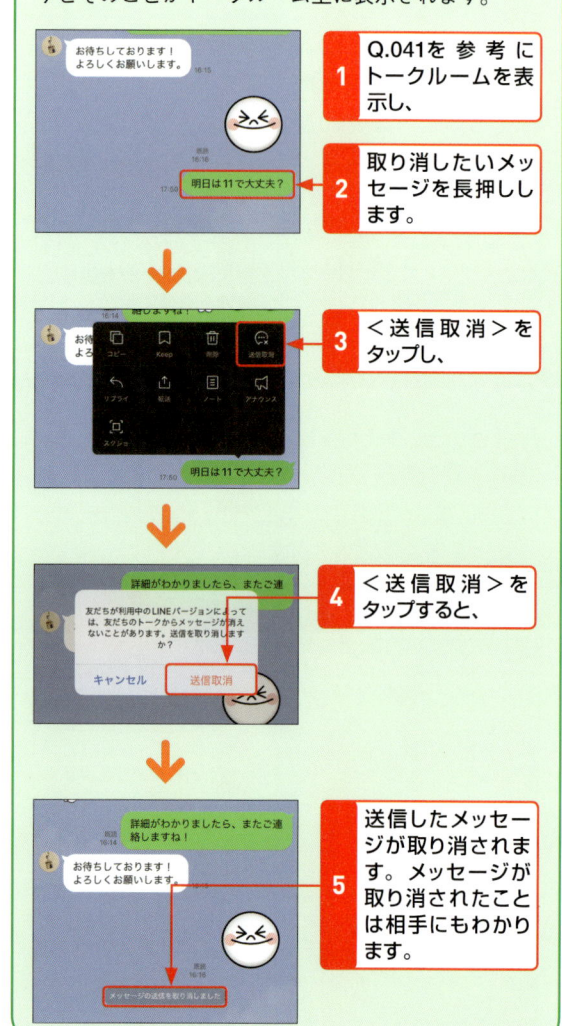

1 Q.041を参考にトークルームを表示し、

2 取り消したいメッセージを長押しします。

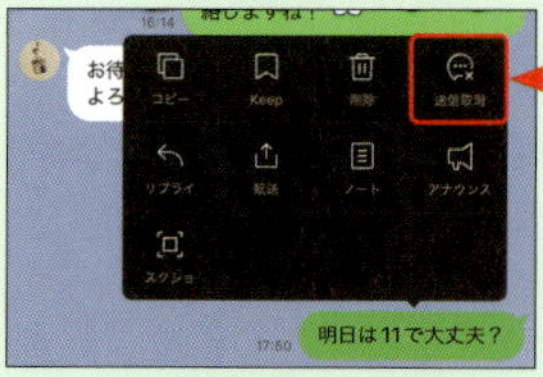

3 ＜送信取消＞をタップし、

4 ＜送信取消＞をタップすると、

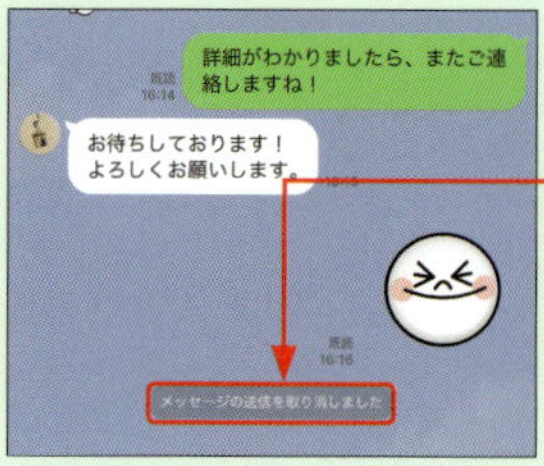

5 送信したメッセージが取り消されます。メッセージが取り消されたことは相手にもわかります。

Q トーク

049 » 撮影した写真や動画を送信したい！

A をタップし、送りたい写真や動画を選択して送信します。

LINEでは、スマートフォンで撮影した写真や動画を送ることができます。送られた写真や動画はトークルームに表示され、動画の場合はトークルームを表示すると自動で再生されます。編集を加えたり、複数枚まとめて送ったりすることも可能です。

1 Q.041を参考にトークルームを表示し、

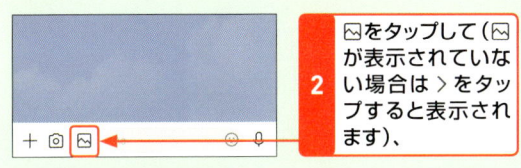

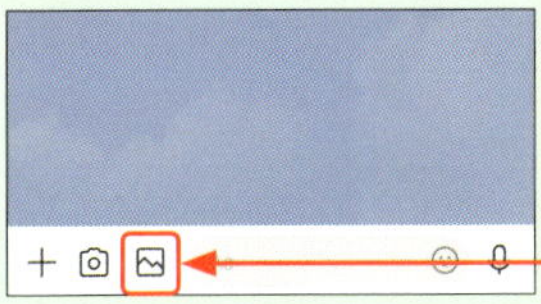

2 をタップして（が表示されていない場合は ＞ をタップすると表示されます）、

3 をタップします。

4 送りたい写真や動画をタップして選択し、

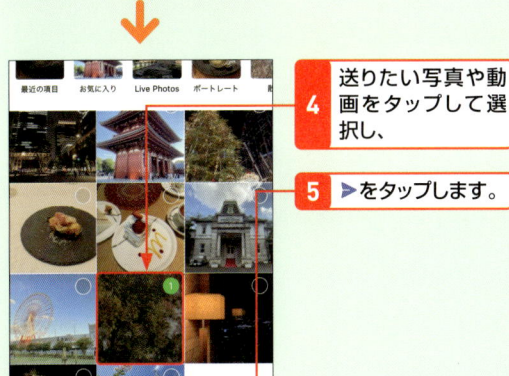

5 をタップします。

Q トーク

050 » 写真や動画をその場で撮って送信するには？

A をタップして送りたい写真や動画を撮ります。

LINEでは、その場で撮った写真や動画をすぐにトークで送信することができます。をタップし、撮影モードを「写真」または「動画」に切り替えて撮影しましょう。送信する前に写真や動画を加工することもできます。すぐに友だちに共有したいことがあるときに便利です。

1 Q.041を参考にトークルームを表示し、

2 をタップして（が表示されていない場合は ＞ をタップすると表示されます）、

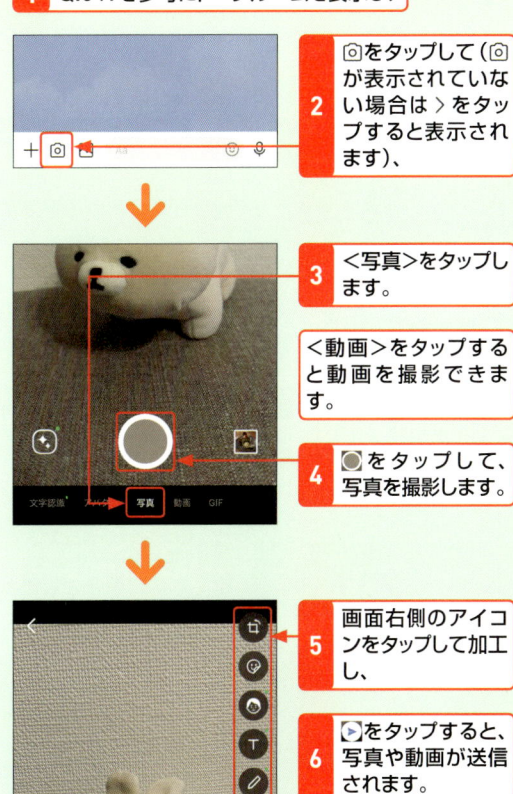

3 ＜写真＞をタップします。

＜動画＞をタップすると動画を撮影できます。

4 をタップして、写真を撮影します。

5 画面右側のアイコンをタップして加工し、

6 をタップすると、写真や動画が送信されます。

Q トーク ★★★★★

051 » 送られてきた写真や動画を保存するには？

A 写真や動画を表示し、⤓をタップします。

友だちから送られてきた写真や動画は、自分のスマートフォンに保存することができます。複数の写真が送られてきた場合は、保存したい写真や動画を個別に選択して保存できるほか、一括して保存することも可能です。なお、動画には保存期間が設けられています。保存期間については公表されていませんが、一定期間が経過すると再生したり保存したりするなどの操作ができなくなってしまうため、受信したらなるべく早めに保存しておきましょう。

1 Q.041を参考にトークルームを表示し、

2 保存したい写真をタップします。

3 ⤓をタップすると、本体に保存されます。

Q トーク ★★★★★

052 » トークルーム内の写真や動画を一覧表示したい！

A トークルームで☰→<写真・動画>の順にタップします。

トークルーム内でやり取りのあった写真や動画は、一覧で表示することができます。トークの中に埋もれてしまった写真や動画もかんたんに探せます。トークルームの☰をタップし、<写真・動画>をタップすると、トークルーム内の写真や動画が一覧で表示されます。

1 Q.041を参考にトークルームを表示し、

2 ☰をタップして、

3 <写真・動画>をタップします。

4 写真や動画が一覧で表示されます。

画面右上の<選択>をタップし、保存したい写真や動画をタップして⤓をタップすると、まとめてスマートフォンに保存することができます。

Q トーク ★★★★★

053 » アルバムで写真を共有したい！

A <アルバム>をタップし、保存したい写真を選びます。

LINEでは、「アルバム」を作って友だちと写真を共有することができます。友だちといっしょに参加したイベントの写真や友だちに見せたい写真が複数ある場合には、アルバムを作成し、必要な写真だけを選んでまとめておくことができます。

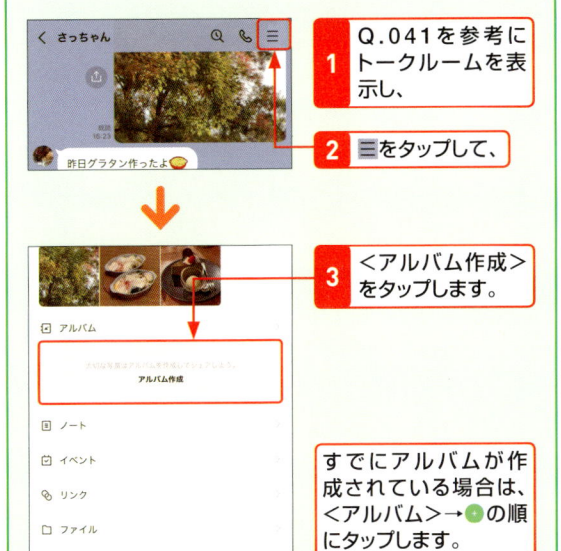

1 Q.041を参考にトークルームを表示し、

2 ☰をタップして、

3 <アルバム作成>をタップします。

すでにアルバムが作成されている場合は、<アルバム>→●の順にタップします。

4 写真をタップして選択し、

5 <次へ>をタップします。

6 アルバム名を入力し、<作成>をタップすると、アルバムが作成されます。

Q トーク ★★★★★

054 » ボイスメッセージを送信するには？

A 🎙をタップして、マイクに向かって話します。

LINEには、音声を録音してやり取りできる「ボイスメッセージ」機能があります。通話をするほどでもないけれど、ちょっとした要件を伝えたいときに便利です。🎙を押している間は録音され、最大で30分録音することが可能です。指を離すと録音が終了し、メッセージが送信されます。

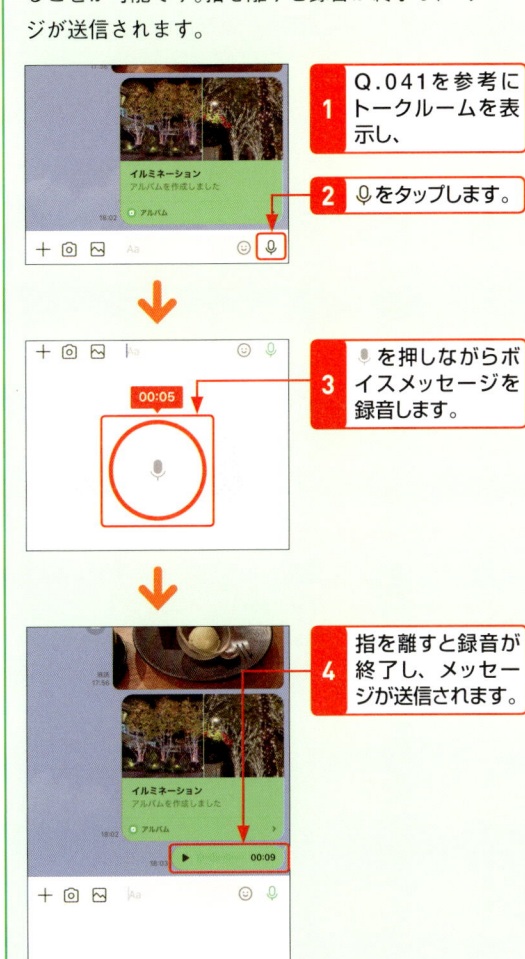

1 Q.041を参考にトークルームを表示し、

2 🎙をタップします。

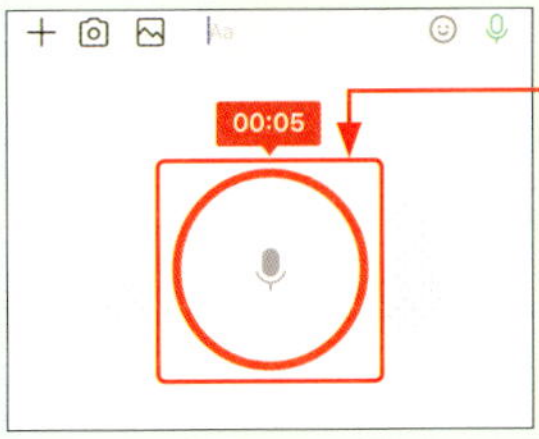

3 🎙を押しながらボイスメッセージを録音します。

4 指を離すと録音が終了し、メッセージが送信されます。

Q トーク ★★★★★

055 » 自分のいる場所を友だちに送信するには？

A ＋→＜位置情報＞の順にタップし、現在地を確認して送信します。

LINEでは、現在自分のいる位置情報をトークで相手に送信することができます。今いる場所や待ち合わせ場所などを伝えたいときに便利です。位置情報を送信するには、＋をタップし、＜位置情報＞をタップします。地図上に現在位置が示されるので、正しければ情報を送信しましょう。場所を検索して指定することも可能です。

1 Q.041を参考にトークルームを表示し、

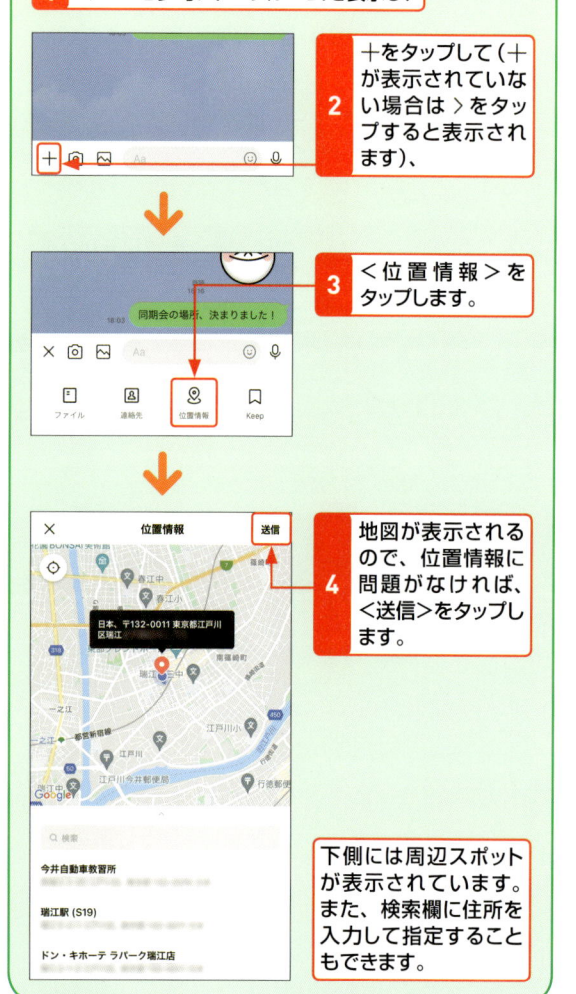

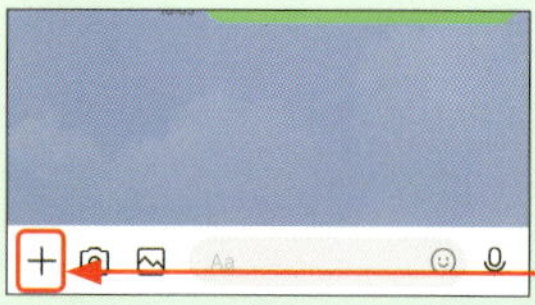

2 ＋をタップして（＋が表示されていない場合は ＞ をタップすると表示されます）、

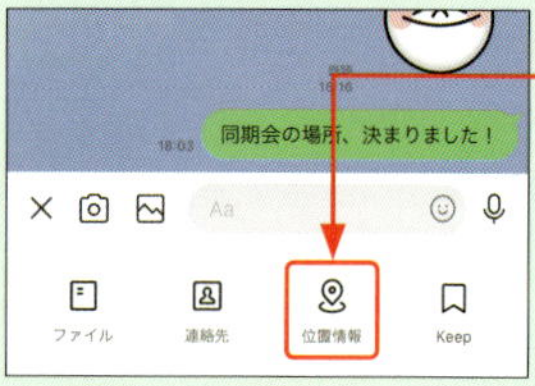

3 ＜位置情報＞をタップします。

4 地図が表示されるので、位置情報に問題がなければ、＜送信＞をタップします。

下側には周辺スポットが表示されています。また、検索欄に住所を入力して指定することもできます。

Q トーク ★★★★★

056 » 友だちと日程を調整するには？

A 「日程調整」機能を利用しましょう。

LINEには、招待したメンバーの出欠をかんたんに管理できる「日程調整」機能があります。会議やパーティーなど、出欠を確認したいイベントを作成して友だちを招待すると、トークルームにLINEスケジュールのイベントURLが表示され、出欠の回答がかんたんに行えます。

1 Q.041を参考にトークルームを表示し、

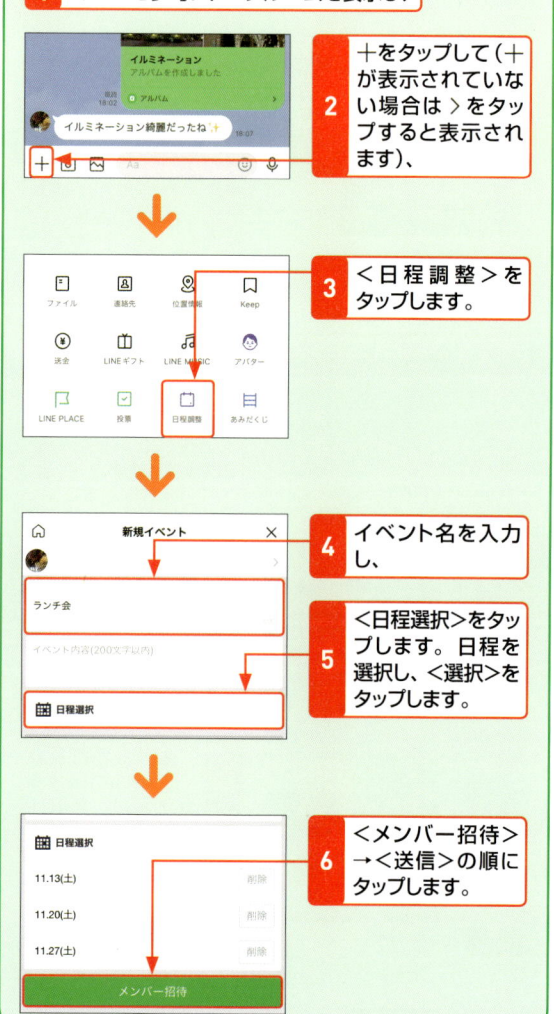

2 ＋をタップして（＋が表示されていない場合は ＞ をタップすると表示されます）、

3 ＜日程調整＞をタップします。

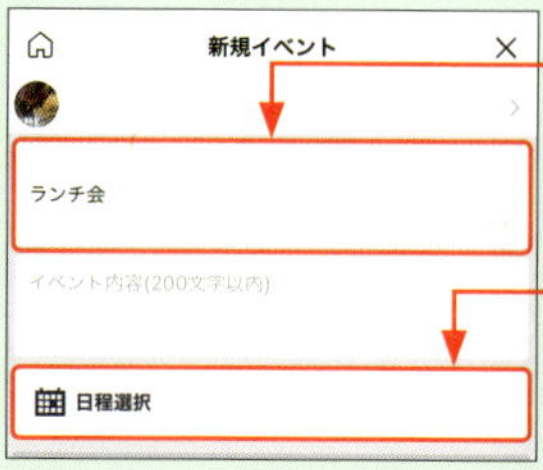

4 イベント名を入力し、

5 ＜日程選択＞をタップします。日程を選択し、＜選択＞をタップします。

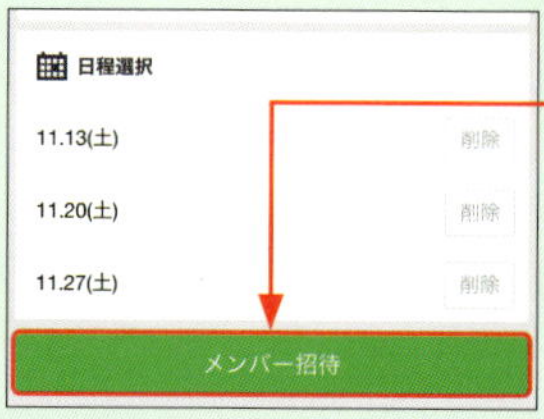

6 ＜メンバー招待＞→＜送信＞の順にタップします。

Q トーク ★★★★★

057 受信した写真や動画をほかのトークに送信するには？

A 写真や動画をタップしてもしくはをタップします。

受信した写真や動画をほかのトークルームに転送したいときは、転送したい画像をタップし、をタップして転送相手を指定するだけで転送できます。すぐにほかの友だちと共有することができるのでかんたんです。

1 Q.041を参考にトークルームを表示し、

2 写真をタップします。

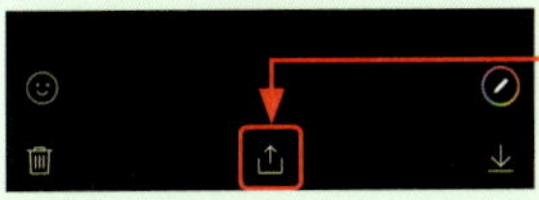

3 （Androidでは）をタップします。

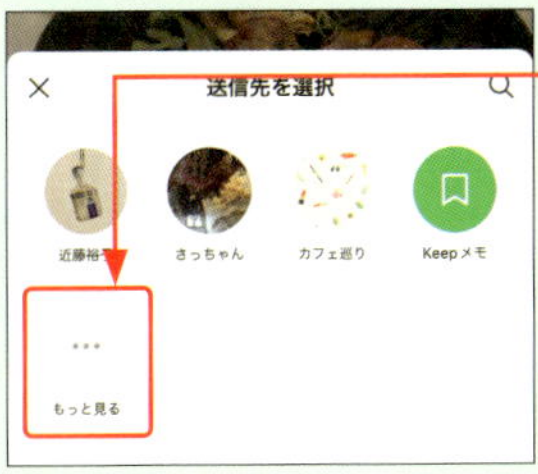

4 <もっと見る>をタップします。

5 送信する相手をタップして選択し、

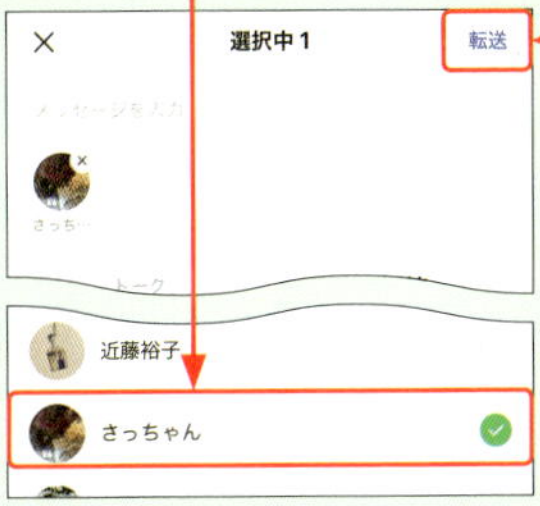

6 <転送>をタップします。

Q トーク ★★★★★

058 重要なトークを目立たせたい！

A メッセージを長押しして<アナウンス>をタップします。

「アナウンス」は、特定のメッセージをトークルームの上部に固定できる機能です。固定できるメッセージは最大5つまでで、固定されたメッセージをタップすると、該当メッセージまで飛ぶので、前後にやり取りした内容も確認することができます。トークを重ねると過去のメッセージが埋もれがちですが、アナウンス機能を利用すれば、重要なトークを見逃してしまう心配もありません。

1 Q.041を参考にトークルームを表示し、

2 固定するメッセージを長押しします。

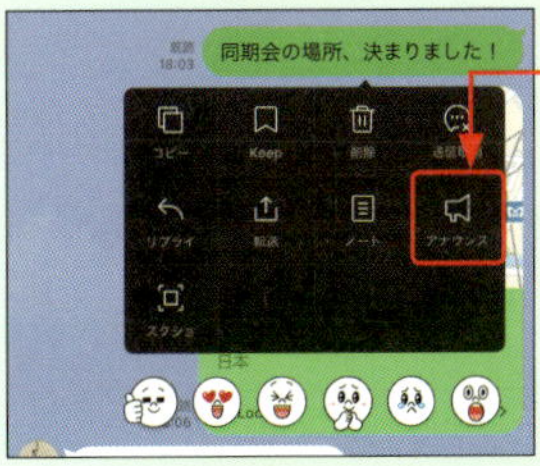

3 <アナウンス>をタップします。

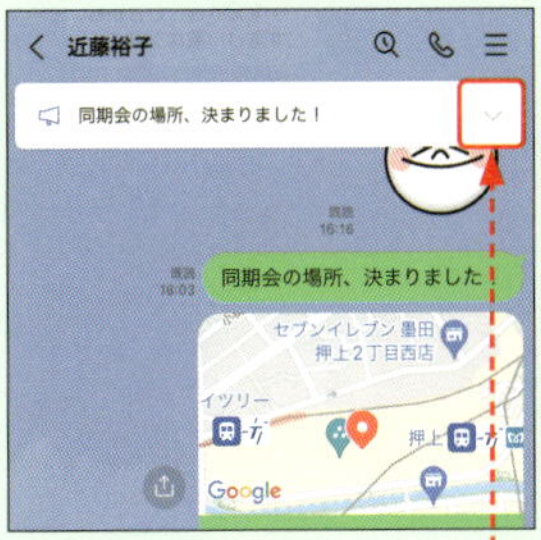

4 トークルーム上部にトークが固定されます。

固定したトークのをタップし、<今後は表示しない>をタップするとアナウンスの解除が、<最小化>をタップするとアイコン表示に変わります。

Q トーク ★★★★★

059 » メッセージ内容をスクリーンショットで保存したい！

A メッセージを長押しして<スクショ>をタップします。

LINEには、メッセージをスクリーンショットして保存できる「トークスクショ」機能が備わっています。撮影範囲を決められるため、長文のやり取りも保存することができて便利です。また、やり取りしている友だちのアイコンを隠すことができるなど、プライバシーにも配慮されているため安心です。スクリーンショットした画像はスマートフォンに保存できるほか、ほかの友だちに共有することも可能です。

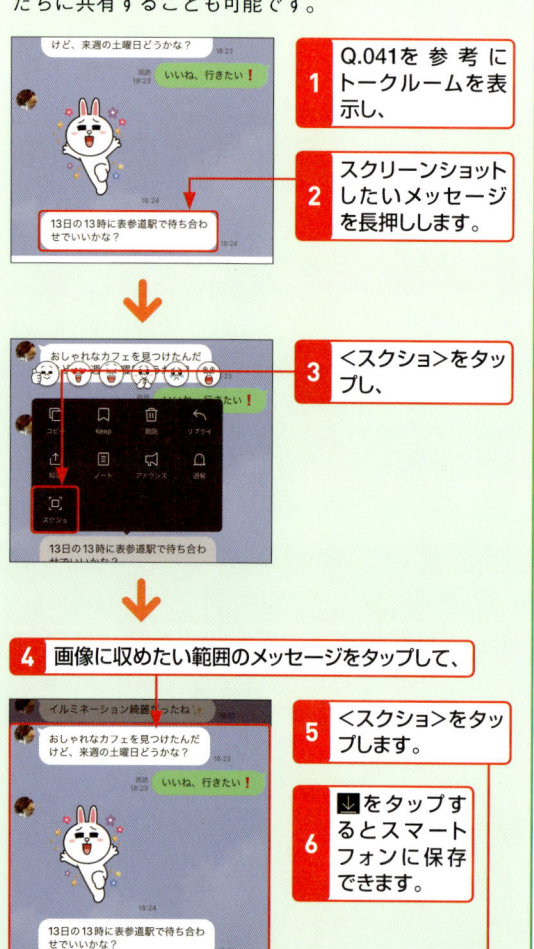

1 Q.041を参考にトークルームを表示し、

2 スクリーンショットしたいメッセージを長押しします。

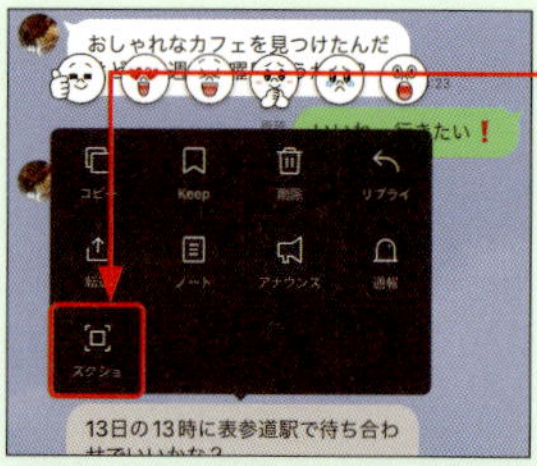

3 <スクショ>をタップし、

4 画像に収めたい範囲のメッセージをタップして、

5 <スクショ>をタップします。

6 ⬇をタップするとスマートフォンに保存できます。

Q トーク ★★★★★

060 » 受信したメッセージをKeepで保存したい！

A メッセージを長押しして<Keep>をタップします。

「Keep」は、トークルーム内の写真や動画、各種ファイル、トーク履歴などを保存できる機能です。保存したいメッセージを長押しして<Keep>→<保存>の順にタップするだけで、かんたんに保存できます。なお、保存したデータは、「ホーム」タブの右上に表示されている🔖をタップして確認することができます。

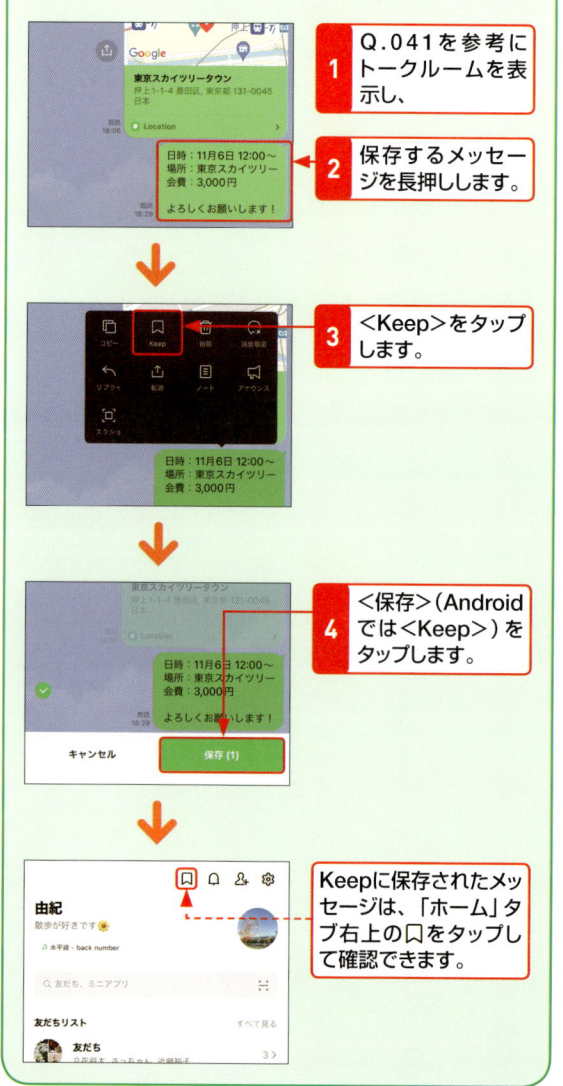

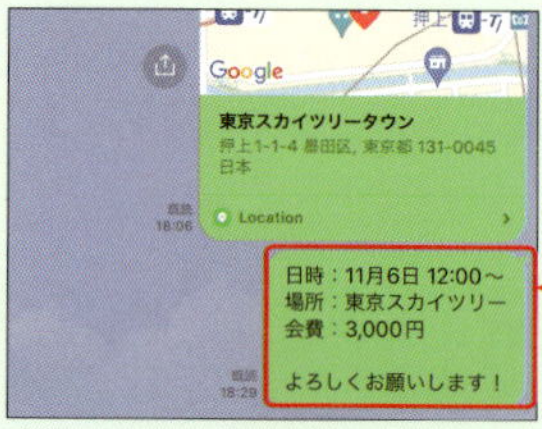

1 Q.041を参考にトークルームを表示し、

2 保存するメッセージを長押しします。

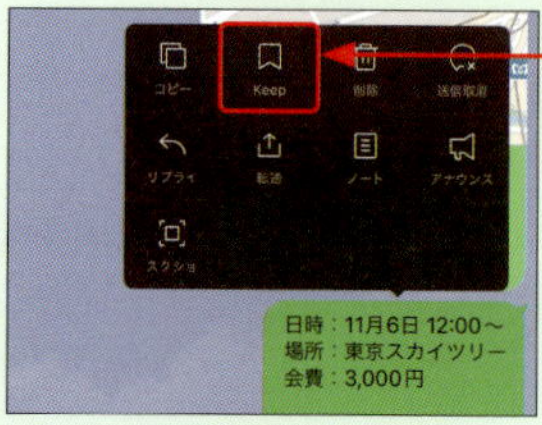

3 <Keep>をタップします。

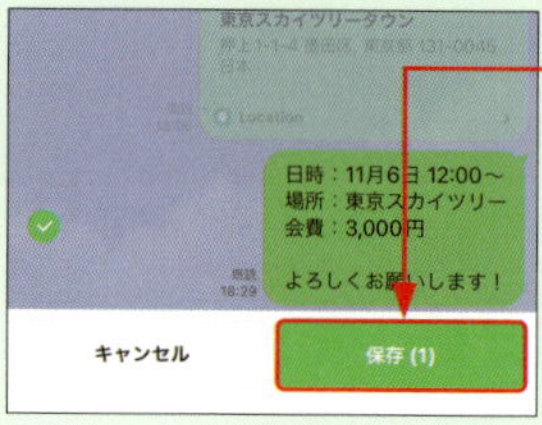

4 <保存>（Androidでは<Keep>）をタップします。

Keepに保存されたメッセージは、「ホーム」タブ右上の🔖をタップして確認できます。

Q トーク ★★★★★

061 » 大切な情報をノートで共有するには？

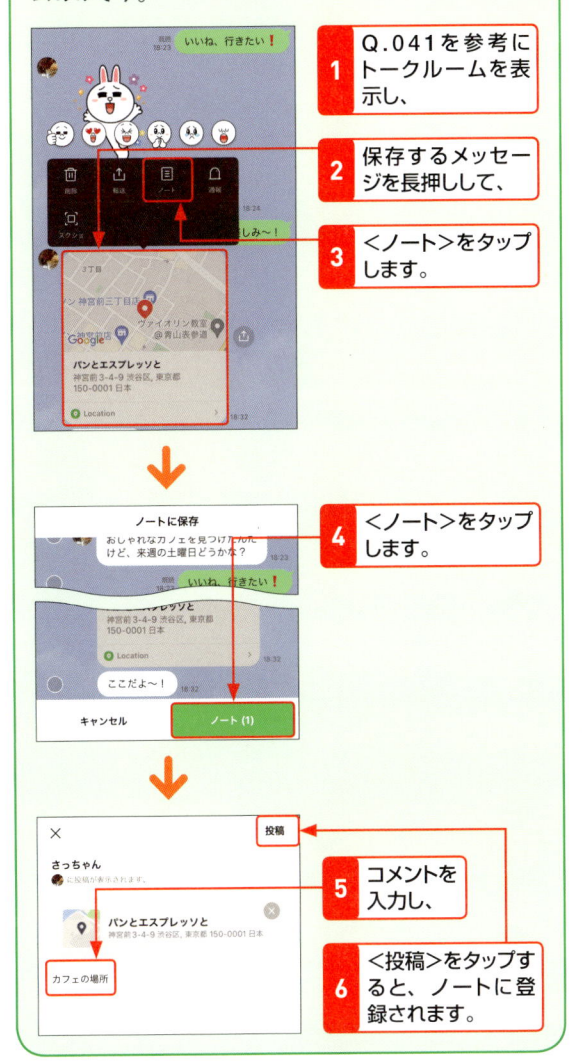

A メッセージを長押しして<ノート>をタップします。

「ノート」は、写真や動画、各種ファイル、トーク履歴などをトークルーム内に保存する機能です。ノートには保存期間に制限がなく、開くといつでも確認できるので、トークルーム内のメンバーどうしの情報共有もスムーズに行えます。ただし、ノートを利用できるのは、友だちとの1対1のトークルームとグループのトークルームのみです。

1 Q.041を参考にトークルームを表示し、

2 保存するメッセージを長押しして、

3 <ノート>をタップします。

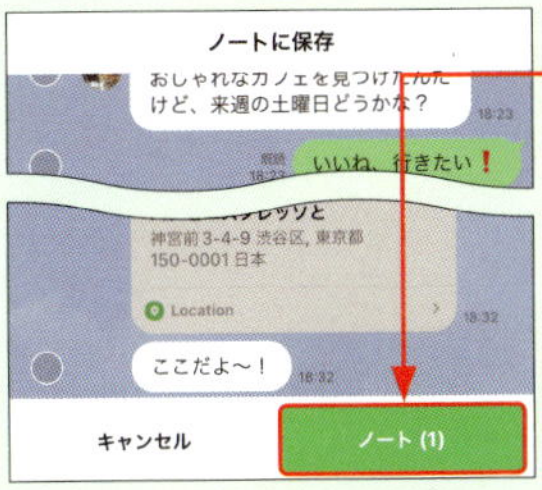

4 <ノート>をタップします。

5 コメントを入力し、

6 <投稿>をタップすると、ノートに登録されます。

Q トーク ★★★★★

062 » ノートを閲覧したい！

A ☰→<ノート>の順にタップします。

登録したノートは、トークルーム右上の☰→<ノート>の順にタップして確認することができます。自分が登録したノートだけでなく、友だちが登録したノートも表示されるため、大切な情報をノートに残しておくと、あとから確認できて便利です。ノートにはリアクションやコメントを付けられるほか、⋮をタップすることで自分の投稿の修正や削除が行えます。

1 Q.041を参考にトークルームを表示し、

2 ☰をタップします。

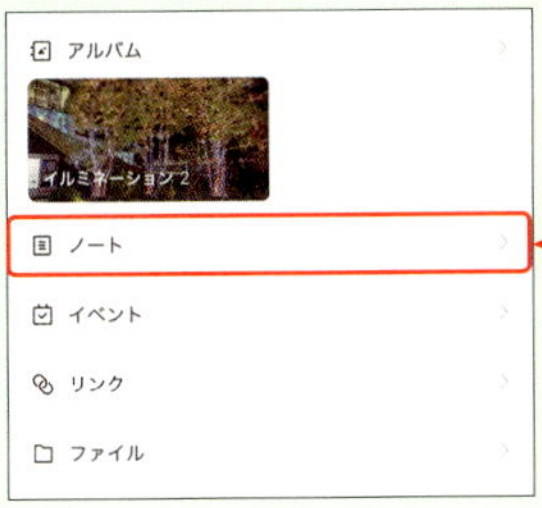

3 <ノート>をタップします。

4 登録したノートを確認できます。

⋮をタップすると、自分の投稿の修正や削除が行えます。

リアクションやコメントを付けることもできます。

Q トーク ★★★★★

063 » 自分の友だちを別の友だちに紹介したい！

A ＋→＜連絡先＞の順にタップします。

LINEでは、LINE内の友だちや端末内に保存されている連絡先をトークに添付することができます。連絡先をトークに添付するときは、＋→＜連絡先＞の順にタップしましょう。「LINEの友だち」を選択し、紹介したい友だちを選択して送信します。

1 Q.041を参考にトークルームを表示し、

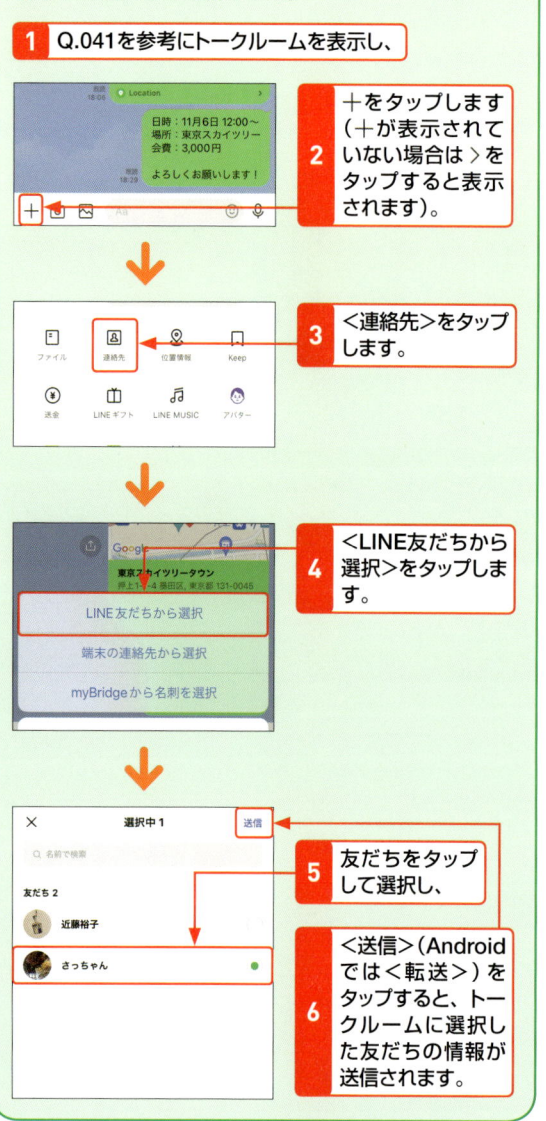

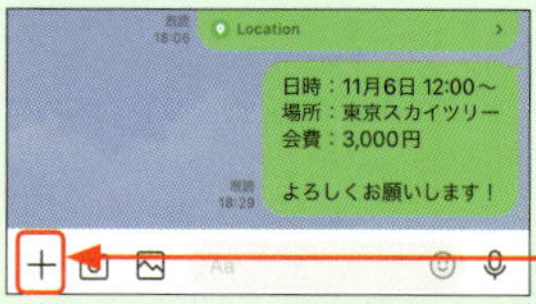

2 ＋をタップします（＋が表示されていない場合は＞をタップすると表示されます）。

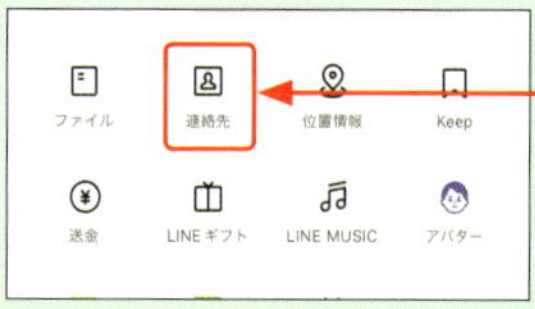

3 ＜連絡先＞をタップします。

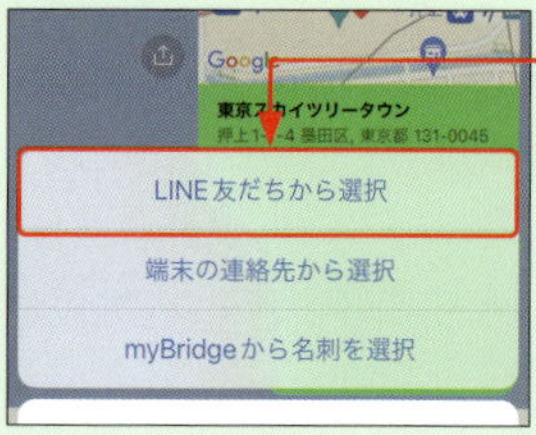

4 ＜LINE友だちから選択＞をタップします。

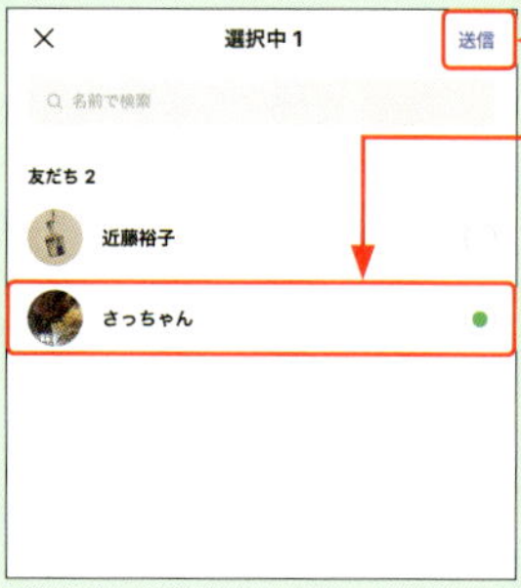

5 友だちをタップして選択し、

6 ＜送信＞（Androidでは＜転送＞）をタップすると、トークルームに選択した友だちの情報が送信されます。

Q トーク ★★★★★

064 » トークを検索したい！

A キーワードを指定してトークを検索できます。

LINEでは、キーワードを入力して検索すると、友だちやグループ名、トーク内にそのキーワードが含まれるトークルームを一覧表示することができます。その際、検索キーワードは強調して表示されます。

1 ＜トーク＞をタップして「トーク」タブを表示し、

2 上部の検索ボックスにキーワードを入力します。

3 検索結果が表示されます。

トーク ★★★★★

Q 065 » トークを並べ替えたい！

A 3つの順に並べ替えることができます。

トークは、「受信時間」「未読メッセージ」「お気に入り」の3つの順に並べ替えることができます。トークが増えていくと、目的の友だちをなかなか見つけられませんが、並べ替え機能を利用することで、メッセージが埋もれてしまう心配もありません。自分が使いやすいように並べ替えてみましょう。

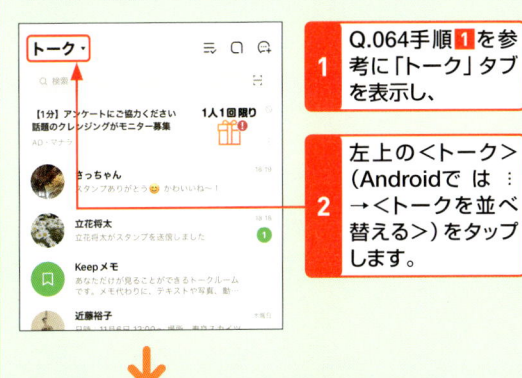

1 Q.064手順1を参考に「トーク」タブを表示し、

2 左上の<トーク>（Androidでは ⋮ →<トークを並べ替える>）をタップします。

3 ここでは<未読メッセージ>をタップします。

4 受信日時が新しい順に、未読メッセージのあるトークルームが上部に表示されます。

トーク ★★★★★

Q 066 » 頻繁に連絡を取る友だちを上部に固定させたい！

A をタップしてピン留めします。

LINEには、特定のトークを上部に固定させておける「ピン留め」機能があります。家族や友だちなど、頻繁にやり取りする人をピン留めしておけば、連絡を取りたいときにすぐにメッセージを送ることができます。ピン留めしたトークルームは「トーク」タブの上部に常に表示されているため、ほかのトークに埋もれることもありません。

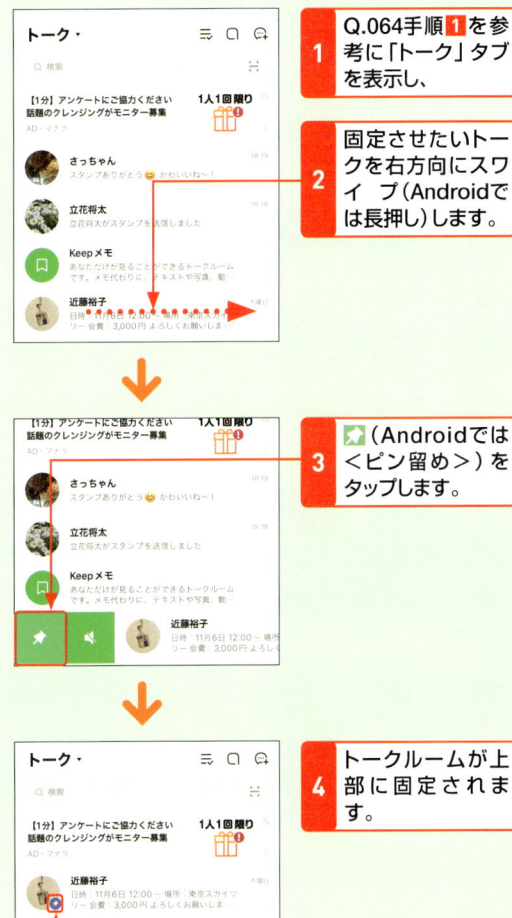

1 Q.064手順1を参考に「トーク」タブを表示し、

2 固定させたいトークを右方向にスワイプ（Androidでは長押し）します。

3 （Androidでは<ピン留め>）をタップします。

4 トークルームが上部に固定されます。

ピン留めしたトークはアイコンの右下にが表示されます。

Q スタンプ ★★★★★

067 » スタンプって何？

A **トークで使えるLINE独自のイラストです。**

LINEでは、「スタンプ」というLINE独自のイラストを使って、友だちとトークすることができます。スタンプには無料のものと有料のものがあり、たくさんの種類の中から好きなものをダウンロードすることができます。まずは、誰でもダウンロードできる無料のスタンプを使ってみましょう。

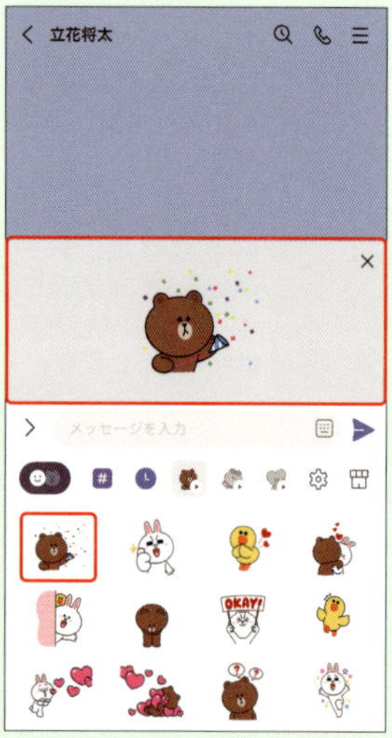

LINE公式キャラクターのスタンプを無料でダウンロードすることができます。スタンプをタップすると大きくプレビュー表示する機能があり、送信前に確認してから送ることが可能です。

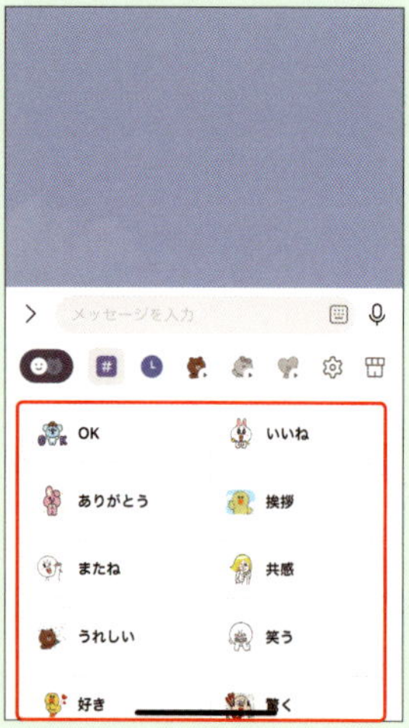

をタップするとシーンや感情ごとにカテゴリ分けされており、送りたい内容に応じて選ぶことができます。

Q スタンプ ★★★★★

068 » 無料のスタンプをダウンロードするには？

A **「設定」画面の<マイスタンプ>からダウンロードします。**

通常、スタンプは「スタンプショップ」画面からダウンロードしますが、はじめてLINEを利用するユーザー向けにLINEキャラクターの無料スタンプが配布されています。<ホーム>→⚙→<スタンプ>→<マイスタンプ>の順にタップして、ダウンロードしたいスタンプの↓をタップします。

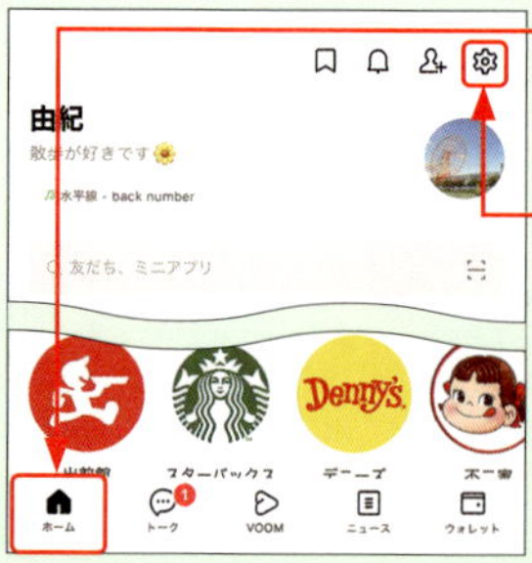

1 <ホーム>をタップし、

2 ⚙をタップします。

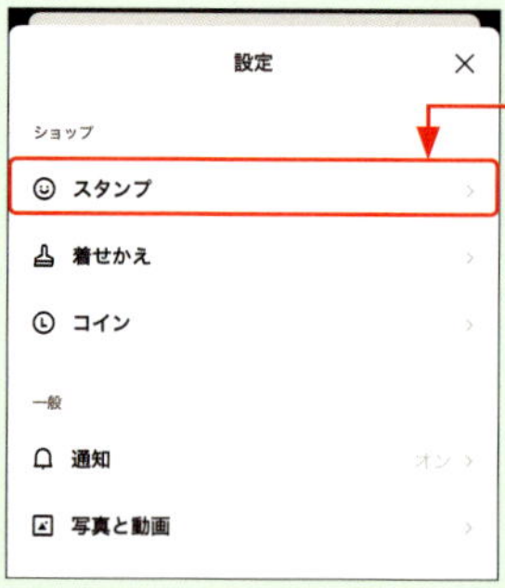

3 <スタンプ>→<マイスタンプ>の順にタップします。

4 ダウンロードしたいスタンプの↓またはくすべてダウンロード>をタップします。

Q スタンプ ★★★★★

069 » スタンプを送信したい！

A ☺をタップしてスタンプを選択します。

ダウンロードしたスタンプをトーク内で使用するには、☺をタップします。ダウンロードしたスタンプがアイコンで表示され、アイコンをタップすると、ダウンロードしたスタンプ一覧が表示されます。一覧から送信したいスタンプをタップして選択し、再度タップして送信します。

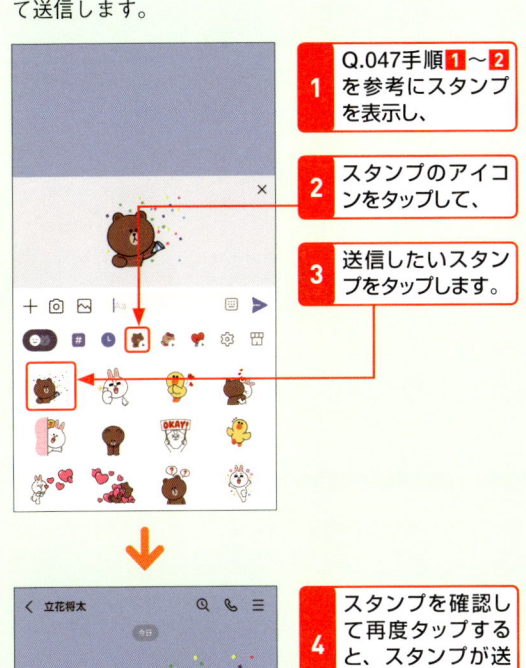

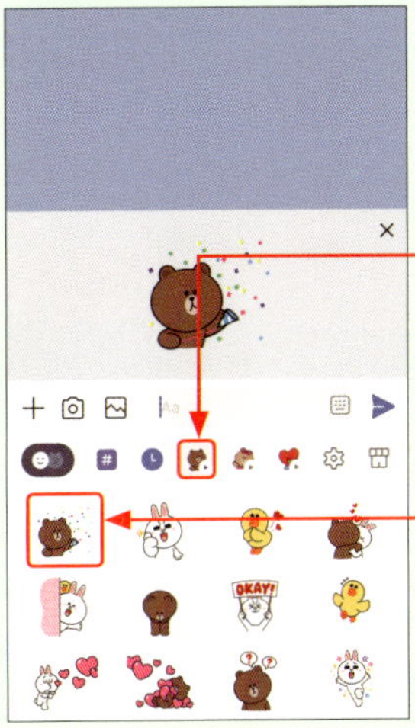

1 Q.047手順1～2を参考にスタンプを表示し、

2 スタンプのアイコンをタップして、

3 送信したいスタンプをタップします。

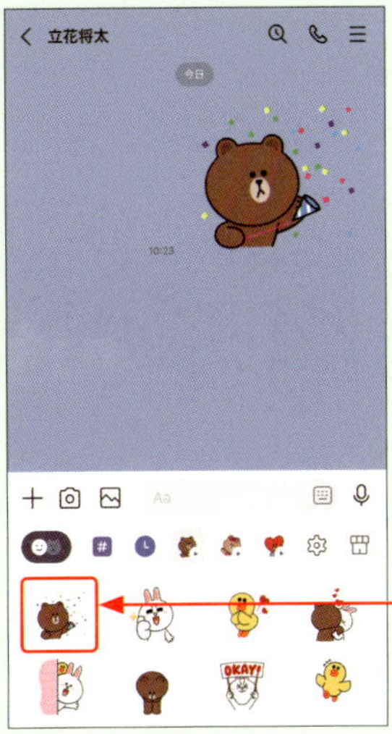

4 スタンプを確認して再度タップすると、スタンプが送信されます。

Q スタンプ ★★★★★

070 » 入力した内容に合ったスタンプを送信したい！

A 「サジェスト表示」をオンにします。

「涙」や「車」など、感情や物を表すキーワードを入力して検索すると、スタンプを探す手間が省けて便利です。キーワードでスタンプを送信したいときは、「スタンプショップ」画面の「スタンプ」画面で、＜サジェスト表示＞をタップしてオンにします。トークルームの入力ボックスにキーワードを入力するだけで、該当するスタンプが表示されます。

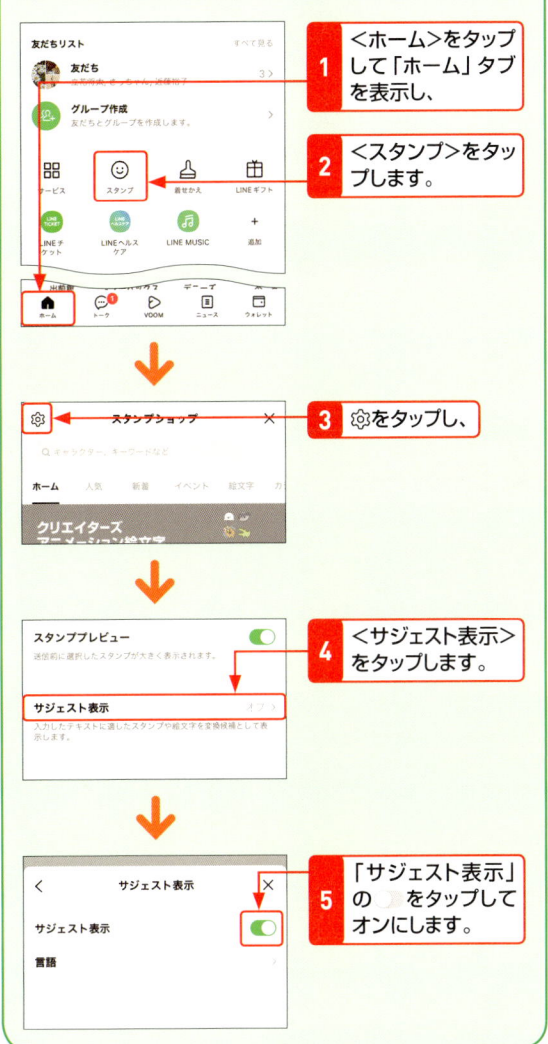

1 ＜ホーム＞をタップして「ホーム」タブを表示し、

2 ＜スタンプ＞をタップします。

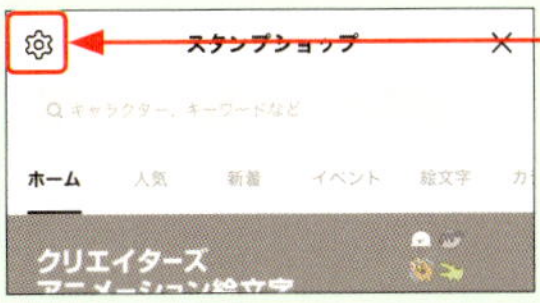

3 ⚙をタップし、

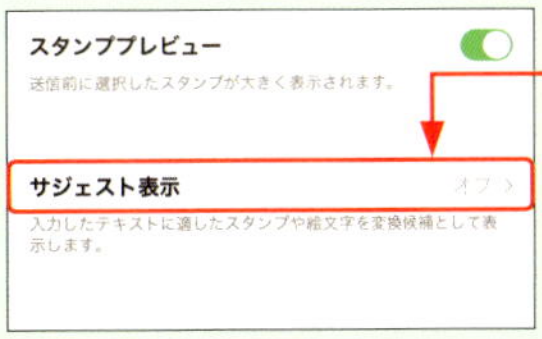

4 ＜サジェスト表示＞をタップします。

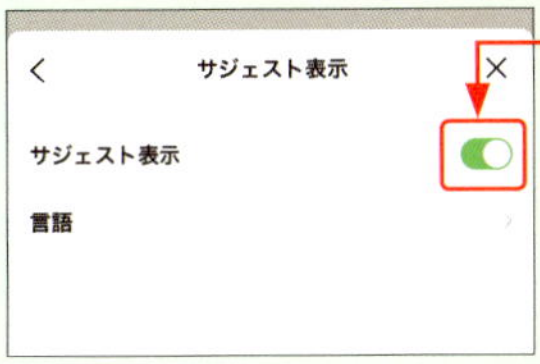

5 「サジェスト表示」のをタップしてオンにします。

Q スタンプ ★★★★★

071 » 最近使用したスタンプをすばやく送るには？

A ◷をタップして履歴を表示します。

スタンプの◷をタップすると、最近使用したスタンプが一覧で表示されます。頻繁に使うスタンプをかんたんに選択できるので便利です。履歴からスタンプを送信するときも、一覧からスタンプをタップして選択し、再度タップして送信します。

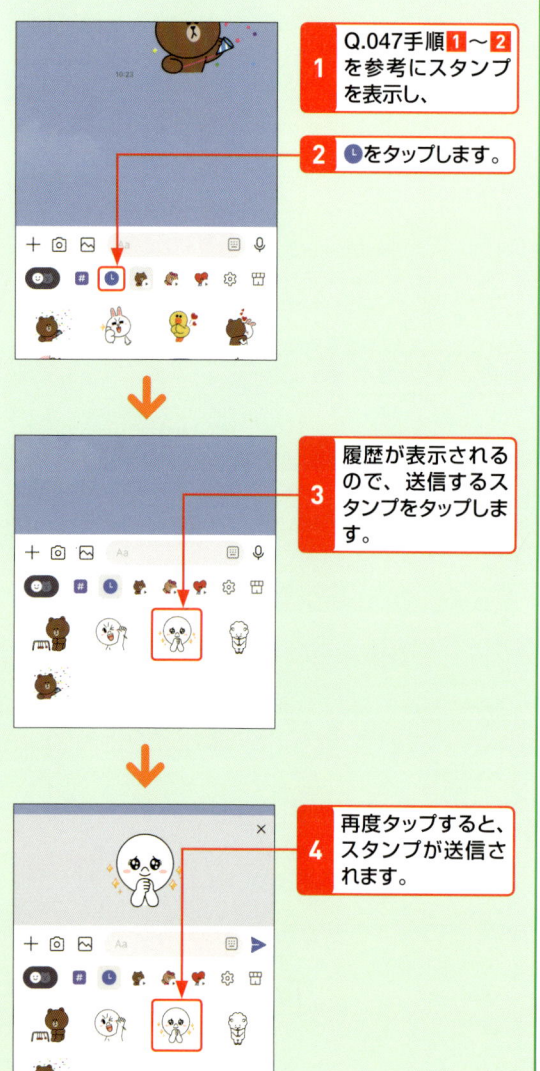

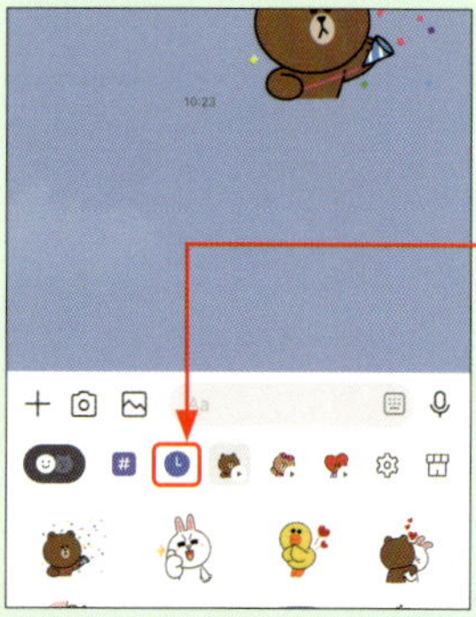

1 Q.047手順1〜2を参考にスタンプを表示し、

2 ◷をタップします。

3 履歴が表示されるので、送信するスタンプをタップします。

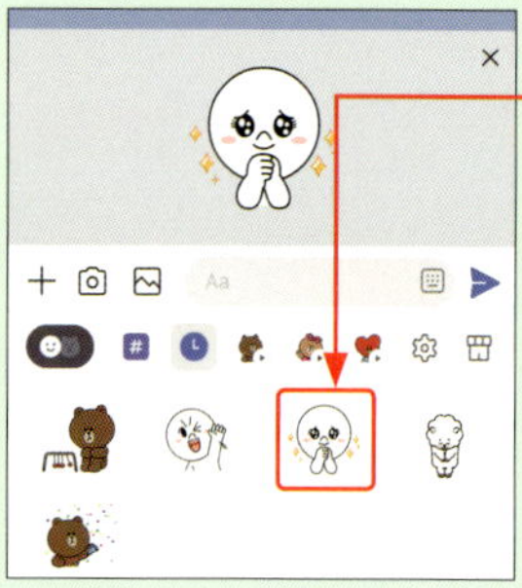

4 再度タップすると、スタンプが送信されます。

Q スタンプ ★★★★★

072 » イベントスタンプをダウンロードするには？

A <スタンプ>→<イベント>の順にタップします。

イベントスタンプは、条件をクリアすることで使える無料のスタンプです。「スタンプショップ」画面からダウンロードすることができます。「ホーム」タブで<スタンプ>をタップして「スタンプショップ」画面を表示し、上部のカテゴリから<イベント>をタップします。

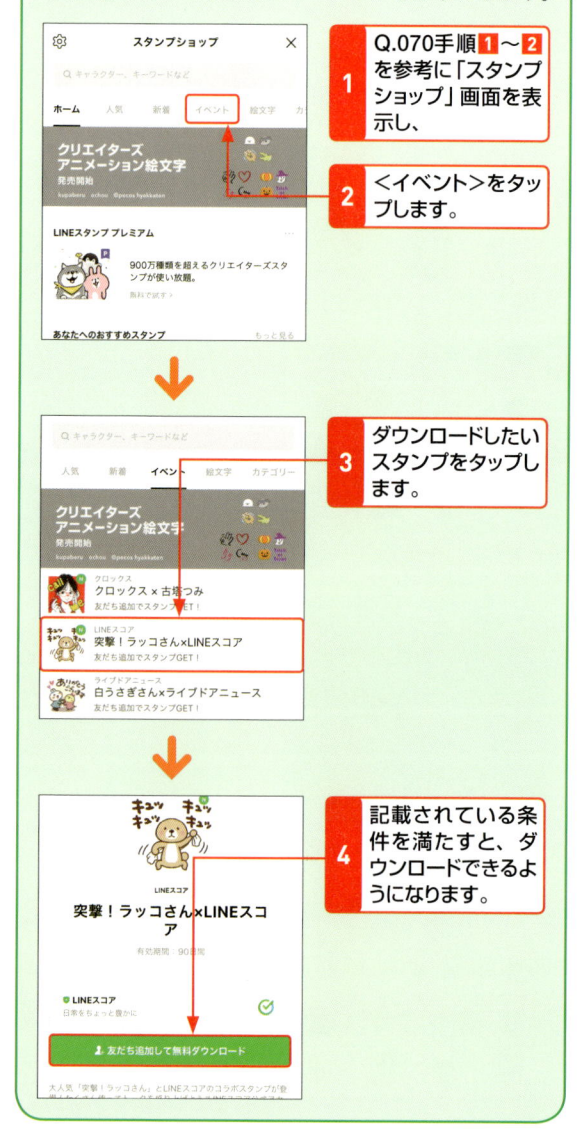

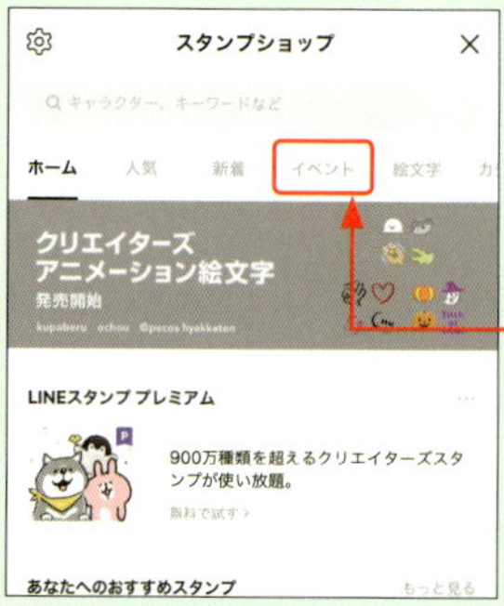

1 Q.070手順1〜2を参考に「スタンプショップ」画面を表示し、

2 <イベント>をタップします。

3 ダウンロードしたいスタンプをタップします。

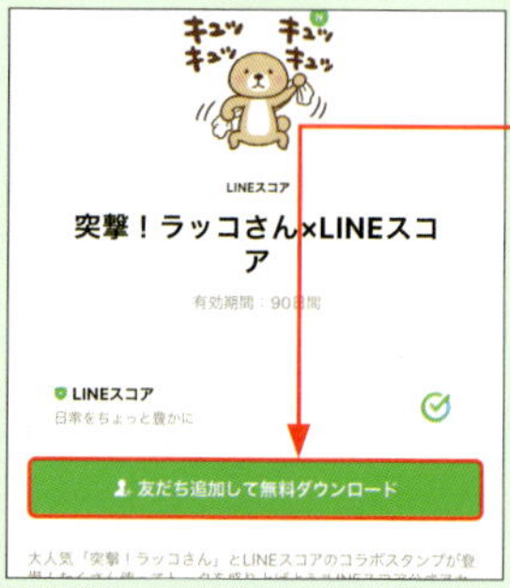

4 記載されている条件を満たすと、ダウンロードできるようになります。

スタンプ ★★★★★

Q 073 » コインをチャージするには？

A 「コインチャージ」画面でチャージ金額を指定します。

有料スタンプをダウンロードするときは、あらかじめLINE内の仮想通貨「コイン」をチャージしておきましょう。「設定」画面から<コイン>をタップし、<チャージ>をタップすると、「コインチャージ」画面が表示されます。チャージ金額をタップして選択し、画面の指示に従って支払いを手続きを行います。

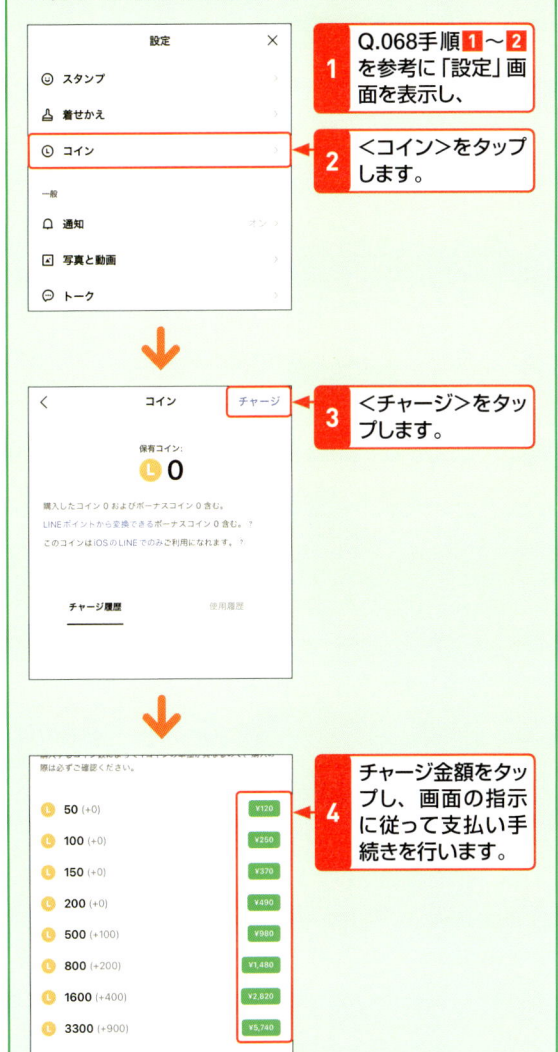

1 Q.068手順1〜2を参考に「設定」画面を表示し、

2 <コイン>をタップします。

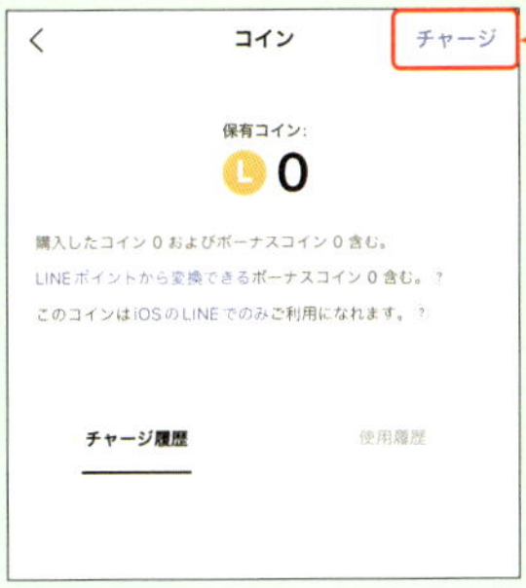

3 <チャージ>をタップします。

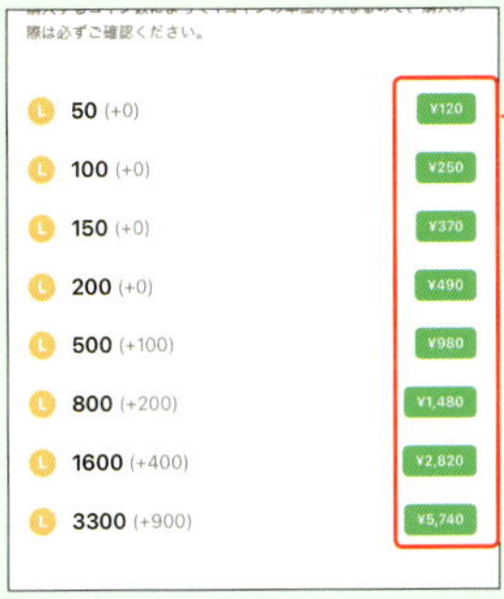

4 チャージ金額をタップし、画面の指示に従って支払い手続きを行います。

スタンプ ★★★★★

Q 074 » 有料スタンプをダウンロードしたい！

A 「スタンプショップ」画面でスタンプを購入します。

スタンプを購入するときは、「スタンプショップ」画面から行います。購入したいスタンプをタップすると、購入に必要なコイン数とスタンプの一覧が表示されるので、<購入する>をタップしてダウンロードしましょう。なお、「スタンプショップ」画面の上部で<カテゴリー>をタップすると、カテゴリごとにスタンプを探すことができます。

1 Q.070手順1〜2を参考に「スタンプショップ」画面を表示し、

2 購入したいスタンプをタップします。

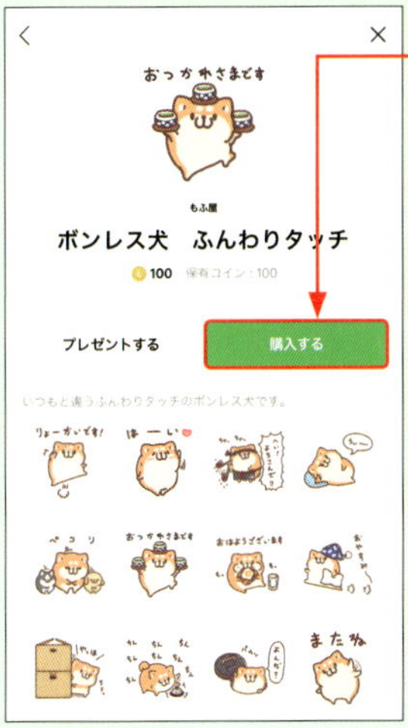

3 <購入する>をタップします。

コインが足りない場合は、<購入する>をタップしたあとに、チャージすることもできます。

Q スタンプ

075 » 長文のメッセージを入力できるメッセージスタンプを購入したい！

A 「スタンプショップ」画面で<カテゴリー>→<メッセージスタンプ>の順にタップします。

スタンプにはさまざまな種類がありますが、オリジナルの文字を入力して送りたいときは、「メッセージスタンプ」を利用すると便利です。最大100文字まで入力することができるので、メッセージカードのように、長文を送りたいときにも活用できます。また、文字は何度でも変更することができるので、飽きずに楽しむことができます。なお、絵文字は文字化けしてしまう可能性が高いため、入力の際には注意が必要です。

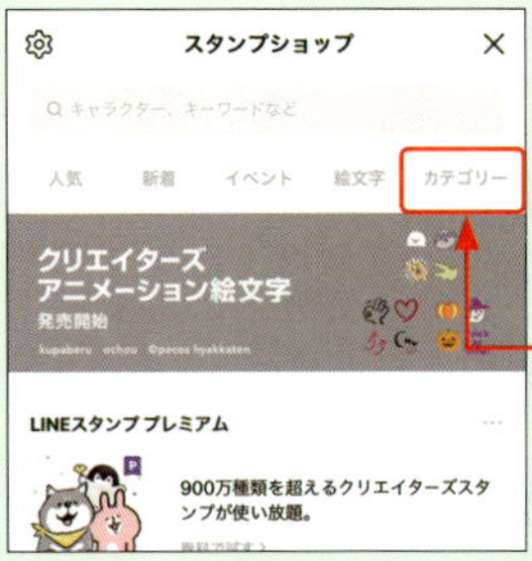

1 Q.070手順1～2を参考に「スタンプショップ」画面を表示し、

2 <カテゴリー>をタップします。

3 <メッセージスタンプ>をタップし、

4 任意のスタンプをタップします。

5 <購入する>をタップします。

プレビューで確認する

1 手順5の画面で任意のスタンプをタップし、

2 <テキストを入力>をタップします。

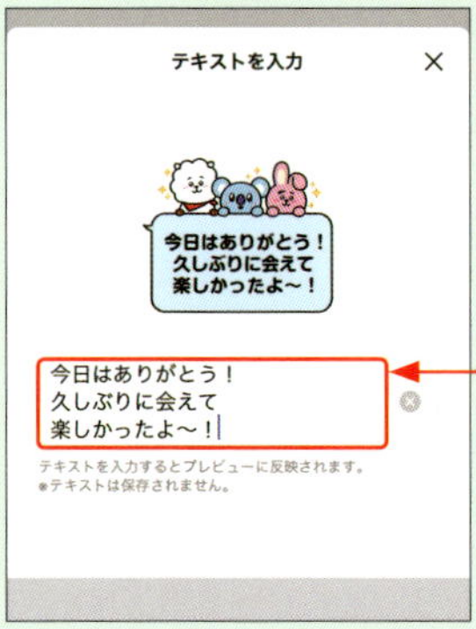

3 メッセージを入力すると、プレビューで確認できます。

Q 076 スタンプ ★★★★★

友だちが送信したスタンプを入手するには？

A スタンプをタップします。

友だちから送られてきたスタンプと同じものを入手したいときは、そのスタンプをタップすると、スタンプの詳細が表示されます。無料の場合は条件を満たせば入手でき、有料の場合は保有コイン数が十分であれば購入することができます。なお、コイン数が不足している場合でも、＜購入する＞をタップしてチャージしたあとに購入することも可能です。

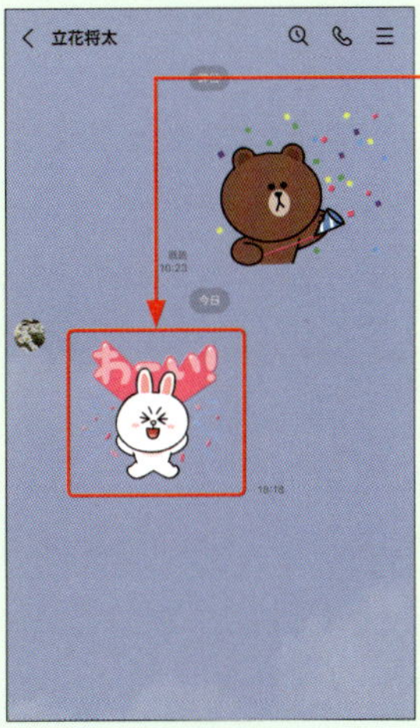

1 友だちから送られてきたスタンプをタップします。

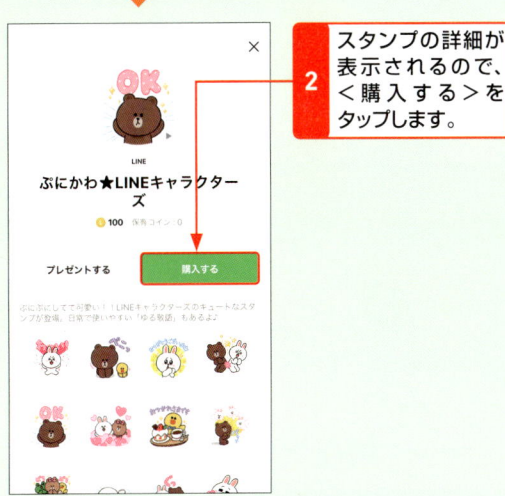

2 スタンプの詳細が表示されるので、＜購入する＞をタップします。

Q 077 スタンプ ★★★★★

有料スタンプをプレゼントするには？

A スタンプの詳細画面で＜プレゼントする＞をタップします。

有料スタンプを友だちにプレゼントしたいときは、プレゼントしたいスタンプの詳細画面を表示し、＜プレゼントする＞をタップして、送りたい友だちを選択しましょう。デフォルトで用意されているテンプレートもいっしょに送ることができます。なお、「プレゼントする」の記載がないスタンプは、プレゼントすることができません。

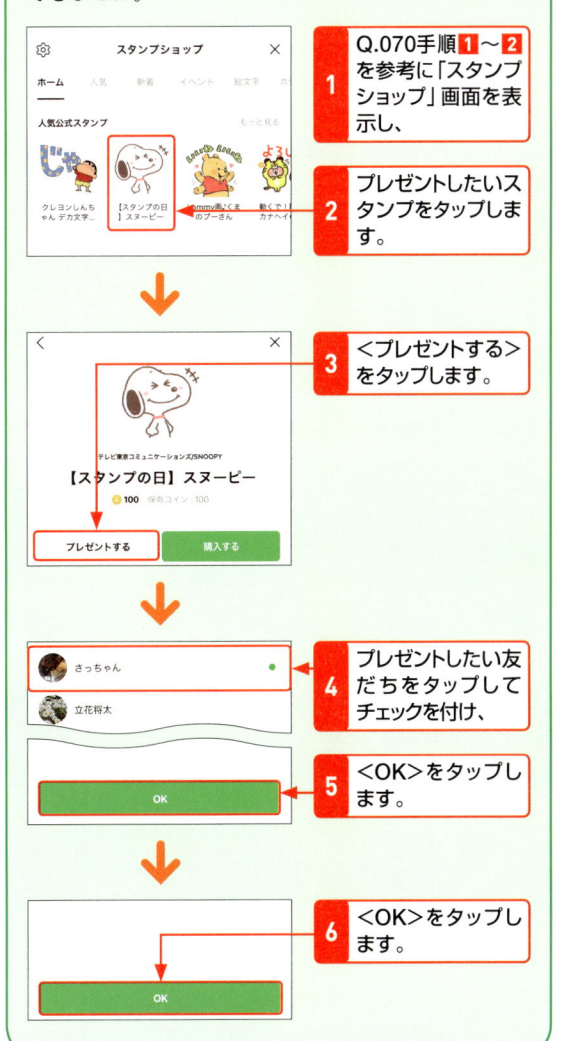

1 Q.070手順1〜2を参考に「スタンプショップ」画面を表示し、

2 プレゼントしたいスタンプをタップします。

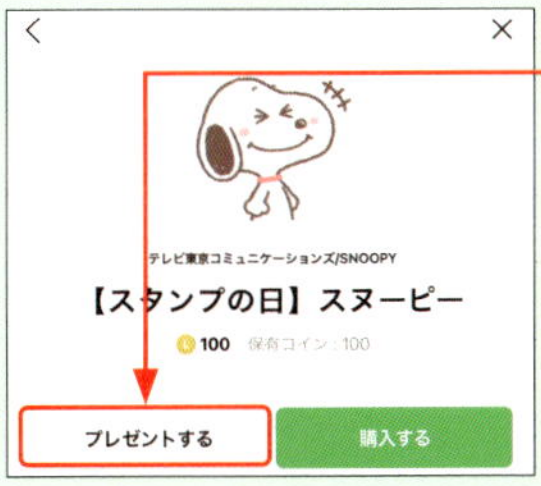

3 ＜プレゼントする＞をタップします。

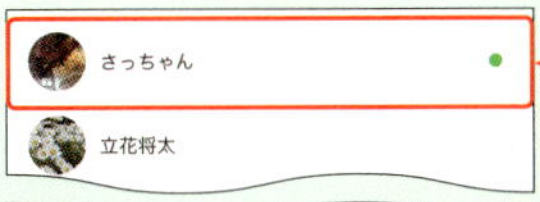

4 プレゼントしたい友だちをタップしてチェックを付け、

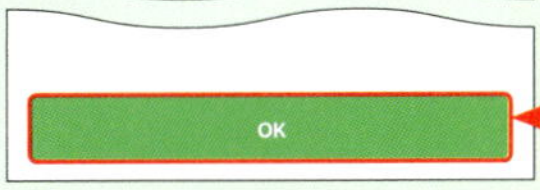

5 ＜OK＞をタップします。

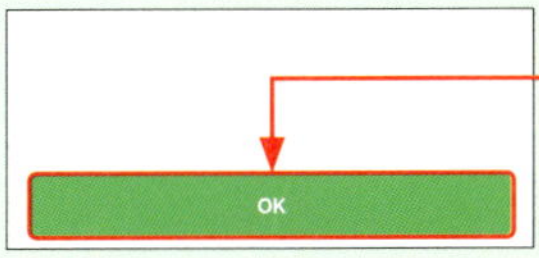

6 ＜OK＞をタップします。

Q スタンプ ★★★★★

078 » スタンプの並び順を変更するには？

A 「マイスタンプ編集」画面で ═ をドラッグして変更します。

スタンプの並び順を変更したいときは、「設定」画面を表示し、＜スタンプ＞→＜マイスタンプ編集＞の順にタップします。スタンプ名の右側に表示されている ═ をドラッグすることで、好きな位置に配置することができます。スタンプの数が増えていくと、目的のスタンプを見つけるのが大変なため、同じキャラクターのスタンプでまとめたり、よく使うスタンプを上部に配置したりするなどして整理しておくとよいでしょう。

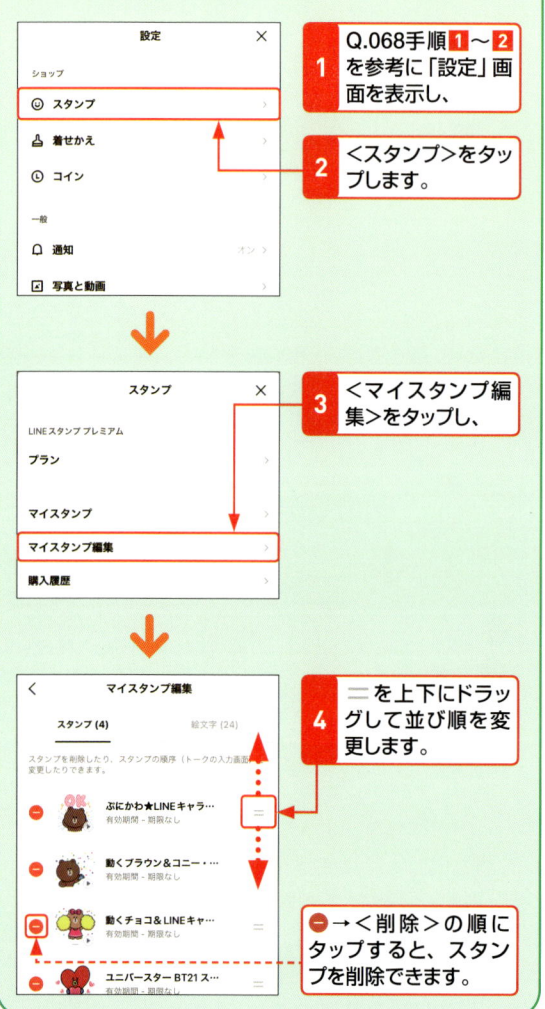

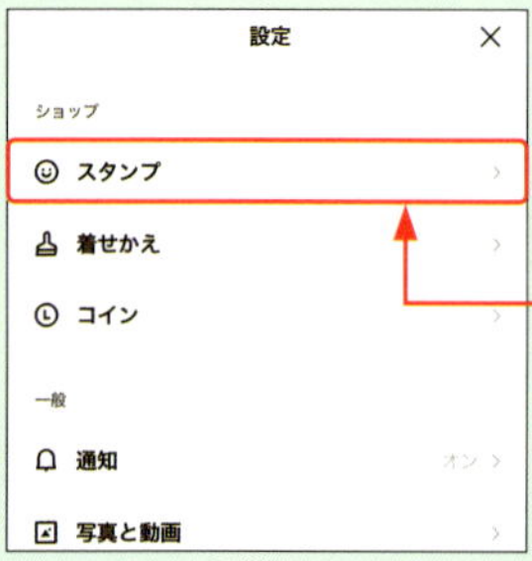

1 Q.068手順 1 ～ 2 を参考に「設定」画面を表示し、

2 ＜スタンプ＞をタップします。

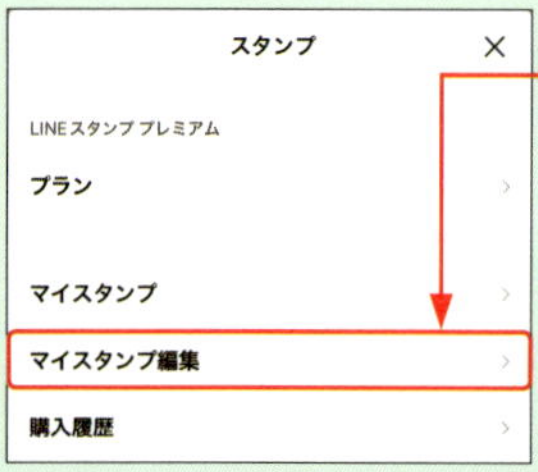

3 ＜マイスタンプ編集＞をタップし、

4 ═ を上下にドラッグして並び順を変更します。

⊖→＜削除＞の順にタップすると、スタンプを削除できます。

Q スタンプ ★★★★★

079 » 購入したスタンプが表示されない場合は？

A 購入履歴を確認して、再度ダウンロードしてみましょう。

スタンプを購入したにもかかわらず表示されない場合は、正常にダウンロードできていない可能性があります。「設定」画面を表示し、＜スタンプ＞→＜購入履歴＞の順にタップして、ダウンロードされていないスタンプをタップしてみましょう。＜ダウンロード＞をタップすれば、再度ダウンロードすることができます。

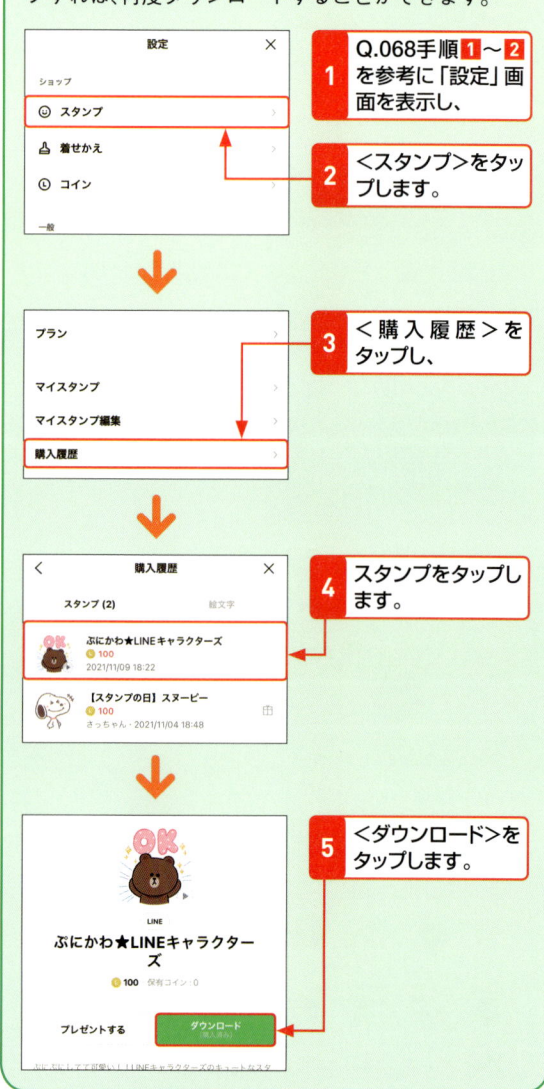

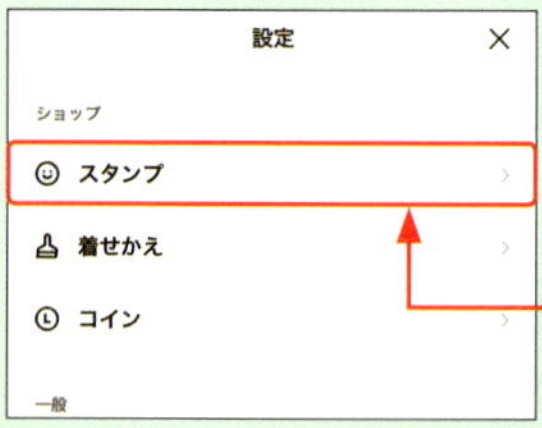

1 Q.068手順 1 ～ 2 を参考に「設定」画面を表示し、

2 ＜スタンプ＞をタップします。

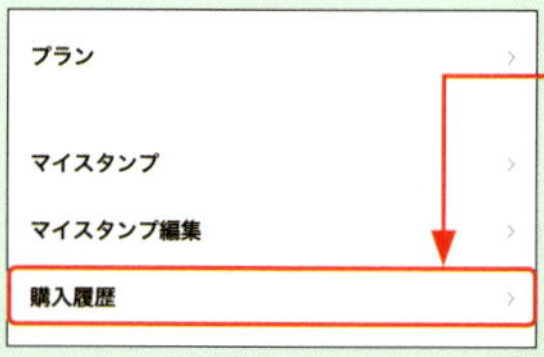

3 ＜購入履歴＞をタップし、

4 スタンプをタップします。

5 ＜ダウンロード＞をタップします。

第3章

LINEの便利機能

Q グループ ★★★★★

080 » グループって何？

A **複数の友だちとトークできる機能です。**

LINEでは、職場やクラス、仲のよい友だちどうしで「グループ」を作成することで、複数の友だちと情報交換をしたり、会話を楽しんだりすることができます。グループには最大500人まで参加することができ、「ノート」や「アルバム」などの機能を利用することができます。なお、グループでは、招待を受けた場合に「参加」か「拒否」かを選択することができます（自動追加がオフの場合はQ.081を参照）。

参加しているグループ

グループのトークルーム

Q グループ ★★★★★

081 » グループを作成したい！

A **「トーク」タブから作成できます。**

グループを作成するときは、「トーク」タブの をタップし、<グループ>をタップします。招待したい友だちを選択し、<次へ>をタップして、グループ名を入力しましょう。なお、「友だちをグループに自動で追加」をオンにしておくと、参加を表明しなくても自動でグループに追加されます。グループへの参加を選んでもらいたいときは、オフにしておきましょう。

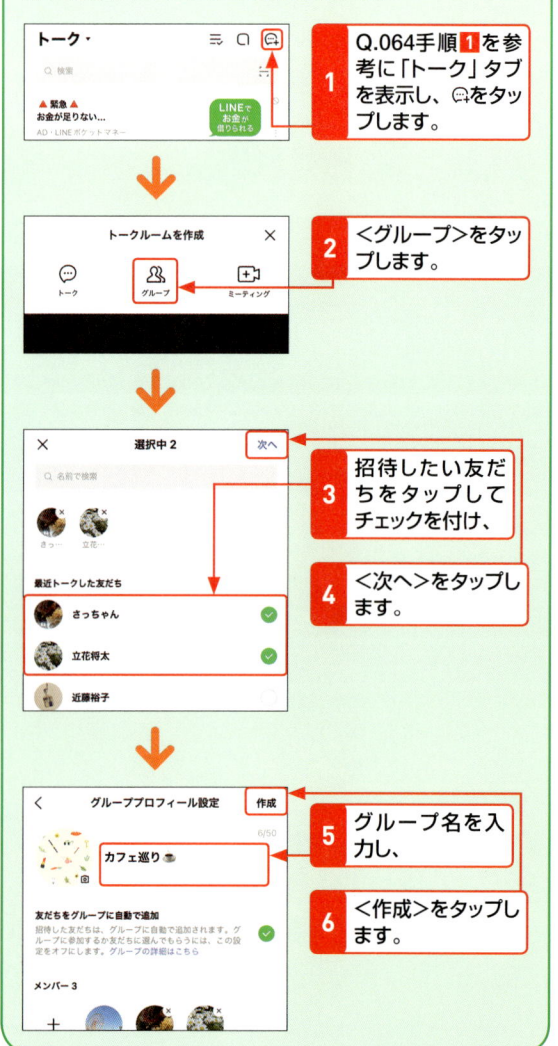

1 Q.064手順 1 を参考に「トーク」タブを表示し、 をタップします。

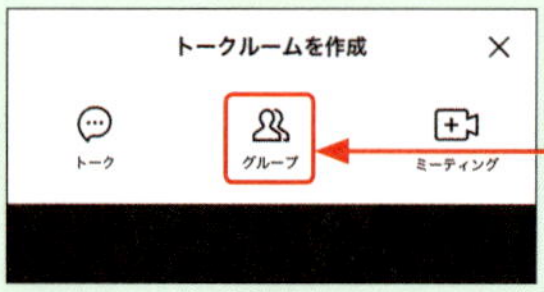

2 <グループ>をタップします。

3 招待したい友だちをタップしてチェックを付け、

4 <次へ>をタップします。

5 グループ名を入力し、

6 <作成>をタップします。

Q グループ ★★★★★

082 » グループ名を変更するには？

A グループの「その他」画面から変更します。

グループの名前は、そのグループに参加しているメンバーであれば誰でも変更することができます。グループ名を変更するときは、グループのトークルームを表示し、「その他」画面を表示して変更します。なお、グループ名を変更するときは、ほかのメンバーに知らせてから行うとよいでしょう。

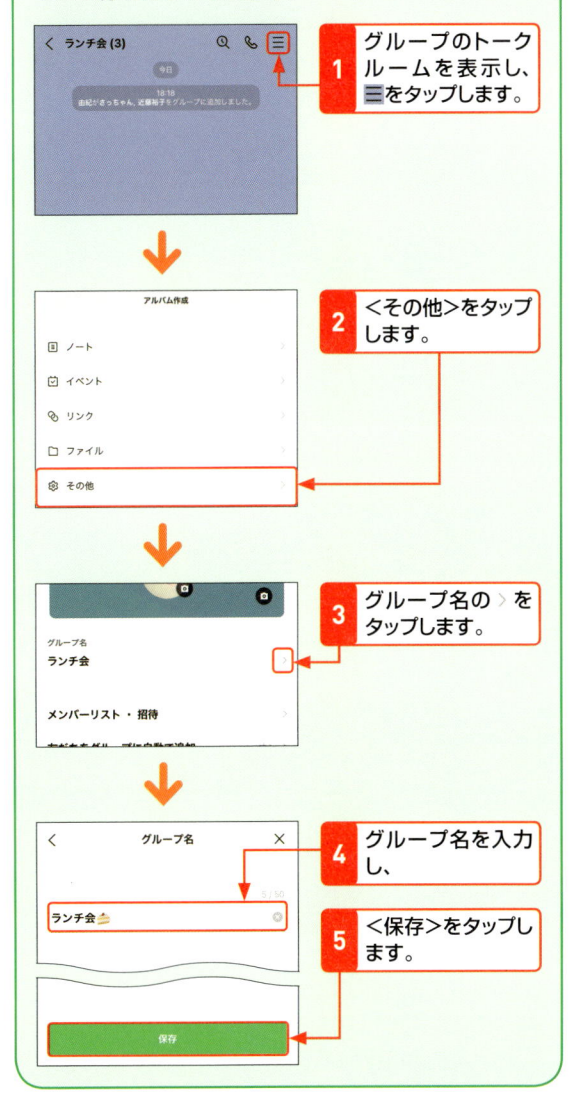

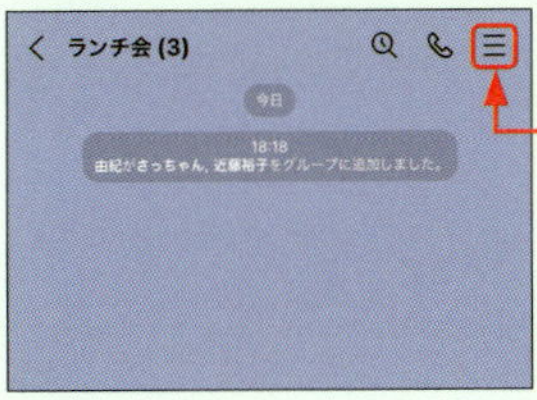

1 グループのトークルームを表示し、≡をタップします。

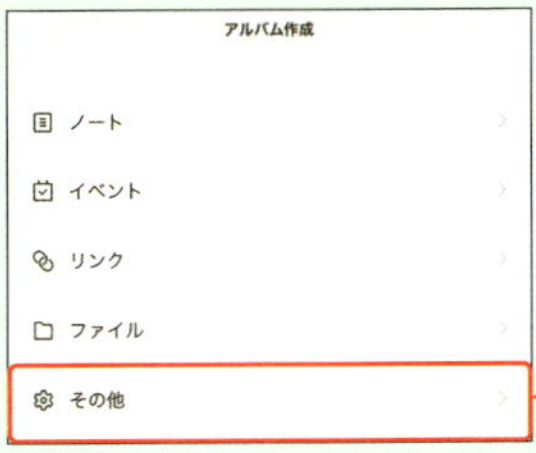

2 ＜その他＞をタップします。

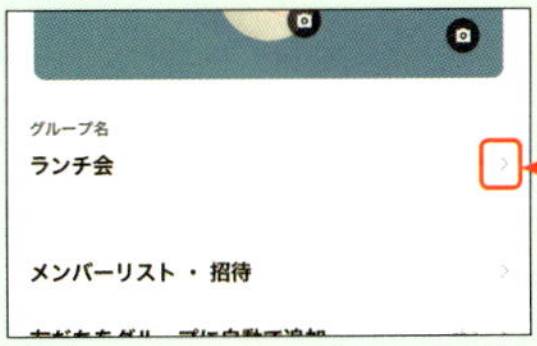

3 グループ名の ＞ をタップします。

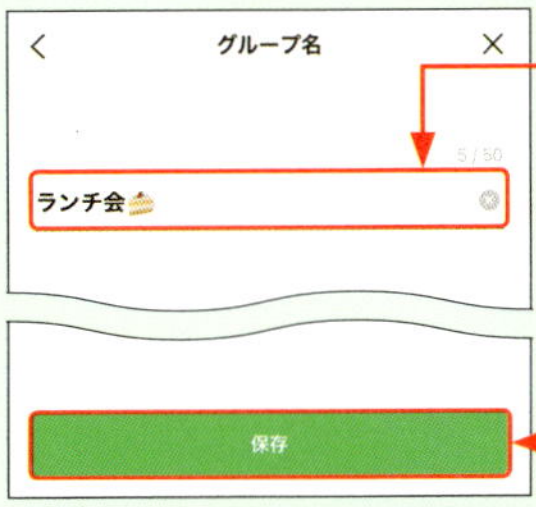

4 グループ名を入力し、

5 ＜保存＞をタップします。

Q グループ ★★★★★

083 » グループのアイコンを設定したい！

A グループの「その他」画面から変更します。

グループを作成すると自動的にアイコンが設定されますが、ほかのアイコンに変更したり、撮った写真をアイコンにしたりすることもできます。アイコンを変更するときは、グループのトークルームを表示し、「その他」画面を表示して変更します。グループのイメージや雰囲気に合ったアイコンを設定しましょう。

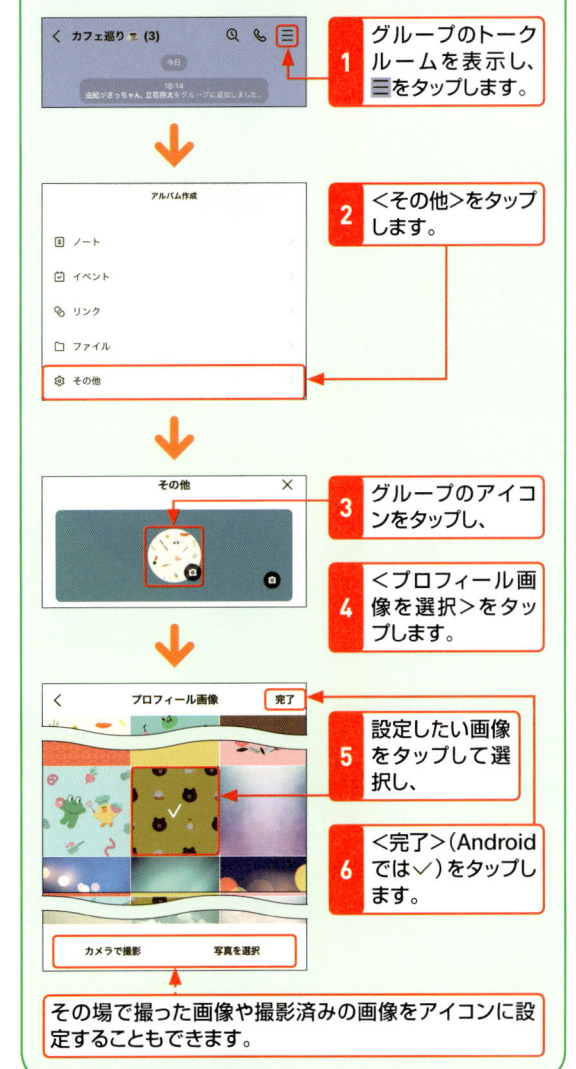

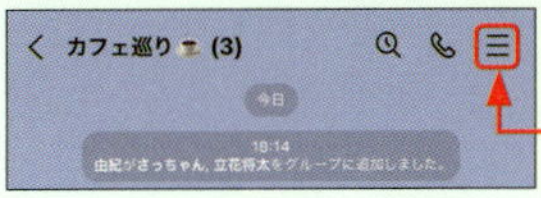

1 グループのトークルームを表示し、≡をタップします。

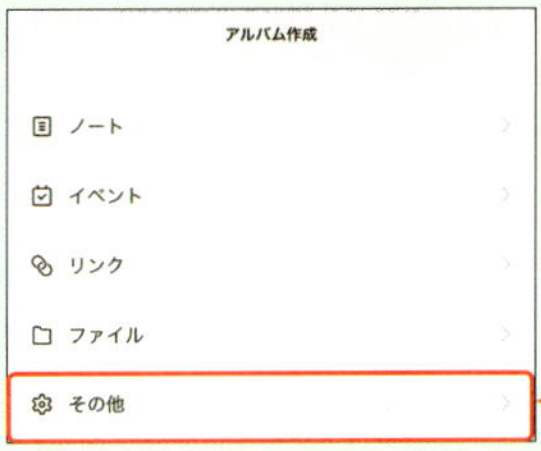

2 ＜その他＞をタップします。

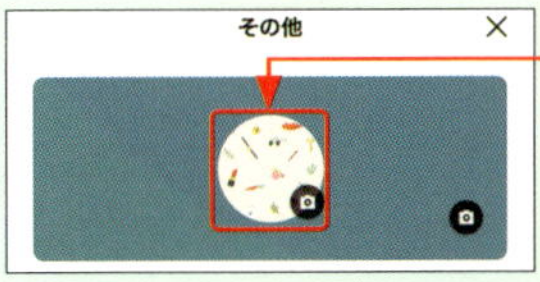

3 グループのアイコンをタップし、

4 ＜プロフィール画像を選択＞をタップします。

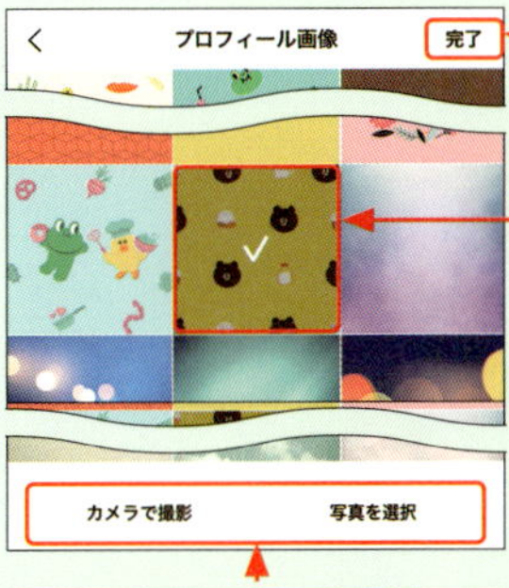

5 設定したい画像をタップして選択し、

6 ＜完了＞（Androidでは✓）をタップします。

その場で撮った画像や撮影済みの画像をアイコンに設定することもできます。

Q グループ ★★★★★

084 » 招待されたグループに参加するには？

A 招待を受けたら<参加>をタップします。

自動追加がオフの場合（Q.081参照）、グループに招待されると通知が届き、「ホーム」タブの「招待されている グループ」にグループ名が表示されます。グループ名をタップすると、そのグループに参加するか拒否するかを選択できます。<参加>をタップすると、グループのトークルームが作成されます。<拒否>をタップしても、招待中のままとなり、招待した側に拒否したことは伝わりません。

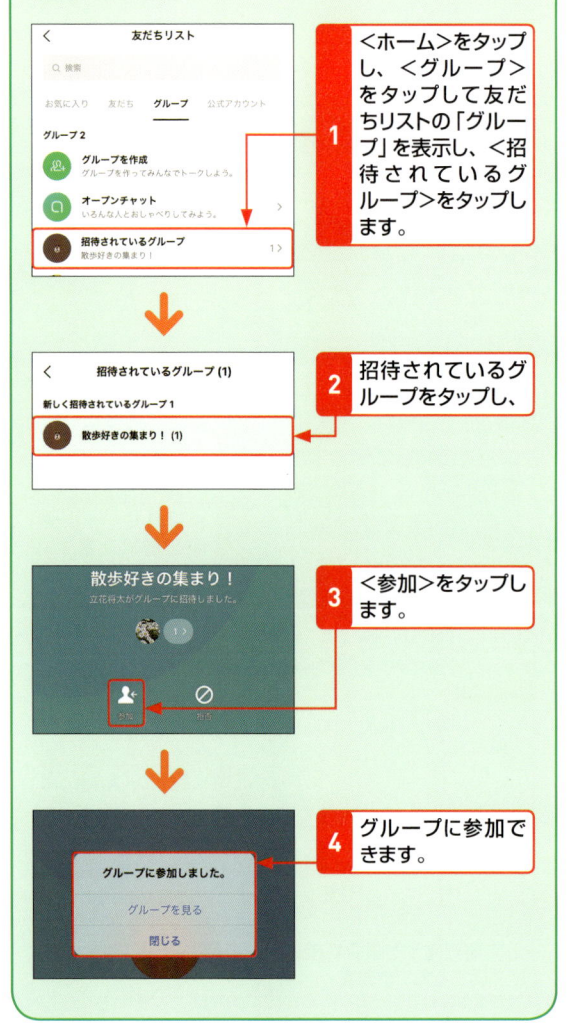

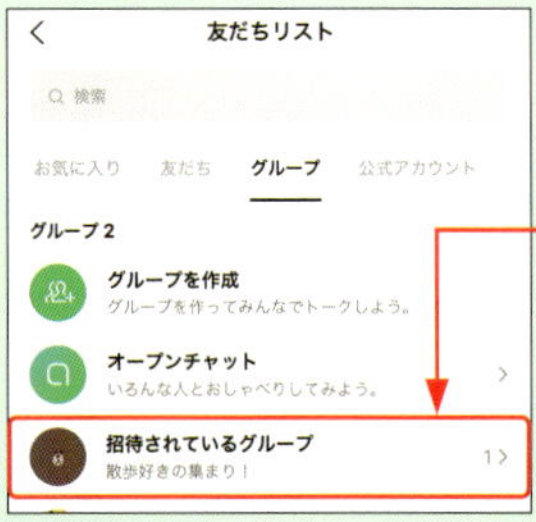

1 <ホーム>をタップし、<グループ>をタップして友だちリストの「グループ」を表示し、<招待されているグループ>をタップします。

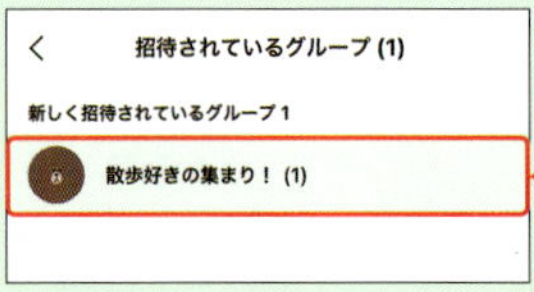

2 招待されているグループをタップし、

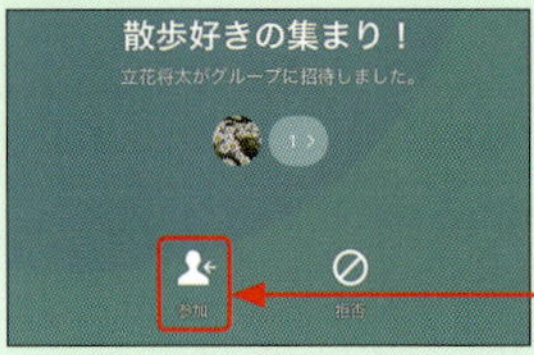

3 <参加>をタップします。

4 グループに参加できます。

Q グループ ★★★★★

085 » グループに友だちを招待するには？

A 「友だちを選択」画面から招待します。

グループにほかのメンバーを追加したいときは、グループのトークルームを表示し、☰→<招待>の順にタップして、招待したいメンバーを選択します。メンバーを招待すると、トークルームに招待したことが表示され、自動追加がオフの場合（Q.081参照）、招待されたメンバーが<参加>をタップすると、参加したことが表示されます。招待されたメンバーは、参加したあとのトークから内容を見ることができます。

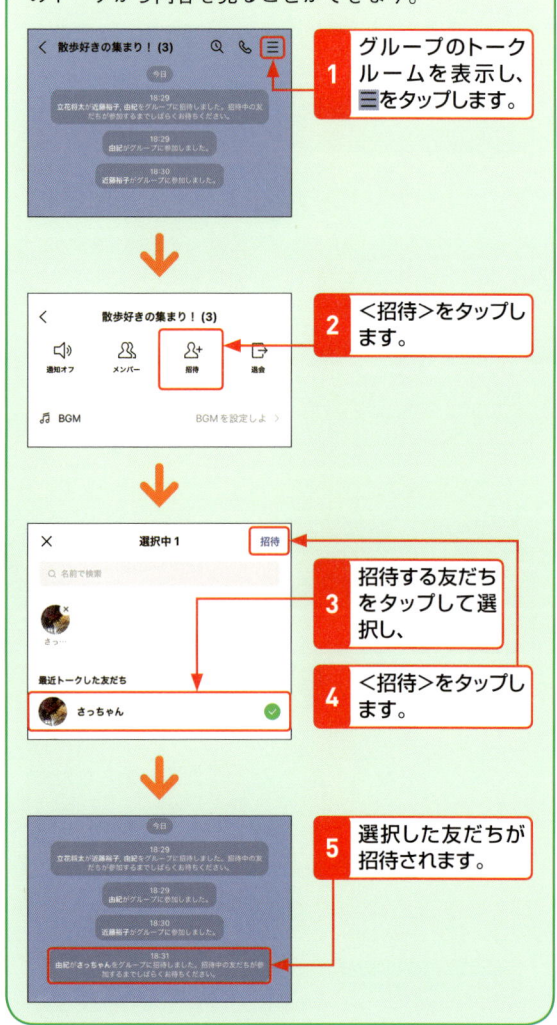

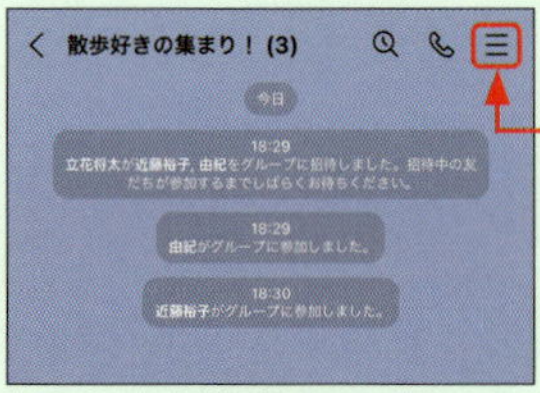

1 グループのトークルームを表示し、☰をタップします。

2 <招待>をタップします。

3 招待する友だちをタップして選択し、

4 <招待>をタップします。

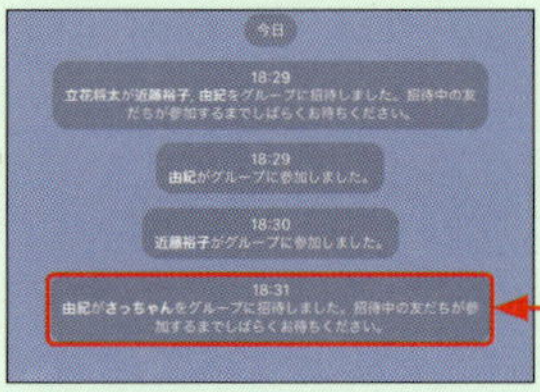

5 選択した友だちが招待されます。

Q 086 グループでトークしたい！

グループ ★★★★★

A グループのトークルームを表示してメッセージを送信します。

グループでトークしたいときは、友だちと1対1でトークするときと同様に、トークルームを表示してメッセージを送信します。送信したメッセージをグループ内のメンバーが読むと、メッセージの横に「既読」と確認した人数が表示されるので、何人のメンバーが読んだのかを確認できます。

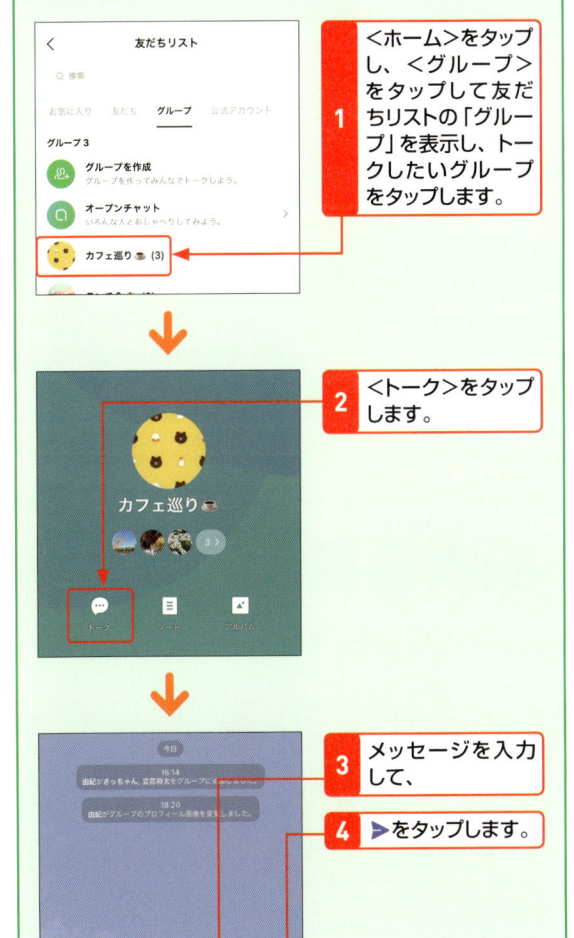

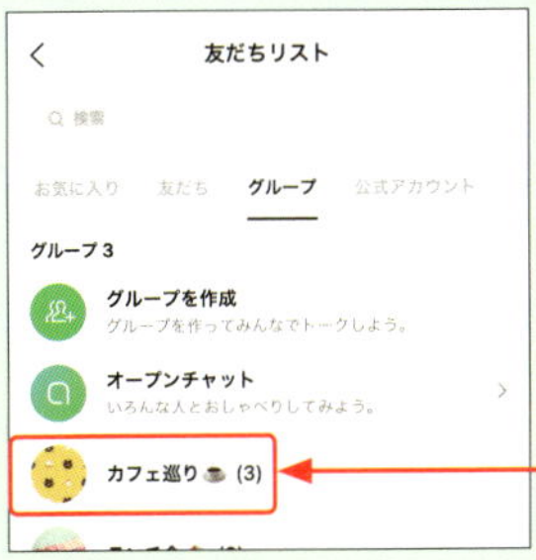

1 <ホーム>をタップし、<グループ>をタップして友だちリストの「グループ」を表示し、トークしたいグループをタップします。

2 <トーク>をタップします。

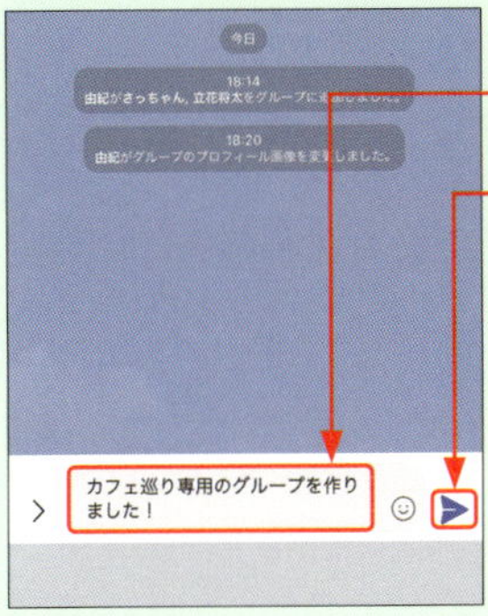

3 メッセージを入力して、

4 ➤をタップします。

Q 087 グループの特定の人宛てにメッセージを送信したい！

グループ ★★★★★

A メッセージの「メンション」機能を使いましょう。

LINEの「メンション」機能は、「グループ内の特定の人宛てにメッセージを送信する」というものです。操作はかんたんで、メッセージ入力ボックスに「@」と入力し、友だちを選択して、メッセージを送信するだけです。

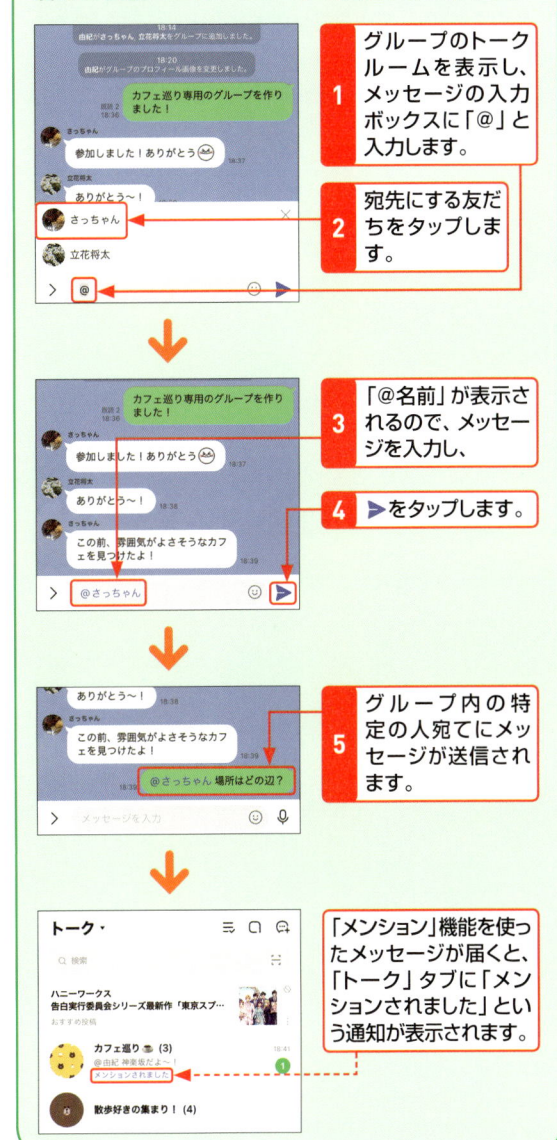

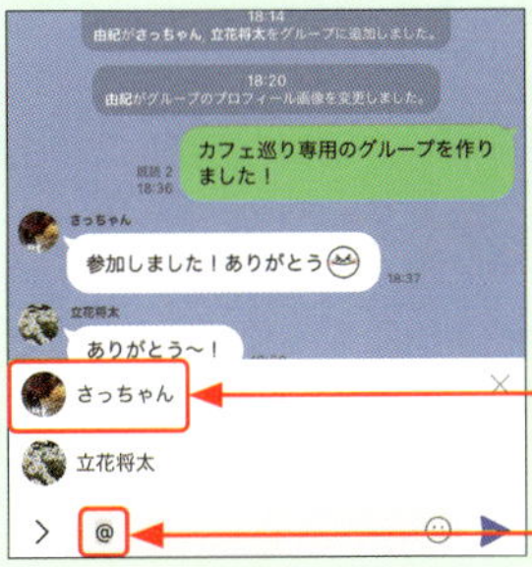

1 グループのトークルームを表示し、メッセージの入力ボックスに「@」と入力します。

2 宛先にする友だちをタップします。

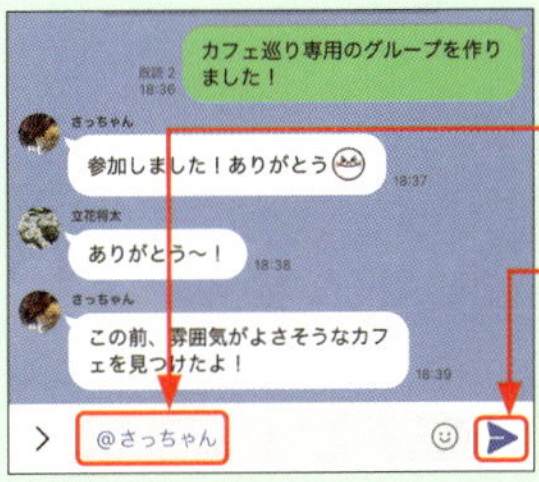

3 「@名前」が表示されるので、メッセージを入力し、

4 ➤をタップします。

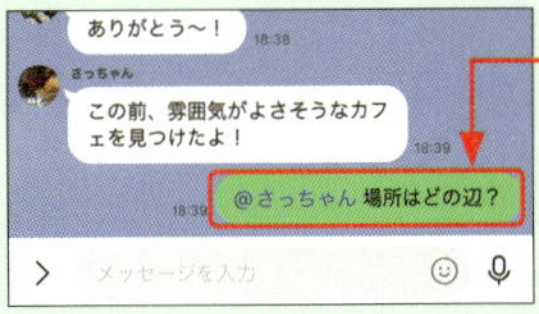

5 グループ内の特定の人宛てにメッセージが送信されます。

「メンション」機能を使ったメッセージが届くと、「トーク」タブに「メンションされました」という通知が表示されます。

Q グループ ★★★★★

088 » グループでビデオ通話したい！

A トークルームの📞→＜ビデオ通話＞の順にタップします。

グループ内のメンバーと顔を合わせながら話したいときは、ビデオ通話を利用するとよいでしょう。最大500人まで、時間制限なしで通話することができます。背景を設定したり、画面を共有（Q.100参照）したりすることもできます。長時間通話する場合は、Wi-Fiに接続することをおすすめします。

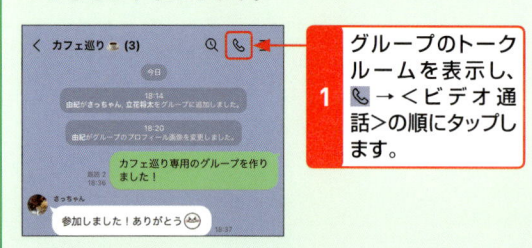

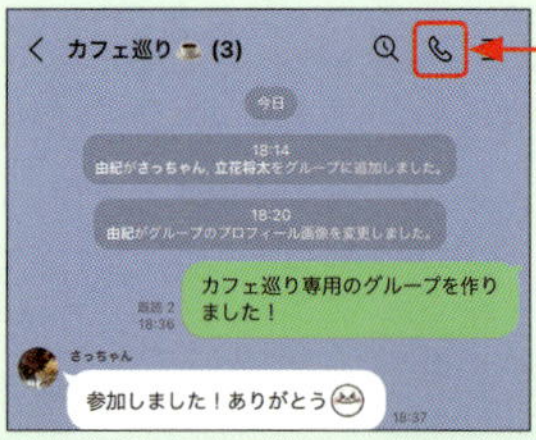

1 グループのトークルームを表示し、📞→＜ビデオ通話＞の順にタップします。

2 ＜カメラをオンにして参加＞をタップします。

3 グループでビデオ通話できます。

＜通話を退出＞をタップすると、ビデオ通話を終了できます。

Q グループ ★★★★★

089 » グループでアルバムを作って写真を共有したい！

A トークルームの☰→＜アルバム＞の順にタップします。

グループにアルバムを作って写真を共有するには、トークルームの☰→＜アルバム＞の順にタップします。アルバムが作成されるとメッセージが送信されるので、メンバーもすぐに確認できます。

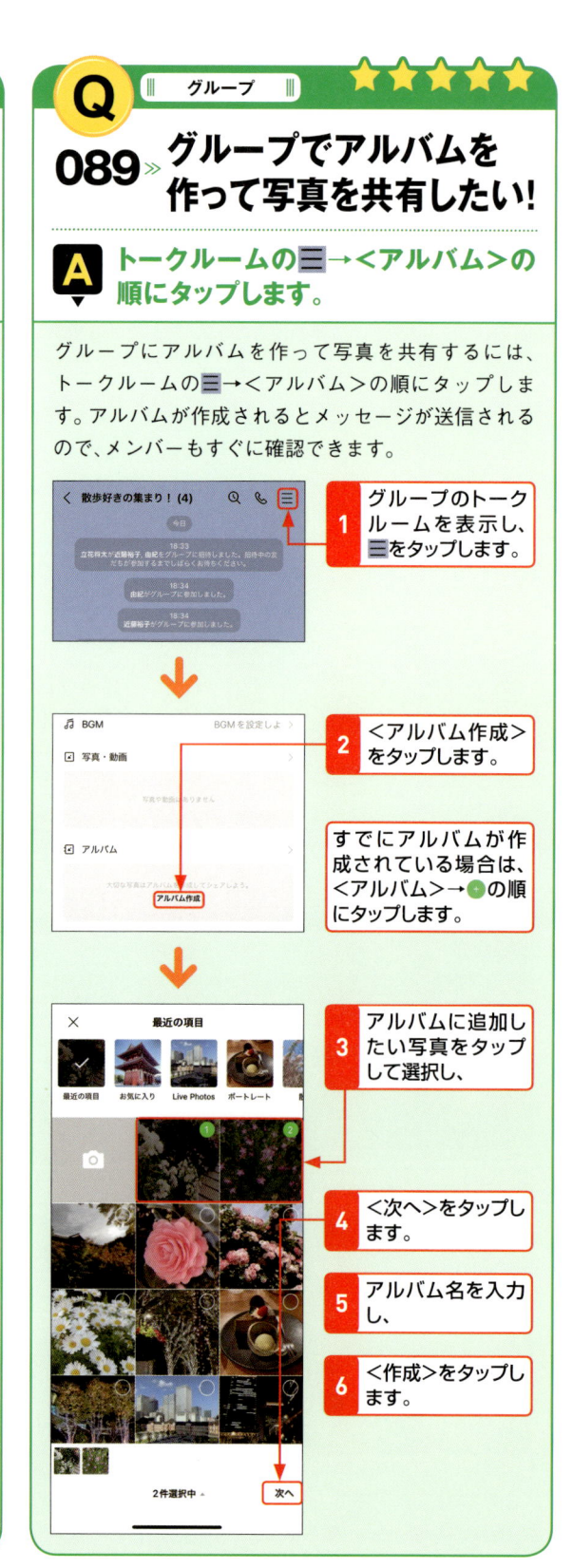

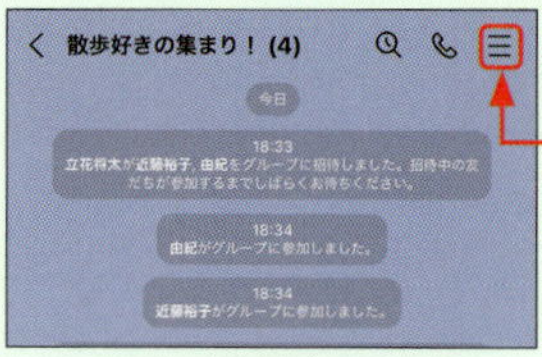

1 グループのトークルームを表示し、☰をタップします。

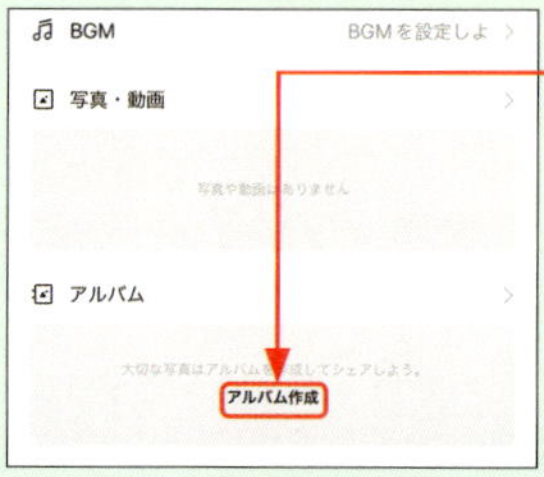

2 ＜アルバム作成＞をタップします。

すでにアルバムが作成されている場合は、＜アルバム＞→⊕の順にタップします。

3 アルバムに追加したい写真をタップして選択し、

4 ＜次へ＞をタップします。

5 アルバム名を入力し、

6 ＜作成＞をタップします。

Q グループ ★★★★★

090 » グループで大切な情報をノートで共有するには？

A 保存したいメッセージを長押しして<ノート>をタップします。

グループでは「ノート」という機能が使えます。ノートには、投稿した情報や写真が表示され、あとから時系列順に閲覧でき、スタンプを押すこともできます。ノートに保存するときは、保存したいメッセージを長押しし、<ノート>をタップします。グループにとって大切な情報や写真の共有にノートを活用しましょう。

1 グループのトークルームを表示します。

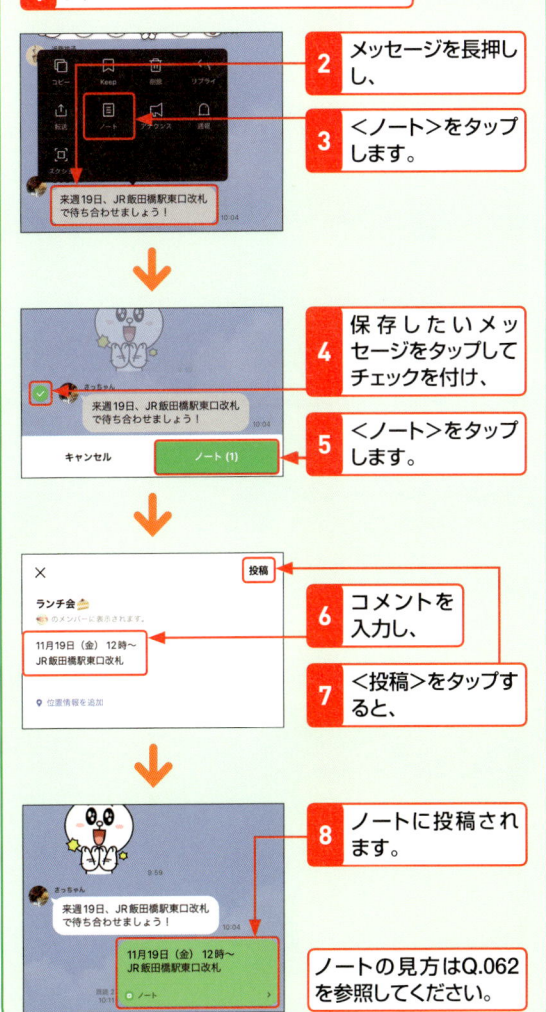

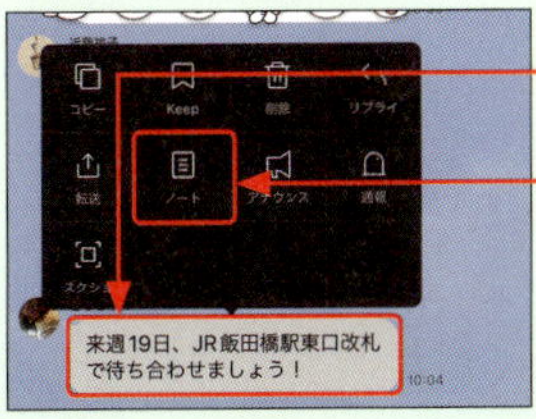

2 メッセージを長押しし、

3 <ノート>をタップします。

4 保存したいメッセージをタップしてチェックを付け、

5 <ノート>をタップします。

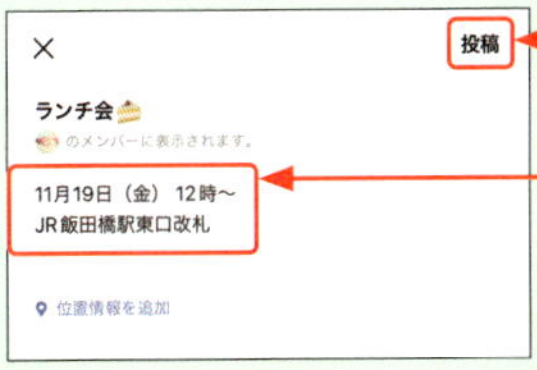

6 コメントを入力し、

7 <投稿>をタップすると、

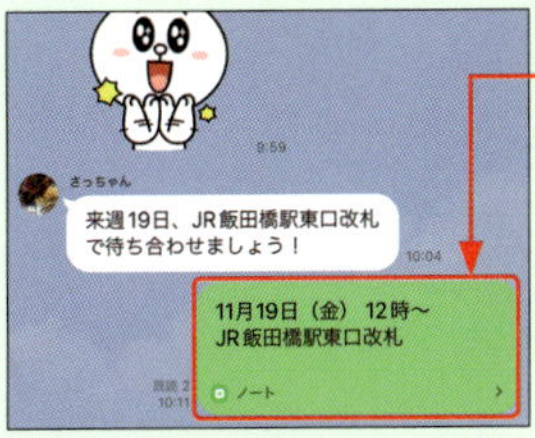

8 ノートに投稿されます。

ノートの見方はQ.062を参照してください。

Q グループ ★★★★★

091 » メンバーを退会させることはできる？

A グループのメンバーは誰でも退会させることができます。

グループのメンバーであれば、誰でもほかのメンバーを退会させることができます。また、一度退会したメンバーを再度グループに招待することもできます。

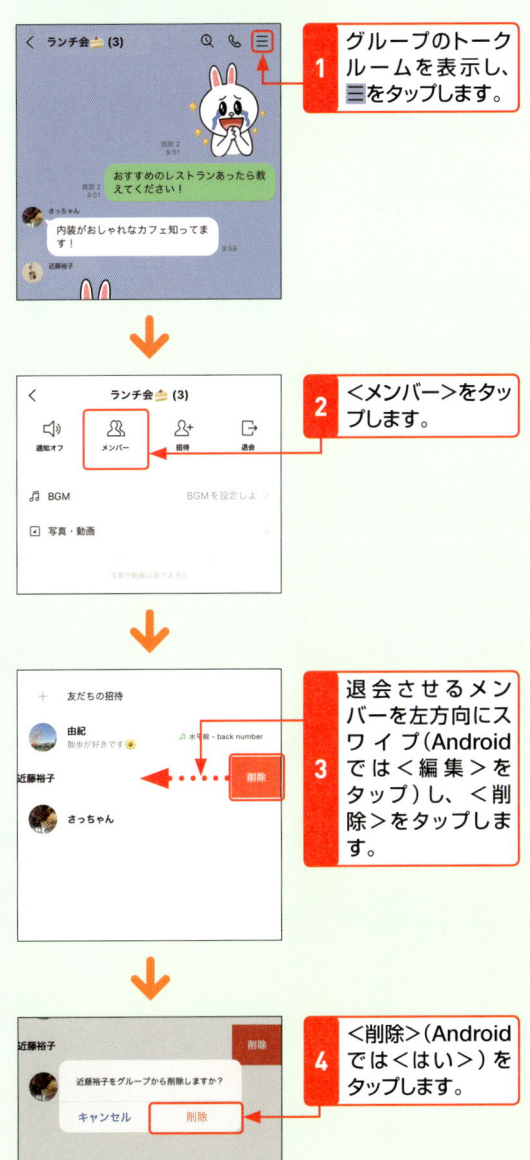

1 グループのトークルームを表示し、☰をタップします。

2 <メンバー>をタップします。

3 退会させるメンバーを左方向にスワイプ（Androidでは<編集>をタップ）し、<削除>をタップします。

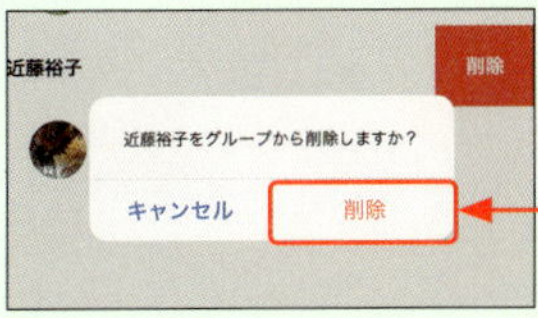

4 <削除>（Androidでは<はい>）をタップします。

Q グループ ★★★★★

092 » グループを退会するには？

A トークルームから かんたんに退会できます。

参加しているグループが増えてくると、煩雑になり対応も面倒になります。そのようなときは、不要なグループから退会するとよいでしょう。退会は、トークルームからかんたんに行えます。なお、退会すると、グループのトークルームに「〇〇が退会しました」というメッセージが表示され、メンバー全員に通知されます。

1 グループのトークルームを表示し、☰をタップします。

2 <退会>をタップします。

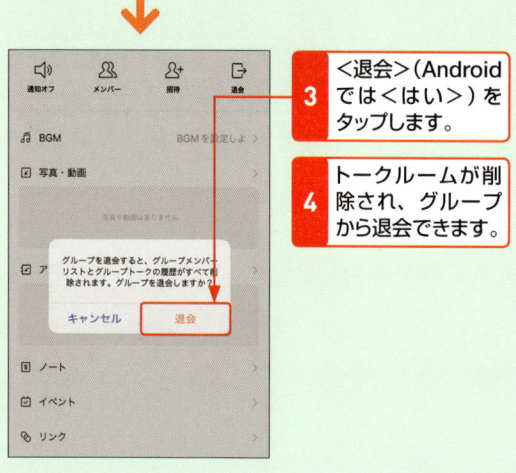

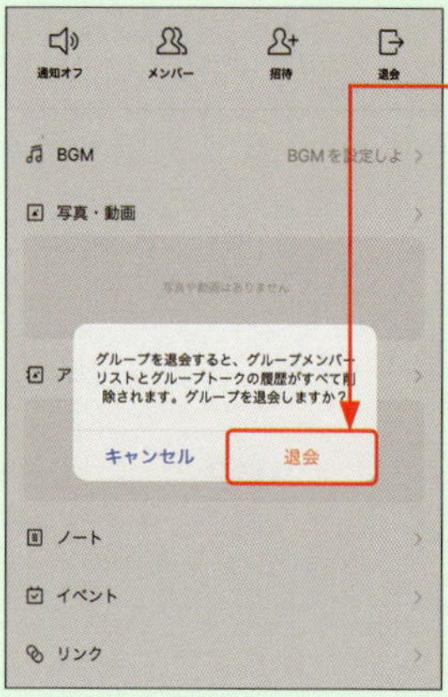

3 <退会>（Androidでは<はい>）をタップします。

4 トークルームが削除され、グループから退会できます。

Q LINE VOOM ★★★★★

093 » LINE VOOMって何？

A 動画を投稿・閲覧できるサービスです。

LINE VOOMは、動画を投稿・閲覧できる動画サービスで、ダンスやレシピなどさまざまなジャンルの動画が投稿されています。LINE VOOMには「おすすめ」と「フォロー中」のタブがあり、「おすすめ」には視聴傾向に基づいて、自身の関心の高い動画や人気の動画が自動的に表示されるようになっています。「フォロー中」には、フォローしたアカウントの投稿が表示されます。動画や投稿には、「いいね」やコメントを付けたり、友だちにシェアしたりすることができます。

<おすすめ>をタップすると、人気の動画や自身の関心の高い動画が表示されます。

<フォロー中>をタップすると、フォローしているアカウントの投稿が表示されます。

Q LINE VOOM ★★★★★

094 » LINE VOOMの投稿を見るには？

A ＜VOOM＞をタップします。

LINE VOOMの投稿を見たいときは、＜VOOM＞をタップします。「おすすめ」画面もしくは「フォロー中」画面が表示され、人気の動画や関心の高い動画が表示されます。画面を上方向にスワイプすると次の動画が表示され、動画をタップすると全画面表示に切り替わります。

1 ＜VOOM＞をタップします。

2 動画が表示されます。

🔍をタップすると動画を検索できます。

3 画面を上方向にスワイプすると、

4 次の動画が表示されます。

「いいね」やコメントを付けたり、シェアしたりすることができます。

Q LINE VOOM ★★★★★

095 » LINE VOOMでアカウントをフォローするには？

A 気になるアカウントの＜フォロー＞をタップします。

LINE VOOMにはさまざまな動画が投稿されています。気になる動画や興味のある動画を見つけたら、そのアカウントをフォローしてみましょう。フォローすると、「全体公開」で投稿された際に、LINE VOOMに表示されるようになります。なお、画面右上のプロフィールアイコン→⚙→＜フォローリスト＞の順にタップすると、自分のフォロー／フォロワーのリストを確認することができます。

1 Q.094手順1を参考にLINE VOOMを表示し、

2 アカウント名をタップします。

ここで＜フォロー＞をタップしてもフォローできます。

3 ＜フォロー＞をタップします。

Q LINE VOOM ★★★★★

096 » LINE VOOMに投稿するには？

A <フォロー中>をタップし、[+]→<投稿>の順にタップします。

LINE VOOMに投稿したいときは、<フォロー中>をタップし、[+]→<投稿>の順にタップします。テキストだけでなく、写真や動画を添付して投稿することも可能です。公開範囲は、誰でも見ることができる「全体公開」のほか、リストを作成して特定の友だちに公開できる「公開リスト」、自分だけが見られる「自分のみ」があります。

1 Q.094手順1を参考にLINE VOOMを表示して<フォロー中>をタップし、

2 [+]をタップします。

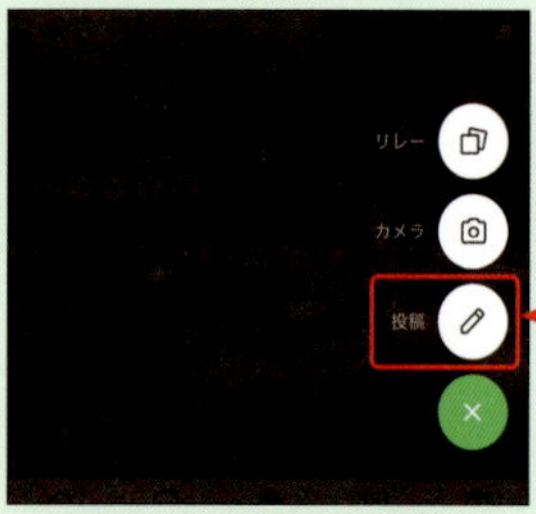

3 <投稿>をタップします。

公開範囲を設定できます。

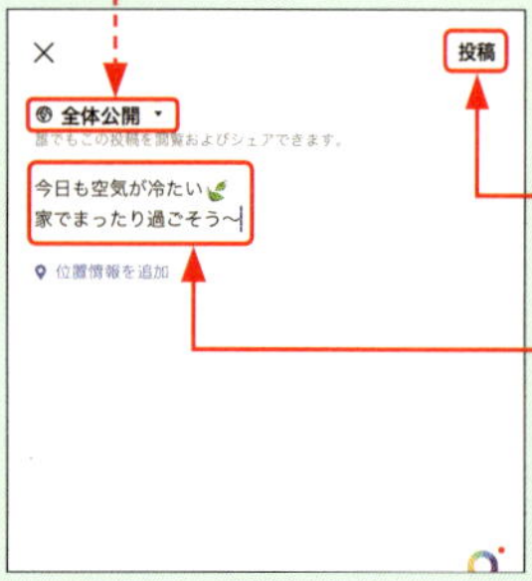

4 コメントを入力し、

5 <投稿>をタップします。

Q 通話 ★★★★★

097 » LINEで無料通話をしたい！

A 相手の「プロフィール」画面で<音声通話>をタップします。

LINEで無料通話をしたいときは、通話をしたい相手の「プロフィール」画面を表示して<音声通話>をタップするか、トークルームの[電話]→<音声通話>の順にタップして通話をします。インターネットに接続できる環境であれば、どこからでも無料で通話することができます。なお、発信・着信の履歴は、トークルームに残ります。

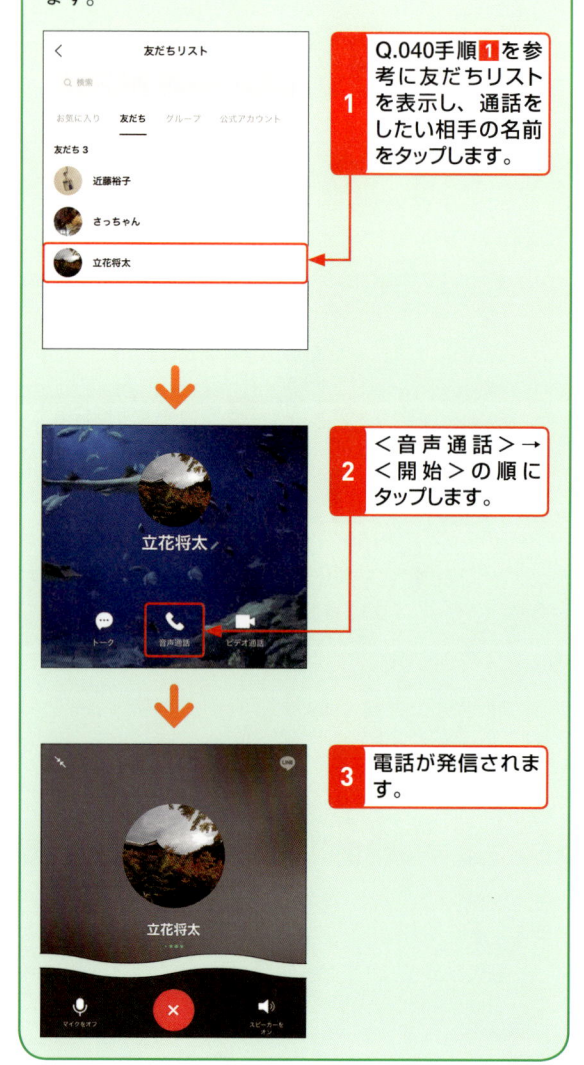

1 Q.040手順1を参考に友だちリストを表示し、通話をしたい相手の名前をタップします。

2 <音声通話>→<開始>の順にタップします。

3 電話が発信されます。

通話

Q 098 » 不在着信が表示されたのでかけ直したい！

A <不在着信>をタップします。

LINEに着信があると、端末に通知され、トークルームにも「不在着信」のメッセージが表示されます。<不在着信>をタップすると、電話をかけてきた相手の「プロフィール」画面が表示されます。<音声通話>をタップして、電話をかけ直しましょう。

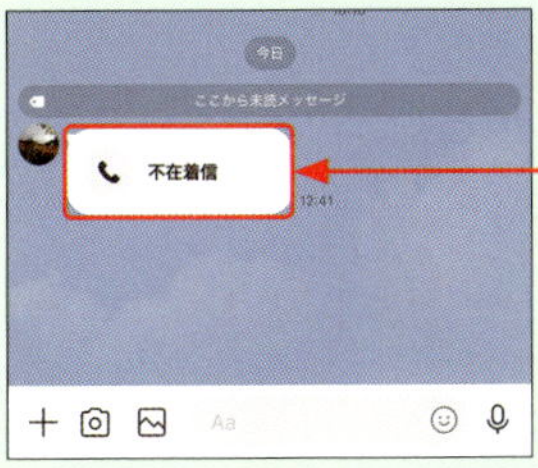

1 不在着信のあったトークルームを表示し、<不在着信>をタップします。

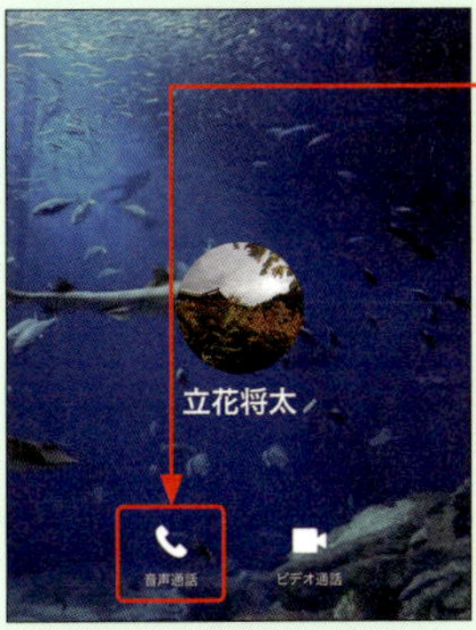

2 <音声通話>→<開始>の順にタップします。

3 電話が発信されます。

通話

Q 099 » 無料のビデオ通話を利用したい！

A 相手の「プロフィール」画面で<ビデオ通話>をタップします。

無料のビデオ通話をしたいときは、通話をしたい相手の「プロフィール」画面を表示して<ビデオ通話>をタップするか、トークルームの📞→<ビデオ通話>の順にタップしてビデオ通話をします。カメラが表示され、相手と自分の表情を確認しながら通話ができます。

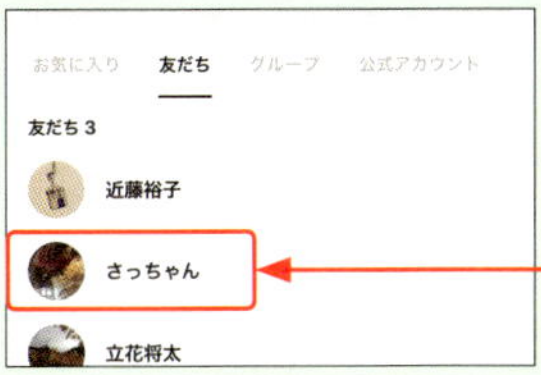

1 Q.040手順1を参考に友だちリストを表示し、ビデオ通話をしたい相手の名前をタップします。

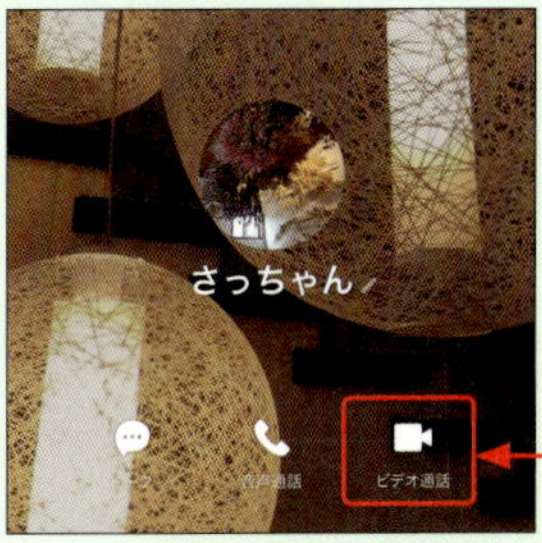

2 <ビデオ通話>→<開始>の順にタップします。

3 画面がカメラに切り替わり、電話が発信されます。

Q 通話 ★★★★★

100 » ビデオ通話で画面を共有したい！

A 通話画面で<画面シェア>をタップします。

旅行の行き先を考えたり、操作方法を説明したり、資料を共有したりするなど、同じ画面を見ながら話したいときは、「画面共有」機能を利用すると便利です。自分の画面が相手の画面にも表示されます。1対1での通話はもちろん、グループでも利用することができます。なお、Androidではあらかじめ⚙→<通話>の順にタップし、「通話画面の縮小」を有効にしてください。

1 Q.097手順1を参考に友だちのプロフィール画面を表示し、

2 <ビデオ通話>→<開始>の順にタップします。

3 相手が応答したら、<画面シェア>をタップし、

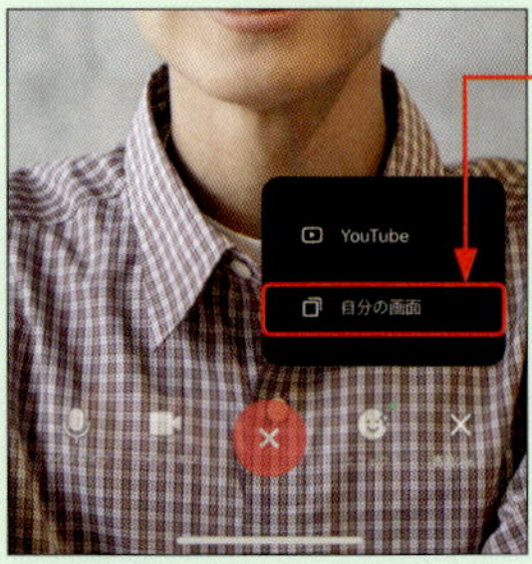

4 <自分の画面>をタップします。

<YouTube>をタップすると、動画をいっしょに視聴できます。

5 <ブロードキャストを開始>(Androidでは<今すぐ開始>)をタップすると、

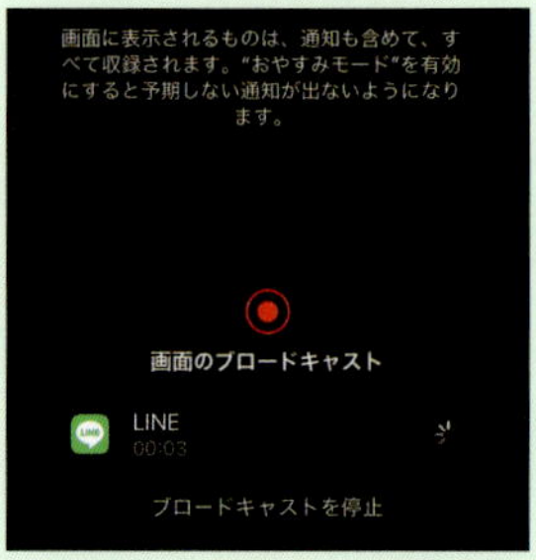

6 画面共有が開始します。

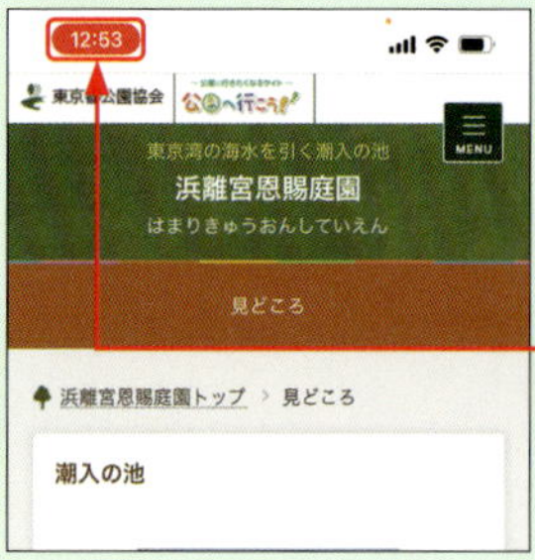

7 iPhoneでは画面共有中は、左上の時刻部分が赤い表示に変わります。

8 時刻部分をタップし、<停止>をタップすると、画面共有が停止します。

Android の場合

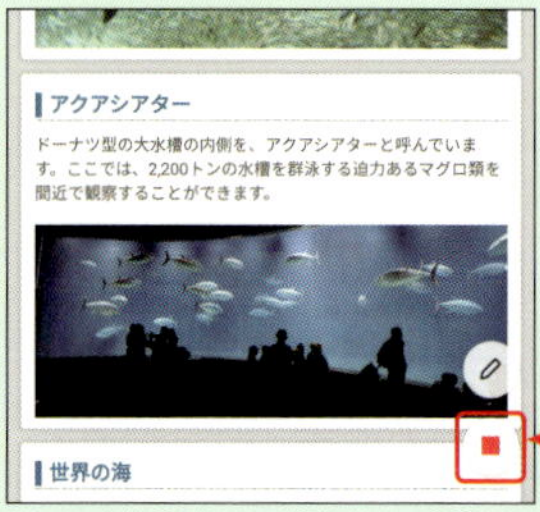

Androidの場合は、画面右下の■をタップすると画面共有を停止できます。

Q 101 通話 »着信拒否をするには？

A 「通話の着信許可」をオフにします。

LINEでは、通話の着信を拒否することができます。すべての着信を拒否したいときは、「設定」画面で<通話>をタップし、「通話の着信許可」をオフにしましょう。また、特定の友だちからの電話を拒否したいときは、友だちを「ブロック」します（Q.128参照）。

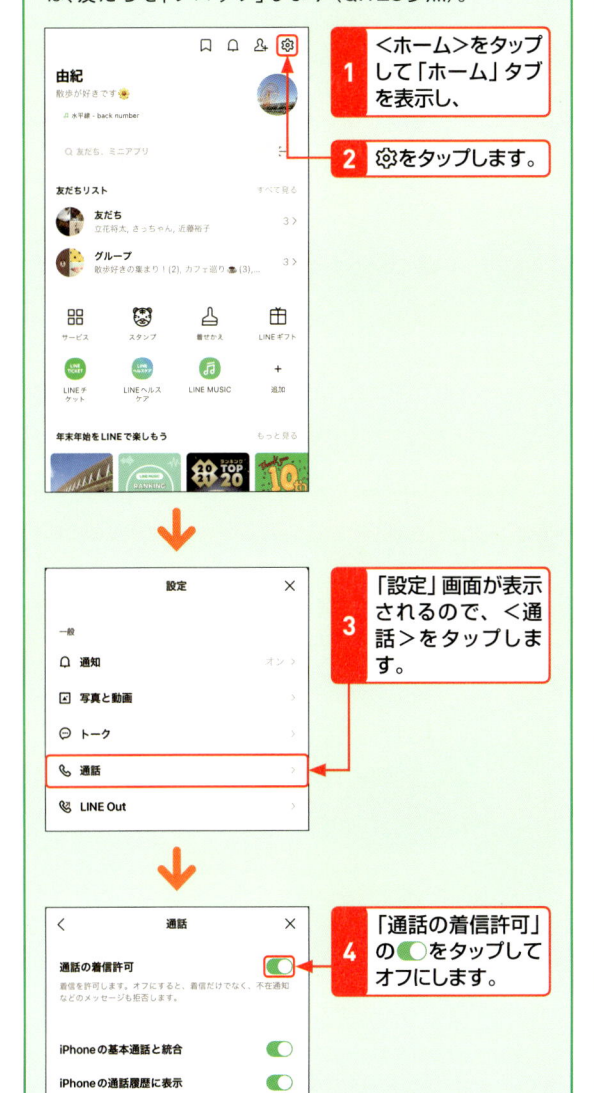

1 <ホーム>をタップして「ホーム」タブを表示し、

2 ⚙をタップします。

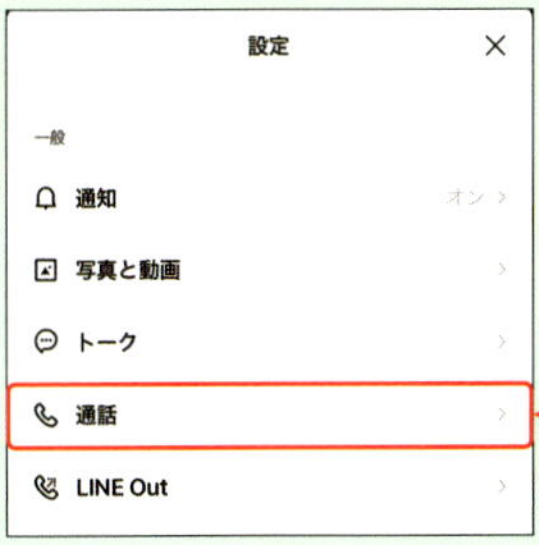

3 「設定」画面が表示されるので、<通話>をタップします。

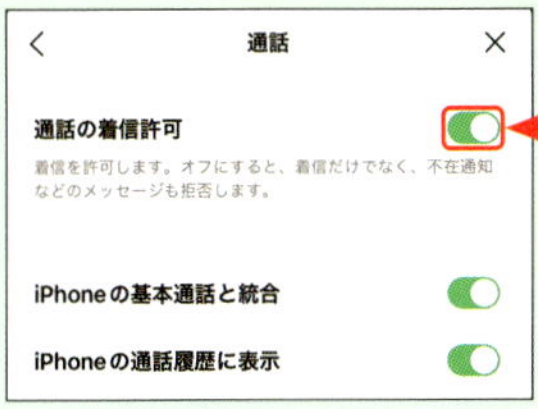

4 「通話の着信許可」の◯をタップしてオフにします。

Q 102 通話 »LINE Outって何？

A 相手を選ばず通話できるIP電話機能です。

LINEには、「無料通話」と「LINE Out」の2種類の電話機能があります。「LINE Out」には広告を見ることで無料通話できる「LINE Out Free」と、コインをチャージして有料で通話する「LINE Out」があり、LINEを利用していない人や、Wi-Fi環境の整っていない場所など、どこへでも通話することができます。携帯電話やスマートフォン、さらには固定電話との通話も可能です。

広告を見るだけで無料で通話できる「LINE Out Free」

利用条件	・15秒間の広告を視聴 ・1日最大5回まで ・携帯電話との通話は1回2分、固定電話との通話は1回3分（国内の場合）

コインをチャージして有料で通話する「LINE Out」

主な利用料金

通話相手	コールクレジット	30日プラン
固定電話	3円／分	2円／分
携帯電話	14円／分	6円／分

Q 通話

103 » 固定電話や携帯電話に無料で通話したい！

A **<LINE Out Free>をタップして通話します。**

LINE Out Freeは、電話番号認証ができていれば、<ホーム>→<サービス>→<LINE Out Free>の順にタップするとすぐに利用できます。固定電話や携帯電話と通話する場合は、⠿をタップして電話番号を入力します。なお、「LINE Out Free」を利用する場合は発信前に広告が表示されます。

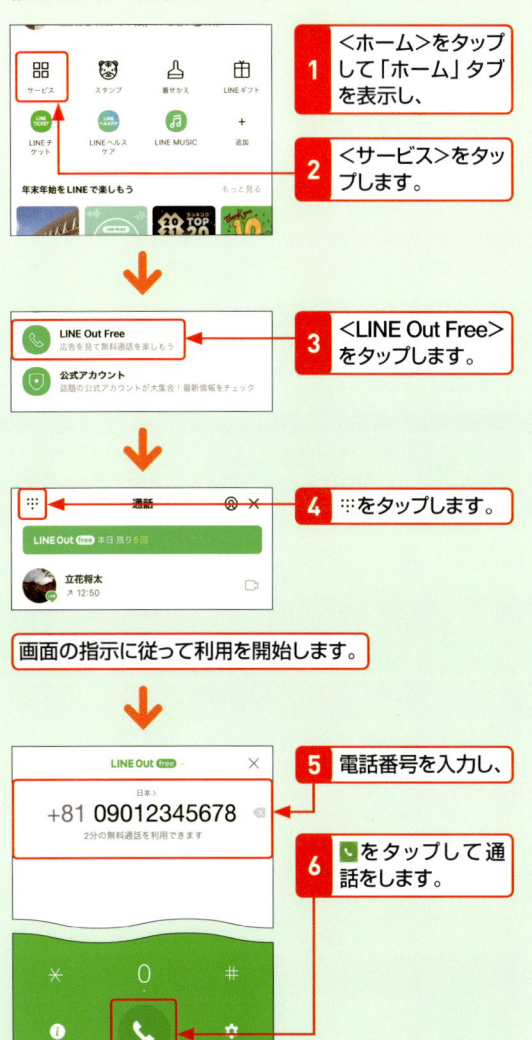

1 <ホーム>をタップして「ホーム」タブを表示し、

2 <サービス>をタップします。

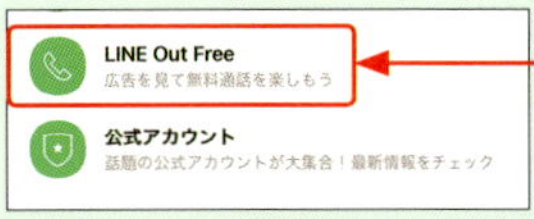

3 <LINE Out Free>をタップします。

4 ⠿をタップします。

画面の指示に従って利用を開始します。

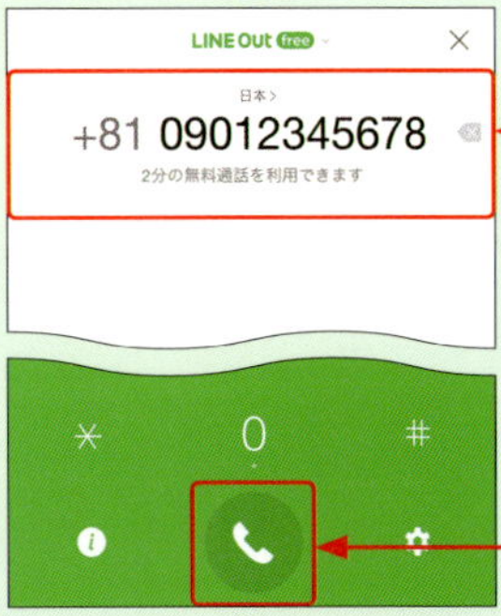

5 電話番号を入力し、

6 📞をタップして通話をします。

Q 公式アカウント

104 » 公式アカウントって何？

A **企業や有名人が「友だち」として情報提供するサービスです。**

LINEの「公式アカウント」は、企業や有名人が情報などを提供してくれるサービスです。公式アカウントを友だちとして追加することによって、独自のスタンプやクーポンなどを入手できるサービスもあります。また、「トーク」タブから情報を受け取ったり、質問をしたりできる公式アカウントもあります。公式アカウントは、かんたんに友だち登録することができます。

LINEには、企業や有名人など多くの公式アカウントがあります。

公式アカウントのタイムラインには、さまざまな情報が投稿されています。

公式アカウントを友だち追加すると、クーポンがもらえたり、トークをしたりできるようになります。

Q 公式アカウント ★★★★★

105 » 公式アカウントを友だちリストに追加したい

A <公式アカウント>をタップします。

公式アカウントを友だちリストに追加したいときは、<ホーム>→<サービス>→<公式アカウント>の順にタップします。「ホーム」「カテゴリ」「クーポン」などのカテゴリから、興味のある企業や有名人、友だちになりたい公式アカウントを検索し、「プロフィール」画面から<追加>をタップして友だちになります。

1 Q.103を参考にサービスの一覧を表示し、

2 <公式アカウント>をタップします。

3 「公式アカウント」画面が表示されます。友だち追加したい公式アカウントをタップします。

4 <追加>をタップします。

Q 公式アカウント ★★★★★

106 » 外国語のメッセージを翻訳したい！

A 翻訳したい言語の公式アカウントを友だちに追加します。

LINEには、トークルームに送信したメッセージを自動で翻訳してくれる公式アカウントがあります。公式の翻訳アカウントを友だちリストに追加すると、友だちにメッセージを送る感覚で文章の翻訳が行えます。また、外国語を話す友だちがいるトークルームに公式アカウントを招待すると、それぞれの言語が翻訳されながらやり取りできるため、外国語を話す友だちとスムーズにコミュニケーションを取ることができます。

英語、韓国語、中国語の翻訳アカウントがあります。

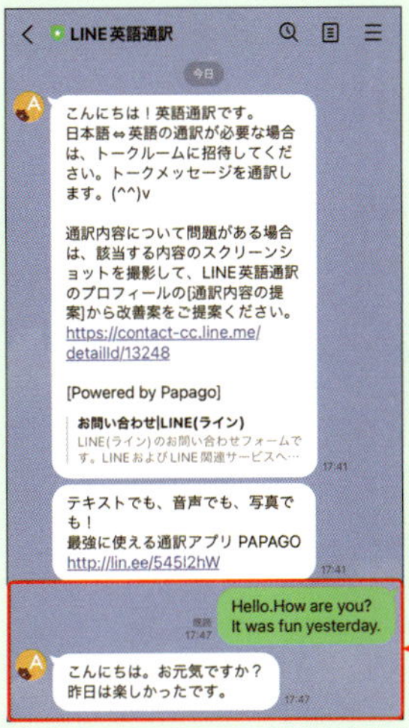

トークルームを表示して▤をタップし、メッセージを入力して送信すると、自動で翻訳されます。

Q 便利機能 ★★★★★

107 » オープンチャットでコミュニケーションしたい！

A <オープンチャット>をタップして好きなルームを探します。

共通の話題について会話したいときは、「オープンチャット」機能を利用するとよいでしょう。LINEの友だちでなくても、匿名でほかのユーザーと交流することができます。友だちとのトークと同様に、テキストやスタンプ、写真などを送れるほか、アルバムやノート、アナウンスなどの各種機能も利用できます。オープンチャットごとにニックネームと画像を設定することができるので、LINEのプロフィール情報が知られてしまう心配もありません。情報収集はもちろん、幅広いユーザーとコミュニケーションを取ることができます。

「トーク」タブの場合

1 Q.064手順1を参考に「トーク」タブを表示し、

2 ◯をタップします。

3 オープンチャットが表示されます。

「ホーム」タブの場合

1 Q.103を参考にサービスの一覧を表示し、

2 <オープンチャット>をタップします。

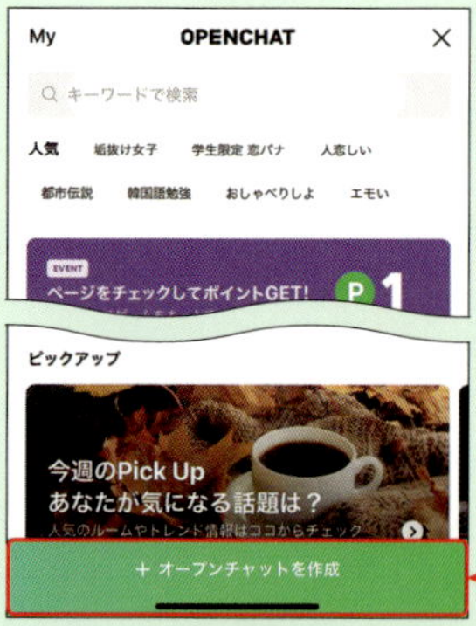

3 キーワード検索やカテゴリから参加したいオープンチャットを探します。

<+オープンチャットを作成>をタップすると、オープンチャットを作成できます。

4 <新しいプロフィールで参加>をタップし、画面の指示に従って参加しましょう。

Q 便利機能 ★★★★★

108 » カメラのOCR機能を使いこなしたい！

A 「文字認識」機能を利用して読み取りたい文字を撮影します。

画像内の情報をテキスト化したい、気になる情報を友だちにもシェアしたい――そんなときに役立つのが「文字認識」機能です。画像内の文字が自動で書き起こされるため、そのつど手入力する手間が省けます。LINEのカメラで撮影するほか、添付された画像にも使うことができます。また、読み取ったテキストはさまざまな言語に翻訳することができるため、外国語で書かれた記事などを読む際にも活用できます。

1 友だちのトークルームを表示し、

2 📷をタップします（📷が表示されていない場合は＞をタップします）。

3 画面下部から＜文字認識＞をタップし、

4 ●をタップして撮影します。

5 自動でテキスト化されます。

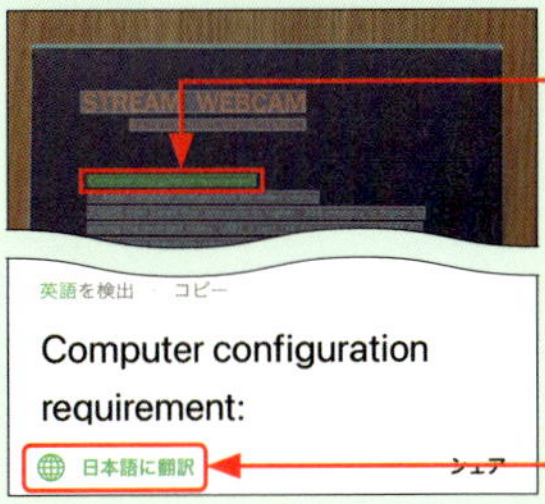

6 テキストをタップし、

7 ＜日本語に翻訳＞をタップすると、

8 タップしたテキストのみ翻訳されます。

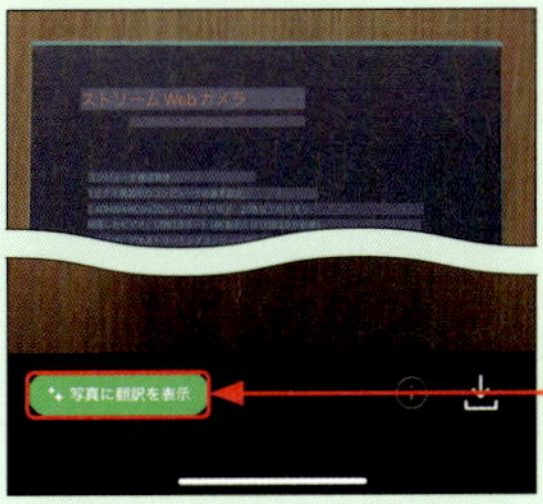

9 ＜写真に翻訳を表示＞をタップすると、翻訳が画像上に表示されます。

保存された画像を読み取る

Q.049を参考に写真を表示し、▣をタップします。

Q 便利機能 ★★★★★

109 » ニュースや天気予報などの便利な情報を通知してほしい!

A 「LINEスマート通知」を利用しましょう。

ニュースや天気予報、地域の情報などを通知してほしいときは、「LINEスマート通知」を利用すると便利です。「天気予報」「防災速報」「新型コロナのワクチン接種情報」「新型コロナの地域情報」「スポーツ情報」「フォロー中のキーワード」の6種類の情報を受け取ることができます(2022年1月時点)。あらかじめ「LINEスマート通知」の公式アカウントを友だち追加したうえで、トークルームから受け取りたい情報を設定します。ほしい情報を通知するようにしておけば、大事な情報を見逃すこともありません。

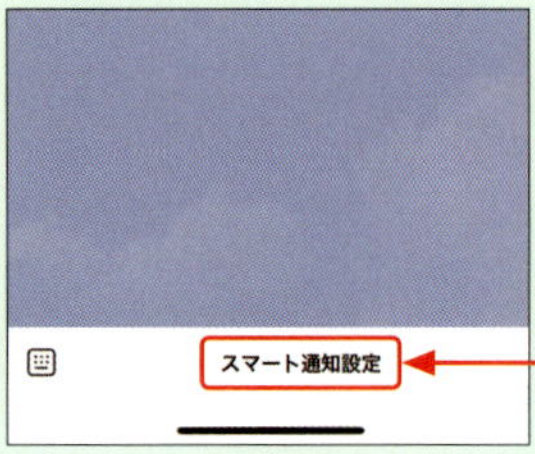

1 あらかじめ「LINEスマート通知」を友だち追加したうえでトークルームを表示し、<スマート通知設定>をタップします。

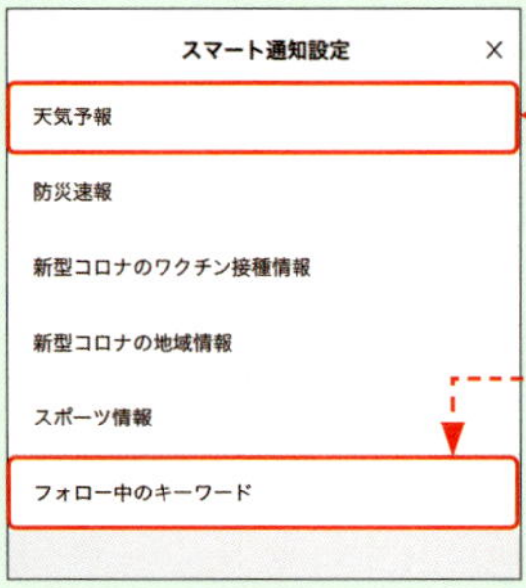

2 受け取りたい情報(ここでは<天気予報>)をタップします。

<フォロー中のキーワード>をタップすると、そのキーワードに関する新着情報を受け取れます。

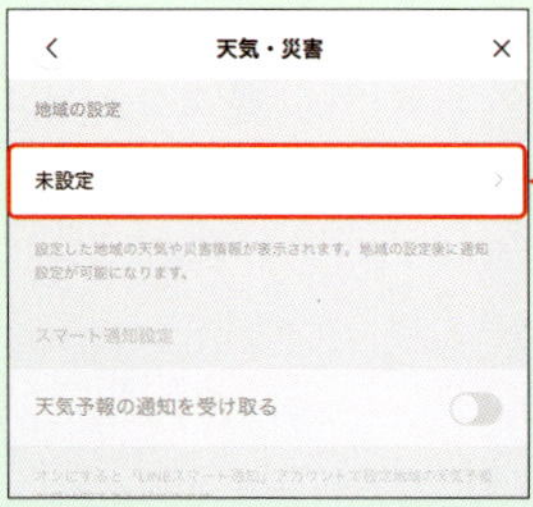

3 <未設定>をタップします。

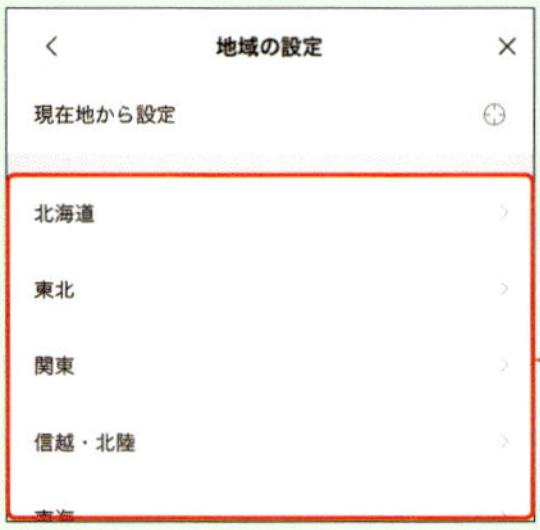

4 地域をタップし、画面の指示に従って県と区を設定します。

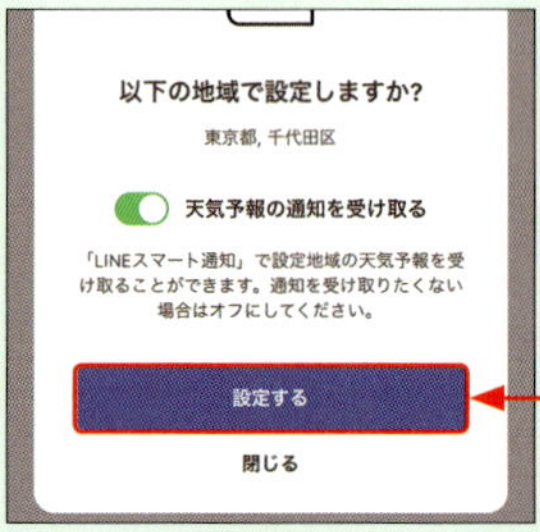

5 <設定する>→<OK>の順にタップすると、

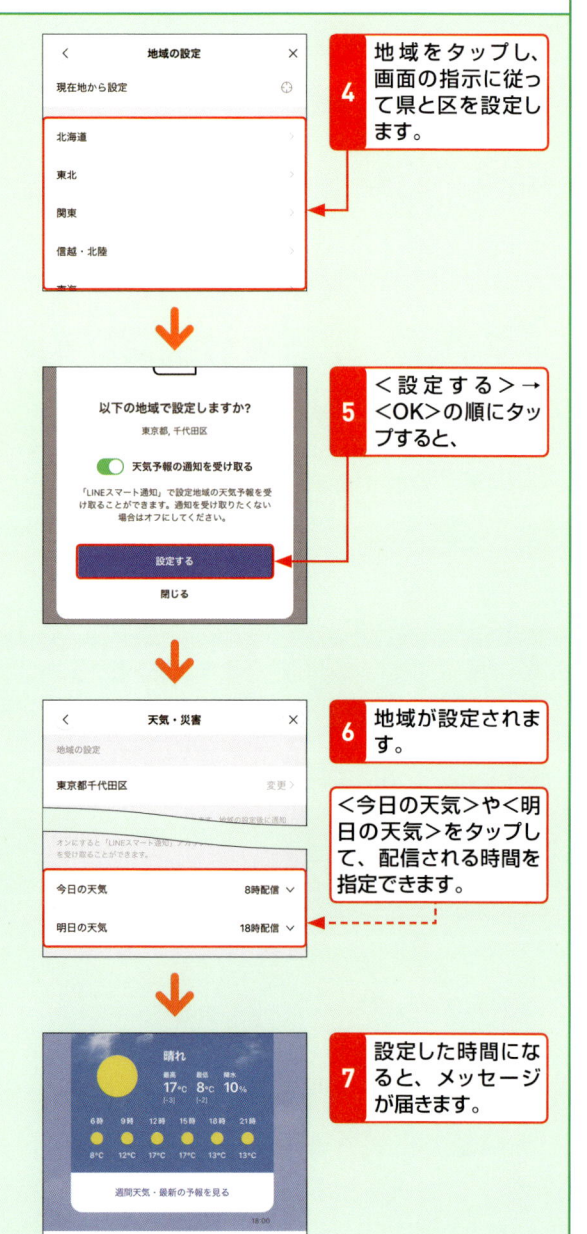

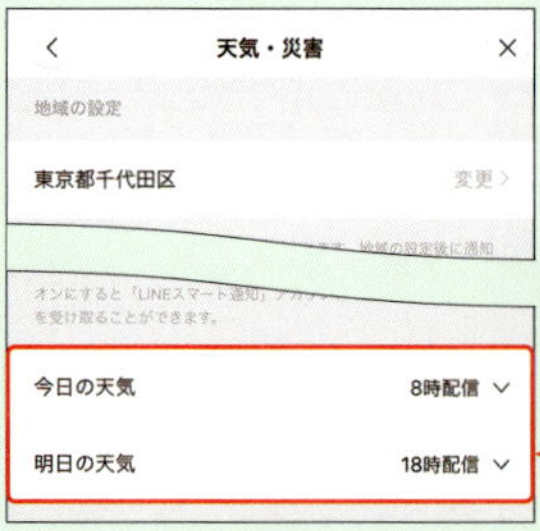

6 地域が設定されます。

<今日の天気>や<明日の天気>をタップして、配信される時間を指定できます。

7 設定した時間になると、メッセージが届きます。

第4章

LINEの各種設定

Q 通知・着信設定 ★★★★★

110 »「ニュース」タブを「通話」タブに変更したい！

A 「設定」画面の<通話>から行います。

LINEは、画面下部に5つのメニューが表示されています。このうち「ニュース」タブは、「通話」タブに変えることができます。メッセージでのやり取りはもちろん、無料通話ができることから、友だちどうしや家族との通話にLINEを使用する人も多いでしょう。頻繁に通話する人や、「ニュース」タブをほとんど見ない人は、「通話」タブに変えてより使いやすくしましょう。

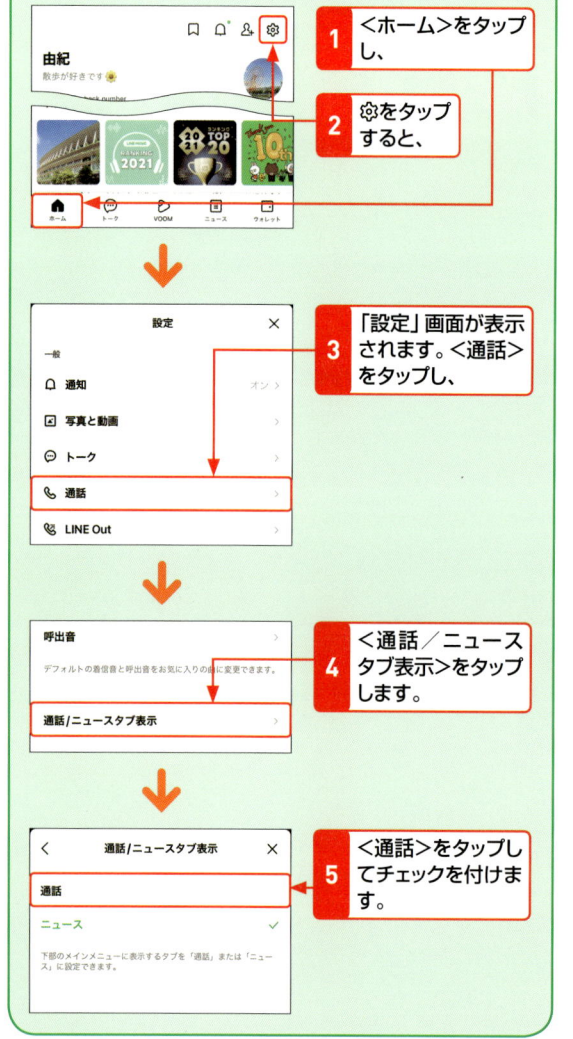

1 <ホーム>をタップし、

2 ⚙をタップすると、

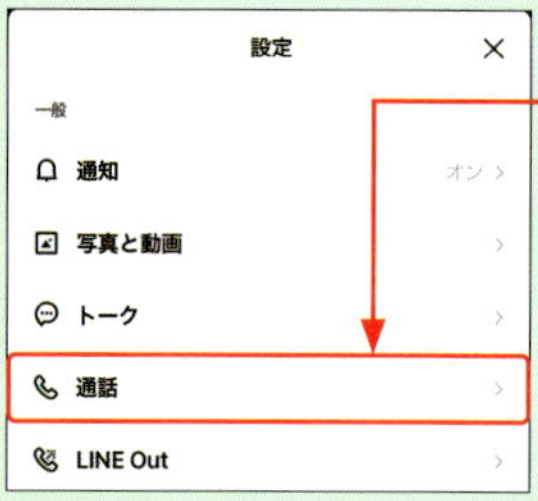

3 「設定」画面が表示されます。<通話>をタップし、

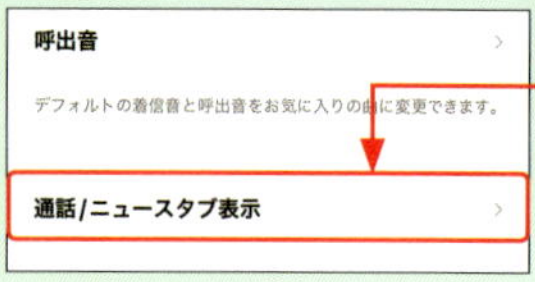

4 <通話／ニュースタブ表示>をタップします。

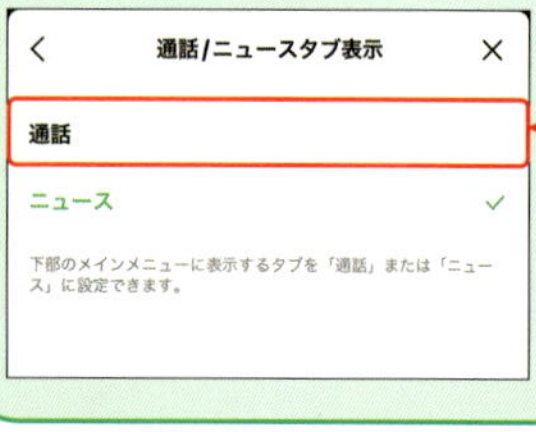

5 <通話>をタップしてチェックを付けます。

Q 通知・着信設定 ★★★★★

111 » 不要な通知を止めたい！

A 「設定」画面の<通知>から行います。

メッセージや着信があると通知が表示されますが、通知のオン／オフはかんたんに切り替えることができます。通知全体をオフにすることはもちろん、メンションされたときや、グループに招待されたときなど、通知のオン／オフは細かく設定することができます。通知が多くて煩わしいと感じるときは、不要な通知をオフにしておくとよいでしょう。

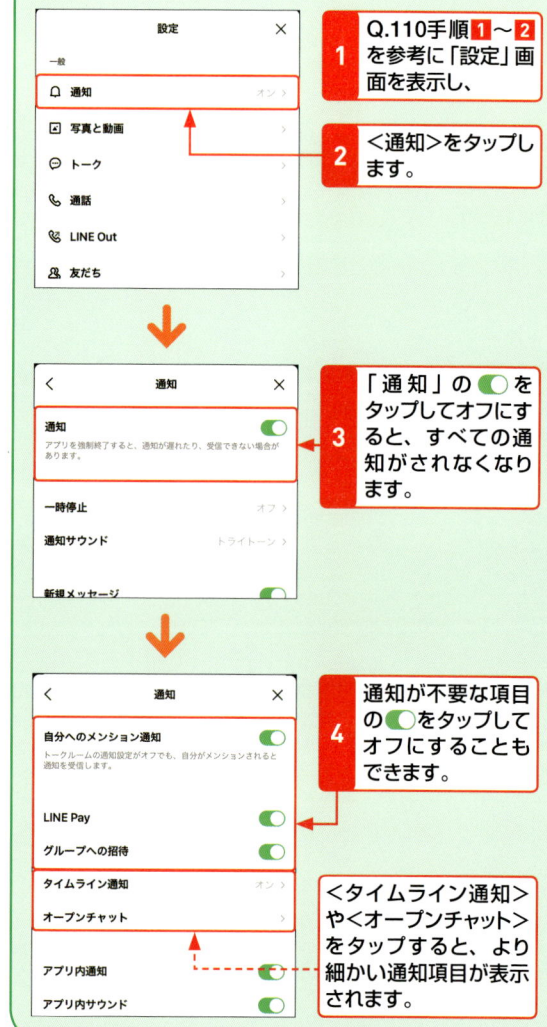

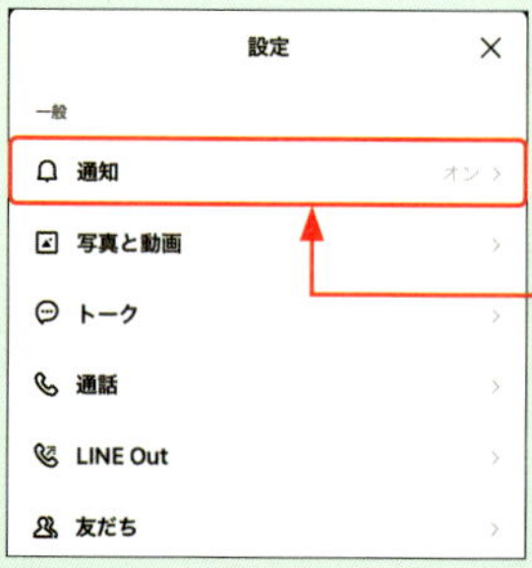

1 Q.110手順1～2を参考に「設定」画面を表示し、

2 <通知>をタップします。

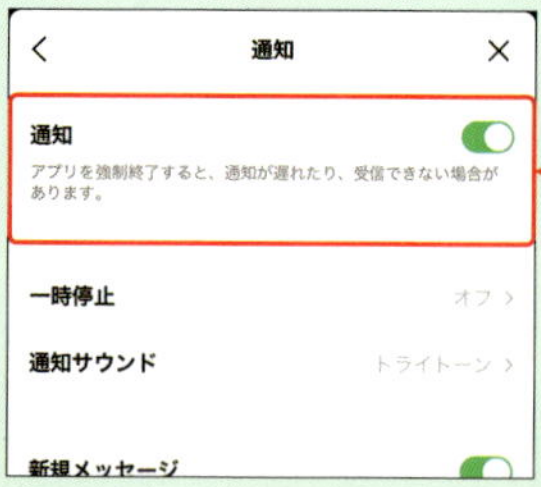

3 「通知」の◯をタップしてオフにすると、すべての通知がされなくなります。

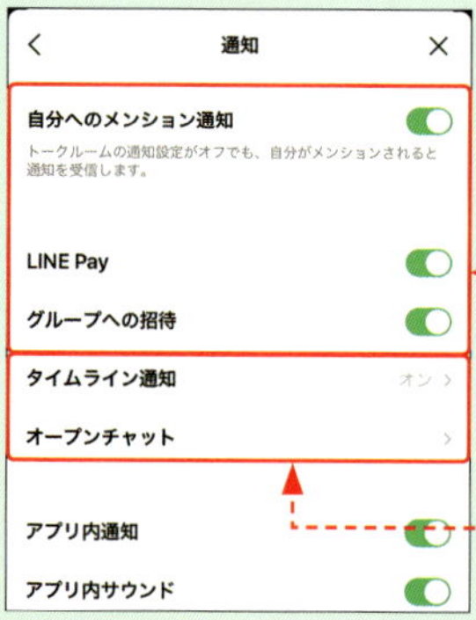

4 通知が不要な項目の◯をタップしてオフにすることもできます。

<タイムライン通知>や<オープンチャット>をタップすると、より細かい通知項目が表示されます。

Q 通知・着信設定 ★★★★★

112 » 夜間の通知をオフにするには？

A 「設定」画面の<通知>から「一時停止」をオンにします。

寝ている間など、夜間に送られてくる通知をオフにしたいときは、「通知」画面の<一時停止>をタップします。一時停止では、「1時間停止」または「午前8時まで停止」のいずれかを設定することができます。夜間の通知をオフにしたいときは<午前8時まで停止>を、会議などで一時的にオフにしたいときは<1時間停止>をタップして選択するとよいでしょう。

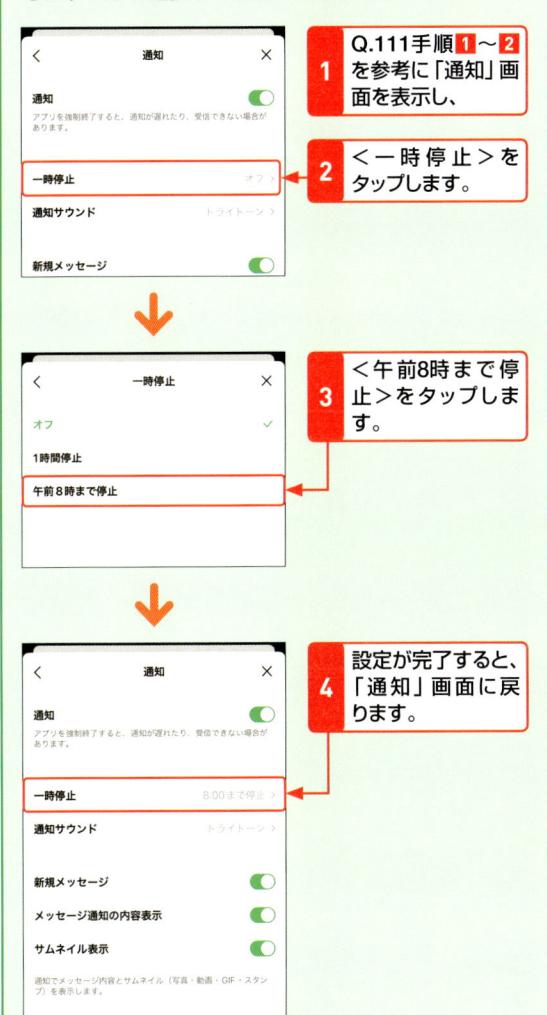

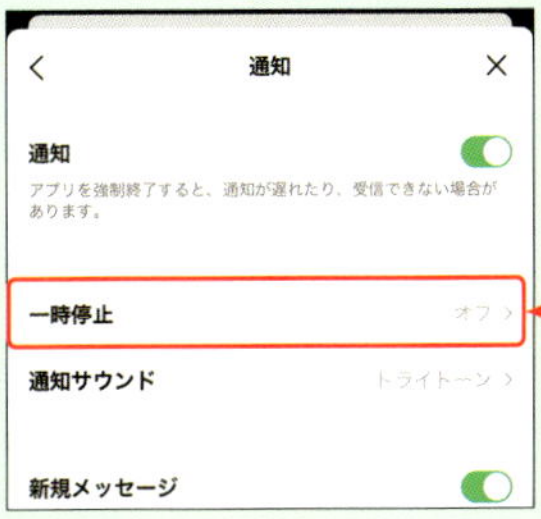

1 Q.111手順1～2を参考に「通知」画面を表示し、

2 <一時停止>をタップします。

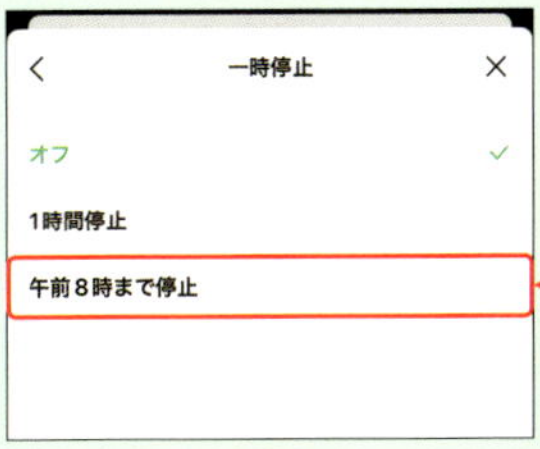

3 <午前8時まで停止>をタップします。

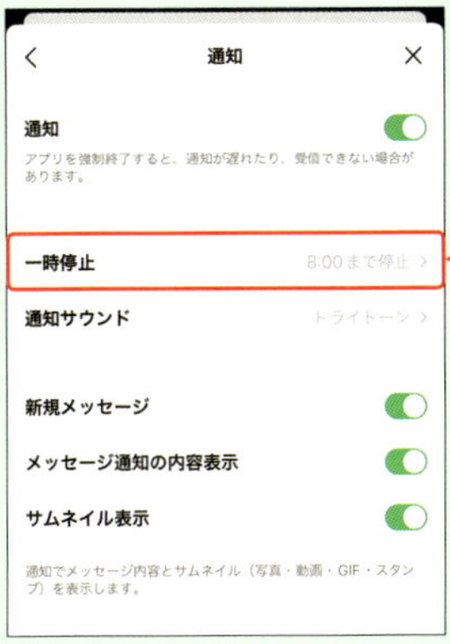

4 設定が完了すると、「通知」画面に戻ります。

Q 通知・着信設定 ★★★★★

113 » メッセージ内容を通知に表示しないようにするには？

A 「メッセージ通知の内容表示」をオフにします。

通知にメッセージ内容を表示したくないときは、「通知」画面の「メッセージ通知の内容表示」をオフに設定します。「メッセージ通知の内容表示」をオフに設定すると、メッセージを受信しても「新着メッセージがあります」とだけ通知され、メッセージの内容は表示されなくなります。

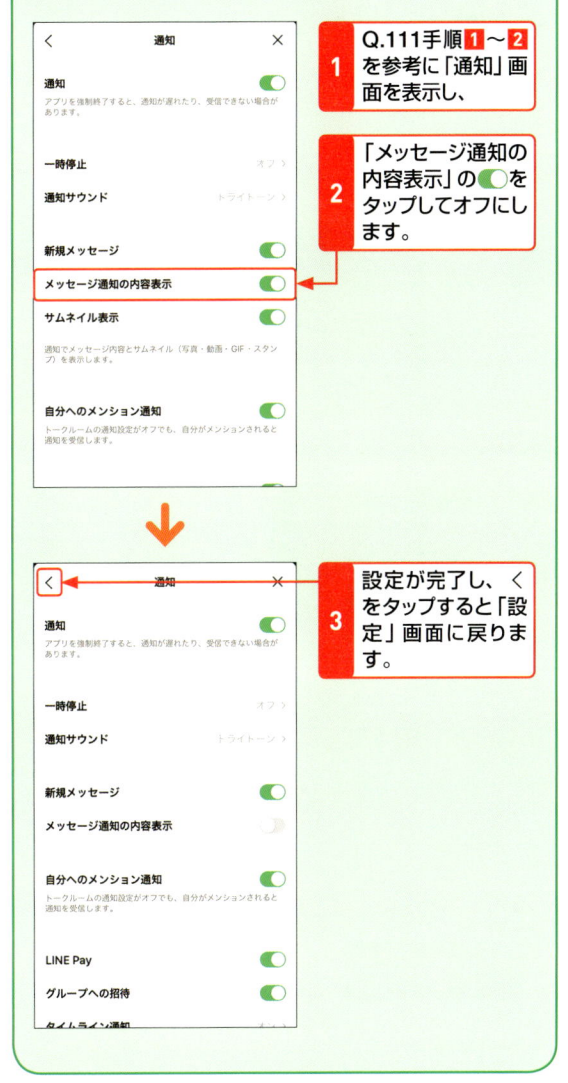

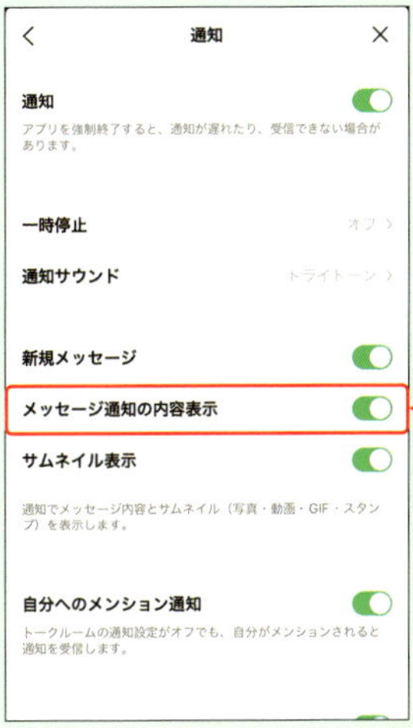

1 Q.111手順1～2を参考に「通知」画面を表示し、

2 「メッセージ通知の内容表示」の◯を タップしてオフにします。

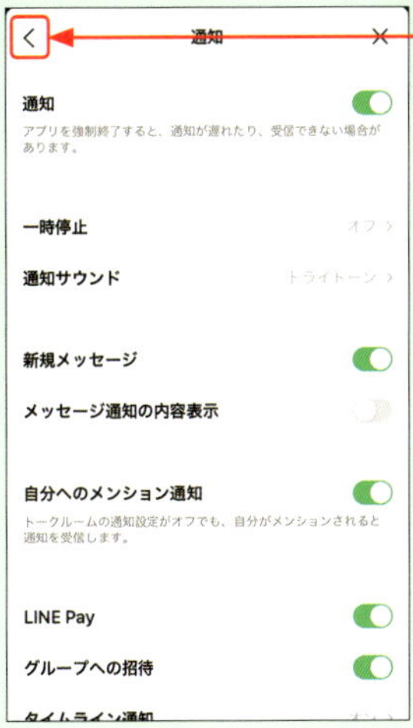

3 設定が完了し、<をタップすると「設定」画面に戻ります。

Q 通知・着信設定 ★★★★★

114 » 特定のトークルームの通知をオフにするには？

A トークルームのメニュー画面から変更します。

特定のトークルームからのメッセージや、通話の受信に対する通知をオフにしたいときは、トークルームの≡をタップし、＜通知オフ＞をタップしましょう。トークルームの通知がオフに設定されると、トークルームの名前の横に🔇が表示されます。なお、通知をオンにするときは、同じ手順で＜通知オン＞をタップします。

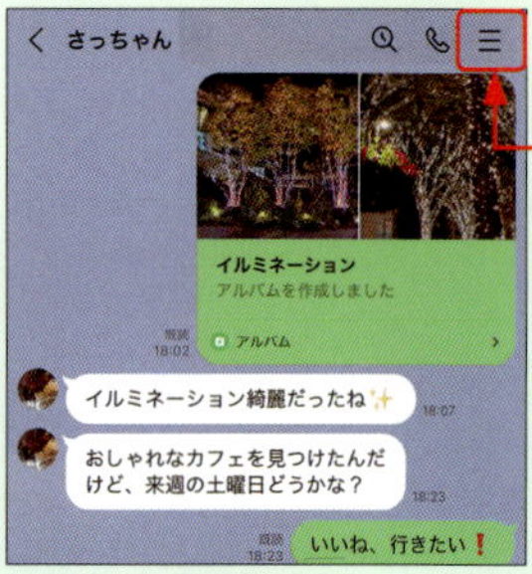

1 トークルームを表示して、≡をタップします。

2 ＜通知オフ＞をタップします。

3 通知をオフにすると、トークルームの名前の横に🔇が表示されます。

Q 通知・着信設定 ★★★★★

115 » グループのノートへの通知をオフにするには？

A グループのプロフィール画面から設定します。

トークルームの通知をオフにする方法はQ.114で解説しましたが、この方法では、グループのノートへの「いいね」やコメントの通知はオフにできません。こちらもオフにしたい場合は、グループのプロフィール画面から設定します。あまり参加していないけれど退会はできない、というようなグループは、「投稿の通知」をオフにしておくとよいでしょう。

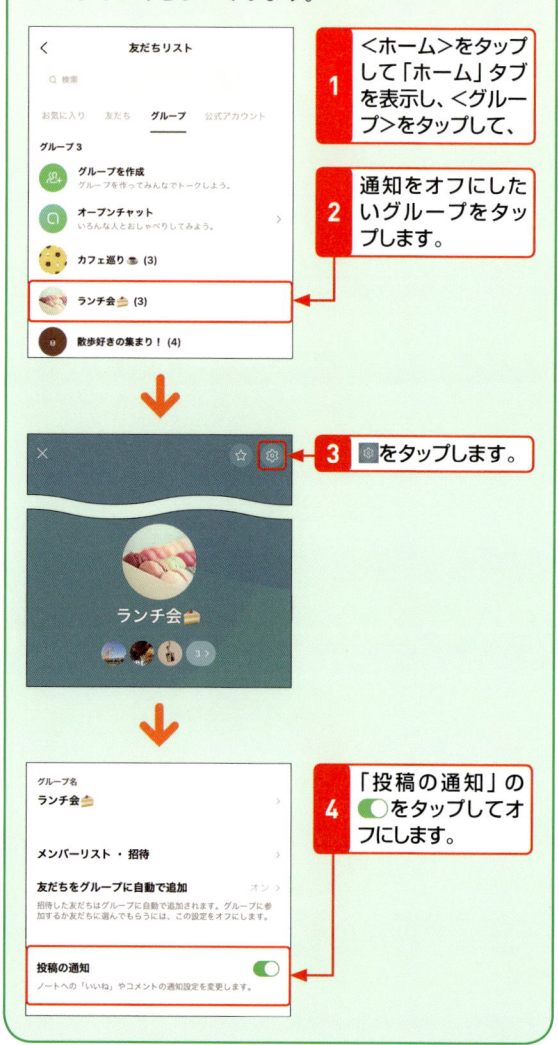

1 ＜ホーム＞をタップして「ホーム」タブを表示し、＜グループ＞をタップして、

2 通知をオフにしたいグループをタップします。

3 ⚙をタップします。

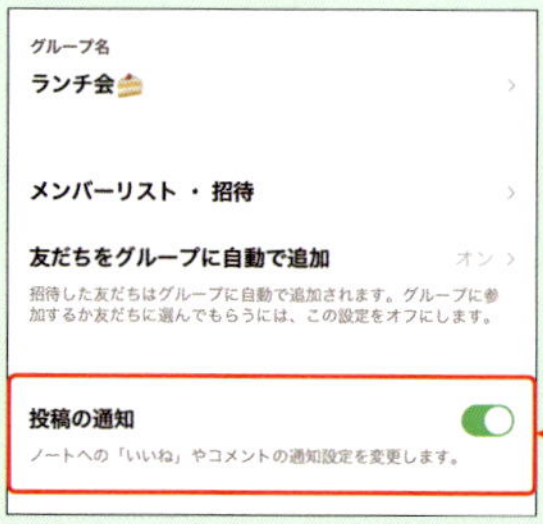

4 「投稿の通知」の⬤をタップしてオフにします。

Q 116 LINE関連アプリの通知をオフにするには？

通知・着信設定

A 「通知」画面からアプリごとに設定できます。

LINE関連アプリからの通知をオフにするには、「通知」画面で＜連動アプリ＞をタップし、通知をオフにしたいアプリを選択して、「通知を受信」をオフにします。不要な通知はオフにするとよいでしょう。

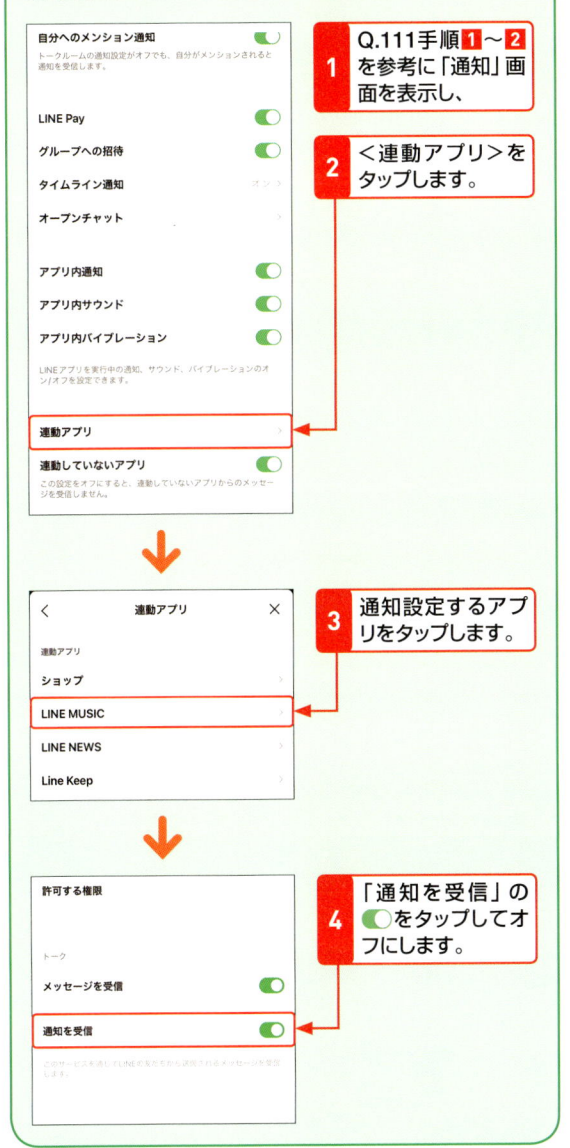

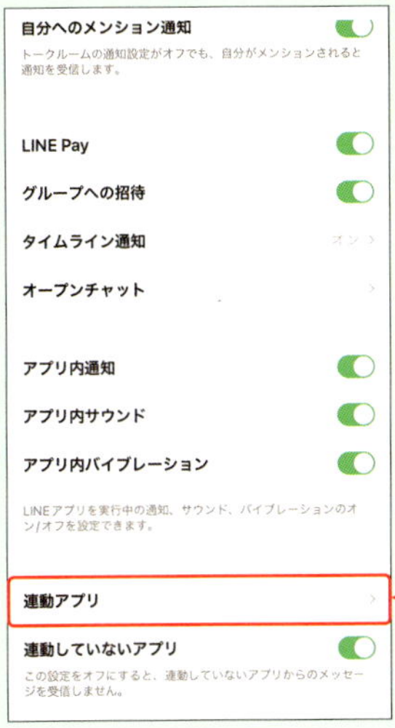

1 Q.111手順1～2を参考に「通知」画面を表示し、

2 ＜連動アプリ＞をタップします。

3 通知設定するアプリをタップします。

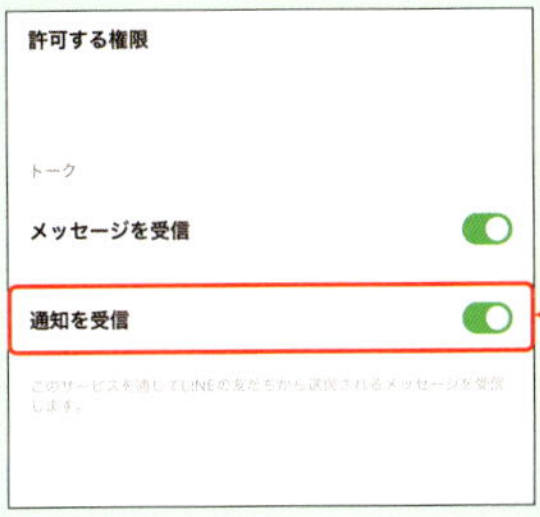

4 「通知を受信」の をタップしてオフにします。

Q 117 iPhoneで通知音を変更したい！

通知・着信設定

A ＜通知サウンド＞で好きなサウンドを選択します。

iPhoneで通知音を変更するには、「通知」画面の＜通知サウンド＞をタップし、新たに設定したい通知音をタップして選択します。マナーモードを解除していれば通知音を確認することもできるので、好きなものを設定してみましょう。なお、Androidでは設定方法が異なります（Q.118参照）。

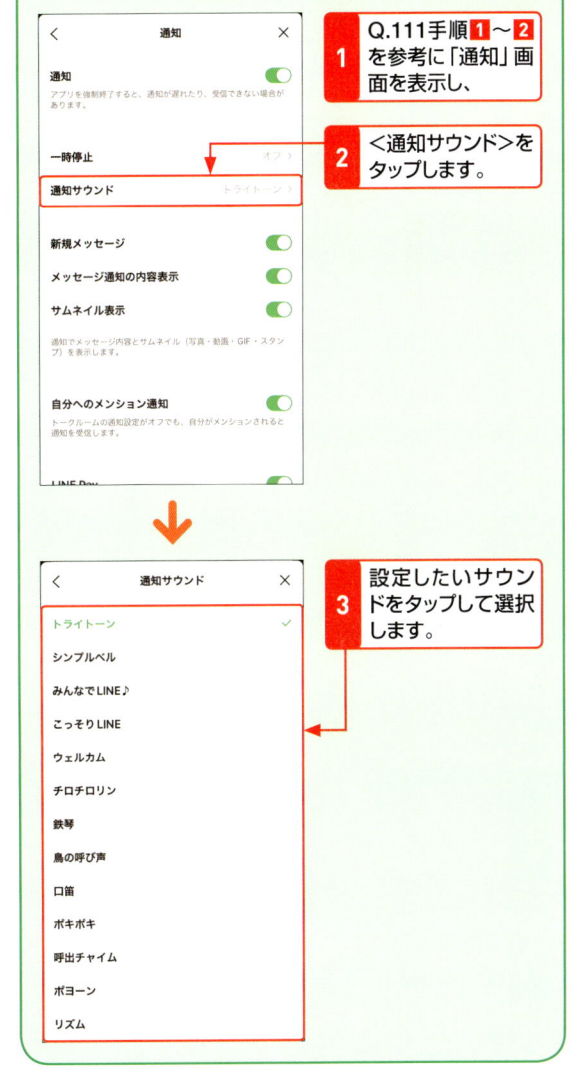

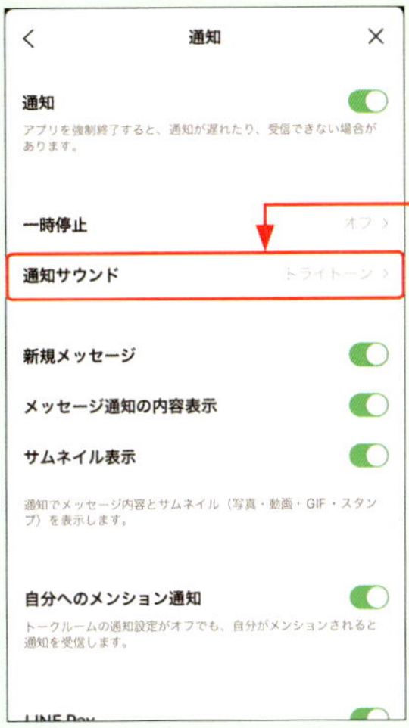

1 Q.111手順1～2を参考に「通知」画面を表示し、

2 ＜通知サウンド＞をタップします。

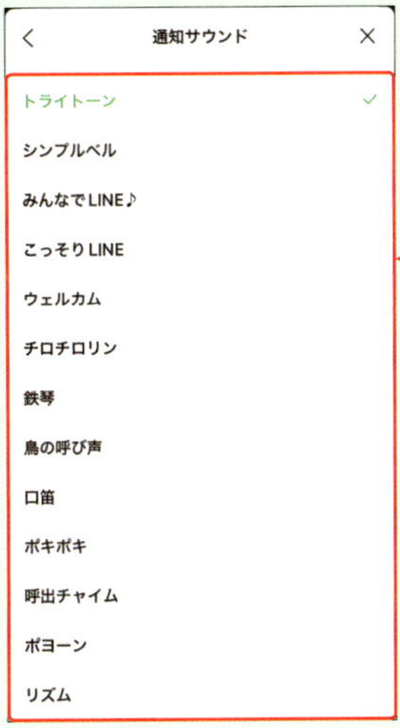

3 設定したいサウンドをタップして選択します。

Q 通知・着信設定

118 » Androidで通知音を変更したい！

A <LINE通知音を端末に追加>をタップしてから変更します。

Androidで通知音を変更するには、「通知」画面で<LINE通知音を端末に追加>をタップし、本体にLINEの通知音を追加しておきます。<メッセージ通知>をタップし、<詳細設定>→<音>の順にタップして音を設定しましょう。

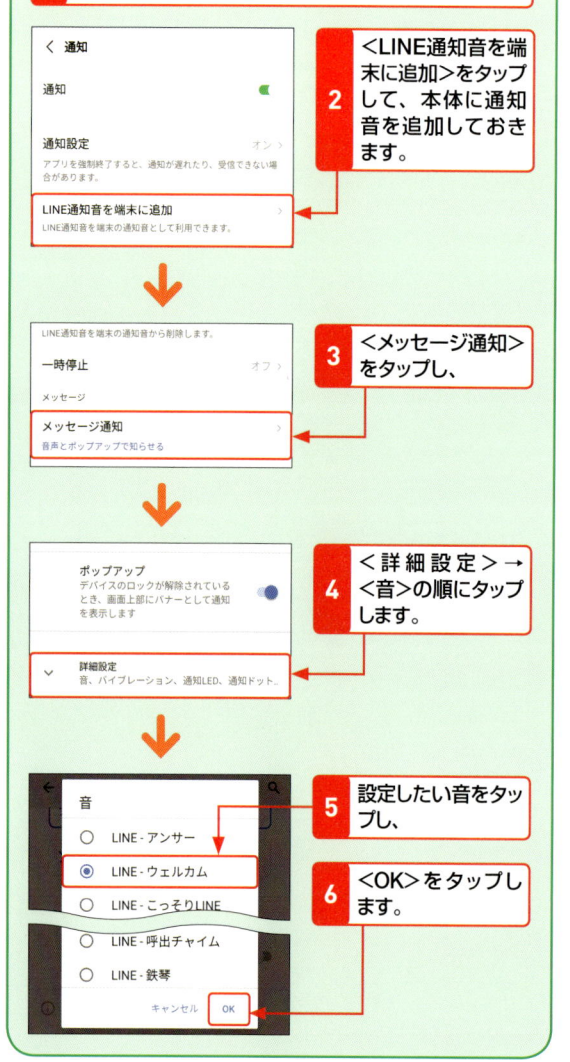

1 Q.111手順1〜2を参考に「通知」画面を表示し、

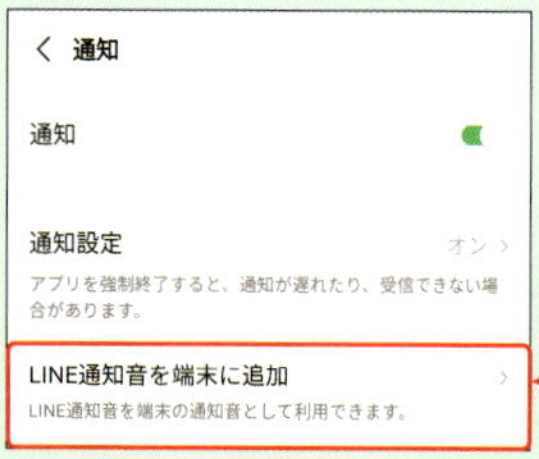

2 <LINE通知音を端末に追加>をタップして、本体に通知音を追加しておきます。

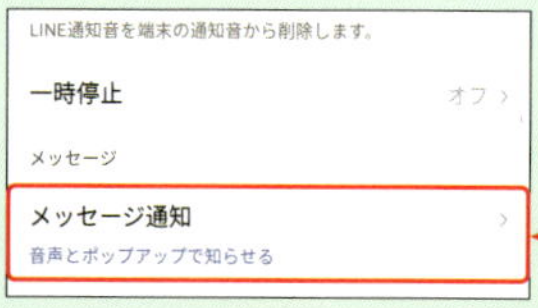

3 <メッセージ通知>をタップし、

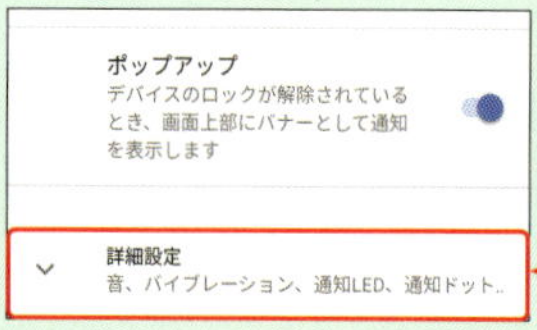

4 <詳細設定>→<音>の順にタップします。

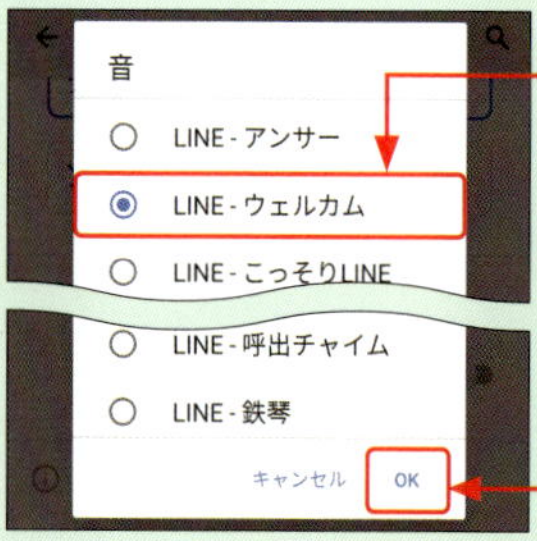

5 設定したい音をタップし、

6 <OK>をタップします。

Q デザイン

119 » トークルームの背景を変更したい！

A トークルームのメニュー画面の<背景デザイン>から変更します。

トークルームの背景を変更したいときは、トークルームの☰をタップし、<その他>→<背景デザイン>の順にタップして設定します。背景は、あらかじめ用意されているデザインや端末内に保存されている画像から選択できるほか、その場で写真を撮影して設定することもできます。

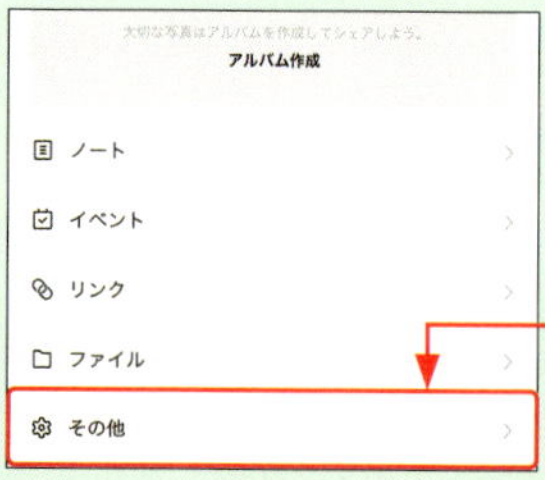

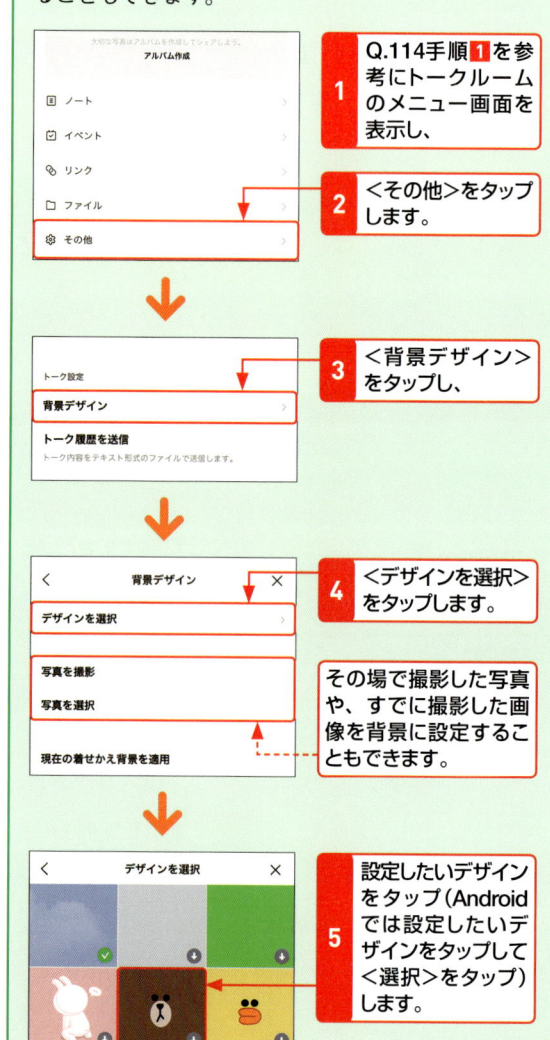

1 Q.114手順1を参考にトークルームのメニュー画面を表示し、

2 <その他>をタップします。

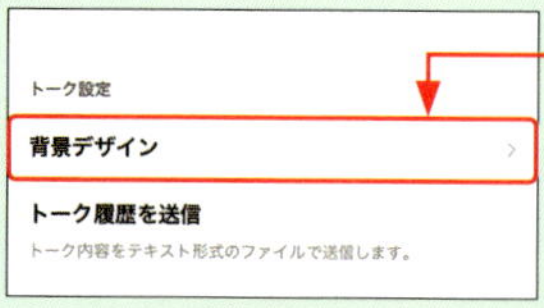

3 <背景デザイン>をタップし、

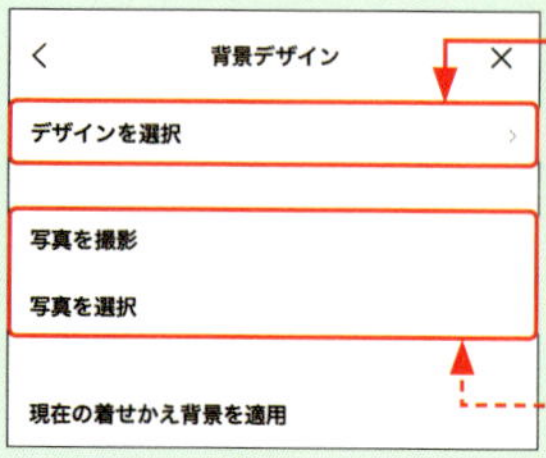

4 <デザインを選択>をタップします。

その場で撮影した写真や、すでに撮影した画像を背景に設定することもできます。

5 設定したいデザインをタップ（Androidでは設定したいデザインをタップして<選択>をタップ）します。

Q デザイン

120 » 着せかえで背面のデザインを変更するには？

A 「設定」画面の<着せかえ>から変更します。

LINE全体のデザインを変更したいときは、「設定」画面で<着せかえ>をタップしてデザインを選択します。着せかえには、基本のデザインのほかに、無料のデザインや「着せかえショップ」で購入する有料のデザインがあります。「着せかえ」画面でデザインを変更すると、すべての画面の背景が変更されます。

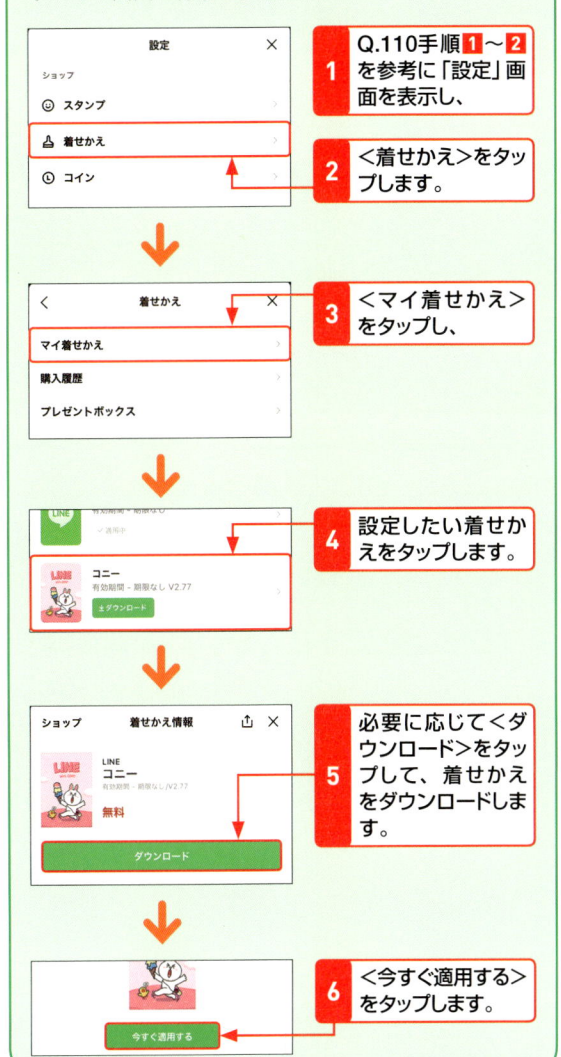

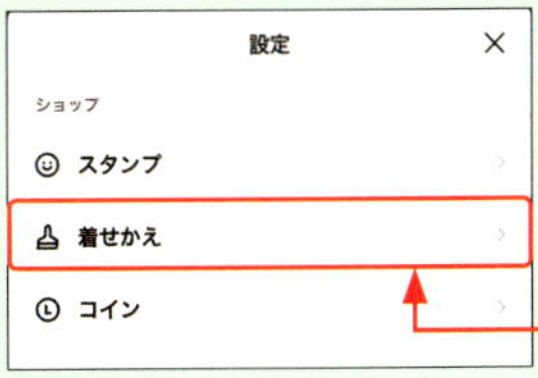

1 Q.110手順1～2を参考に「設定」画面を表示し、

2 <着せかえ>をタップします。

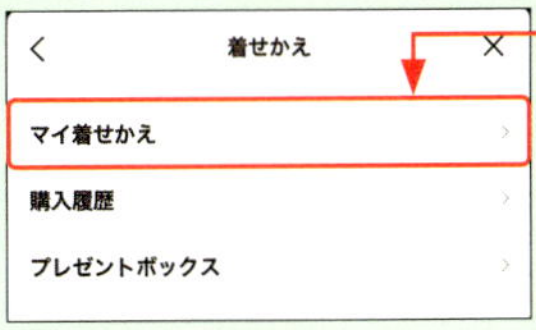

3 <マイ着せかえ>をタップし、

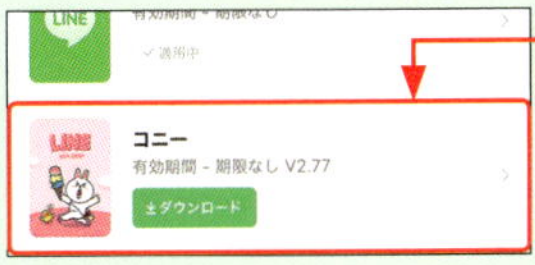

4 設定したい着せかえをタップします。

5 必要に応じて<ダウンロード>をタップして、着せかえをダウンロードします。

6 <今すぐ適用する>をタップします。

Q セキュリティ

121 » 友だち追加用のQRコードを更新したい！

A <QRコードを更新>をタップします。

LINEでは、一人一人にQRコードが割り当てられており、QRコードを読み込むことで友だちに追加することができます。ただし、QRコードが流出してしまうと、知らない人から友だちに追加されてしまうおそれがあるため、万一の場合に備えて、定期的にQRコードを更新しておくとよいでしょう。

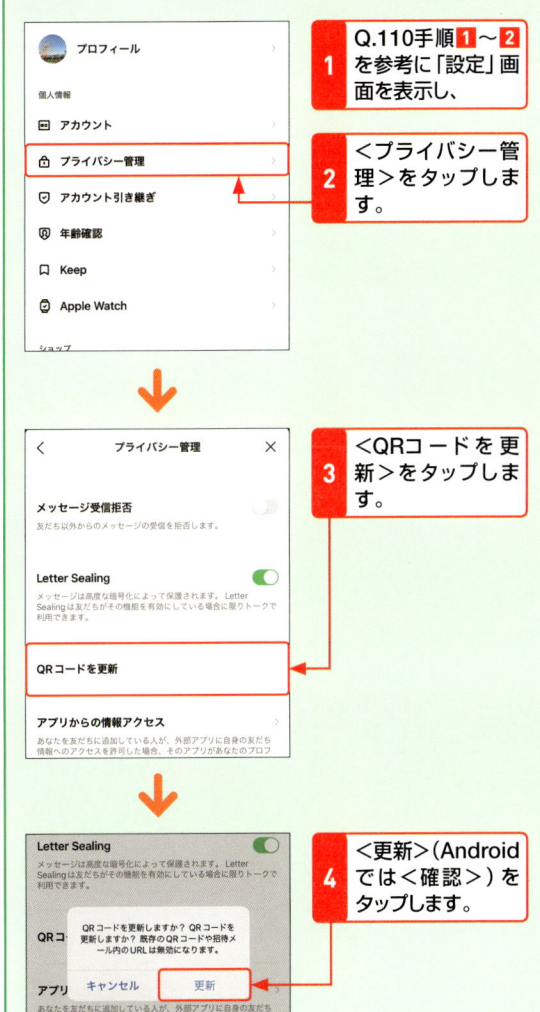

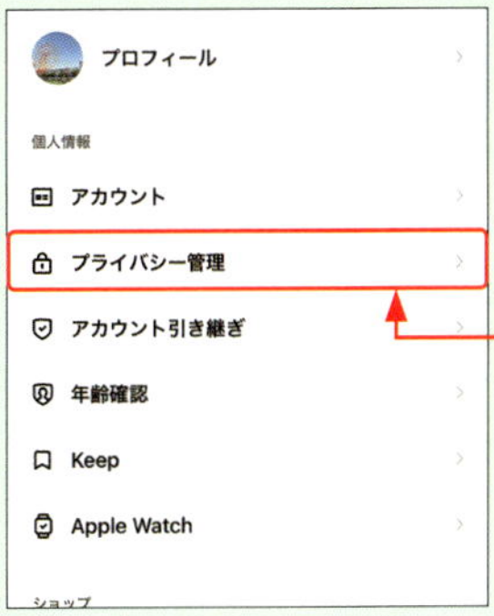

1 Q.110手順1～2を参考に「設定」画面を表示し、

2 <プライバシー管理>をタップします。

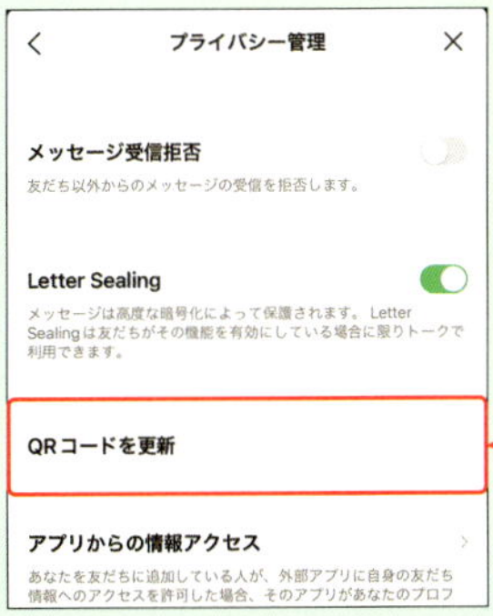

3 <QRコードを更新>をタップします。

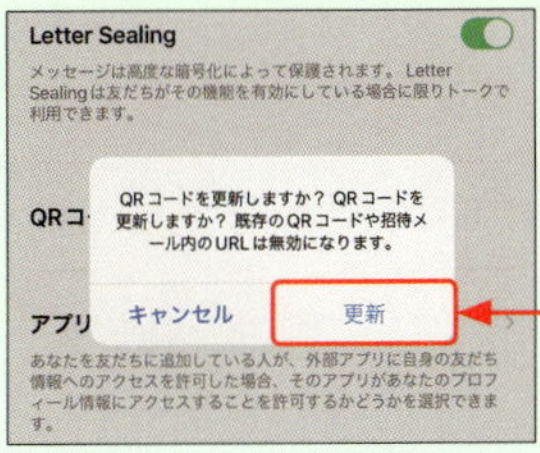

4 <更新>(Androidでは<確認>)をタップします。

Q セキュリティ ★★★★★

122 » 起動時のパスコードを設定するには？

A 「プライバシー管理」画面の<パスコードロック>をタップします。

他者にLINEの内容を見られないようにするために、LINE起動時のパスコードを設定することができます。起動時のパスコードの設定は、「設定」画面で<プライバシー管理>→<パスコードロック>の順にタップします。任意の4桁の数字を入力すると、パスコードが設定されます。

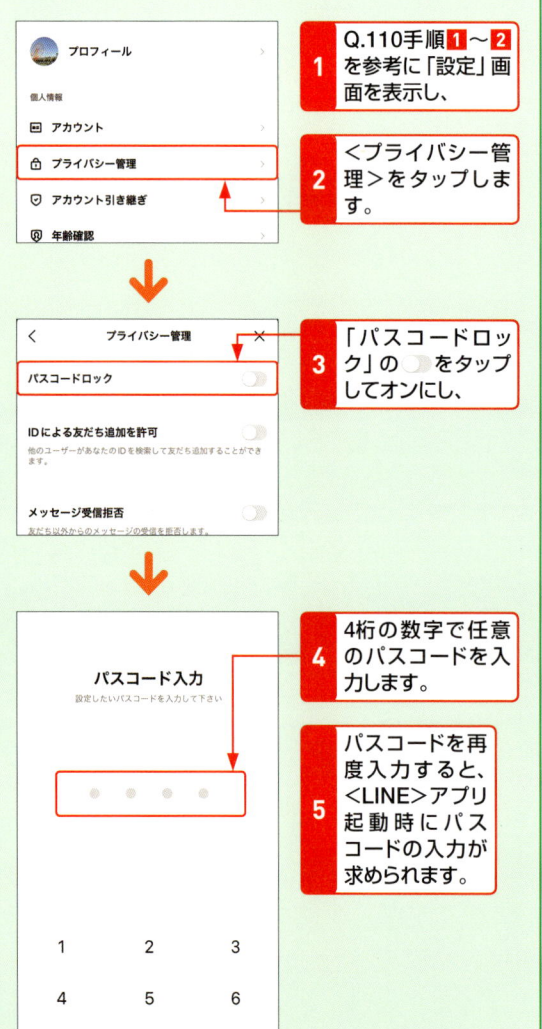

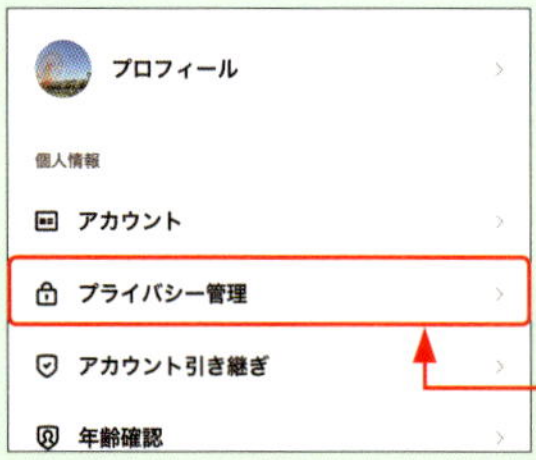

1 Q.110手順1～2を参考に「設定」画面を表示し、

2 <プライバシー管理>をタップします。

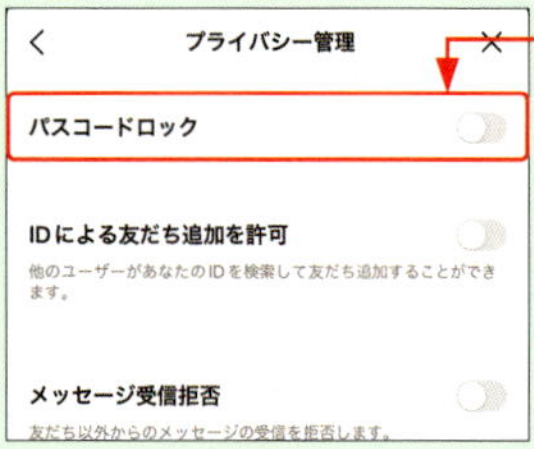

3 「パスコードロック」の をタップしてオンにし、

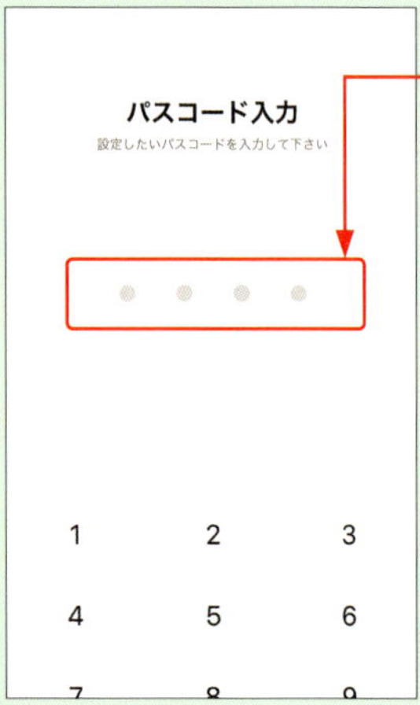

4 4桁の数字で任意のパスコードを入力します。

5 パスコードを再度入力すると、<LINE>アプリ起動時にパスコードの入力が求められます。

Q セキュリティ ★★★★★

123 » ログインのパスワードを変更するには？

A 「アカウント」画面の<パスワード>から変更します。

アカウント作成時に登録したパスワードを変更したいときは、「アカウント」画面の<パスワード>をタップします。定期的に変更して、アカウントのセキュリティを高めておきましょう。

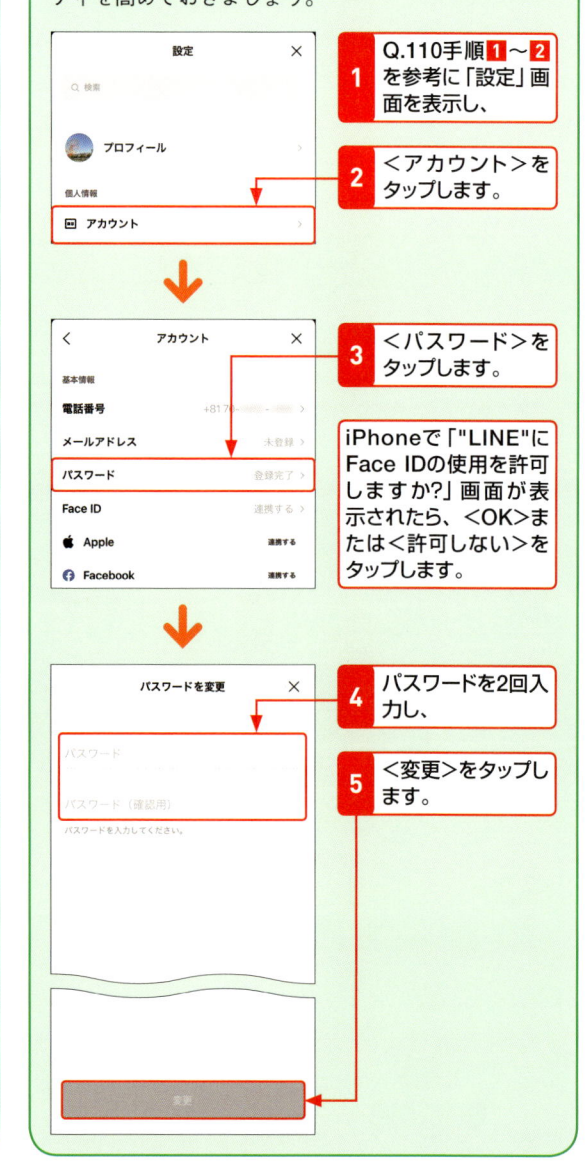

1 Q.110手順1～2を参考に「設定」画面を表示し、

2 <アカウント>をタップします。

3 <パスワード>をタップします。

iPhoneで「"LINE"にFace IDの使用を許可しますか?」画面が表示されたら、<OK>または<許可しない>をタップします。

4 パスワードを2回入力し、

5 <変更>をタップします。

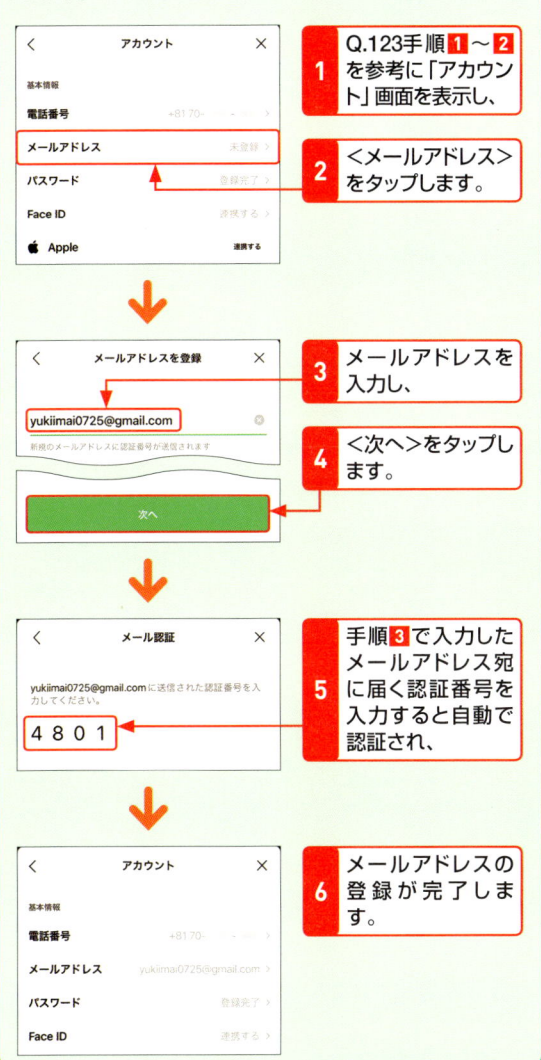

セキュリティ ★★★★★

Q 124 » メールアドレスを登録するには？

A 「アカウント」画面の<メールアドレス>から登録します。

メールアドレスを登録しておくと、アカウントを引き継ぐ際にパスワードを再設定したり、パソコン版LINEにログインしたりすることができます。GmailやYahoo! メールなどのフリーメールも登録できるので、よく使うメールアドレスを登録しておくとよいでしょう。

1 Q.123手順1〜2を参考に「アカウント」画面を表示し、

2 <メールアドレス>をタップします。

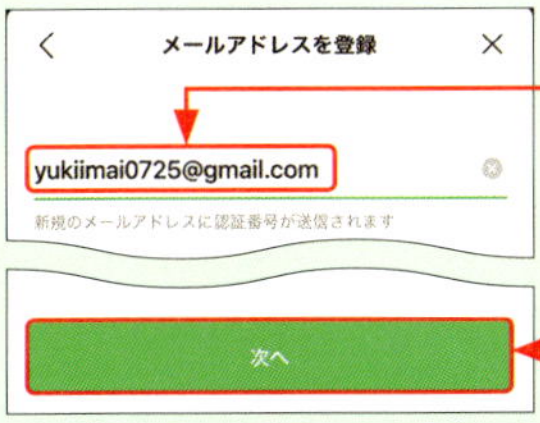

3 メールアドレスを入力し、

4 <次へ>をタップします。

5 手順3で入力したメールアドレス宛に届く認証番号を入力すると自動で認証され、

6 メールアドレスの登録が完了します。

セキュリティ ★★★★★

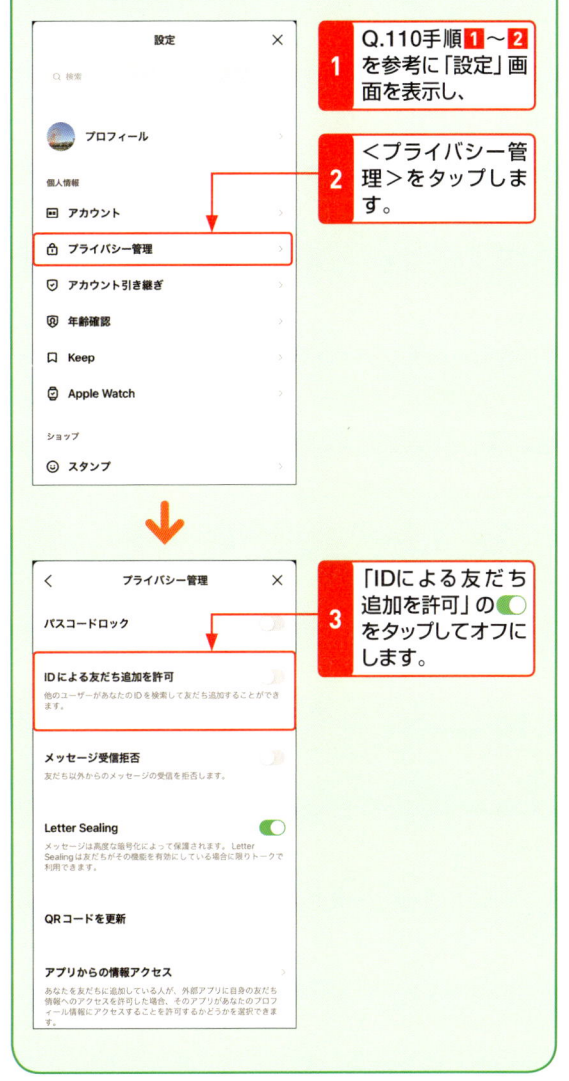

Q 125 » LINE IDで検索されないようにしたい！

A 「IDによる友だち追加を許可」をオフにします。

電話番号で認証されたアカウントは、LINE IDで友だちを検索したり、追加したりすることが可能になります。知らない人にLINE IDで検索されたり、友だち追加されたりしないようにするには、「設定」画面の<プライバシー管理>をタップし、「IDによる友だち追加を許可」をオフにしましょう。

1 Q.110手順1〜2を参考に「設定」画面を表示し、

2 <プライバシー管理>をタップします。

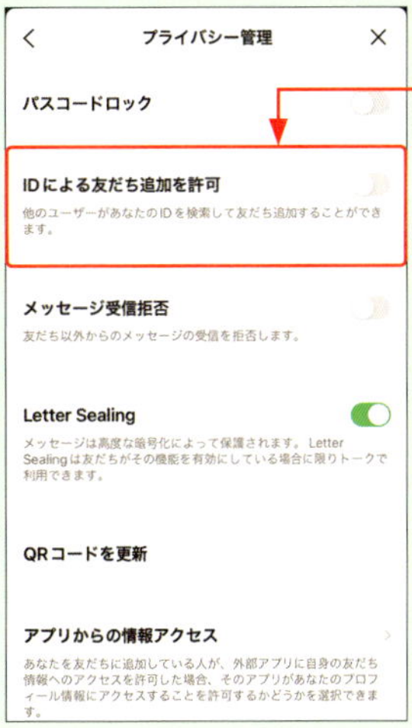

3 「IDによる友だち追加を許可」のをタップしてオフにします。

Q セキュリティ ★★★★★

126 » 自動的に友だちに追加されないようにしたい！

A 「友だち」画面で「友だちへの追加を許可」をオフにします。

LINEでは、スマートフォンのアドレス帳に登録されている連絡先から、自動的にLINEユーザーを友だちに追加する機能があります。自動的に友だちに追加されないようにしたいときは、「設定」画面で＜友だち＞をタップし、「友だちへの追加を許可」をオフにします。

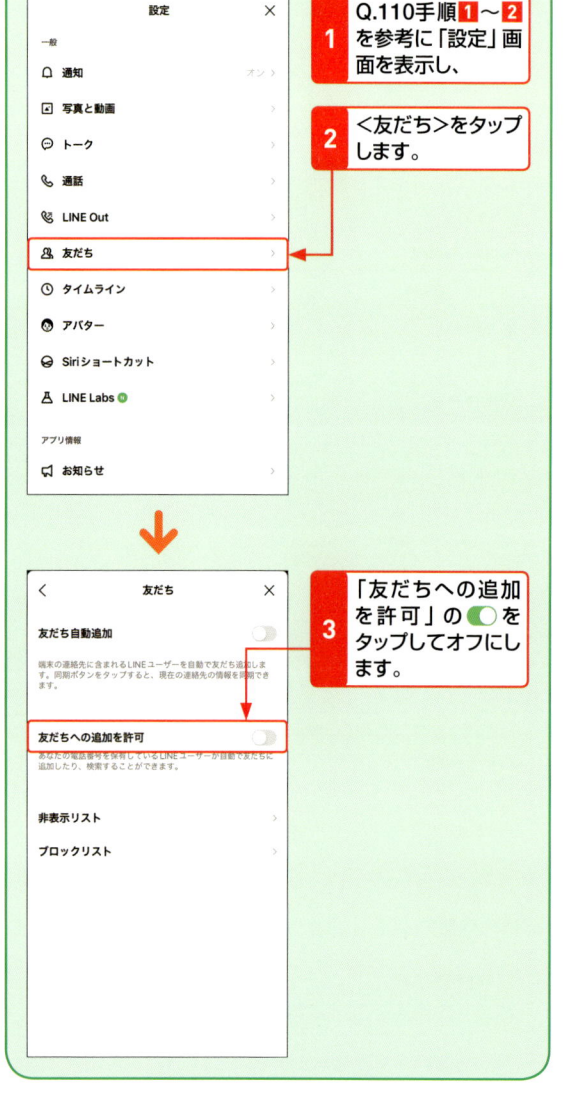

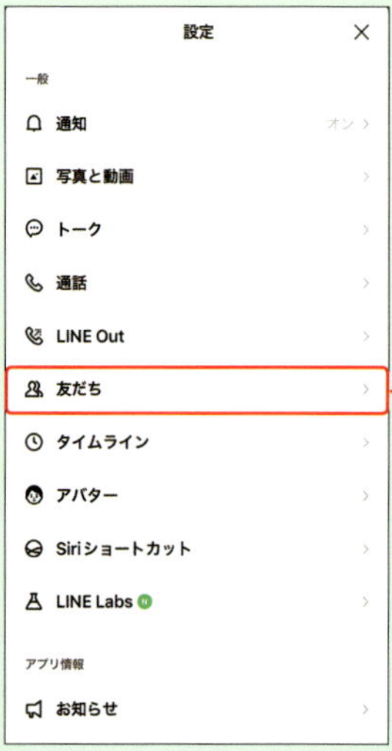

1 Q.110手順1～2を参考に「設定」画面を表示し、

2 ＜友だち＞をタップします。

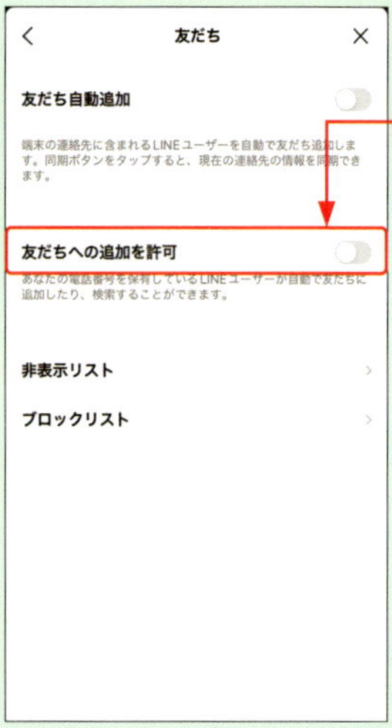

3 「友だちへの追加を許可」のをタップしてオフにします。

Q セキュリティ ★★★★★

127 » 知らない人からメッセージが来ないようにするには？

A 「プライバシー管理」画面で「メッセージ受信拒否」をオンにします。

知らない人からのメッセージが来ないようにするには、「設定」画面で＜プライバシー管理＞をタップし、「メッセージ受信拒否」をオンにします。オンにすると、追加されている友だち以外からのメッセージの受信を拒否することができます。

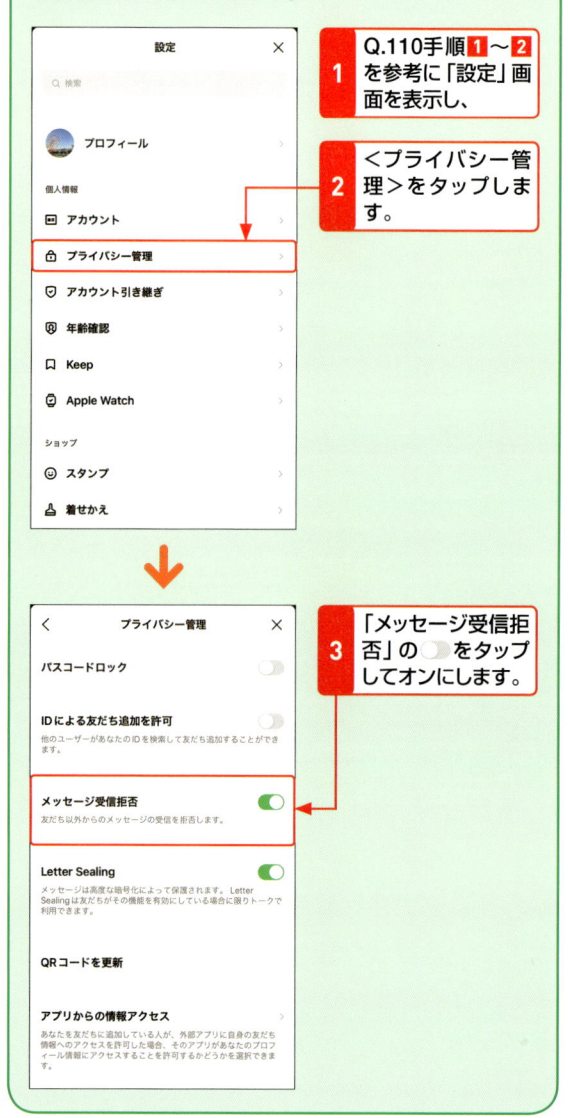

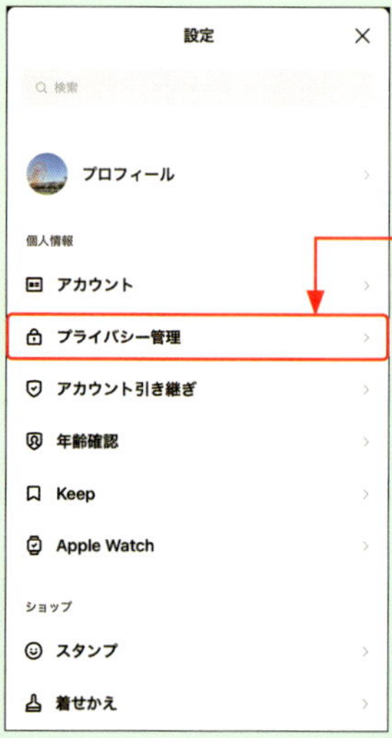

1 Q.110手順1～2を参考に「設定」画面を表示し、

2 ＜プライバシー管理＞をタップします。

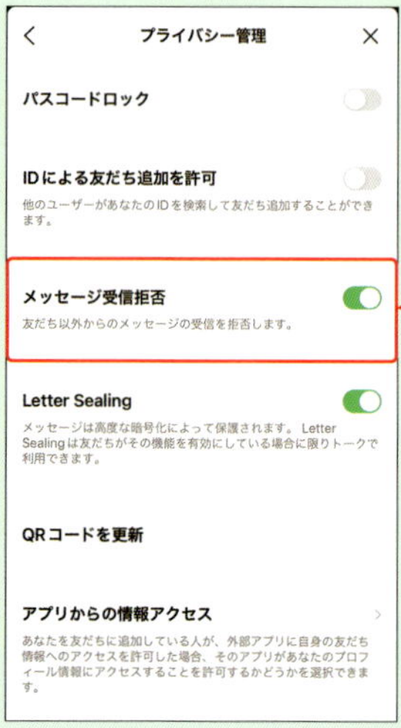

3 「メッセージ受信拒否」のをタップしてオンにします。

Q セキュリティ ★★★★★

128 » 苦手な相手をブロックしたい！

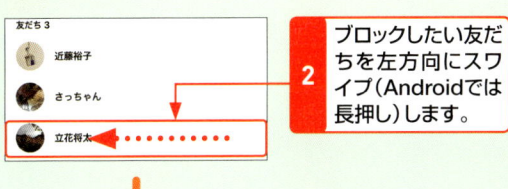

A 友だちリストで友だちを左方向にスワイプして＜ブロック＞をタップします。

苦手になってしまった相手や、友だち自動追加などで意図せず友だちに追加してしまった相手がいる場合は、ブロックして交流できないようにしましょう。「ホーム」タブの友だちリストを表示し、ブロックしたい友だちを左方向にスワイプします。＜ブロック＞をタップするとブロックリストに追加され、そのアカウントからのメッセージは届かなくなります。

1 Q.040手順1を参考に「ホーム」タブの友だちリストを表示し、

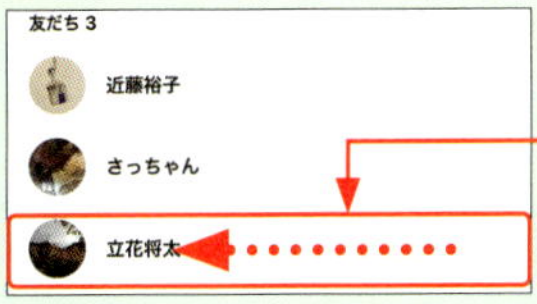

2 ブロックしたい友だちを左方向にスワイプ（Androidでは長押し）します。

3 ＜ブロック＞→＜ブロック＞の順にタップします。

4 ブロックすると、友だちリストから名前がなくなります。

ブロックを解除する

ブロックを解除するには、＜ホーム＞→⚙→＜友だち＞→＜ブロックリスト＞の順にタップします。ブロックを解除したい友だちをタップしてチェックを付け、＜ブロック解除＞→＜ブロック解除＞（Androidでは＜編集＞→＜ブロック解除＞）の順にタップします。

Q セキュリティ ★★★★★

129 » 友だちを削除するには？

A ブロックリストから削除します。

すでに追加されている友だちを削除したいときは、あらかじめその友だちをブロックしておく必要があります。ブロックした友だちは、「友だち」画面で＜ブロックリスト＞をタップして確認することができます。ブロックリストから削除する友だちをタップしてチェックを付け、＜削除＞をタップすると、その友だちは完全に削除されます。

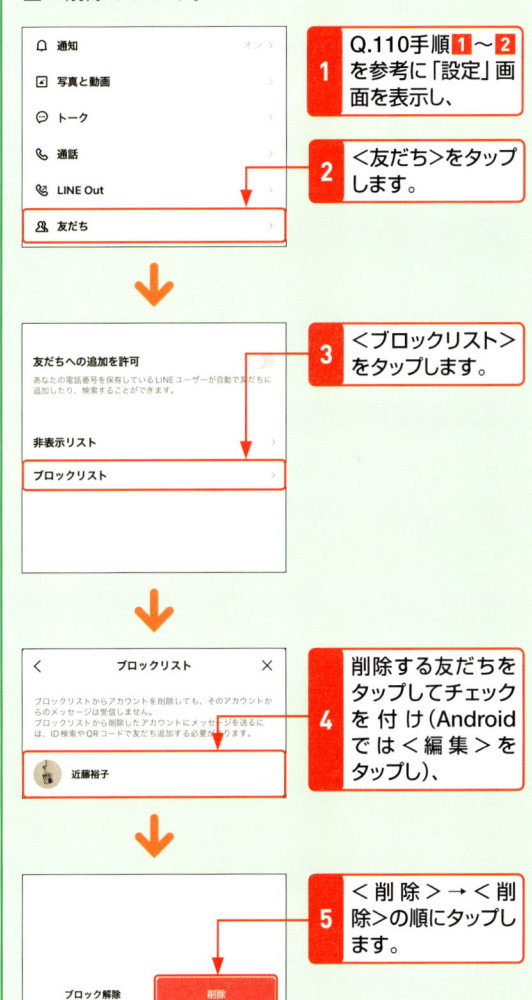

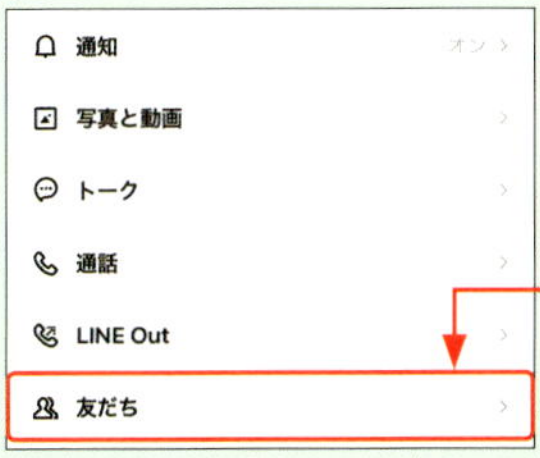

1 Q.110手順1～2を参考に「設定」画面を表示し、

2 ＜友だち＞をタップします。

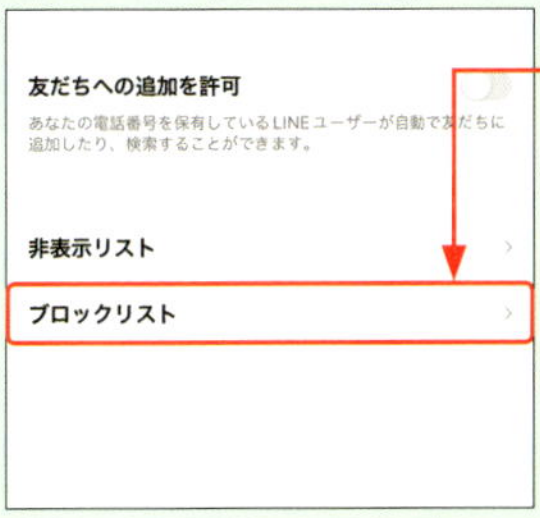

3 ＜ブロックリスト＞をタップします。

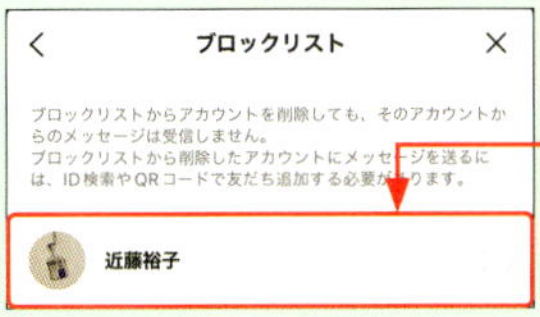

4 削除する友だちをタップしてチェックを付け（Androidでは＜編集＞をタップし）、

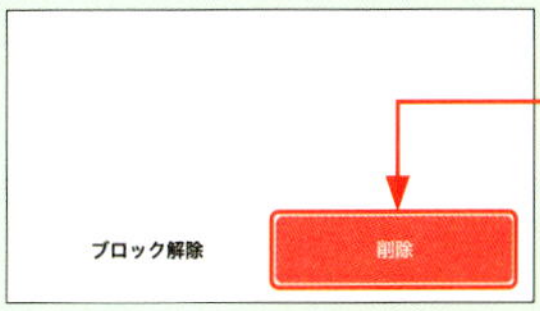

5 ＜削除＞→＜削除＞の順にタップします。

セキュリティ ★★★★☆

Q 130 » 知らない人を通報するには？

A トークルームに表示される＜通報＞をタップします。

知らない人からメッセージが届いたときは、＜通報＞をタップすると、LINE社にそのアカウント情報と通報する理由が送信されます。以降、そのアカウントの情報は調査され、必要に応じてアカウント停止などの措置が取られます。なお、「通報」は友だち追加していない相手にのみ行えます。

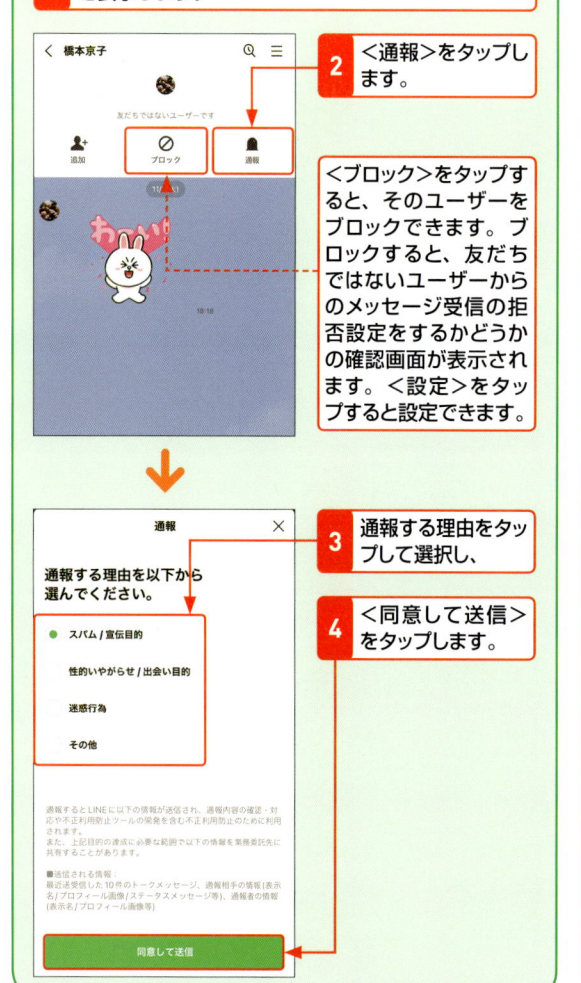

1 知らない相手からメッセージが届いたトークルームを表示します。

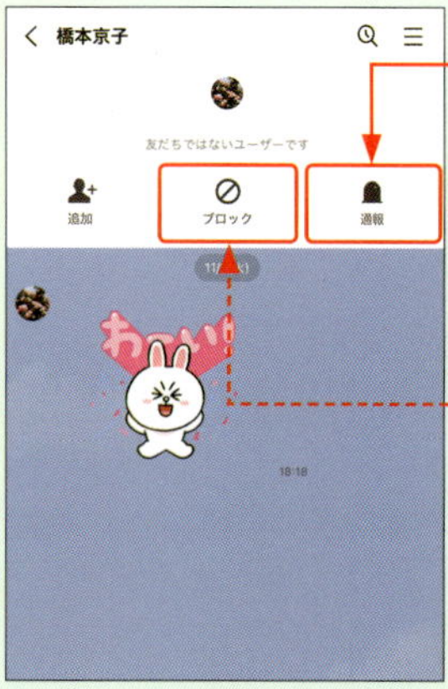

2 ＜通報＞をタップします。

＜ブロック＞をタップすると、そのユーザーをブロックできます。ブロックすると、友だちではないユーザーからのメッセージ受信の拒否設定をするかどうかの確認画面が表示されます。＜設定＞をタップすると設定できます。

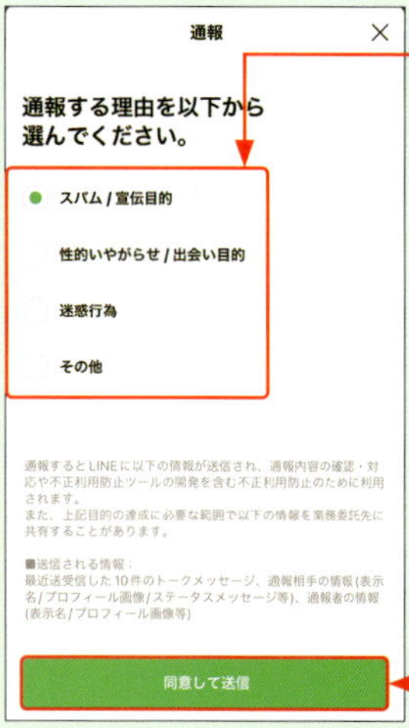

3 通報する理由をタップして選択し、

4 ＜同意して送信＞をタップします。

セキュリティ ★★★★★

Q 131 » トークの内容をバックアップしたい！

A ＜トークのバックアップ＞からトークをオンラインストレージに保存します。

機種変更を検討しているときや消えてほしくないトーク履歴がある場合など、トークの内容を保存しておきたいときは、＜トークのバックアップ＞からトークをオンラインストレージに保存しましょう。なおiPhoneでは、バックアップは機種変更時にのみ復元できます。

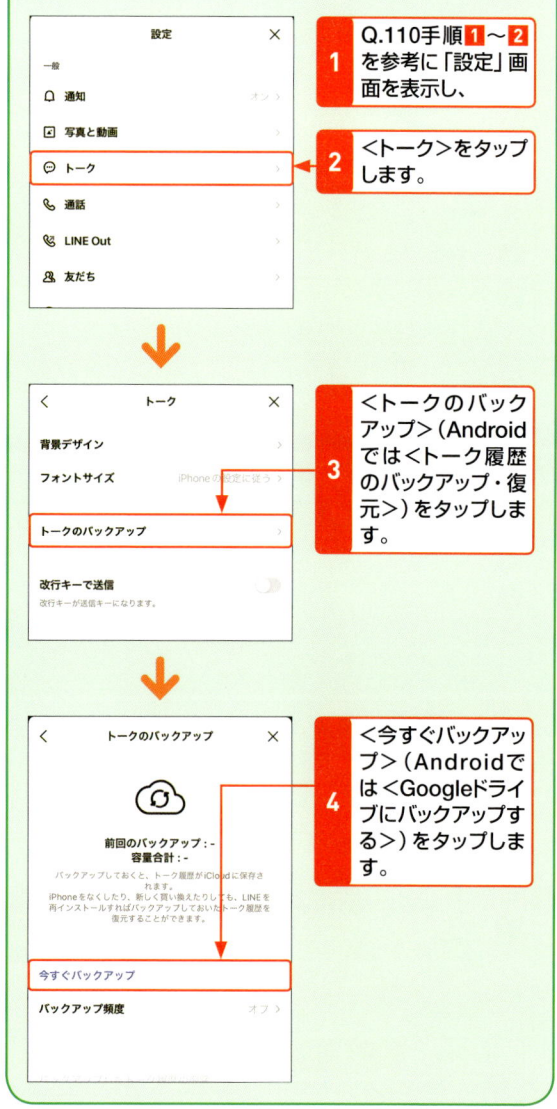

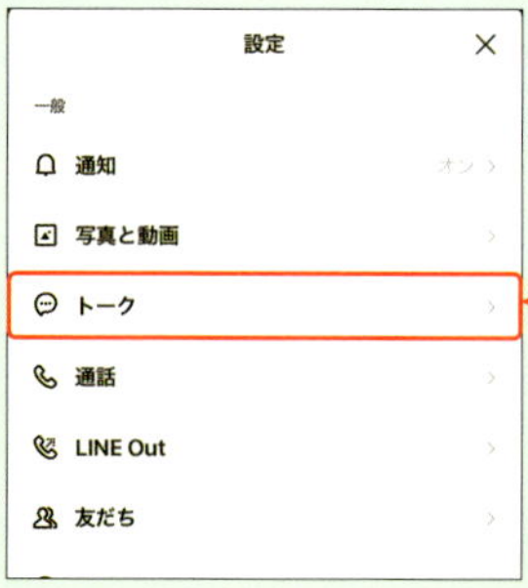

1 Q.110手順1〜2を参考に「設定」画面を表示し、

2 ＜トーク＞をタップします。

3 ＜トークのバックアップ＞（Androidでは＜トーク履歴のバックアップ・復元＞）をタップします。

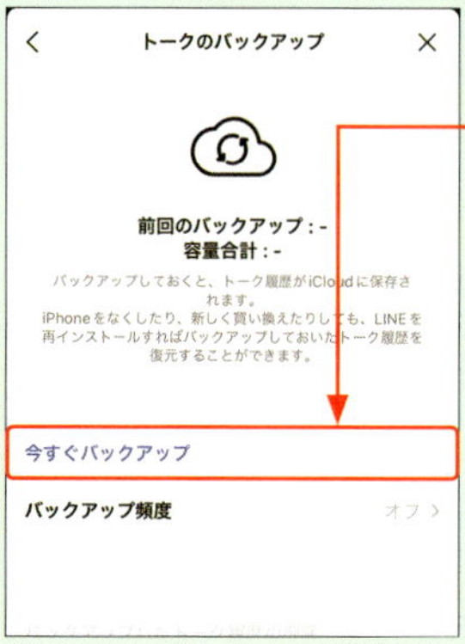

4 ＜今すぐバックアップ＞（Androidでは＜Googleドライブにバックアップする＞）をタップします。

Q セキュリティ ★★★★☆

132 » トーク履歴を削除するには？

A <すべてのトーク履歴>をタップして削除します。

不要なトークの履歴を削除したいときは、「トーク」画面で<データの削除>→<すべてのトーク履歴>の順にタップして削除します。今までやり取りしたすべてのトーク履歴が削除され、見られなくなります。個別でメッセージを削除したいときは、トークルームでメッセージを長押しし、<削除>をタップします。

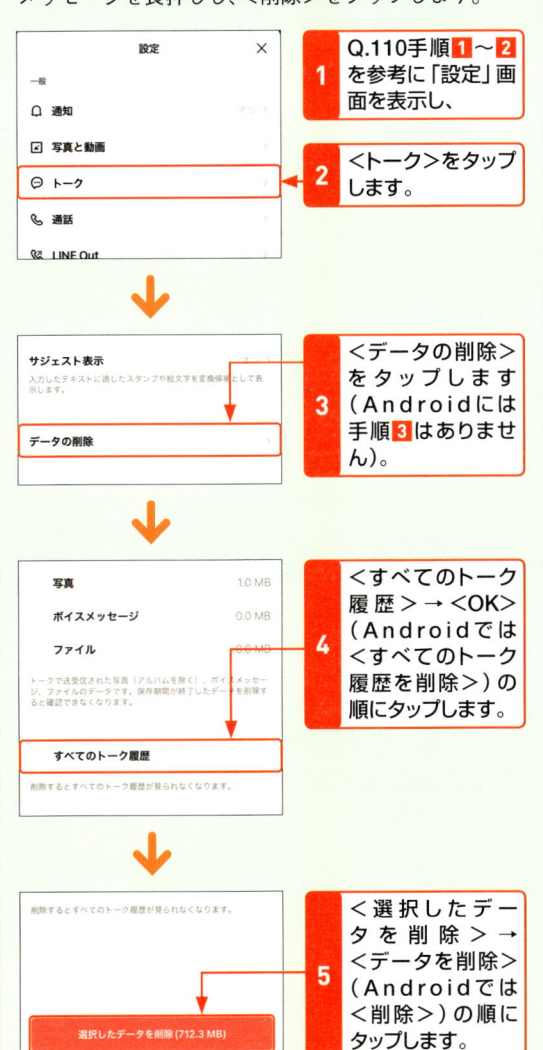

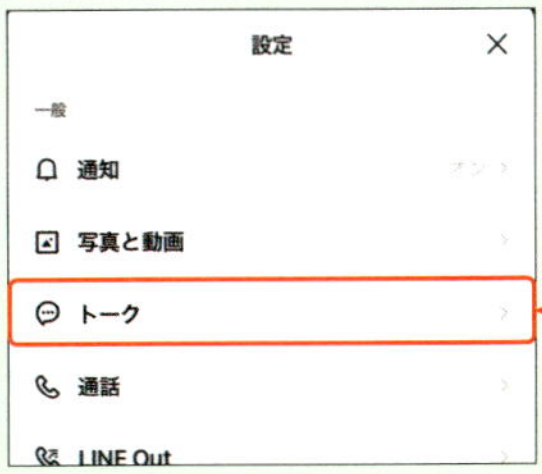

1 Q.110手順1～2を参考に「設定」画面を表示し、

2 <トーク>をタップします。

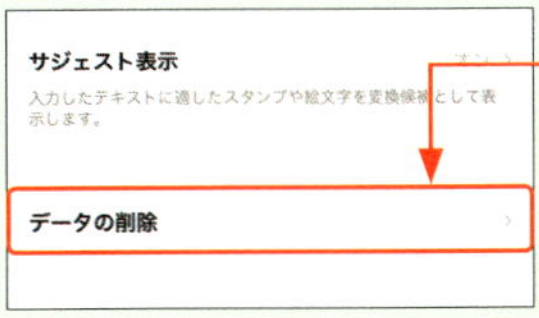

3 <データの削除>をタップします（Androidには手順3はありません）。

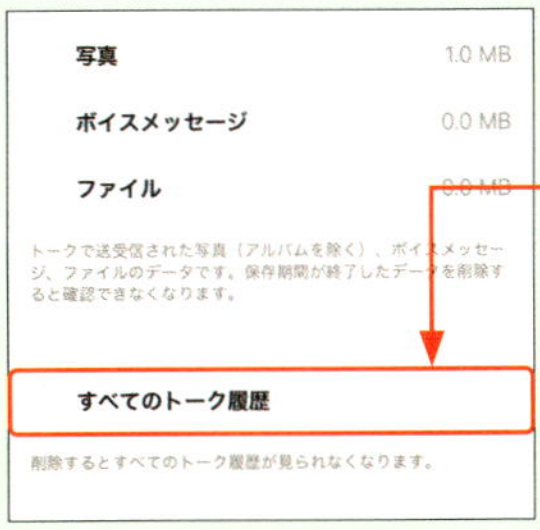

4 <すべてのトーク履歴>→<OK>（Androidでは<すべてのトーク履歴を削除>）の順にタップします。

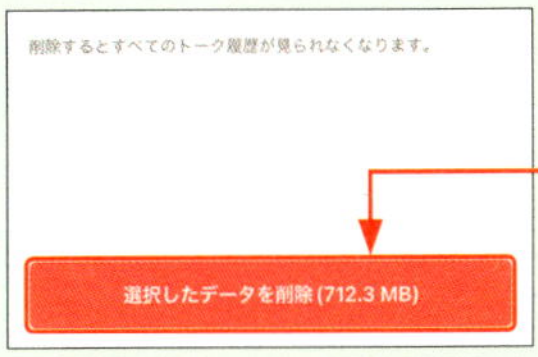

5 <選択したデータを削除>→<データを削除>（Androidでは<削除>）の順にタップします。

Q セキュリティ ★★★★★

133 » 機種変更しても同じアカウントを使うには？

A 「アカウントを引き継ぐ」をオンにします。

機種変更しても同じアカウントを使うには、あらかじめLINEアカウントにメールアドレスとパスワードを登録しておく必要があります（Q.123～124参照）。「設定」画面で<アカウント引き継ぎ>をタップし、「アカウントを引き継ぐ」をオンにしたら、24時間以内にアカウントの引き継ぎを行いましょう。

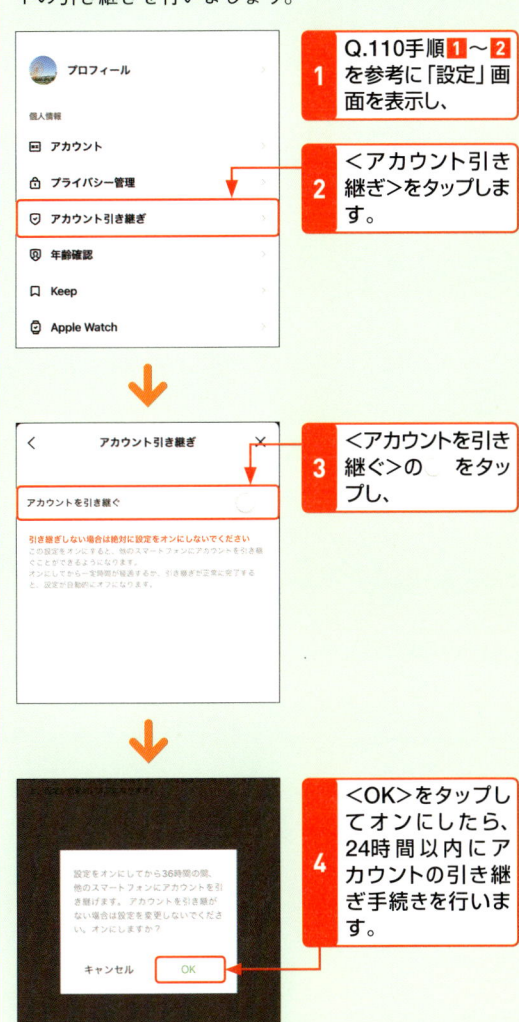

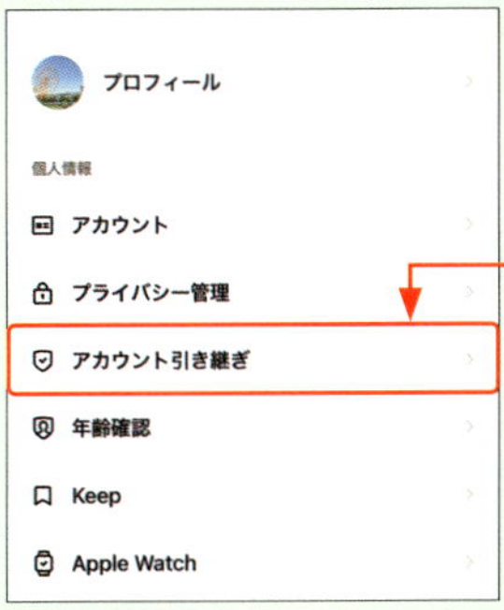

1 Q.110手順1～2を参考に「設定」画面を表示し、

2 <アカウント引き継ぎ>をタップします。

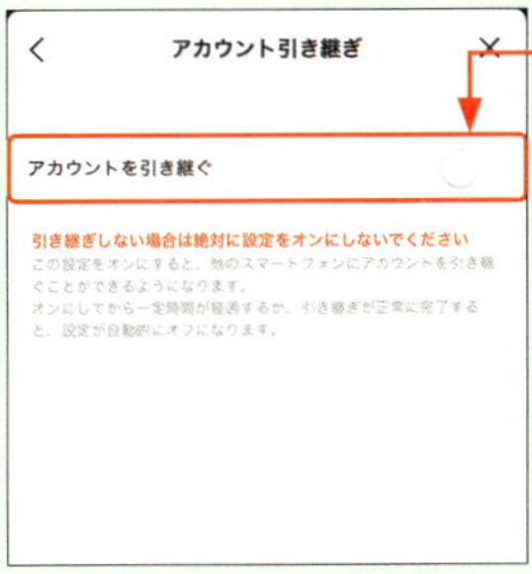

3 <アカウントを引き継ぐ>の　をタップし、

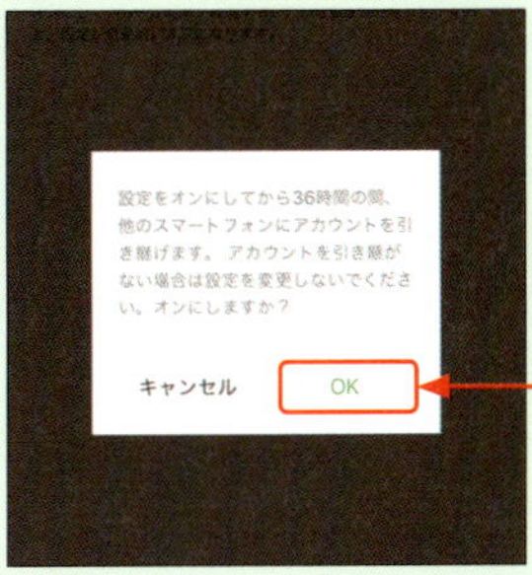

4 <OK>をタップしてオンにしたら、24時間以内にアカウントの引き継ぎ手続きを行います。

Q 134 » 機種変更後もトークの履歴を引き継ぎたい！

セキュリティ ★★★★★

A ＜トーク履歴を復元＞をタップします。

「アカウントを引き継ぐ」をオンにしてアカウントを引き継いだだけでは、過去のトーク内容は消えてしまいます。保存したいトークがある場合は、事前にオンラインストレージを使ってトーク内容を保存しておきましょう（Q.131参照）。機種変更後に、＜LINE＞アプリに以前のアカウントでログインすると、自動的に「トーク履歴を復元」画面が表示されます。

1 Q.131を参考に、トークのバックアップを取ります。

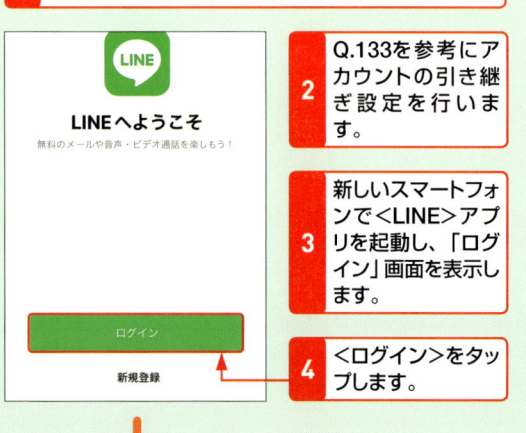

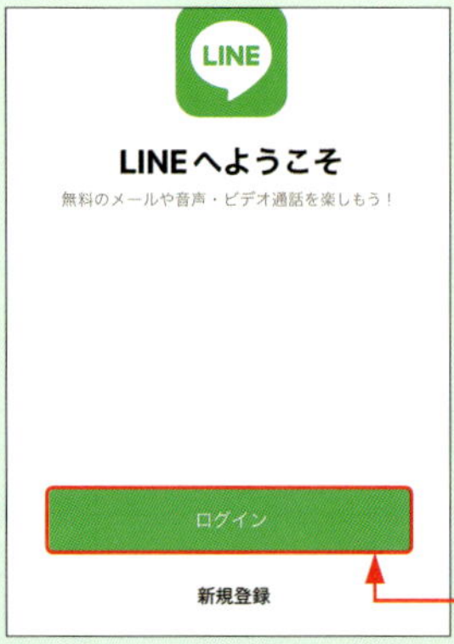

2 Q.133を参考にアカウントの引き継ぎ設定を行います。

3 新しいスマートフォンで＜LINE＞アプリを起動し、「ログイン」画面を表示します。

4 ＜ログイン＞をタップします。

5 以前のアカウントでログインします。

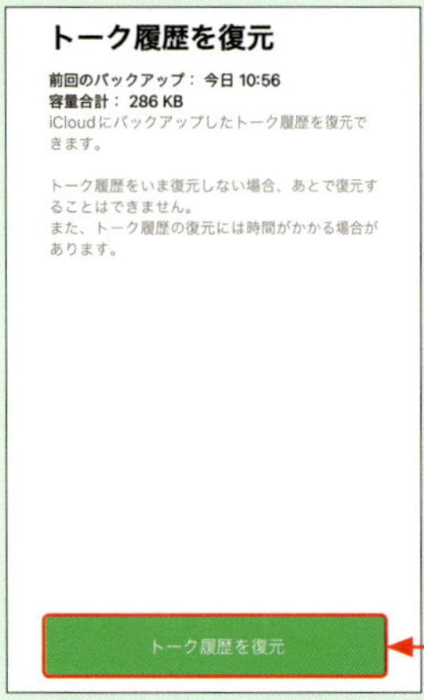

6 ＜トーク履歴を復元＞をタップし、画面の指示に従って進みます。

Q 135 » アカウントを削除するには？

セキュリティ ★★★★★

A 「アカウント」画面で＜アカウント削除＞をタップします。

現在のアカウントを削除し、LINEの使用をやめるときは、アカウントを削除します。アカウントを削除するときは、「設定」画面で＜アカウント＞→＜アカウント削除＞の順にタップします。注意事項を確認し、最後に＜アカウントを削除＞をタップします。すべてのアイテムや連動アプリもいっしょに削除されます。

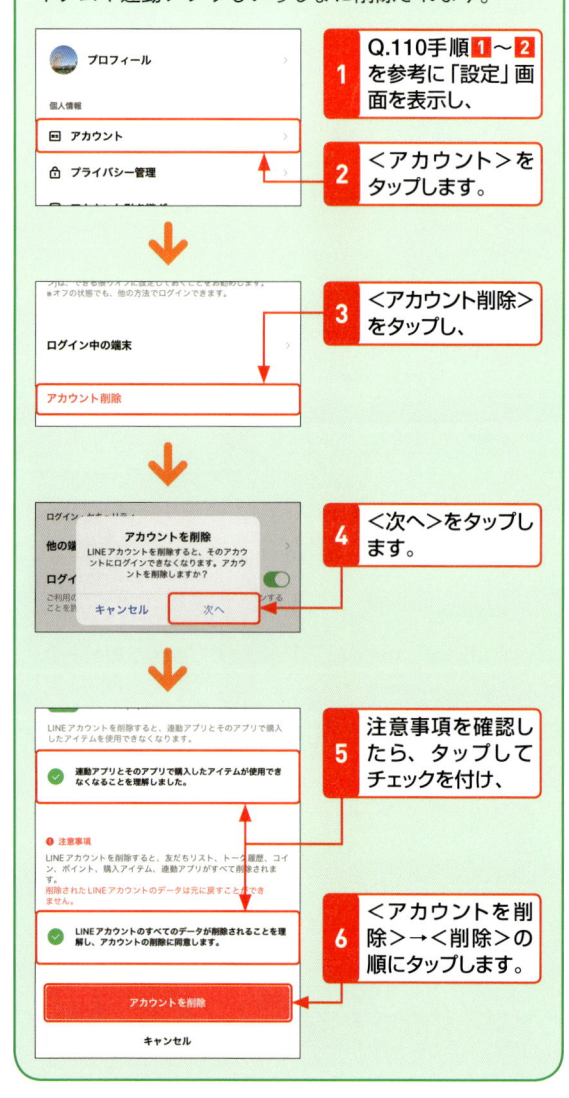

1 Q.110手順1～2を参考に「設定」画面を表示し、

2 ＜アカウント＞をタップします。

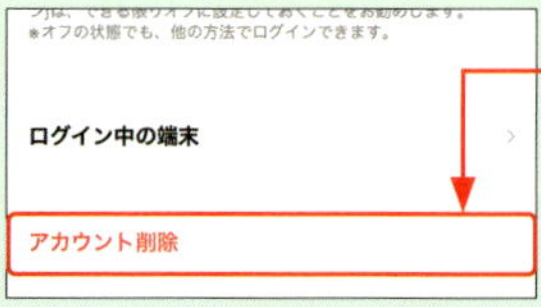

3 ＜アカウント削除＞をタップし、

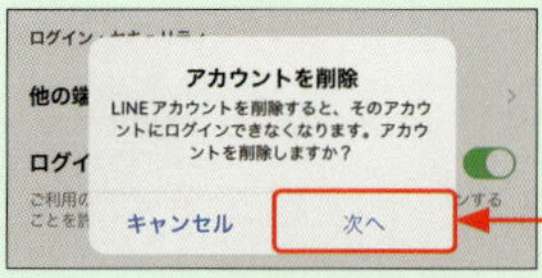

4 ＜次へ＞をタップします。

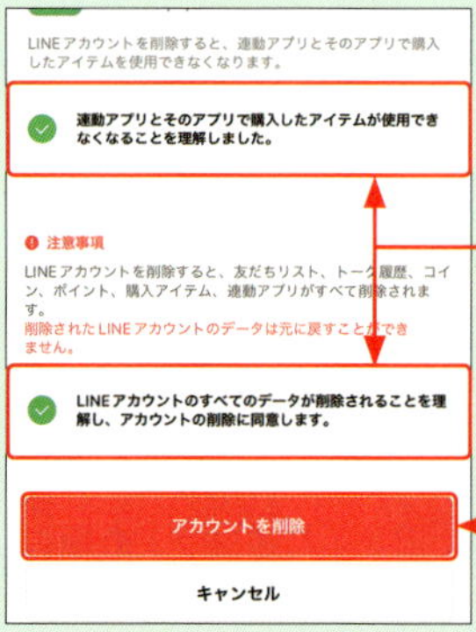

5 注意事項を確認したら、タップしてチェックを付け、

6 ＜アカウントを削除＞→＜削除＞の順にタップします。

第5章

パソコンでLINEを利用

Q LINEの基本

136 » パソコン版LINEをインストールしたい！

A LINEの公式サイトにアクセスしてインストールします。

LINEの公式サイト（https://line.me/ja/）から、パソコン版LINEのインストーラーを無料でダウンロードすることができます。インストーラーには、「Windows版」と「Mac版」があります。自分のパソコンに合ったインストーラーを入手したら、指示に従ってインストールしましょう。ここでは、「Windows版」のインストール方法を解説します。なお、本書では「Windows版」を使用して解説します。

1 Webブラウザ（Microsoft Edge）を起動し、LINEの公式サイト（https://line.me/ja/）にアクセスします。

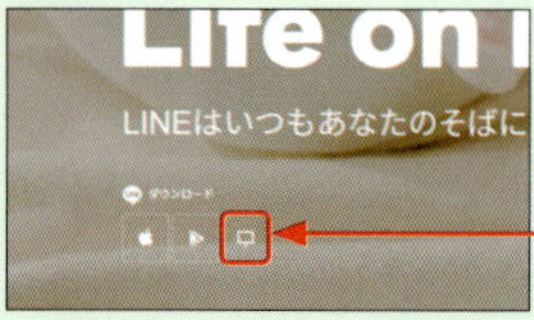

2 □をクリックします。

3 インストーラーがダウンロードされるので、<ファイルを開く>をクリックします。

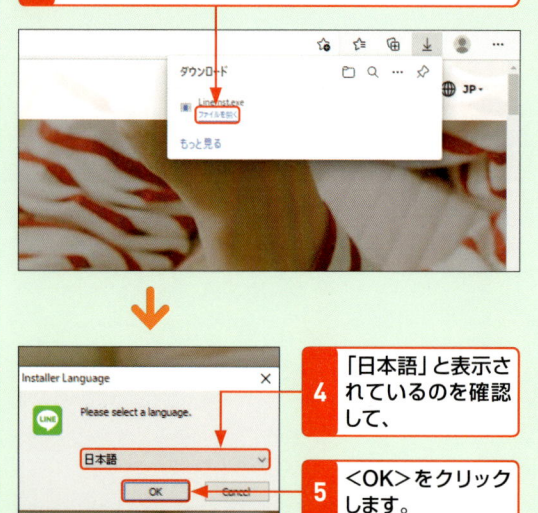

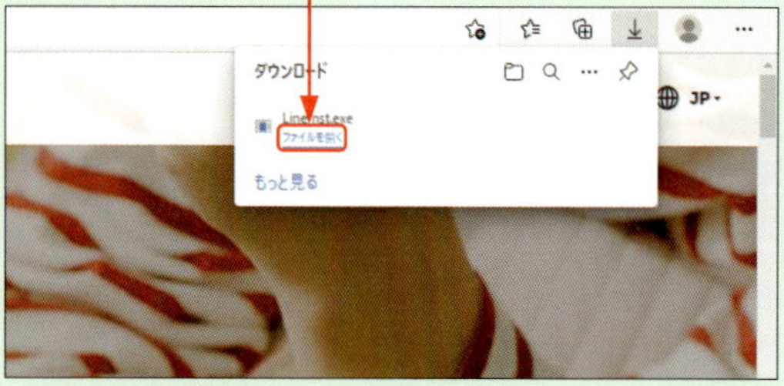

4 「日本語」と表示されているのを確認して、

5 <OK>をクリックします。

6 <次へ>をクリックします。

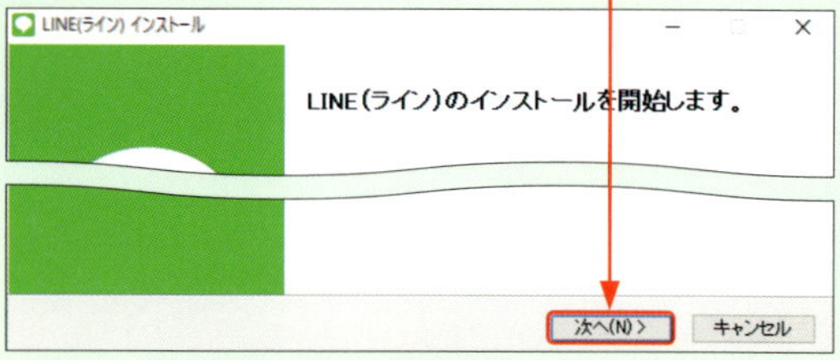

7 利用規約を確認し、<同意する>をクリックすると、インストールが開始されます。

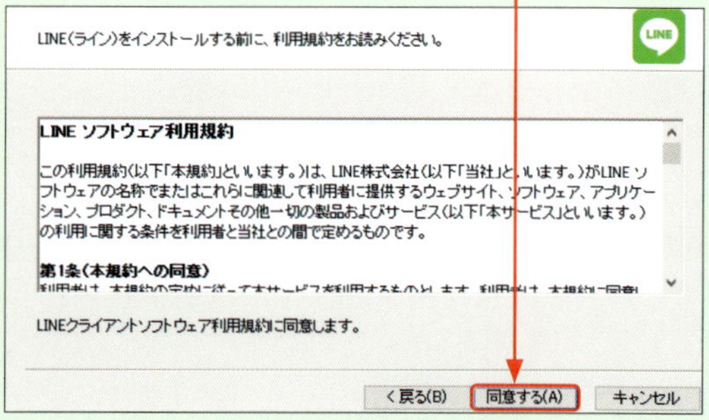

8 インストールが完了したら、<閉じる>をクリックします。

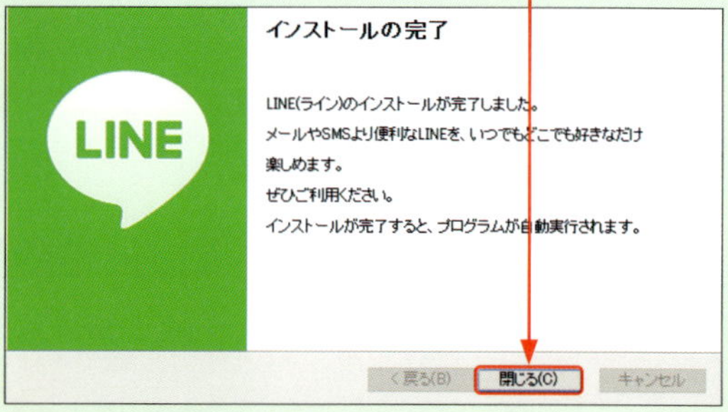

9 デスクトップ画面にLINEのショートカットアイコンが作成されます。

Q LINEの基本 ★★★★★

137 » メールアドレスとパスワードを使ってログインしたい！

A スマートフォンの<LINE>アプリで登録したメールアドレスとパスワードを使います。

メールアドレスとパスワードを使ってログインする場合は、あらかじめスマートフォンの<LINE>アプリでメールアドレスとパスワードを登録しておく必要があります（Q.123〜124参照）。パソコン版LINEでは、スマートフォンの<LINE>アプリで登録したメールアドレスとパスワードを入力し、<ログイン>をクリックしてログインします。

1 デスクトップ画面で<LINE>をダブルクリックします。

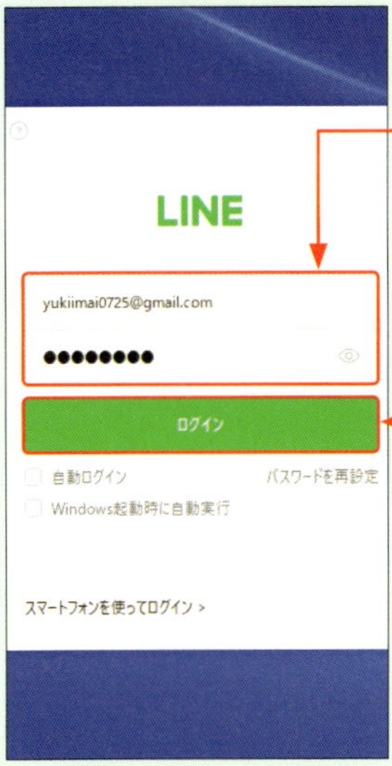

2 ログイン画面が表示されるので、<LINE>アプリで登録したメールアドレスとパスワードを入力し、

3 <ログイン>をクリックします。

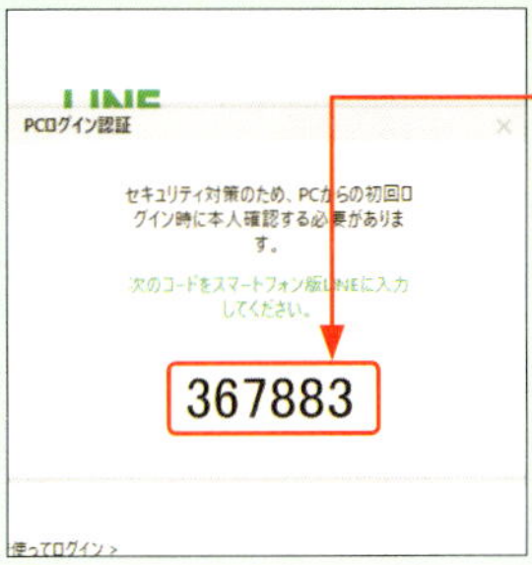

4 本人確認用の認証コードが表示されます。

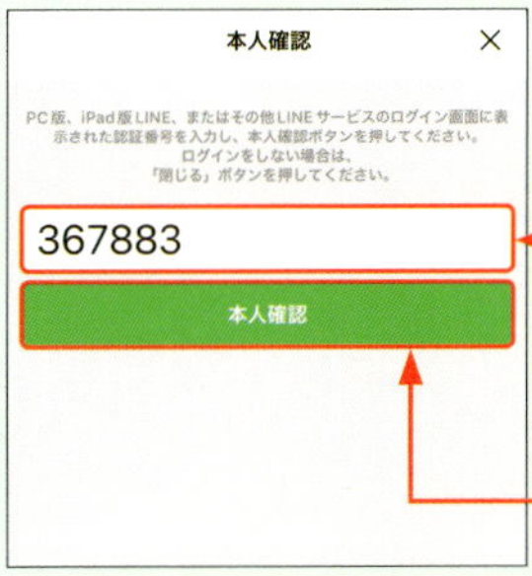

5 スマートフォンの<LINE>アプリに、認証コードを入力する画面が表示されるので、入力ボックスに認証コードを入力し、

6 <本人確認>をタップします。

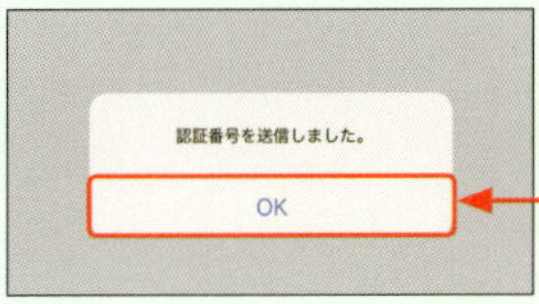

7 スマートフォンの<LINE>アプリで本人確認が完了するので、<OK>をタップします。

8 パソコン版LINEにログインできます。

Q LINEの基本 ★★★★★

138 » QRコードを使ってログインしたい！

A スマートフォンの<LINE>アプリでパソコン版LINEのQRコードを読み取ります。

メールアドレスとパスワードの登録が済んでいない場合は、QRコードを利用してパソコン版LINEにログインすることができます。パソコン版LINEのログイン画面に表示されるQRコードをスマートフォンの<LINE>アプリで読み取ると、自動的にパソコン版LINEにログインできます。

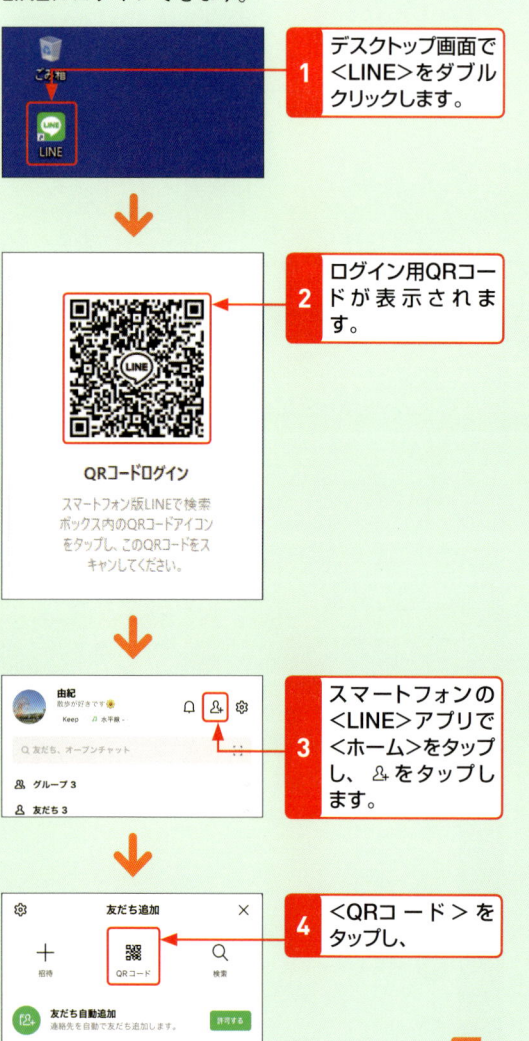

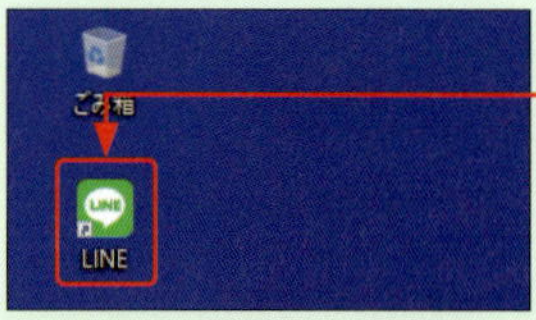

1 デスクトップ画面で<LINE>をダブルクリックします。

2 ログイン用QRコードが表示されます。

3 スマートフォンの<LINE>アプリで<ホーム>をタップし、👤+をタップします。

4 <QRコード>をタップし、

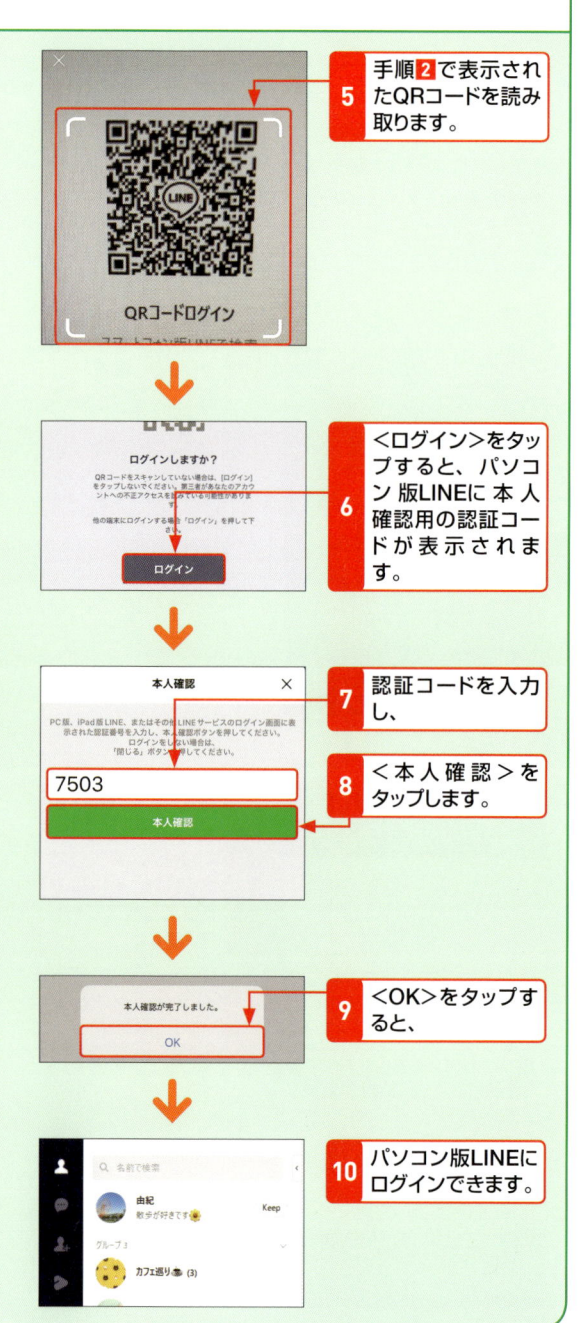

5 手順2で表示されたQRコードを読み取ります。

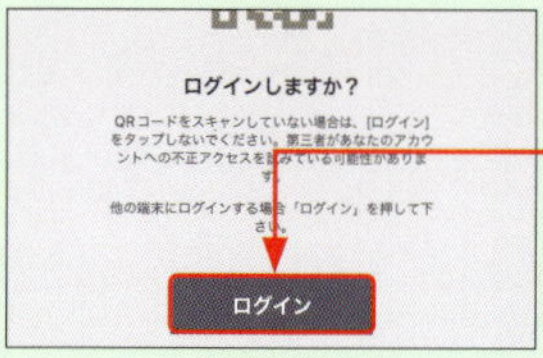

6 <ログイン>をタップすると、パソコン版LINEに本人確認用の認証コードが表示されます。

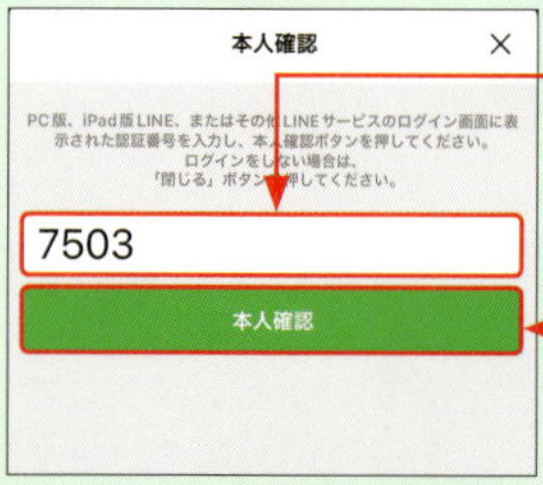

7 認証コードを入力し、

8 <本人確認>をタップします。

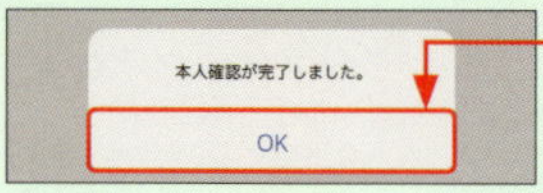

9 <OK>をタップすると、

10 パソコン版LINEにログインできます。

Q 画面構成 ★★★★★

139 » パソコン版LINEの画面の見方がわからない！

A パソコン版LINEの基本的な画面を覚えましょう。

パソコン版LINEは、「友だち」「トーク」「友だち追加」「LINE VOOM」「サービス」の5つのタブで構成されています。各アイコンをタップすることで画面を切り替えることができます。なお、各画面で⋯をクリックすると、「設定」画面を表示したり、ログアウトしたりするなどの操作が行えます。

「友だち」タブ

をクリックすると、「友だち」タブが表示されます。追加した友だち、グループ、公式アカウントが一覧で表示されます。自分や友だちのプロフィールを表示するときは、名前を右クリックします。

「トーク」タブ

をクリックすると、「トーク」タブが表示されます。新着メッセージを受信するとアイコンに件数が表示されます。トークするときは、トークする相手をクリックしてトークルームを表示します。

「友だち追加」タブ／「LINE VOOM」タブ／「サービス」タブ

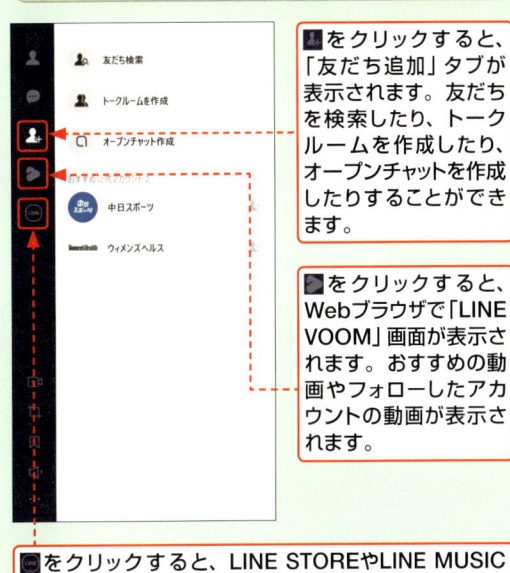

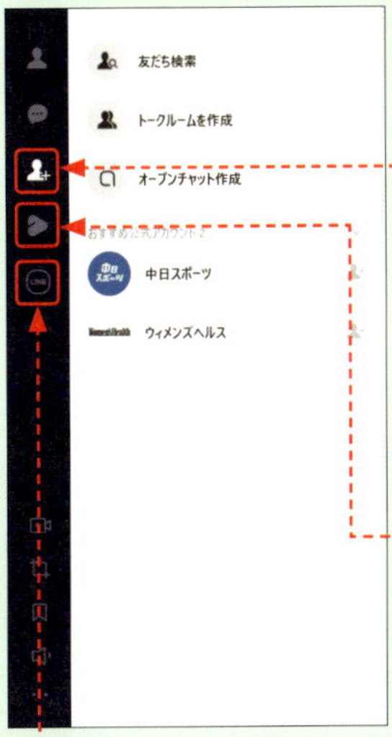

をクリックすると、「友だち追加」タブが表示されます。友だちを検索したり、トークルームを作成したり、オープンチャットを作成したりすることができます。

をクリックすると、Webブラウザで「LINE VOOM」画面が表示されます。おすすめの動画やフォローしたアカウントの動画が表示されます。

をクリックすると、LINE STOREやLINE MUSICなど、LINEの各アプリ（サービス）にアクセスできるメニューが表示されます。

「設定」メニュー

⋯をクリックすると、設定やログアウトするメニューなどが表示されます。

Q 友だち ★★★★★

140 » LINE IDで友だちを追加するには？

A <友だち検索>をクリックし、IDを入力して検索します。

LINE IDで友だちを追加するには、<友だち検索>で友だちのLINE IDを入力して検索し、<追加>をクリックします。ただし、友だちがLINE IDによる友だち追加を許可していない場合や年齢認証をしていない場合は、検索や友だち追加ができません。

1 をクリックし、

2 <友だち検索>をクリックします。

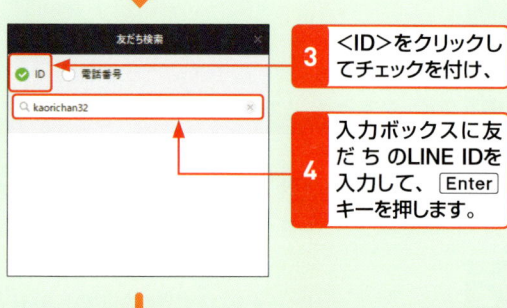

3 <ID>をクリックしてチェックを付け、

4 入力ボックスに友だちのLINE IDを入力して、Enterキーを押します。

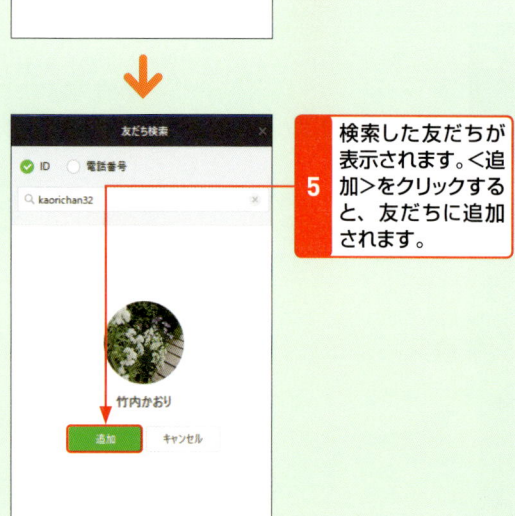

5 検索した友だちが表示されます。<追加>をクリックすると、友だちに追加されます。

Q 友だち ★★★★★

141 » 電話番号で友だちを追加するには？

A <友だち検索>をクリックし、電話番号を入力して検索します。

電話番号で友だちを追加するには、<友だち検索>で友だちの電話番号を入力して検索し、<追加>をクリックします。ただし、友だちが年齢認証していない場合やLINEに電話番号を登録していない場合、検索できない場合は、検索や友だち追加ができません。

1 をクリックし、

2 <友だち検索>をクリックします。

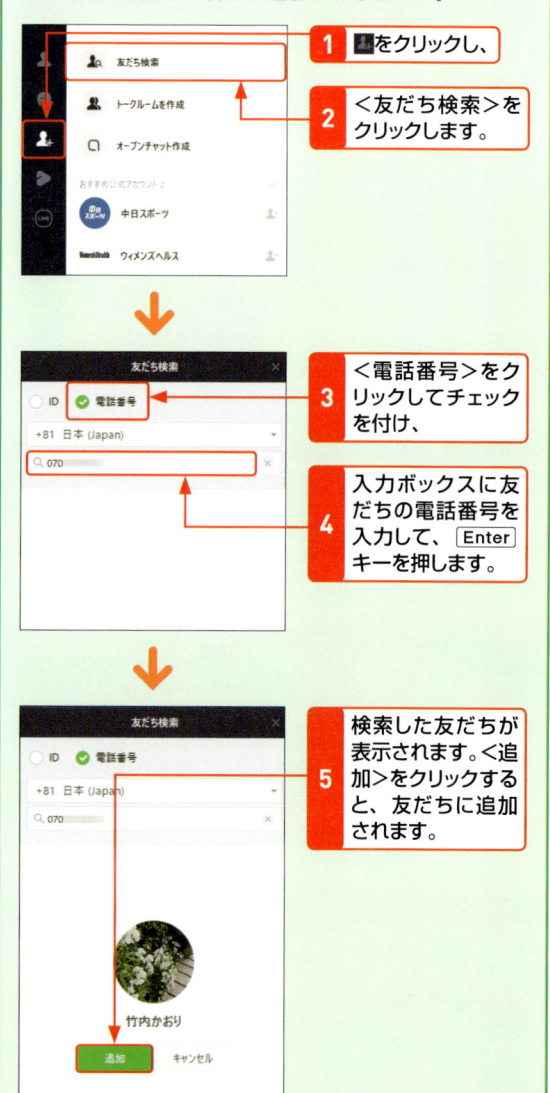

3 <電話番号>をクリックしてチェックを付け、

4 入力ボックスに友だちの電話番号を入力して、Enterキーを押します。

5 検索した友だちが表示されます。<追加>をクリックすると、友だちに追加されます。

Q 友だち ★★★★★

142 ≫ 友だちのプロフィールを確認したい！

A 友だちを右クリックし、<プロフィール>をクリックします。

友だちのプロフィールを確認したいときは、「友だち」タブで友だちを右クリックし、表示されるメニューから<プロフィール>をクリックします。「プロフィール」画面は別ウィンドウで表示されます。

1 （アイコン）をクリックし、

2 プロフィールを表示したい友だちを右クリックします。

3 <プロフィール>をクリックします。

4 「プロフィール」画面が表示されます。

Q 友だち ★★★★★

143 ≫ 友だちの表示名を変更するには？

A 友だちを右クリックし、<表示名の変更>をクリックします。

スマートフォンの<LINE>アプリはアドレス帳と連携しているため、アドレス帳に登録されている名前が友だちの名前として表示されます。しかし、パソコン版LINEでは、LINEアカウントに登録された名前で表示されるため、友だちの表示名が異なる場合があります。表示名を変更したいときは、「友だち」タブで友だちを右クリックし、<表示名の変更>をクリックします。

1 Q.142手順1を参考に「友だち」タブを表示し、

2 表示名を変更したい友だちを右クリックします。

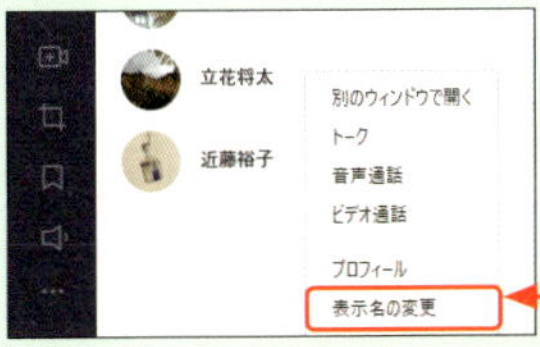

3 <表示名の変更>をクリックします。

4 入力ボックスに任意の表示名を入力し、

5 ✓をクリックすると、

6 表示名が変更されます。

Q 友だち ★★★★★

144 » 仲良しの友だちを「お気に入り」登録するには？

A 「プロフィール」画面の★をクリックします。

たくさん登録している友だちの中から、よく連絡を取る友だちを探すのはとても大変です。そのようなときは、「お気に入り」機能を利用するとよいでしょう。友だちを「お気に入り」登録するには、「友だち」タブで友だちを右クリックし、<プロフィール>→★の順にクリックします。

1 Q.142手順1を参考に「友だち」タブを表示し、

2 「お気に入り」登録したい友だちを右クリックします。

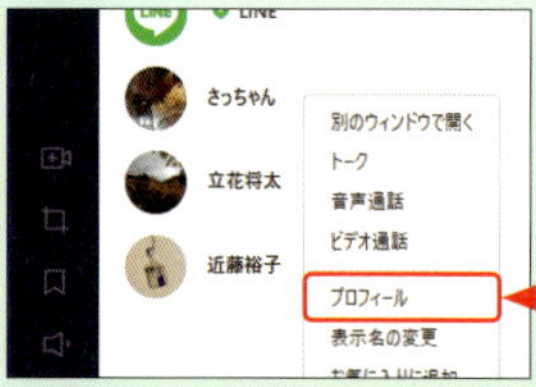

3 <プロフィール>をクリックします。

4 ★をクリックして★にします。

5 「友だち」タブの「お気に入り」一覧に表示されます。

Q 友だち ★★★★★

145 » 自分の友だちを別の友だちに紹介するには？

A 友だちを右クリックし、<連絡先をシェア>をクリックします。

自分の友だちを別の友だちに紹介するには、「友だち」タブから紹介したい友だちを右クリックして、<連絡先をシェア>をクリックします。表示される「送信先を選択」画面で、送信先を選択して送信します。

1 Q.142手順1を参考に「友だち」タブを表示し、

2 紹介したい友だちを右クリックします。

3 <連絡先をシェア>をクリックします。

4 紹介先をクリックしてチェックを付け、

5 <転送>をクリックします。

Q 友だち ★★★★★

146 » 交流の少ない友だちを非表示にしたい！

A 友だちを右クリックし、<非表示>をクリックします。

メッセージのやり取りをしなくなった友だちを「友だち」タブのリストに表示させせないようにするには、「友だち」タブで友だちを右クリックし、<非表示>をクリックします。「非表示」は、リストから削除されるだけで、相手から送られてくるメッセージや電話などを受けることはできます。

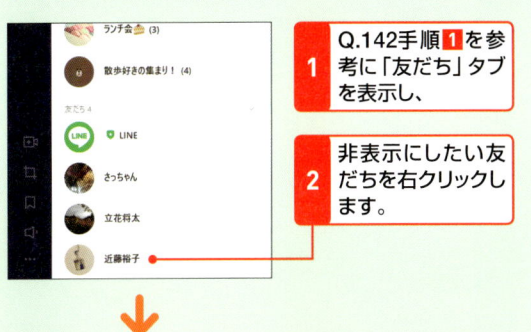

1 Q.142手順1を参考に「友だち」タブを表示し、

2 非表示にしたい友だちを右クリックします。

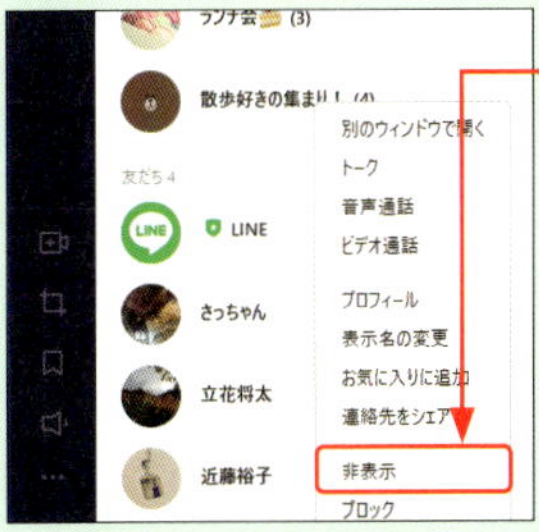

3 <非表示>→<非表示>の順にクリックします。

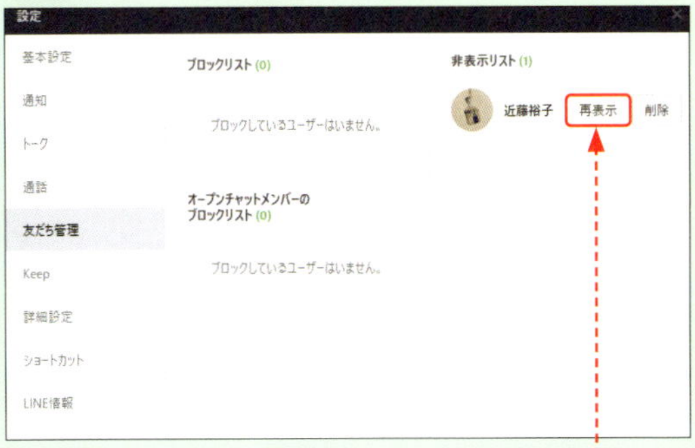

非表示にした友だちを再表示したい場合は、…→<設定>→<友だち管理>の順にクリックし、「非表示リスト」にある任意の友だちの<再表示>をクリックします。

Q 友だち ★★★★★

147 » トークルームをフォルダーで整理したい！

A 「トーク」タブの ≑ をクリックします。

トークルームを見やすく整理したいときは、トークルームを自動的に指定のフォルダーに振り分けてくれる「トークフォルダー」機能を利用すると便利です。フォルダーは作成することができるので、プライベート用とビジネス用とで使い分けることもできます。フォルダーは並び替えができるほか、不要になったフォルダーは削除することもできます。

1 をクリックして「トーク」タブを表示し、

2 ≑ をクリックします。

3 ＋をクリックします。

フォルダーをドラッグ&ドロップして並び替えることができます。

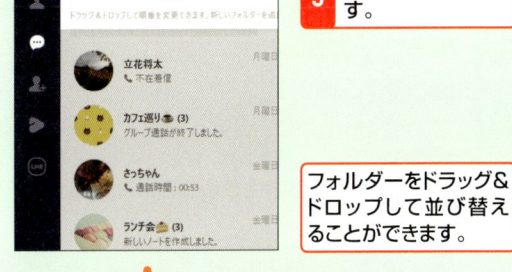

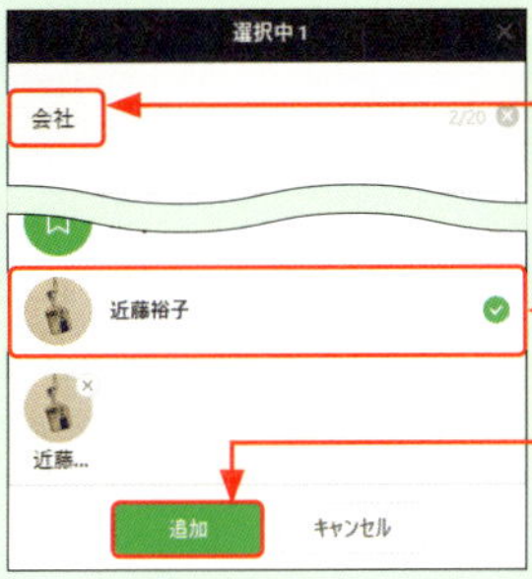

4 フォルダー名を入力し、

5 追加したいトークルームをクリックしてチェックを付け、

6 <追加>をクリックします。

Q 友だち ★★★★★

148 » 友だちをブロックするには？

A 友だちを右クリックし、<ブロック>をクリックします。

迷惑なメッセージが送られてくるなど交流を避けたい友だちをブロックするには、「友だち」タブで友だちを右クリックし、<ブロック>をクリックします。「ブロック」は、リストから削除されるだけでなく、相手から送られてくるメッセージや電話などを受けることもできなくなります。

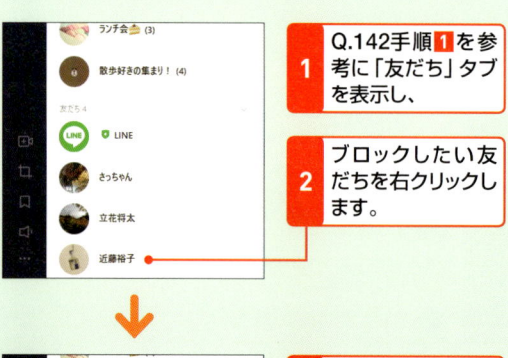

1 Q.142手順1を参考に「友だち」タブを表示し、

2 ブロックしたい友だちを右クリックします。

3 <ブロック>→<ブロック>の順にクリックします。

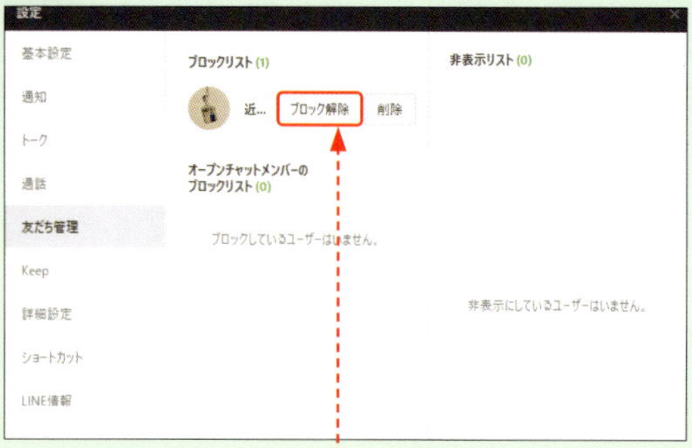

ブロックした友だちを解除したい場合は、■→<設定>→<友だち管理>の順にクリックし、「ブロックリスト」にある任意の友だちの<ブロック解除>をクリックします。

Q トーク ★★★★★

149 » メッセージを送信しよう！

A トークルームでメッセージを作成して送信します。

メッセージを送信するときは、友だちをクリックしてトークルームを表示し、メッセージを入力して、Enter キーを押します。自分が送信したメッセージは、トークルームに緑色の吹き出しで表示されます。

1 Q.142手順1を参考に「友だち」タブを表示し、

2 トークしたい友だちやグループをクリックします。

3 トークルームが表示されます。

4 入力ボックスにメッセージを入力し、Enter キーを押します。

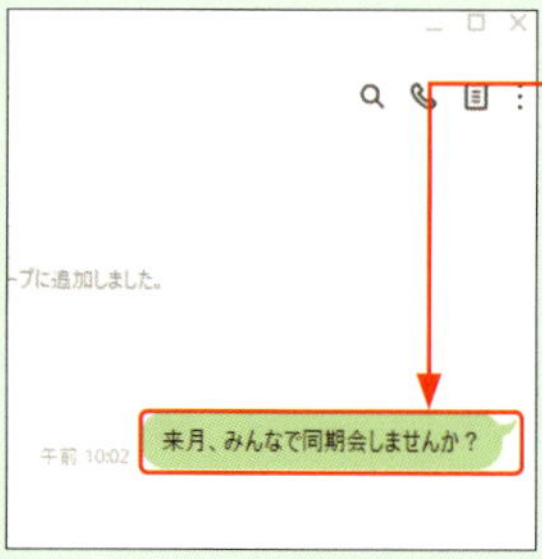

5 メッセージが送信されます。

Q 150 トーク ★★★★★

メッセージを途中で改行するには？

A Shift キーを押しながら Enter キーを押します。

パソコン版LINEでは、Enter キーを押すとメッセージが送信されます。そのため、改行に Enter キーは使用できません。メッセージの途中で改行したいときは、Shift キーを押しながら Enter キーを押します。

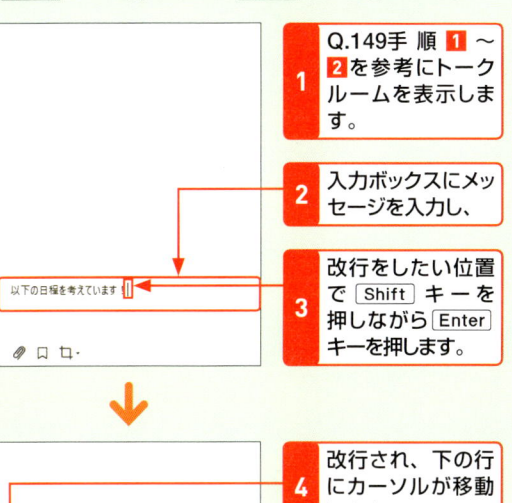

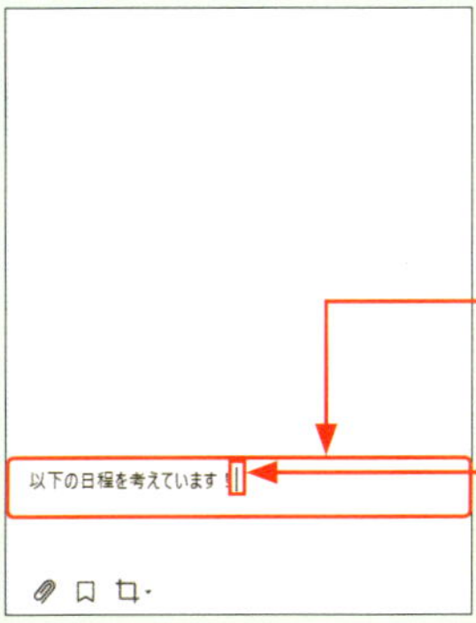

1 Q.149手順 1 〜 2 を参考にトークルームを表示します。

2 入力ボックスにメッセージを入力し、

3 改行をしたい位置で Shift キーを押しながら Enter キーを押します。

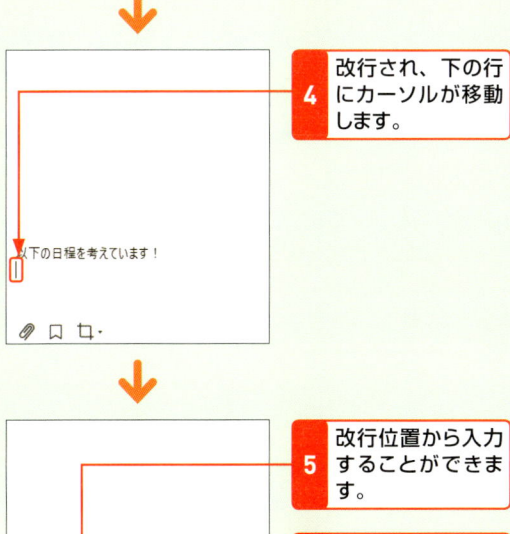

4 改行され、下の行にカーソルが移動します。

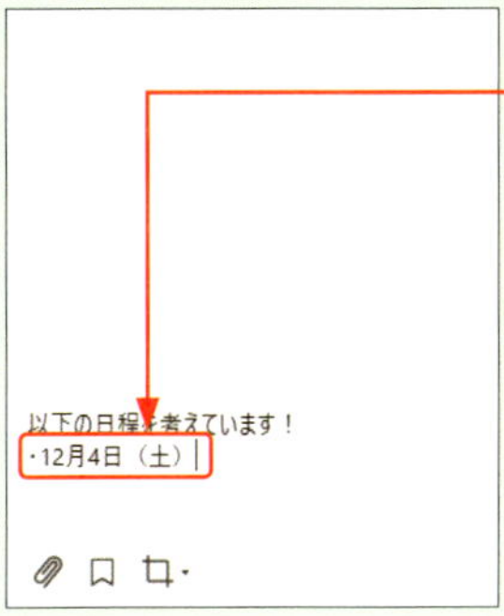

5 改行位置から入力することができます。

6 入力が完了したら Enter キーを押して、メッセージを送信します。

Q 151 トーク ★★★★

Enter キーを押してもメッセージが送信されないようにするには？

A 「設定」画面でメッセージの送信方法を変更します。

パソコン版LINEの初期設定では、Enter キーを押すとメッセージが送信されます。Enter キーを押してもメッセージが送信されないようにするには、→<設定>→<トーク>の順にクリックして、「送信方法」を<Alt + Enter>に変更します。

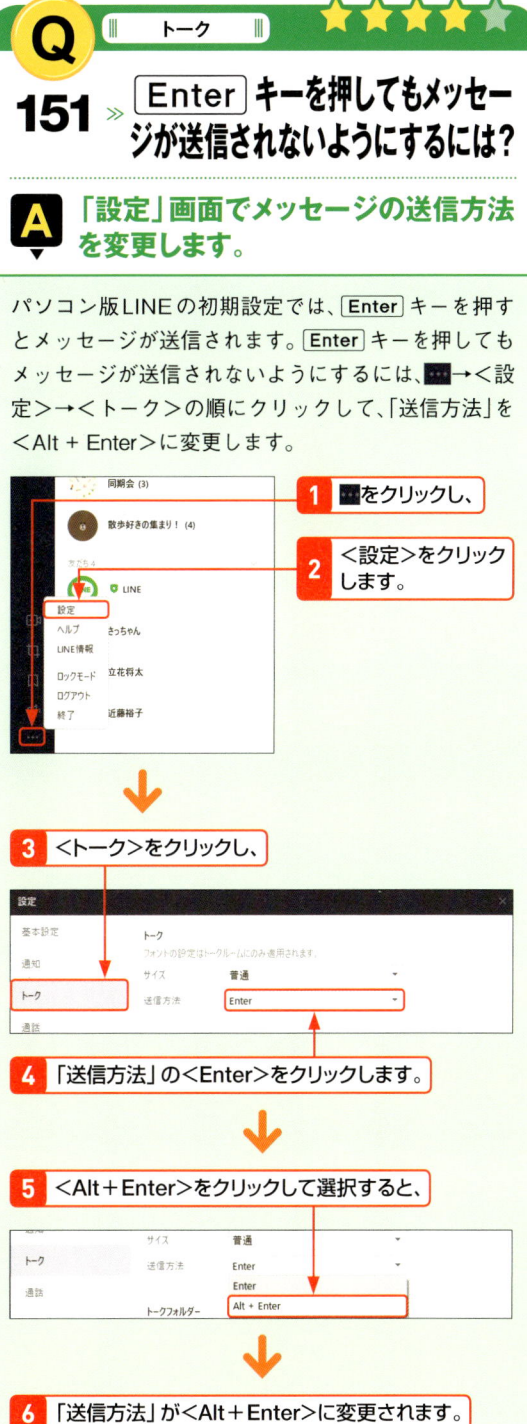

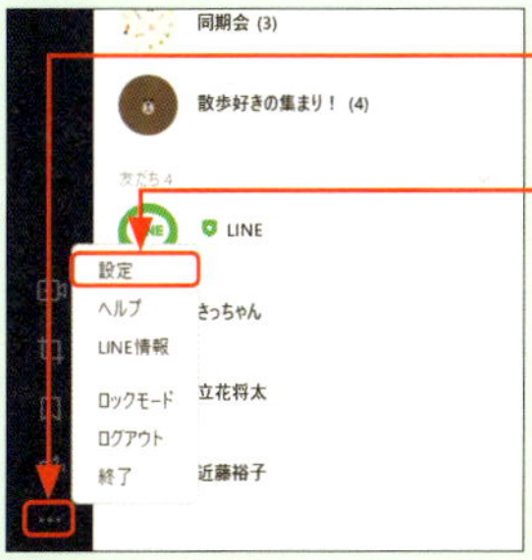

1 をクリックし、

2 <設定>をクリックします。

3 <トーク>をクリックし、

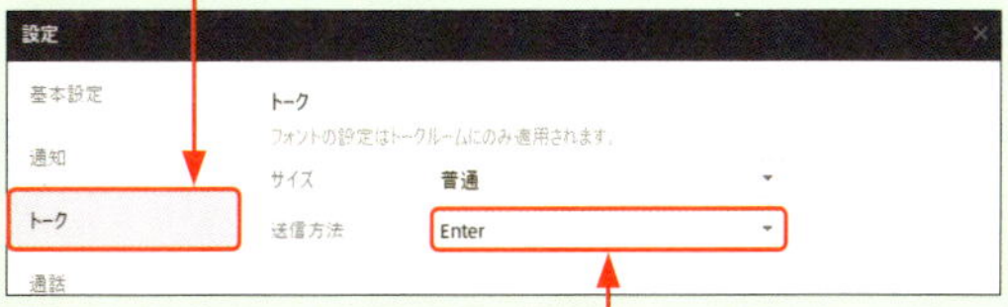

4 「送信方法」の<Enter>をクリックします。

5 <Alt＋Enter>をクリックして選択すると、

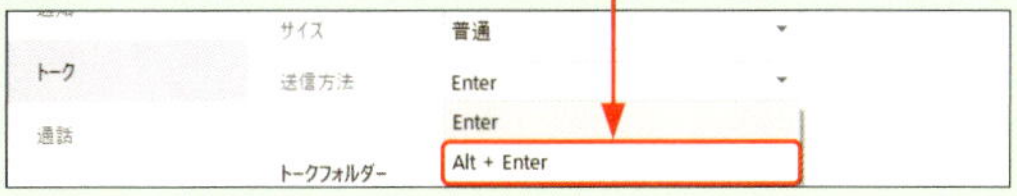

6 「送信方法」が<Alt＋Enter>に変更されます。

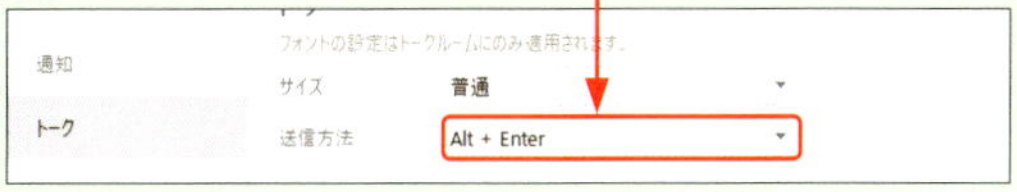

Q トーク ★★★★★

152 » スタンプを送信しよう！

A ☺をクリックしてスタンプを選択します。

パソコン版LINEでも、スタンプを送ることができます。トーク内でスタンプを送信したいときは、☺をクリックすると、別ウィンドウでスタンプ一覧が表示されます。「スタンプ」タブ内から送信したいスタンプをクリックして送信します。なお、「絵文字」タブから絵文字を送ることもできます。

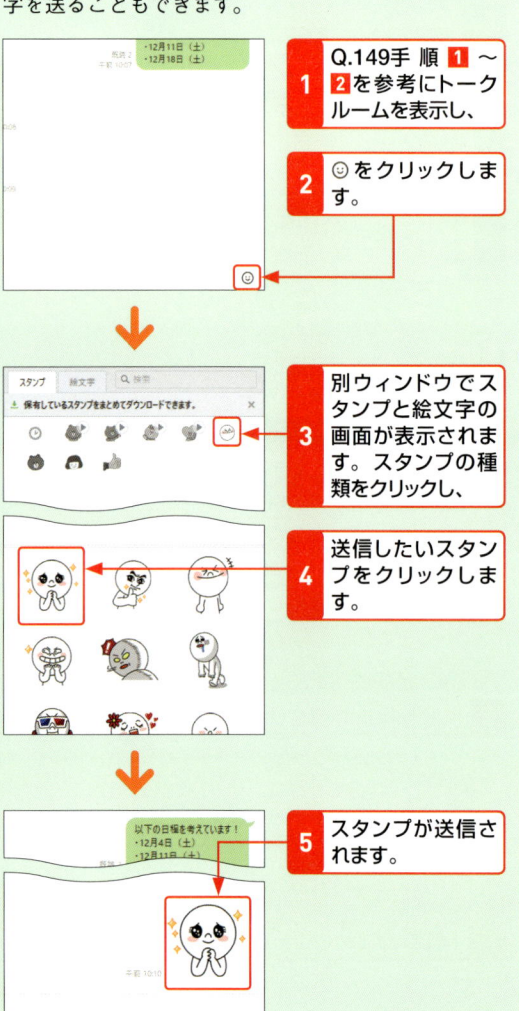

1 Q.149手順 1 ～ 2 を参考にトークルームを表示し、

2 ☺をクリックします。

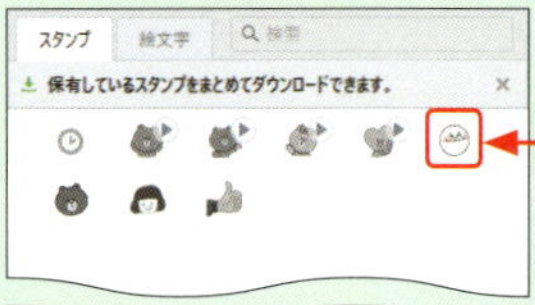

3 別ウィンドウでスタンプと絵文字の画面が表示されます。スタンプの種類をクリックし、

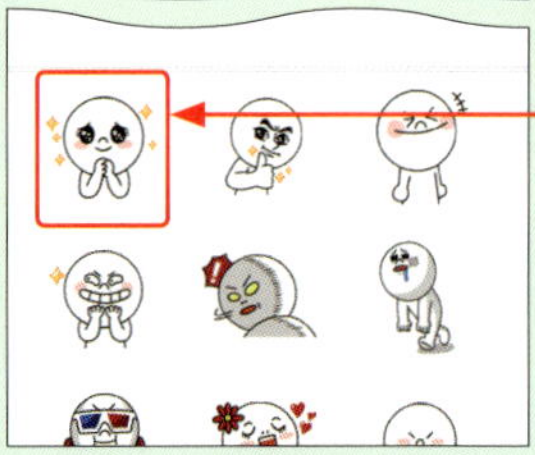

4 送信したいスタンプをクリックします。

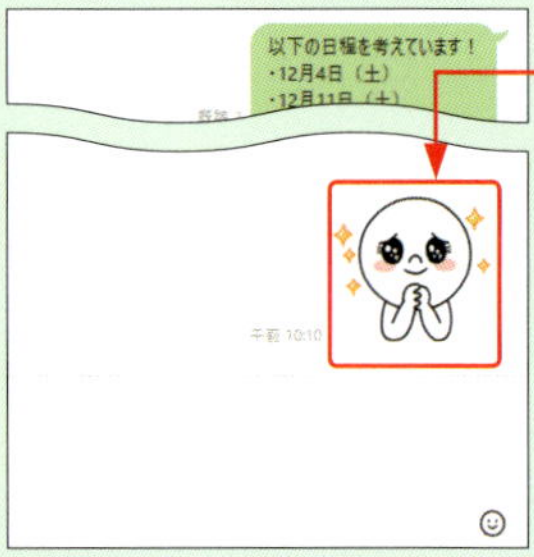

5 スタンプが送信されます。

Q トーク ★★★★★

153 » ファイルを送信しよう！

A 📎をクリックしてファイルを選択します。

パソコン版LINEでも、トーク内でファイルを送信することができます。📎をクリックし、「開く」ダイアログボックスからファイルを選択して送信します。写真だけでなく、ワードやエクセル、パワーポイント、PDFなどのファイルも送信できます。

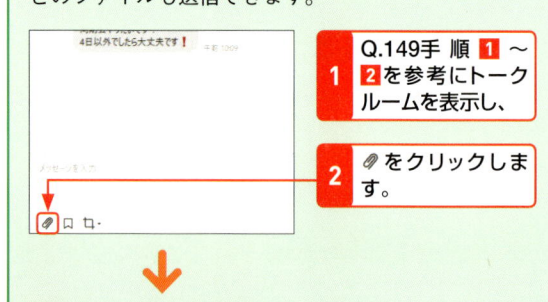

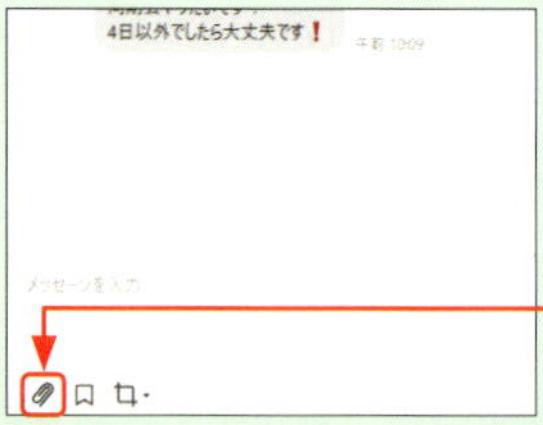

1 Q.149手順 1 ～ 2 を参考にトークルームを表示し、

2 📎をクリックします。

3 「開く」ダイアログボックスが表示されます。送信したいファイルをクリックして選択し、

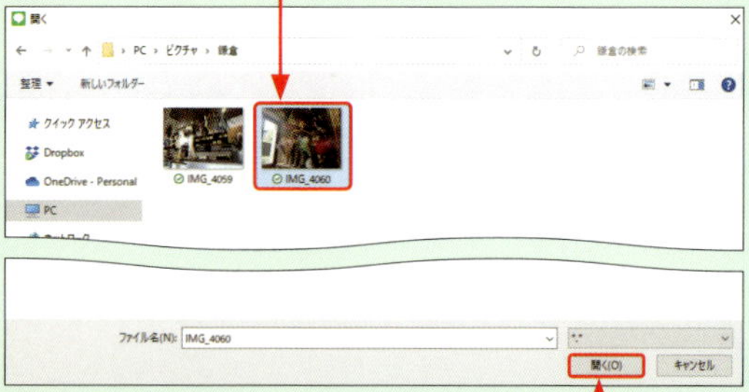

4 <開く>をクリックすると、

5 ファイルが送信されます。

Q 154 トーク ★★★★★

Keepに保存している写真やファイルを送信しよう！

A ファイルを右クリックし、<トークに送信>をクリックします。

パソコン版LINEでも、Keepに保存されているファイルをトークルームに送信することができます。Keepに保存されているファイルを送信したいときは、<Keep>をクリックして「Keep」画面を表示します。送信したいファイルを右クリックして、<トークに送信>をクリックし、送信したいトークルームを選択します。

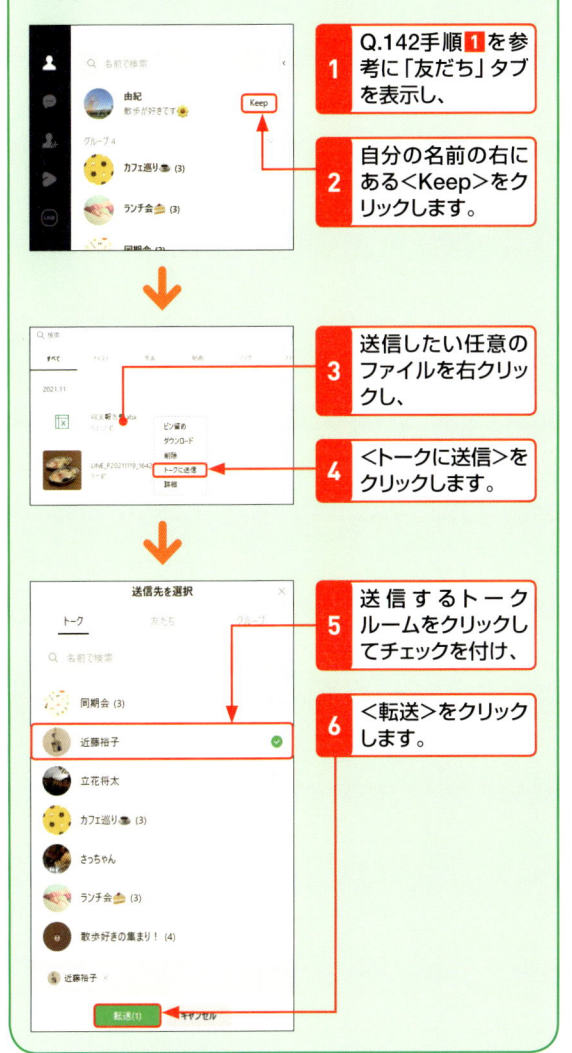

1 Q.142手順1を参考に「友だち」タブを表示し、

2 自分の名前の右にある<Keep>をクリックします。

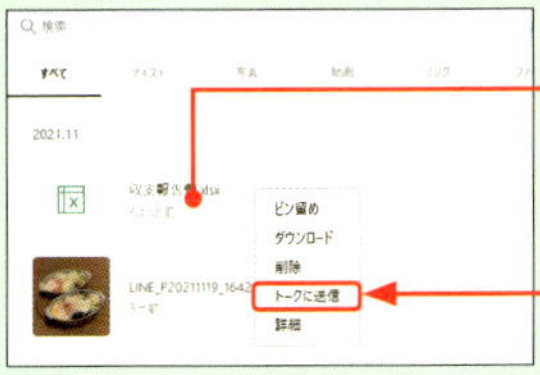

3 送信したい任意のファイルを右クリックし、

4 <トークに送信>をクリックします。

5 送信するトークルームをクリックしてチェックを付け、

6 <転送>をクリックします。

Q 155 トーク ★★★★

スクリーンショットを送信しよう！

A トークルームの⌑をクリックして撮影し、送信します。

パソコン版LINEでは、パソコンの画面のスクリーンショットが送信できます。送りたいトークルームを表示し、⌑をクリックします。撮影画面に切り替わるので、ドラッグして位置を調整して撮影します。

1 Q.149手順1～2を参考にトークルームを表示し、

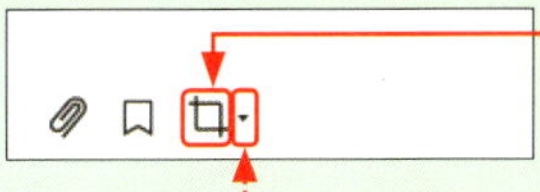

2 ⌑をクリックします。

▾→<画面キャプチャ時にこのウィンドウを非表示>の順にクリックすると、キャプチャ時にLINEウィンドウを非表示にできます。

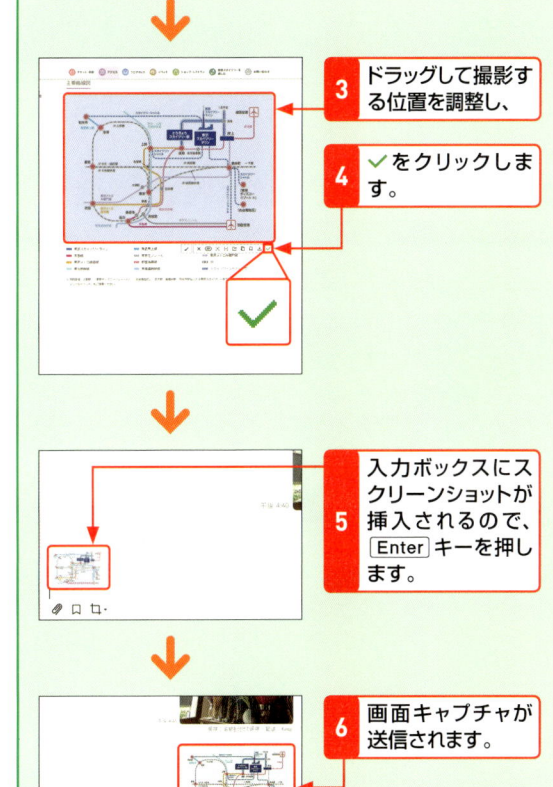

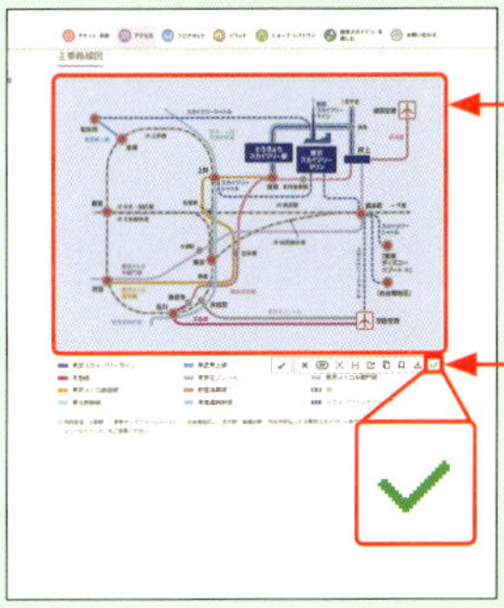

3 ドラッグして撮影する位置を調整し、

4 ✓をクリックします。

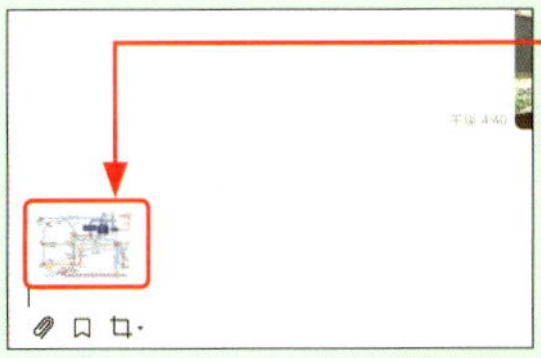

5 入力ボックスにスクリーンショットが挿入されるので、Enterキーを押します。

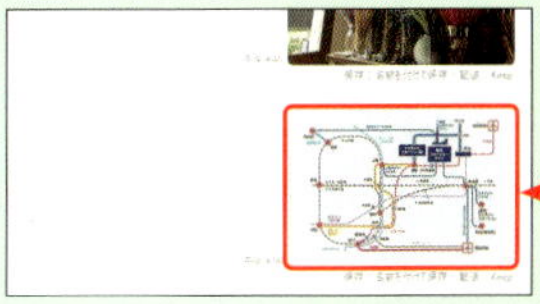

6 画面キャプチャが送信されます。

トーク ★★★★★

Q 156 » 受信したファイルを転送するには？

A 受信したファイルの下部の＜転送＞をクリックします。

友だちから受信したファイルをほかのトークルームに転送したいときは、受信したファイルの下部に表示される＜転送＞をクリックします。ファイルを転送したいトークルームを選択するだけで、かんたんにほかの友だちとファイルを共有することができます。

1 Q.149手順 1 ～ 2 を参考にトークルームを表示し、

2 転送したいファイルの＜転送＞をクリックします。

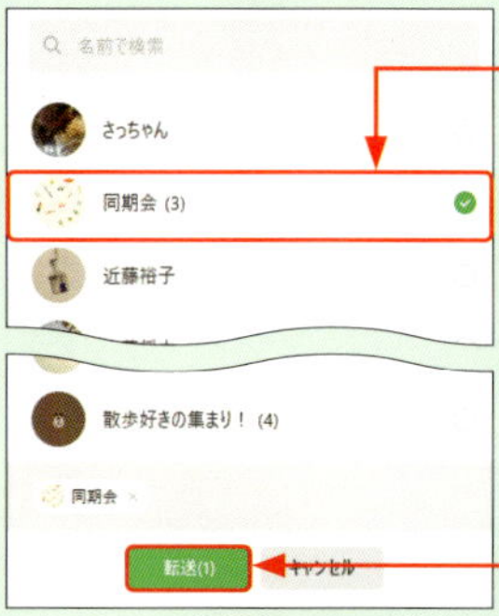

3 送信するトークルームをクリックして選択し、

4 ＜転送＞をクリックします。

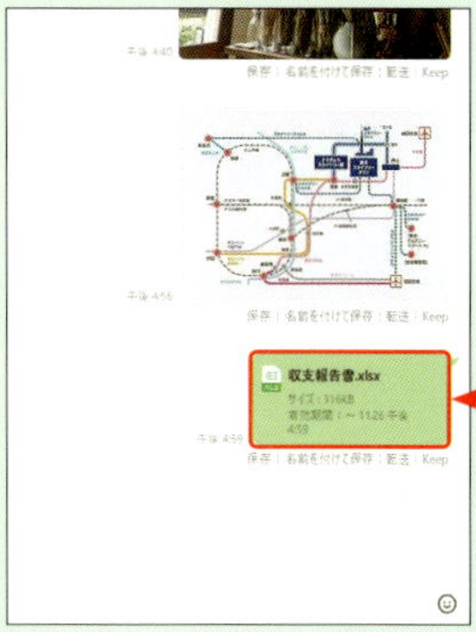

5 指定したトークルームにファイルが転送されます。

トーク ★★★★★

Q 157 » 受信したファイルをダウンロードするには？

A 受信したファイルの下部の＜名前を付けて保存＞をクリックします。

受信したファイルをパソコン内にダウンロードしたいときは、ファイルの下部に表示される＜名前を付けて保存＞をクリックします。ダウンロード先を選択し、必要に応じて名前を変更して、＜保存＞をクリックするだけでかんたんにダウンロードできます。なお、ダウンロードできる期間には制限があるため、早めにダウンロードしておくとよいでしょう。

1 Q.149手順 1 ～ 2 を参考にトークルームを表示し、

2 ダウンロードしたいファイルの＜名前を付けて保存＞をクリックします。

3 ダウンロード先を選択し、

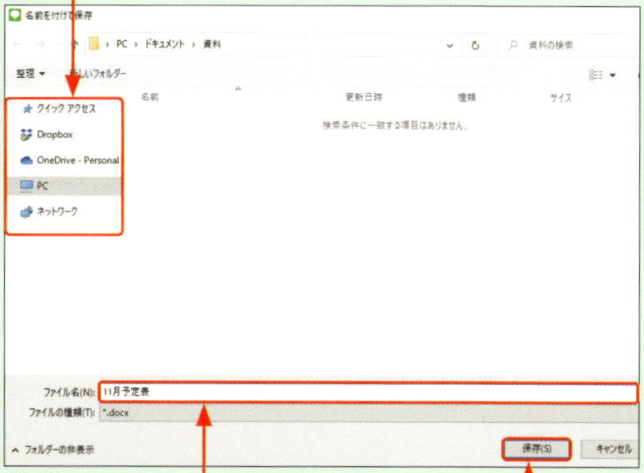

4 必要に応じて名前を変更して、

5 ＜保存＞をクリックします。

Q トーク ★★★★★

158 » 受信したファイルをKeepに保存するには？

A 受信したファイルの下部の<Keep>をクリックします。

受信したファイルをKeepに保存したいときは、ファイルの下部に表示される<Keep>をクリックします。Keep内に保存されると、表示が「Keepを開く」に変わります。<Keepを開く>をクリックすると、「Keep」画面が表示されます。以降は、「友だち」タブの自分の名前の右側の<Keep>をクリックして表示します。

1 Q.149手順 1 ～ 2 を参考にトークルームを表示し、

2 保存したいファイルの<Keep>をクリックします。

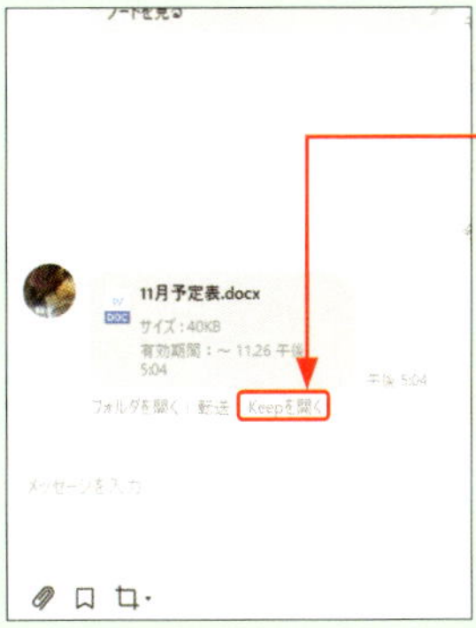

3 Keepに保存が完了すると、<Keepを開く>に表示が変わるので、クリックします。

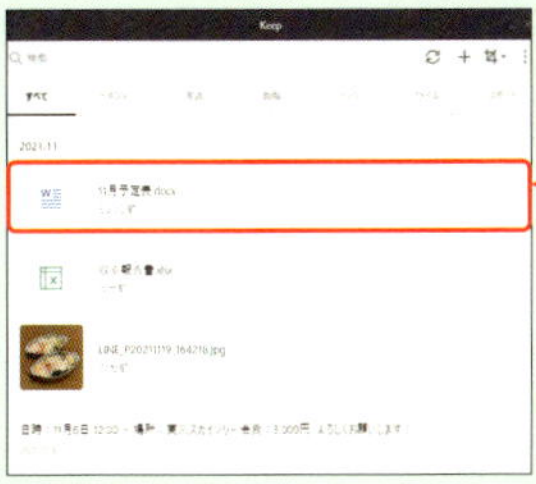

4 「Keep」画面が表示され、保存したファイルを確認できます。

Q トーク ★★★★★

159 » 未読メッセージを探しやすくするには？

A ⇅の<未読メッセージ>をクリックします。

友だちが多いと、トークルームが埋もれてしまい、未読に気づかなくなることがあります。「トーク」タブの⇅→<未読メッセージ>の順にクリックすると、未読メッセージのあるトークルームが画面の上部に表示されるので、未読メッセージを探しやすくなります。

未読メッセージがあると、💬に赤い数字が付きます。

1 💬をクリックして「トーク」タブを表示し、

2 ⇅をクリックします。

3 <未読メッセージ>をクリックします。

4 未読メッセージのあるトークルームが上部に表示されます。

Q トーク ★★★★★

160 » 未読メッセージを一括で既読にするには？

A ⇅ の＜すべて既読にする＞をクリックします。

たくさんの未読メッセージをそれぞれ確認せず、一度に既読にしたいときは、「トーク」タブの⇅→＜すべて既読にする＞の順にクリックします。トークルーム内に未読メッセージがなくなります。一括で既読にする前に、確認しなくてよいトークルームかどうかを確認するとよいでしょう。

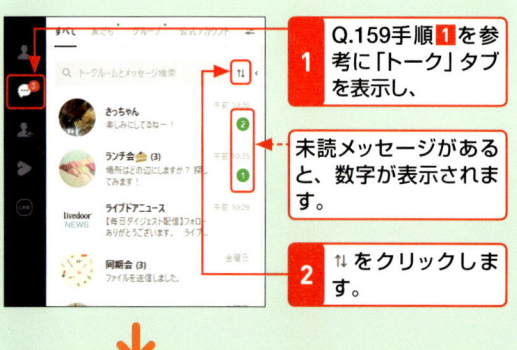

1 Q.159手順1を参考に「トーク」タブを表示し、

未読メッセージがあると、数字が表示されます。

2 ⇅ をクリックします。

3 ＜すべて既読にする＞をクリックします。

4 未読メッセージがなくなります。

Q トーク ★★★★★

161 » 任意のキーワードでトークを検索するには？

A 「トーク」タブの検索ボックスにキーワードを入力します。

すべてのトークルームの中から、キーワードを含むメッセージがあるトークルームを検索したいときは、「トーク」タブの検索ボックスにキーワードを入力して検索します。キーワードを含むやり取りのあるトークルームには、「○件のメッセージ」と表示され、かんたんにその内容を確認できます。

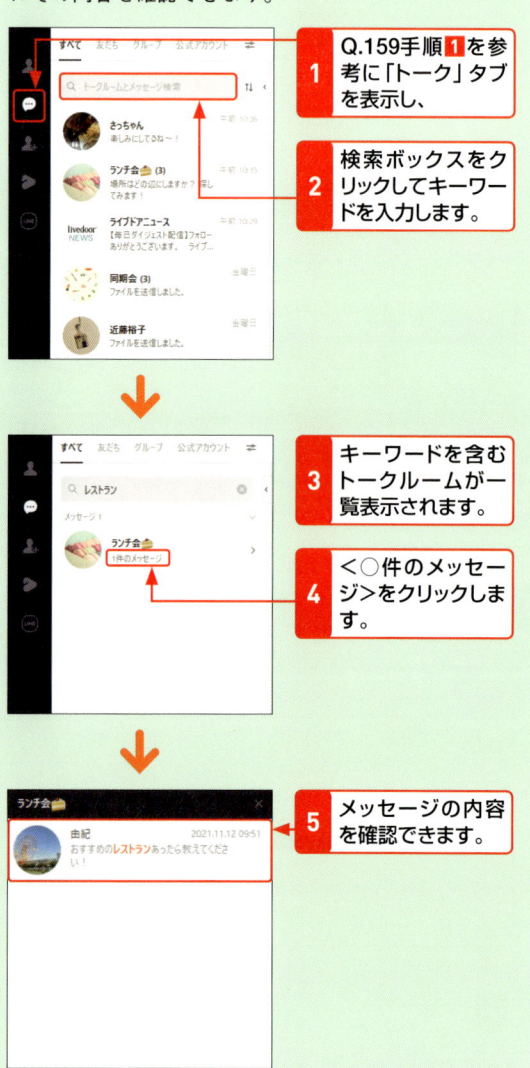

1 Q.159手順1を参考に「トーク」タブを表示し、

2 検索ボックスをクリックしてキーワードを入力します。

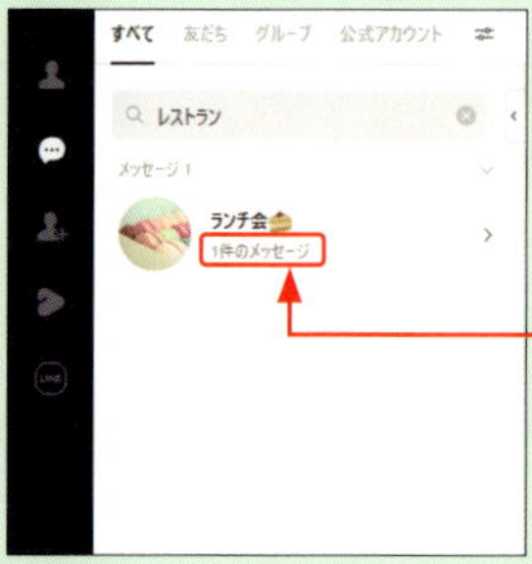

3 キーワードを含むトークルームが一覧表示されます。

4 ＜○件のメッセージ＞をクリックします。

5 メッセージの内容を確認できます。

Q 162 トーク ★★★★★

トークを保存するには？

A ⋮の<トークを保存>をクリックします。

トークルーム内のやり取りをパソコン内に保存しておきたいときは、トークルームの⋮をクリックし、<トークを保存>をクリックします。メッセージは日付順にテキストで保存され、画像などのファイルは、ファイル名のみが保存されます。保存先やファイル名などは自分で決めることができます。

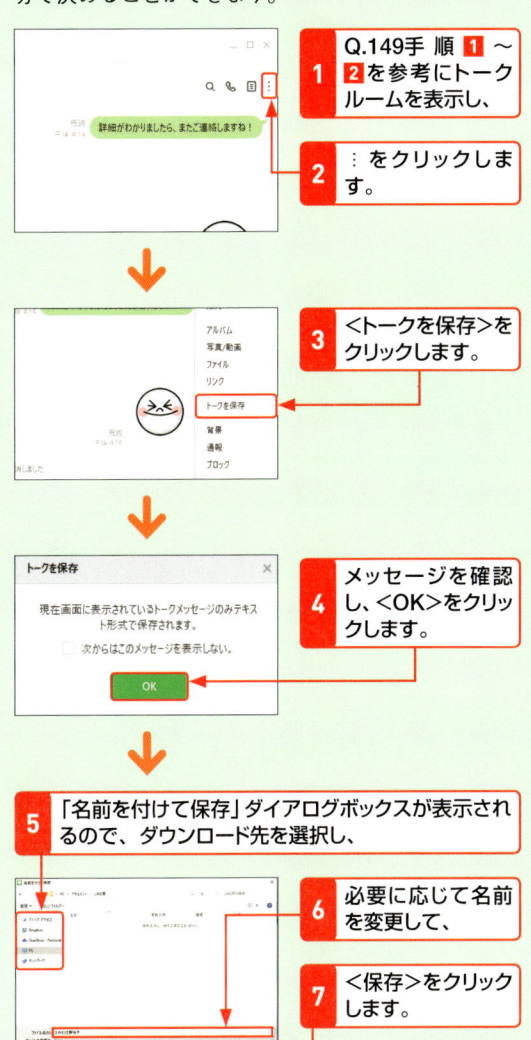

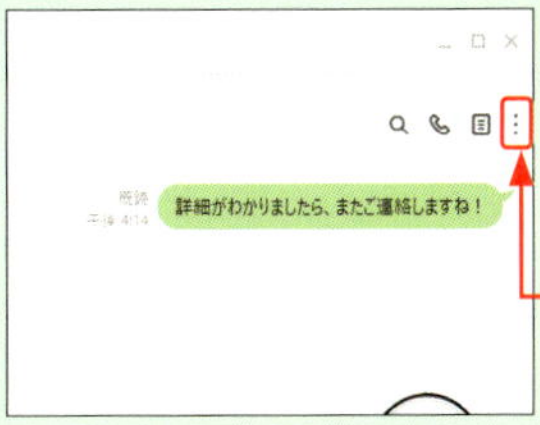

1 Q.149手順 1 ～ 2 を参考にトークルームを表示し、

2 ⋮をクリックします。

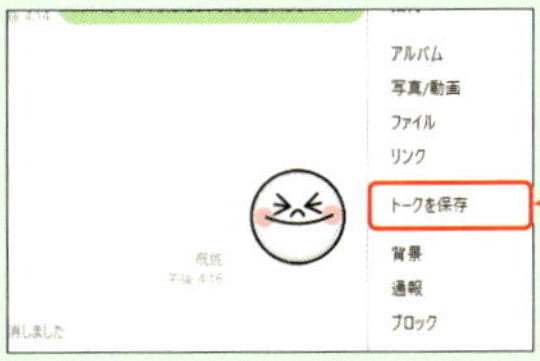

3 <トークを保存>をクリックします。

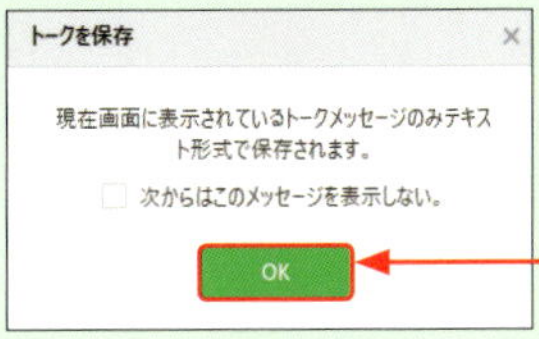

4 メッセージを確認し、<OK>をクリックします。

5 「名前を付けて保存」ダイアログボックスが表示されるので、ダウンロード先を選択し、

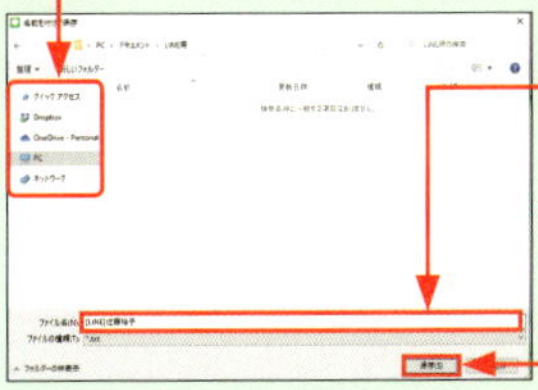

6 必要に応じて名前を変更して、

7 <保存>をクリックします。

Q 163 ノート ★★★★★

ノートで情報を共有しよう！

A トークを右クリックし、<ノートに保存>をクリックします。

トークのやり取りの中で覚えておかなくてはいけないような内容は、ノートで情報を共有しておくと便利です。トークをノートに保存したいときは、保存したいトークを右クリックし、<ノートに保存>をクリックします。トークルームでのやり取りが増えても、ノートを見れば情報がわかるので便利です。

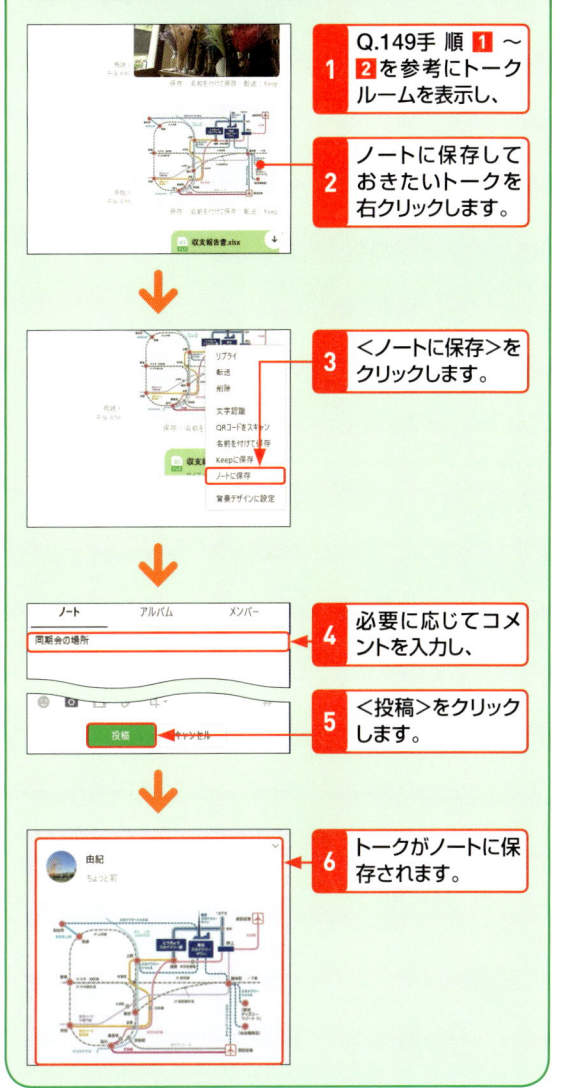

1 Q.149手順 1 ～ 2 を参考にトークルームを表示し、

2 ノートに保存しておきたいトークを右クリックします。

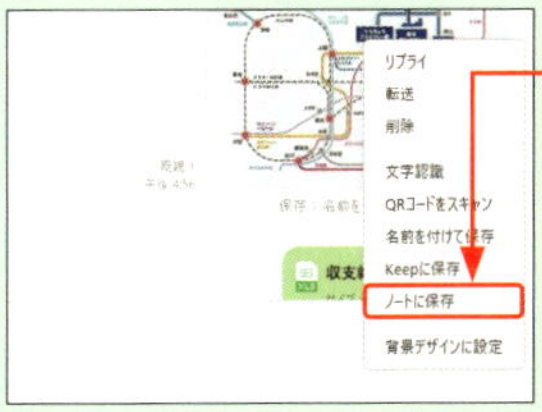

3 <ノートに保存>をクリックします。

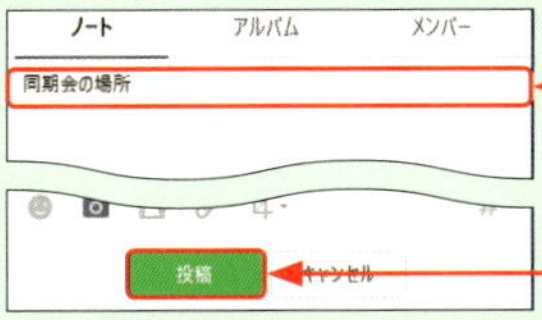

4 必要に応じてコメントを入力し、

5 <投稿>をクリックします。

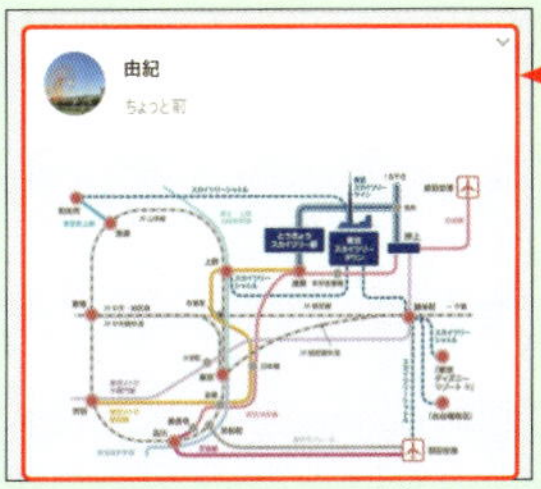

6 トークがノートに保存されます。

アルバム ★★★★★

Q 164 » アルバムで写真を共有しよう!

A トークルームの≡からアルバムを作成します。

共有したい写真はアルバムに保存しておくと、分類ごとに閲覧できるようになり、わかりやすくて便利です。写真をアルバムに保存するには、トークルームの≡→<アルバム>の順にクリックします。わかりやすいアルバム名を付け、写真を追加して投稿します。

1 Q.149手順1～2を参考にトークルームを表示し、

2 ≡をクリックします。

3 <アルバム>をクリックし、

4 <アルバム作成>をクリックします。

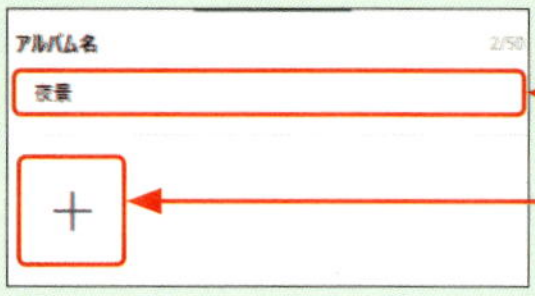

5 入力ボックスにアルバム名を入力し、

6 ＋をクリックします。

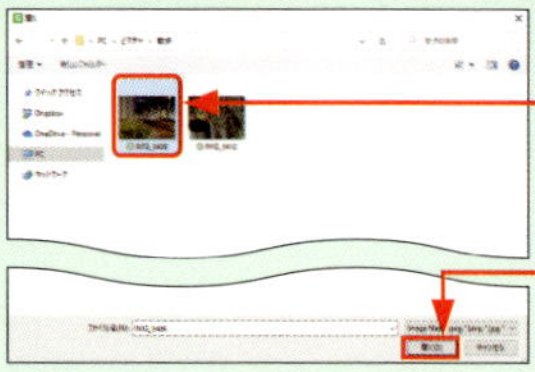

7 アルバムで共有したい画像をクリックして選択し、

8 <開く>をクリックします。

9 <投稿>をクリックします。

アルバム ★★★★★

Q 165 » 共有されたアルバムを見るには？

A ≡→<アルバム>の順にクリックします。

共有されたアルバムを見たいときは、≡→<アルバム>の順にクリックします。アルバムの一覧が表示され、アルバム名をクリックすると、アルバム内の写真がまとめて表示されます。アルバムを閲覧できるほか、アルバムに写真を追加したり、アルバム内の写真をパソコンに保存したりすることもできます（Q.166参照）。なお、アルバムを作成するとトークルームにも表示され、<アルバム表示>をクリックすることでもアルバムを見ることができます。

1 Q.149手順1～2を参考にトークルームを表示し、

2 ≡をクリックします。

3 <アルバム>をクリックし、

4 アルバム名をクリックします。

5 アルバム内の写真を見ることができます。

Q アルバム ★★★★★

166 » アルバムの写真をまとめて保存するには？

A アルバム名をクリックし、＜すべて保存＞をクリックします。

アルバム内の写真をまとめて保存したいときは、→＜アルバム＞の順にクリックし、アルバム名をクリックして、＜すべて保存＞をクリックします。保存先のフォルダを選択して保存しましょう。

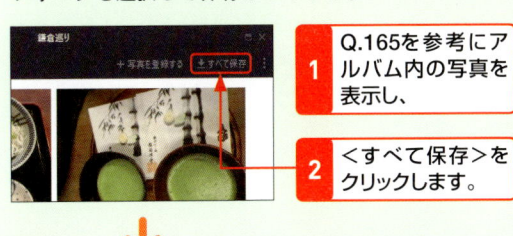

1 Q.165を参考にアルバム内の写真を表示し、

2 ＜すべて保存＞をクリックします。

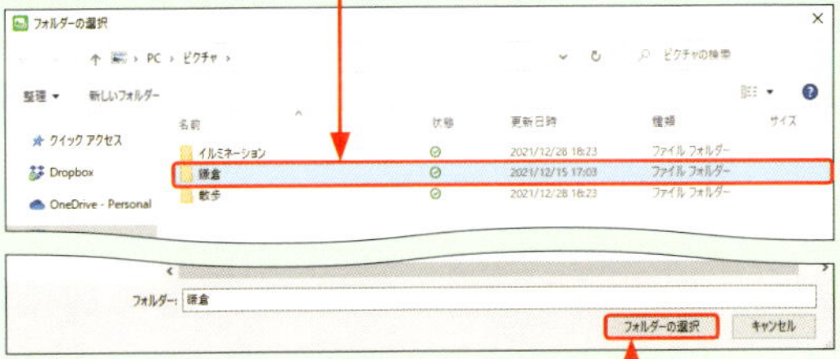

3 フォルダをクリックして選択し、

4 ＜フォルダーの選択＞をクリックします。

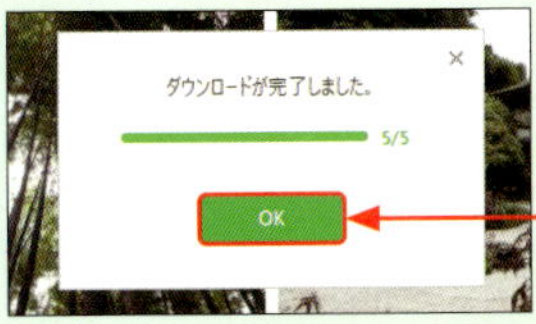

5 ＜OK＞をクリックします。

画像を１枚ずつ保存する

画像にマウスカーソルを合わせ、をクリックすると、1枚ずつ保存できます。

Q 通話 ★★★★★

167 » 友だちと無料通話を行おう！

A トークルームのをクリックします。

パソコン版LINEでも、マイクとスピーカーのあるパソコンであれば、友だちと無料通話することができます。友だちと無料通話をしたいときは、トークルームで→＜音声通話＞の順にクリックします。相手が応答すると通話が開始されます。なお、通話相手は、パソコンでもスマートフォンでも構いません。

1 Q.149手順1〜2を参考にトークルームを表示し、

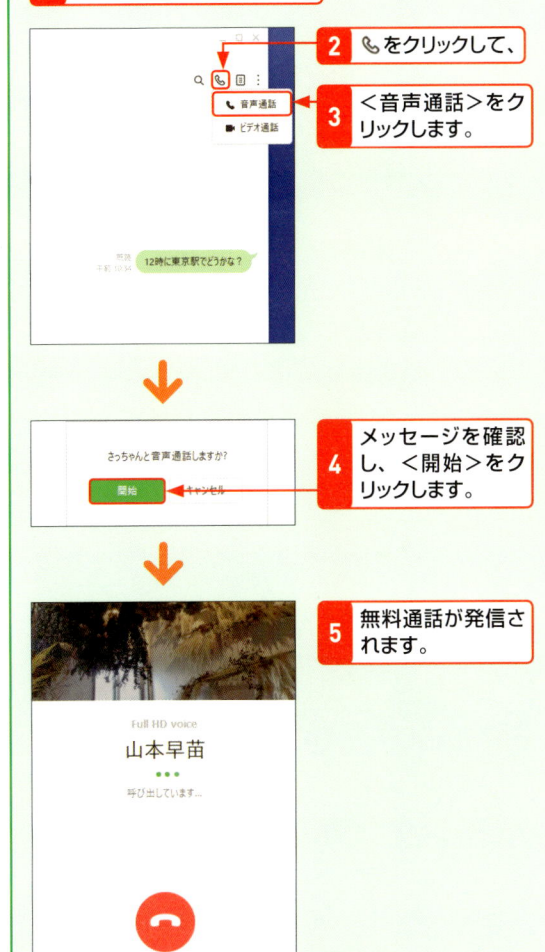

2 をクリックして、

3 ＜音声通話＞をクリックします。

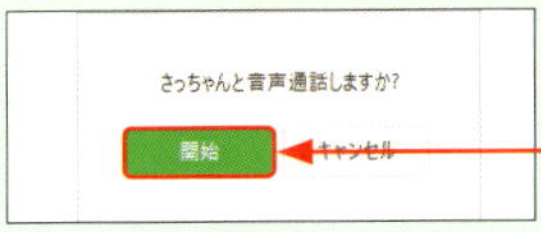

4 メッセージを確認し、＜開始＞をクリックします。

5 無料通話が発信されます。

Q 通話 ★★★★★

168 » 友だちとビデオ通話を行おう！

A トークルームの📞をクリックします。

パソコン版LINEでも、Webカメラがあれば友だちとビデオ通話することができます。友だちとビデオ通話をしたいときは、トークルームで📞→<ビデオ通話>の順にクリックします。相手が応答すると、ビデオ通話が開始されます。なお、通話相手は、パソコンでもスマートフォンでも構いません。

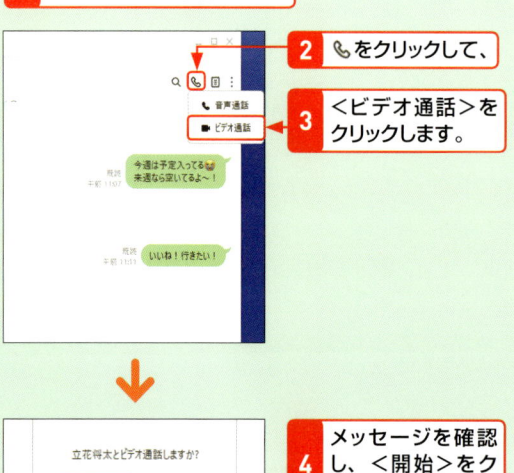

1 Q.149手順1～2を参考にトークルームを表示し、

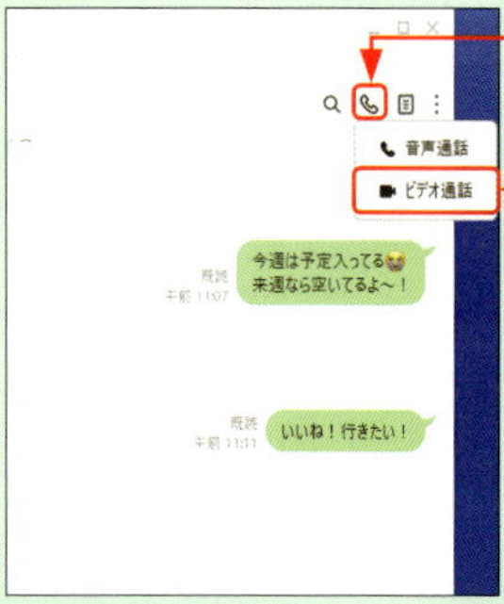

2 📞をクリックして、

3 <ビデオ通話>をクリックします。

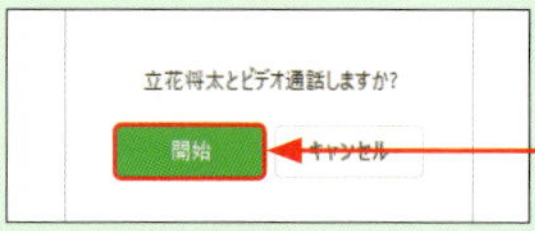

4 メッセージを確認し、<開始>をクリックします。

5 ビデオ通話ができます。

Q 通話 ★★★★★

169 » ビデオ通話で画面を共有したい！

A 通話画面で<画面シェア>をクリックします。

パソコン版LINEでも、ビデオ通話をしながら画面を共有することができます。ビデオ通話画面で<画面シェア>→<自分の画面>の順にクリックして、共有したい画面を選択します。画面共有中は、画面が緑色の枠で囲まれます。なお、通話相手は、パソコンでもスマートフォンでも構いません。

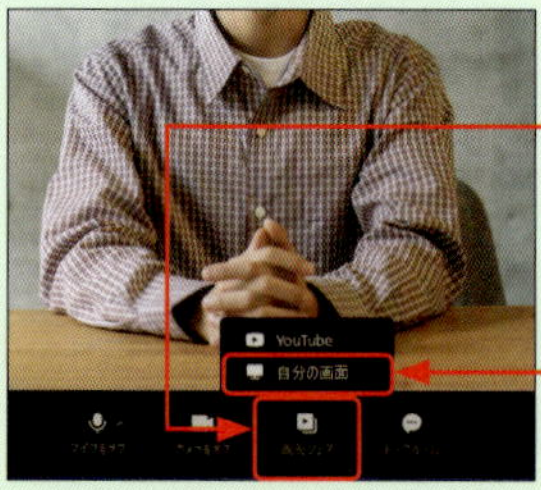

1 Q.168を参考にビデオ通話を開始し、<画面シェア>をクリックして、

2 <自分の画面>をクリックします。

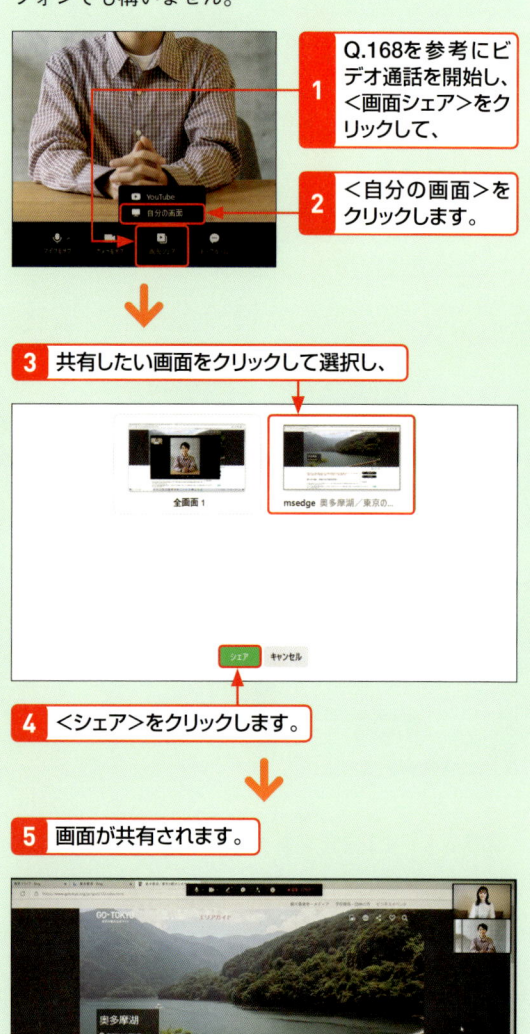

3 共有したい画面をクリックして選択し、

4 <シェア>をクリックします。

5 画面が共有されます。

Q 170 設定 ★★★★★

トークルームを常に最前面に表示させよう！

A トークルームの⋮から<最前面で表示>をクリックします。

複数のウィンドウを開きながら作業をしているときでも、常にやり取りしているトークルームを分離して最前面に表示させせることができます。トークルームのをクリックし、⋮→<最前面で表示>の順にクリックすると、常に最前面に表示されるようになります。

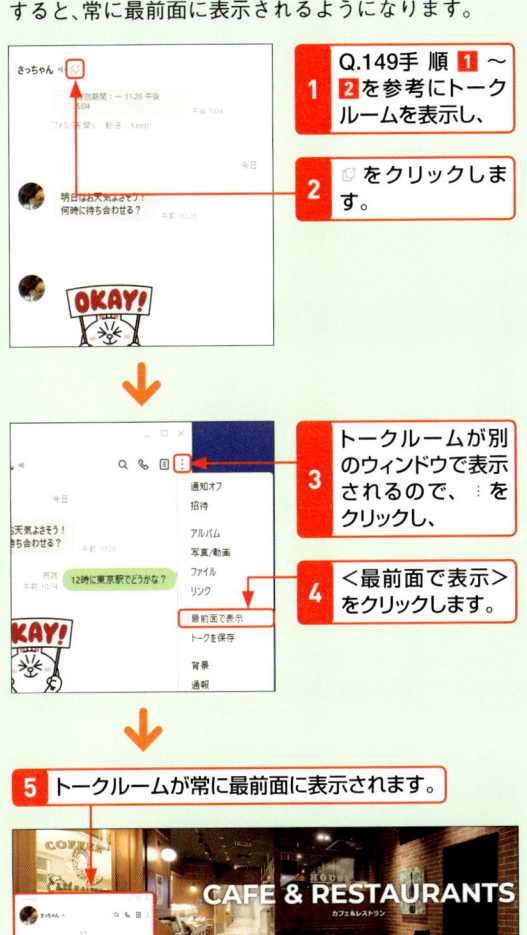

1 Q.149手順 1 ～ 2 を参考にトークルームを表示し、

2 をクリックします。

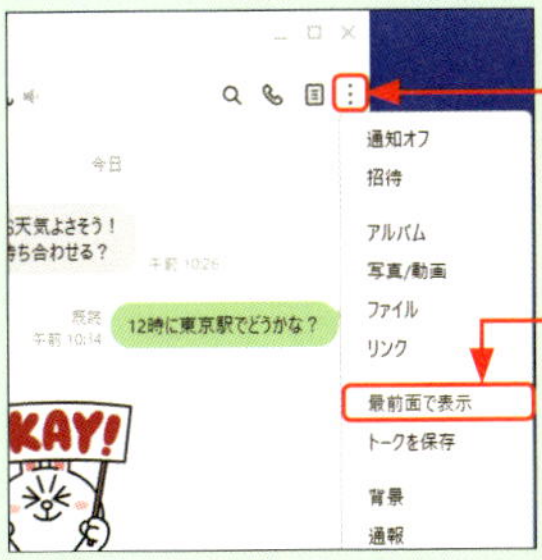

3 トークルームが別のウィンドウで表示されるので、⋮をクリックし、

4 <最前面で表示>をクリックします。

5 トークルームが常に最前面に表示されます。

Q 171 設定 ★★★★★

トークルームを半透明にしよう！

A トークルームの—○を左にドラッグします。

別のウィンドウで開いたトークルームは、半透明にすることができます。半透明にすることで、最前面に固定していても、トークルームと作業しているウィンドウを両方見ることができるようになります。半透明にするには、トークルームの—○を左にドラッグします。

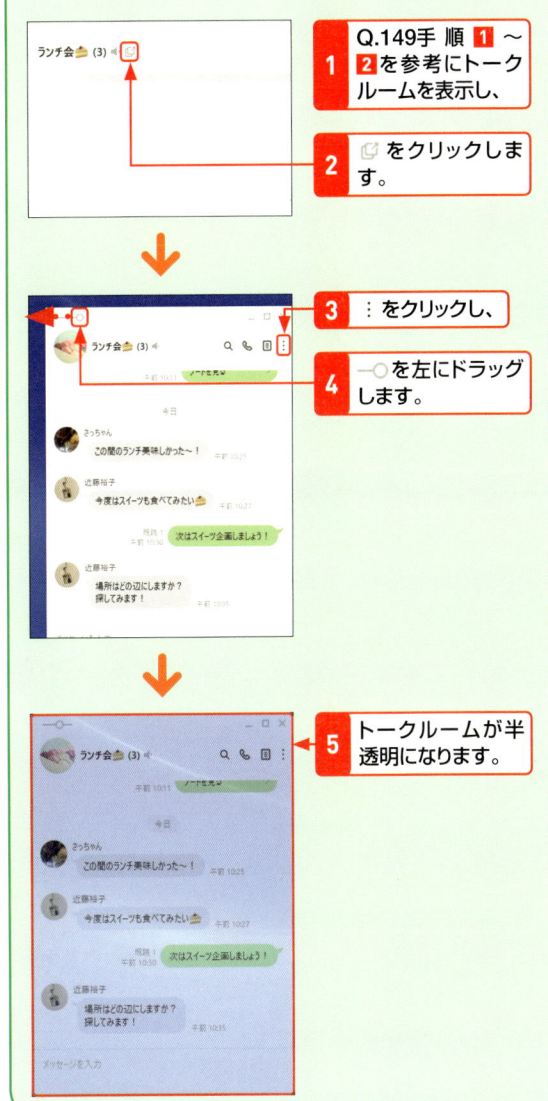

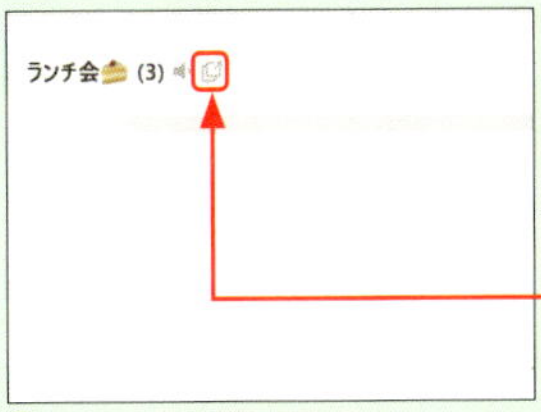

1 Q.149手順 1 ～ 2 を参考にトークルームを表示し、

2 をクリックします。

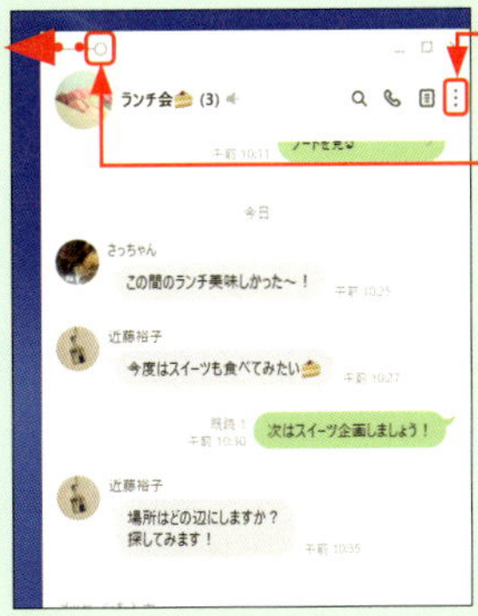

3 ⋮をクリックし、

4 —○を左にドラッグします。

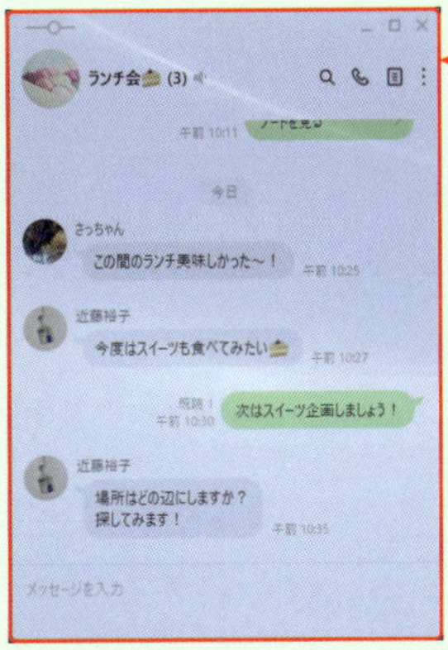

5 トークルームが半透明になります。

Q 172 設定 ★★★★★

トークルーム内の写真をまとめて表示するには？

A トークルームの ⋮ から<写真／動画>をクリックします。

トークルーム内に送信された写真や動画をまとめて表示したいときは、トークルームの ⋮ →<写真／動画>の順にクリックします。別ウィンドウが表示され、画像が一覧で表示されます。さらに、各画像をクリックすると拡大表示され、画像を加工することもできます。

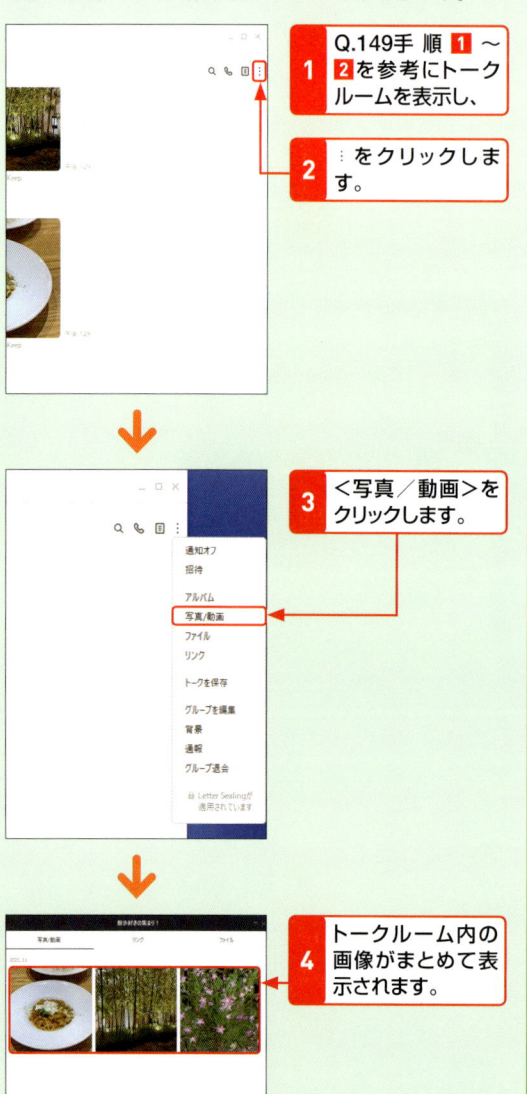

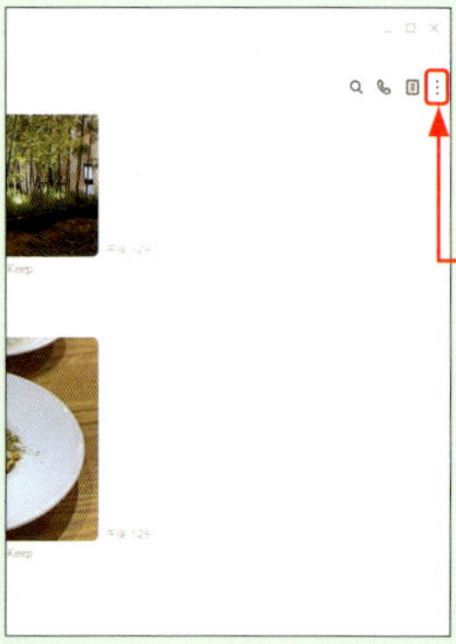

1 Q.149手順 1 〜 2 を参考にトークルームを表示し、

2 ⋮ をクリックします。

3 <写真／動画>をクリックします。

4 トークルーム内の画像がまとめて表示されます。

Q 173 設定 ★★★★☆

別々に表示しているトークルームを同じウィンドウで表示させるには？

A 「友だち」タブまたは「トーク」タブで › をクリックします。

別々に表示しているトークルームを同じウインドウで表示させるには、「友だち」タブまたは「トーク」タブを表示し、› をクリックします。左側に友だちやグループが、右側にトークルームが表示されます。

1 「友だち」タブまたは「トーク」タブを表示します。

2 › をクリックします。

3 トークルームが同じウィンドウで表示されます。

4 右側の画面で友だちとトークができます。

設定 ★★★★★

Q174 » トークで表示されるフォントを変更するには？

A 「設定」画面で<基本設定>→<フォント>の順にクリックして変更します。

トーク内のフォントは変更することができます。フォントを変更したいときは、「設定」画面を表示し、<基本設定>→<フォント>の順にクリックして、設定したいフォントを選択します。

1 Q.151手順**1**～**2**を参考に「設定」画面を表示し、<基本設定>をクリックします。

2 「フォント」の<既定フォント>をクリックし、

3 一覧から変更したいフォントをクリックして選択します。

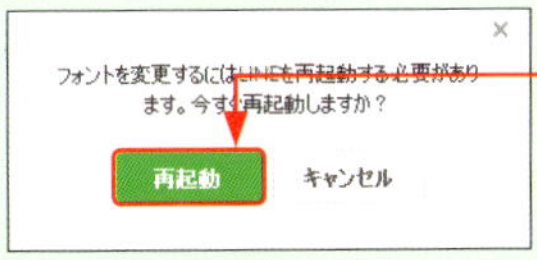

4 メッセージを確認し、<再起動>をクリックします。

5 トークが設定したフォントで表示されます。

設定 ★★★★★

Q175 » トークで表示される文字サイズを変更するには？

A 「設定」画面で<トーク>→<サイズ>の順にクリックして変更します。

トークで表示される文字サイズは、「小」「普通」「大」「特大」のいずれかから選択することができます。サイズを変更したいときは、「設定」画面を表示し、<トーク>→<サイズ>の順にクリックして選択します。なお、変更されるのはトーク部分のみです。

1 Q.151手順**1**～**2**を参考に「設定」画面を表示し、<トーク>をクリックします。

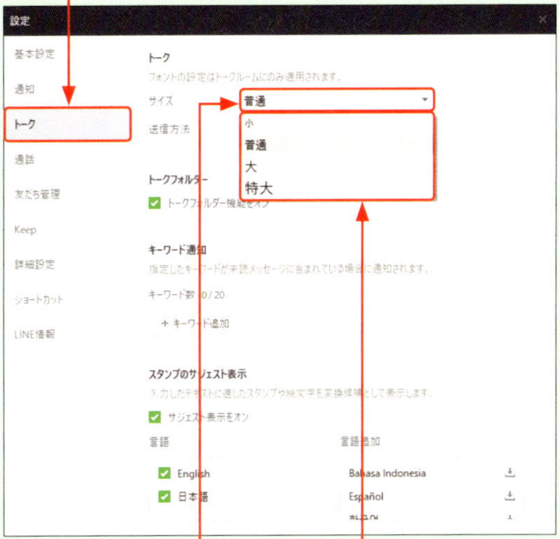

2 「サイズ」の<普通>をクリックし、

3 一覧から文字の大きさをクリックして選択します。

4 トークが設定した文字サイズで表示されます。

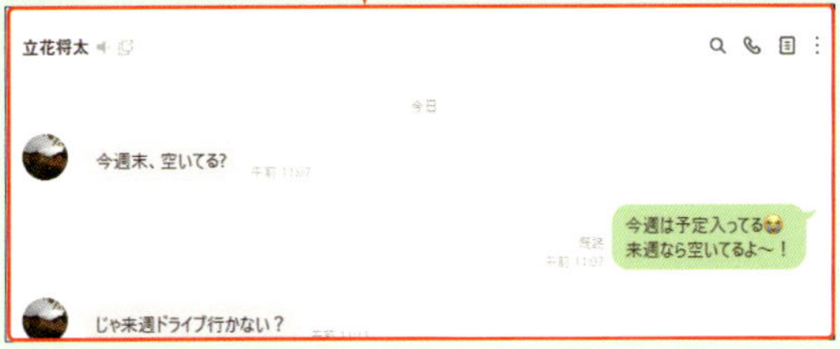

Q 設定 ★★★★★

176 » 通知の表示方法を変更したい！

A 「設定」画面で「通知方法」を変更します。

メッセージや通話を受信した際の通知の表示方法を変更したいときは、「設定」画面を表示し、＜通知＞をクリックして設定します。「ポップアップ」「ポップアップでメッセージ内容を表示」「サウンド」の3つの表示方法のオン／オフを設定できます。

1 Q.151手順1～2を参考に「設定」画面を表示し、＜通知＞をクリックします。

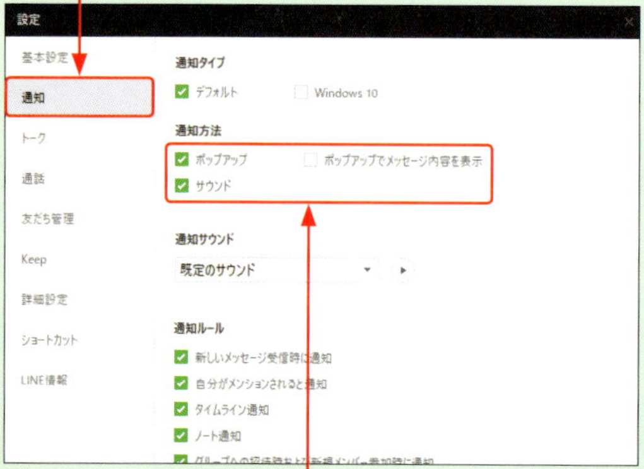

2 「通知方法」の項目をクリックして、オン／オフを切り替えます。

3 設定どおりに通知されます。

Q 設定 ★★★★★

177 » 通知される条件を変更したい！

A 「設定」画面で「通知ルール」を変更します。

メッセージを受信した際の通知の条件は変更することができます。「設定」画面を表示し、＜通知＞をクリックして設定します。メッセージ受信時以外、「自分がメンションされると通知」「タイムライン通知」「グループへの招待時および新規メンバー参加時に通知」などの項目があり、オン／オフを切り替えられます。

1 Q.151手順1～2を参考に「設定」画面を表示し、＜通知＞をクリックします。

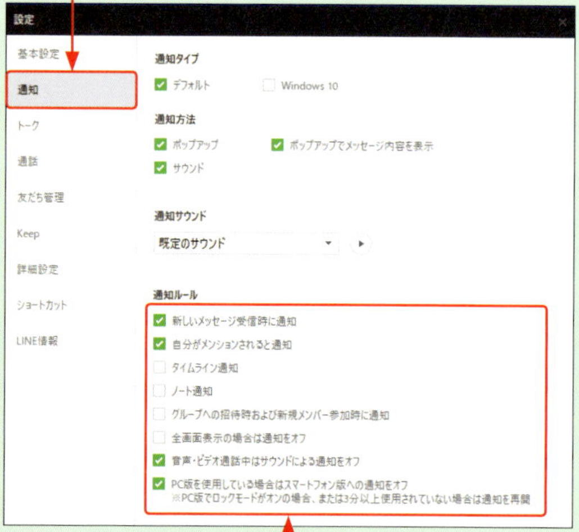

2 「通知ルール」の項目をクリックして、オン／オフを切り替えます。

3 設定どおりに通知されます。

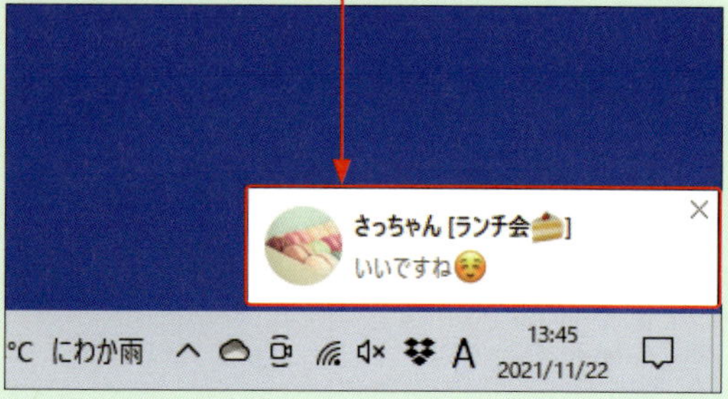

Q 設定 ★★★★★

178 » 通知のサウンドを変更するには？

A 「設定」画面で「通知サウンド」を変更します。

メッセージ受信時などに、通知表示とともに、通知サウンドも設定できます。「設定」画面を表示し、<通知>をクリックして、「通知サウンド」から好きなサウンドを9種類の中から選択して設定します。ただし、サウンドの通知が必要な場合は、パソコン自体の音が鳴るように設定する必要があります。

1 Q.151手順1～2を参考に「設定」画面を表示し、<通知>をクリックします。

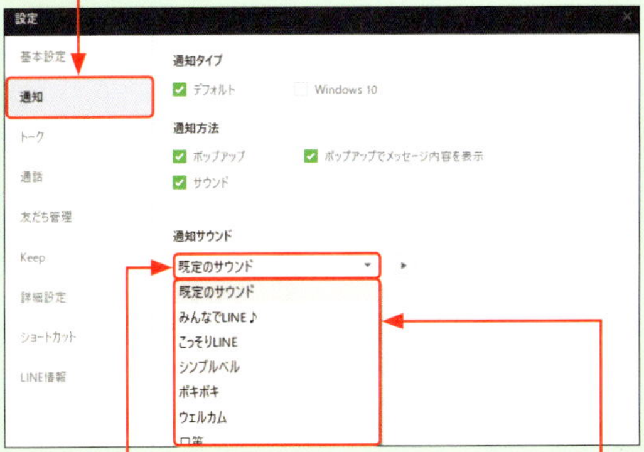

2 「通知サウンド」の<既定のサウンド>をクリックし、

3 一覧から変更したいサウンドをクリックして選択します。

4 ▸ をクリックすると、サウンドが再生され、確認できます。

Q 設定 ★★★★★

179 » 特定のキーワードが未読の場合に通知させたい！

A 「設定」画面の<トーク>からキーワードを設定します。

重要なキーワードを含むトークが未読であることをわかりやすく表示し、確認漏れがないようにしたい場合は、あらかじめキーワードを設定しておきましょう。キーワードを設定するには、「設定」画面を表示し、<トーク>→<キーワード追加>の順にクリックしてキーワードを設定します。キーワードを含むメッセージが届くと、トークルームに青文字で表示されます。

1 Q.151手順1～2を参考に「設定」画面を表示し、<トーク>をクリックします。

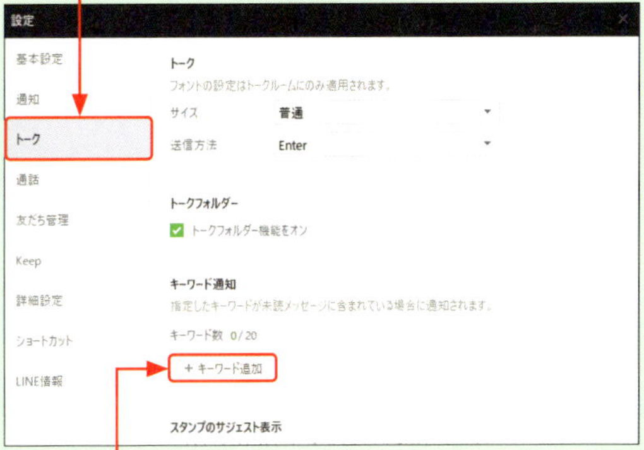

2 <キーワード追加>をクリックします。

3 入力ボックスにキーワードを入力して、

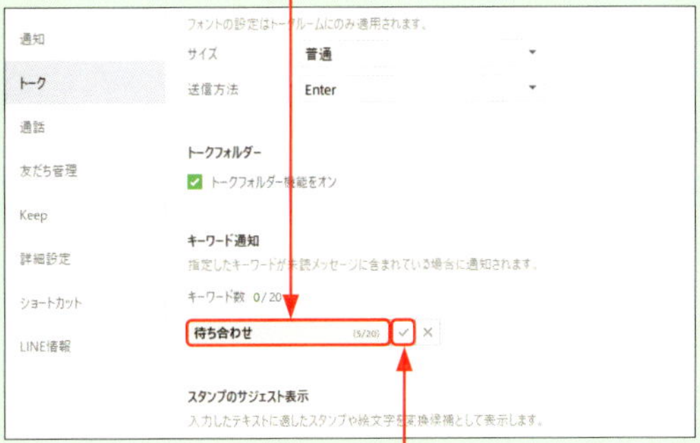

4 ✓ をクリックします。

Q 180 パソコンの起動時に自動でLINEにログインしたい!

設定 ★★★★★

A 「設定」画面で「自動ログイン」と「Windows起動時に自動実行」をオンにします。

パソコンを起動したと同時にLINEにログインするようにしたいときは、「設定」画面で<基本設定>をクリックし、<自動ログイン>と<Windows起動時に自動実行>をオンにします。以降、パソコンを起動すると自動でLINEが起動してログインされます。ほかの人が同じパソコンを使うと、個人情報を見られてしまうおそれがあるので、自分しか使わないパソコンに設定するとよいでしょう。なお、QRコードを使ったログイン(Q.138参照)では自動ログインできません。

1 Q.151手順1～2を参考に「設定」画面を表示し、<基本設定>をクリックします。

2 <自動ログイン>と<Windows起動時に自動実行>をクリックします。

3 メッセージを確認し、<OK>をクリックします。

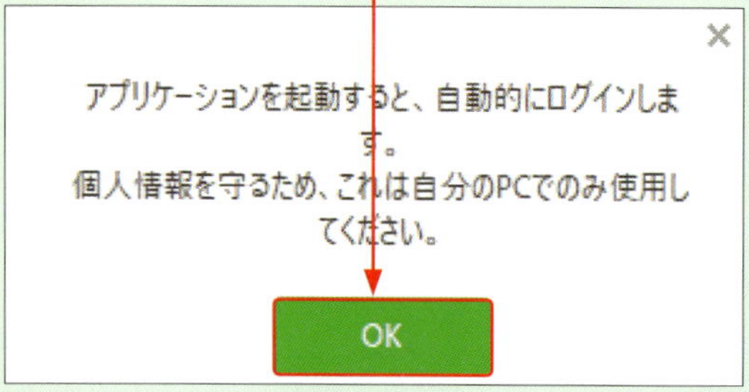

Q 181 受信したファイルの保存先を変更するには?

設定 ★★★★★

A 「設定」画面の<トーク>からファイルの保存先を設定します。

受信したファイルの保存場所を変更したいときは、「設定」画面を表示し、<トーク>をクリックします。「ファイル保存先」の<選択>をクリックし、ダイアログボックスで場所を指定して設定します。トークルームで受信したファイルを保存すると、以降は指定しなくてもそのフォルダー内に保存されます。

1 Q.151手順1～2を参考に「設定」画面を表示し、<トーク>をクリックします。

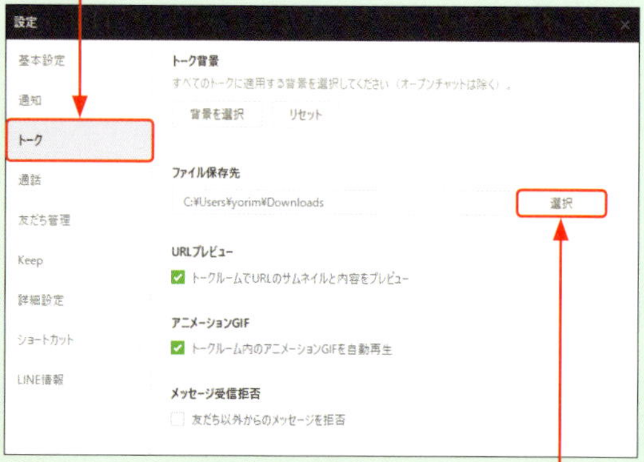

2 「ファイル保存先」の<選択>をクリックします。

3 保存先のフォルダーをクリックして選択し、

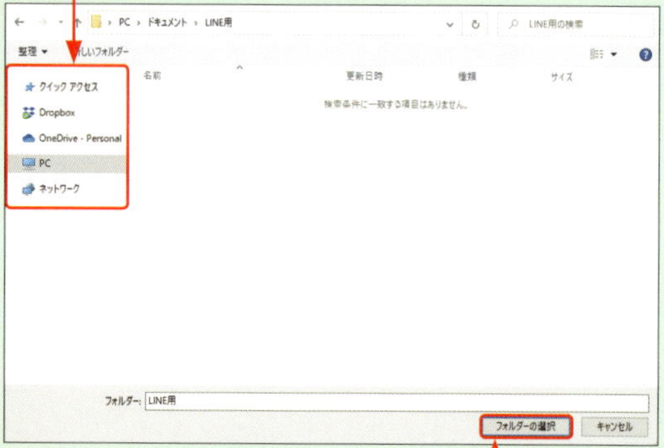

4 <フォルダーの選択>をクリックします。

第1章

Instagramの基本

Q Instagramの基本

182 » Instagramのアカウントを登録するには？

A メールアドレスや電話番号を使って登録します。

Instagramで新規にアカウントを取得する場合は、メールアドレスまたは電話番号を使って登録を行い、名前やユーザー名などの情報を入力します。ここでは、メールアドレスを使った登録方法を紹介します。

1 ホーム画面で<Instagram>をタップして起動します。

2 <登録はこちら>（Androidでは<メールアドレスか電話番号で登録>）をタップします。

3 <メール>をタップして、

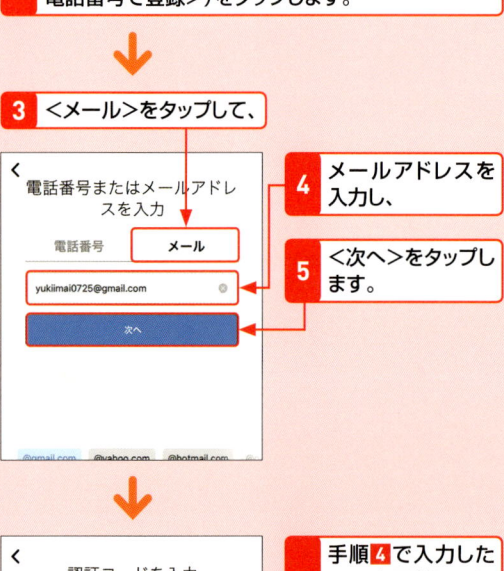

4 メールアドレスを入力し、

5 <次へ>をタップします。

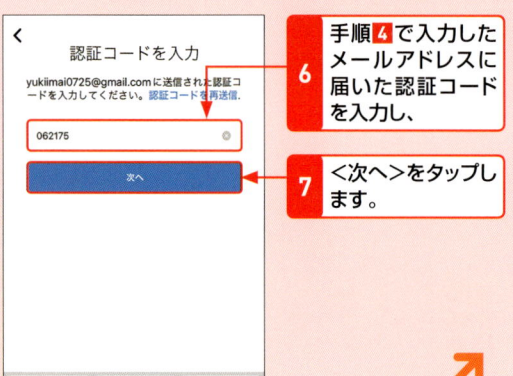

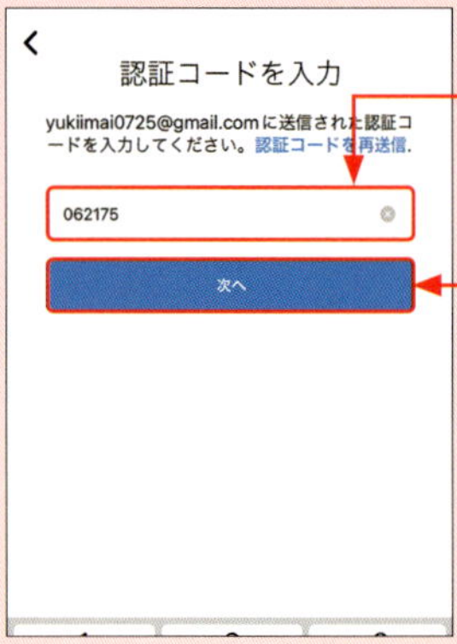

6 手順**4**で入力したメールアドレスに届いた認証コードを入力し、

7 <次へ>をタップします。

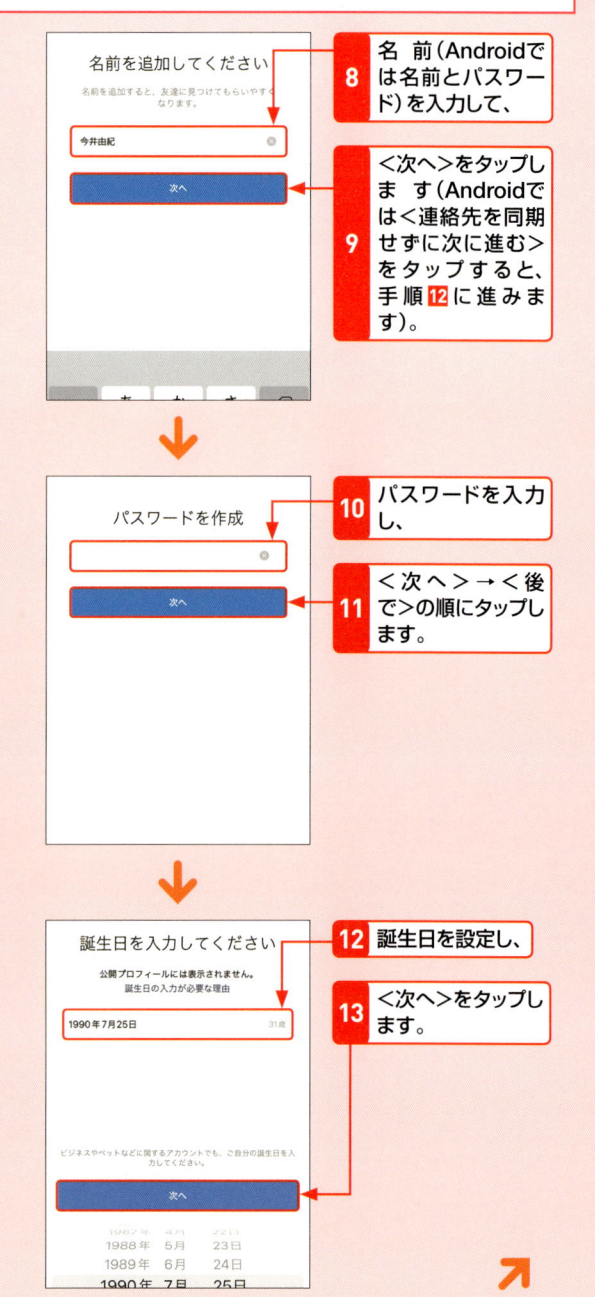

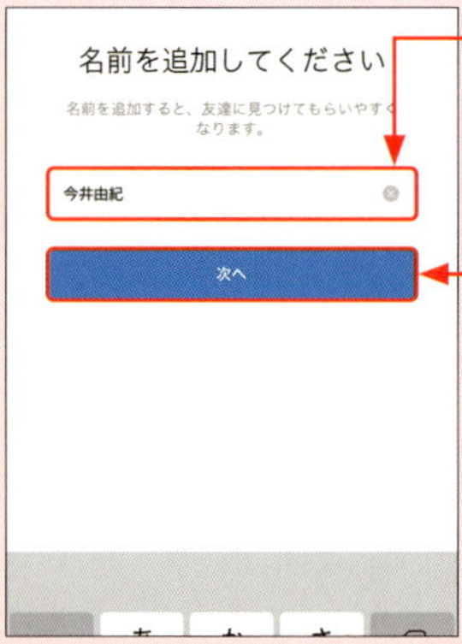

8 名前（Androidでは名前とパスワード）を入力して、

9 <次へ>をタップします（Androidでは<連絡先を同期せずに次に進む>をタップすると、手順**12**に進みます）。

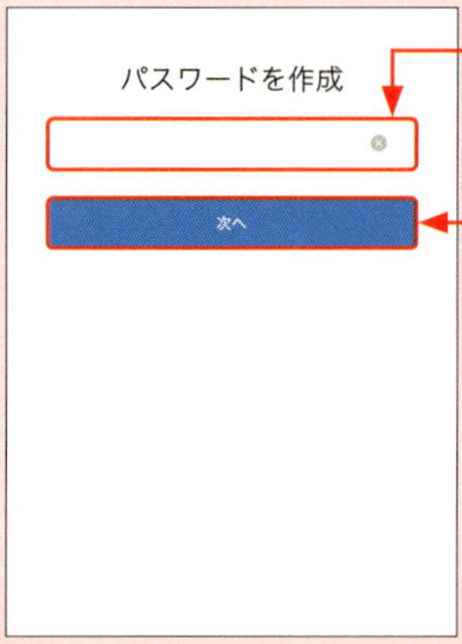

10 パスワードを入力し、

11 <次へ>→<後で>の順にタップします。

12 誕生日を設定し、

13 <次へ>をタップします。

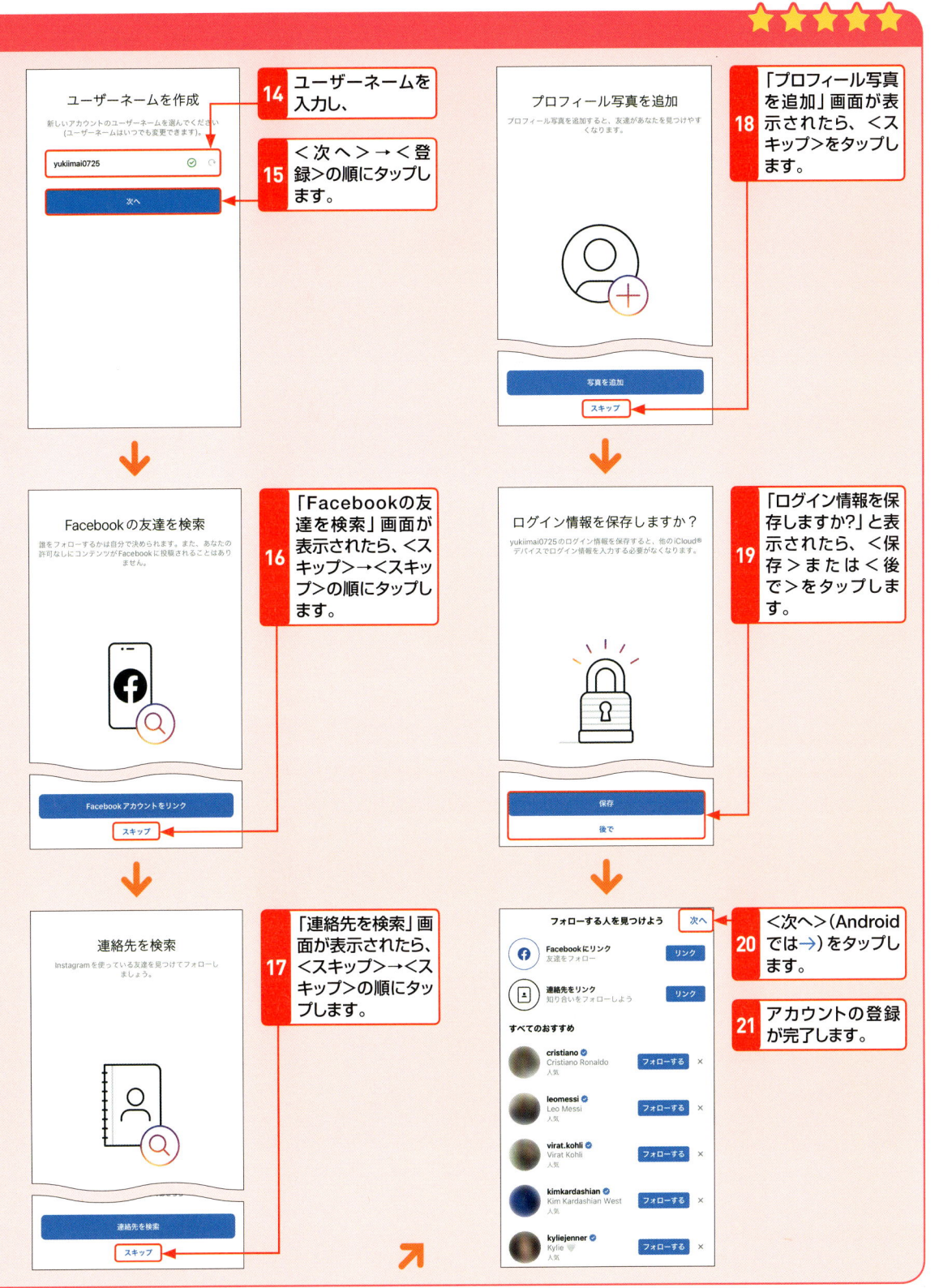

14 ユーザーネームを入力し、

15 <次へ>→<登録>の順にタップします。

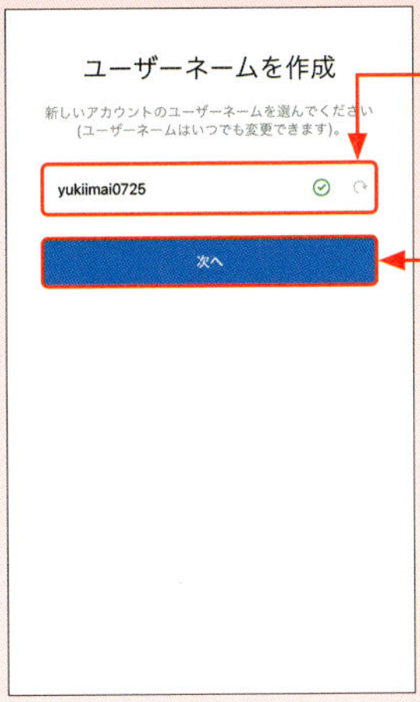

16 「Facebookの友達を検索」画面が表示されたら、<スキップ>→<スキップ>の順にタップします。

17 「連絡先を検索」画面が表示されたら、<スキップ>→<スキップ>の順にタップします。

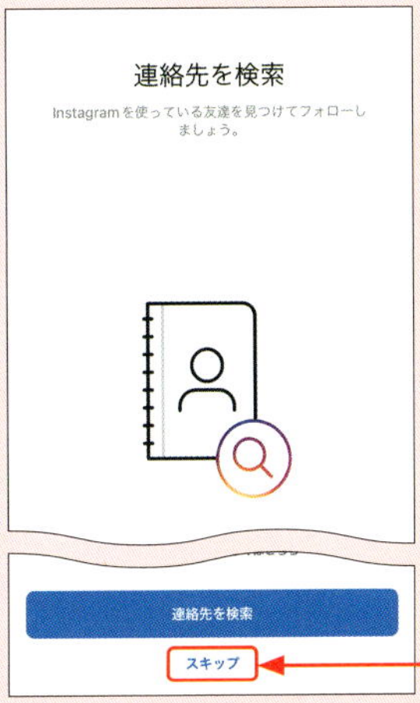

18 「プロフィール写真を追加」画面が表示されたら、<スキップ>をタップします。

19 「ログイン情報を保存しますか?」と表示されたら、<保存>または<後で>をタップします。

20 <次へ>(Androidでは→)をタップします。

21 アカウントの登録が完了します。

Q 画面構成 ★★★★★

183 » Instagramの画面の見方がわからない！

A 各画面の画面構成を確認しましょう。

Instagramには、「ホーム」「検索」「リール」「ショップ」「プロフィール」の5種類の機能画面があり、それぞれのアイコンをタップするだけでかんたんに画面を切り替えることができます。なお、アカウントやInstagramの利用時間によっては、表示されるタブが本書と異なる場合もあります。

「ホーム」タブ

をタップすると、「ホーム」タブが表示されます。フォローしているユーザーの投稿が表示されますが、時系列順ではなく、ユーザーへのおすすめ順で並べられています。

「検索」タブ

をタップすると、「検索」タブが表示されます。ここには、おすすめの写真・動画や人気の投稿が表示されます。また、ユーザー名やハッシュタグ、位置情報から投稿を検索できます。

「リール」タブ

をタップすると、「リール」タブが表示されます。最大60秒の短い動画を投稿・視聴できます。画面を上方向にスワイプすると、次の動画が表示されます。

「ショップ」タブ

をタップすると、「ショップ」タブが表示されます。販売されている商品を閲覧したり、ウィッシュリストに追加したり、コレクションをチェックしたりすることができます。

「プロフィール」タブ

をタップすると、「プロフィール」タブが表示されます。自分の投稿が一覧で表示され、プロフィールや設定の変更もできます。

Q 184 プロフィールの設定 ★★★★★

名前やユーザーネームを変更したい！

A 「プロフィールを編集」画面から変更します。

プロフィールに表示される名前やユーザーネームは、「プロフィール」タブで<プロフィールを編集>をタップして変更します。名前は、漢字や平仮名、英数字だけでなく、スペースを入力して、姓と名の間に空白を入れることも可能です。

1 ◯をタップし、

2 <プロフィールを編集>をタップします。

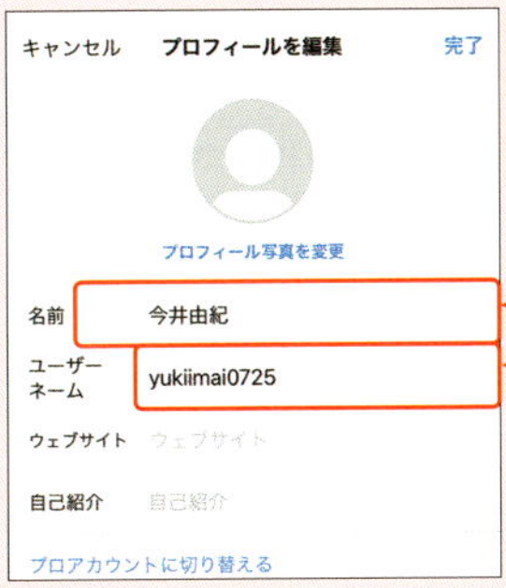

3 登録している名前をタップします。

ここをタップすると、ユーザーネームを変更できます。

4 変更したい名前を入力して、

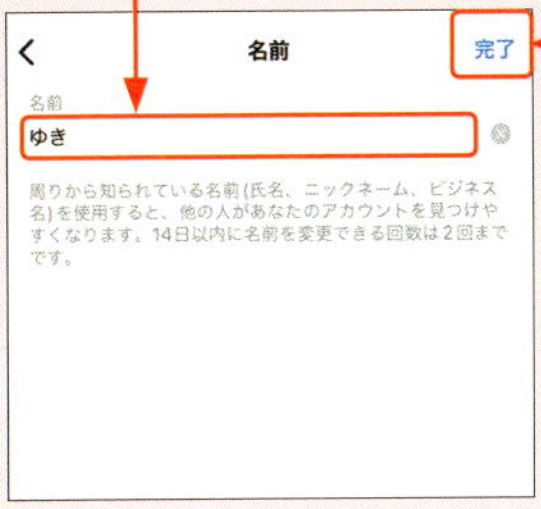

5 <完了>（Androidでは✓）をタップします。

Q 185 プロフィールの設定 ★★★★★

プロフィールに写真を設定したい！

A <プロフィール写真を変更>をタップします。

アイコンとして表示されるプロフィール写真は、「プロフィール」タブで<プロフィールを編集>→<プロフィール写真を変更>の順にタップして設定します。その場で撮影したり、端末に保存されている写真から選んだり、Facebookからインポートしたりすることもできます。

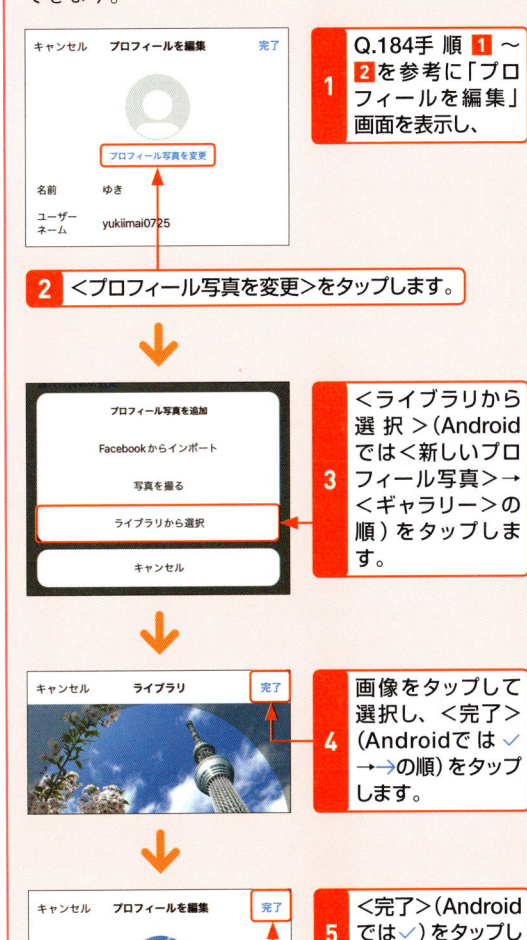

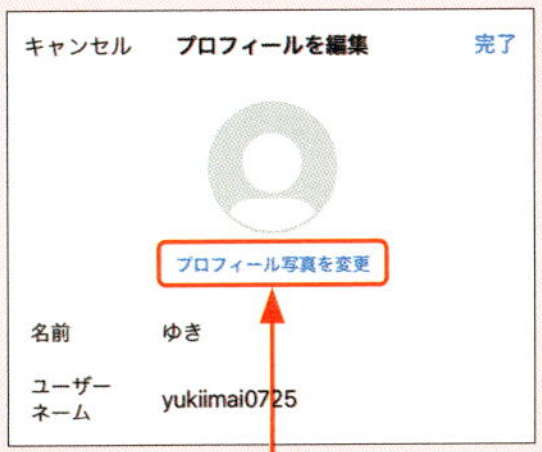

1 Q.184手順 1 ～ 2 を参考に「プロフィールを編集」画面を表示し、

2 <プロフィール写真を変更>をタップします。

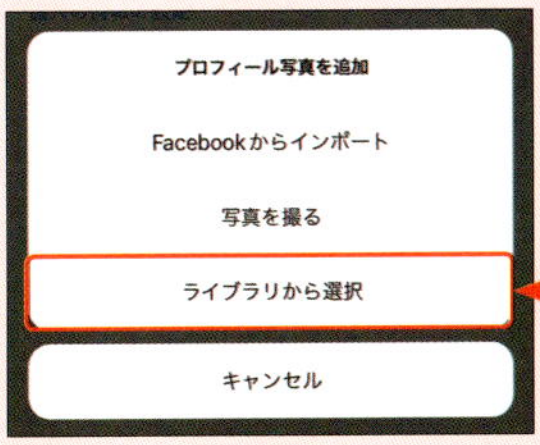

3 <ライブラリから選択>（Androidでは<新しいプロフィール写真>→<ギャラリー>の順）をタップします。

4 画像をタップして選択し、<完了>（Androidでは✓→→の順）をタップします。

5 <完了>（Androidでは✓）をタップします。

Q プロフィールの設定

186 » プロフィールに自己紹介文を入力するには？

A 「プロフィールを編集」画面から設定します。

「プロフィール」タブでは、名前の下に150文字以内で自己紹介文を表示できます。「プロフィール」タブで＜プロフィールを編集＞→＜自己紹介＞の順にタップして自己紹介文を入力します。メッセージや趣味、ほかのSNS情報などの紹介を入力しましょう。

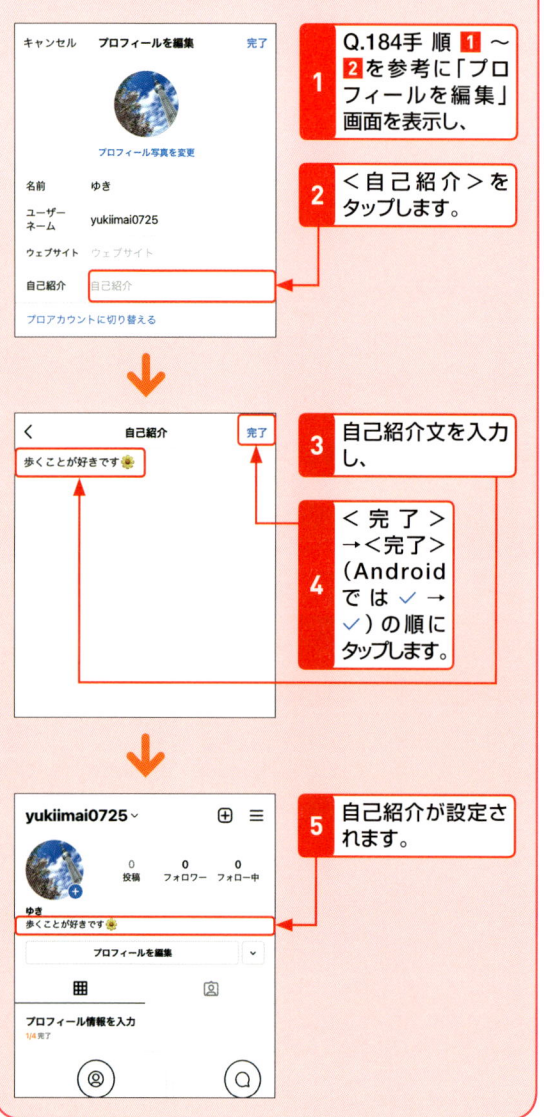

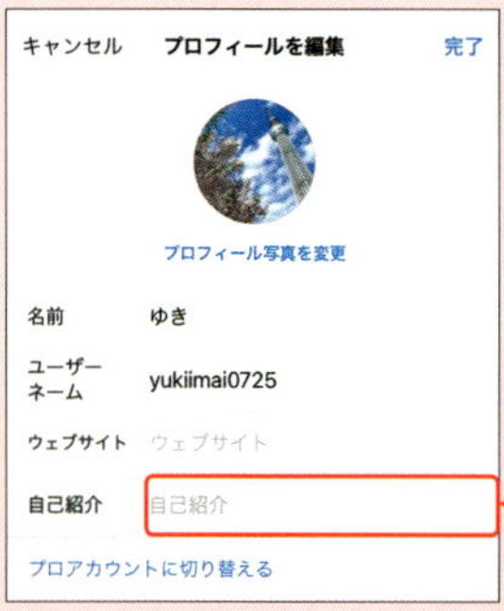

1 Q.184手順 1 〜 2 を参考に「プロフィールを編集」画面を表示し、

2 ＜自己紹介＞をタップします。

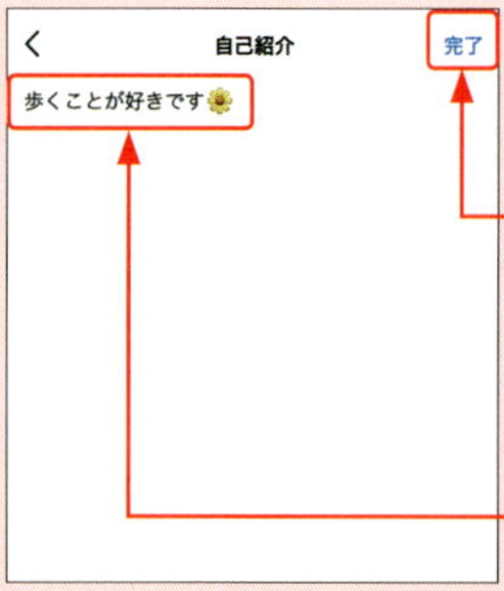

3 自己紹介文を入力し、

4 ＜完了＞→＜完了＞（Androidでは✓→✓）の順にタップします。

5 自己紹介が設定されます。

Q プロフィールの設定

187 » プロフィールにWebサイトを追加するには？

A 「プロフィールを編集」画面から追加します。

「プロフィール」タブでは、自己紹介の下にURLを表示することができます。自分のWebページやブログ、SNSなどのURLを表示しておくと、Instagramの自己紹介や投稿だけでは伝えきれない情報を確認してもらうことができます。

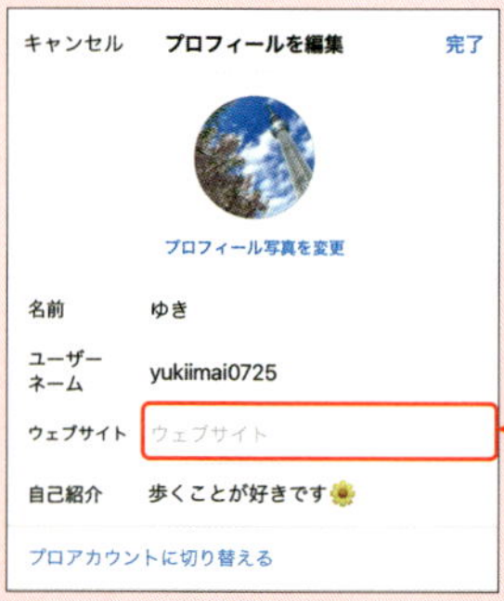

1 Q.184手順 1 〜 2 を参考に「プロフィールを編集」画面を表示し、

2 ＜ウェブサイト＞をタップします。

3 WebサイトのURLを入力し、

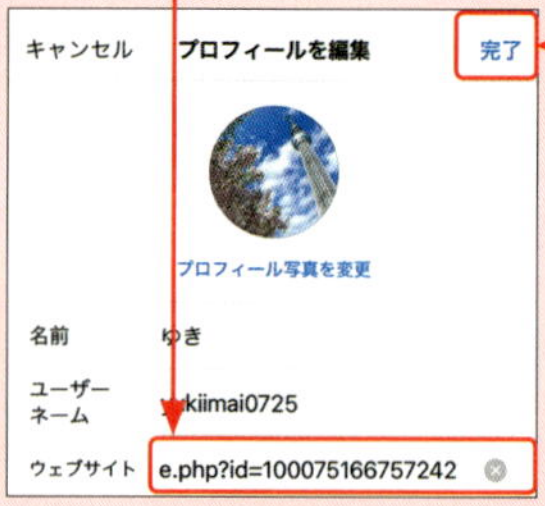

4 ＜完了＞（Androidでは✓）をタップします。

5 Webサイトが設定されます。

Q フォロー ★★★★★

188 » ユーザーをフォローするには？

A ＜フォローする＞をタップします。

「フォロー」は、投稿を表示したいユーザーを登録する機能です。友達や好きな芸能人などをフォローすると、そのユーザーが投稿した写真や動画を自分の「ホーム」タブに表示できます。なお、フォローすると、自分のアカウント情報も含め、相手に通知されます。

1 Q.189を参考にフォローしたいユーザーの「プロフィール」画面を表示し、

2 ＜フォローする＞をタップします。

3 「ホーム」タブにフォローしたユーザーの投稿が表示されます。

Q フォロー ★★★★★

189 » ユーザーをユーザーネームで検索したい！

A 「検索」タブで👤をタップして検索します。

ユーザーネームがわかっているユーザーを検索したいときは、「検索」タブで👤をタップし、検索ボックス内にユーザーネームを入力して検索します。該当するユーザーが一覧表示され、タップするとそのユーザーの「プロフィール」画面が表示されます。

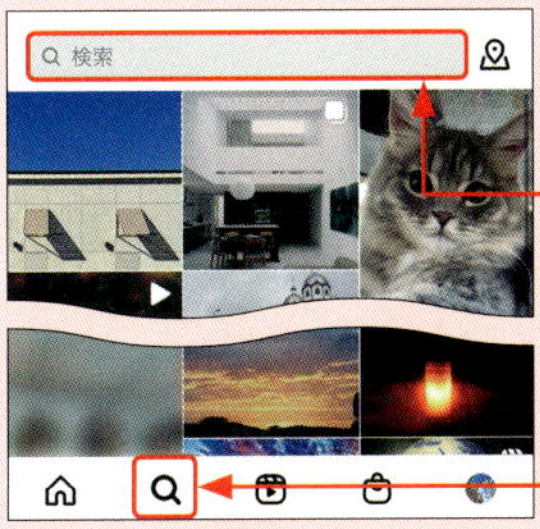

1 🔍をタップして、

2 検索ボックスをタップします。

3 👤をタップします。

4 検索ボックスに検索したいユーザーネームを入力して、

5 ＜検索＞（Androidでは🔍）をタップします。

6 ユーザーが一覧表示されるので、任意のユーザーをタップします。

7 ユーザーの「プロフィール」画面が表示されます。

フォロー ★★★★

Q 190 連絡先を使ってユーザーを検索するには？

A 「アカウント」画面で<連絡先の同期>をタップします。

端末に登録されている連絡先を使ってユーザーを検索することができます。「プロフィール」タブを表示し、≡→<設定>→<アカウント>→<連絡先の同期>の順にタップします。連絡先に紐づいて、Instagramのアカウントを持っているユーザーが「おすすめ」に表示されるようになります。

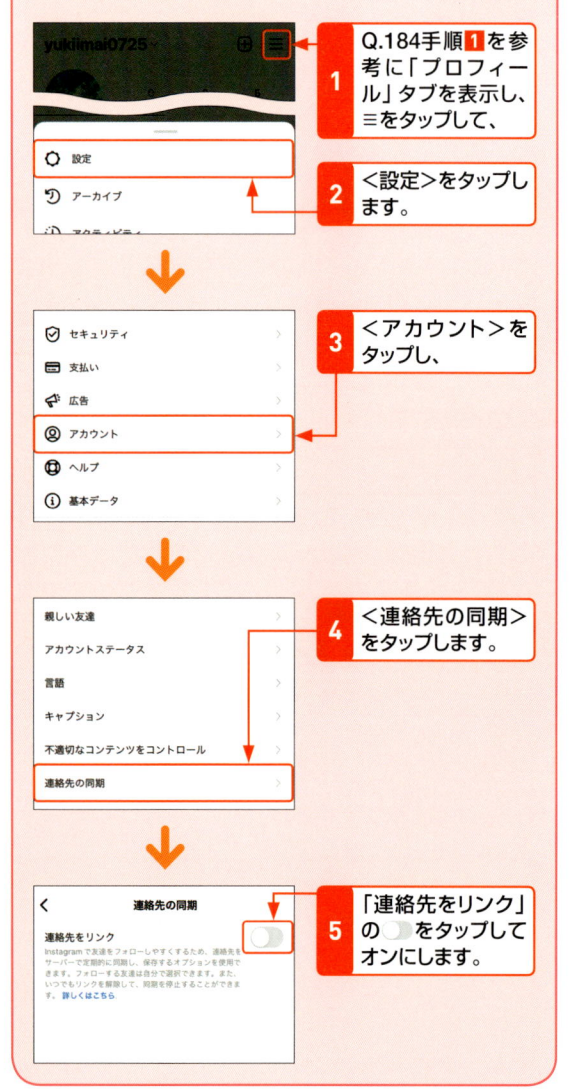

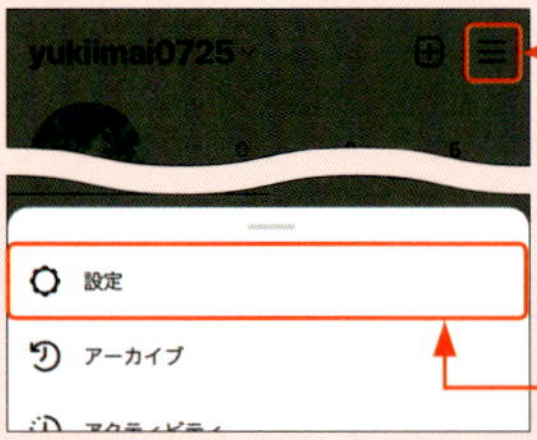

1 Q.184手順1を参考に「プロフィール」タブを表示し、≡をタップして、

2 <設定>をタップします。

3 <アカウント>をタップし、

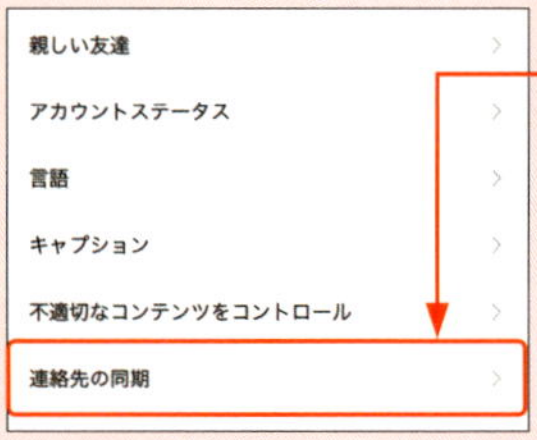

4 <連絡先の同期>をタップします。

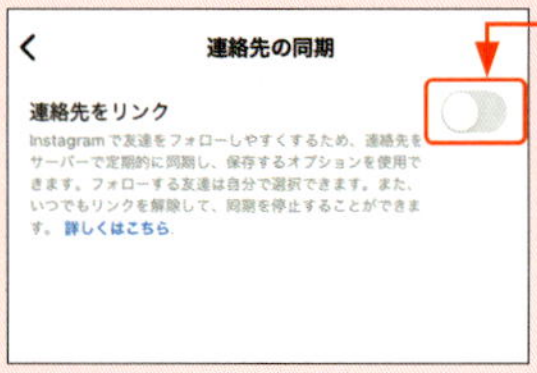

5 「連絡先をリンク」のをタップしてオンにします。

フォロー ★★★★★

Q 191 「おすすめ」のユーザーをフォローするには？

A おすすめユーザーの<フォローする>をタップします。

おすすめのユーザーは、「ホーム」タブや「プロフィール」タブ、誰かをフォローしたときなどに表示されます。<すべて見る>をタップするとおすすめのユーザーが一覧表示され、<フォローする>をタップするとフォローできます。

1 「ホーム」タブなどで画面を上方向にスワイプすると、「おすすめ」が表示されることがあります。

2 <すべて見る>をタップします。

3 おすすめのユーザーが一覧表示されます。

4 フォローしたいユーザーの<フォローする>をタップします。

5 「フォロー中」に表示が変わり、フォローが完了します。

第2章

Instagramの閲覧・投稿

Q 写真の閲覧 ★★★★★

192 » 投稿されたおすすめの写真を閲覧したい!

A 「ホーム」タブで上方向にスワイプします。

Instagramは、過去に閲覧した投稿や「いいね」した投稿などの情報をもとに自動的に分析され、興味がありそうな投稿が「おすすめ」として表示されるようになっています。基本的にはフォローしていないアカウントの投稿が表示されます。おすすめの投稿は、「ホーム」タブを表示して上方向にスワイプすることで確認できます。

1 ⌂をタップして「ホーム」タブを表示し、

2 上方向にスワイプします。

3 おすすめの投稿が表示されます。

一番上の投稿を下方向にスワイプすると、新着の投稿を確認することができます。

Q 写真の閲覧 ★★★★★

193 » 写真を検索して閲覧したい!

A 「検索」タブから検索します。

写真をキーワードで検索したいときは、「検索」タブで検索ボックスをタップし、検索したいキーワードを入力します。検索結果の候補一覧からキーワードをタップすると、そのキーワードに関連した投稿が一覧で表示されます。

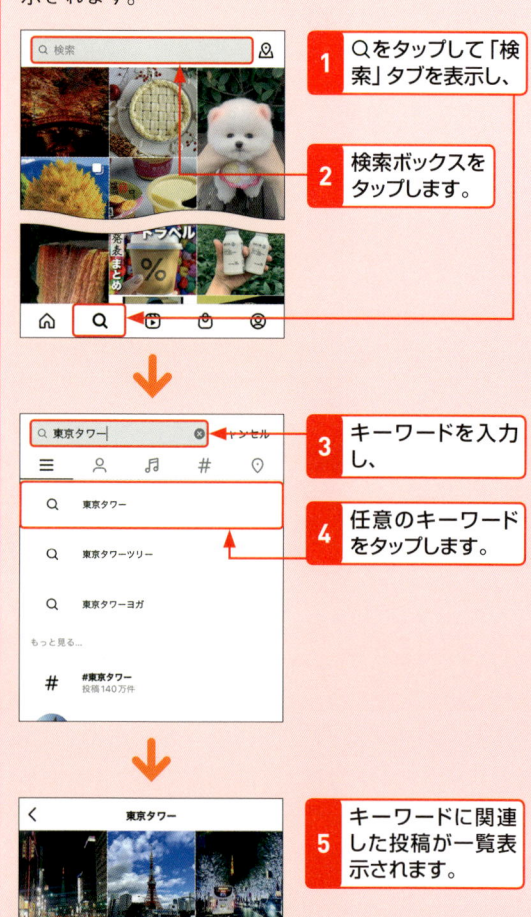

1 Qをタップして「検索」タブを表示し、

2 検索ボックスをタップします。

3 キーワードを入力し、

4 任意のキーワードをタップします。

5 キーワードに関連した投稿が一覧表示されます。

写真の閲覧 ★★★★★

Q 194 » 写真をユーザー名で検索して閲覧したい！

A 「検索」タブで👤をタップして検索します。

「検索」タブでは、写真をユーザー名で検索することができます。✔マークの付いたタレントや企業の公式アカウントの検索に便利です。「検索」タブで検索ボックスをタップし、👤をタップして、ユーザー名を入力します。検索結果の候補一覧から任意のアカウントをタップすると、そのアカウントの投稿を確認することができます。

1 Q.193手順1を参考に「検索」タブを表示し、

2 検索ボックスをタップします。

3 👤をタップして、

4 ユーザー名を入力し、

5 任意のユーザーをタップします。

6 ユーザーの「プロフィール」画面に投稿が一覧表示されます。

写真の閲覧 ★★★★★

Q 195 » 写真を場所で検索して閲覧したい！

A 「検索」タブで📍をタップして検索します。

Instagramでは、写真を場所から検索することもできます。「検索」タブで検索ボックスをタップし、📍をタップして、検索したい場所を入力します。入力した場所と関連する店名や施設名が表示されるので、任意の候補をタップすると、その位置情報が付けられた投稿が一覧で表示されます。

1 Q.193手順1を参考に「検索」タブを表示し、

2 検索ボックスをタップします。

3 📍をタップして、

4 場所を入力し、

5 任意の場所をタップします。

6 位置情報が付けられた投稿が一覧表示されます。

写真の閲覧

Q 196 » 写真をハッシュタグで検索して閲覧したい！

A 「検索」タブで＃をタップして検索します。

ハッシュタグを使って検索したいときは、「検索」タブで検索ボックスをタップし、＃をタップしてキーワードを入力すると、そのハッシュタグが付けられた投稿が一覧で表示されます。投稿をタップすると、投稿内容やアカウントなどの詳細を確認することができます。ここでは、投稿に付けられたハッシュタグをタップして検索する方法と、「検索」タブから検索する方法を紹介します。

投稿の場合

1 投稿のハッシュタグをタップします。

2 そのハッシュタグが付けられた投稿が一覧で表示されます。

「検索」タブの場合

1 Q.193手順 1 を参考に「検索」タブを表示し、

2 検索ボックスをタップします。

3 ＃をタップして、

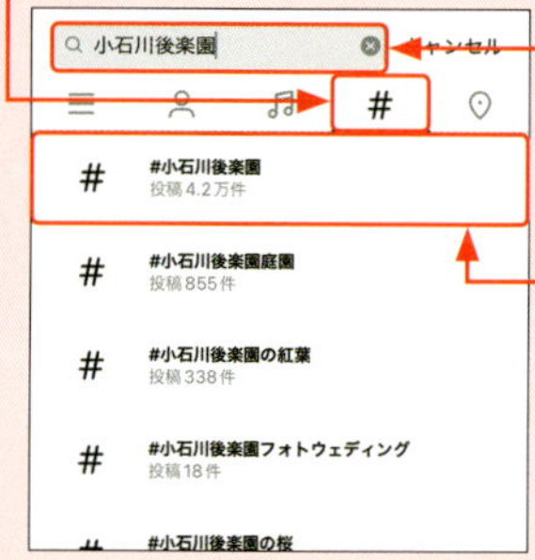

4 キーワードを入力し、

5 任意のハッシュタグをタップします。

6 検索したハッシュタグが付けられた投稿が一覧表示されます。

Q 写真の投稿 ★★★★★

197 » 撮影済みの写真を投稿したい！

A 「ホーム」タブで⊞をタップします。

撮影済みの写真を投稿するには、「ホーム」タブで⊞→<投稿>の順にタップし、投稿したい写真を選びます。投稿にはキャプションを付けることができます。

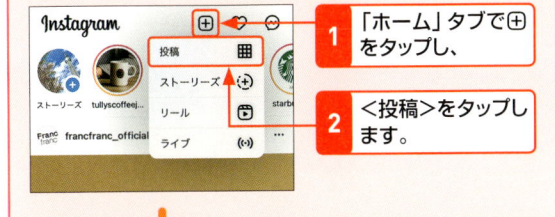

1 「ホーム」タブで⊞をタップし、

2 <投稿>をタップします。

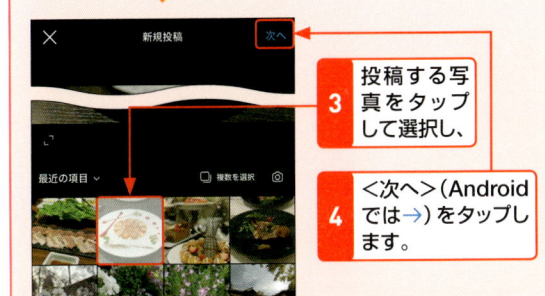

3 投稿する写真をタップして選択し、

4 <次へ>（Androidでは→）をタップします。

5 <次へ>（Androidでは→）をタップします。

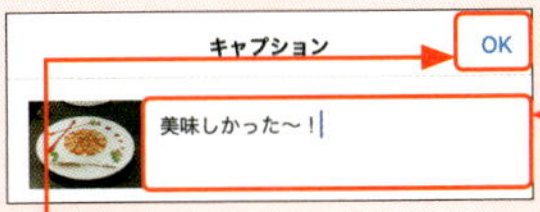

6 キャプションを入力し、

7 <OK>をタップします（Androidには手順7はありません）。

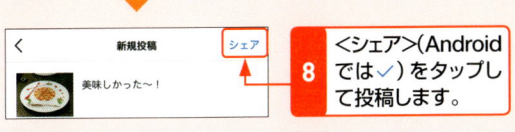

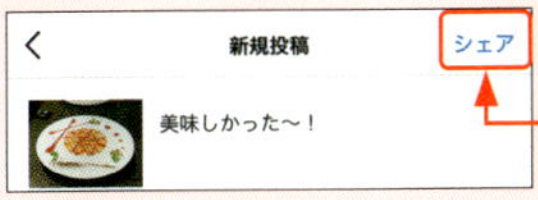

8 <シェア>（Androidでは✓）をタップして投稿します。

Q 写真の投稿 ★★★★★

198 » その場で写真を撮って投稿したい！

A 📷をタップして撮影します。

その場で写真を撮ってすぐに投稿したいときは、📷をタップします。カメラの撮影画面が表示され、その場ですぐに写真を撮ることができます。撮った写真は、既存の写真を投稿するときと同じようにキャプションを付けて投稿できます。

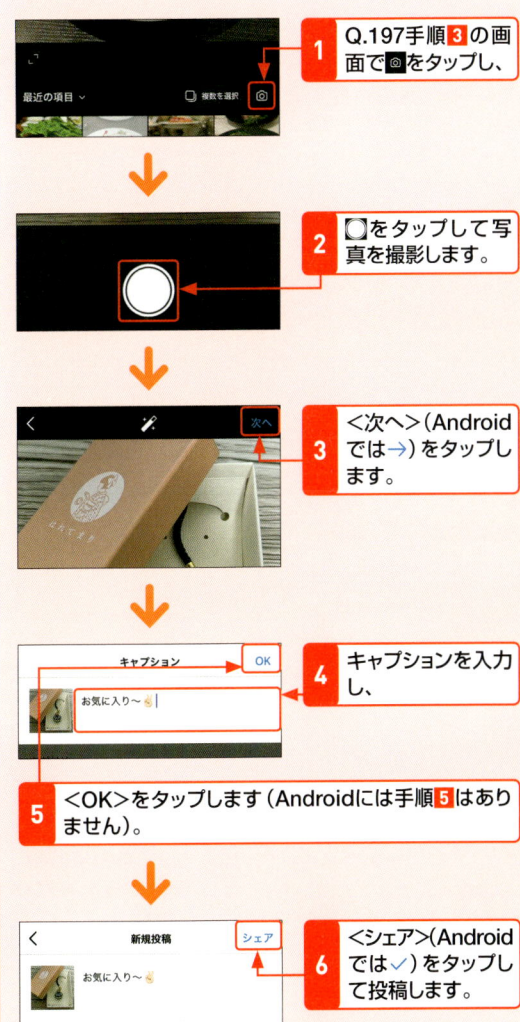

1 Q.197手順3の画面で📷をタップし、

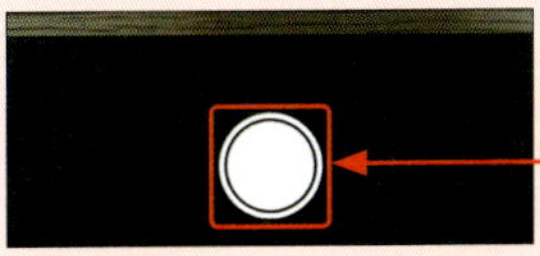

2 ◯をタップして写真を撮影します。

3 <次へ>（Androidでは→）をタップします。

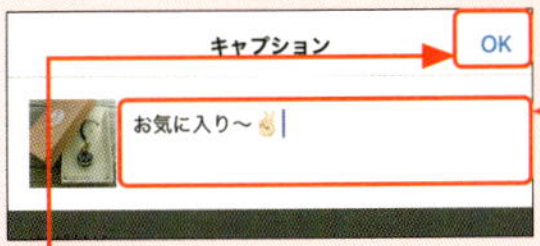

4 キャプションを入力し、

5 <OK>をタップします（Androidには手順5はありません）。

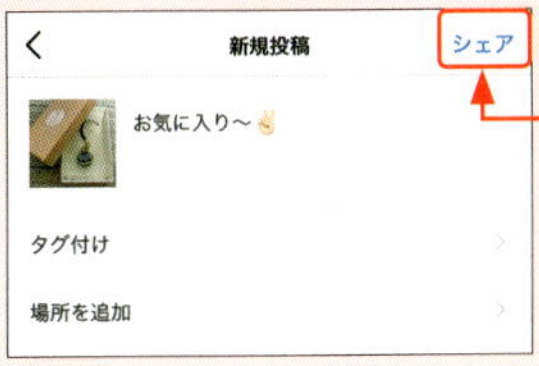

6 <シェア>（Androidでは✓）をタップして投稿します。

Q 写真の投稿 ★★★★★

199 » 写真をフィルターで加工して投稿するには？

A 投稿する写真を選択後、または撮影後にフィルター一覧から加工します。

Instagramにはさまざまなフィルターが用意されており、保存されている写真やその場で撮った写真をかんたんに加工することができます。写真の雰囲気に合わせてフィルターをかけてみましょう。

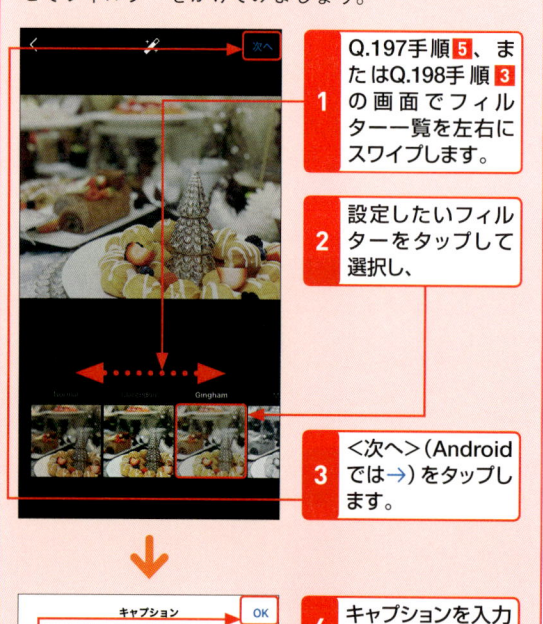

1 Q.197手順5、またはQ.198手順3の画面でフィルター一覧を左右にスワイプします。

2 設定したいフィルターをタップして選択し、

3 <次へ>（Androidでは→）をタップします。

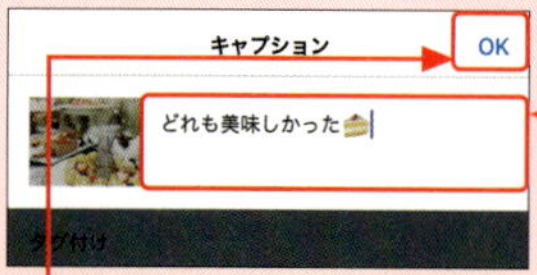

4 キャプションを入力し、

5 <OK>をタップします（Androidには手順5はありません）。

6 <シェア>（Androidでは✓）をタップして投稿します。

Q 写真の投稿 ★★★★★

200 » フィルターの並び順を変更するには？

A フィルターを長押ししてドラッグします。

フィルターを長押ししてドラッグすると、フィルターの順番を並べ替えることができます。よく使うフィルターを前のほうに移動しておけば、そのつど探す手間が省けて便利です。

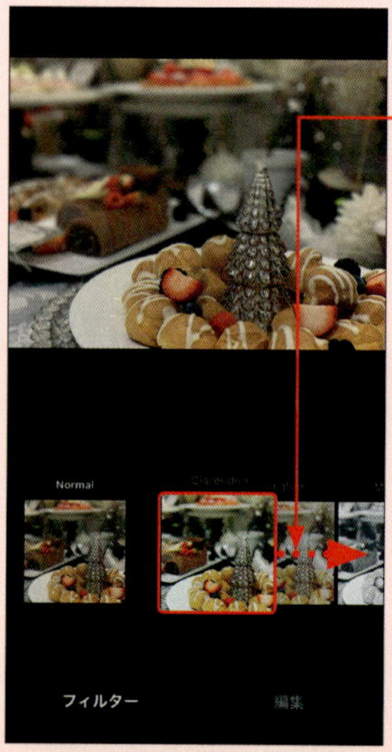

1 Q.197手順5、またはQ.198手順3の画面でフィルターを長押ししてドラッグします。

2 フィルターの順番が入れ替わります。

Q 写真の投稿 ★★★★★

201 » フィルターの種類と使用例を知りたい!

A **24種類あり、被写体ごとに使い分けることができます。**

Instagramには、あらかじめ24種類のフィルターが用意されています。フィルターによって明るさや彩度、コントラストなどの効果がかかっているため、自分で調整しなくても、フィルターを選ぶだけで写真の雰囲気を変えることができます。ここでは主なフィルターの種類とその使用例を紹介します。

食べ物

コントラストや彩度が強い「Lo-Fi」は、食べ物の写真に効果的です。食材の色味を自然に鮮やかにしてくれます。

やや色味が薄くなる「Sierra」は、柔らかく落ち着いた雰囲気になりますが、食べ物の美味しさも引き立ててくれます。

植物

全体の色調が抑えられる「Gingham」は、ふんわりとしたやさしい雰囲気に仕上げてくれます。

ピンク色のトーンが加わる「Mayfair」は、彩度が強く、色鮮やかな仕上がりにしてくれます。

風景

全体的に黄味が加わる「Rise」は、風景や建物などに適用すると、レトロな雰囲気に仕上げてくれます。

写真の端を暗めにする「X-Pro II」は、フィルムカメラで撮影したような仕上がりになります。

Q 写真の投稿 ★★★★★

202 » 写真を編集してから投稿するには？

A 投稿する写真を選択したあと、<編集>をタップして編集します。

Instagramにはフィルターのほかに、「調整」や「明るさ」、「彩度」や「コントラスト」など、13種類の編集ツールが備わっており、保存されている写真やその場で撮った写真を加工することができます。より細かい調整を行いたい場合に便利です。

1 Q.197手順5、またはQ.198手順3の画面で<編集>をタップし、

2 編集ツールを左右にスワイプします。

編集ツール

調整	回転や縦横の傾きを調整します。
明るさ	明るさを調整します。
コントラスト	明るい部分と暗い部分の差を調整します。
ストラクチャ	被写体をはっきりさせます。
暖かさ	暖かみを調整します。
彩度	鮮やかさを調整します。
色	明るい部分と暗い部分に色を付けます。
フェード	くすみを調整します。
ハイライト	明るい部分の強弱を調整します。
シャドウ	暗い部分の強弱を調整します。
ビネット	四隅を暗くします。
ティルトシフト	ピントをボケさせます。
シャープ	輪郭をはっきりさせます。

Q 写真の投稿 ★★★★★

203 » 写真の明るさを調整したい！

A 編集ツールから<明るさ>をタップします。

写真の明るさを調整したいときは、編集ツールから<明るさ>をタップします。スライダーを左右にドラッグすることで調整できます。数字が大きくなるほど明るくなり、小さくなるほど暗くなります。

1 Q.197手順5、またはQ.198手順3の画面で<編集>をタップし、

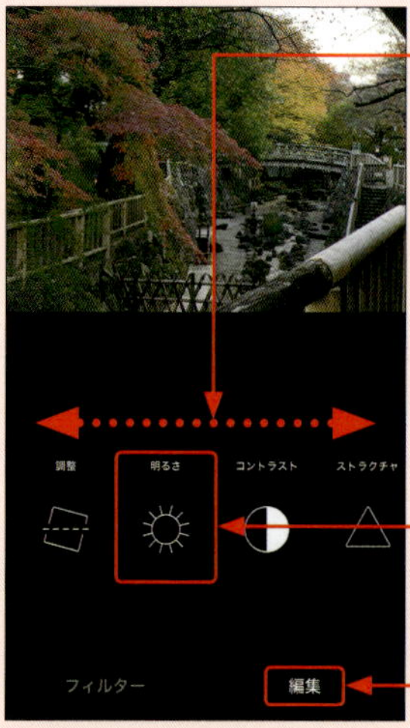

2 編集ツールを左右にスワイプして、

3 <明るさ>をタップします。

4 スライダーを左右にドラッグして明るさを調整します。

写真をタップすると、変更前の状態を確認できます。

5 <完了>をタップし、Q.197手順6～8を参考に投稿します。

写真の投稿

Q 204 » 写真の傾きを調整したい！

A 編集ツールから<調整>をタップします。

写真の傾きを調整したいときは、編集ツールから<調整>をタップします。スライダーを左右にドラッグすると傾きを調整できます。[icon]をタップすると縦方向の、[icon]をタップすると横方向の傾きを調整できます。

1 Q.197手順5、またはQ.198手順3の画面で<編集>をタップし、

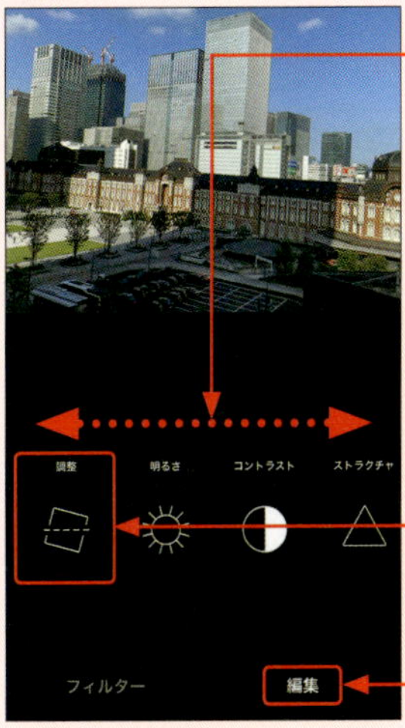

2 編集ツールを左右にスワイプして、

3 <調整>をタップします。

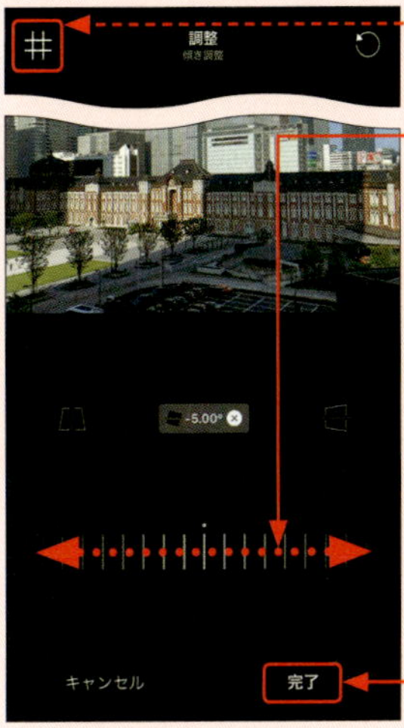

4 スライダーを左右にドラッグして傾きを調整します。

iPhoneでは#をタップするとグリッドが表示され、タップするごとに細かくなります。

5 <完了>をタップし、Q.197手順6～8を参考に投稿します。

写真の投稿

Q 205 » 写真をトリミングしたい！

A 編集ツールから<調整>をタップします。

写真を必要な範囲だけ写るようにトリミングしたいときは、編集ツールから<調整>をタップします。ピンチイン／ピンチアウトして、収めたい部分を調整します。

1 Q.197手順5、またはQ.198手順3の画面で<編集>をタップし、

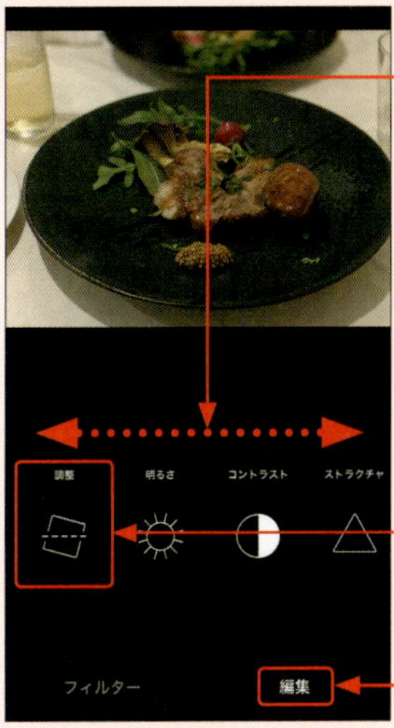

2 編集ツールを左右にスワイプして、

3 <調整>をタップします。

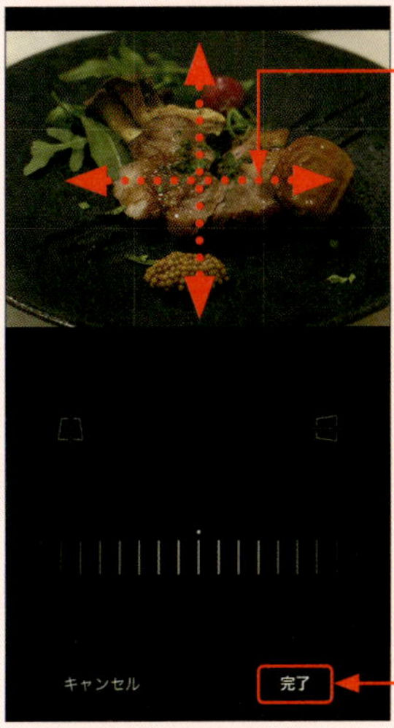

4 写真をピンチイン／ピンチアウトして写したい部分を調整します。

5 <完了>をタップし、Q.197手順6～8を参考に投稿します。

Q 写真の投稿 ★★★★★

206 » 動画を撮影して投稿するには？

A ◯を長押しして撮影します。

動画を撮影して投稿したいときは、カメラの撮影画面で◯をタップし続けます。指を離すと撮影が終了します。動画の長さは最大60秒までで、リール動画として投稿されます（Q.237参照）。編集画面では、必要な範囲だけトリミングしたり、テキストやエフェクトを加えたりするなどの操作が行えます。

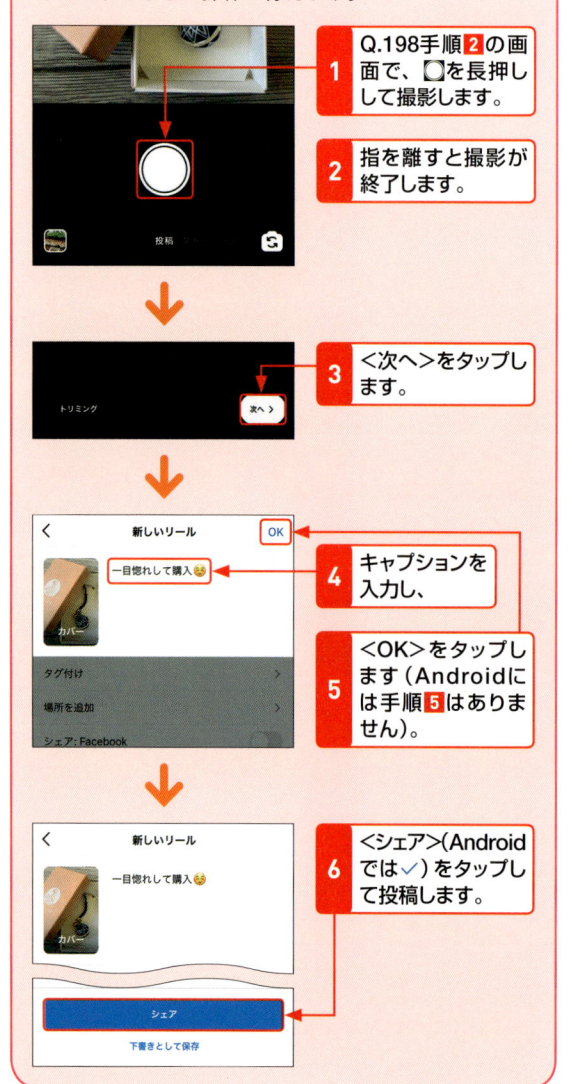

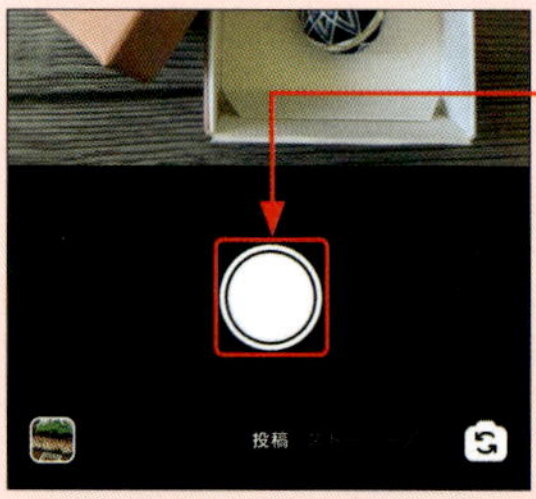

1 Q.198手順2の画面で、◯を長押しして撮影します。

2 指を離すと撮影が終了します。

3 ＜次へ＞をタップします。

4 キャプションを入力し、

5 ＜OK＞をタップします（Androidには手順5はありません）。

6 ＜シェア＞（Androidでは✓）をタップして投稿します。

Q 写真の投稿 ★★★★★

207 » ハッシュタグを付けて投稿したい！

A キャプションに「#」＋「キーワード」を入力します。

「ハッシュタグ」とは、写真や投稿を検索する際のキーワードとなる語句のことです。ハッシュタグを付けて投稿するには、キャプションの入力ボックスに「#」（半角のシャープ）＋「キーワード」を入力します。キーワードを入力すると表示される候補からハッシュタグを選択することもできます。

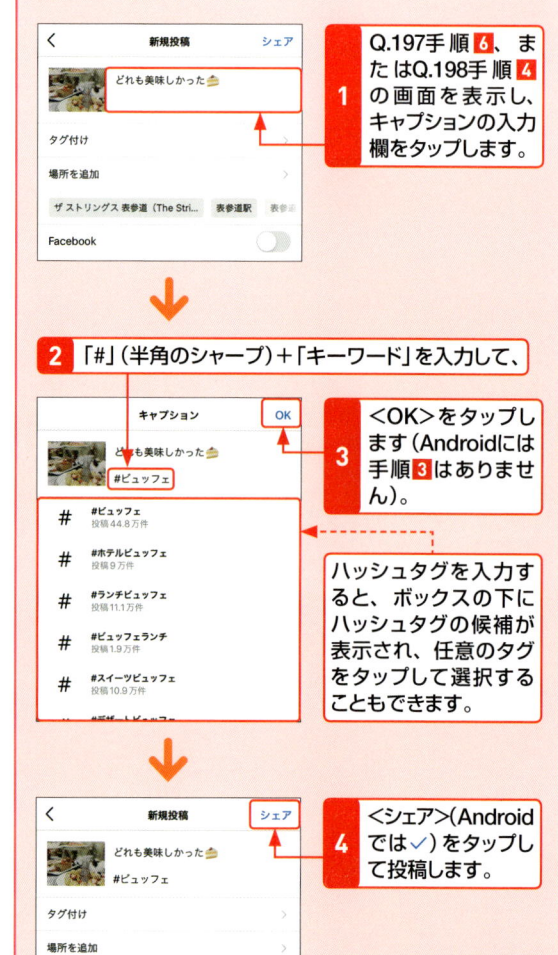

1 Q.197手順6、またはQ.198手順4の画面を表示し、キャプションの入力欄をタップします。

2 「#」（半角のシャープ）＋「キーワード」を入力して、

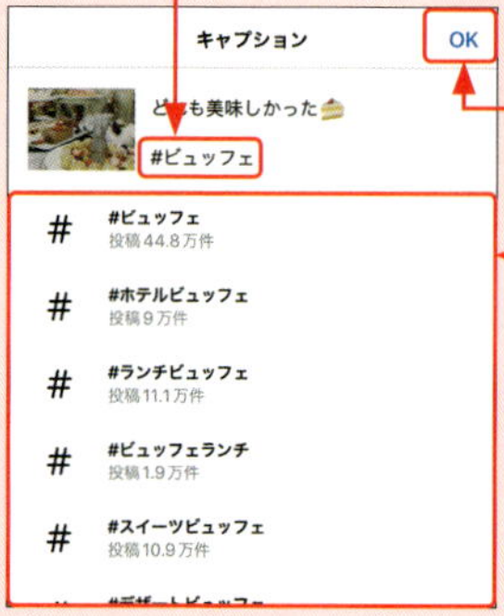

3 ＜OK＞をタップします（Androidには手順3はありません）。

ハッシュタグを入力すると、ボックスの下にハッシュタグの候補が表示され、任意のタグをタップして選択することもできます。

4 ＜シェア＞（Androidでは✓）をタップして投稿します。

Q 写真の投稿 ★★★★★

208 » 写真に「タグ付け」して一緒にいる人を伝えたい!

A <タグ付け>をタップして設定します。

「タグ付け」は、投稿した写真に、ほかのユーザー名を表示することができる機能です。いっしょにいた友達や被写体にかかわる友達などをタグ付けすると、写真にユーザー名が表示され、ユーザー名をタップすると、そのユーザーの「プロフィール」画面が表示されます。

1 Q.197手順6、またはQ.198手順4の画面を表示し、<タグ付け>(Androidでは<人物をタグ付け>)をタップします。

2 タグを付けたい位置をタップします。

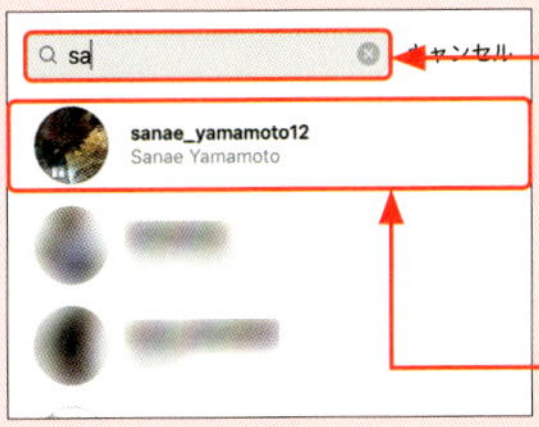

3 入力ボックスにユーザー名を入力し、

4 一覧からタグ付けするユーザー名をタップします。

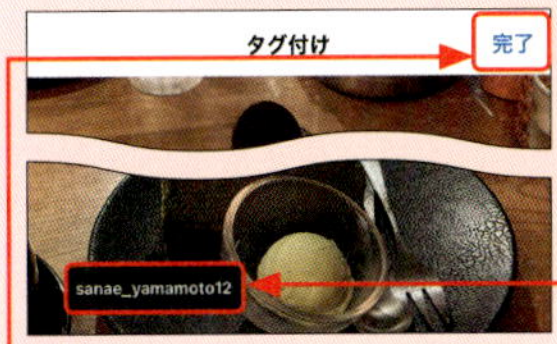

5 タグ付けされます。

6 <完了>→<シェア>(Androidでは✓→✓)の順にタップします。

Q 写真の投稿 ★★★★★

209 » 写真に場所を付けて投稿したい!

A <場所を追加>をタップして設定します。

写真に場所を付けて投稿したいときは、<場所を追加>をタップします。位置情報の利用が有効になっている場合は、現在地や写真の撮影地から近いスポットが一覧表示されますが、場所を検索して指定することも可能です。場所を付けて投稿すると、同じ場所で撮影された写真が見つけやすくなるため便利です。

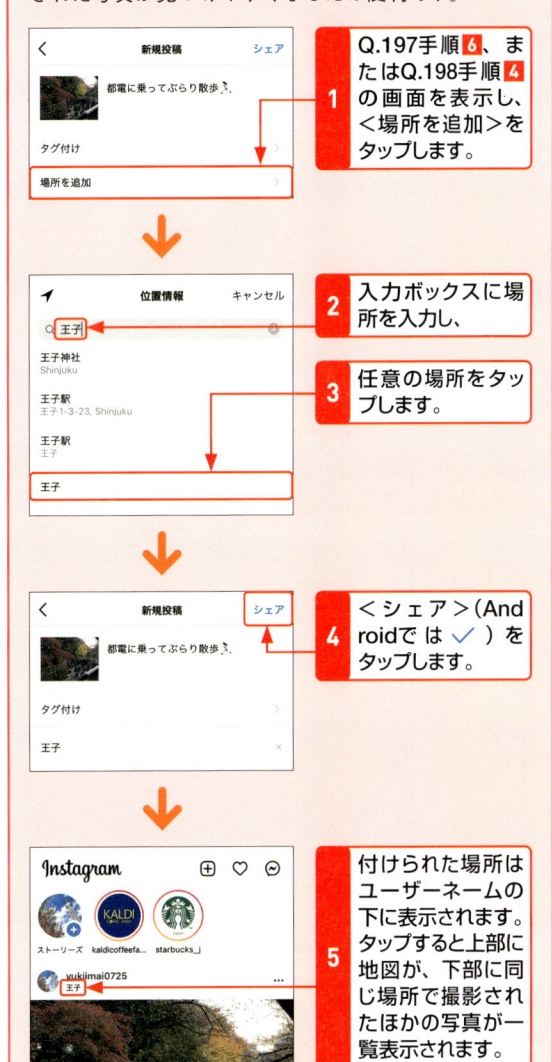

1 Q.197手順6、またはQ.198手順4の画面を表示し、<場所を追加>をタップします。

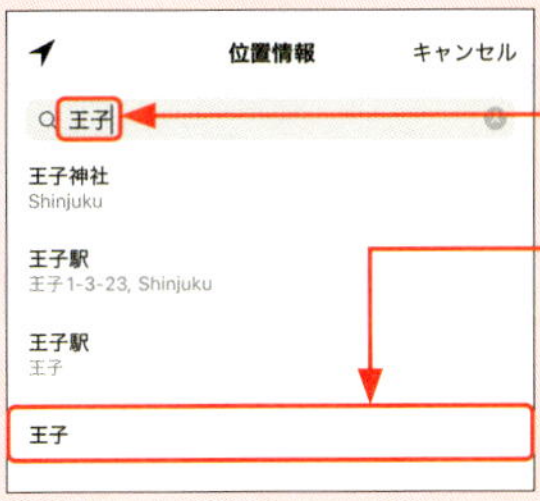

2 入力ボックスに場所を入力し、

3 任意の場所をタップします。

4 <シェア>(Androidでは✓)をタップします。

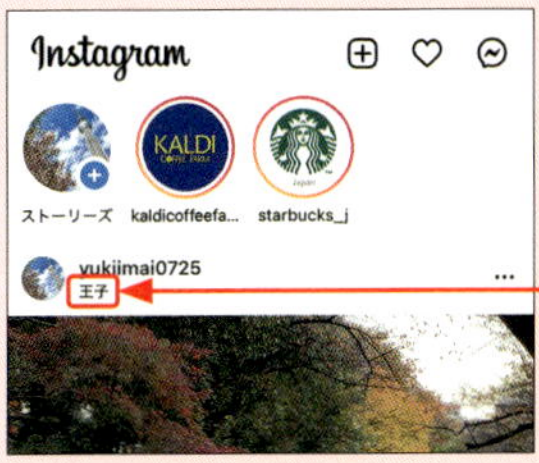

5 付けられた場所はユーザーネームの下に表示されます。タップすると上部に地図が、下部に同じ場所で撮影されたほかの写真が一覧表示されます。

Q 写真の投稿 ★★★★★

210 » 特定の投稿を非公開にするには？

A 投稿の…→<アーカイブする>の順にタップします。

特定の投稿を非公開にしたいときは、投稿をアーカイブしましょう。「プロフィール」タブから非公開にしたい投稿をタップし、…→<アーカイブする>の順にタップします。「プロフィール」タブに表示されなくなりますが、投稿は削除されたわけではなく、あとから確認したり、再表示させたりすることもできます。

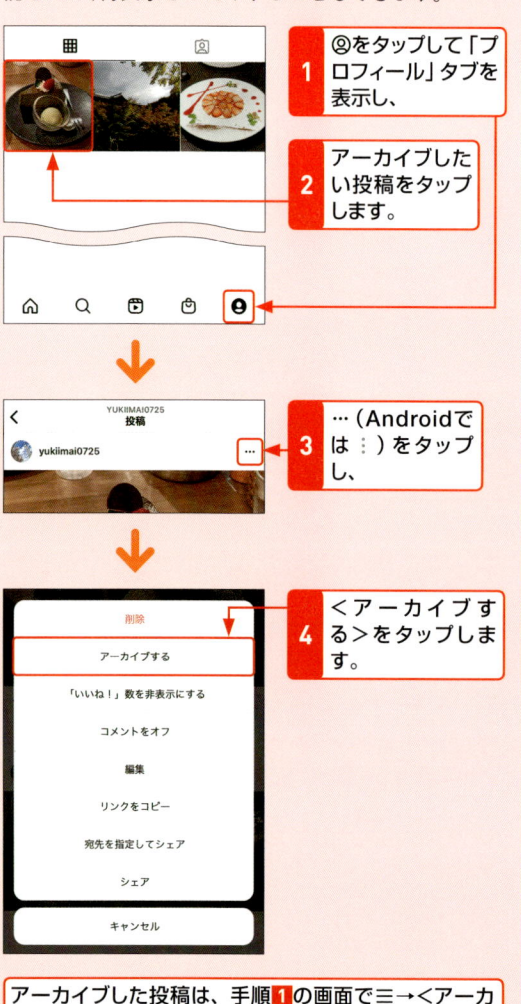

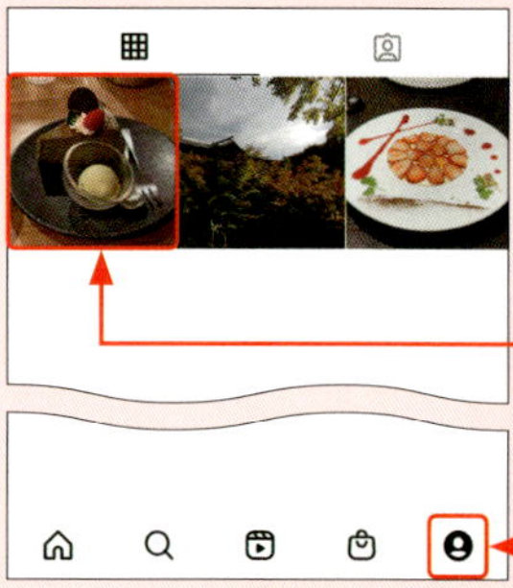

1 ◎をタップして「プロフィール」タブを表示し、

2 アーカイブしたい投稿をタップします。

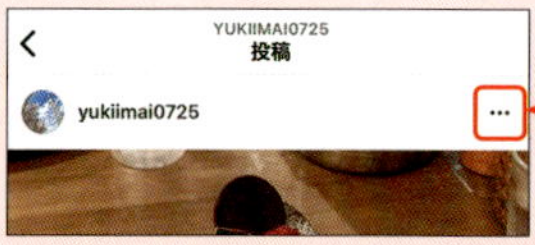

3 …（Androidでは ⋮ ）をタップし、

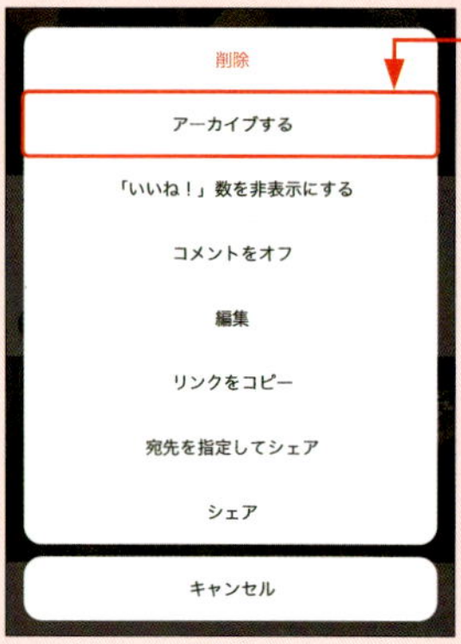

4 <アーカイブする>をタップします。

アーカイブした投稿は、手順1の画面で☰→<アーカイブ>→<ストーリーズアーカイブ>→<投稿アーカイブ>の順にタップすると確認できます。

Q 写真の投稿 ★★★★★

211 » 投稿を削除するには？

A 投稿の…→<削除>の順にタップします。

すでに投稿した写真を削除したいときは、「プロフィール」タブから削除したい投稿をタップし、…→<削除>の順にタップします。再度、<削除>をタップすると投稿が削除されます。なお、投稿を削除せず、ほかの人から見られないようにしたい場合は、<アーカイブする>をタップします（Q.210参照）。

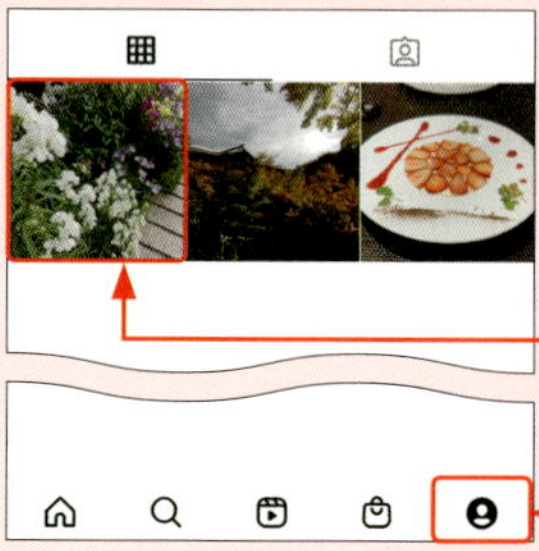

1 ◎をタップして「プロフィール」タブを表示し、

2 削除したい投稿をタップします。

3 …（Androidでは ⋮ ）をタップし、

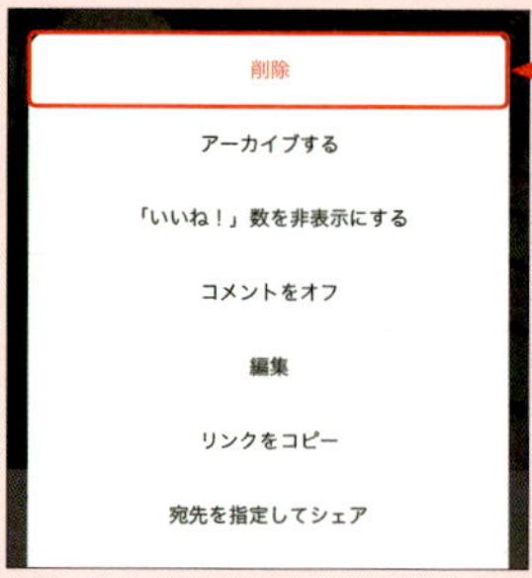

4 <削除>をタップします。

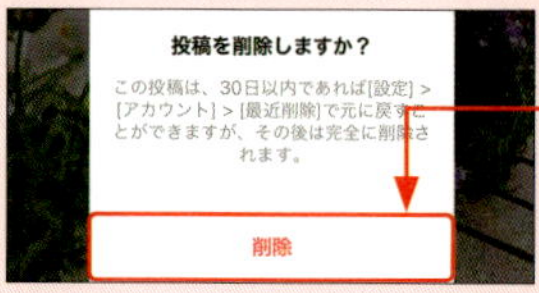

5 <削除>をタップすると、投稿が削除されます。

Q 写真の投稿

212 » 閲覧した写真に「いいね！」したい！

A 投稿の♡をタップします。

ほかの人の投稿に「いいね！」したいときは、投稿の♡をタップします。「いいね！」すると♡が❤に変わり、投稿者にも「いいね！」したことが通知されます。「いいね！」の部分をタップすると、「いいね！」したユーザーを一覧で確認できます。

1 ♡をタップします。

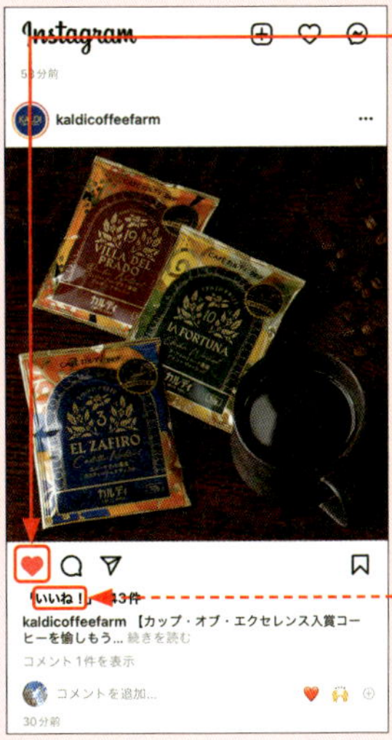

2 ❤に変わり、「いいね!」が完了します。

<いいね!>をタップすると、「いいね!」したユーザーが一覧で表示されます。

Q 写真の投稿

213 » 「いいね！」した投稿を確認したい！

A 「アカウント」画面の<「いいね！」した投稿>をタップします。

自分が「いいね！」した投稿を確認したいときは、「プロフィール」タブで☰→<設定>→<アカウント>→<「いいね！」した投稿>の順にタップします。これまでに「いいね！」した投稿が一覧で表示されます。それぞれの投稿をタップすると、投稿が表示されます。

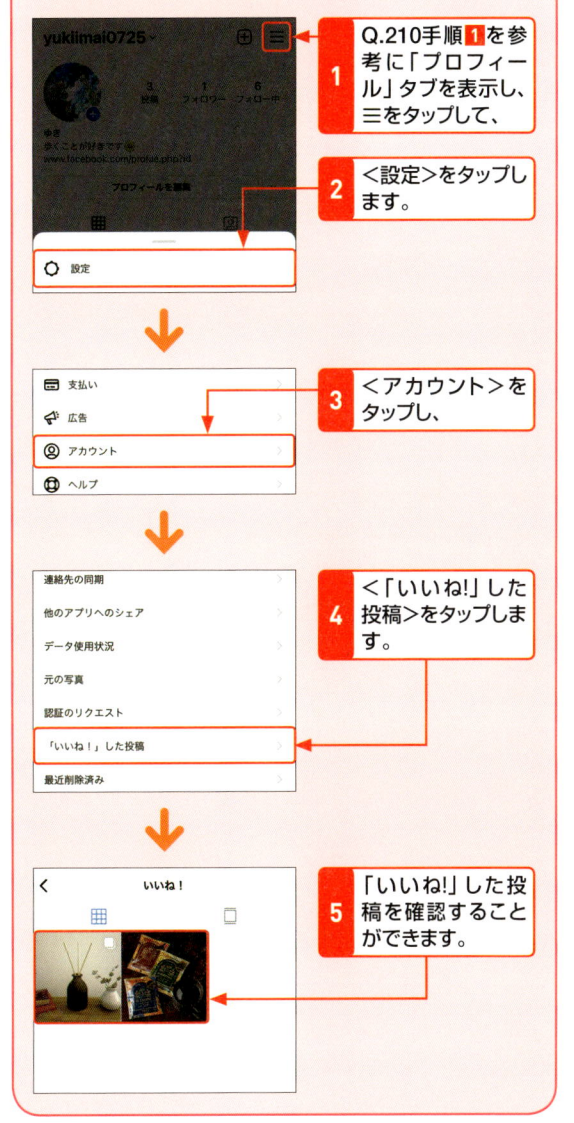

1 Q.210手順1を参考に「プロフィール」タブを表示し、☰をタップして、

2 <設定>をタップします。

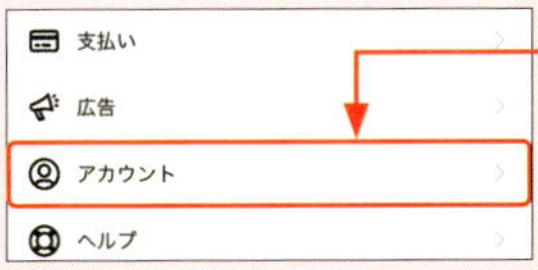

3 <アカウント>をタップし、

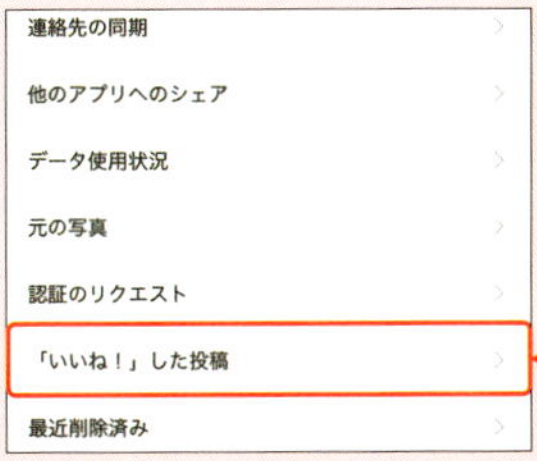

4 <「いいね!」した投稿>をタップします。

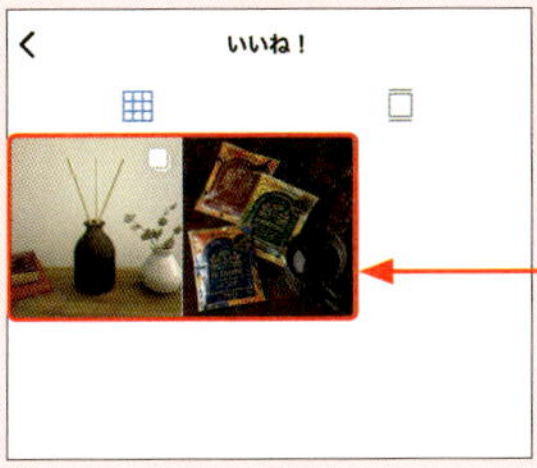

5 「いいね!」した投稿を確認することができます。

Q 写真の投稿 ★★★★★

214 » 閲覧した写真にコメントするには？

A 投稿のQをタップします。

ほかの人の投稿にコメントしたいときは、投稿のQをタップし、コメントを入力して、<投稿する>（Androidでは☑）をタップします。入力したコメントは写真の下部に表示され、誰でも見ることができます。

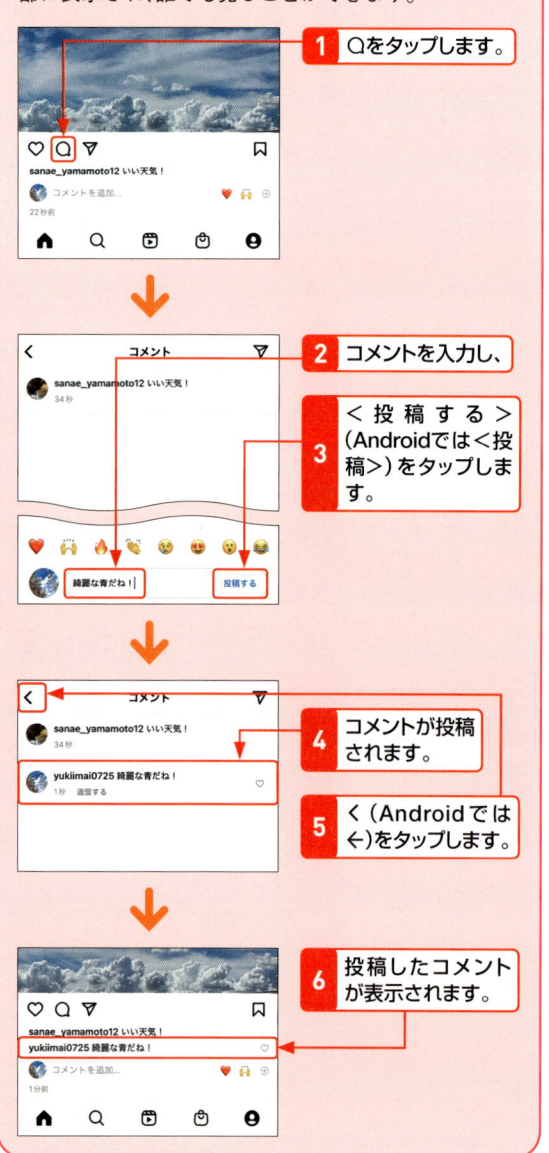

1 Qをタップします。

2 コメントを入力し、

3 ＜投稿する＞（Androidでは＜投稿＞）をタップします。

4 コメントが投稿されます。

5 ＜（Androidでは←）をタップします。

6 投稿したコメントが表示されます。

Q 写真の投稿 ★★★★★

215 » 届いたコメントに返信したい！

A 届いたコメントをタップして返信します。

自分の投稿にコメントが付くと通知が届きます。通知をタップすると、誰からどのようなコメントが届いたかを確認できます。そのコメントに返信したいときは、投稿を表示し、<返信する>をタップします。

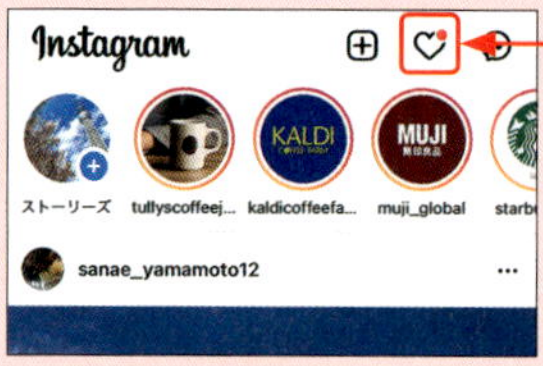

1 自分の投稿にコメントが付くと通知が届くので、「ホーム」タブで♡をタップし、

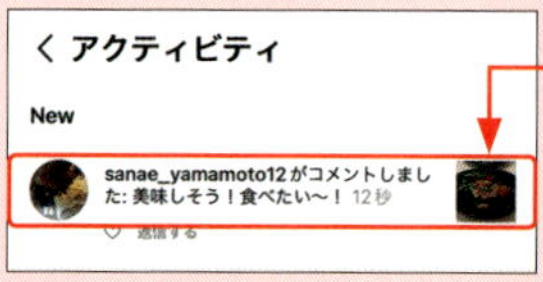

2 通知をタップします。

3 ＜返信する＞（Androidでは＜返信＞）をタップします。

4 コメントを入力し、

5 ＜投稿する＞（Androidでは＜投稿＞）をタップします。

6 コメントに返信できます。

Q 216 写真の投稿 ★★★★★

ほかの人の投稿をコレクションに保存するには？

A 投稿の⌑をタップします。

気に入った投稿をいつでもかんたんに見られるようにするには、「コレクションに保存」しておくとよいでしょう。投稿の⌑をタップすると投稿が保存されます。保存された投稿は、「プロフィール」タブで☰→＜保存済み＞の順にタップして確認することができます。

1 投稿の写真の⌑をタップします。

長押しすると、保存先を指定したり新規に作成したりすることができます。

2 ■に変わり、ブックマークが設定されます。

もう一度タップすると取り消されます。

3 Q.210手順1を参考に「プロフィール」タブを表示し、☰をタップして、

4 ＜保存済み＞をタップすると、

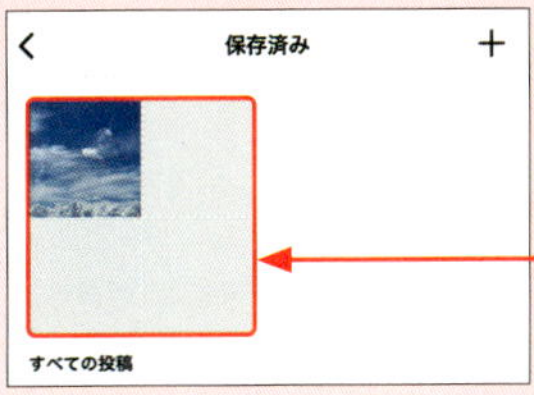

5 コレクションに保存した投稿を確認できます。

Q 217 写真の投稿 ★★★★★

コレクションに保存した投稿を整理したい！

A 「保存済み」画面で＋をタップします。

コレクションに保存した投稿を整理したいときは、ジャンルごとに分けると便利です。ジャンルごとに名前の付いたコレクションを作成できるので、目的の投稿をすぐに見つけることができます。「プロフィール」タブで☰→＜保存済み＞の順にタップし、＋をタップして作成します。

1 Q.216手順5の画面で＋をタップします。

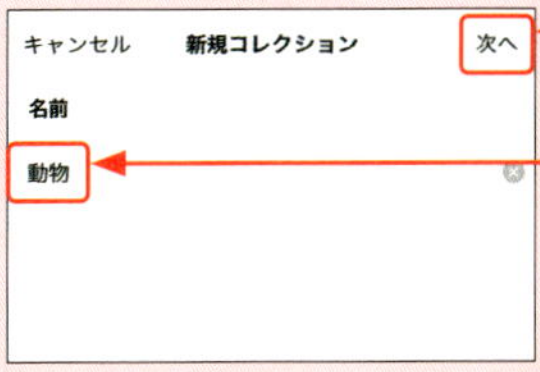

2 コレクション名を入力し、

3 ＜次へ＞をタップします。

4 コレクションに追加したい画像をタップして選択し、

5 ＜完了＞をタップします。

Androidでは画像を選択して＜次へ＞をタップし、コレクション名を入力して＜追加する＞をタップします。

6 コレクションが作成されます。

Q 写真の投稿 ★★★★★

218 » コレクションを編集するには？

A 「保存済み」画面から行います。

作成したコレクションは、コレクション名やカバー画像を変更できるほか、新たな投稿を追加したり、不要なコレクションを削除したりすることができます。コレクションを編集したいときは、コレクションをタップし、…をタップして表示されるメニューから行います。

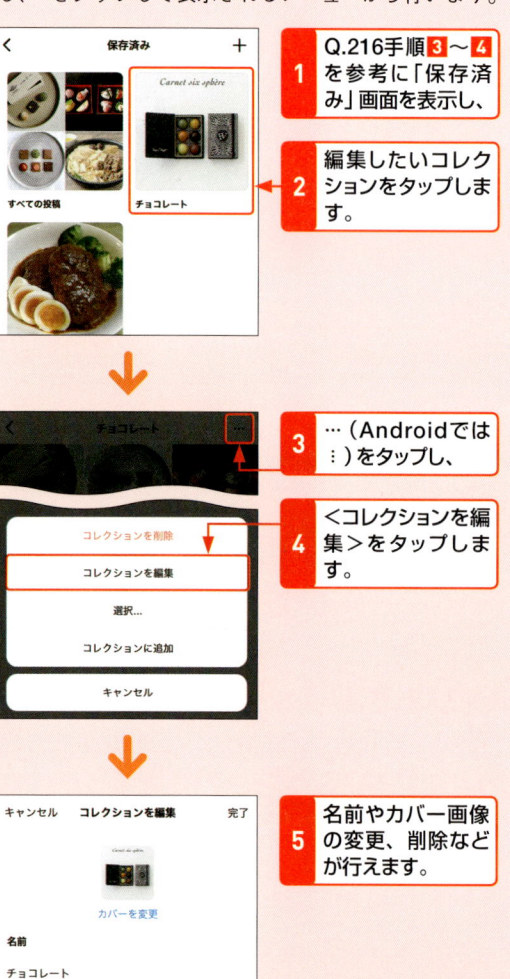

1 Q.216手順3～4を参考に「保存済み」画面を表示し、

2 編集したいコレクションをタップします。

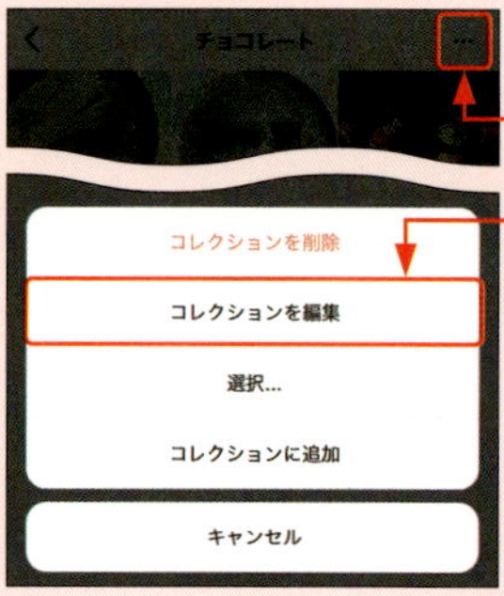

3 …（Androidでは⋮）をタップし、

4 <コレクションを編集>をタップします。

5 名前やカバー画像の変更、削除などが行えます。

コレクションを削除しても、投稿は保存されたままになります。

Q 写真の投稿 ★★★★★

219 » 検索履歴を削除したい！

A 履歴の×をタップします。

「検索」タブで検索を行うと、その情報が検索履歴として保存されます。ほかの人に見られたくないときやすっきりさせたいときは、検索履歴の×をタップして削除しましょう。一つ一つ削除できるほか、一括して削除することもできます。

1 🔍をタップして「検索」タブを表示し、

2 検索ボックスをタップします。

3 検索履歴の×をタップすると、

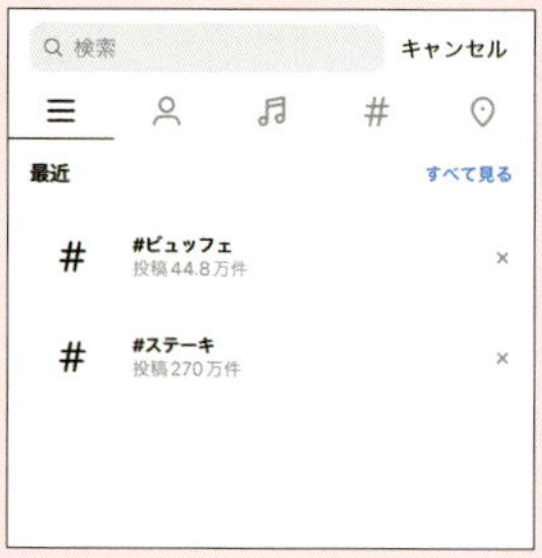

4 履歴が削除されます。

手順3で<すべて見る>→<すべてクリア>→<すべてクリア>の順にタップすると、すべての履歴をまとめて削除することができます。

第3章

Instagramの便利機能

Q 写真投稿の関連アプリ ★★★★★

220 » コラージュ写真を投稿するには？

A **<Layout from Instagram>アプリでコラージュ写真を作成します。**

写真を複数枚組み合わせて1枚の写真にする「コラージュ」で投稿したいときは、<Layout from Instagram>アプリをインストールする必要があります。写真の選択やレイアウトの設定は<Layout from Instagram>アプリから行い、そのまま<Instagram>アプリに引き継いで投稿することができます。

1 <Layout from Instagram>アプリをインストールして起動します。

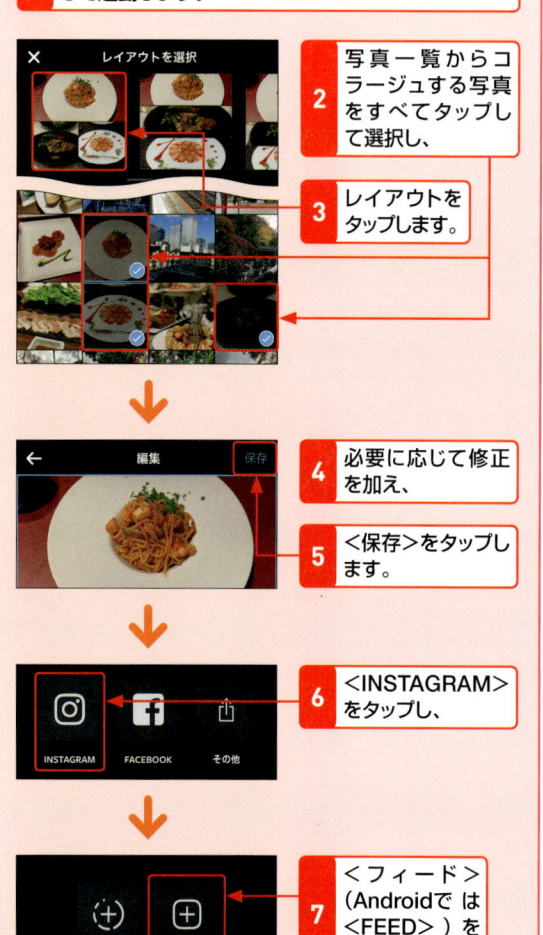

2 写真一覧からコラージュする写真をすべてタップして選択し、

3 レイアウトをタップします。

4 必要に応じて修正を加え、

5 <保存>をタップします。

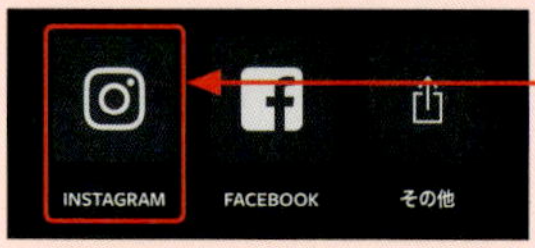

6 <INSTAGRAM>をタップし、

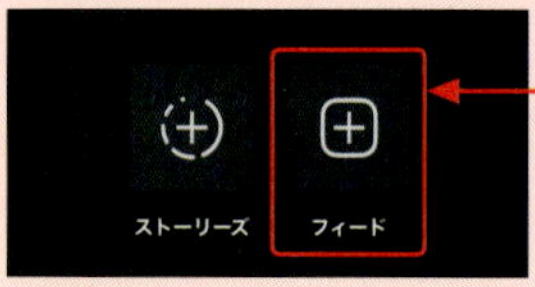

7 <フィード>（Androidでは<FEED>）をタップします。

Q ダイレクトメッセージ ★★★★★

221 » ダイレクトメッセージで特定の人に写真を送信するには？

A **をタップし、宛先を指定して写真を送信します。**

「ダイレクトメッセージ」は、特定のユーザーに直接メッセージや写真を送信してやり取りする機能です。ダイレクトメッセージでは、文字や写真だけでなく、ダブルタップして「いいね！」を付けることもできます。

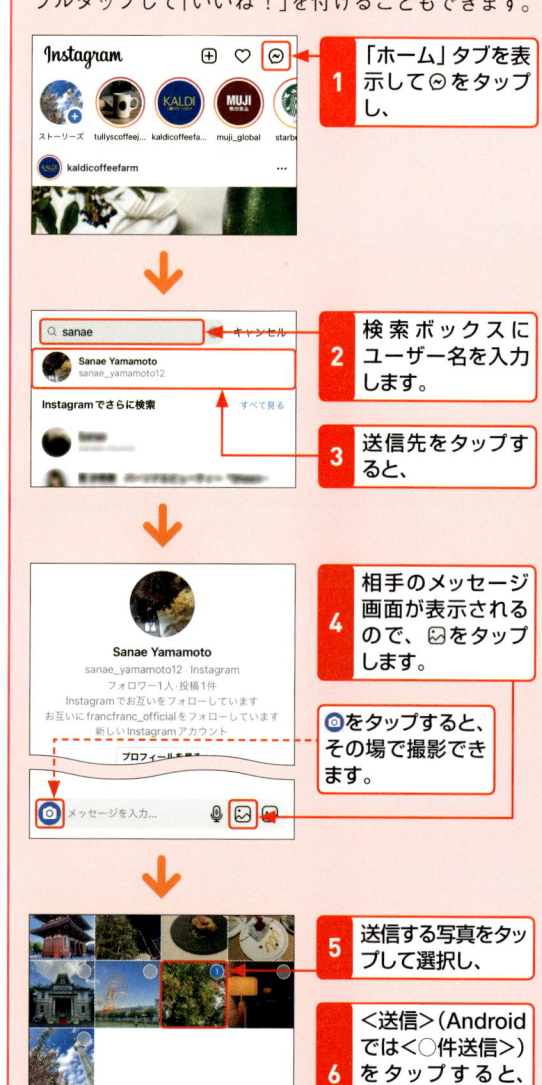

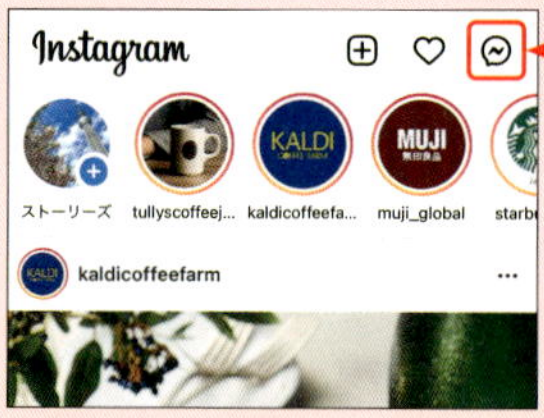

1 「ホーム」タブを表示してをタップし、

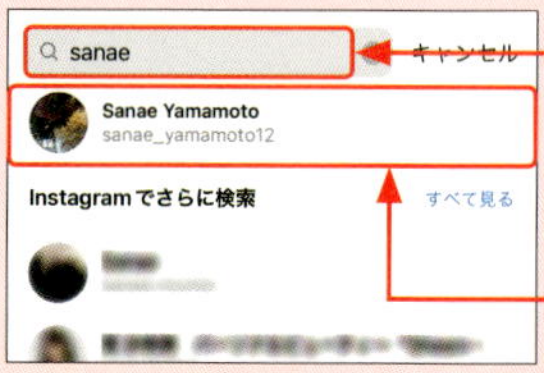

2 検索ボックスにユーザー名を入力します。

3 送信先をタップすると、

4 相手のメッセージ画面が表示されるので、をタップします。

をタップすると、その場で撮影できます。

5 送信する写真をタップして選択し、

6 <送信>（Androidでは<○件送信>）をタップすると、写真が送信されます。

ダイレクトメッセージ ★★★★★

Q 222 ダイレクトメッセージで特定の人にメッセージを送信するには？

A をタップし、宛先を指定してメッセージを送信します。

ダイレクトメッセージで特定のユーザーにメッセージを送信したいときは、をタップし、宛先を指定してメッセージを入力して送信します。また、ダイレクトメッセージは、フォローしていないユーザーに対しても送信することができます。

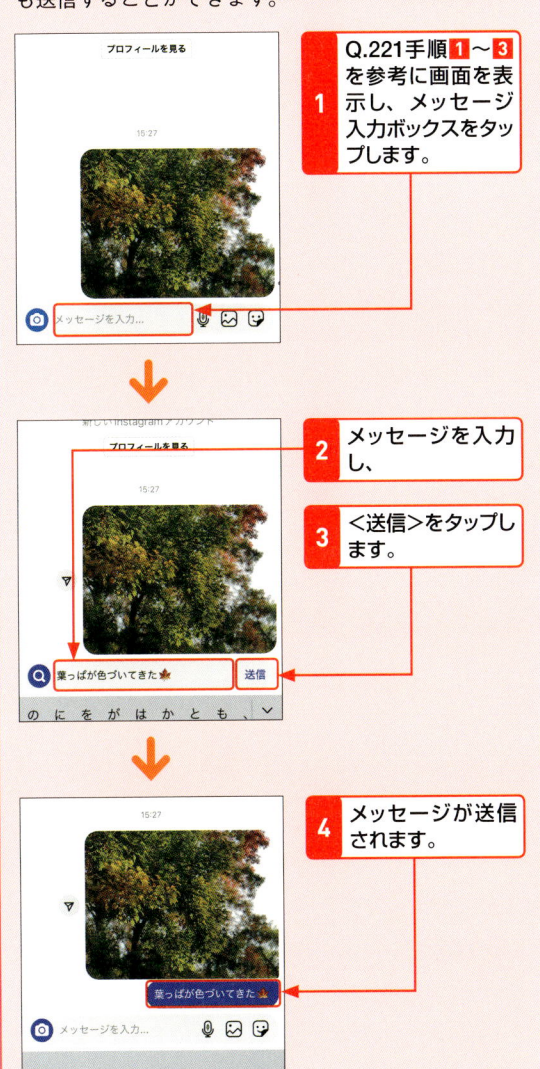

1 Q.221手順1～3を参考に画面を表示し、メッセージ入力ボックスをタップします。

2 メッセージを入力し、

3 ＜送信＞をタップします。

4 メッセージが送信されます。

ダイレクトメッセージ ★★★★★

Q 223 送信済のダイレクトメッセージを取り消すには？

A 取り消したいメッセージを長押しして＜送信を取り消す＞をタップします。

ダイレクトメッセージで誤字のまま送信してしまったなど、メッセージを取り消したい場合は、取り消したいメッセージを長押しします。表示されたメニューから＜送信を取り消す＞をタップすると、メッセージが取り消されます。

1 Q.221手順1～3を参考に画面を表示し、取り消したいメッセージを長押しします。

2 ＜送信を取り消す＞をタップします。

3 メッセージの送信が取り消されます。

Q ダイレクトメッセージ ★★★★★

224 » 消える写真を送るには？

A ◎をタップして写真を選択します。

ダイレクトメッセージでは、相手が閲覧すると消える写真を送ることができます。メッセージ画面で入力ボックスの◎をタップし、送りたい画像をタップして設定します。閲覧回数は、一度閲覧したら消える「1回表示」、2回まで閲覧可能な「リプレイを許可」、閲覧制限がない「チャットに保存」の3種類があります。

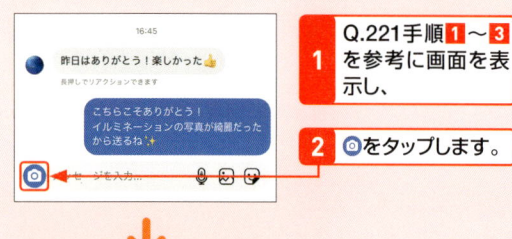

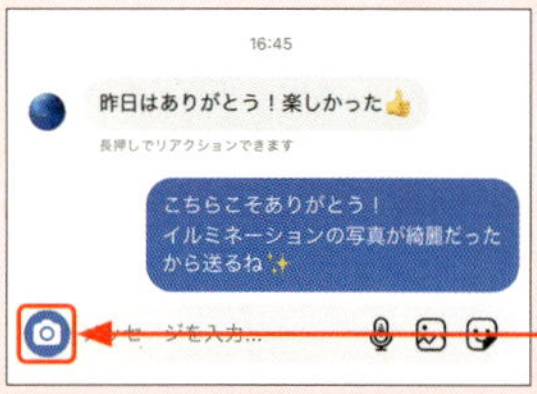

1 Q.221手順1～3を参考に画面を表示し、

2 ◎をタップします。

3 左下のサムネイルをタップし、

4 送信したい写真をタップします。

その場で撮った写真を送ることもできます。

5 左下をタップして（Androidでは写真の下を左右にスライドして）「1回表示」または「リプレイを許可」にし、

6 <送信>をタップします。

Q ダイレクトメッセージ ★★★★★

225 » 消えるメッセージを送るには？

A メッセージ画面を上方向にスワイプします。

「消えるメッセージモード」機能を利用してメッセージを送信すると、相手がメッセージを開封したあとは該当メッセージが削除され、再度閲覧することができなくなります。残したくないメッセージなどをやり取りする際に便利です。メッセージ画面を上方向にスワイプすると黒い画面に切り替わり、「消えるメッセージモード」になります。

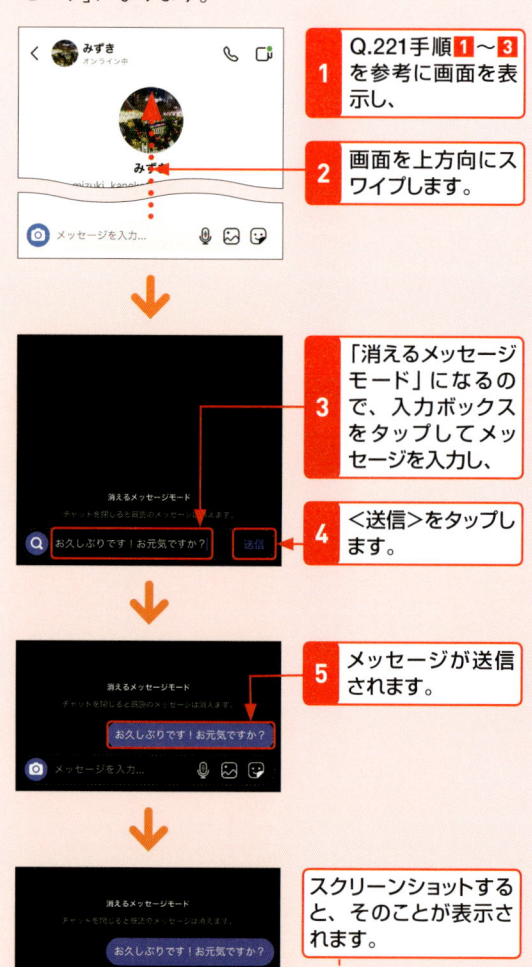

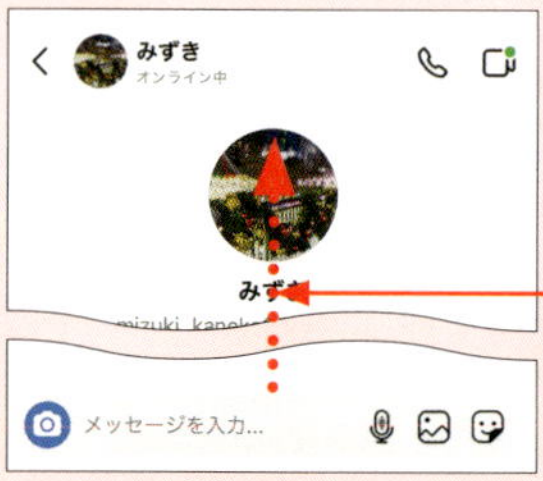

1 Q.221手順1～3を参考に画面を表示し、

2 画面を上方向にスワイプします。

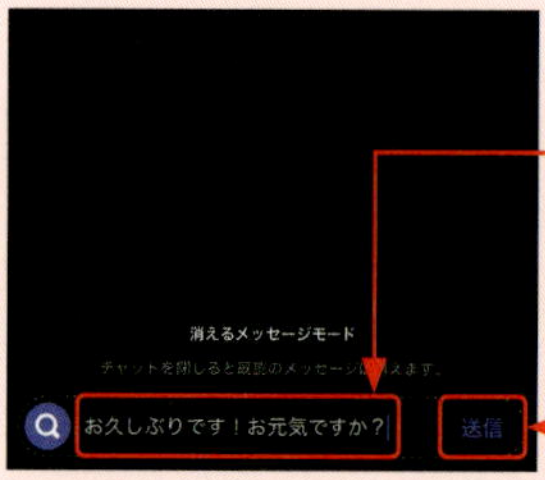

3 「消えるメッセージモード」になるので、入力ボックスをタップしてメッセージを入力し、

4 <送信>をタップします。

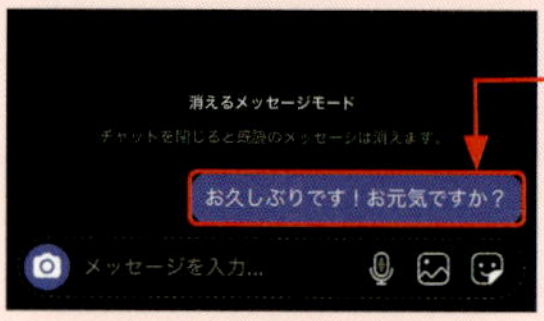

5 メッセージが送信されます。

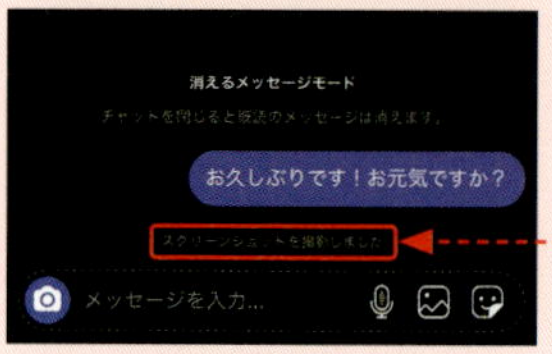

スクリーンショットすると、そのことが表示されます。

ストーリーズ ★★★★★

Q 226 » ストーリーズって何？

A タイムラインとは別に投稿やライブ配信ができる機能です。

ストーリーズは、「ホーム」タブの上部に表示され、タイムラインとは別に、投稿やライブ配信ができる機能です。ストーリーズへの投稿は24時間以内に削除され、ライブ配信は配信終了後に自動的に削除されます。リアルタイムな情報を発信したいときや、その反応を得たいときなどに便利な機能です。

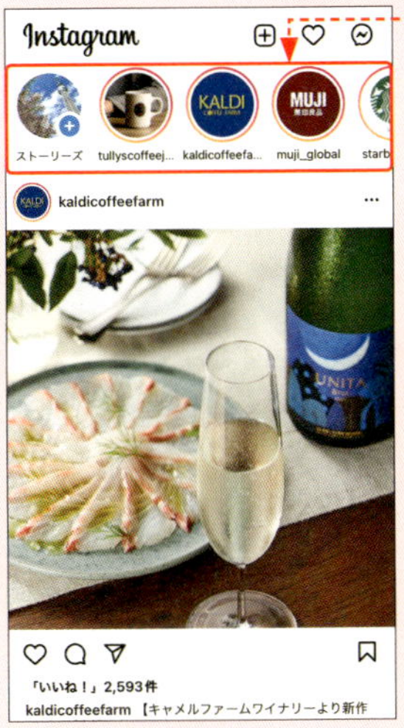

「ホーム」タブの上部に「ストーリーズ」が表示されるエリアがあります。

アイコンをタップすると、投稿やライブ配信を見ることができます。

ストーリーズ ★★★★★

Q 227 » ストーリーズに写真を投稿したい！

A ＜ストーリーズ＞をタップして投稿します。

ストーリーズに写真を投稿したいときは、「ホーム」タブで＜ストーリーズ＞をタップし、その場で撮影してストーリーズに送信します。投稿後24時間以内は、アイコンをタップするたびに、投稿した画像を見ることができます。

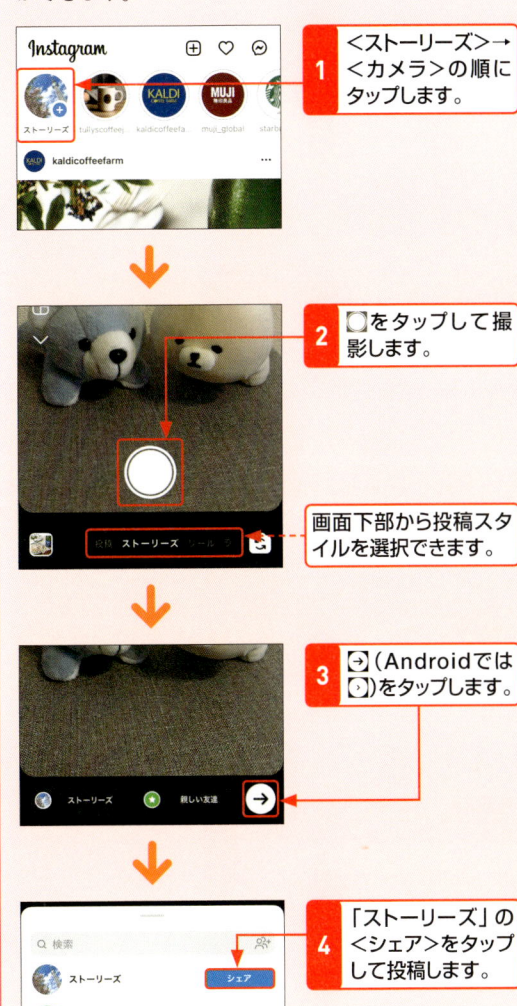

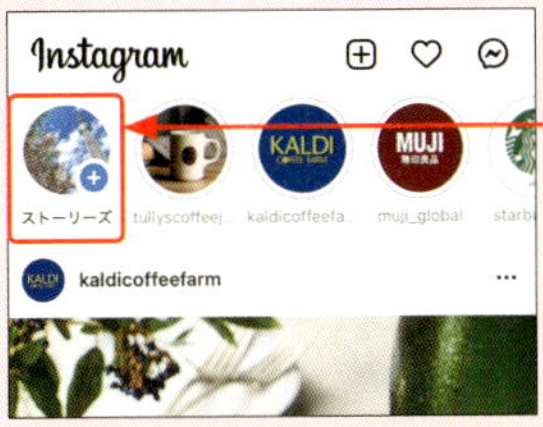

1 ＜ストーリーズ＞→＜カメラ＞の順にタップします。

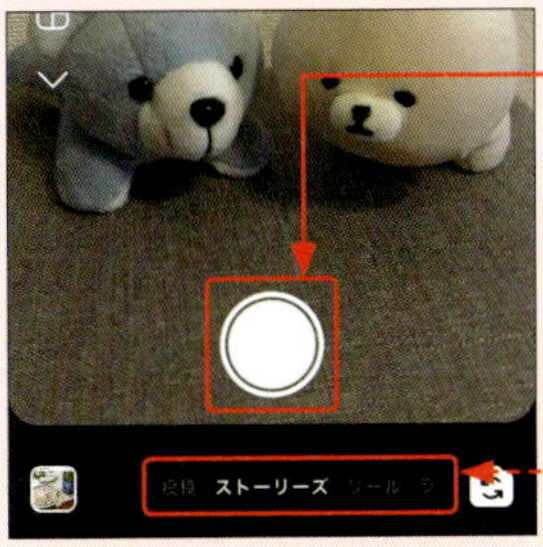

2 ◯をタップして撮影します。

画面下部から投稿スタイルを選択できます。

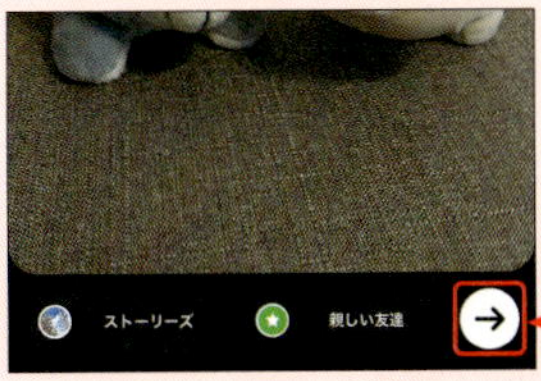

3 →（Androidでは›）をタップします。

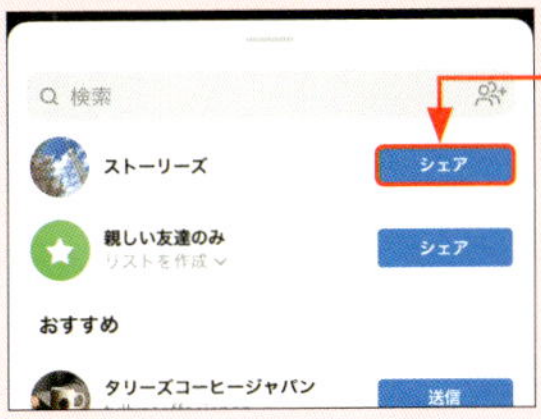

4 「ストーリーズ」の＜シェア＞をタップして投稿します。

Q ストーリーズ ★★★★★

228 » 写真をフィルターで加工してストーリーズに投稿するには？

A 写真撮影後に画面を左右にスワイプします。

ストーリーズにフィルターで加工した写真を投稿したいときは、撮影後の「編集」画面に表示されている写真を左右にスワイプします。スワイプするごとにフィルターの種類が変化するので、設定したいフィルターが決まるまでスワイプしましょう。

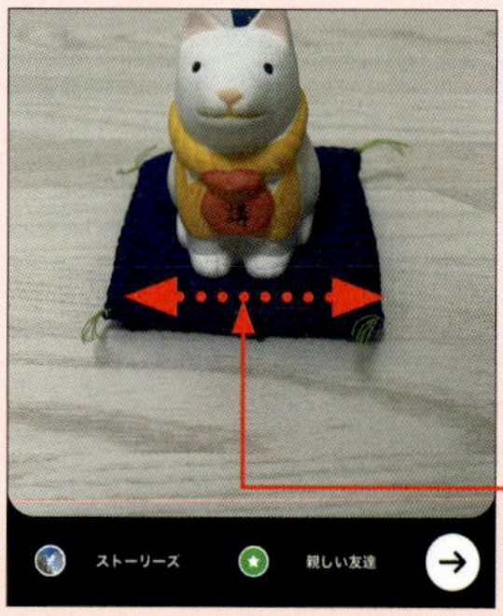

1 Q.227手順1〜2を参考にストーリーズに投稿する写真を撮影し、

2 画面を左右にスワイプして、フィルターを設定します。

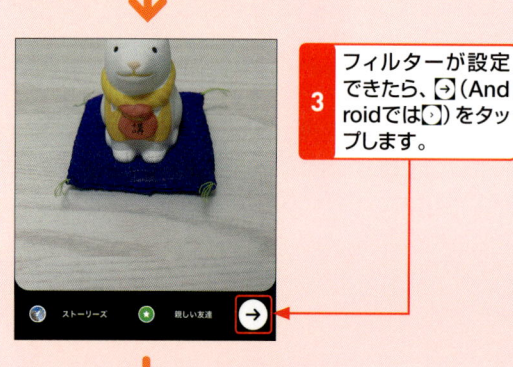

3 フィルターが設定できたら、➔（Androidでは➔）をタップします。

4 「ストーリーズ」の<シェア>をタップして投稿します。

Q ストーリーズ ★★★★★

229 » 写真に文字を入力して投稿するには？

A 「編集」画面でAaをタップして文字を入力します。

ストーリーズに投稿する写真には、文字を入力することもできます。写真に文字を入力してストーリーズに投稿したいときは、Aaをタップして入力します。文字の色を選択したり、文字の大きさを変えたりすることもできます。

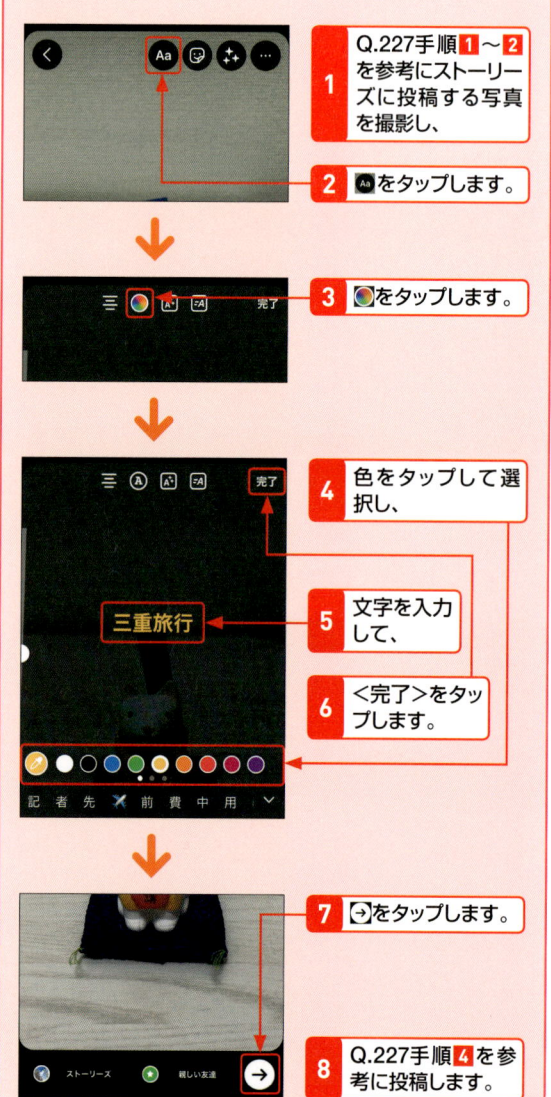

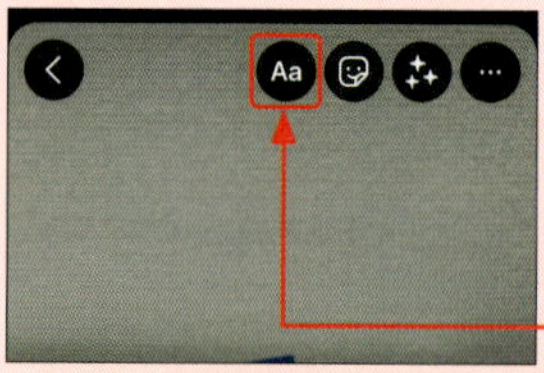

1 Q.227手順1〜2を参考にストーリーズに投稿する写真を撮影し、

2 Aaをタップします。

3 ●をタップします。

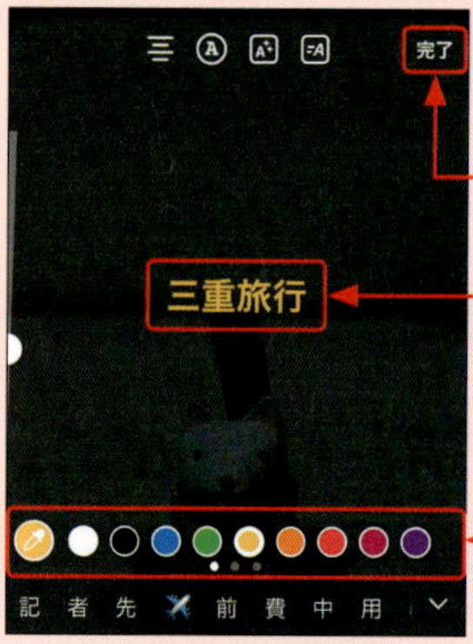

4 色をタップして選択し、

5 文字を入力して、

6 <完了>をタップします。

7 ➔をタップします。

8 Q.227手順4を参考に投稿します。

ストーリーズ ★★★★★

Q 230 » 撮影済みの写真を投稿したい！

A 本体に保存されている写真や動画を投稿できます。

ストーリーズには、撮影済みの写真も投稿することができます。<ストーリーズ>をタップすると、本体に保存されている写真や動画が表示されるので、投稿したい写真をタップします。<選択>をタップすると、複数の写真をまとめてストーリーズに投稿できます。

1 Q.227手順1を参考に画面を表示しておきます。

2 投稿する写真をタップします。

<選択>をタップして複数の写真をタップすると、まとめてストーリーズに投稿できます。

3 →（Androidでは⊙）をタップします。

4 Q.227手順4を参考に投稿します。

ストーリーズ ★★★★★

Q 231 » ストーリーズに動画を投稿したい！

A 撮影ボタンを長押しすると動画が撮影できます。

ストーリーズに動画を投稿したいときは、<ストーリーズ>をタップし、撮影ボタンを長押しして動画を撮影します。動画も写真と同じ手順でフィルターを設定したり、文字や線を追加したりすることができます。また、左側に表示されている∞をタップすると、10枚連射で写真を撮影し、1枚の動画にできる「ブーメラン」を投稿することができます。

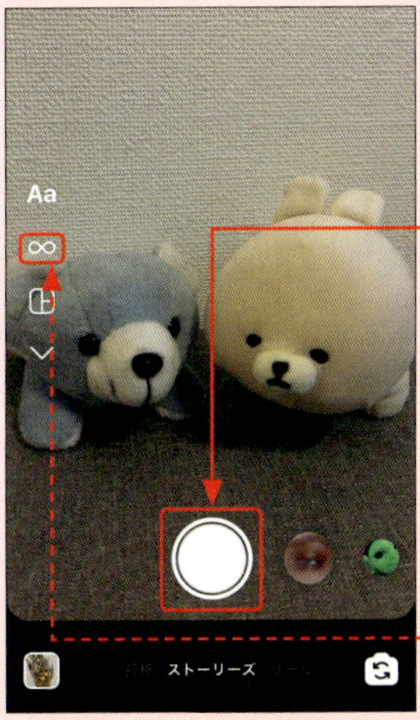

1 Q.227手順1を参考に画面を表示しておきます。

2 ◯を長押しして、動画を撮影します。

∞をタップすると、「ブーメラン」で投稿できます。

3 ◯から指を離すと、撮影が終了します。

4 →（Androidでは⊙）をタップします。

5 Q.227手順4を参考に投稿します。

Q ストーリーズ ★★★★★

232 » 投稿されたストーリーズにメッセージを送信したい！

A ユーザーアイコンをタップしてメッセージを送信します。

フォローしているユーザーがストーリーズを投稿すると、「ホーム」タブの上部にユーザーアイコンが表示されます。ユーザーアイコンをタップし、メッセージを入力して、<送信>をタップします。

1 ユーザーアイコンをタップします。

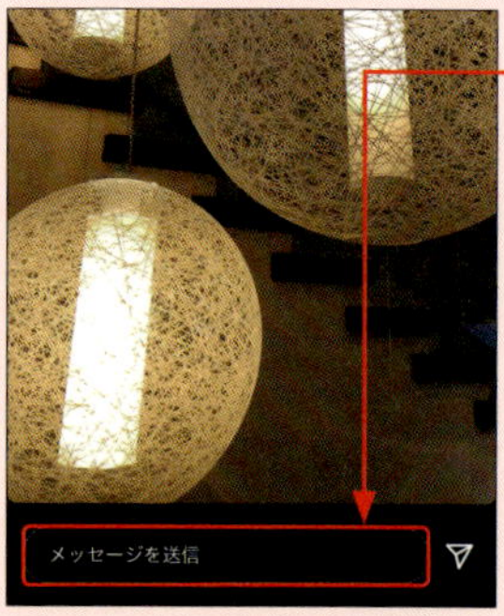

2 メッセージ入力ボックスをタップし、

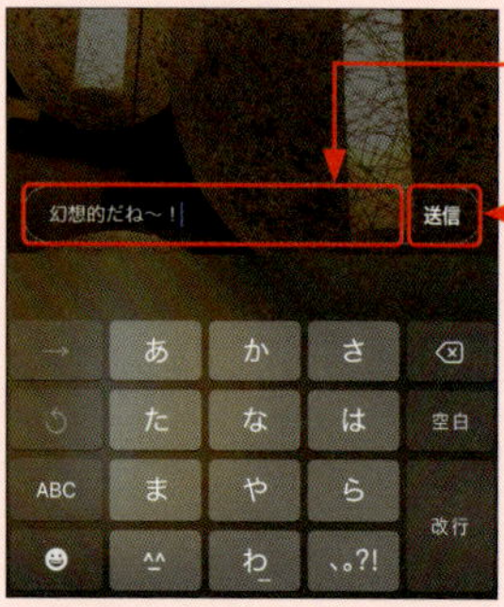

3 メッセージを入力して、

4 <送信>をタップします。

Q ストーリーズ ★★★★★

233 » ストーリーズに投稿した写真・動画を削除するには？

A 投稿したストーリーズの<その他>→<削除>の順にタップします。

ストーリーズを投稿すると、24時間で自動的に削除されます。それまでの間に削除したいときは、ストーリーズを表示し、<その他>→<削除>の順にタップします。

1 <ストーリーズ>をタップし、

2 <その他>をタップします。

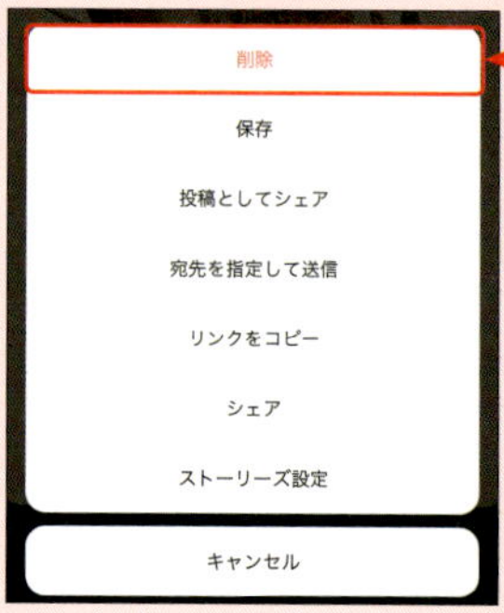

3 <削除>→<削除>の順にタップします。

Q 234 ストーリーズ ★★★★★

投稿したストーリーズをハイライトにして表示させたい！

A 投稿したストーリーズの<ハイライト>をタップします。

ストーリーズへの投稿は24時間が経つと自動的に消えてしまいますが、ストーリーズの<ハイライト>をタップすると、24時間が経過しても表示させることができます。ハイライトは「プロフィール」タブに表示され、あとから編集や削除も行えます（Q.235参照）。なお、24時間経過したあとにハイライトを閲覧した場合、足跡は残りません。

1 <ストーリーズ>をタップし、

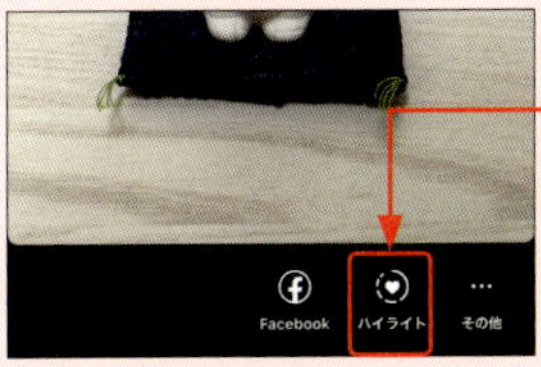

2 ハイライトにしたいストーリーズの<ハイライト>をタップします。

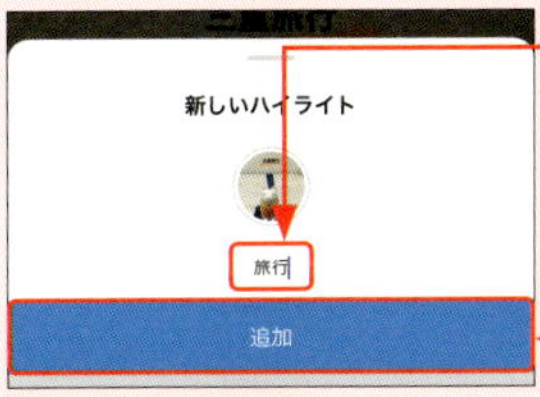

3 タイトルを入力し、

4 <追加>（Androidでは<追加する>）をタップします。

5 「プロフィール」タブに表示されます。

Q 235 ストーリーズ ★★★★★

ハイライトを編集・削除したい！

A 「プロフィール」タブでハイライトをタップして編集します。

ハイライトのタイトルを変えたり、ハイライトにあらたにストーリーズを追加したりしたいときは、ハイライトを編集しましょう。「プロフィール」タブでハイライトをタップし、<その他>→<ハイライトを編集>の順にタップします。なお、ハイライトを削除することもできます。

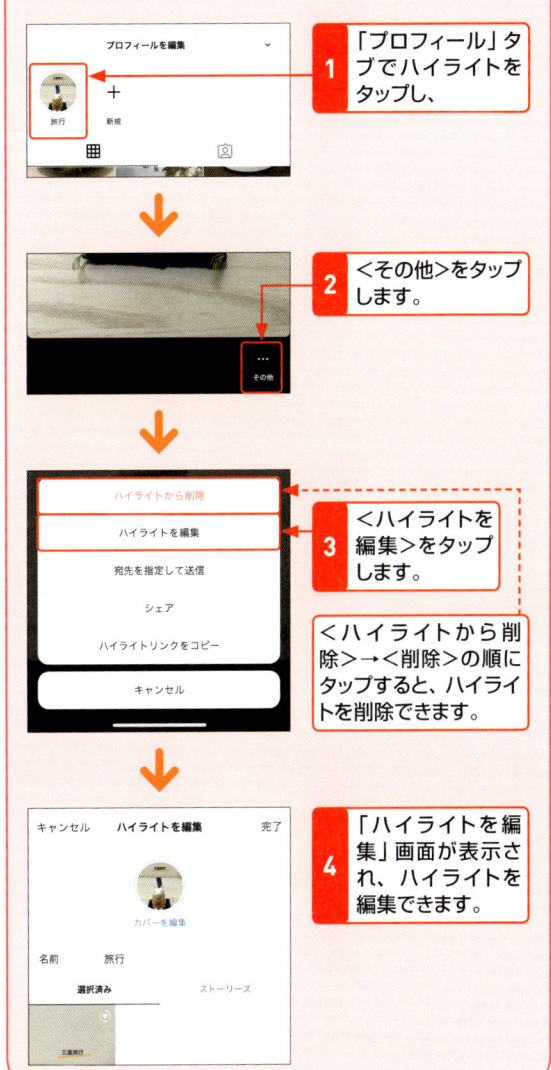

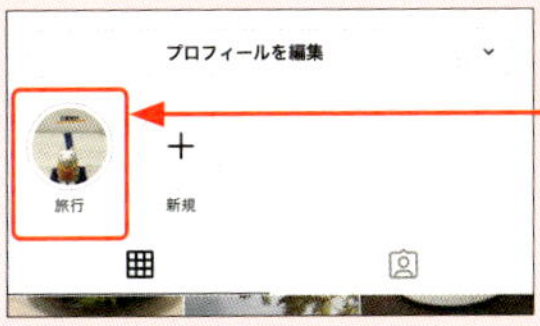

1 「プロフィール」タブでハイライトをタップし、

2 <その他>をタップします。

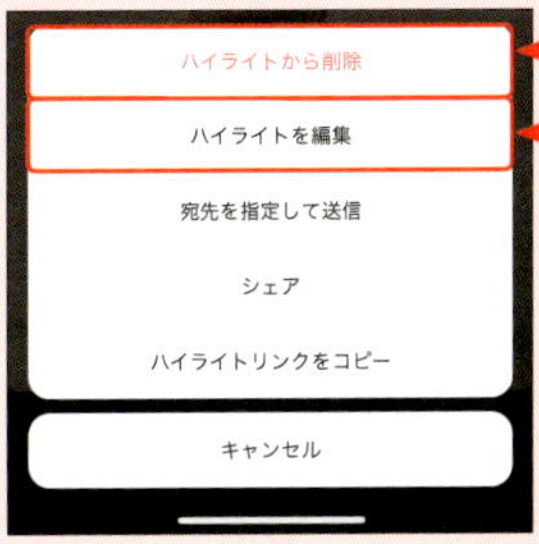

3 <ハイライトを編集>をタップします。

<ハイライトから削除>→<削除>の順にタップすると、ハイライトを削除できます。

4 「ハイライトを編集」画面が表示され、ハイライトを編集できます。

Q ストーリーズ ★★★★★

236 » 親しい友達リストを作成して限定公開するには？

A 「プロフィール」タブで☰→＜親しい友達＞の順にタップします。

仲のよい友達など、特定のフォロワーだけにストーリーズを公開したいときは、「親しい友達リスト」を作成しておくと便利です。自分が選択したユーザーしかストーリーズを閲覧できないようにできるため、限定公開したいときなどに重宝します。親しい友達リストは、「プロフィール」タブで☰→＜親しい友達＞の順にタップして作成します。

1 「プロフィール」タブで☰をタップし、

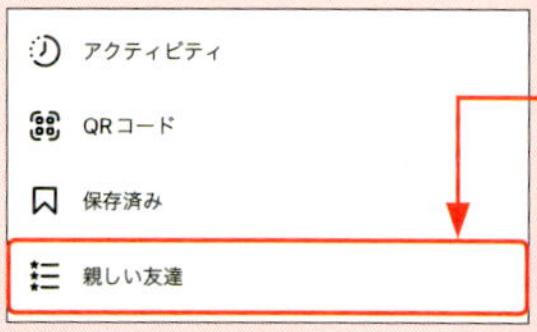

2 ＜親しい友達＞→＜スタート＞（Androidでは＜開始する＞）の順にタップします。

3 リストに追加したい友達の＜追加＞（Androidでは＜追加する＞）をタップし、

4 ＜リストを作成＞をタップします。

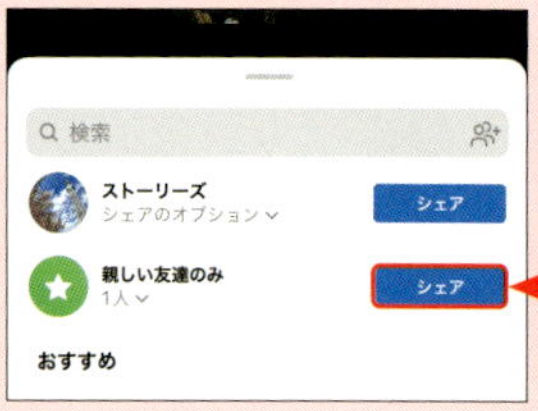

5 ストーリーズを投稿する際に、「親しい友達のみ」の＜シェア＞をタップすると、リストに登録した友達限定で投稿できます。

Q リール ★★★★★

237 » リールとは？

A 最大60秒の動画を閲覧・投稿できる機能です。

リールは、短尺動画を閲覧・投稿できる機能で、最大60秒までの動画を投稿することができます。縦型のフルスクリーンで表示されるのが特長で、動画には音楽を付けたり、エフェクトを追加したりすることができます。写真の投稿と同様に、「いいね！」やコメントを付けられるほか、使われている音源をタップすると、その音源を使ったリールが一覧で表示されます。

をタップすると、「リール」タブが表示されます。画面を上方向にスワイプすると、次のリール動画が表示されます。

リール動画右下の音源のサムネイルをタップすると、その音源を使ったリール動画が一覧表示されます。音源を保存したり、＜音源を使う＞をタップすると、音源が挿入された状態で撮影画面が表示されます。

Q リール

238 » リール動画を閲覧したい！

A をタップします。

リール動画を閲覧したいときは、画面下部のをタップします。画面を上方向にスワイプすると、次のリール動画が表示されます。リール動画には「いいね！」やコメントを付けたり、ダイレクトメッセージで友達に送信したりすることができます。アカウント名をタップすると「プロフィール」画面が表示され、フォローすることも可能です。ここでは、ユーザーの「プロフィール」画面から閲覧する方法と、「リール」タブから閲覧する方法を紹介します。

「プロフィール」画面の場合

1 ユーザーの「プロフィール」画面を表示し、をタップします。

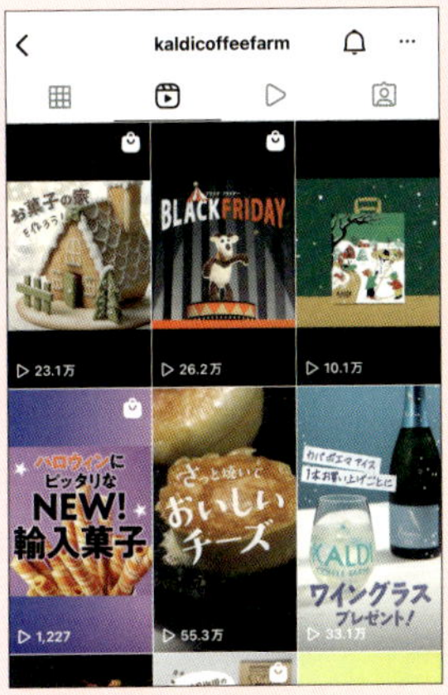

2 投稿されたリールが一覧表示され、タップすると閲覧できます。

「リール」タブの場合

1 をタップします。

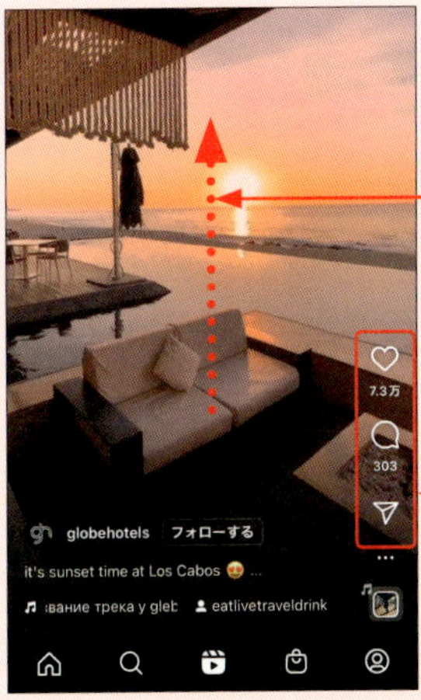

2 リール動画が表示されます。

3 画面を上方向にスワイプすると、

「いいね!」やコメント、ダイレクトメッセージで共有することができます。

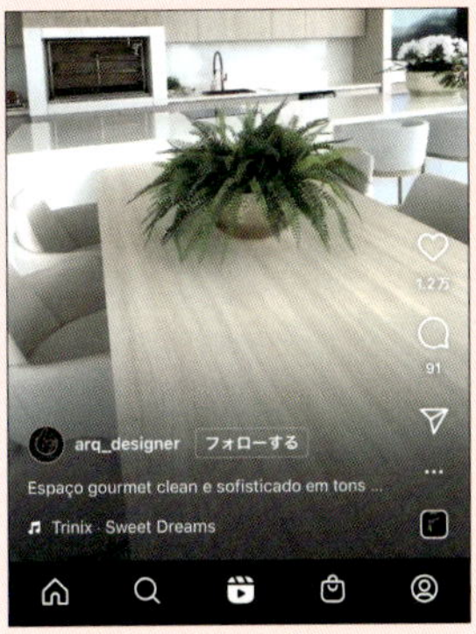

4 次のリール動画が表示されます。

Q リール

239 » リール動画を投稿したい！

A 「ホーム」タブで⊞→<リール>の順にタップします。

リール動画を投稿したいときは、「ホーム」タブで⊞をタップし、<リール>をタップします。画面左側のアイコンをタップすることで、音楽を追加したり、撮影時間を設定したり、エフェクトを加えたりすることができます。ここでは、その場で撮影して投稿する方法を紹介します。

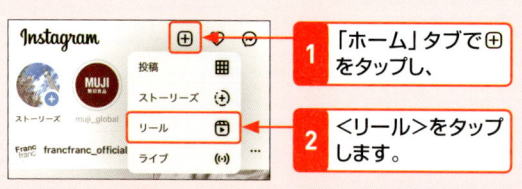

1 「ホーム」タブで⊞をタップし、

2 <リール>をタップします。

3 画面左側の♫をタップし、

4 入れたい音源をタップします。

音源の▶をタップすると再生できます。

5 音源の再生したい部分をドラッグして選択し、

6 <完了>をタップします。

7 ⑮をタップして動画の長さを選択します。「15秒」「30秒」「60秒」から選択できます。

1×をタップすると、撮影速度を調整できます。

8 ✨をタップします。

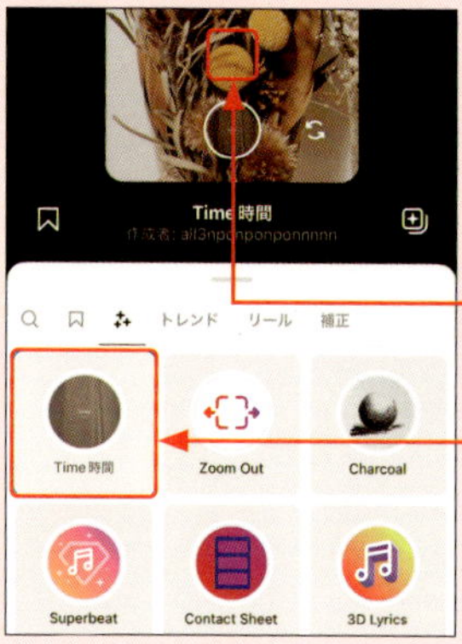

9 追加したいエフェクトをタップするとプレビューで確認することができます。

10 問題なければ動画部分をタップします。

↗

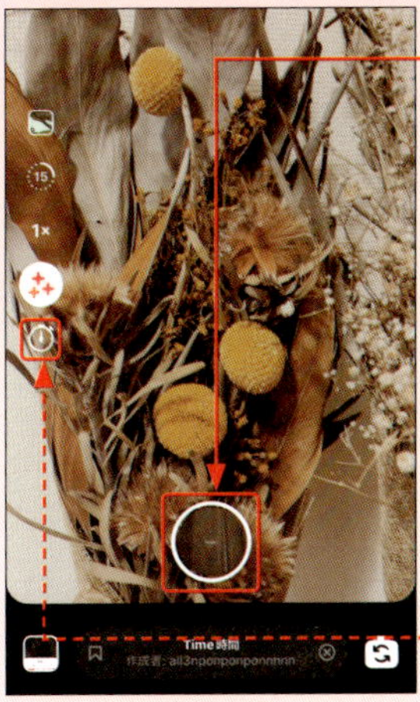

11 〇をタップして撮影します。

〇をタップすると、撮影時間を細かく調整したり、撮影前のタイマーを設定したりすることができます。

12 設定した時間になると自動で撮影が停止するので、<次へ>をタップします。

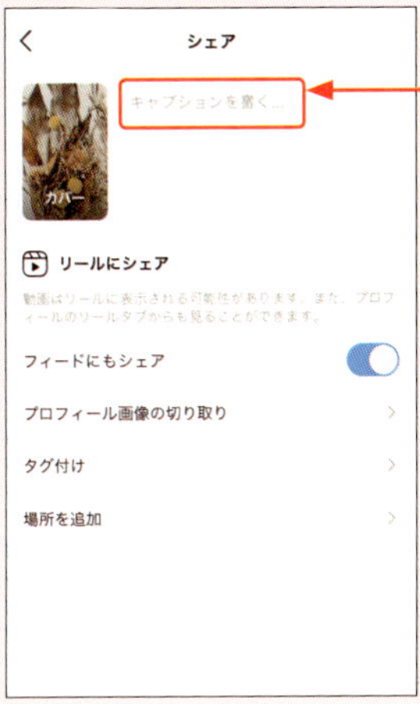

13 キャプションの入力欄をタップし、

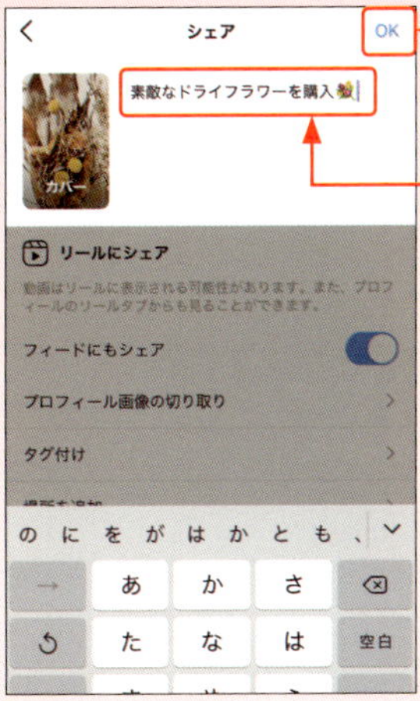

14 キャプションを入力して、

15 <OK>をタップします（Androidには手順15はありません）。

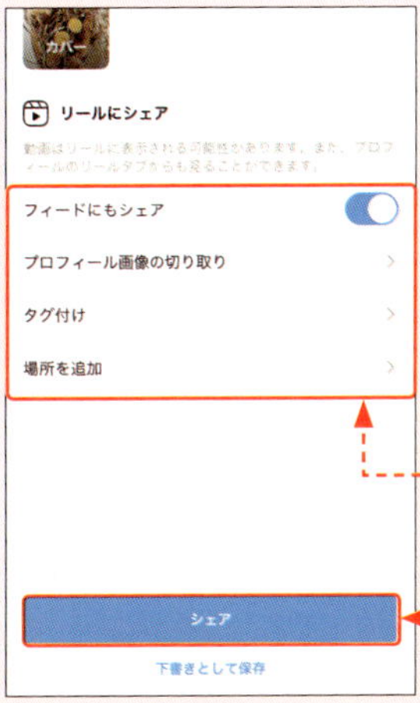

16 <シェア>をタップします。

フィードへの投稿やタグ付け、場所の追加などの設定も行えます。

17 リール動画が投稿されます。

Q インスタライブ ★★★★★

240 » インスタライブとは？

A リアルタイムに配信する動画です。

Instagramには「ライブ配信」機能が備わっており、一般的には「インスタライブ」と呼ばれています。ライブ配信中はハートを送ることができるほか、コメント機能が付いているため、配信者と視聴者がリアルタイムにコミュニケーションを取ることができます。また、最大4人同時に配信できる「ライブルーム」機能もあるため、フォロワーを招待していっしょに楽しむこともできます。アカウントをフォローしている場合は、ライブ配信されると自動通知されるため、見逃す心配もありません。万一ライブ配信を見逃してしまっても、配信者がアーカイブを残していれば、ユーザーの「プロフィール」画面から閲覧することができます。

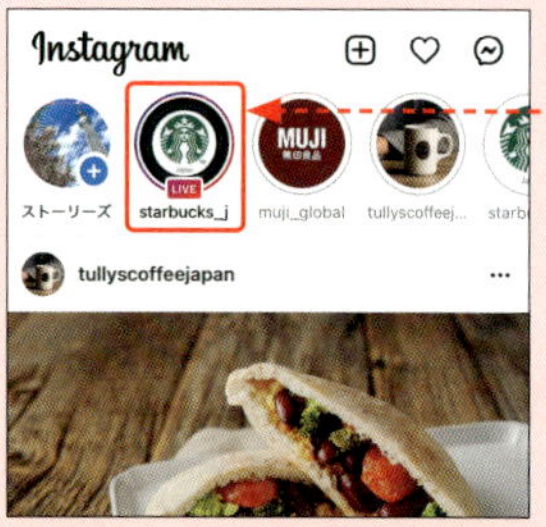

ライブ配信しているユーザーには、「LIVE」と表示されます。

「ライブルーム」機能を利用すれば、複数人で会話を楽しむことができます。

Q インスタライブ ★★★★★

241 » インスタライブのライブ配信を閲覧するには？

A 「LIVE」と表示されているユーザーアイコンをタップします。

ライブ配信しているユーザーは、プロフィールアイコンに「LIVE」と表示されています。「ホーム」タブの上部から、ライブ配信中のユーザーアイコンをタップすると、ライブ配信の画面に切り替わります。なお、フォローしていないアカウントのライブ配信も閲覧することができます。画面右上の☒をタップすると、ライブ配信を閉じることができます。

1 「ホーム」タブで、「LIVE」と表示されているユーザーアイコンをタップします。

2 ライブ配信を閲覧できます。

閲覧している人数が表示されます。

「いいね!」やコメントを送ることができます。

Q インスタライブ ★★★★★

242 » インスタライブでライブ配信するには？

A 「ホーム」タブで⊞→<ライブ>の順にタップします。

インスタライブで配信したいときは、⊞→<ライブ>の順にタップします。ライブ配信には、タイトルを付けたり、配信日時を指定したりすることもできます。いきなりのライブ配信が心配な場合は、練習モードが備わっているので、事前に確認してから配信することができます。

1 「ホーム」タブで⊞をタップし、

2 <ライブ>をタップします。

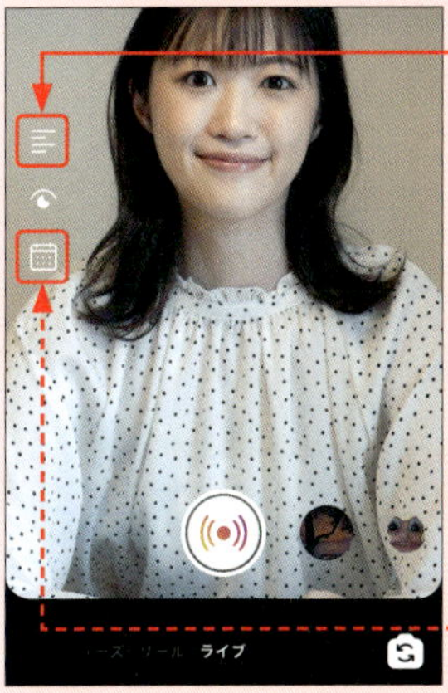

3 画面左側の☰をタップします。

📅をタップすると、配信日時を指定できます。

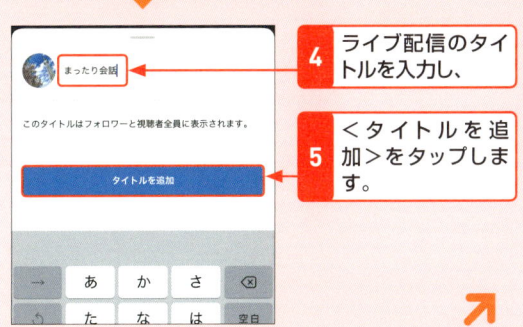

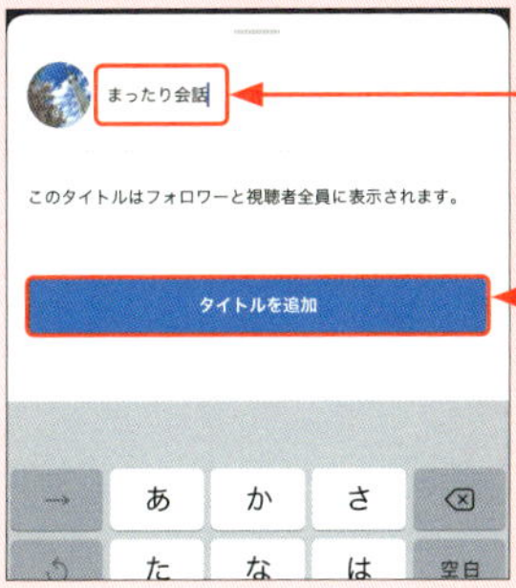

4 ライブ配信のタイトルを入力し、

5 <タイトルを追加>をタップします。

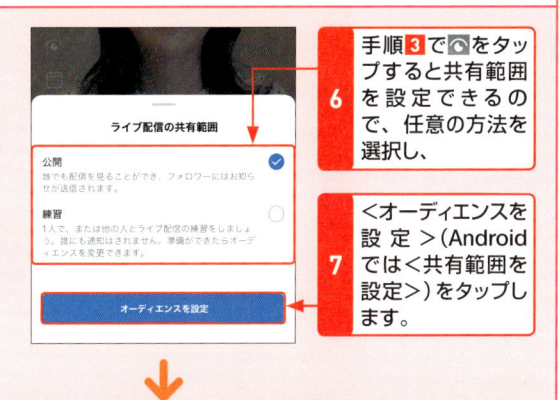

6 手順3で👁をタップすると共有範囲を設定できるので、任意の方法を選択し、

7 <オーディエンスを設定>（Androidでは<共有範囲を設定>）をタップします。

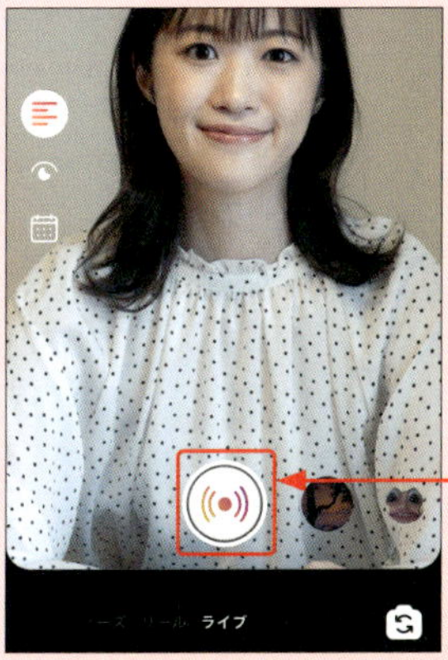

8 (•)をタップすると、

9 ライブ配信が開始されます。

Q QRコード ★★★★★

243 » QRコードでユーザーをフォローするには？

A <QRコードをスキャン>をタップして読み取ります。

Instagramでは、ユーザー一人一人にQRコードが割り振られています。相手のQRコードを読み取るだけでフォローすることができるため、わざわざユーザー名で検索する手間が省けて便利です。「プロフィール」タブで☰をタップし、<QRコード>→<QRコードをスキャン>の順にタップして読み取りましょう。自分のQRコードを読み取ってもらえば、かんたんにプロフィール情報を伝えることもできます。なお、QRコードの背景は、タップすることでカラーを変えたり絵文字を入れたりして変えることができます。

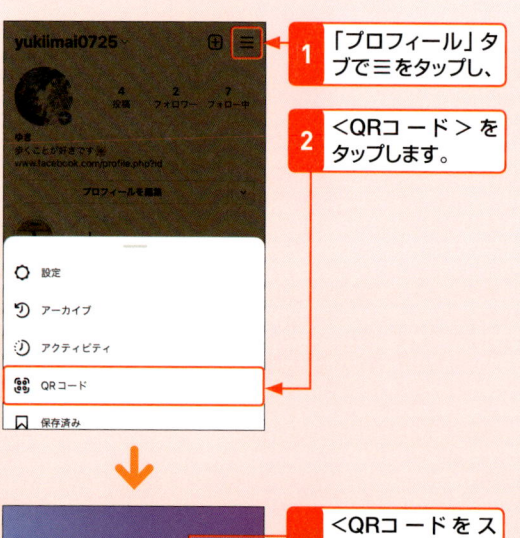

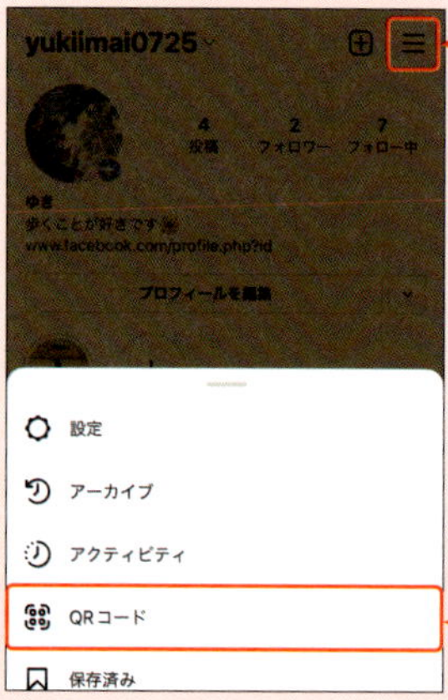

1 「プロフィール」タブで☰をタップし、

2 <QRコード>をタップします。

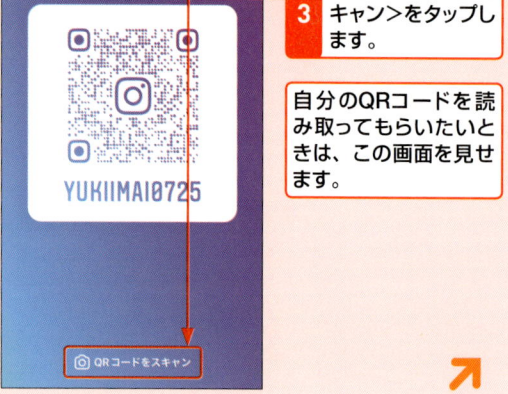

3 <QRコードをスキャン>をタップします。

自分のQRコードを読み取ってもらいたいときは、この画面を見せます。

4 枠内に相手のQRコードを写して読み取ります。

5 <フォローする>をタップすると、

<プロフィールを見る>をタップすると、「プロフィール」画面が表示されます。

6 フォローできます。

第4章

Instagramの各種設定

Q 通知設定 ★★★★★

244 » 広告を非表示にするには？

A 広告の…をタップし、<広告を非表示にする>をタップします。

Instagramでは、Webサイトでの検索履歴といったユーザーの行動に基づいて、自動的にユーザーの関心に近い広告が表示されるようになっています。広告が煩わしいと感じたときは、広告の…をタップし、<広告を非表示にする>をタップしましょう。なお、広告をまとめて非表示にすることはできません。

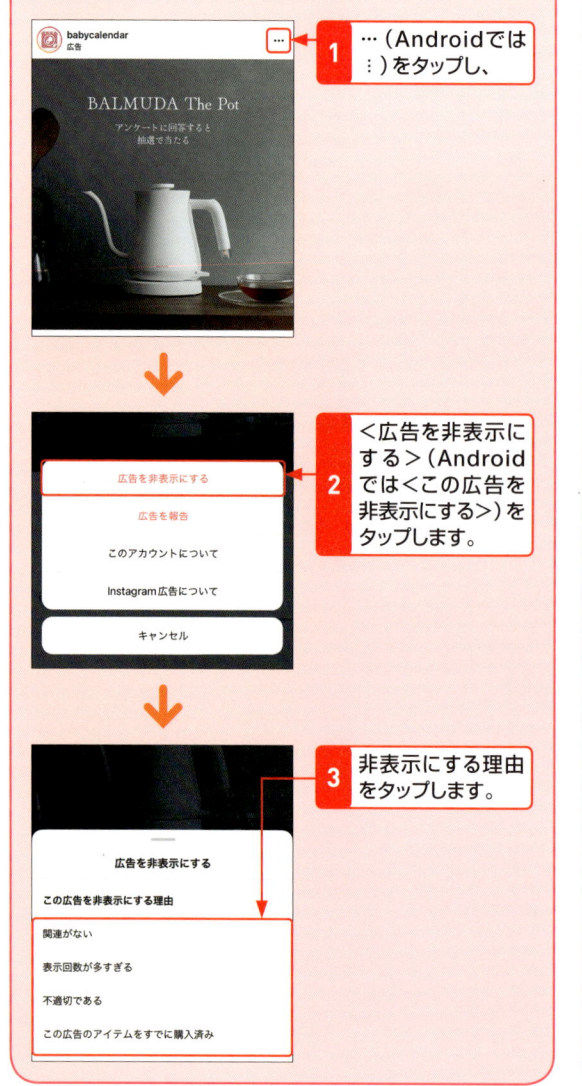

1 …（Androidでは⋮）をタップし、

2 <広告を非表示にする>（Androidでは<この広告を非表示にする>）をタップします。

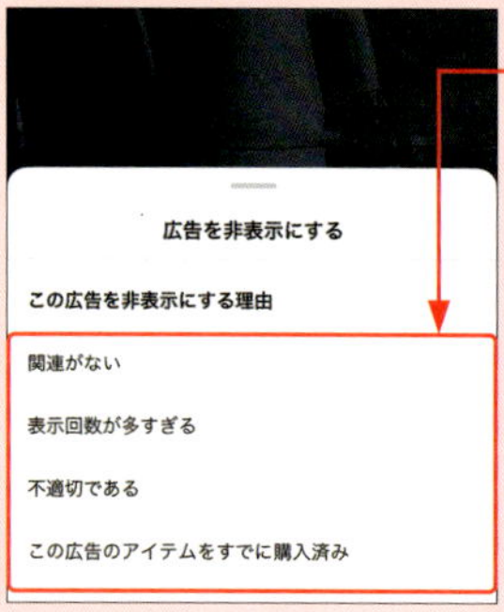

3 非表示にする理由をタップします。

Q 通知設定 ★★★★★

245 » 不要な通知を止めたい！

A 「お知らせ」画面から設定します。

投稿やストーリーズに「いいね！」やコメントが付いたときや、フォローされたときなどは通知されるようになっています。通知が多くて煩わしいときは、不要な通知をオフにしておきましょう。「設定」画面で<お知らせ>をタップし、各項目をタップすると、通知のオン／オフを細かく設定することができます。

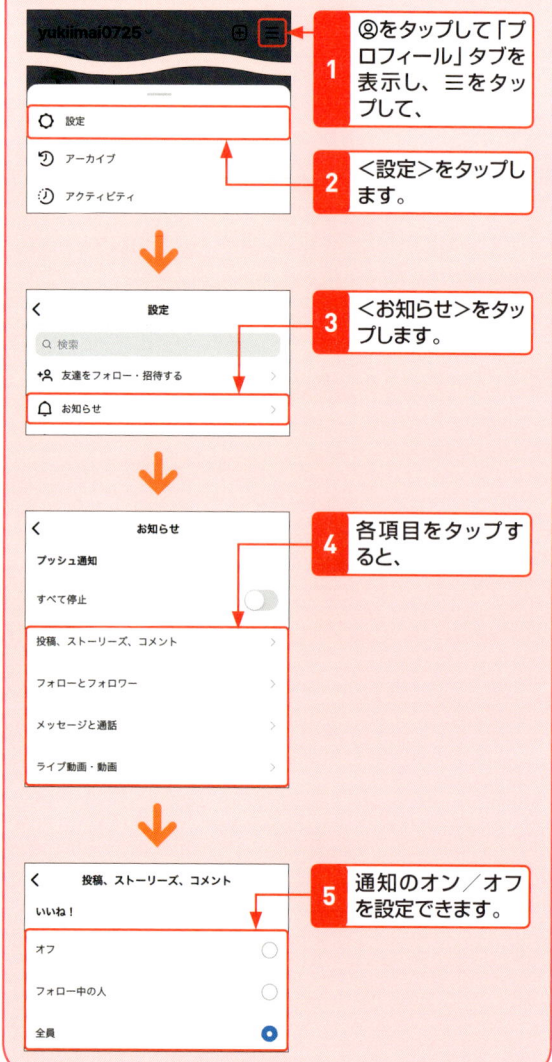

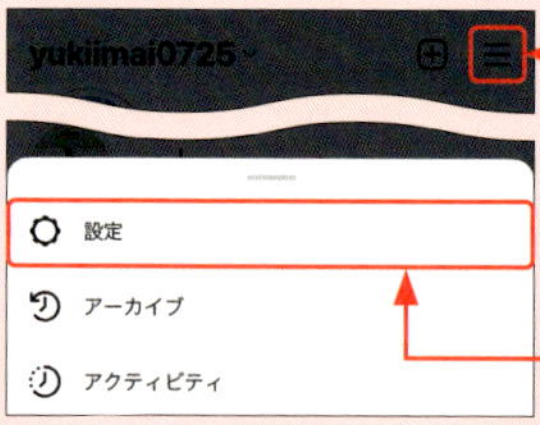

1 ⓐをタップして「プロフィール」タブを表示し、☰をタップして、

2 <設定>をタップします。

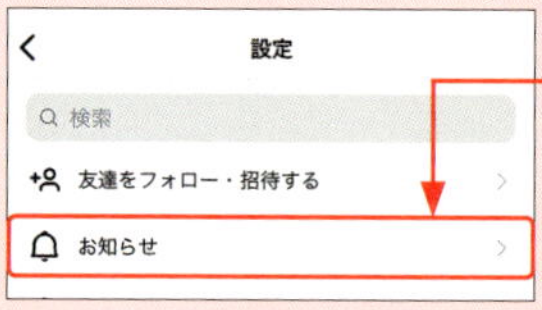

3 <お知らせ>をタップします。

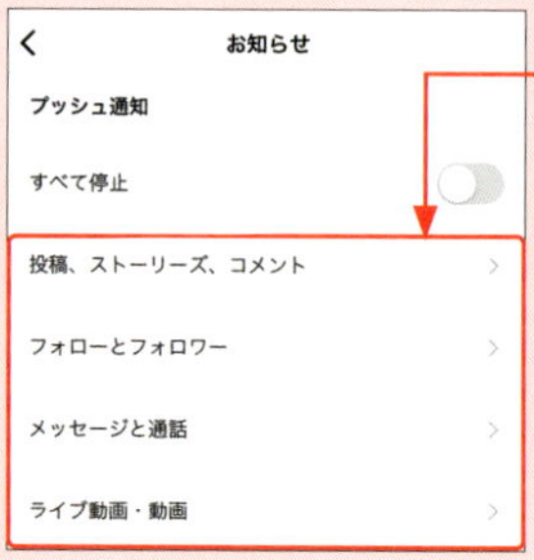

4 各項目をタップすると、

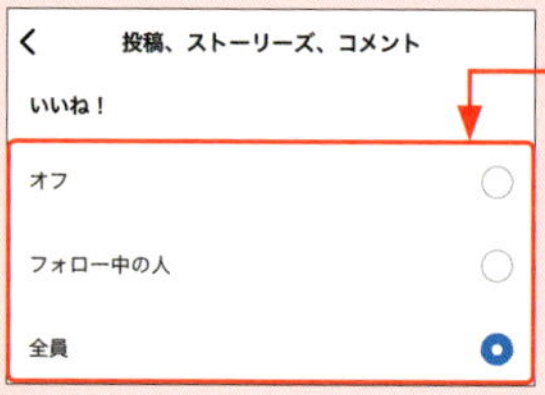

5 通知のオン／オフを設定できます。

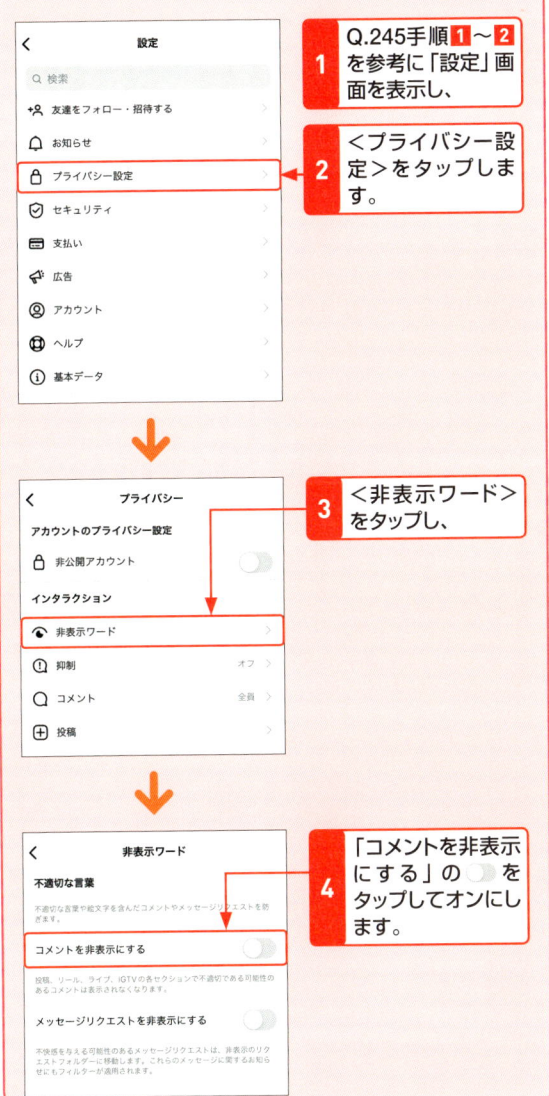

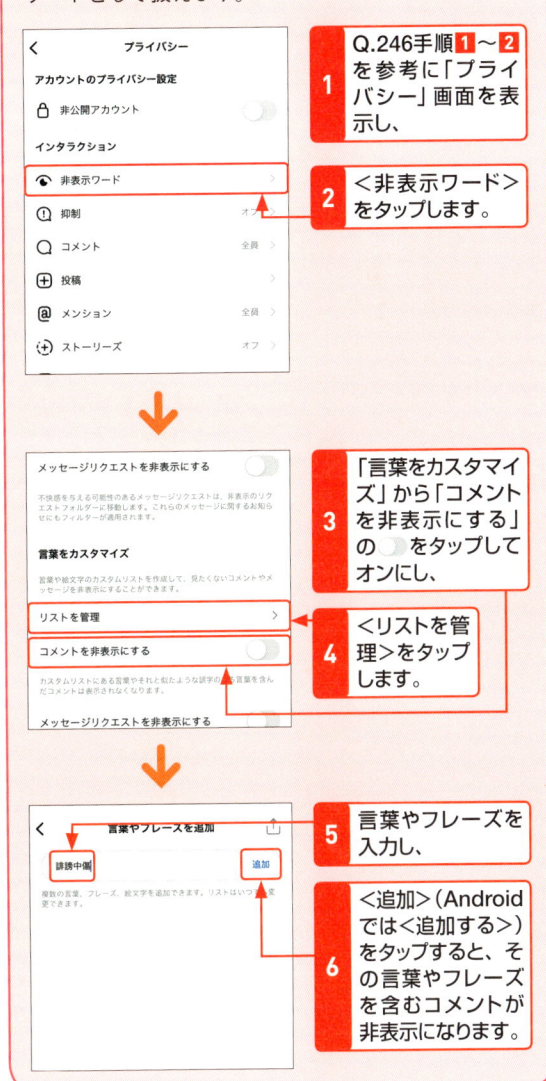

Q コメントの表示設定 ★★★★★

246 » 不適切なコメントを非表示にするには？

A 「コメントを非表示にする」をオンにします。

Instagramには、不適切と判断されるコメントを自動で非表示にする機能があります。不適切なコメントを表示したくないときは、「プライバシー」画面で<非表示ワード>をタップし、「コメントを非表示にする」をオンにします。

1 Q.245手順1～2を参考に「設定」画面を表示し、

2 <プライバシー設定>をタップします。

3 <非表示ワード>をタップし、

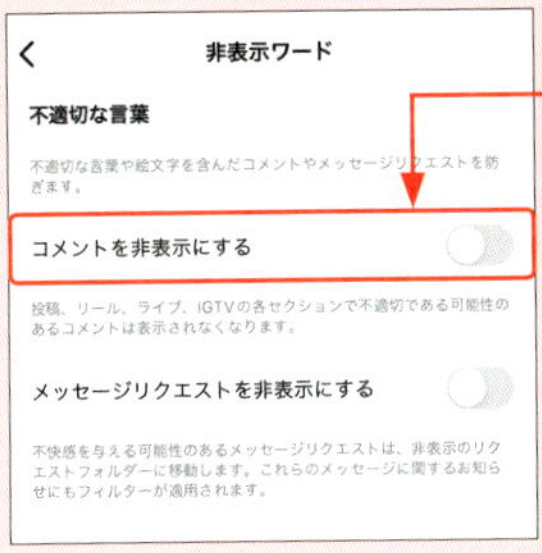

4 「コメントを非表示にする」の をタップしてオンにします。

Q コメントの表示設定 ★★★★★

247 » 任意のキーワードが含まれるコメントを非表示にするには？

A 「コメントを非表示にする」で言葉やフレーズを追加します。

Instagramには、不適切と判断されるコメントを自動で非表示にする機能（Q.246参照）のほか、指定した言葉やフレーズを含むコメントを非表示にする機能もあります。入力ボックスに、表示したくない言葉やフレーズを「,」で区切って入力します。英数字や絵文字もキーワードとして扱えます。

1 Q.246手順1～2を参考に「プライバシー」画面を表示し、

2 <非表示ワード>をタップします。

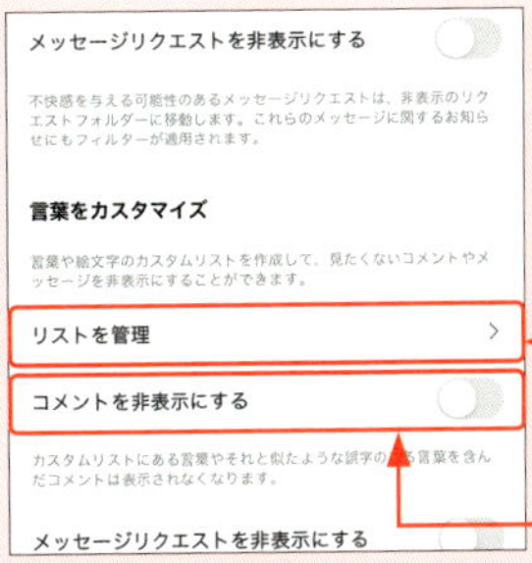

3 「言葉をカスタマイズ」から「コメントを非表示にする」の をタップしてオンにし、

4 <リストを管理>をタップします。

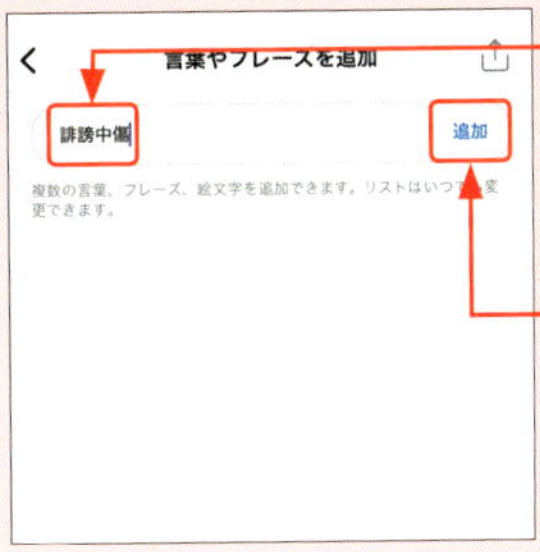

5 言葉やフレーズを入力し、

6 <追加>（Androidでは<追加する>）をタップすると、その言葉やフレーズを含むコメントが非表示になります。

ストーリーズの設定

Q 248 » ストーリーズを表示しない人を設定したい！

A <ストーリーズ>をタップします。

自分の投稿したストーリーズを見せたくないユーザーがいる場合は、ストーリーズを表示しない機能を利用しましょう。見せたくない相手は、「プロフィール」タブで☰→<設定>→<プライバシー設定>→<ストーリーズ>→<ストーリーズを表示しない人>の順にタップし、フォロワーの一覧から選択します。

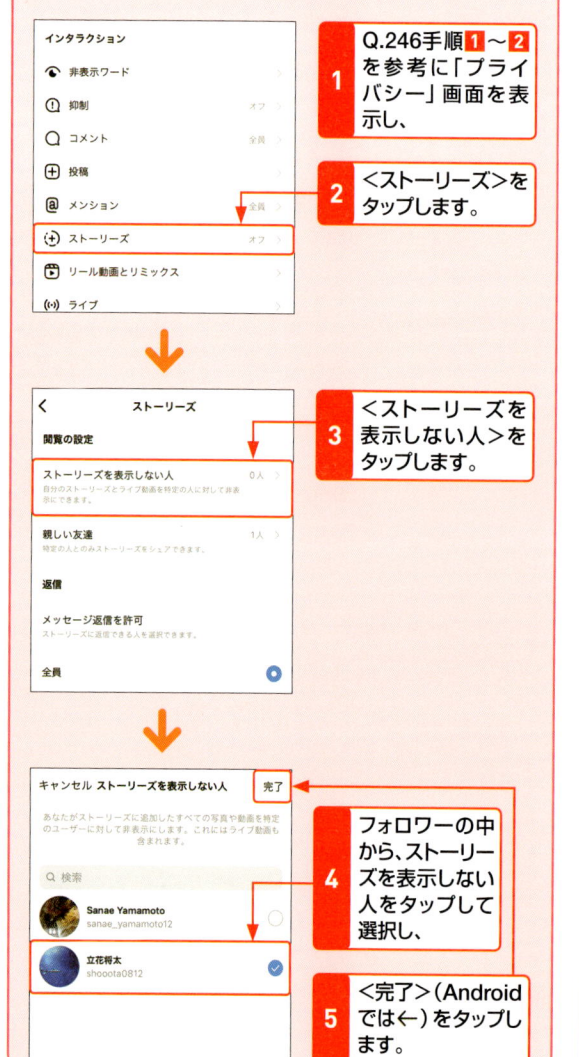

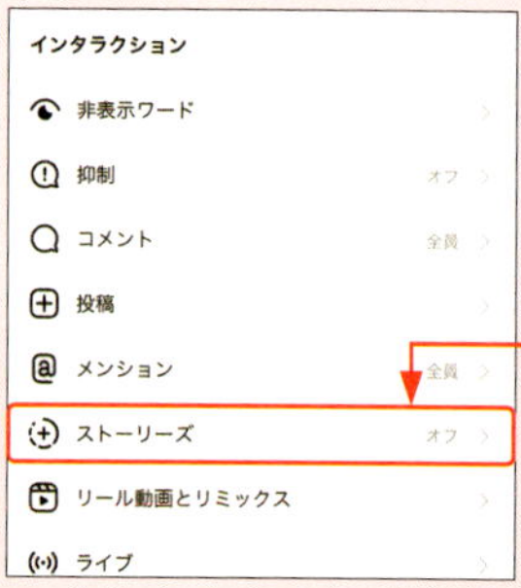

1 Q.246手順1～2を参考に「プライバシー」画面を表示し、

2 <ストーリーズ>をタップします。

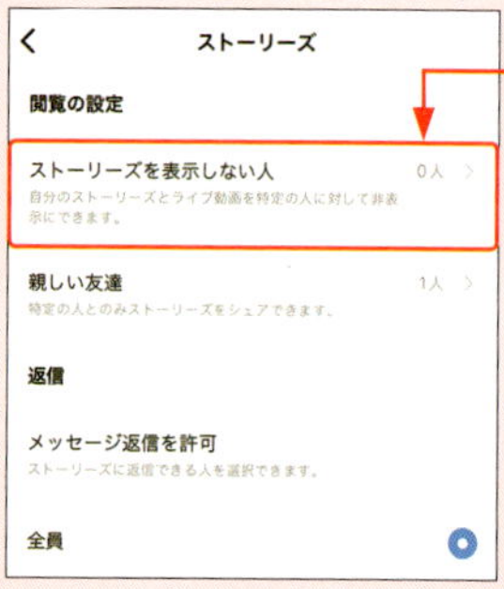

3 <ストーリーズを表示しない人>をタップします。

4 フォロワーの中から、ストーリーズを表示しない人をタップして選択し、

5 <完了>（Androidでは←）をタップします。

ストーリーズの設定

Q 249 » ストーリーズを非表示にするには？

A 非表示にするユーザーのストーリーズをミュートします。

フォローしているユーザーのストーリーズを非表示にしたいときは、非表示にしたいユーザーのストーリーズのアイコンを長押しし、<ミュート>をタップします。再度表示したいときは、同じ手順で<ストーリーズのミュートを解除>をタップして、ミュートを解除します。

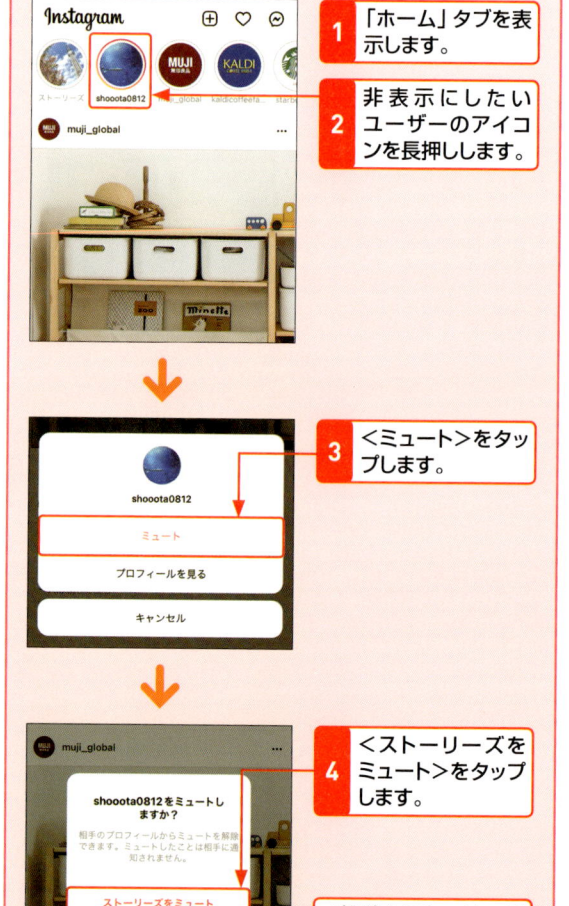

1 「ホーム」タブを表示します。

2 非表示にしたいユーザーのアイコンを長押しします。

3 <ミュート>をタップします。

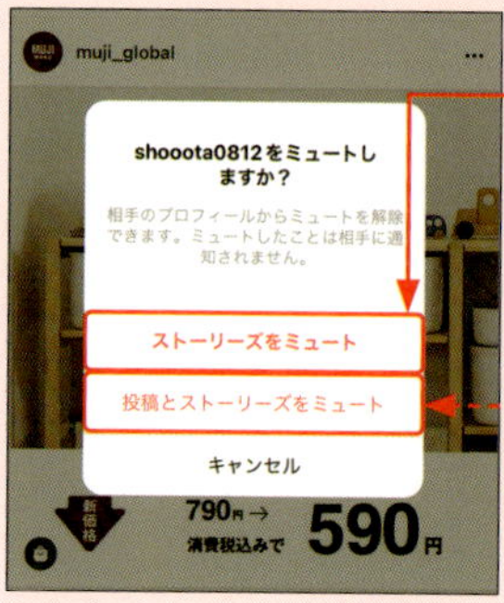

4 <ストーリーズをミュート>をタップします。

<投稿とストーリーズをミュート>をタップすると、投稿とストーリーズのどちらも非表示にできます。

Q 250 ストーリーズの設定 ★★★★★

ストーリーズに返信できる人を設定するには？

A 「メッセージ返信を許可」で返信できる人を設定します。

投稿されたストーリーズに対してメッセージを送信できる機能があります。初期設定では、「全員」からのメッセージを受け付けていますが、「フォローしている人」または「オフ」に設定することもできます。

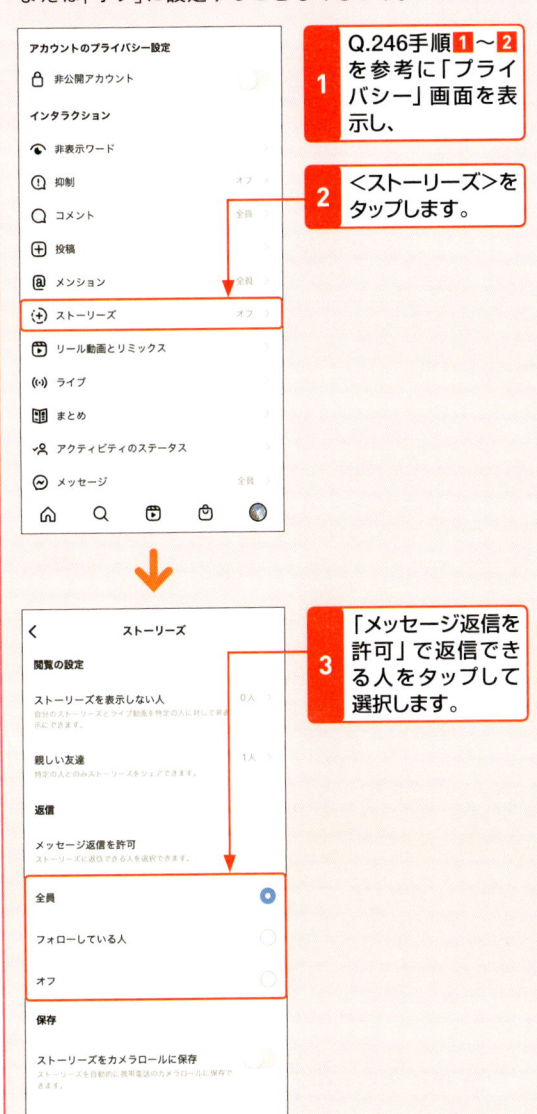

1 Q.246手順1〜2を参考に「プライバシー」画面を表示し、

2 <ストーリーズ>をタップします。

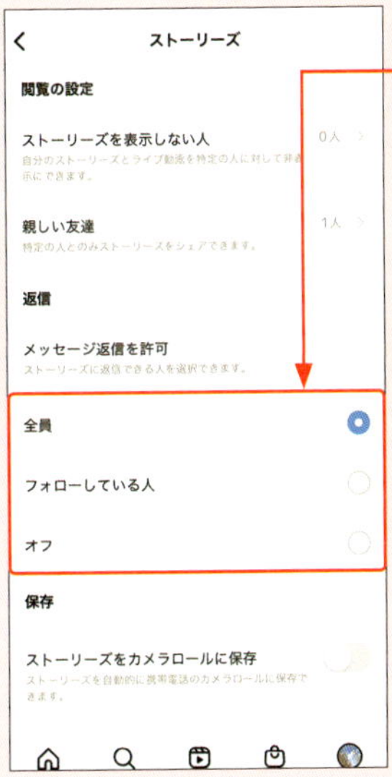

3 「メッセージ返信を許可」で返信できる人をタップして選択します。

Q 251 ストーリーズの設定 ★★★★☆

ストーリーズに投稿した写真をスマートフォンに保存するには？

A 「ストーリーズをカメラロールに保存」をオンにします。

ストーリーズに投稿した写真や動画をスマートフォンに自動的に保存されるようにするには、「プライバシー」画面で<ストーリーズ>をタップし、「ストーリーズをカメラロールに保存」をオンにします。24時間で削除されてしまう写真や動画を残しておくことができます。

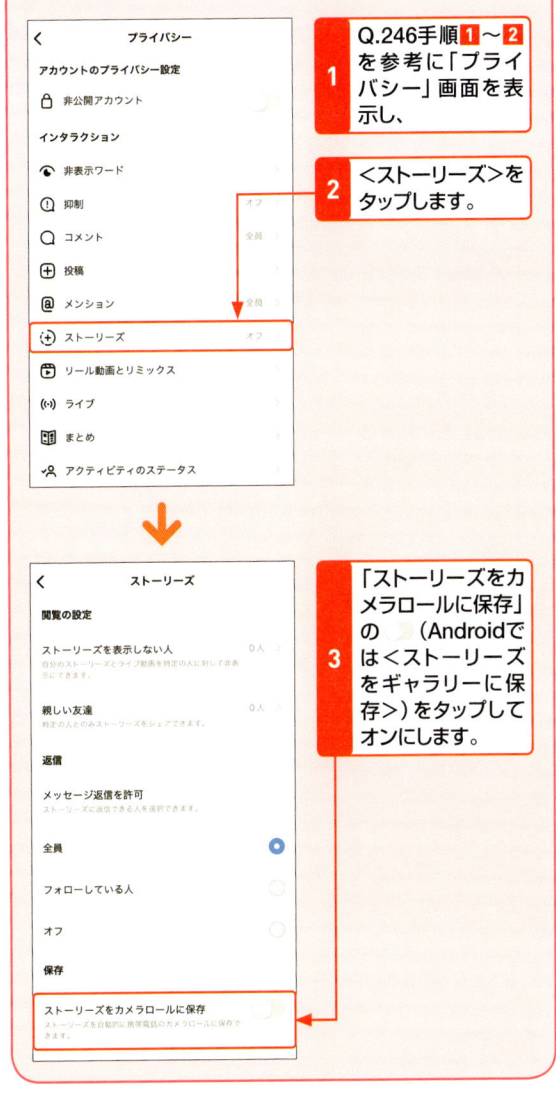

1 Q.246手順1〜2を参考に「プライバシー」画面を表示し、

2 <ストーリーズ>をタップします。

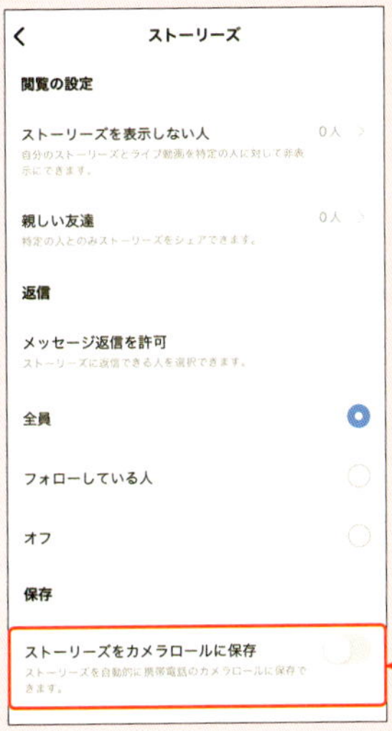

3 「ストーリーズをカメラロールに保存」の（Androidでは<ストーリーズをギャラリーに保存>）をタップしてオンにします。

Q セキュリティ

252 » 忘れてしまったパスワードを再設定するには？

A <パスワードを忘れた場合>をタップして再設定します。

忘れてしまったパスワードを再設定したいときは、「ログイン」画面で<パスワードを忘れた場合>をタップし、ユーザーネーム、メールアドレス、電話番号、Facebookのいずれかからリセットの手続きを行います。ここでは、ユーザーネームを入力して再設定する方法を紹介します。

1 「ログイン」画面を表示し、

2 <パスワードを忘れた場合>をタップします。

Androidでは「設定」画面で<セキュリティ>→<パスワード>→<パスワードを忘れた場合はこちら>の順にタップし、画面の指示に従って進みます。

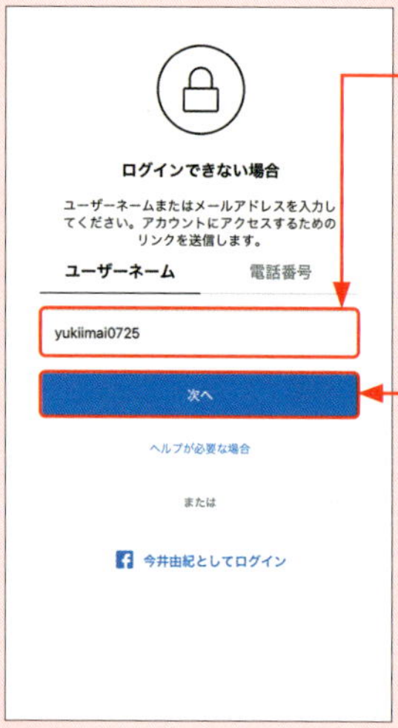

3 ユーザーネームを入力し、

4 <次へ>をタップします。

5 登録されているメールアドレスにメールが送信されます。

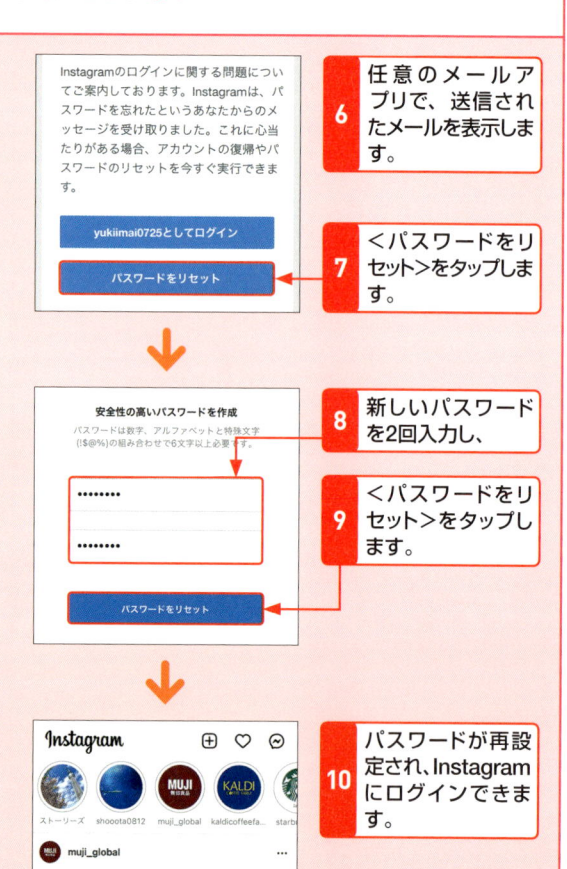

6 任意のメールアプリで、送信されたメールを表示します。

7 <パスワードをリセット>をタップします。

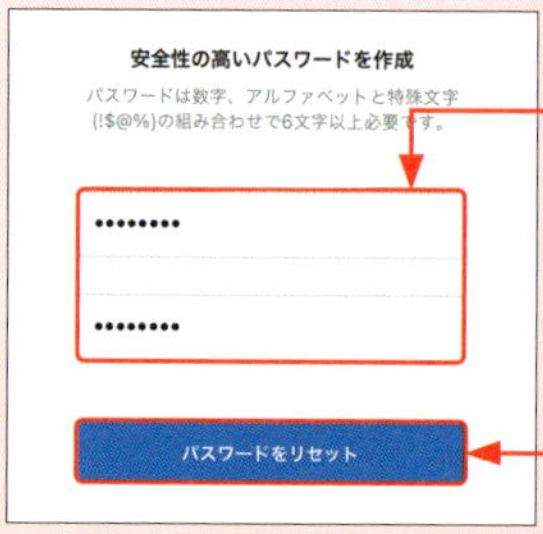

8 新しいパスワードを2回入力し、

9 <パスワードをリセット>をタップします。

10 パスワードが再設定され、Instagramにログインできます。

パスワードを再設定しない場合

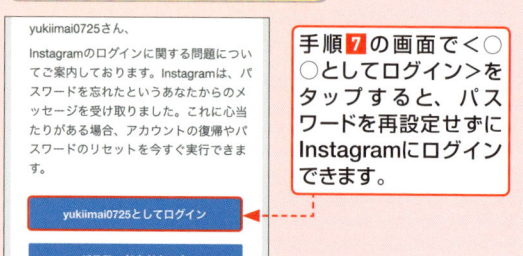

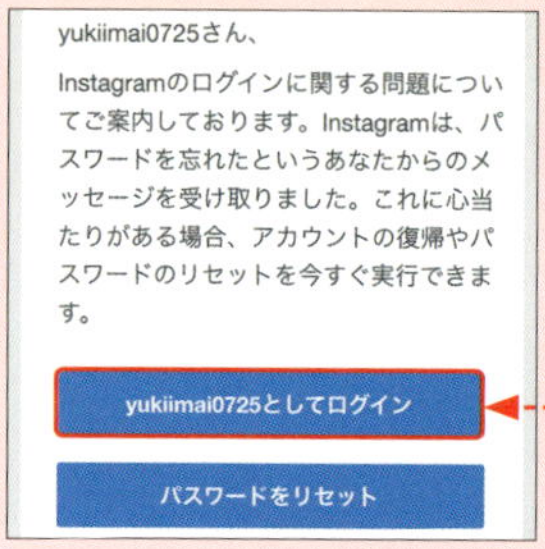

手順7の画面で<○○としてログイン>をタップすると、パスワードを再設定せずにInstagramにログインできます。

Q 253 セキュリティ ★★★★★

パスワードを変更したい！

A 「パスワード」画面から変更します。

Instagramのログインパスワードを変更したいときは、「セキュリティ」画面で<パスワード>をタップし、現在のパスワードと新しいパスワードを2回入力して変更します。パスワードは、数字、文字、記号などを組み合わせて、6文字以上で設定します。

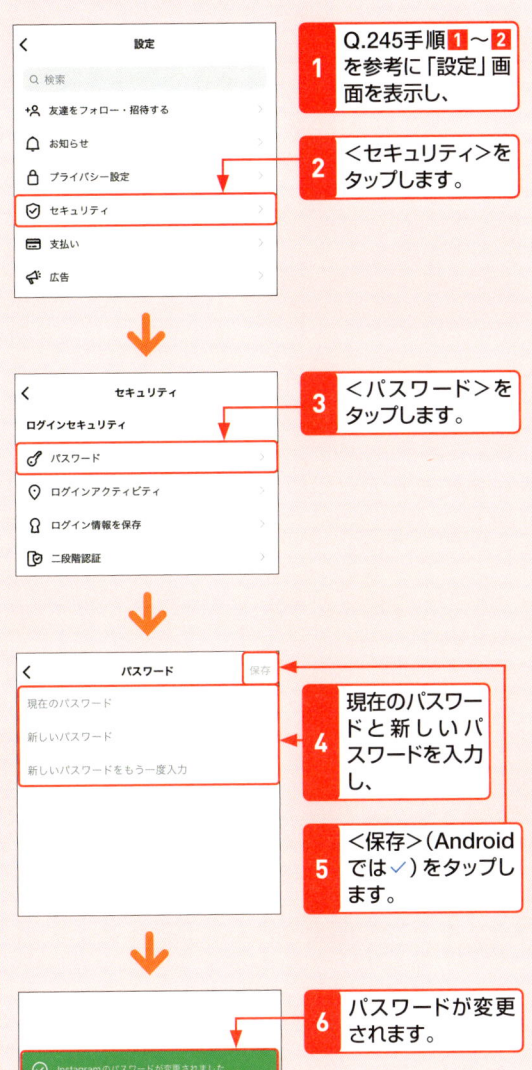

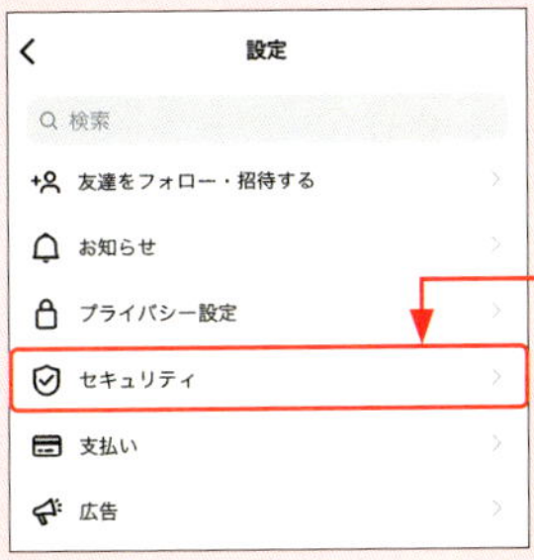

1 Q.245手順1〜2を参考に「設定」画面を表示し、

2 <セキュリティ>をタップします。

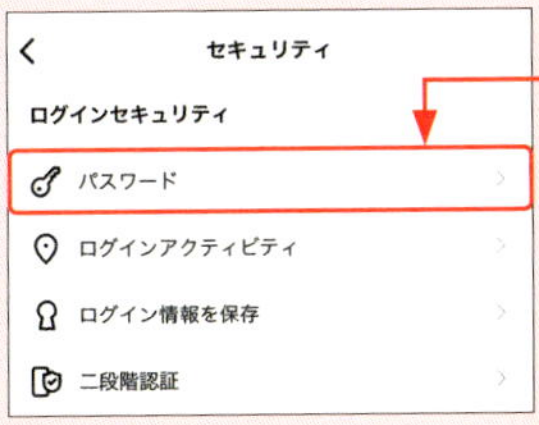

3 <パスワード>をタップします。

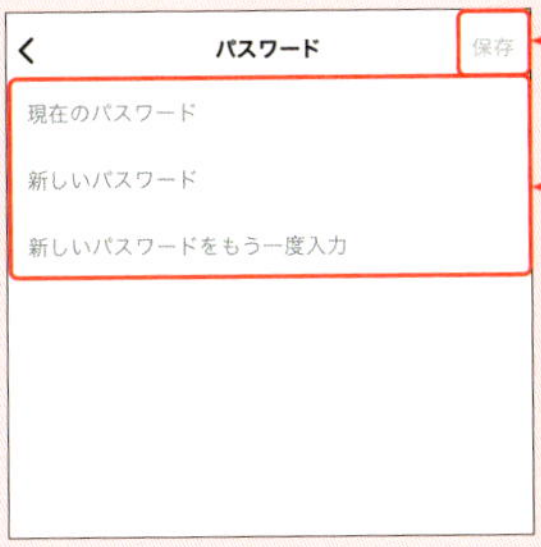

4 現在のパスワードと新しいパスワードを入力し、

5 <保存>（Androidでは✓）をタップします。

6 パスワードが変更されます。

Q 254 セキュリティ ★★★★★

苦手なユーザーをブロックするには？

A 苦手なユーザーの…→<ブロック>の順にタップします。

「ブロック」は、自分の投稿した写真や動画を見られないようにする機能です。自分をフォローしているユーザーだけでなく、フォローされていないユーザーもブロックすることができます。不快なコメントやダイレクトメッセージが送られるようなときは、ブロックするとよいでしょう。

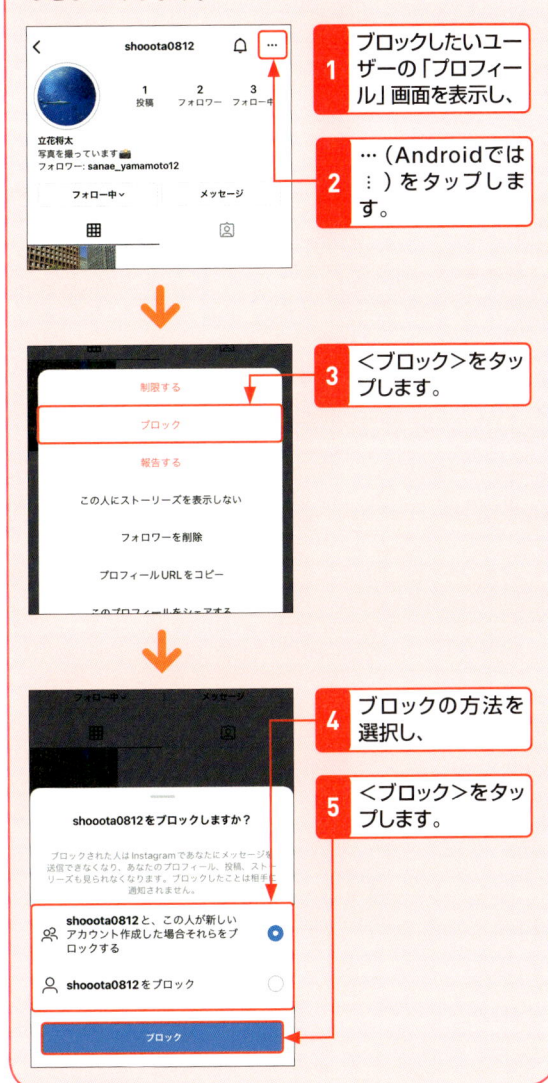

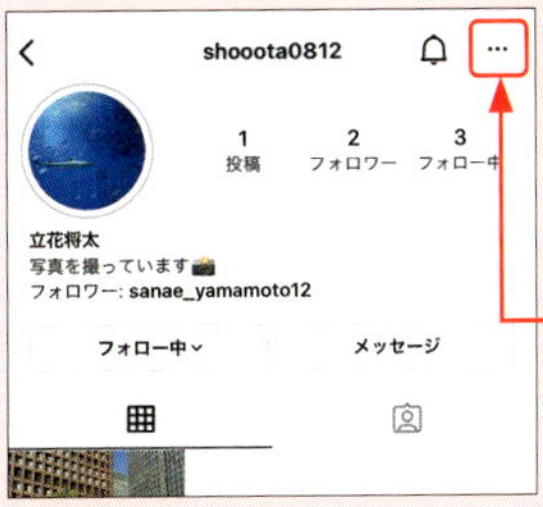

1 ブロックしたいユーザーの「プロフィール」画面を表示し、

2 …（Androidでは⋮）をタップします。

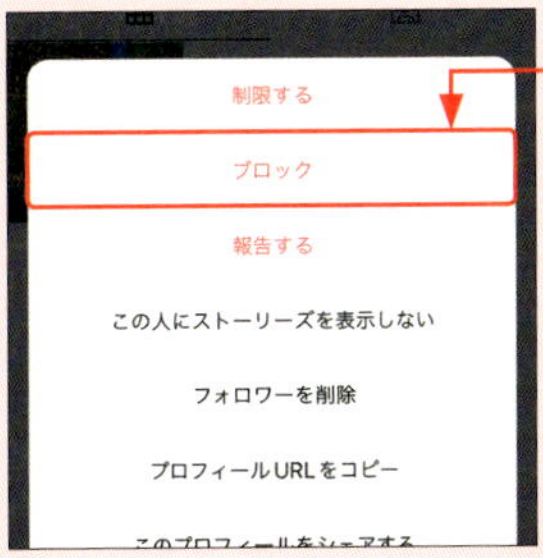

3 <ブロック>をタップします。

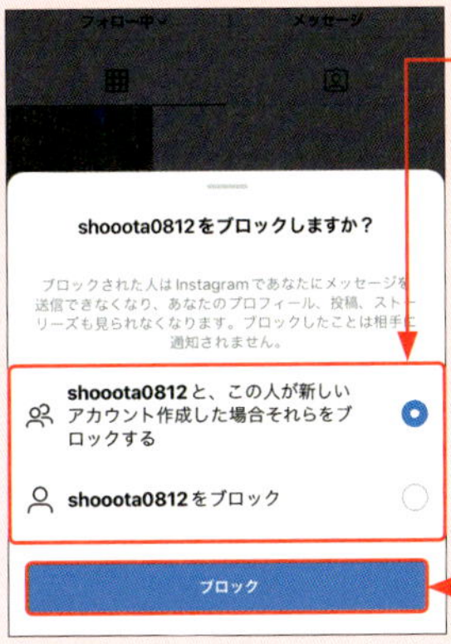

4 ブロックの方法を選択し、

5 <ブロック>をタップします。

Q セキュリティ ★★★★★

255 » ブロックしているユーザーを確認するには？

A <ブロックしたアカウント>をタップして確認します。

「プライバシー」画面で<ブロックしたアカウント>をタップすると、ブロックしているユーザーを確認することができます。ブロックを解除したいときは、「ブロック済みのアカウント」画面で、ブロックを解除したいアカウントの<ブロックを解除>→<ブロックを解除>の順にタップします。

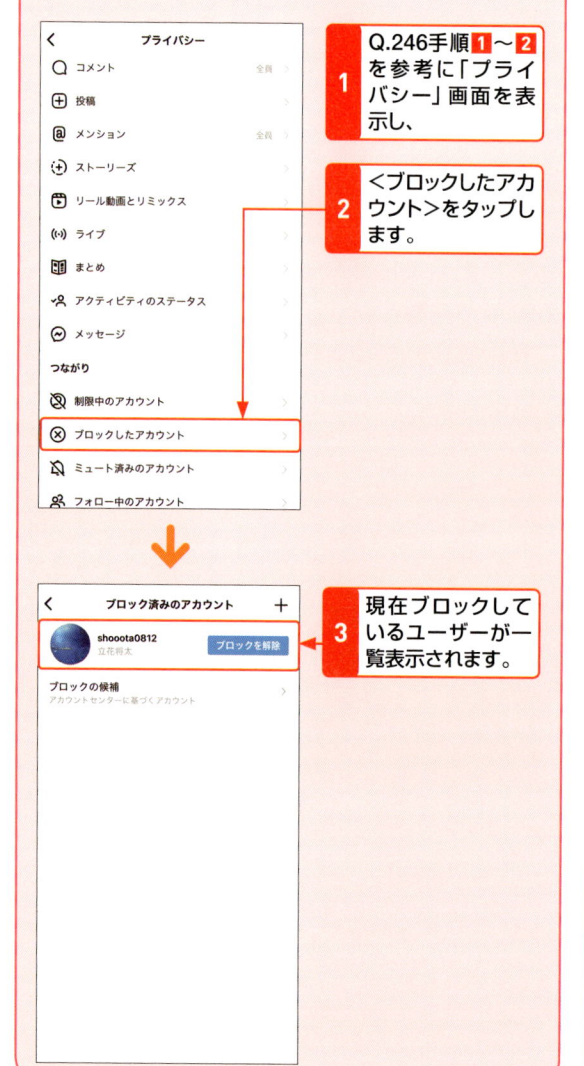

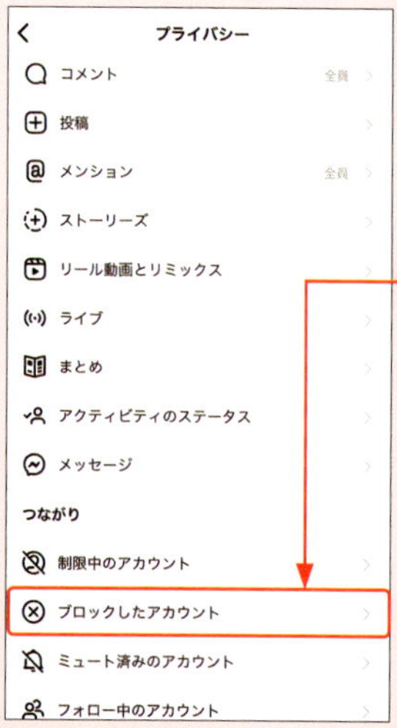

1 Q.246手順1～2を参考に「プライバシー」画面を表示し、

2 <ブロックしたアカウント>をタップします。

3 現在ブロックしているユーザーが一覧表示されます。

Q セキュリティ ★★★★★

256 » 不適切な写真を報告するには？

A 不適切な写真の…をタップして報告します。

犯罪につながるような画像や差別的な画像、知的財産権を侵害するような画像が投稿されていたときは、「不適切な投稿」としてInstagramへ報告することができます。報告すると、Instagramの判断で投稿は削除されます。報告と同時に、そのユーザーをブロックすることもできます。

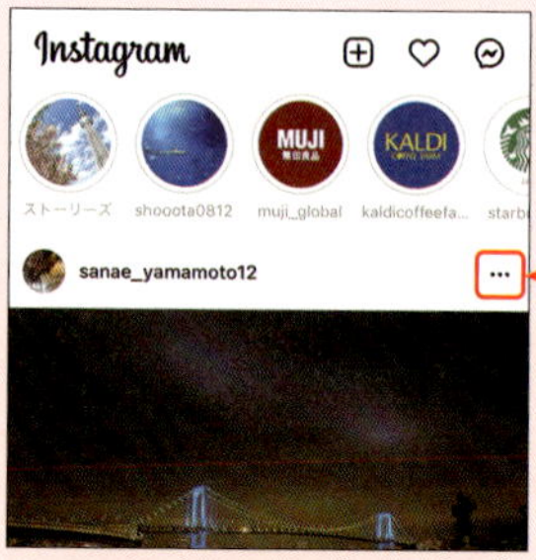

1 不適切な写真の…（Androidでは ⋮ ）をタップし、

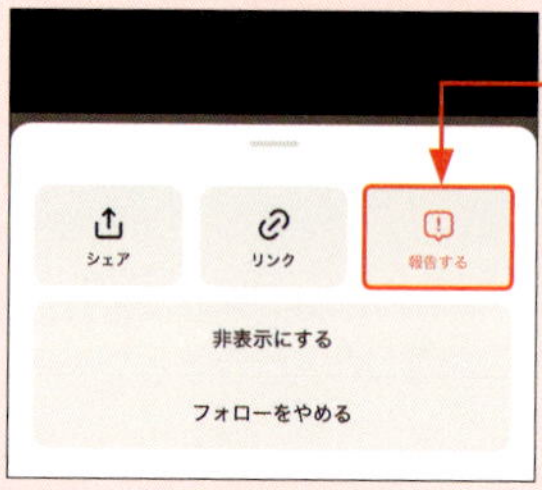

2 <報告する>（Androidでは<報告>）をタップします。

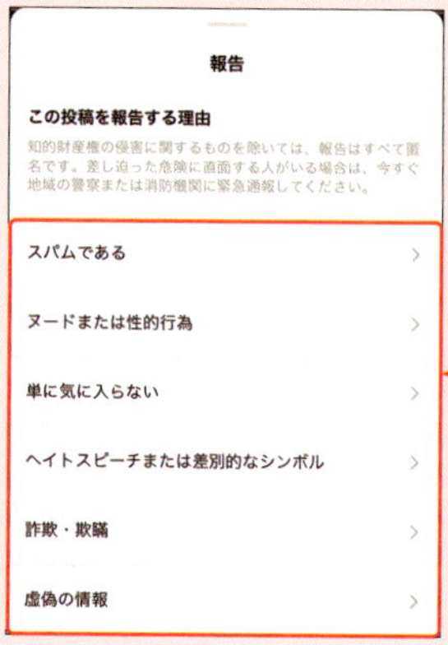

3 不適切である理由をタップします。項目によって指示が異なるので、画面の指示に従って報告します。

Q セキュリティ ★★★★★

257 » オンライン状況が表示されないようにしたい!

A 「アクティビティのステータスを表示」をオフにします。

Instagramでは、オンライン状態や<Instagram>アプリにログインした日時などがわかる「アクティビティのステータス」機能があります。「アクティビティのステータスを表示」をオンにしていると、「ダイレクトメッセージ」画面で確認することができます。オンライン状況を知られたくないときは、「アクティビティのステータスを表示」をオフにしておきましょう。

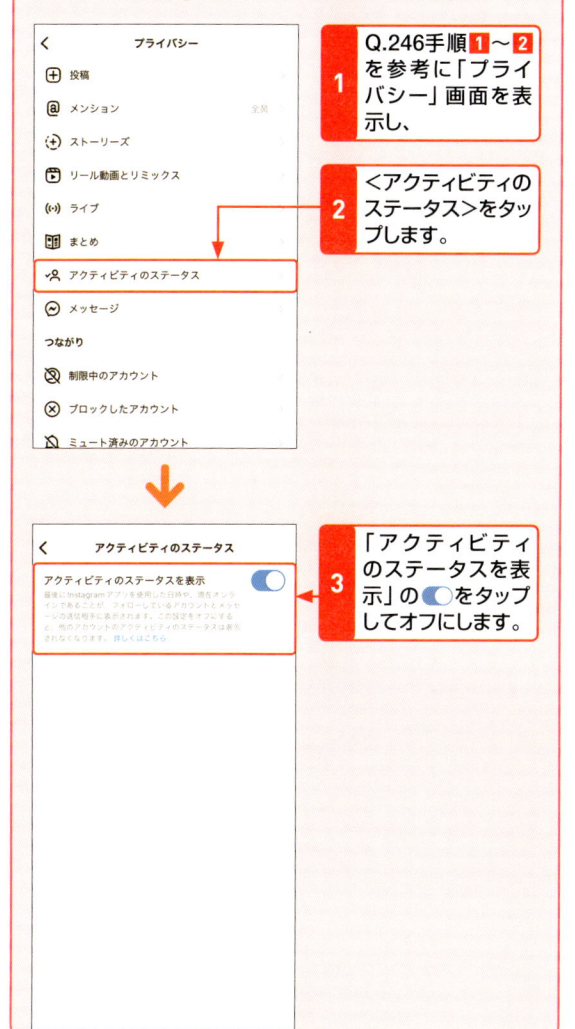

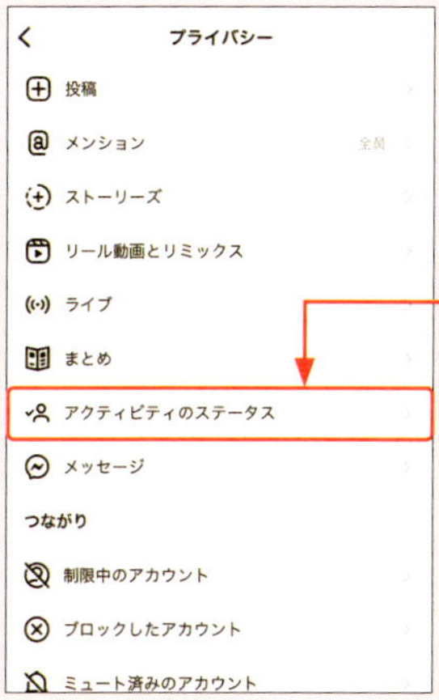

1 Q.246手順1～2を参考に「プライバシー」画面を表示し、

2 <アクティビティのステータス>をタップします。

3 「アクティビティのステータスを表示」の をタップしてオフにします。

Q セキュリティ ★★★★★

258 » アカウントを非公開にしたい!

A 「非公開アカウント」をオンにします。

Instagramは、不特定多数のユーザーに投稿が公開されるのが特徴です。しかし、自分の家族や知り合いなどの承認したユーザーのみに公開したいときは、アカウントを非公開にします。アカウントを非公開にするには、「プライバシー」画面で「非公開アカウント」をオンにします。

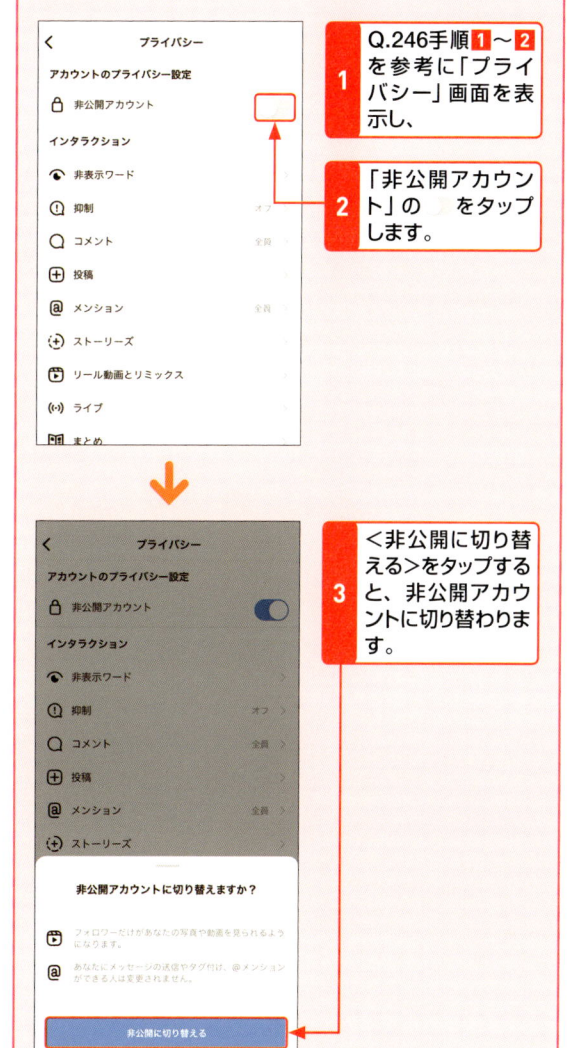

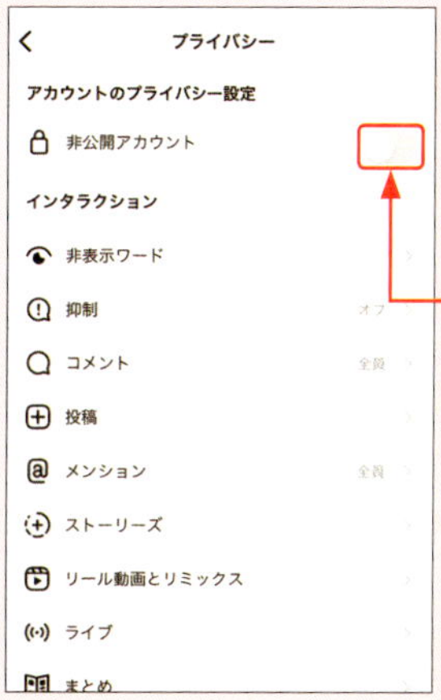

1 Q.246手順1～2を参考に「プライバシー」画面を表示し、

2 「非公開アカウント」の をタップします。

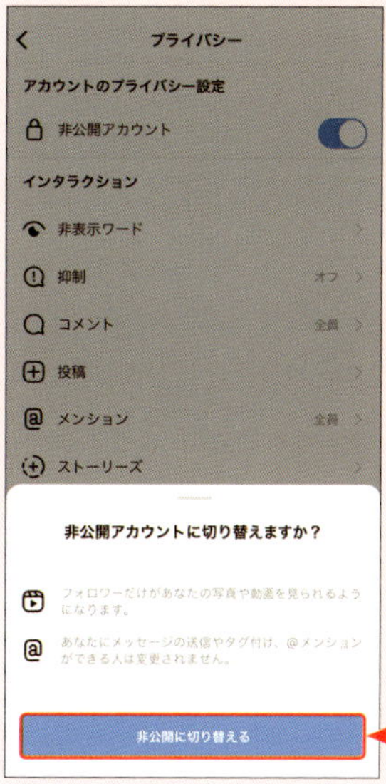

3 <非公開に切り替える>をタップすると、非公開アカウントに切り替わります。

セキュリティ

259 » アカウントを削除するには？

A Instagramの公式Webサイトから削除します。

Instagramのアカウントを削除したいときは、公式Webサイト（https://www.instagram.com/）から削除・退会の申請を行います。ユーザーネームとパスワードを入力してログインし、「アカウントを削除」画面から手続きします。なお、表示された削除日までにログインすれば、アカウントの復元が可能です。

1 公式Webサイト（https://www.instagram.com/）にアクセスし、ユーザーネームとパスワードを入力します。

2 <ログイン>をタップします。

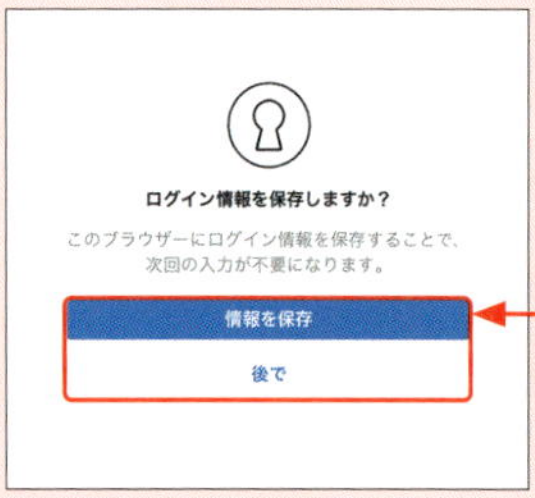

3 「ログイン情報を保存しますか?」と表示されたら、<情報を保存>または<後で>をタップします。

4 プルダウンメニューをタップし、アカウントを削除する理由を選択します。

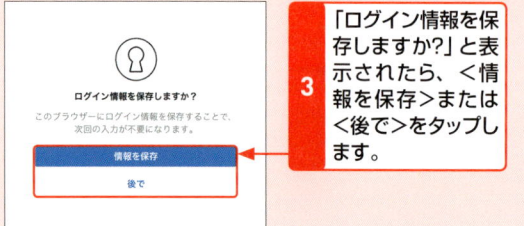

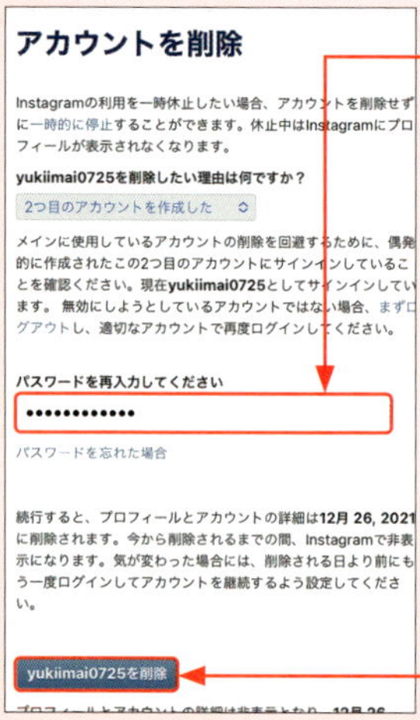

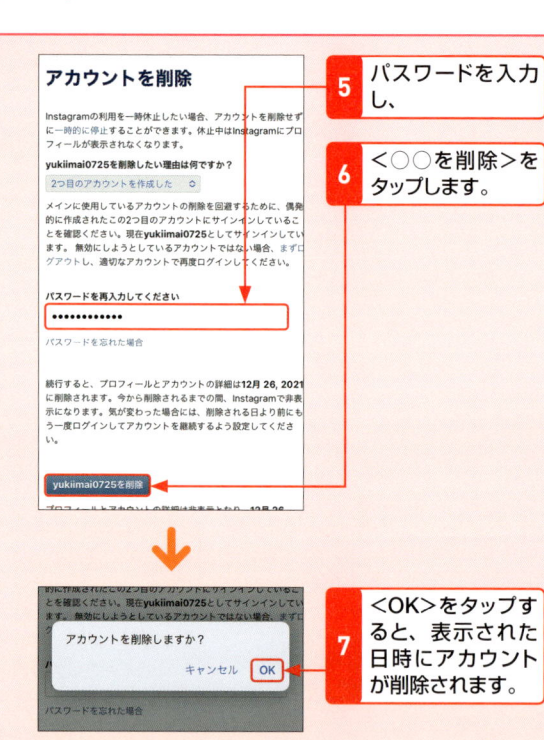

5 パスワードを入力し、

6 <○○を削除>をタップします。

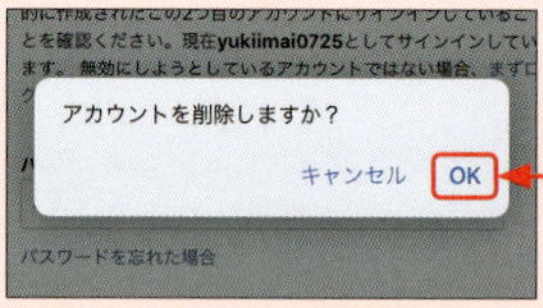

7 <OK>をタップすると、表示された日時にアカウントが削除されます。

アカウントを復元する

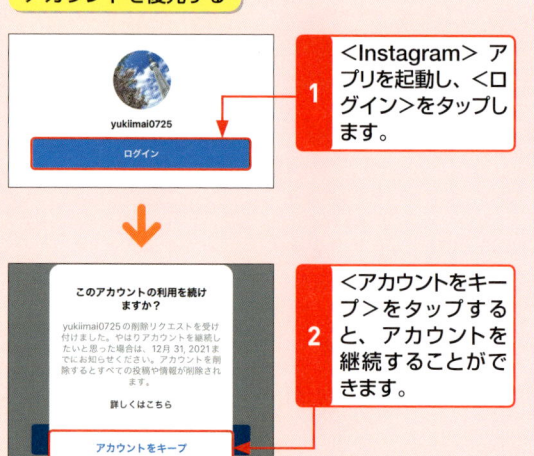

1 <Instagram>アプリを起動し、<ログイン>をタップします。

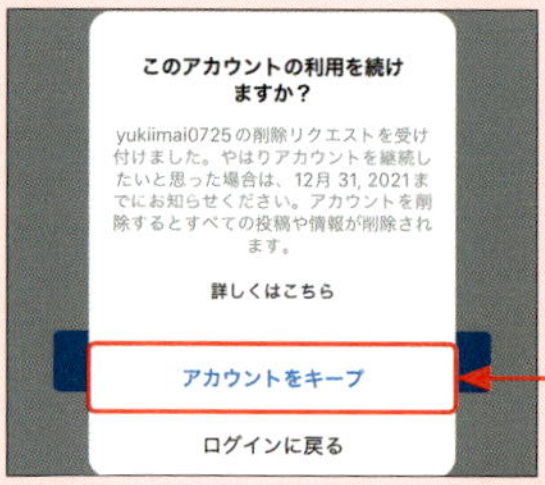

2 <アカウントをキープ>をタップすると、アカウントを継続することができます。

Q ほかのSNSとの連携 ★★★★

260 » Instagramで投稿した写真をFacebookにも反映させたい！

A 「新規投稿」画面で「Facebook」をオンにしてからシェアします。

Instagramに投稿する内容をFacebookにも同時に投稿することができます。複数のSNSアカウントを持っているときに便利です。投稿するたびに反映させるかどうかを選択することができるので、投稿する内容によって決めましょう。ここでは、その場で撮影した写真の連携方法を紹介していますが、端末に保存されている写真を投稿するときも同様に、Facebookと連携して反映させることができます。

1 ⊕をタップし、

2 <投稿>→◎の順にタップします。

3 ◯をタップして撮影します。

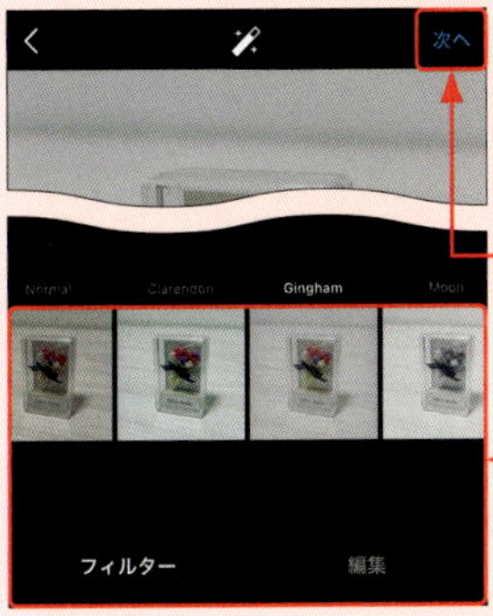

4 必要に応じてフィルターや編集を適用し、

5 <次へ>（Androidでは→）をタップします。

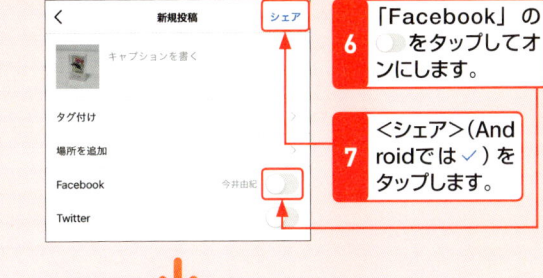

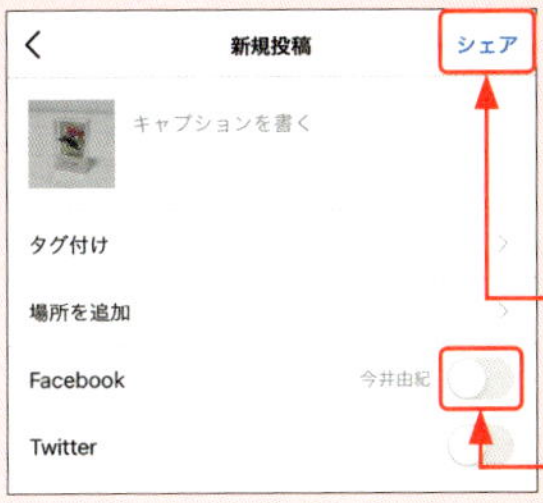

6 「Facebook」の◯をタップしてオンにします。

7 <シェア>（Androidでは✓）をタップします。

8 Instagramに投稿されます。

9 同じ内容がFacebookにも投稿されます。

はじめて連携する場合

はじめてFacebookと連携するときは、手順6のあとにアカウントセンターの設定画面が表示されます。<次へ>をタップし、画面の指示に従って設定します。

Q ほかのSNSとの連携

261 » Instagramで投稿した写真をTwitterにも反映させたい！

A 「新規投稿」画面で「Twitter」をオンにしてからシェアします。

Instagramに投稿する内容をTwitterにも同時に投稿することができます。なお、はじめて連携するときは、ログインの作業が必要になります。ここでは、その場で撮影した写真の連携方法を紹介していますが、端末に保存されている写真を投稿するときも同様に、Twitterと連携して反映させることができます。

1 ⊕をタップし、

2 <投稿>→◎の順にタップします。

3 ◯をタップして撮影します。

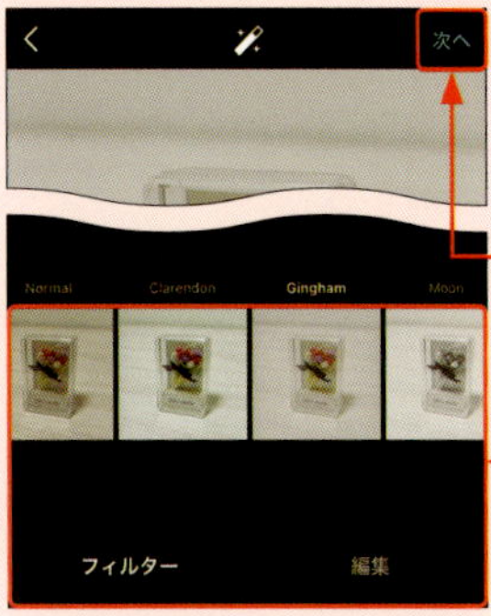

4 必要に応じてフィルターや編集を適用し、

5 <次へ>（Androidでは→）をタップします。

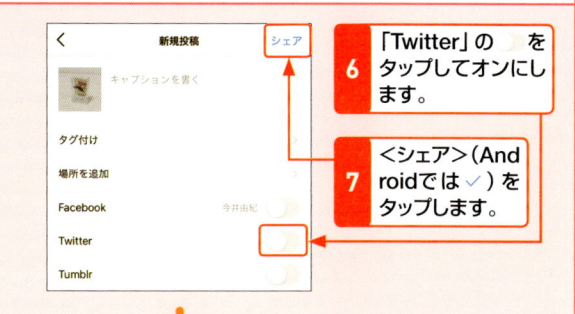

6 「Twitter」の◯をタップしてオンにします。

7 <シェア>（Androidでは✓）をタップします。

8 Instagramに投稿されます。

9 同じ内容がTwitterにも投稿されます。

はじめて連携する場合

はじめてTwitterと連携するときは、手順6のあとに、「ログイン」画面が表示されます。画面の指示に従って、Twitterにログインします。

第5章

パソコンでInstagramを利用

Q Instagramの基本 ★★★★★

262 » Instagramのアカウントを作成したい！

A パソコンのWebブラウザでInstagramにアクセスし、<登録する>をクリックします。

パソコンでInstagramを利用したいときは、「Microsoft Edge」などのWebブラウザで「https://www.instagram.com/」にアクセスし、<登録する>をクリックします。電話番号またはメールアドレス、名前、ユーザーネーム、パスワードを入力すると、アカウントを作成することができます。

1 Webブラウザ（ここではMicrosoft Edge）を起動し、検索ボックスに「https://www.instagram.com/」と入力して、Instagramにアクセスします。

2 <登録する>をクリックします。

3 アカウント作成に必要な情報を入力し、

4 <登録する>をクリックします。

5 生年月日を設定し、

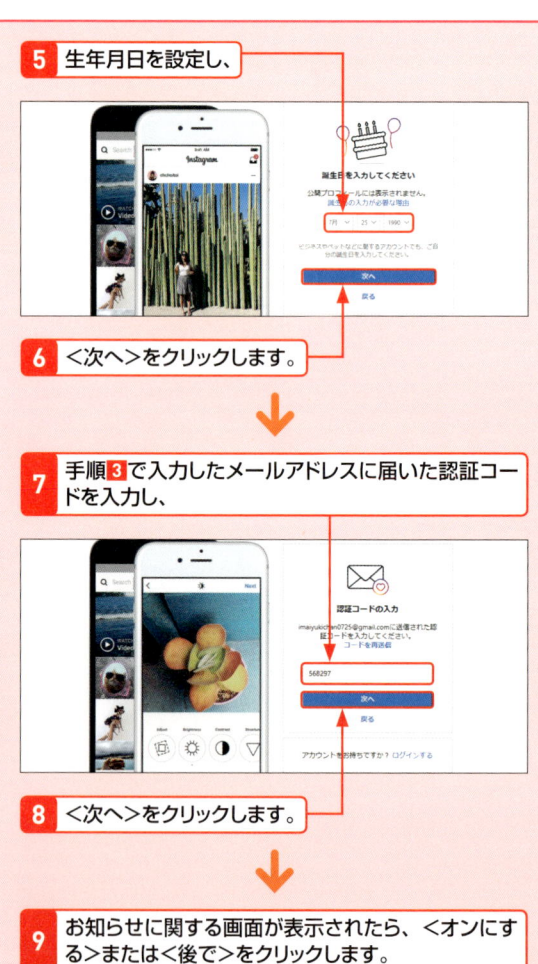

6 <次へ>をクリックします。

7 手順3で入力したメールアドレスに届いた認証コードを入力し、

8 <次へ>をクリックします。

9 お知らせに関する画面が表示されたら、<オンにする>または<後で>をクリックします。

Instagramの基本

Q 263 » Instagramにログインするには？

A ユーザーネームとパスワードを入力してログインします。

アカウント作成後は、登録した電話番号またはユーザーネームまたはメールアドレスとパスワードを入力してログインします。Instagramの公式サイト（https://www.instagram.com/）にアクセスしてログインしましょう。複数のアカウントを持っている場合は、ログイン画面で選択することができます。

ログイン

1 Q.262手順1を参考に、パソコンのWebブラウザでInstagramにアクセスします。

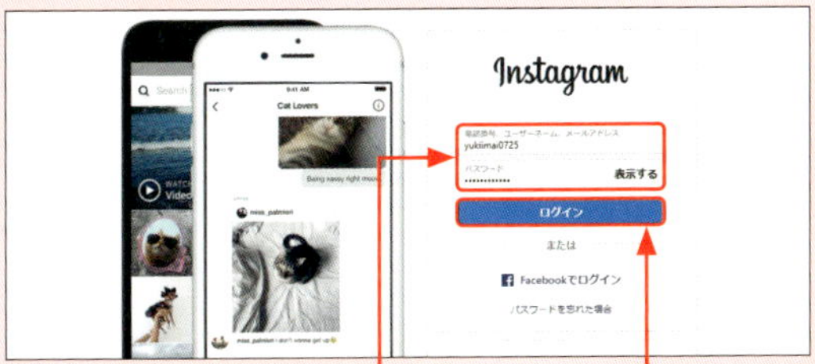

2 登録した電話番号またはユーザーネームまたはメールアドレスとパスワードを入力し、

3 <ログイン>をクリックします。

別のアカウントでログインする

複数のアカウントを持っている場合、一度ログインしてログアウトすると、ログイン画面で選択することができます。

Instagramの基本

Q 264 » アカウントを切り替えたい！

A <切り替える>をタップしてアカウントを選択します。

Instagramでは複数のアカウントを作成することができます。個人用のアカウントや友達に公開するアカウントなど、複数のアカウントを持っている場合は、その切り替え方法を覚えておきましょう。ログインに必要な情報を入力しなくても、ワンクリックでアカウントの切り替えが行えます。

1 「ホーム」タブでアカウント名の<切り替える>をクリックします。

2 切り替えたいアカウントをクリックすると、

3 アカウントが切り替わります。

プロフィールアイコンをクリックし、<アカウントを切り替える>をクリックすることでもアカウントを切り替えることができます。

Q 画面構成 ★★★★★

265 » パソコン版Instagramの画面の見方がわからない！

A 「ホーム」タブの見方を覚えましょう。

Instagramでは、画面右上に表示されている6つのアイコンをクリックすることで、それぞれの画面に移動することができます。「ホーム」タブには、フォロー中のユーザーのストーリーズや投稿が表示されており、右側には「おすすめ」のユーザーが表示されています。画面上部の検索ボックスでは、ユーザー名やハッシュタグなどを入力して検索することもできます。

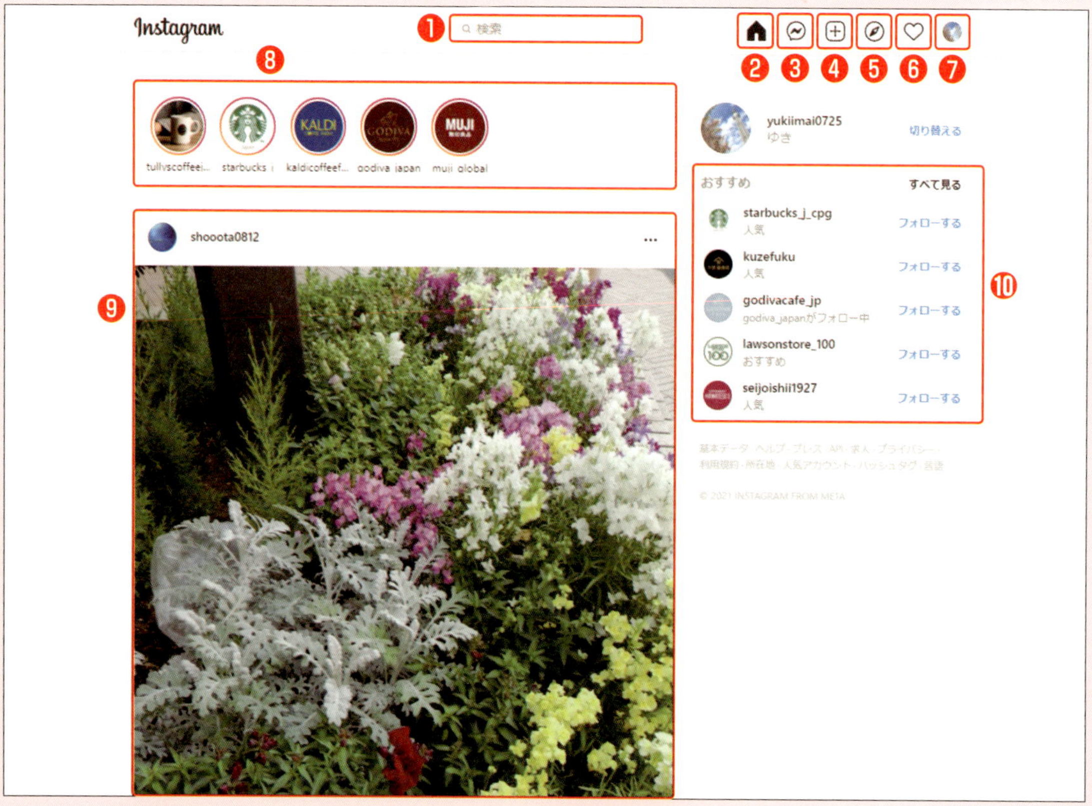

❶ 検索	キーワードやハッシュタグを入力して検索できます。
❷ ホーム	「ホーム」タブが表示されます。
❸ ダイレクトメッセージ	ダイレクトメッセージを送信できます。
❹ 投稿	写真や動画を投稿できます。
❺ おすすめ	おすすめの投稿や動画が表示されます。
❻ アクティビティ	フォローやコメントなどがあると通知が届きます。
❼ プロフィールアイコン	自分の「プロフィール」タブや「設定」画面に移動できます。
❽ ストーリーズ	フォローしているユーザーのストーリーズが表示されます。
❾ タイムライン	フォローしているユーザーの投稿が表示されます。
❿ おすすめ	おすすめのユーザーが表示されます。

Q プロフィール設定 ★★★★★

266 » プロフィールの画像を変更したい！

A <プロフィールを編集>をクリックします。

プロフィールの写真を変更したいときは、プロフィールアイコンをクリックし、<プロフィール>をクリックして「プロフィール」タブを表示します。<プロフィールを編集>をクリックし、<プロフィール写真を変更>をクリックして、画像をアップロードします。

1 プロフィールアイコンをクリックし、

2 <プロフィール>をクリックします。

3 <プロフィールを編集>をクリックし、

4 <プロフィール写真を変更>→<写真をアップロード>の順にクリックします。

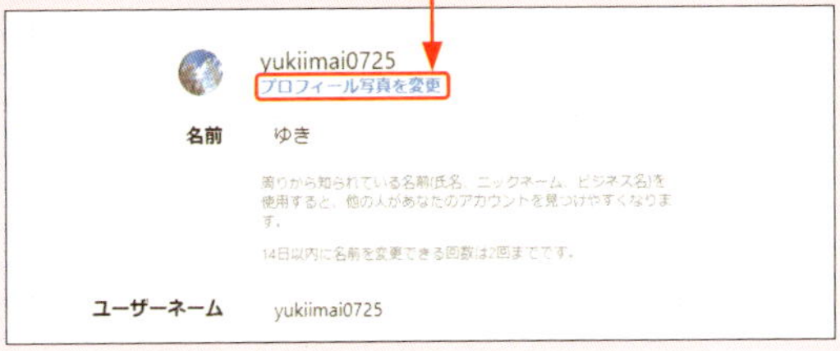

5 画像を選択して<開く>をクリックします。

Q フォロー ★★★★★

267 » おすすめのユーザーをフォローしたい！

A 「おすすめ」からフォローします。

「ホーム」タブの右側には「おすすめ」のユーザーが表示されています。<すべて見る>をクリックすると一覧で表示され、気になるユーザーの<フォローする>をクリックすることでフォローできます。なお、「おすすめ」は、タイムラインをスクロールすると表示されることもあります。

1 「ホーム」タブで、「おすすめ」の<すべて見る>をクリックします。

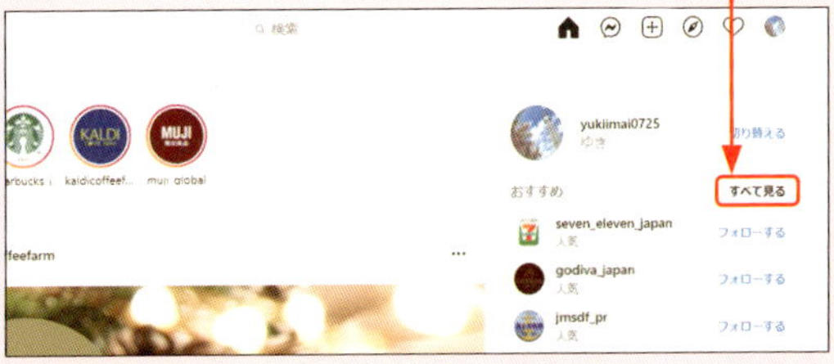

2 フォローしたいユーザーの<フォローする>をクリックすると、

3 「フォロー中」の表示に変わります。

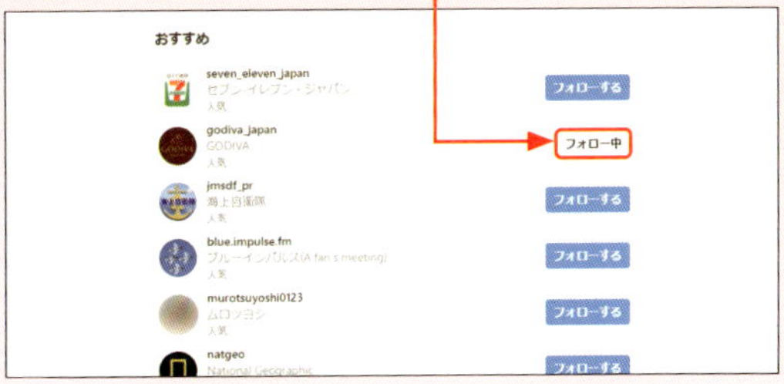

Q フォロー

268 » キーワード検索でフォローする相手を見つけたい！

A **検索ボックスにキーワードを入力します。**

画面上部の検索ボックスにキーワードを入力すると、そのキーワードに関連したアカウントやハッシュタグ、位置情報などの検索結果が表示されます。アカウント名をクリックすると「プロフィール」画面が表示され、<フォローする>をクリックすると、フォローが完了します。

1 「ホーム」タブで検索ボックスをクリックし、

2 キーワードを入力します。

3 候補が表示されるので、任意のアカウントをクリックします。

4 「プロフィール」画面が表示されるので、<フォローする>をクリックします。

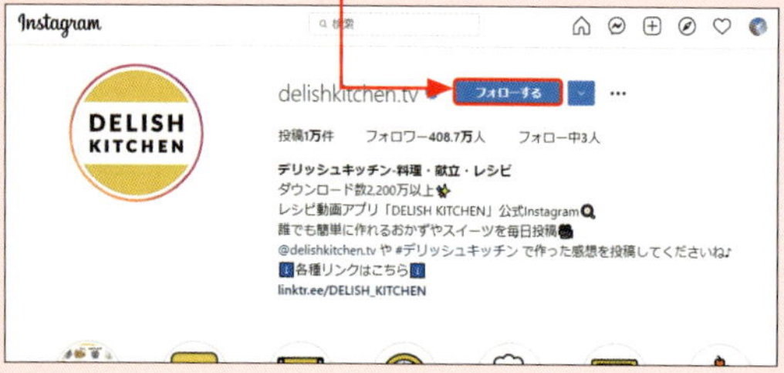

Q フォロー

269 » ほかのユーザーのプロフィールを確認するには？

A **ユーザーネームをクリックします。**

ユーザーネームをクリックすると、そのユーザーの「プロフィール」画面が表示されます。フォローする前にどのようなアカウントであるのかを確認したり、投稿されている写真を閲覧したりすることができます。まだフォローしていないアカウントは、「プロフィール」画面で<フォローする>をクリックするとフォローできます。

1 「おすすめ」などから、プロフィールを確認したいアカウントをクリックします。

2 「プロフィール」画面が表示されます。

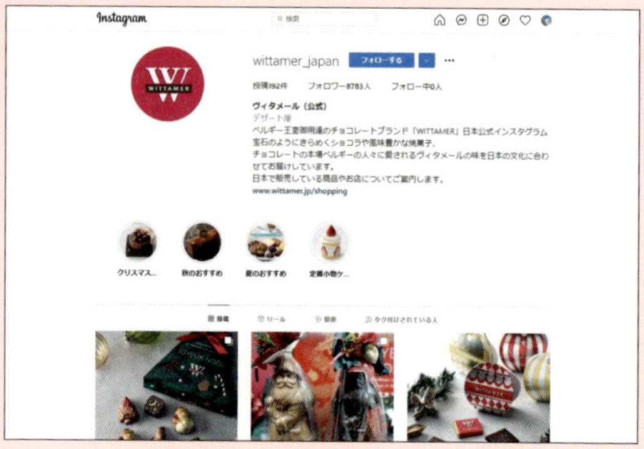

Q 投稿 ★★★★★

270 » 写真や動画を投稿したい！

A ⊞をクリックして写真や動画をアップロードします。

パソコンのInstagramからも、写真や動画を投稿することができます。画面右上の⊞をクリックし、<コンピューターから選択>をクリックして、写真や動画を選択しましょう。スマートフォンの<Instagram>アプリと同様に、フィルターをかけたり、キャプションを付けたり、タグ付けしたりすることができます。なお、リールやストーリーズへの投稿はできません。

1 ⊞をクリックし、

2 <コンピューターから選択>をクリックします。

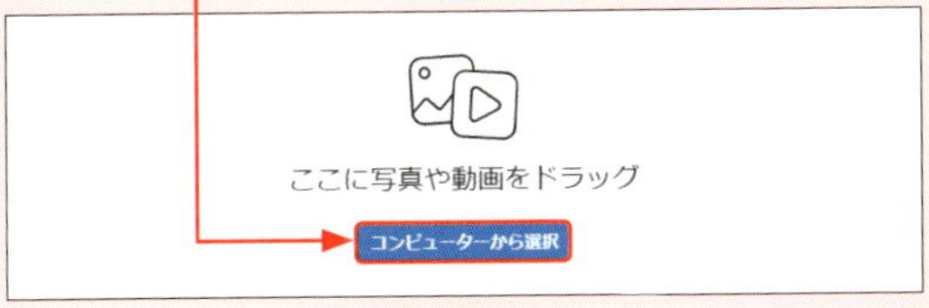

3 投稿したい写真（または動画）をクリックして選択し、

4 <開く>をクリックします。

5 ドラッグして写したい箇所を調整し、

6 <次へ>をクリックします。

7 必要に応じてフィルターをかけ、

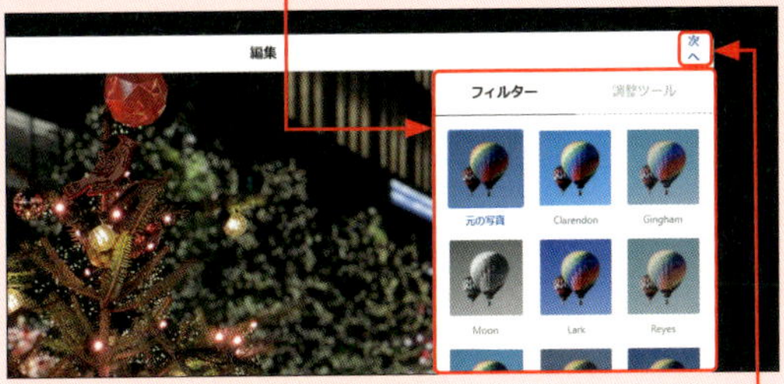

8 <次へ>をクリックします。

9 キャプションを入力し、

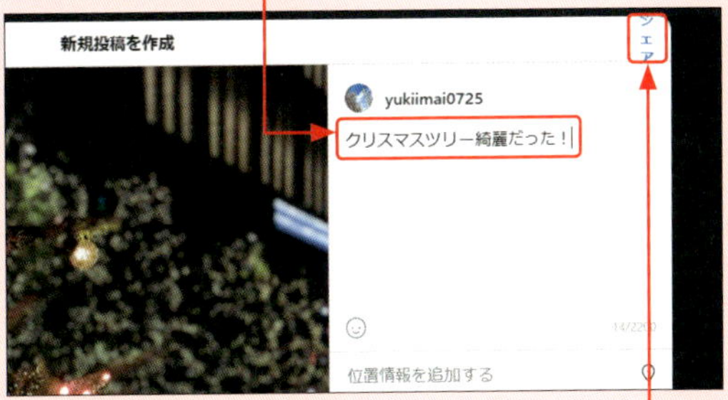

10 <シェア>をクリックします。

Q 投稿 ★★★★★

271 » ハッシュタグを使って投稿したい！

A 検索ボックスに「#」とキーワードを入力します。

ハッシュタグを使って検索したいときは、画面上部の検索ボックスに「#」+「キーワード」を入力します。そのキーワードに関連したハッシュタグが一覧表示されるので、検索したいハッシュタグをクリックします。上部には人気の投稿が表示され、上方向にスクロールすると最新の投稿が一覧で表示されます。

1 検索ボックスに「#」+「キーワード」を入力し、

2 候補から任意のハッシュタグをクリックします。

3 検索したハッシュタグが付けられた人気の投稿が表示されます。

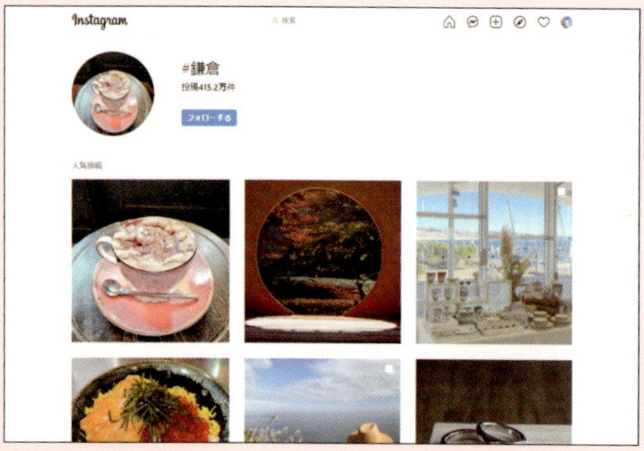

4 画面を上方向にスクロールすると、最新の投稿が表示されます。

Q 投稿 ★★★★★

272 » タグを付けて投稿したい！

A 「新規投稿を作成」画面で画像をクリックします。

パソコンのInstagramでも、写真にタグ付けして投稿することができます。「新規投稿を作成」画面で写真をクリックするとポップアップが表示され、タグ付けしたいユーザーを入力して選択すると、ユーザーのアカウントが挿入されます。タグはドラッグして位置を調整することができます。

1 Q.270手順1～8を参考に「新規投稿を作成」画面を表示し、写真部分をクリックします。

2 タグ付けしたい名前を入力し、

3 候補から任意のアカウントをクリックします。

4 タグ付けされます。

5 <シェア>をクリックして投稿します。

投稿

Q 273 » ほかのユーザーの投稿に「いいね」したい！

A 投稿の♡をクリックします。

気に入った投稿や共感を得た投稿を見つけたときは、♡をクリックして「いいね！」を付けましょう。「いいね！」すると相手にも通知されます。なお、<いいね！>をクリックすると、その投稿に「いいね！」したユーザーを確認することができます。

1 投稿の♡をクリックします。

2 ❤に変わり、「いいね!」が付きます。

投稿

Q 274 » 投稿にコメントを付けたい！

A コメント欄をクリックしてメッセージを入力します。

気持ちや感想を伝えたくなったときは、投稿にコメントしてみましょう。投稿のコメント入力欄をクリックし、メッセージ入力して、<投稿する>をクリックします。☺をクリックすると、絵文字を挿入することもできます。

1 コメント入力欄をクリックし、

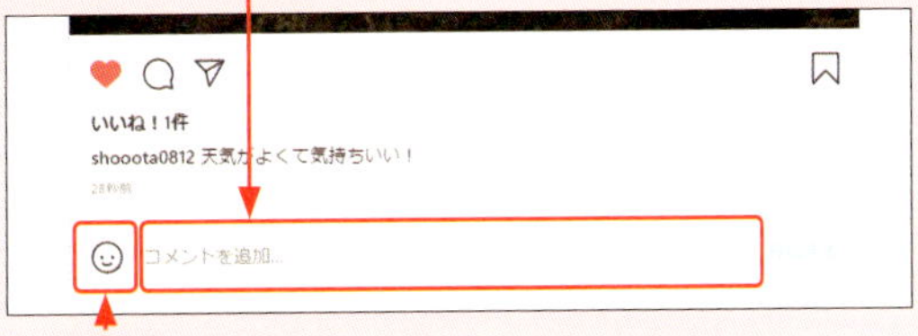

☺をクリックすると絵文字を挿入できます。

2 コメントを入力して、

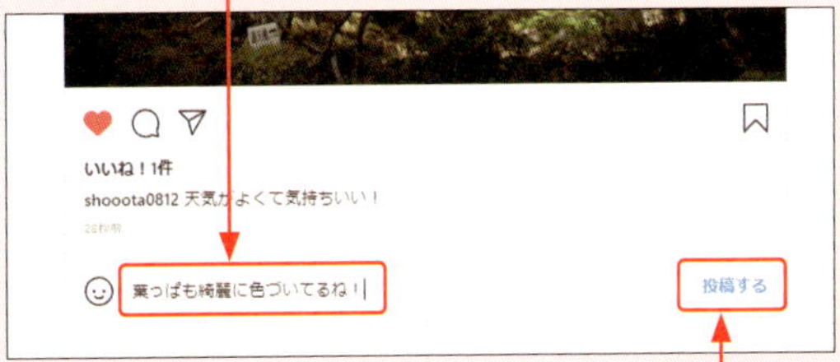

3 <投稿する>をクリックします。

4 コメントが投稿されます。

Q 投稿 ★★★★★

275 » 投稿をコレクションに保存してあとで確認したい！

A 投稿の□をクリックします。

投稿された画像や動画は保存できませんが、興味のある投稿やあとで読み返したい投稿は、「コレクション」機能を使うと便利です。投稿の□をクリックすると保存され、保存した投稿は「保存済み」から確認することができます（Q.276参照）。なお、投稿を保存しても、相手に通知されることはありません。

1 保存したい投稿の□をクリックすると、

2 ■に変わり、保存されます。

Q 投稿 ★★★★★

276 » コレクションに保存した投稿を確認するには？

A プロフィールアイコンをクリックし、＜保存済み＞をクリックします。

保存した投稿を確認したいときは、プロフィールアイコンをクリックし、＜保存済み＞をクリックします。保存した投稿が一覧で表示され、投稿をクリックすると、投稿の詳細を確認することができます。＜新規コレクション＞をクリックすると、保存した投稿をジャンルごとに整理できます。

1 プロフィールアイコンをクリックし、

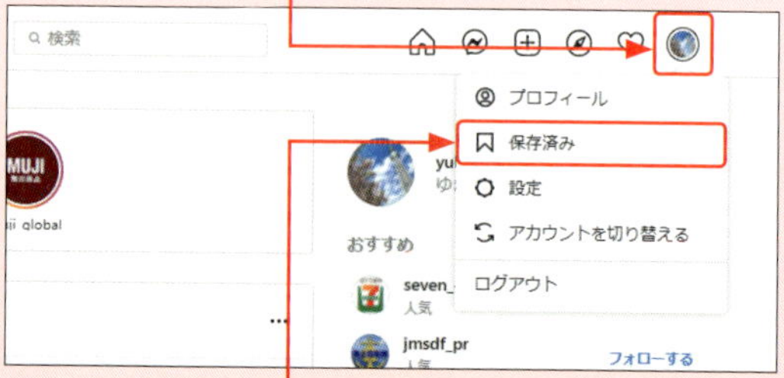

2 ＜保存済み＞をクリックします。

3 保存した投稿が表示されます。

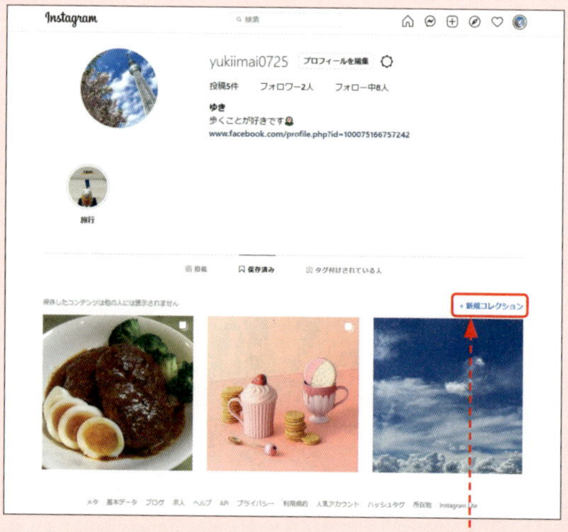

＜新規コレクション＞をクリックすると、アルバムのように整理することができます。

Q ダイレクトメッセージ ★★★★★

277 » ダイレクトメッセージを送信したい！

A をクリックします。

特定のユーザーにメッセージを送りたいときは、ダイレクトメッセージを使いましょう。画面右上のをクリックするとダイレクトメッセージの画面が表示されるので、<メッセージを送信>をクリックし、宛先を指定してメッセージを送信します。テキストだけでなく、写真や動画を送信することもできます。

1 をクリックし、

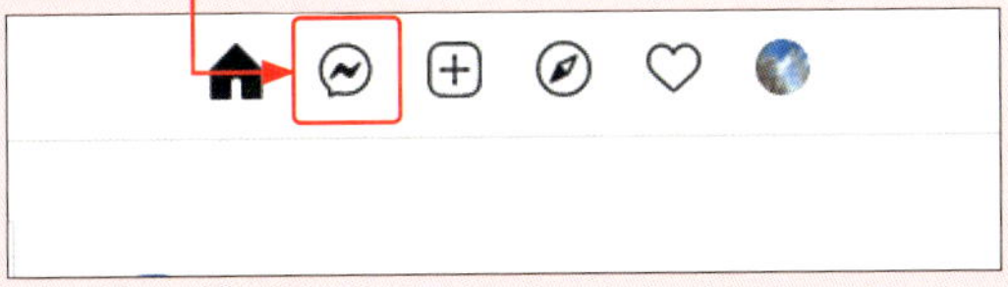

2 <メッセージを送信>をクリックします。

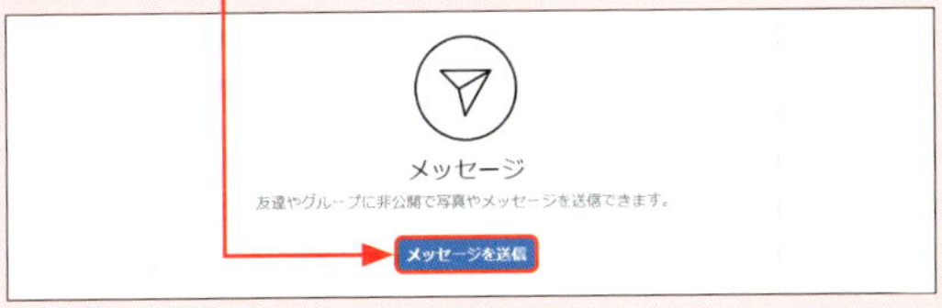

3 宛先を入力し、

4 候補からメッセージを送信したい相手をクリックして、

5 <次へ>をクリックします。

6 メッセージを入力して<送信>をクリックすると、メッセージが送信されます。

Q 設定 ★★★★★

278 » 通知設定を変更したい！

A 「設定」画面で<プッシュ通知>をクリックします。

パソコンのInstagramでも、項目ごとに通知を設定することができます。投稿に「いいね！」やコメントが付いたり、フォローされたりしたときに通知を受け取る設定にしておくと、すぐに確認することができます。通知設定は、プロフィールアイコンをクリックし、<設定>→<プッシュ通知>の順にクリックして設定します。

1 プロフィールアイコンをクリックし、

2 <設定>をクリックします。

3 <プッシュ通知>をクリックすると、

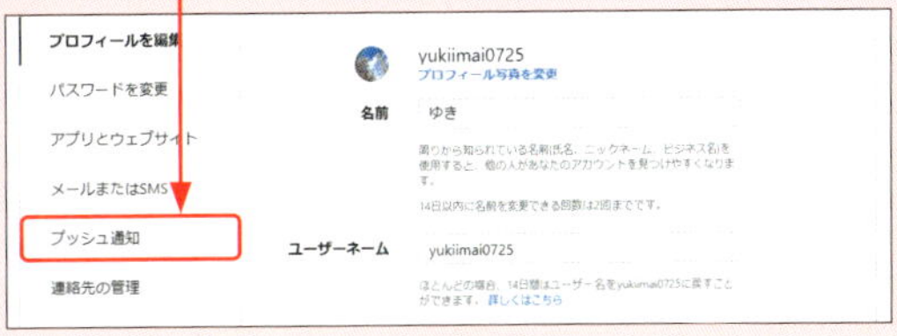

4 項目ごとに通知設定を行えます。

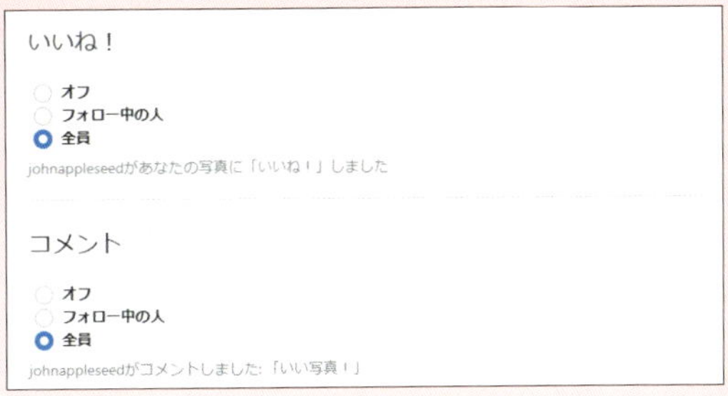

設定

Q 279 » アカウントを非公開にするには？

A 「設定」画面で<プライバシーとセキュリティ>をクリックします。

自分の投稿をフォロワー以外の人に見られたくないときは、アカウントを非公開にしましょう。「設定」画面で<プライバシーとセキュリティ>をクリックし、<非公開アカウント>をクリックしてチェックを付けます。アカウントを非公開にすると、セキュリティを高めることもできます。なお、公開に切り替えたいときは、<非公開アカウント>→<閉じる>の順にクリックします。

1 Q.278手順 1 ～ 2 を参考に「設定」画面を表示し、<プライバシーとセキュリティ>をクリックします。

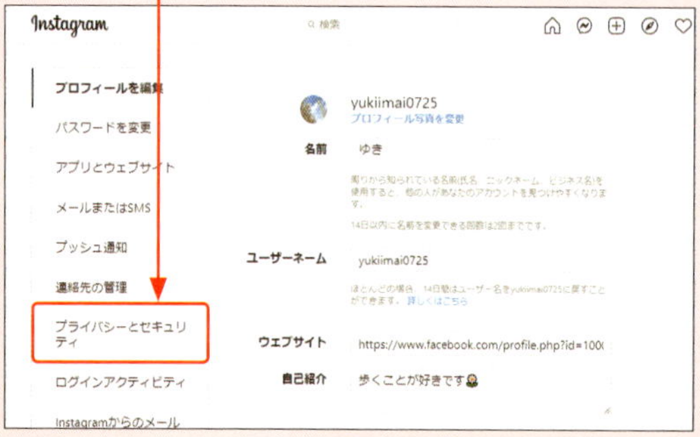

2 <非公開アカウント>をクリックしてチェックを付けると、承認したユーザー以外には写真や動画が表示されなくなります。

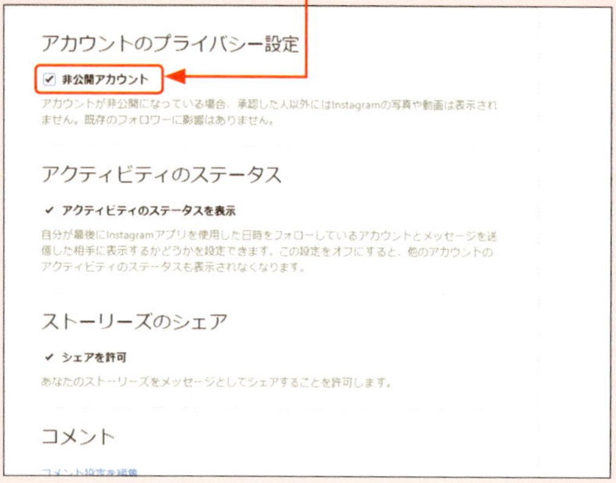

設定

Q 280 » パスワードを再設定するには？

A 「設定」画面で<パスワードを変更>をクリックします。

設定したパスワードを忘れてしまったときは、パスワードを再設定しましょう。「設定」画面で<パスワードを変更>をクリックし、<パスワードを忘れた場合>をクリックします。以降は画面の指示に従って設定します。

1 Q.278手順 1 ～ 2 を参考に「設定」画面を表示し、<パスワードを変更>をクリックします。

2 <パスワードを忘れた場合>をクリックし、

3 <ログインリンクを送信>をクリックして、画面の指示に従って再設定します。

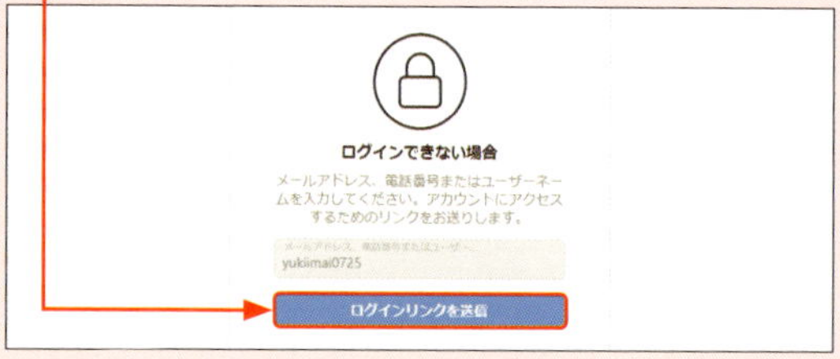

第1章

Twitterの基本

Q Twitterの基本 ★★★★★

281 » Twitterのアカウントを登録するには？

A メールアドレスや電話番号を使って登録します。

Twitterの新規アカウントの登録は、携帯電話番号でも登録できますが、ここではメールアドレスでの登録方法を紹介します。

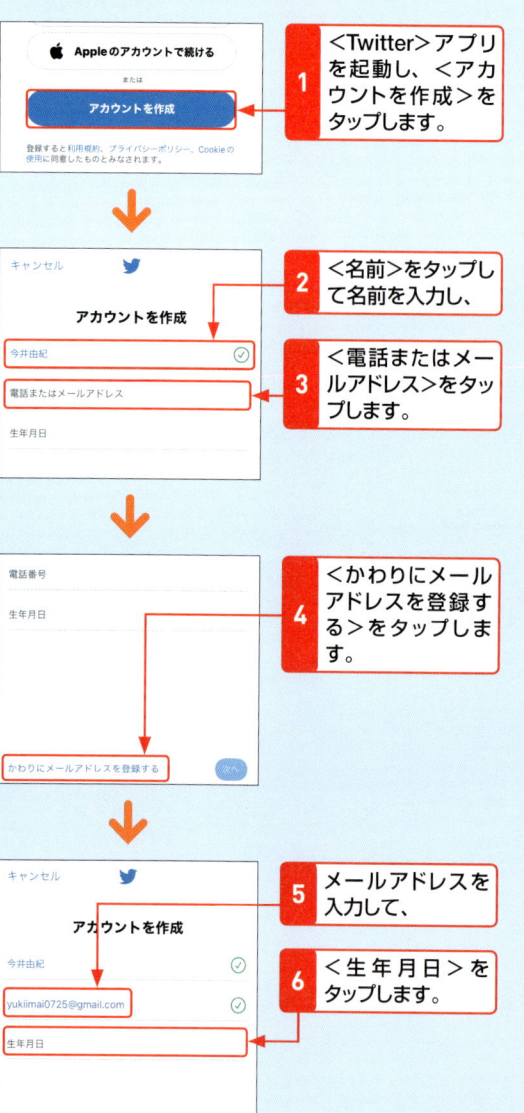

1 <Twitter>アプリを起動し、<アカウントを作成>をタップします。

2 <名前>をタップして名前を入力し、

3 <電話またはメールアドレス>をタップします。

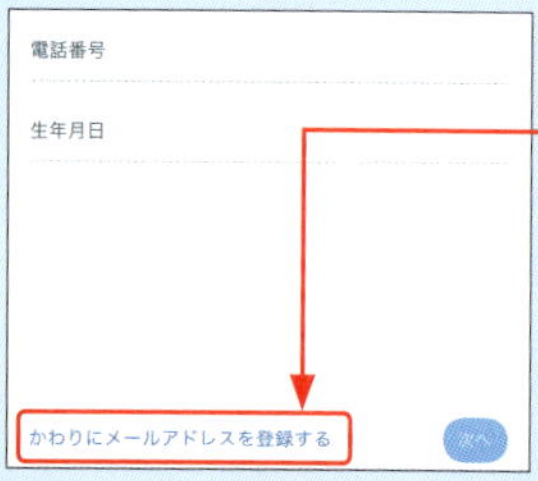

4 <かわりにメールアドレスを登録する>をタップします。

5 メールアドレスを入力して、

6 <生年月日>をタップします。

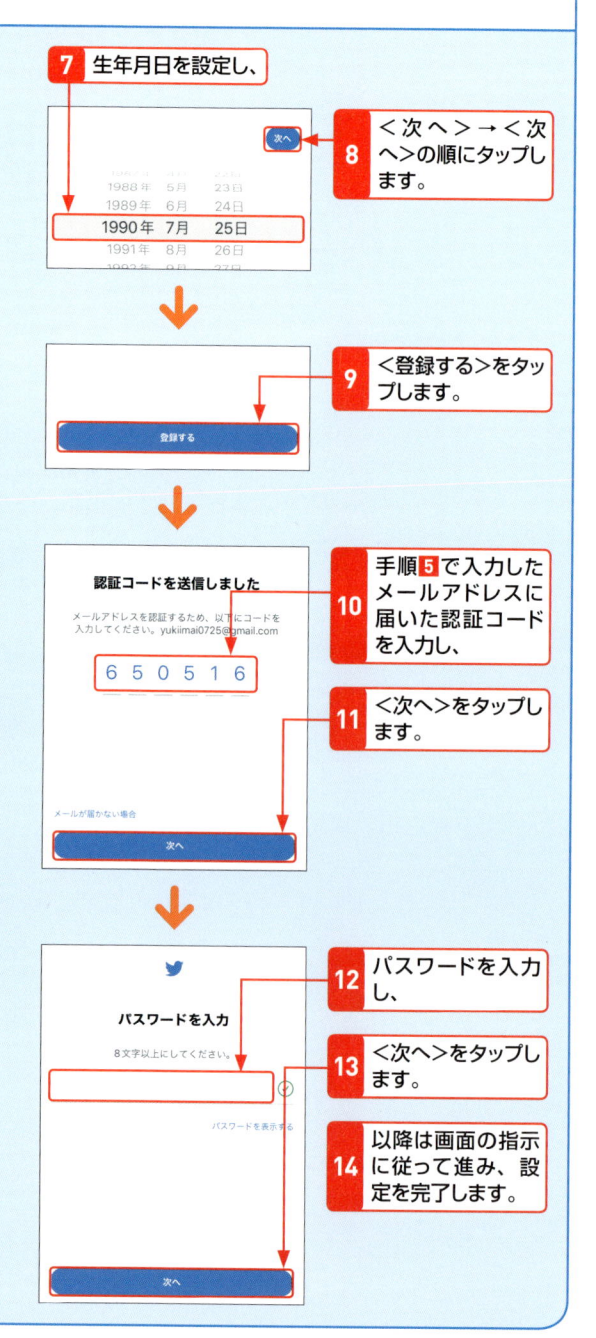

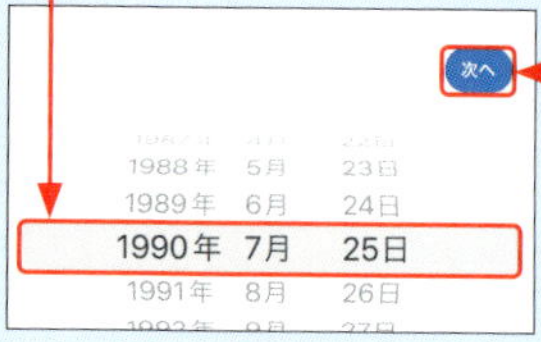

7 生年月日を設定し、

8 <次へ>→<次へ>の順にタップします。

9 <登録する>をタップします。

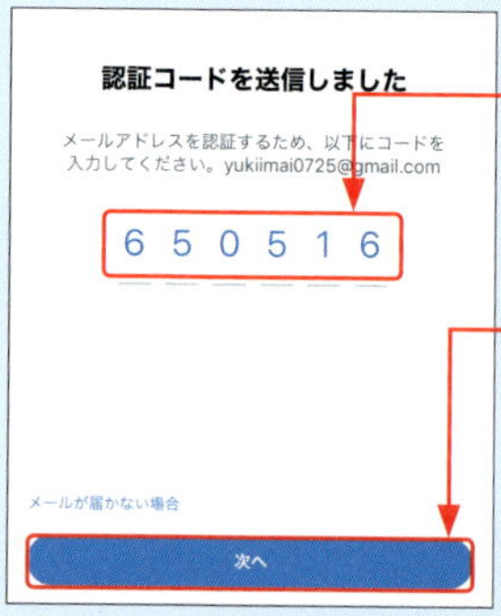

10 手順5で入力したメールアドレスに届いた認証コードを入力し、

11 <次へ>をタップします。

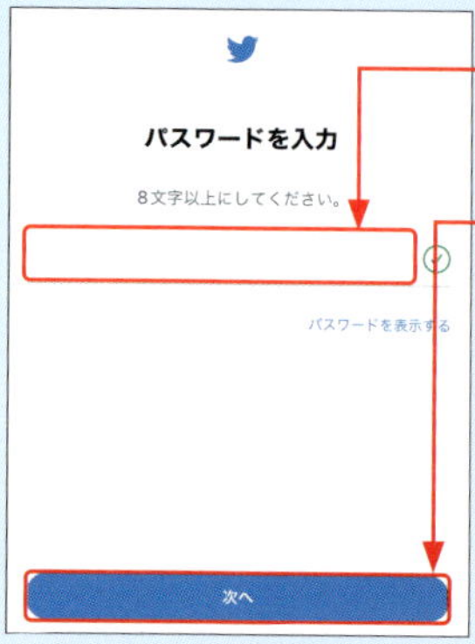

12 パスワードを入力し、

13 <次へ>をタップします。

14 以降は画面の指示に従って進み、設定を完了します。

Q 画面構成 ★★★★★

282 » Twitterの画面の見方がわからない！

A 「ホーム」タブの見方を確認しましょう。

Twitterの「ホーム」タブは、iPhone版とAndroid版とでは、アイコンが一部異なっているものの、ほとんど違いはありません。ここではそれぞれの「ホーム」タブの見方を覚えましょう。

iPhone版の「ホーム」タブ

Android版の「ホーム」タブ

❶プロフィールアイコン	「プロフィール」画面や「設定」画面へ移動します。
❷表示順序	表示方法を「最新ツイート」または「トップツイート」に切り替えられます。
❸タイムライン	自分やフォローしたユーザーのツイートが時系列順に表示されます。
❹ツイート投稿	ツイートを投稿できます。
❺ホーム	「ホーム」タブに戻ります。
❻検索	話題やユーザーを検索できます。
❼通知	フォローされたり、リプライが届いたりすると通知が届きます。
❽メッセージ	DM（ダイレクトメッセージ）を送信／閲覧できます。

プロフィール設定 ★★★★★

Q 283 プロフィールアイコンを設定したい！

A 「プロフィール」画面の名前の上にあるアイコンをタップして設定します。

プロフィールアイコンに自分らしさのイメージが伝わる画像を登録しましょう。プロフィールアイコンの登録は、「プロフィール」画面のアイコンをタップし、画面の指示に従って行います。

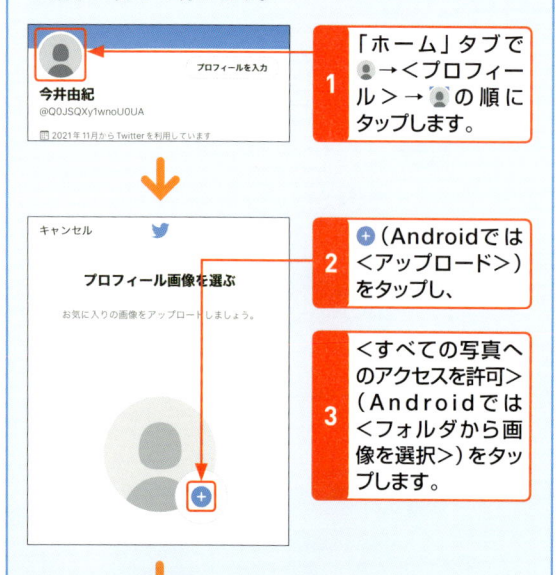

1 「ホーム」タブで👤→<プロフィール>→👤の順にタップします。

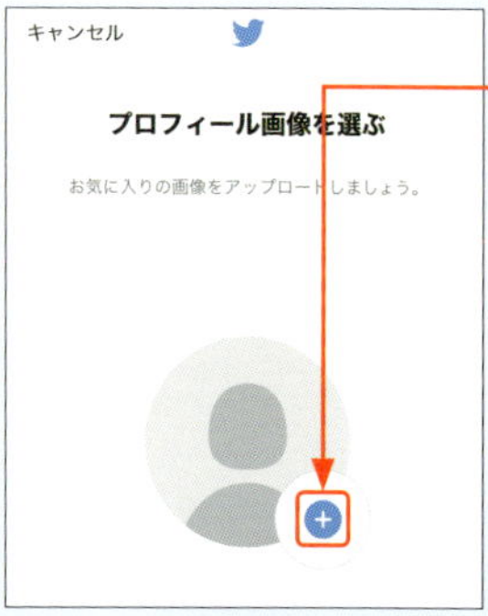

2 ⊕（Androidでは<アップロード>）をタップし、

3 <すべての写真へのアクセスを許可>（Androidでは<フォルダから画像を選択>）をタップします。

4 アイコンに設定したい画像をタップして選択します。

5 画像をドラッグして表示位置を調整して、

6 <適用>→<完了>（Androidでは<適用する>→<次へ>）→<今はしない>を4回→<プロフィールを見る>の順にタップします。

プロフィール設定 ★★★★★

Q 284 ユーザー名を変更したい！

A 「設定」画面で<アカウント>をタップします。

Twitterでは、名前の下に「@」から始まるアカウント固有のユーザー名が設定されています。初期設定では自動的に割り振られた英数字の組み合わせになっていますが、ユーザー名はあとから変更することもできます。👤→<設定とプライバシー>→<アカウント>→<アカウント情報>の順にタップして変更しましょう。なお、ユーザー名に使える文字は半角英数字で、4文字以上15字以内で設定します。

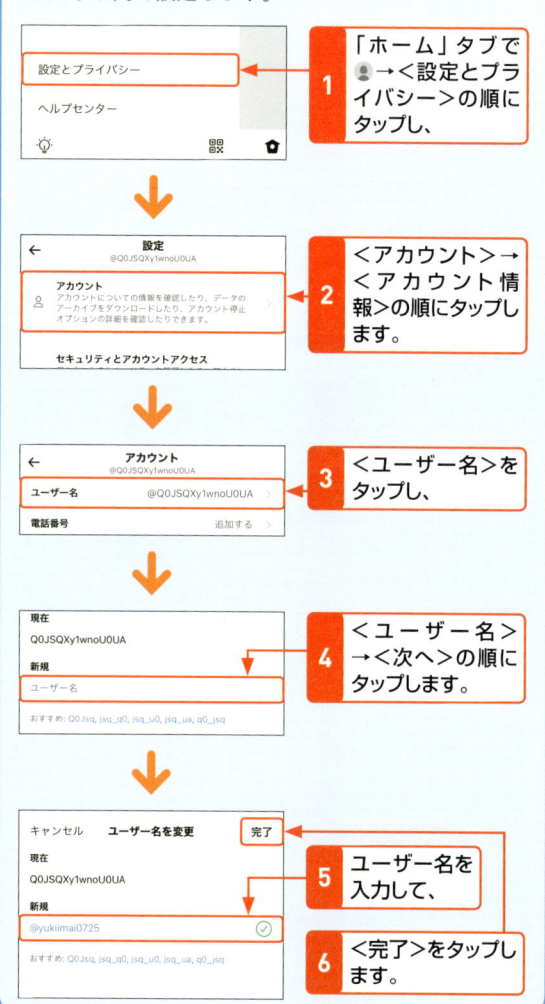

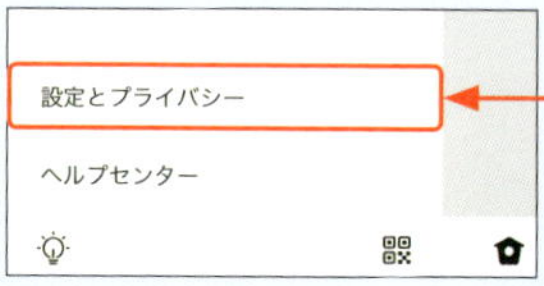

1 「ホーム」タブで👤→<設定とプライバシー>の順にタップし、

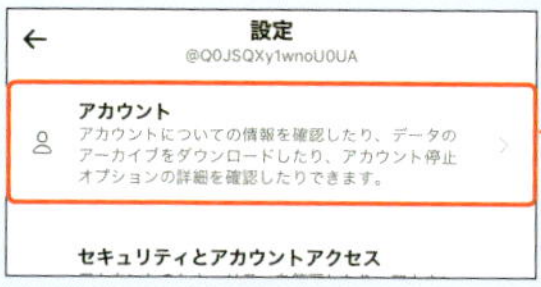

2 <アカウント>→<アカウント情報>の順にタップします。

3 <ユーザー名>をタップし、

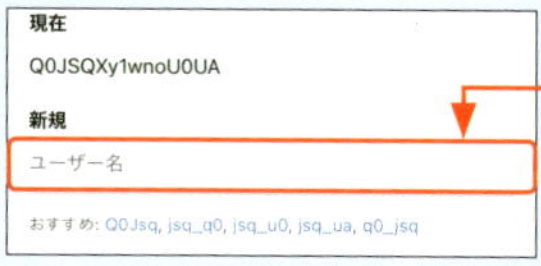

4 <ユーザー名>→<次へ>の順にタップします。

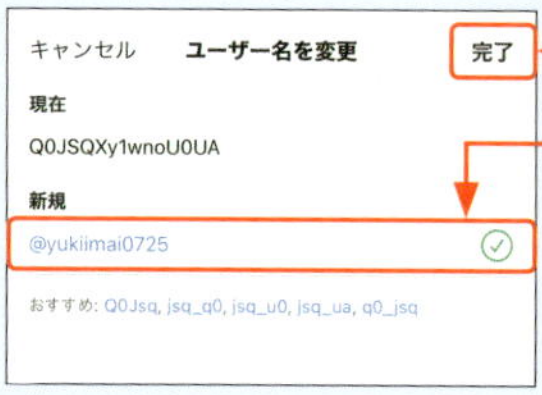

5 ユーザー名を入力して、

6 <完了>をタップします。

Q 285 プロフィール設定 ★★★★★

自己紹介文を入力するには？

A <プロフィールに自己紹介を追加する>をタップして入力します。

「プロフィール」画面には名前の下に140字で自己紹介文を掲載できます。自己紹介文を追加するには、「プロフィール」画面を表示し、<変更>（Androidの場合は<プロフィールを編集>）をタップして、自己紹介文を入力します。

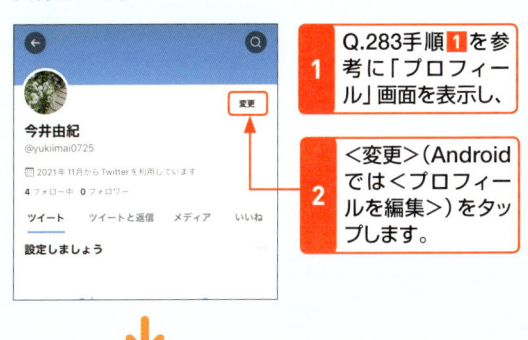

1 Q.283手順1を参考に「プロフィール」画面を表示し、

2 <変更>（Androidでは<プロフィールを編集>）をタップします。

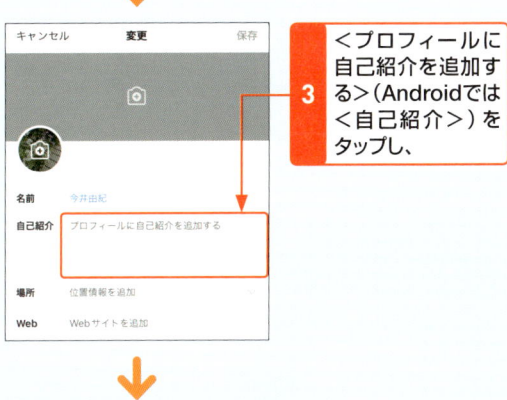

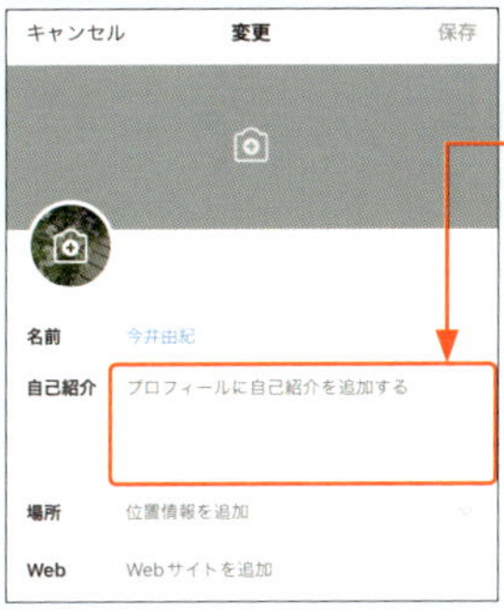

3 <プロフィールに自己紹介を追加する>（Androidでは<自己紹介>）をタップし、

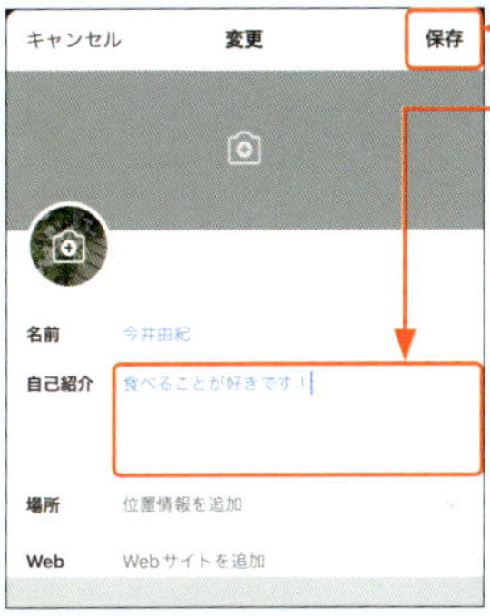

4 自己紹介を入力します。

5 <保存>をタップします。

Q 286 プロフィール設定 ★★★★★

ヘッダー画像を設定するには？

A 「プロフィール」画面の上にある📷をタップして画像を選択します。

ヘッダー画像とは、Twitterの「プロフィール」画面を表示した際に、ページのトップに表示される画像のことです。一度登録したあと、ほかの画像に変えたい場合は、再度ヘッダー画像をタップすれば、かんたんに変更することができます。

1 Q.285手順1～2を参考に「変更」画面（Androidでは「プロフィールを編集」画面）を表示し、

2 ヘッダーの📷をタップします。

3 アイコンに設定したい画像をタップして選択します（Androidでは<フォルダから画像を選択>をタップし、任意の画像をタップして選択します）。

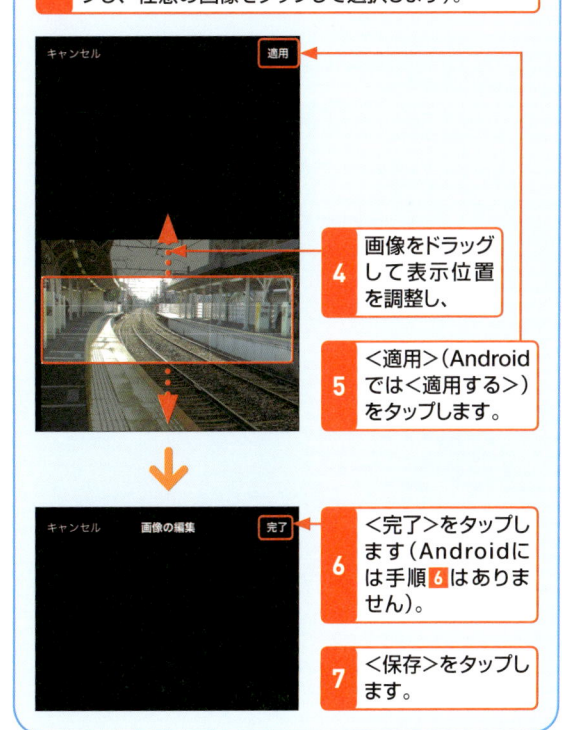

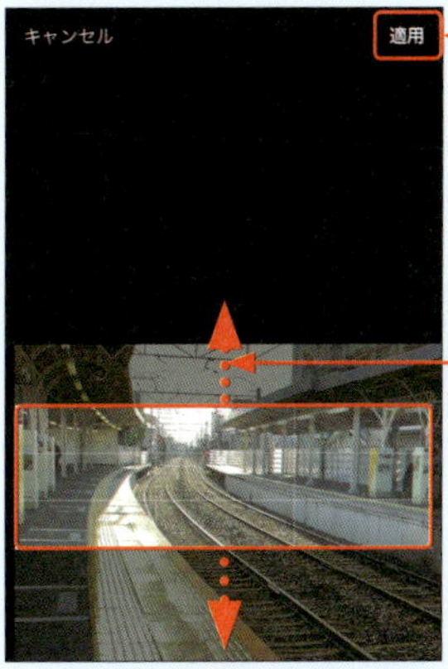

4 画像をドラッグして表示位置を調整し、

5 <適用>（Androidでは<適用する>）をタップします。

6 <完了>をタップします（Androidには手順6はありません）。

7 <保存>をタップします。

フォロー ★★★★★

Q 287 » フォローとフォロワーって何？

A タイムラインに表示させたいユーザーを登録することをフォロー、自分をフォローしてくれた人がフォロワーです。

自分のタイムラインにツイートを表示させたいユーザーを登録することを「フォロー」といいます。反対に、自分をフォローしてくれたユーザーのことを「フォロワー」といいます。フォロワーのタイムラインには、自分が投稿したツイートが表示されます。

フォロー

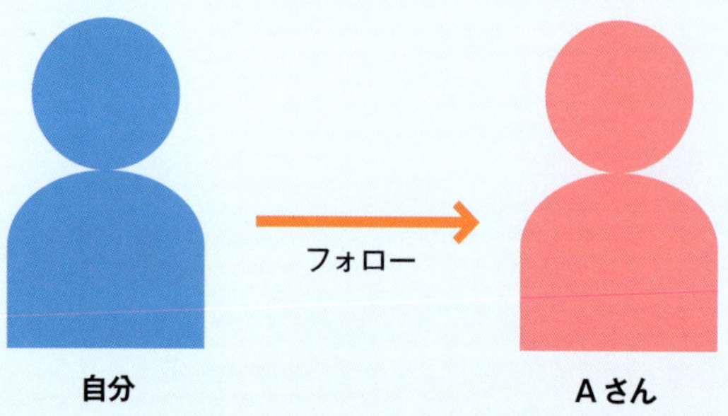

自分のタイムラインには、フォローしたユーザーのツイートが表示されます。

フォロワー

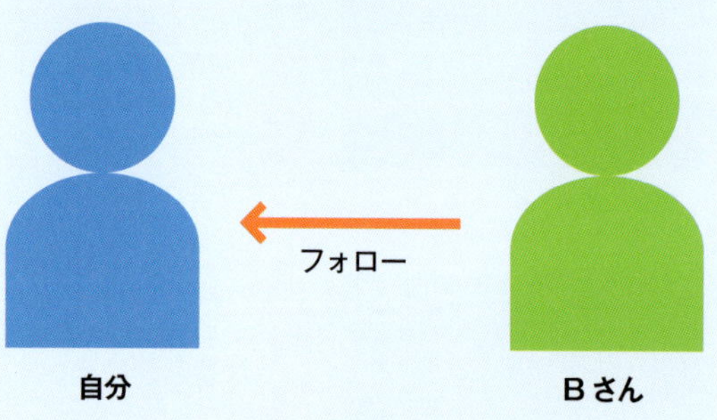

自分をフォローしているユーザー（フォロワー）のタイムラインには、自分のツイートが表示されます。

フォロー ★★★★★

Q 288 » 知り合いのユーザーを検索したい！

A 🔍をタップしてユーザーを検索します。

🔍をタップすると、Twitterで調べたい話題やキーワード、ユーザーの名前など、あらゆる検索が行えます。画面上部にある検索ボックスに知り合いの名前を入力して検索しましょう。検索結果のページで<ユーザー>をタップすると、名前検索の結果から知り合いのユーザーを探せます。

Q 289 フォロー ★★★★★
ユーザーのプロフィールを確認するには？

A ユーザーをタップするとユーザーのプロフィールが表示されます。

Q.288を参考に知り合いのユーザーを見つけたら、ユーザーをタップしてみましょう。そのユーザーの「プロフィール」画面が表示されます。自己紹介などのプロフィール項目が確認でき、<○フォロー>もしくは<○フォロー中>をタップすると、そのユーザーがフォローしているユーザー一覧を見ることができます。<ツイート>をタップすると、ユーザーのツイートが時系列順に表示されます。

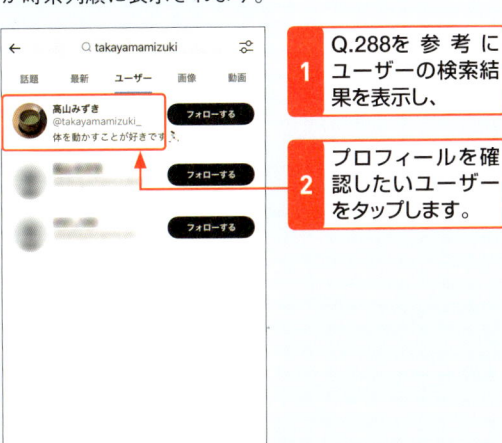

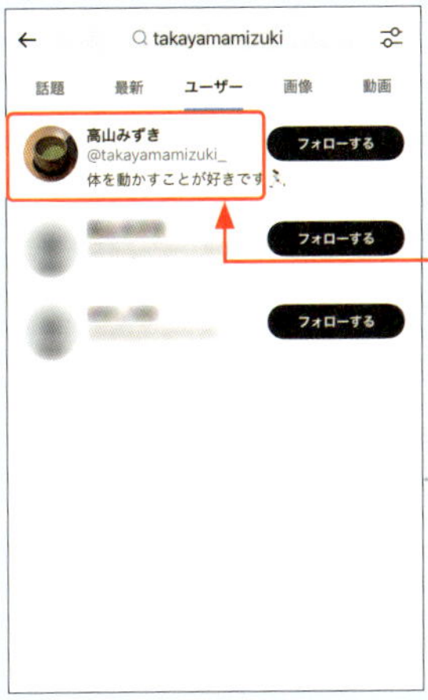

1 Q.288を参考にユーザーの検索結果を表示し、

2 プロフィールを確認したいユーザーをタップします。

3 ユーザーの「プロフィール」画面が表示されます。

Q 290 フォロー ★★★★★
知り合いのユーザーをフォローしたい！

A <フォローする>をタップすると、すぐにフォローできます。

知り合いのユーザーをフォローしてみましょう。ユーザーの「プロフィール」画面で<フォローする>をタップします。自分がそのユーザーをフォローしたことは相手に通知されます。非公開アカウントの場合（ツイートが非公開になっている）は、フォローは許可制になり、相手が許可するとフォローできます。

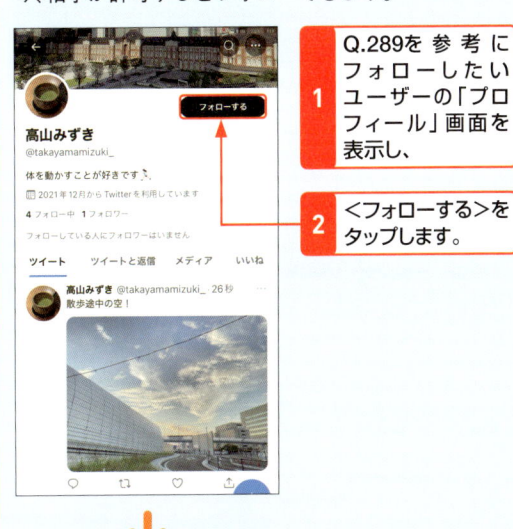

1 Q.289を参考にフォローしたいユーザーの「プロフィール」画面を表示し、

2 <フォローする>をタップします。

3 「フォロー中」に変わり、フォローが完了します。

フォロー ★★★★★

Q 291 » おすすめユーザーをフォローするには？

A 「おすすめユーザー」から探します。

「ホーム」タブや「検索」タブ、「プロフィール」画面などでは、自分がフォローしているユーザーに基づいて、おすすめのユーザーが一覧で表示されます。Q.290を参考に、気になるユーザーをフォローしてみましょう。ここでは「検索」タブから探す方法を紹介していますが、「ホーム」タブや「プロフィール」画面も同様の操作で行えます。

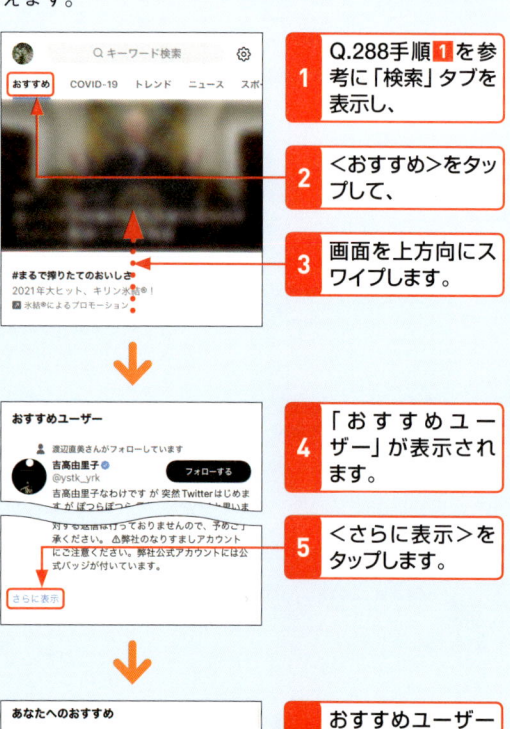

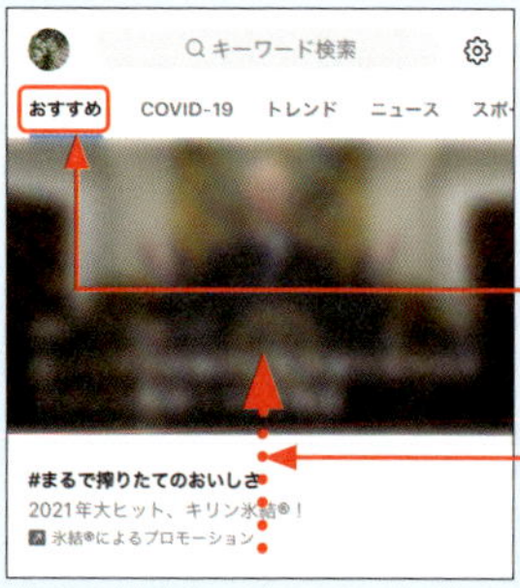

1 Q.288手順 1 を参考に「検索」タブを表示し、

2 <おすすめ>をタップして、

3 画面を上方向にスワイプします。

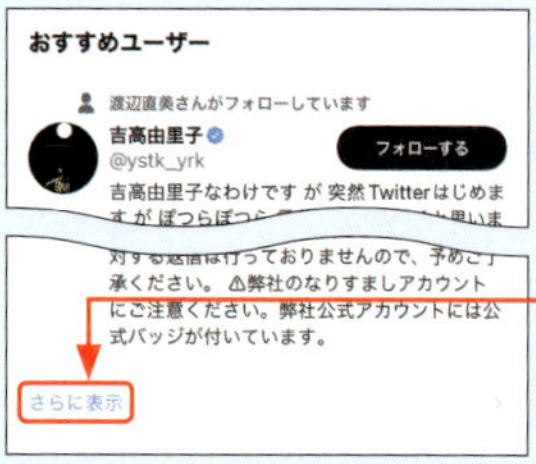

4 「おすすめユーザー」が表示されます。

5 <さらに表示>をタップします。

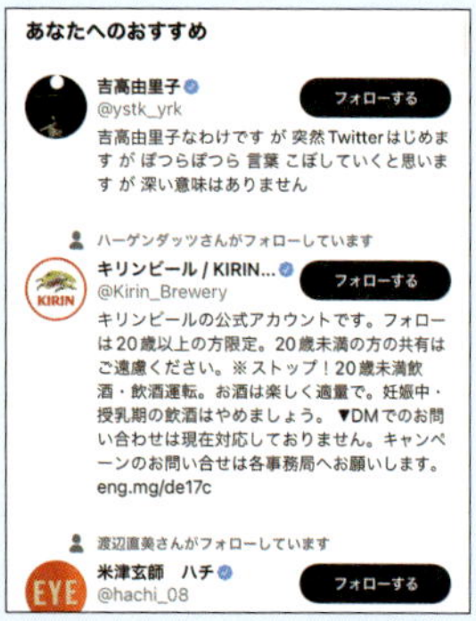

6 おすすめユーザーが一覧で表示され、<フォローする>をタップするとフォローが完了します。

フォロー ★★★★★

Q 292 » フォローを解除するには？

A ユーザーの<フォロー中>→<@○○さんのフォローを解除>の順にタップします。

フォローしているユーザーの「プロフィール」画面を表示すると、「フォロー中」というアイコンが表示されます。フォローを解除したい場合は、<フォロー中>をタップし、<@○○さんのフォローを解除>をタップします。フォローが解除されると、「フォロー中」が「フォローする」の表示に変わります。

1 「ホーム」タブでプロフィールアイコンをタップし、

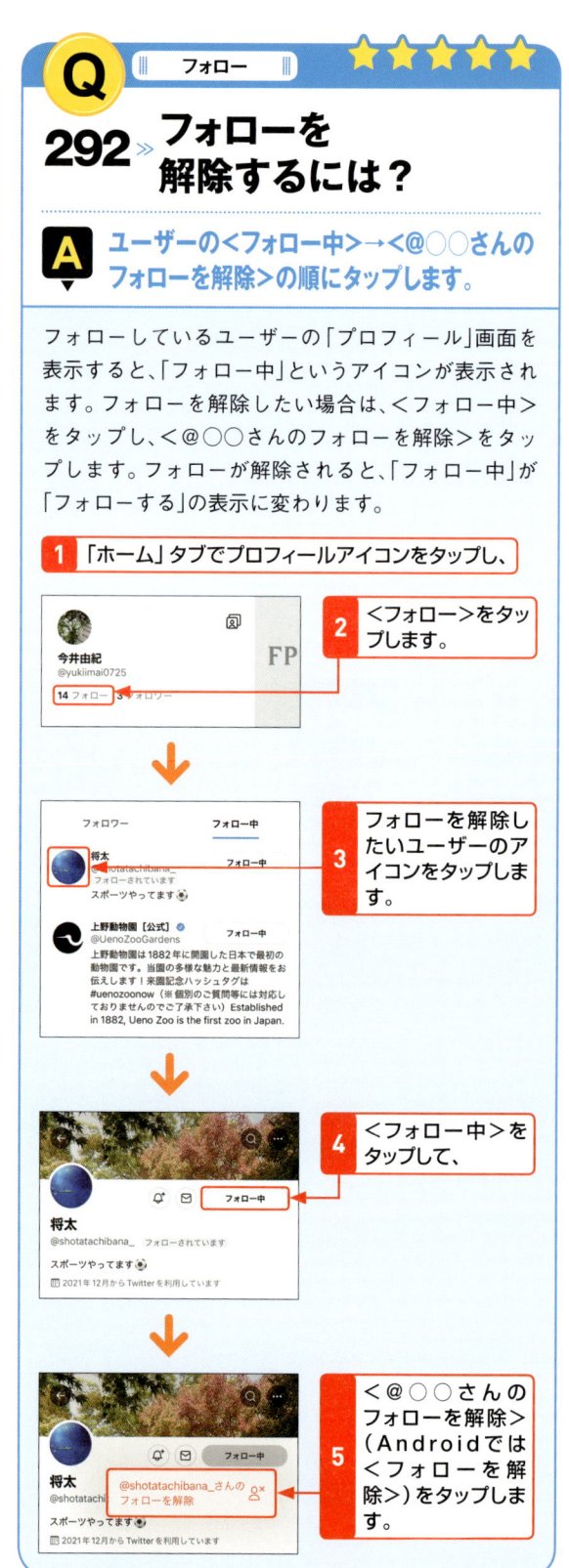

2 <フォロー>をタップします。

3 フォローを解除したいユーザーのアイコンをタップします。

4 <フォロー中>をタップして、

5 <@○○さんのフォローを解除>（Androidでは<フォローを解除>）をタップします。

第2章

Twitterの閲覧・投稿

Q 情報収集 ★★★★★

293 » 新着ツイートを閲覧したい！

A 「ホーム」タブで一番上の投稿を下方向にスワイプします。

「ホーム」タブには、フォローしているユーザーのツイートだけでなく、自身の関心が高そうなツイートや、フォローしているユーザーに関連したツイートが表示されています。一番上の投稿を下方向にスワイプすると、新着ツイートを確認することができます。なお、ツイートを時系列順に表示させたいときは、Q.310を参照してください。

1 ⌂をタップして「ホーム」タブを表示すると、関心の高いツイートなどが表示されます。

2 一番上の投稿を下方向にスワイプすると、

3 ツイートが更新されます。

Q 情報収集 ★★★★★

294 » 気に入ったツイートに「いいね」したい！

A ツイートの下にある♡をタップすれば「いいね」できます。

「おもしろい！」、「このツイートは気に入った」というツイートを見つけたら、「いいね」して共感や賞賛の気持ちを送りましょう。ツイートの下にある♡をタップするだけで「いいね」が送れます。自分が「いいね」したことは、ツイートしたユーザーに通知されます。

1 「いいね」したいツイートの♡をタップします。

2 ♥に変わり、「いいね」が完了します。

♥の右側にある数字は、そのツイートが「いいね」された数です。

情報収集 ★★★★★

Q 295 » 今までに自分が「いいね」した投稿を確認したい！

A 「プロフィール」画面の<いいね>をタップします。

「いいね」には、ツイートに共感や賞賛を送るだけでなく、あとで読み返したいツイートをお気に入り登録できる機能があります。自分の「プロフィール」画面で<いいね>をタップすると、「いいね」したツイートが時系列順に表示されます。あとから情報をチェックしたり、振り返ったりするときに便利です。

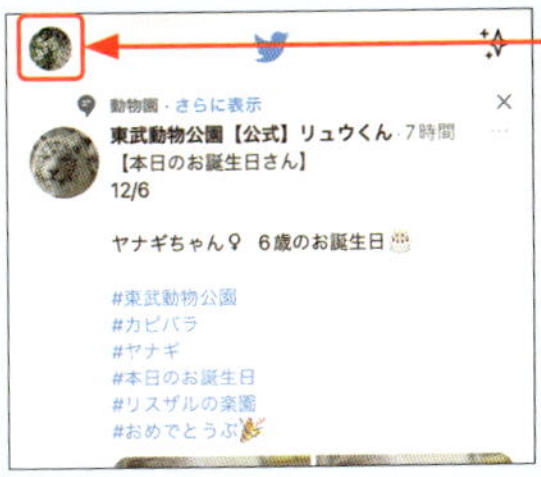

1 自分のプロフィールアイコンをタップして、

2 <プロフィール>をタップします。

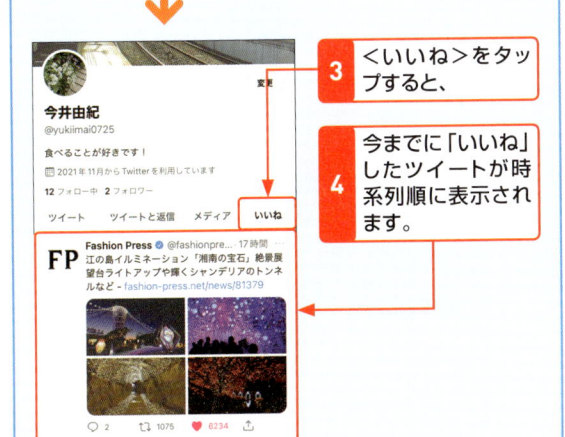

3 <いいね>をタップすると、

4 今までに「いいね」したツイートが時系列順に表示されます。

情報収集 ★★★★★

Q 296 » 話題になっているツイートをチェックしたい！

A 「検索」タブでチェックできます。

Twitterで話題になっているツイートをチェックするには、🔍をタップします。上部のカテゴリを左右にスワイプし、<トレンド>をタップすると、今注目されている話題に関連したキーワードやハッシュタグを見ることができます。また、キーワード検索をし（Q.297参照）、上部のカテゴリから<話題>をタップすることでも、話題のツイートをチェックすることができます。

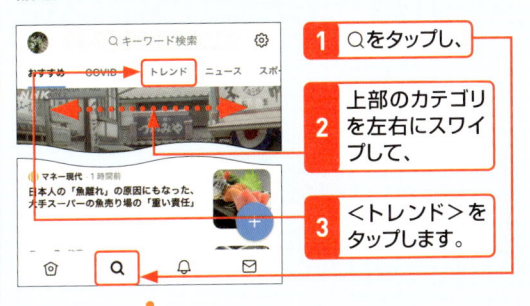

1 🔍をタップし、

2 上部のカテゴリを左右にスワイプして、

3 <トレンド>をタップします。

4 今注目の話題に関連したキーワードやハッシュタグが表示され、タップするとツイートを見ることができます。

検索結果からチェックする

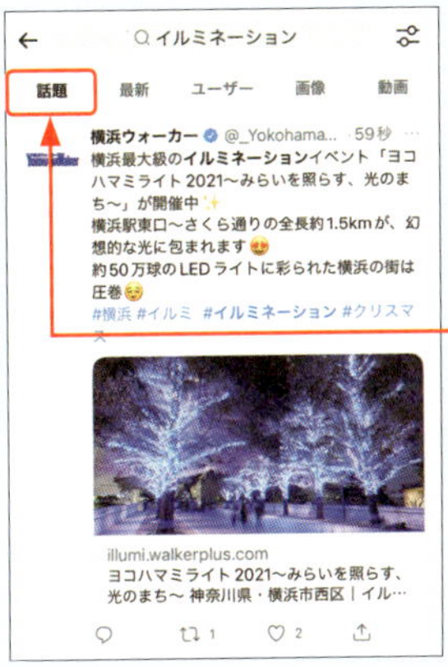

1 Q.297を参考にキーワード検索を行います。

2 検索結果で上部のカテゴリから<話題>（Androidでは<話題のツイート>）をタップすると、話題のツイートを見ることができます。

Q 情報収集 ★★★★★

297 » キーワードでツイートを検索したい！

A 検索ボックスにキーワードを入力して検索します。

🔍をタップすると、画面上部に「キーワード検索」欄が表示されます。ここに名前や知りたい話題などのキーワードを入力して、<検索>をタップすると、さまざまなツイートを検索することができます。「話題」「最新」「ユーザー」「画像」「動画」の5つのカテゴリからツイートを探すことが可能です。

1 🔍をタップします。

2 「キーワード検索」と表示された検索ボックスをタップします。

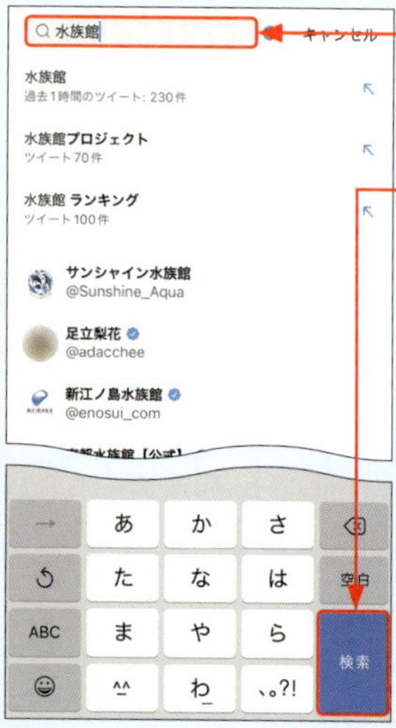

3 検索したいキーワードを入力して、

4 <検索>（Androidでは🔍）をタップします。

5 検索結果が表示されます。

キーワードにダブルクォーテーションを付けて検索すると、ツイート本文中の完全一致検索が行えます。

「#キーワード」で検索すると、探したいキーワードのハッシュタグが付いたツイートを検索できます。

Q ツイート・リツイート ★★★★★

298 » ツイートを投稿したい！

A もしくは＋をタップして入力します。

気軽にその日の気分や出来事をつぶやいてみましょう。ツイートするには＋をタップしてツイートを入力し、<ツイートする>をタップします。自分のツイートは「ホーム」タブに表示され、フォロワーのタイムラインにも表示されます。また、ツイートには140文字という字数制限があります。

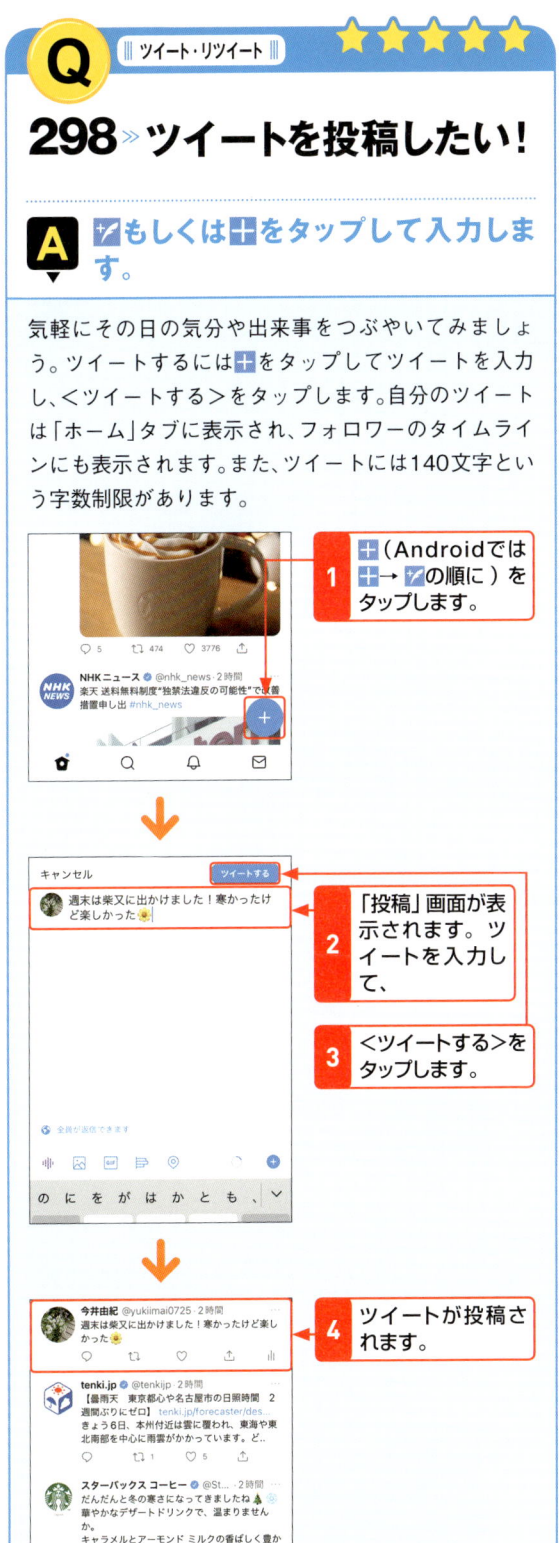

1 ＋（Androidでは＋→の順に）をタップします。

2 「投稿」画面が表示されます。ツイートを入力して、

3 <ツイートする>をタップします。

4 ツイートが投稿されます。

Q ツイート・リツイート ★★★★★

299 » ほかの人のツイートに返事をしたい！

A をタップして返信します。

ツイートに返信することを「リプライ」といいます。ツイートのをタップすると、リプライできます。リプライしたツイートは、ツイート内に「返信先：@○○さん」と表示されます。

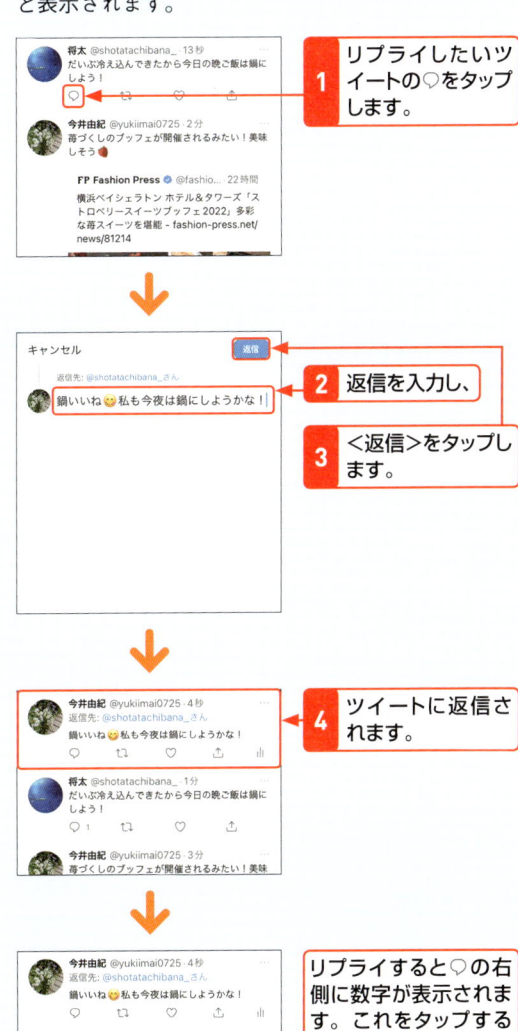

1 リプライしたいツイートのをタップします。

2 返信を入力し、

3 <返信>をタップします。

4 ツイートに返信されます。

リプライするとの右側に数字が表示されます。これをタップするとそのツイートへのリプライを閲覧でき、ほかのユーザーのリプライも見れます。

ツイート・リツイート ★★★★★

Q 300 » 気に入ったツイートをリツイートしたい！

A リツイートしたいツイートのをタップします。

リツイートとは、ほかの人のツイートを再投稿することです。「みんなにもっと広めたい！」というツイートをリツイートすれば、自分のフォロワーのタイムラインにそのツイートが表示されます。かんたんにツイートを広めることができるので、気軽に使ってみましょう。

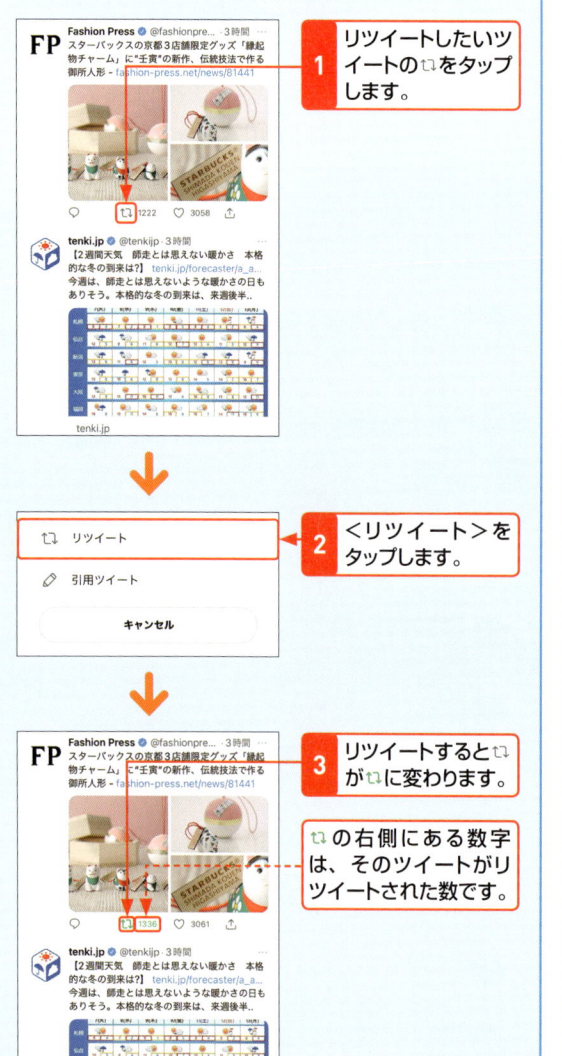

1 リツイートしたいツイートのをタップします。

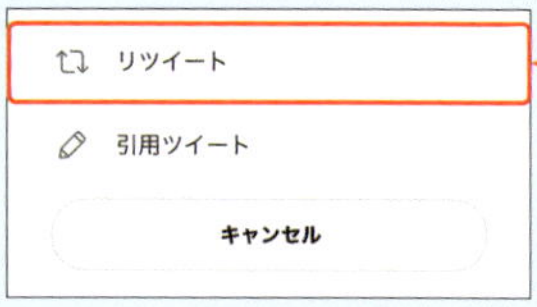

2 <リツイート>をタップします。

3 リツイートするとがに変わります。

の右側にある数字は、そのツイートがリツイートされた数です。

ツイート・リツイート ★★★★★

Q 301 » ほかの人のつぶやきを引用してツイートするには？

A →<引用ツイート>の順にタップします。

「引用ツイート」とは、ツイートとリツイートを組み合わせたもので、お気に入りのツイートを引用しつつ、自分のツイートが行えます。引用ツイートするには、→<引用ツイート>の順にタップします。ツイートを入力して<ツイートする>をタップすると、投稿したツイートの下に引用したツイートが表示されます。引用ツイートすると、もとのツイートしたユーザーに通知されます。

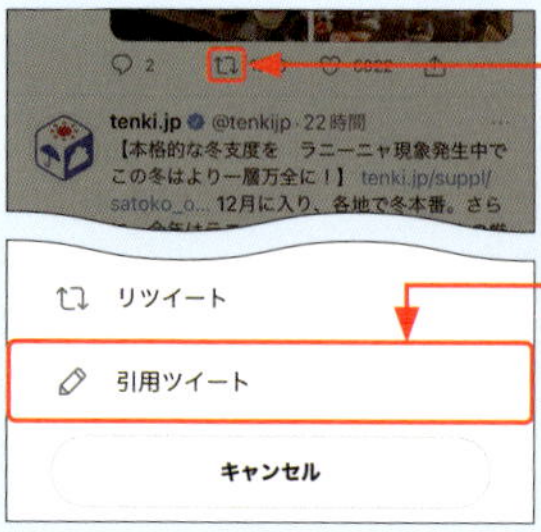

1 引用したいツイートのをタップして、

2 <引用ツイート>をタップします。

3 ツイートを入力して、

4 <ツイートする>をタップして投稿します。

5 引用ツイートが投稿されます。ツイートの下に引用したツイートが表示されます。

Q 302 ツイート・リツイート ★★★★★

写真・動画を付けてツイートしたい！

A 画像メニューからタップして選択し、ツイートします。

スマートフォンに保存されている写真や動画を付けてツイートすることもできます。「投稿」画面で、画像部分を左方向にスワイプするとほかの写真や動画が表示され、いちばん右のをタップすると「すべての画像」から選択できます。ツイートしたい写真や動画をタップして選択し、ツイートを入力して<ツイートする>をタップします。

1 （Androidでは→の順に）をタップします。

2 写真が表示されるので、左方向にスワイプして写真を選択します。

3 ツイートしたい写真・動画をタップします。

（Androidでは<ギャラリー>）をタップすると、「すべての画像」画面（Androidでは「ギャラリー」画面）が表示されるので、そこから選択することもできます。

4 ツイートを入力して、

5 <ツイートする>をタップして投稿します。

Q 303 ツイート・リツイート ★★★★★

写真や動画をその場で撮って投稿するには？

A をタップして撮影し、ツイートします。

写真や動画を撮ってツイートしたい場合は、をタップしてをタップします。カメラが起動するので、写真を撮りたいときはを、動画を撮りたいときは<動画>タップして撮影します。撮影したあとに<画像を使う>をタップして、ツイートを入力し、<ツイートする>をタップします。

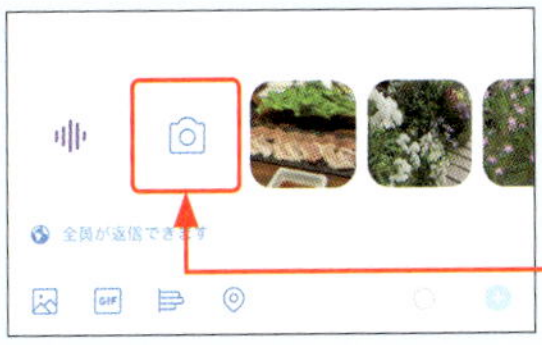

1 （Androidでは→の順に）をタップします。

2 をタップします。

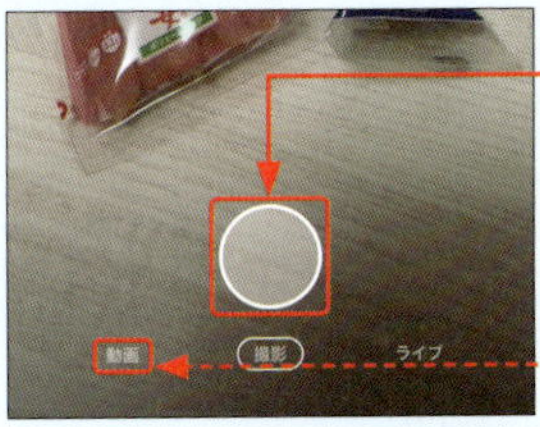

3 をタップして撮影します。

動画を撮影する場合は、<動画>をタップしてカメラを切り替えます。

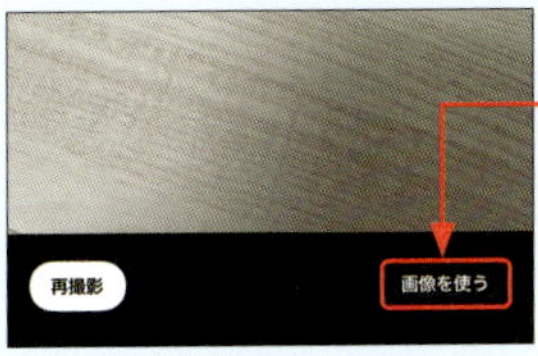

4 撮影したら、<画像を使う>（Androidでは<写真を使う>）をタップします。

5 ツイートを入力して、

6 <ツイートする>をタップして投稿します。

ツイート・リツイート

Q 304 » 自分宛のツイートを確認するには？

A をタップして確認します。

誰かが自分宛にツイートすると、通知が届いて確認することができます。にバッジ（小さな数字）が付き、と表示されます。タップすると「通知」画面が表示され、<@ツイート>をタップすると自分宛のツイートを確認することができます。

1 通知が来ると、と表示されるのでタップします。

2 <@ツイート>をタップします。

3 自分宛のツイートが表示されます。

ツイート・リツイート

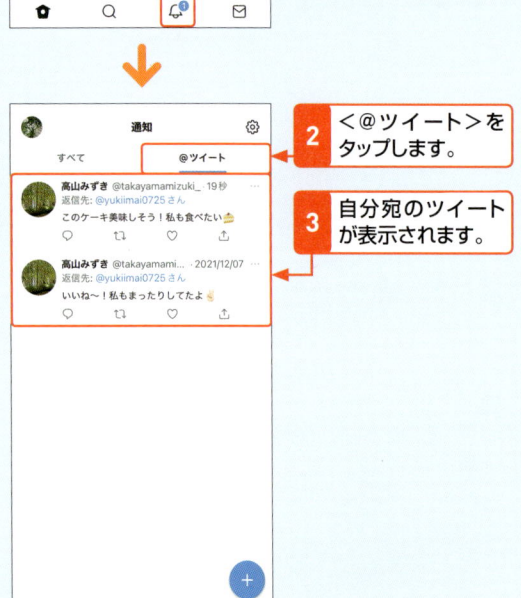

Q 305 » アンケートを投稿するには？

A をタップして投稿します。

Twitterには、かんたんにアンケートが取れるアンケート機能が付いています。をタップし、質問と回答を入力して作成します。フォロワーがタップして回答し、回答が集まるとアンケートにその結果がパーセンテージで表示されます。

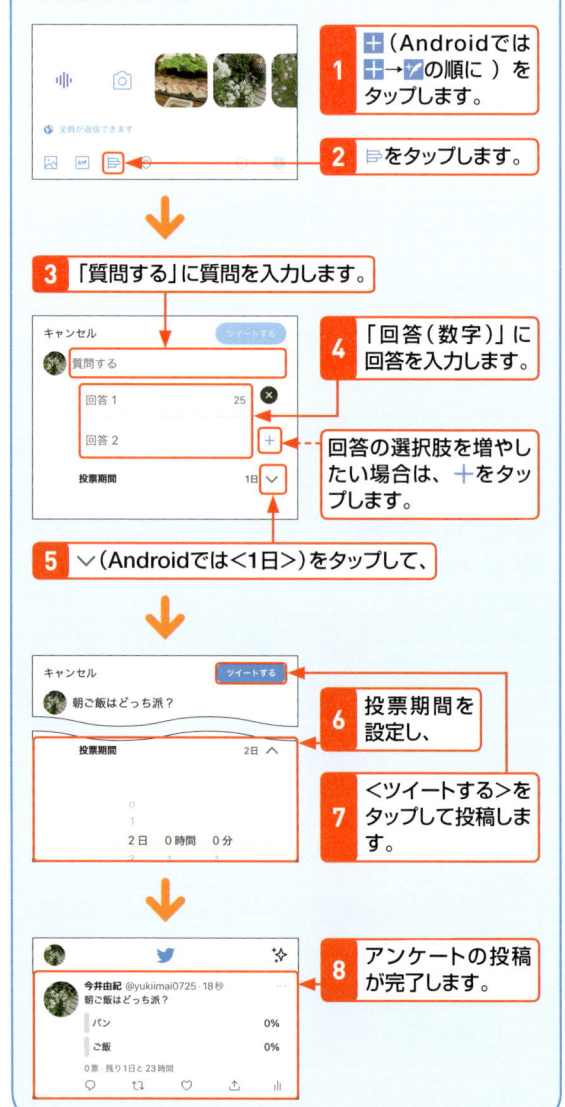

1 （Androidでは→の順に）をタップします。

2 をタップします。

3 「質問する」に質問を入力します。

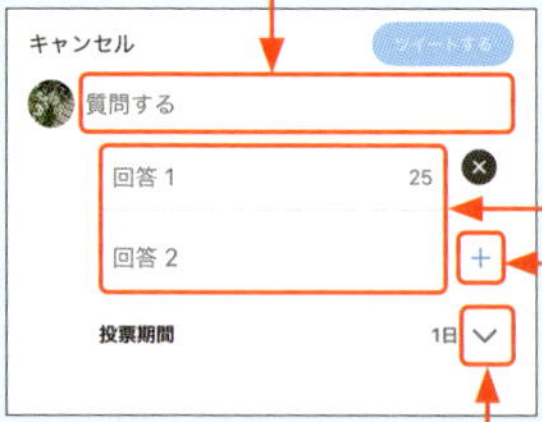

4 「回答（数字）」に回答を入力します。

回答の選択肢を増やしたい場合は、＋をタップします。

5 （Androidでは<1日>）をタップして、

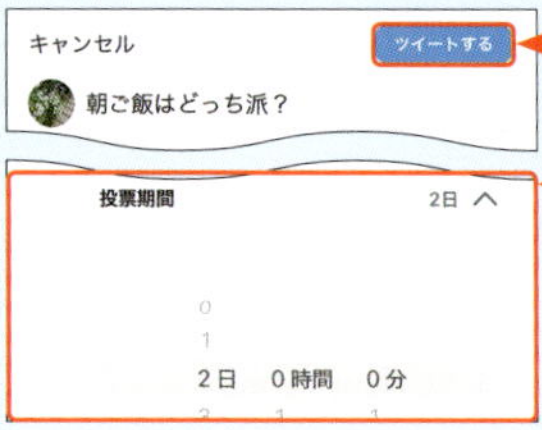

6 投票期間を設定し、

7 <ツイートする>をタップして投稿します。

8 アンケートの投稿が完了します。

Q 306 ツイート・リツイート ★★★★★

現在いる場所を付けて投稿するには？

A ◎をタップします。

ツイートするときに「今、どこにいる」と位置情報を追加して投稿することができます。◎をタップし、場所を選択して設定します。「位置情報を追加」画面上部の<リストを検索>をタップして、任意の場所を検索することもできます。

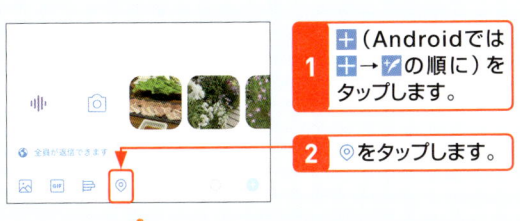

1 ＋（Androidでは＋→✎の順に）をタップします。

2 ◎をタップします。

位置情報を設定していない場合、手順2のあとに設定するかどうかの確認画面が表示されるので、画面の指示に従って位置情報を許可します。

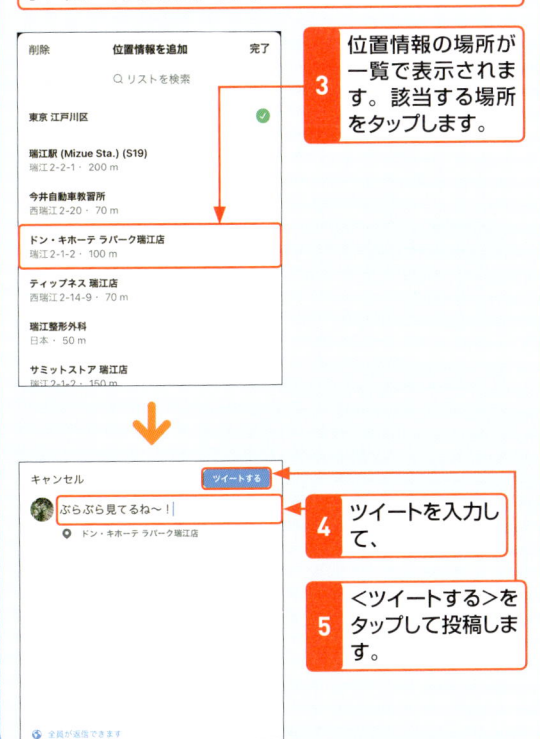

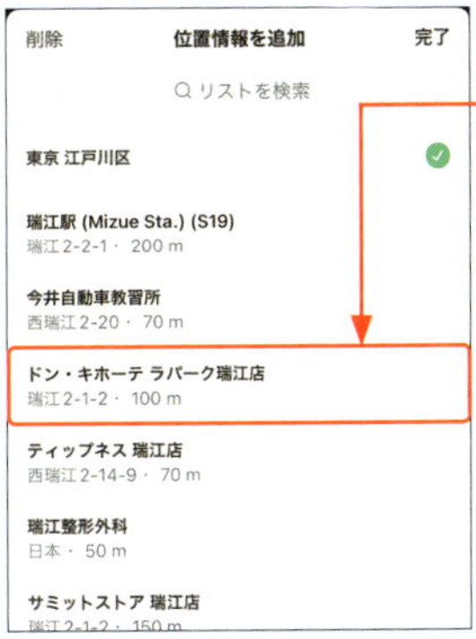

3 位置情報の場所が一覧で表示されます。該当する場所をタップします。

4 ツイートを入力して、

5 <ツイートする>をタップして投稿します。

Q 307 ツイート・リツイート ★★★★★

ハッシュタグを付けてツイートしたい！

A 「#+キーワード」とツイートに入力して投稿します。

ハッシュタグとは、ツイートにカテゴリを付けて検索しやすくするためのものです。投稿する際は、「#」+「キーワード」を組み合わせてツイートに入力します。投稿されたツイートのハッシュタグをタップすると、同じハッシュタグの付いたツイートが表示されます。趣味や話題などのツイートにハッシュタグを付けてアピールしましょう。

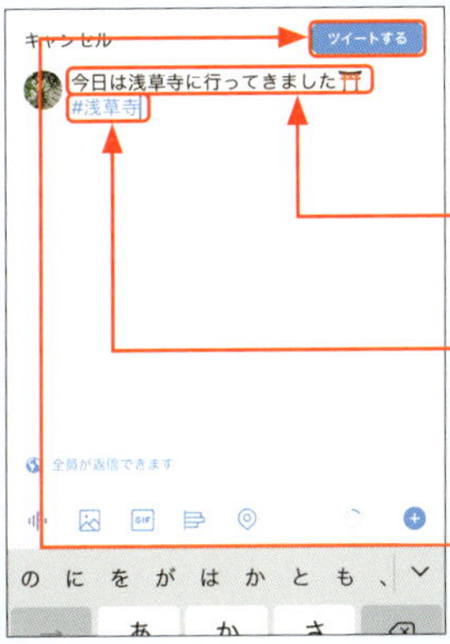

1 ＋（Androidでは＋→✎の順に）をタップします。

2 ツイートを入力し、

3 「#」+「任意のキーワード」を入力します。

4 <ツイートする>をタップして投稿します。

5 ツイートのハッシュタグをタップすると、

6 同じハッシュタグを付けたほかのツイートが表示されます。

Q ツイート・リツイート ★★★★★

308 » 書きかけのツイートを下書き保存するには？

A <キャンセル>をタップして<下書きを保存>をタップします。

書きかけのツイートは下書きに保存できます。ツイートの「投稿」画面で<キャンセル>をタップして<下書きを保存>をタップしましょう。下書きは複数保存できます。ツイートの「投稿」画面で<下書き>をタップして表示される下書き一覧から、続きを入力したい下書きをタップすると、続きを入力できます。

1 Q.298手順1～2を参考に途中までツイートを入力して、

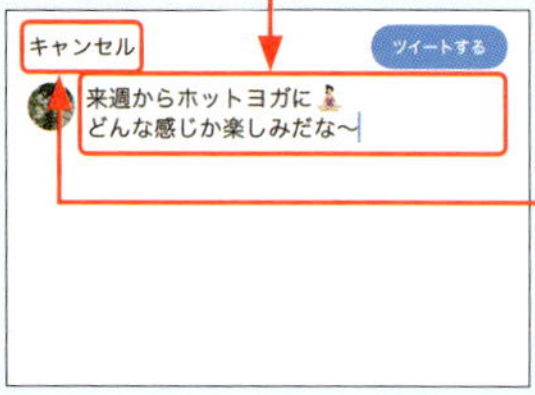

2 <キャンセル>をタップします。

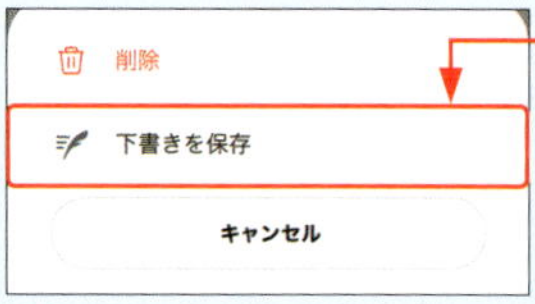

3 <下書きを保存>（Androidでは<保存>）をタップします。

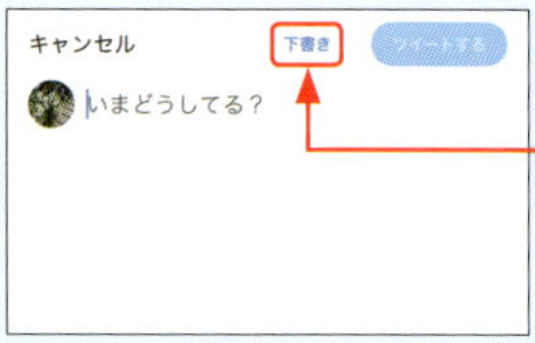

4 下書きの続きを入力する場合は、手順1の画面を表示し、<下書き>をタップします。

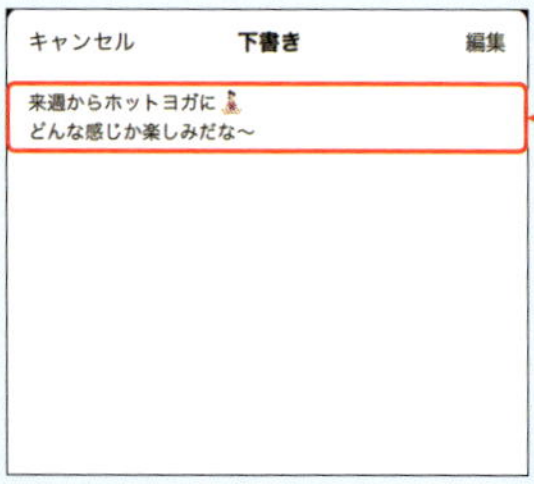

5 「下書き」画面が表示されます。続きを入力したい下書きをタップすると、ツイートの「投稿」画面が表示され、再び入力できます。

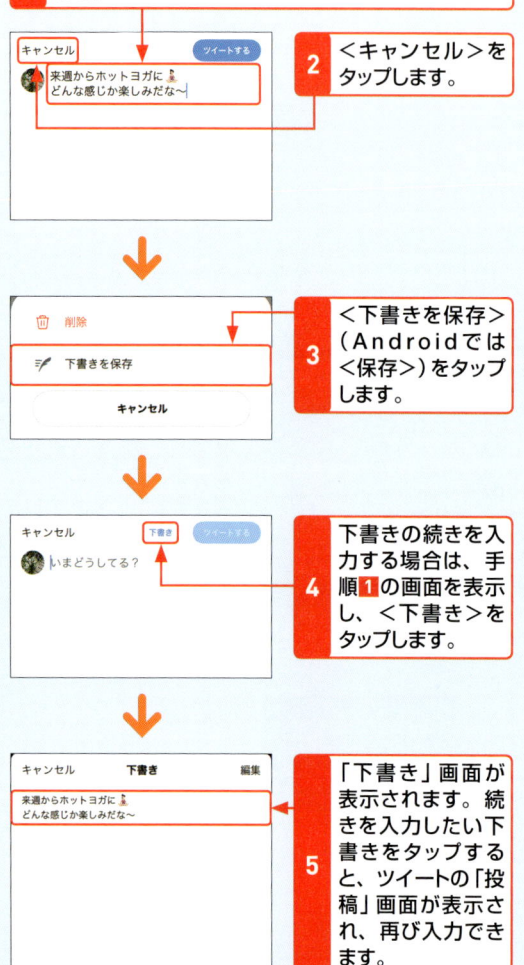

Q ツイート・リツイート ★★★★★

309 » ツイートを削除したい！

A 削除したいツイートの…をタップして<ツイートを削除>をタップします。

投稿したツイートは、あとから削除することができます。「プロフィール」画面で<ツイート>をタップすると、自分がこれまでに投稿したツイートが一覧表示されます。削除したいツイートの…→<ツイートを削除>→<削除>の順にタップして削除します。

1 プロフィールアイコンをタップして、

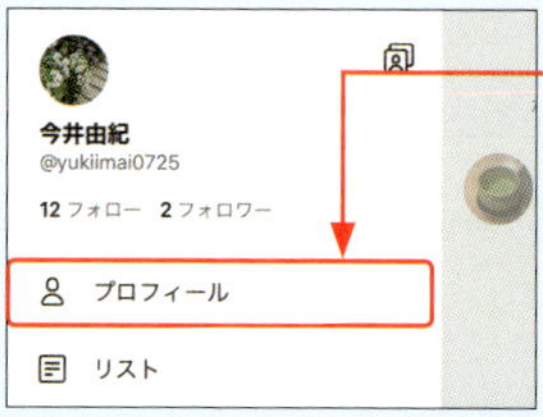

2 <プロフィール>をタップします。

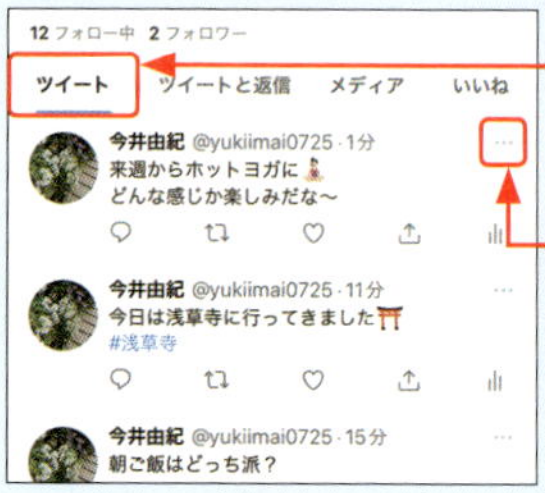

3 <ツイート>をタップして、

4 削除したいツイートの…（Androidでは⋮）をタップします。

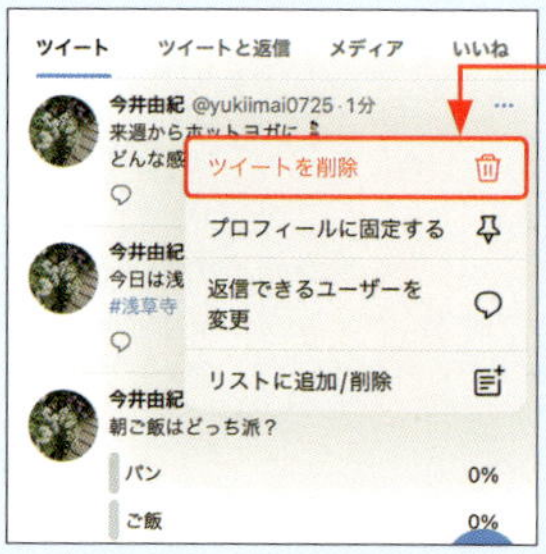

5 <ツイートを削除>をタップし、

6 <削除>をタップします。

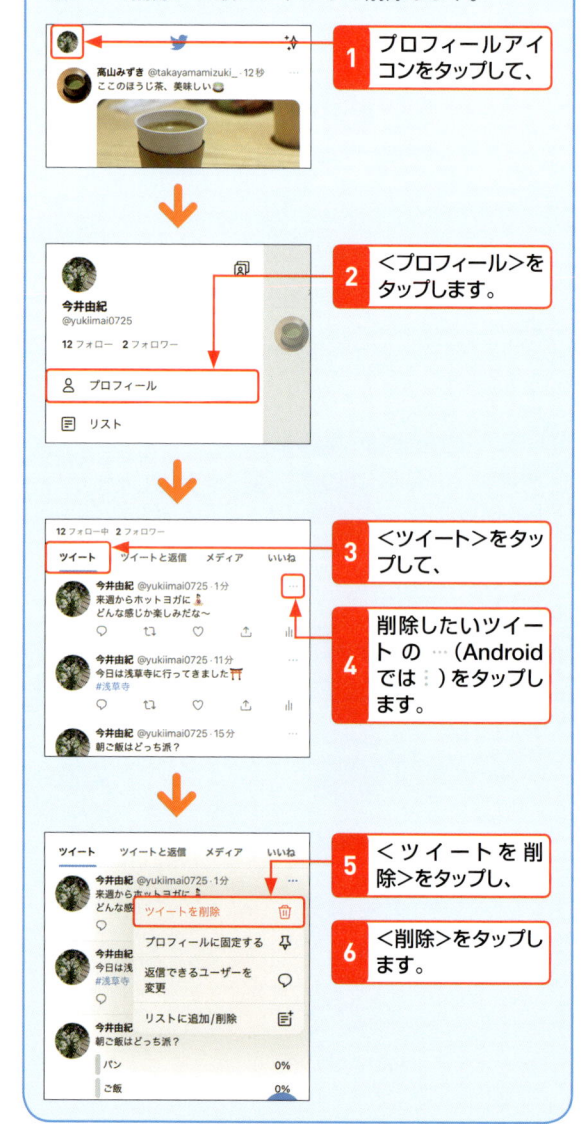

第3章

Twitterの便利機能

Q ツイート ★★★★★

310 » ツイートを時系列順に表示したい！

A ✧をタップして切り替えます。

Twitterのタイムラインは、Twitterからのおすすめツイートが表示される「ホーム」と、フォローしているユーザーのツイートが時系列順に表示される「最新ツイート」の2種類の表示に切り替えることができます。「ホーム」表示になっているときは、✧をタップし、<最新ツイートに切り替え>をタップすると、最新ツイートから順に表示されます。

1 ✧をタップし、

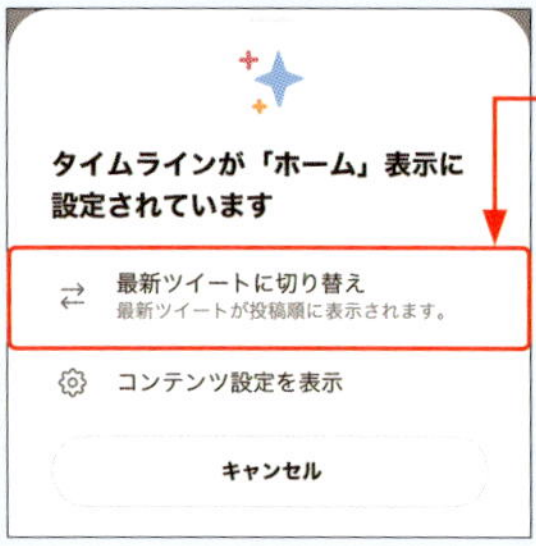

2 <最新ツイートに切り替え>をタップします。

3 フォローしているユーザーのツイートが時系列順に表示されます。

Q ツイート ★★★★★

311 » 広告を非表示にするには？

A 「パーソナライズド広告」をオフにします。

Twitterには、ユーザーの行動履歴に基づいて、自動的に広告が表示されるようになっています。広告が煩わしいときは、「プライバシーと安全」画面で<広告の環境設定>をタップし、「パーソナライズド広告」をオフにしておきましょう。なお、広告の･･･をタップし、<この広告に興味がない>をタップすることでも、広告を非表示にすることが可能です。

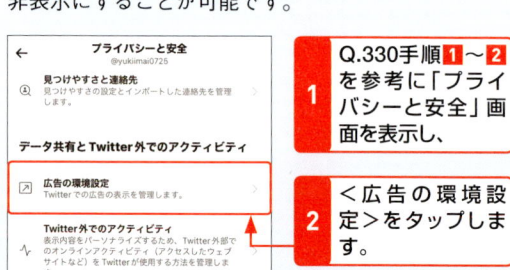

1 Q.330手順1〜2を参考に「プライバシーと安全」画面を表示し、

2 <広告の環境設定>をタップします。

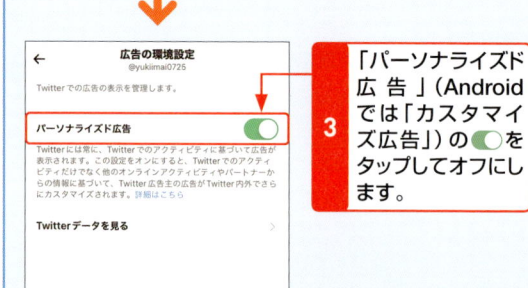

3 「パーソナライズド広告」（Androidでは「カスタマイズド広告」）の◯を タップしてオフにします。

ツイートごとに設定する

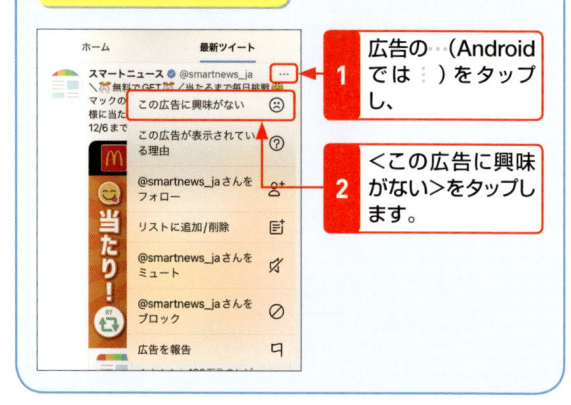

1 広告の･･･（Androidでは ⋮ ）をタップし、

2 <この広告に興味がない>をタップします。

Q 312 ツイート ★★★★★

長文を分けて投稿するには？

A ⊕をタップしてスレッドを追加します。

ツイートは140字までの字数制限があるため、書きたい内容や伝えたいことが多いときは書ききれません。そのようなときは、ツイートを分けてスレッドとしてつなげることで、長文投稿が可能になります。140字入力したら、⊕をタップしてスレッドを追加し、続きの文章を入力しましょう。

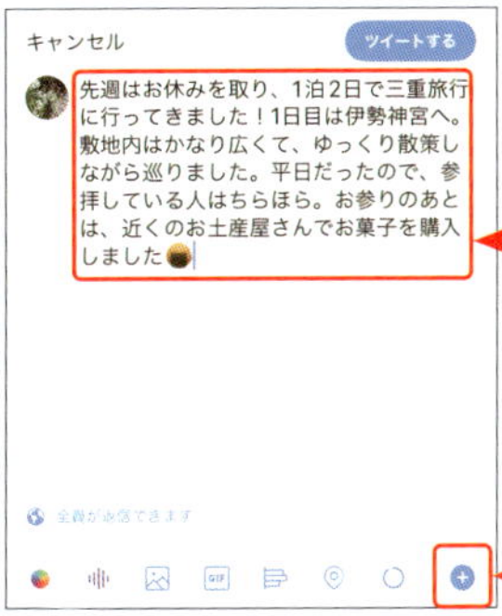

1 Q.298手順1を参考に「投稿」画面を表示し、

2 ツイートを入力して、

3 ⊕をタップします。

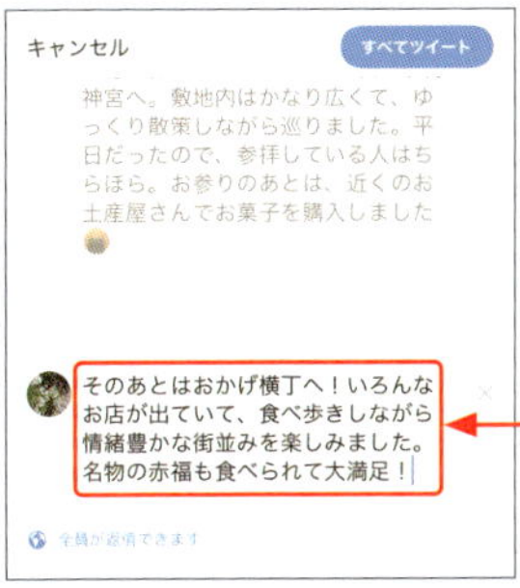

4 スレッドが追加されるので、ツイートを入力します。

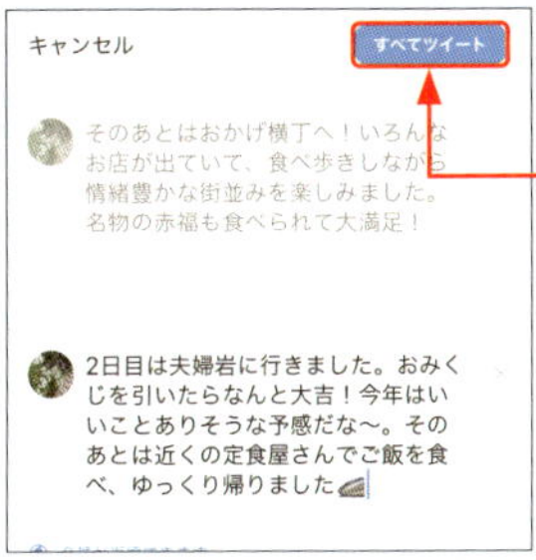

5 ＜すべてツイート＞をタップすると、すべてのツイートがスレッドでつながって投稿されます。

Q 313 ツイート ★★★★★

返信できるユーザーを制限して投稿するには？

A ＜全員が返信できます＞をタップして範囲を選択します。

投稿したツイートは、初期状態では誰でも返信できるようになっていますが、返信できるユーザーは制限することができます。「投稿」画面で＜全員が返信できます＞をタップし、＜フォローしているアカウント＞または＜@ツイートしたアカウントのみ＞（Androidでは＜メンションしたアカウントのみ＞）をタップして設定してから投稿しましょう。なお、この設定は保存しておくことができません。ツイートするたびに設定する必要があります。

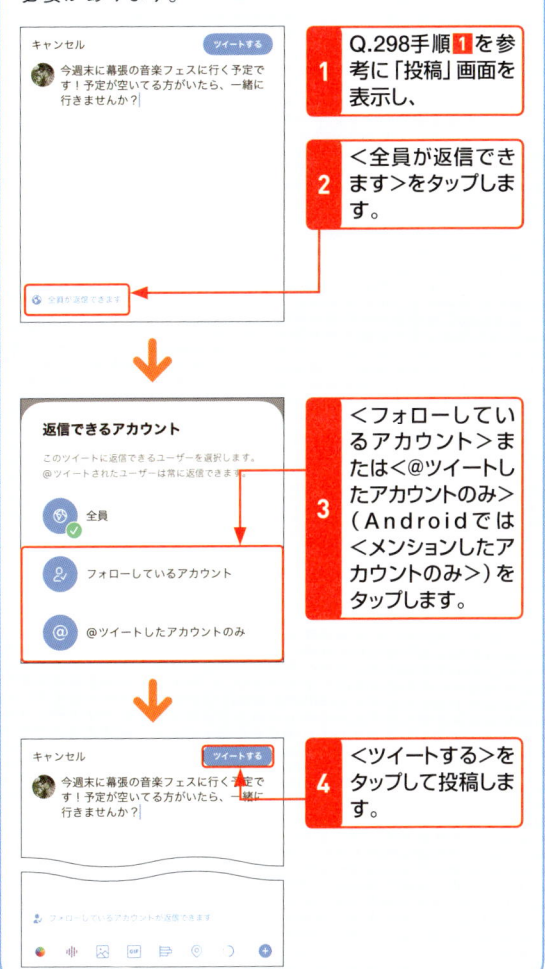

1 Q.298手順1を参考に「投稿」画面を表示し、

2 ＜全員が返信できます＞をタップします。

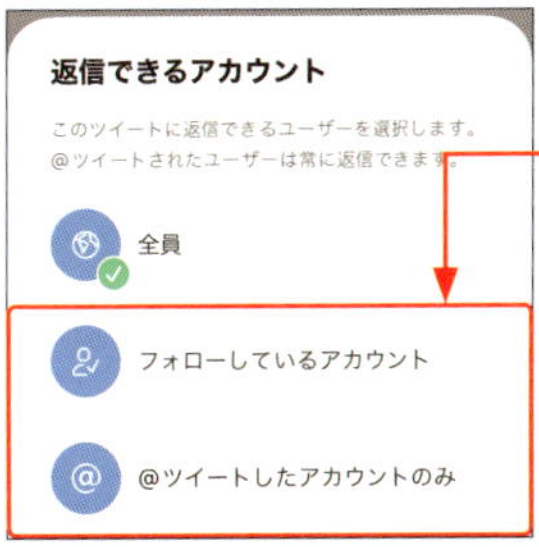

3 ＜フォローしているアカウント＞または＜@ツイートしたアカウントのみ＞（Androidでは＜メンションしたアカウントのみ＞）をタップします。

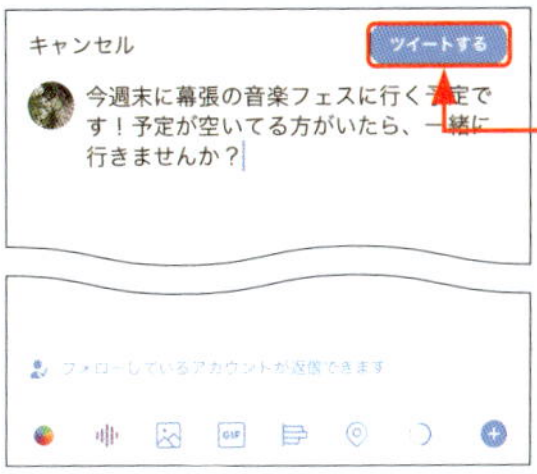

4 ＜ツイートする＞をタップして投稿します。

Q ブックマーク ★★★★★

314 » ツイートをブックマークに登録するには？

A ツイートの⇧→＜ブックマーク＞の順にタップします。

気になるツイートやあとで読み返したいツイートがあるときは、「ブックマーク」に登録しておくと便利です。ブックマークするには、ツイートの⇧（Androidでは≺）→＜ブックマーク＞の順にタップします。なお、「いいね」とは異なり、ブックマークしても相手に通知されることはありません。

1 ブックマークしたいツイートの⇧（Androidでは≺）をタップし、

2 ＜ブックマーク＞をタップします。

3 ツイートがブックマークされます。

Q ブックマーク ★★★★★

315 » ブックマークに登録したツイートを閲覧するには？

A プロフィールアイコン→＜ブックマーク＞の順にタップします。

登録したブックマークは、自分のプロフィールアイコンをタップし、＜ブックマーク＞をタップすることで確認できます。ブックマークしたツイートが一覧で表示され、ここからブックマークを削除することも可能です。

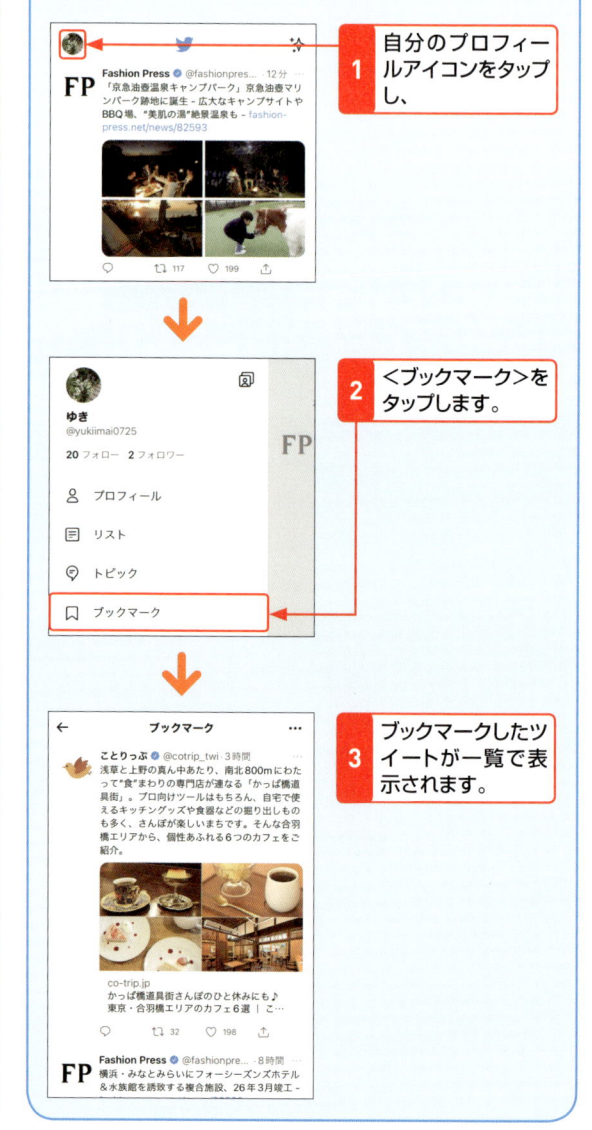

1 自分のプロフィールアイコンをタップし、

2 ＜ブックマーク＞をタップします。

3 ブックマークしたツイートが一覧で表示されます。

ダイレクトメッセージ

Q316 ダイレクトメッセージって何？

A 特定のフォロワーとメッセージをやり取りする機能です。

ダイレクトメッセージ（略称：DM）は、ほかの人に見られずにメッセージをやり取りできる機能です。✉をタップし、送信する相手を指定してメッセージを送ります。お互いのタイムラインに表示されないため、個人的なやり取りが行えます。ダイレクトメッセージは、初期設定ではお互いにフォローしていないと行えません。

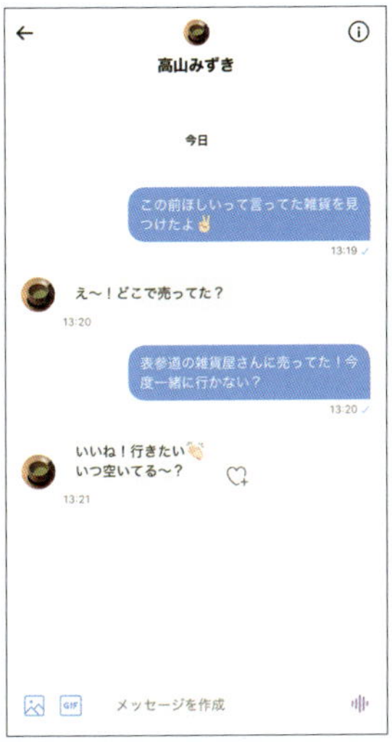

<メッセージ>アプリのように、お互いにメッセージのやり取りができます。写真の送信も可能です。

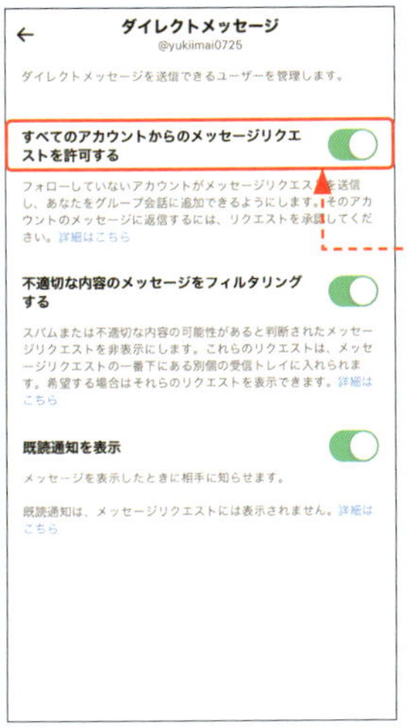

相互にフォローしていないユーザーからDMを受け取るには、「ダイレクトメッセージ」画面の「すべてのアカウントからのメッセージリクエストを許可する」をオンにします。この設定で全ユーザーからのDMを受け取ることができます（Q.331参照）。

ダイレクトメッセージ

Q317 ダイレクトメッセージでやり取りするには？

A ✉→✉の順にタップして、送付する相手を指定してメッセージを送ります。

ダイレクトメッセージを送信するには、✉をタップして「メッセージ」画面を表示し、✉をタップして相手を選択します。相互フォローユーザー一覧の中から選ぶ場合はタップして選択します。相互フォローしていないユーザーに送信したい場合は、検索ボックスに相手の名前を入力して検索しましょう。あとは、メッセージを入力して▷をタップします。

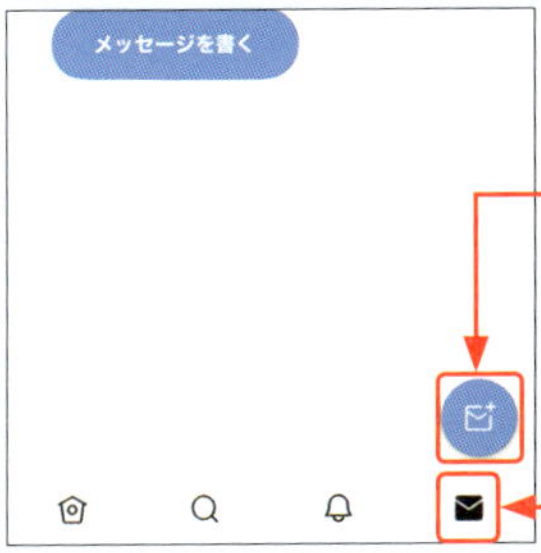

1 ✉をタップして、

2 ✉をタップします。

3 相互フォローユーザーの一覧が表示されます。メッセージを送りたい相手をタップし、Androidでは<次へ>をタップします。

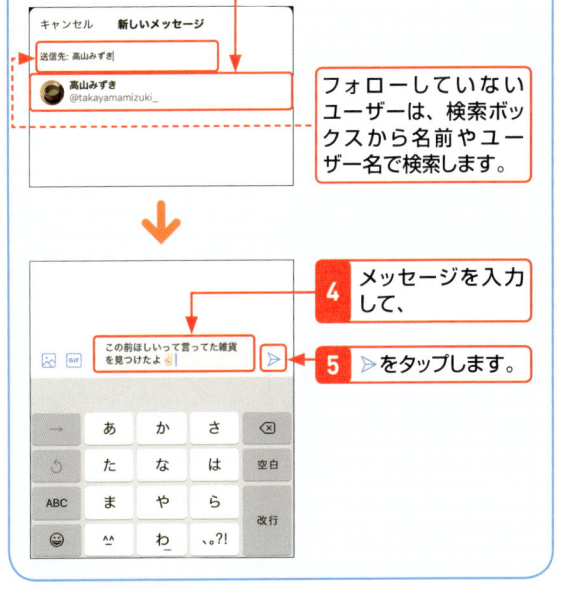

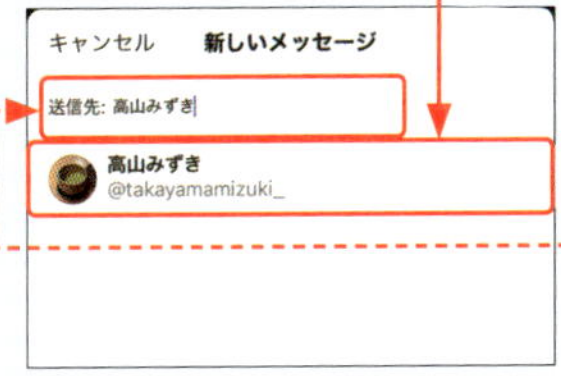

フォローしていないユーザーは、検索ボックスから名前やユーザー名で検索します。

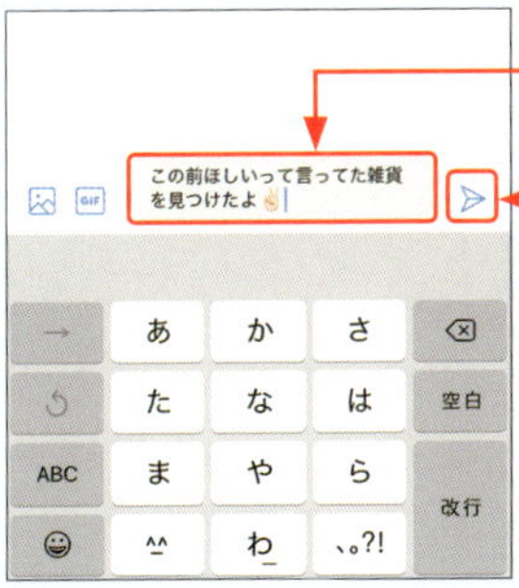

4 メッセージを入力して、

5 ▷をタップします。

フォロー／フォロワー ★★★★★

Q 318 » フォローしているユーザーを確認するには？

A プロフィールアイコン→<フォロー>の順にタップします。

自分がフォローしているユーザーを確認したいときは、自分のプロフィールアイコンをタップし、<フォロー>をタップします。フォロー中のアカウントが一覧で表示され、タップすると投稿されたツイートなどを確認することができます。なお、相手が自分をフォローしている場合は、「フォローされています」と表示されます。

1 自分のプロフィールアイコンをタップし、

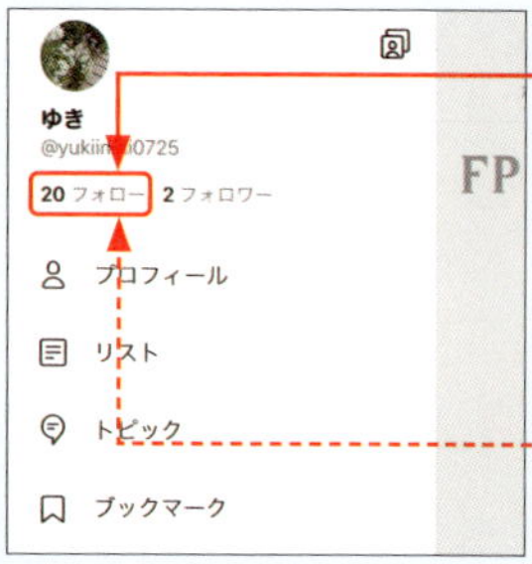

2 <フォロー>をタップします。

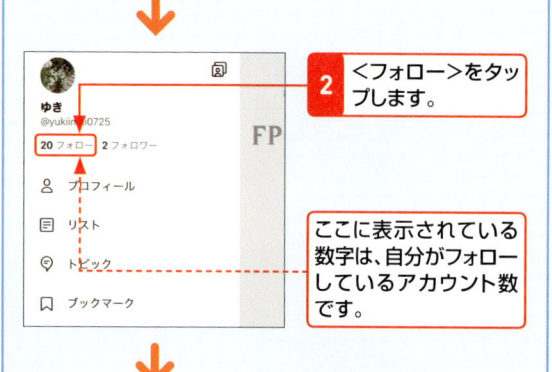

ここに表示されている数字は、自分がフォローしているアカウント数です。

3 フォローしているアカウントが表示されます。

フォロー／フォロワー ★★★★★

Q 319 » フォロワーを確認するには？

A プロフィールアイコン→<フォロワー>の順にタップします。

自分をフォローしているユーザーを確認したいときは、自分のプロフィールアイコンをタップし、<フォロワー>をタップします。フォロワーが一覧で表示され、まだフォローしていないユーザーがいる場合は、<フォローする>をタップするとフォローできます。

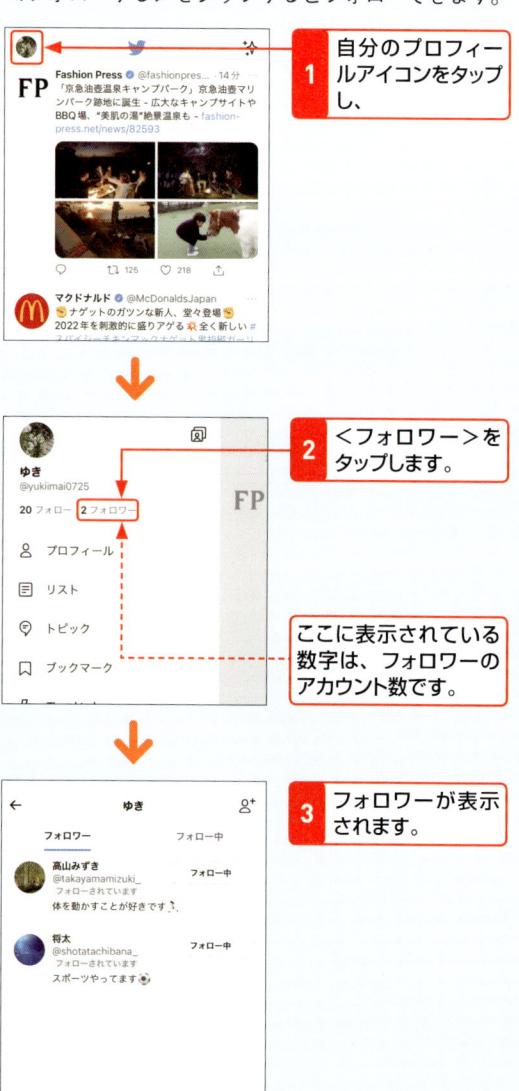

1 自分のプロフィールアイコンをタップし、

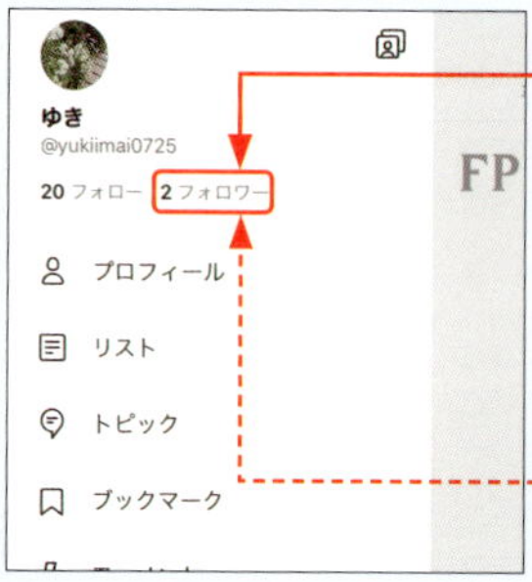

2 <フォロワー>をタップします。

ここに表示されている数字は、フォロワーのアカウント数です。

3 フォロワーが表示されます。

Q リスト ★★★★★

320 » リストを作成したい！

A 「リスト」画面の をタップして作成します。

たくさんのユーザーをフォローすると、ジャンルごとに整理したほうがツイートを読みやすくなります。リスト機能を活用して、ジャンルごとにまとめましょう。プロフィールアイコン→<リスト>→ の順にタップして、リストを作成します。

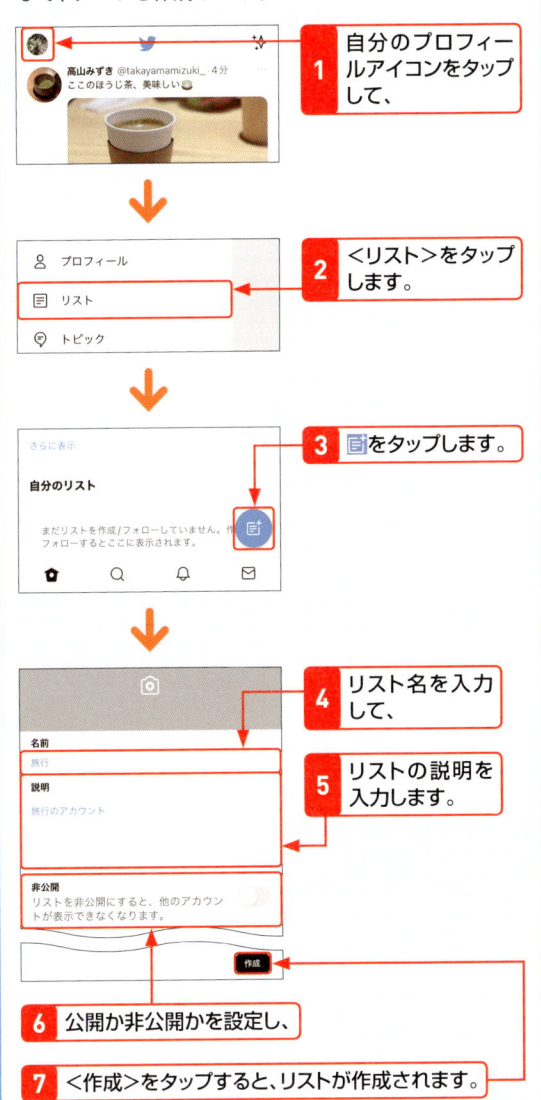

1 自分のプロフィールアイコンをタップして、

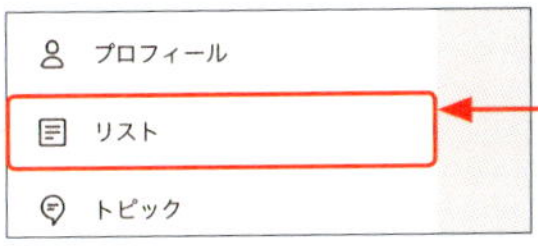

2 <リスト>をタップします。

3 をタップします。

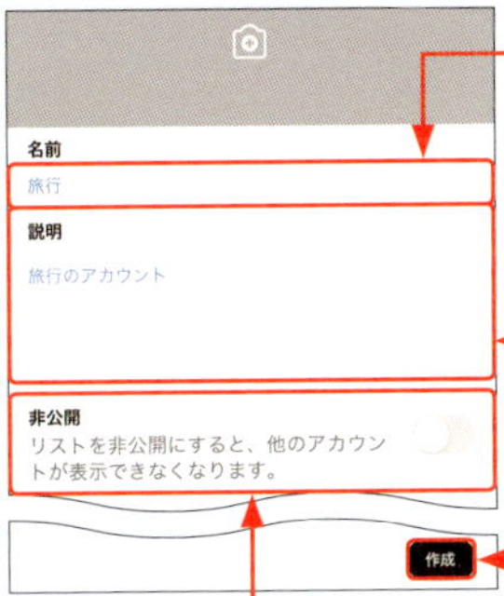

4 リスト名を入力して、

5 リストの説明を入力します。

6 公開か非公開かを設定し、

7 <作成>をタップすると、リストが作成されます。

Q リスト ★★★★★

321 » リストにユーザーを追加するには？

A ユーザーの「プロフィール」画面からリストに追加します。

Q.320でリストを作成したら、ユーザーを追加します。追加したいユーザーの「プロフィール」画面で →<リストに追加／削除>の順にタップして、追加したいリストをタップして選択します。なお、フォローしていないユーザーをリストに追加することもできます。

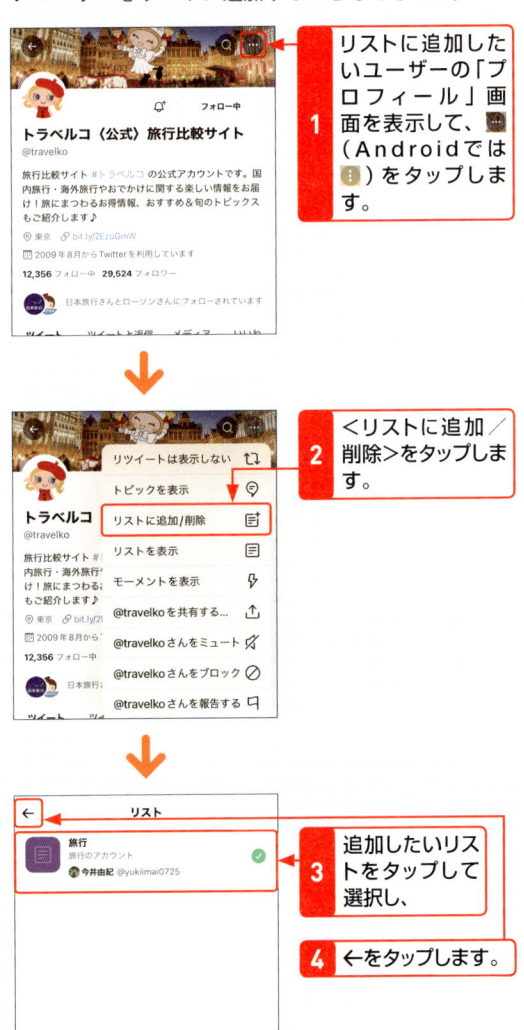

1 リストに追加したいユーザーの「プロフィール」画面を表示して、 （Androidでは ）をタップします。

2 <リストに追加／削除>をタップします。

3 追加したいリストをタップして選択し、

4 ←をタップします。

リスト ★★★★★

Q 322 ほかのユーザーが作成したリストをフォローしたい！

A ほかのユーザーのリストの<フォローする>をタップします。

リストは、自分のみ見れる「非公開」と、ほかのユーザーも見れる「公開」の設定が行えます。公開リストの場合は、自分のリストがほかのユーザーにフォローされたり、自分がほかのユーザーのリストをフォローしたりできます。ほかのユーザーのリストは、ユーザーの「リスト」画面からフォローできます。

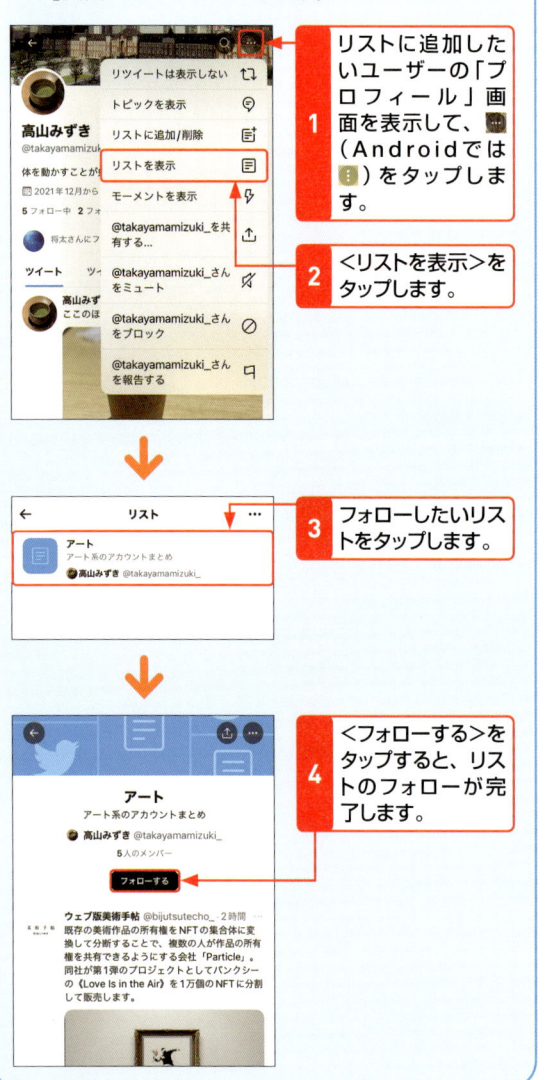

1 リストに追加したいユーザーの「プロフィール」画面を表示して、（Androidでは）をタップします。

2 <リストを表示>をタップします。

3 フォローしたいリストをタップします。

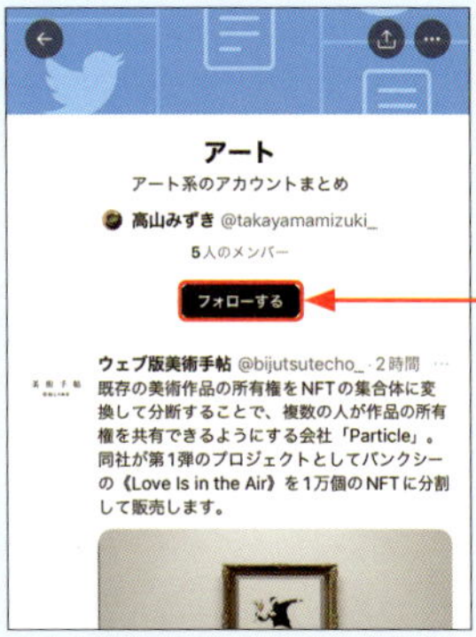

4 <フォローする>をタップすると、リストのフォローが完了します。

リスト ★★★★★

Q 323 使わなくなったリストを削除したい！

A 「リストを編集」画面で<リストを削除>をタップします。

チェックしなくなったリストは、削除して整理しましょう。プロフィールアイコン→<リスト>の順にタップし、削除したいリストをタップします。<リストを編集>→<リストを削除>の順にタップして、リストを削除しましょう。なお、リストを削除しても、リストに追加したユーザーのフォローは解除されません。

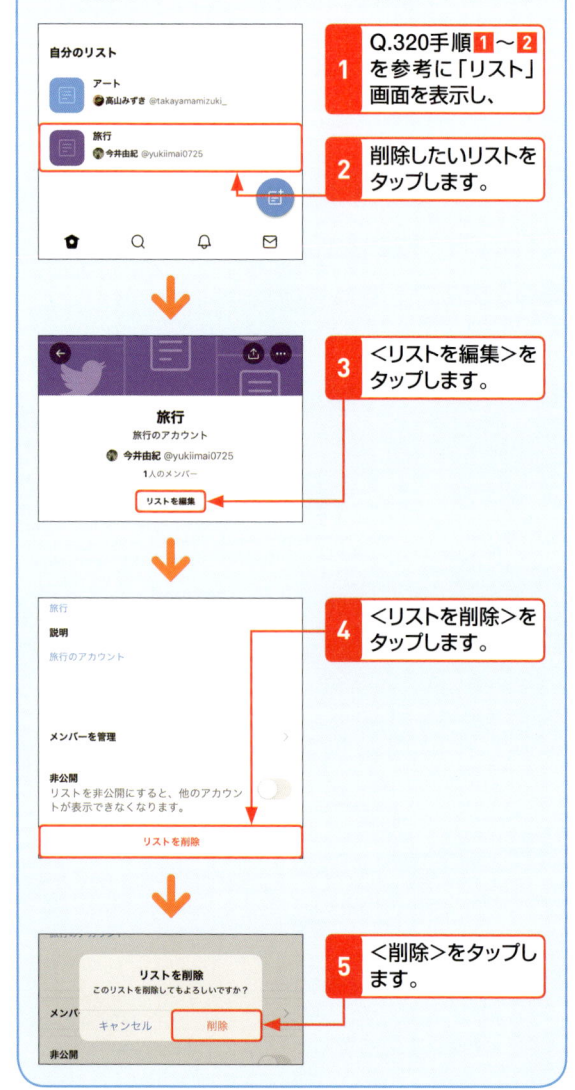

1 Q.320手順1～2を参考に「リスト」画面を表示し、

2 削除したいリストをタップします。

3 <リストを編集>をタップします。

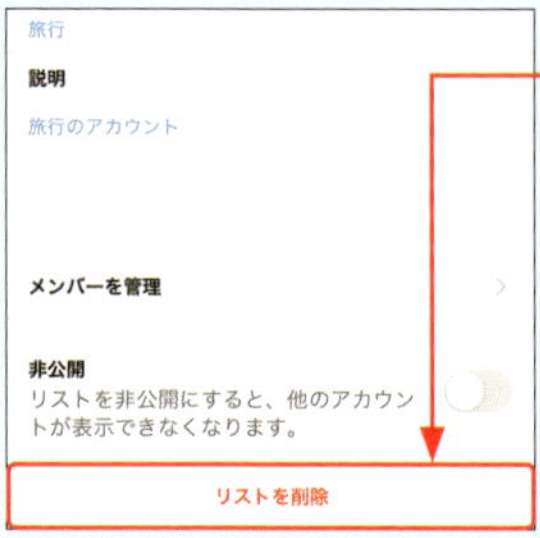

4 <リストを削除>をタップします。

5 <削除>をタップします。

第4章

Twitterの各種設定

Q 通知設定 ★★★★★

324 » 不要な通知を止めたい！

A 「プッシュ通知」画面でオン／オフを切り替えます。

ツイートに「いいね」が付いたり、リツイートされたり、フォローされたりすると、通知が届くようになっています。通知が多くて煩わしいときは、「プッシュ通知」画面で項目ごとにオン／オフを切り替えられるので、不要な通知をオフにしておきましょう。

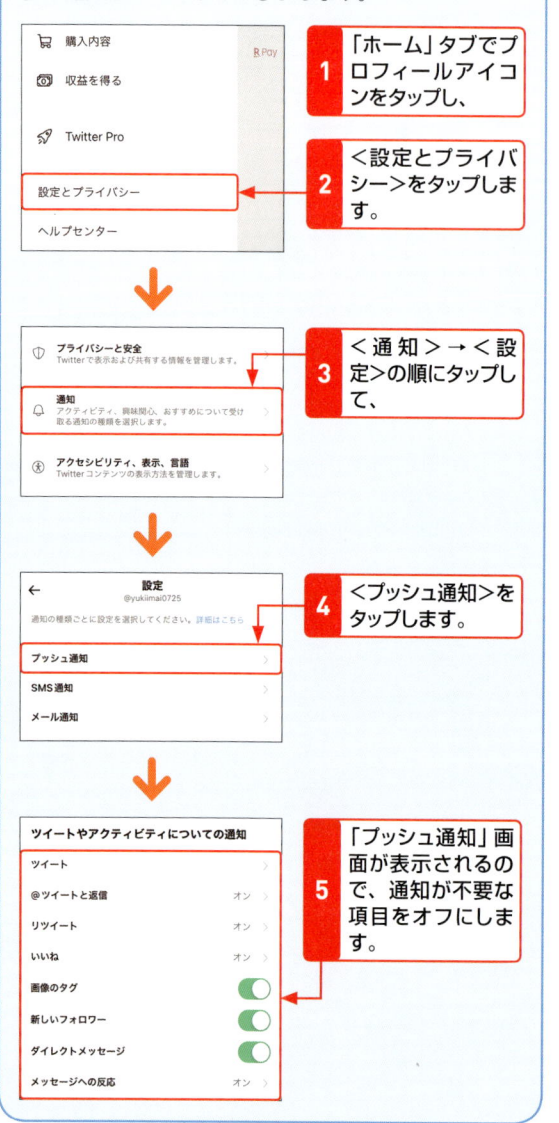

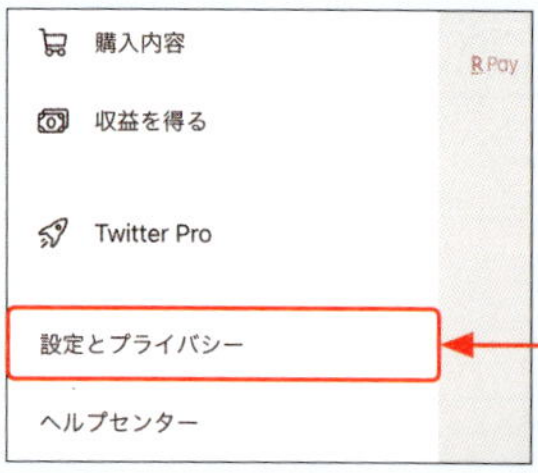

1 「ホーム」タブでプロフィールアイコンをタップし、

2 ＜設定とプライバシー＞をタップします。

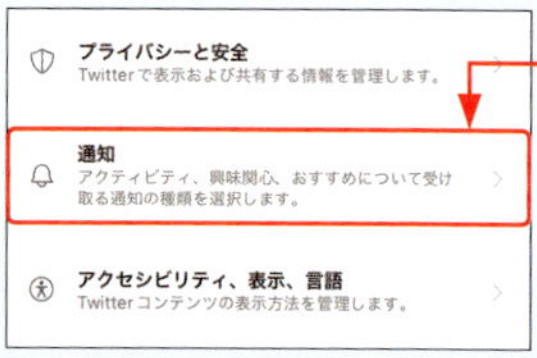

3 ＜通知＞→＜設定＞の順にタップして、

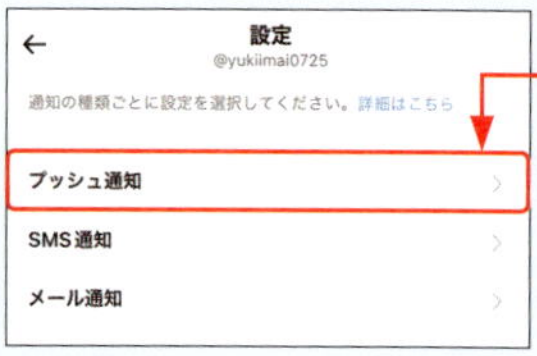

4 ＜プッシュ通知＞をタップします。

5 「プッシュ通知」画面が表示されるので、通知が不要な項目をオフにします。

Q 通知設定 ★★★★★

325 » フォローしていないアカウントからの通知を止めるには？

A 「フォローしていないアカウント」をオンにします。

初期設定では、自分のツイートがフォローしていない人から「いいね」や「リツイート」をされた場合も通知が届くようになっています。フォローしていないアカウントからの通知を非表示にするには、「ミュートしている通知」画面で「フォローしていないアカウント」をオンにしましょう。

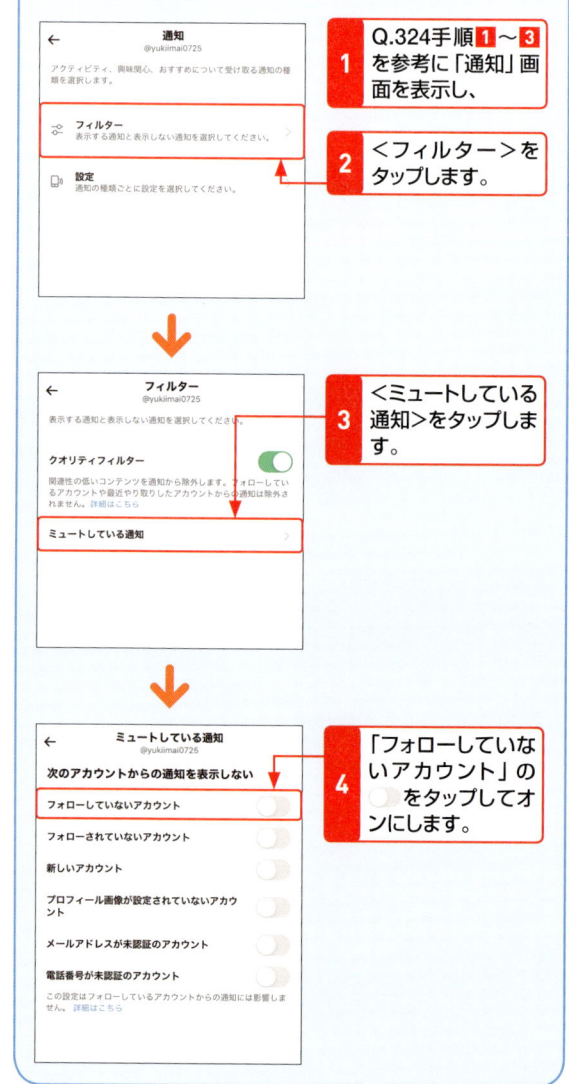

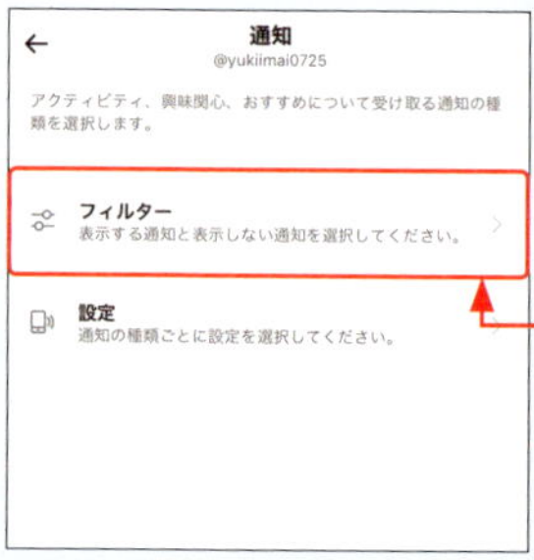

1 Q.324手順1～3を参考に「通知」画面を表示し、

2 ＜フィルター＞をタップします。

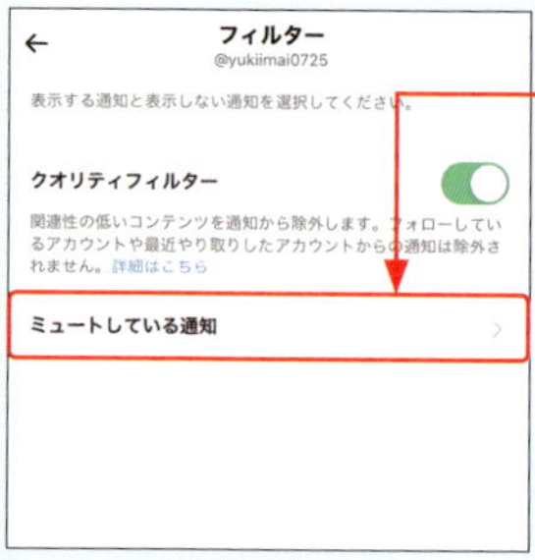

3 ＜ミュートしている通知＞をタップします。

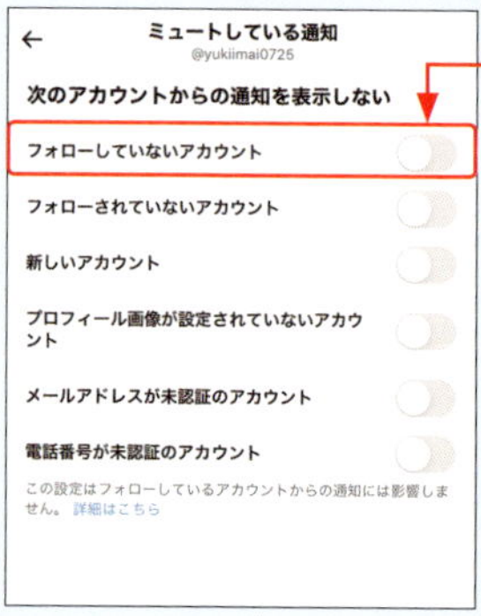

4 「フォローしていないアカウント」の をタップしてオンにします。

Q 表示設定 ★★★★★

326 » 不快なツイートの表示を減らしたい！

A 「クオリティフィルター」をオンにします。

PR目的で同じ内容のツイートが流れてきたり、自動生成（BOT）ツイートが流れてきたりすることがあります。そうしたツイートのタイムライン表示を減らす機能が「クオリティフィルター」です。「クオリティフィルター」には不審なアカウントや、ミュート（Q.333参照）しているアカウントからの通知を非表示にする機能もあります。

1 Q.324手順1～3を参考に「通知」画面を表示し、

2 ＜フィルター＞をタップします。

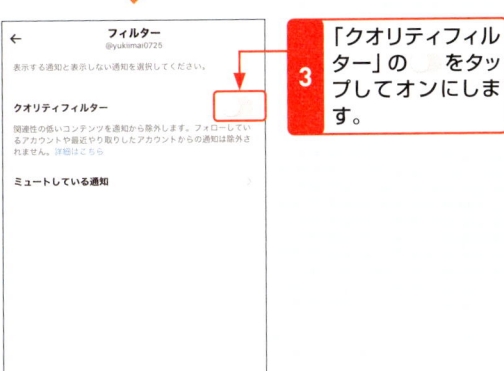

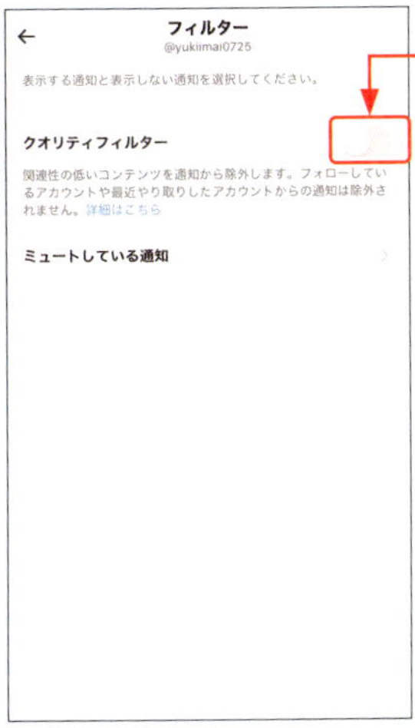

3 「クオリティフィルター」の をタップしてオンにします。

Q セキュリティ ★★★★★

327 » パスワードを変更したい！

A 「パスワードを更新」画面で変更します。

設定したパスワードは変更することができます。セキュリティに不安がある場合は、より強固なパスワードに変更しておきましょう。「アカウント」画面で＜パスワードを変更する＞をタップし、現在のパスワードと新しいパスワードを入力すると、パスワードの変更が完了します。

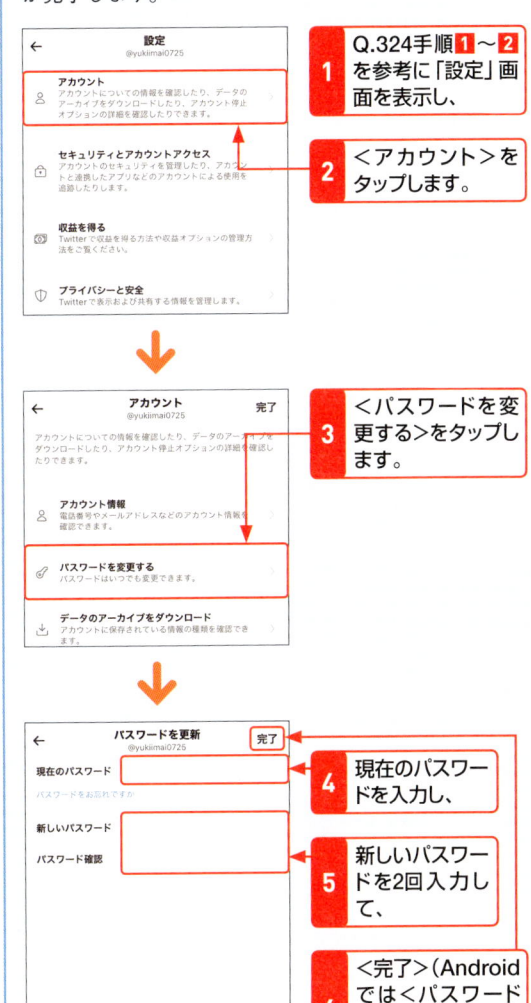

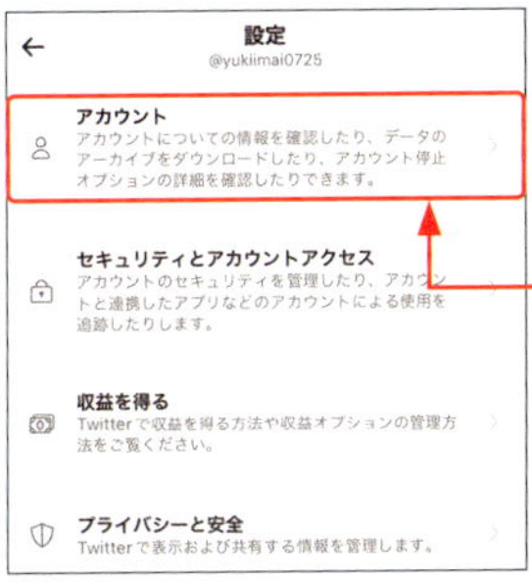

1 Q.324手順1～2を参考に「設定」画面を表示し、

2 ＜アカウント＞をタップします。

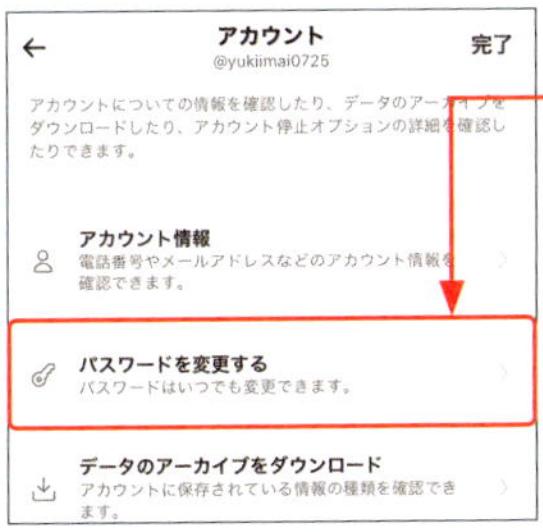

3 ＜パスワードを変更する＞をタップします。

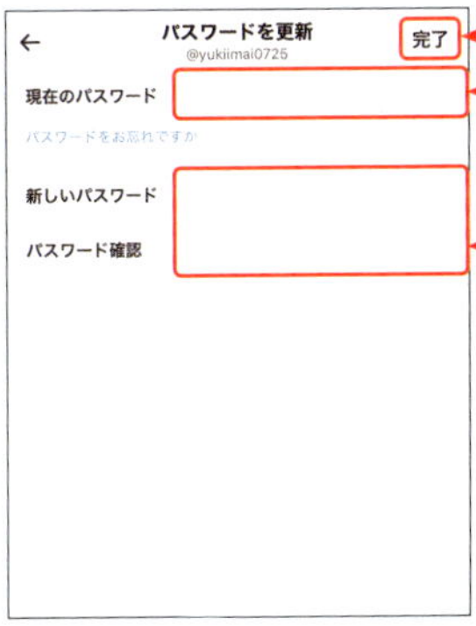

4 現在のパスワードを入力し、

5 新しいパスワードを2回入力して、

6 ＜完了＞（Androidでは＜パスワードを更新＞）をタップします。

Q セキュリティ

328 » パスワードを忘れてしまった！

A ログインしている場合は＜パスワードをお忘れですか＞を、ログアウトしている場合は＜パスワードを忘れた場合はこちら＞をタップします。

パスワードを変更したり（Q.327参照）、＜Twitter＞アプリにログインしたりするときにはパスワードの入力が求められます。万一パスワードを忘れてしまったときは、パスワードを再設定しましょう。ここではメールアドレスを入力する方法で、＜Twitter＞アプリにログインしている場合とログアウトしている場合のそれぞれの手順を紹介します。

ログインしている場合

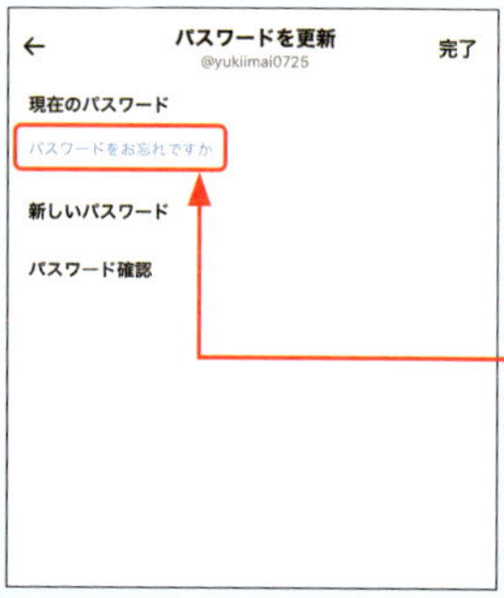

1 Q.327手順1〜3を参考に「パスワードを更新」画面を表示し、

2 ＜パスワードをお忘れですか＞（Androidでは＜パスワードを忘れた場合はこちら＞）をタップします。

3 登録しているメールアドレスを入力し、

4 ＜検索＞をタップします。

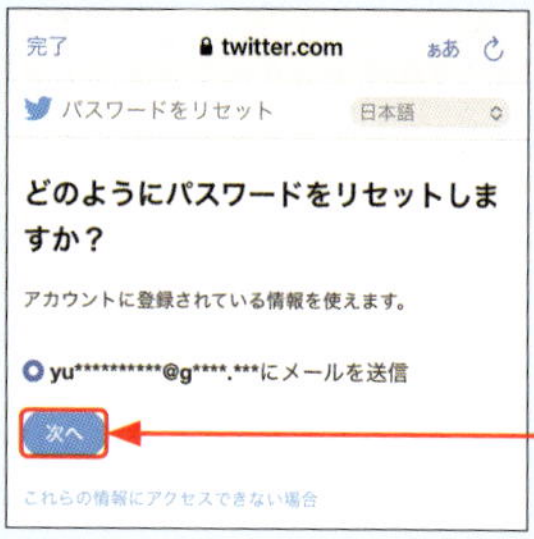

5 ＜次へ＞をタップします。

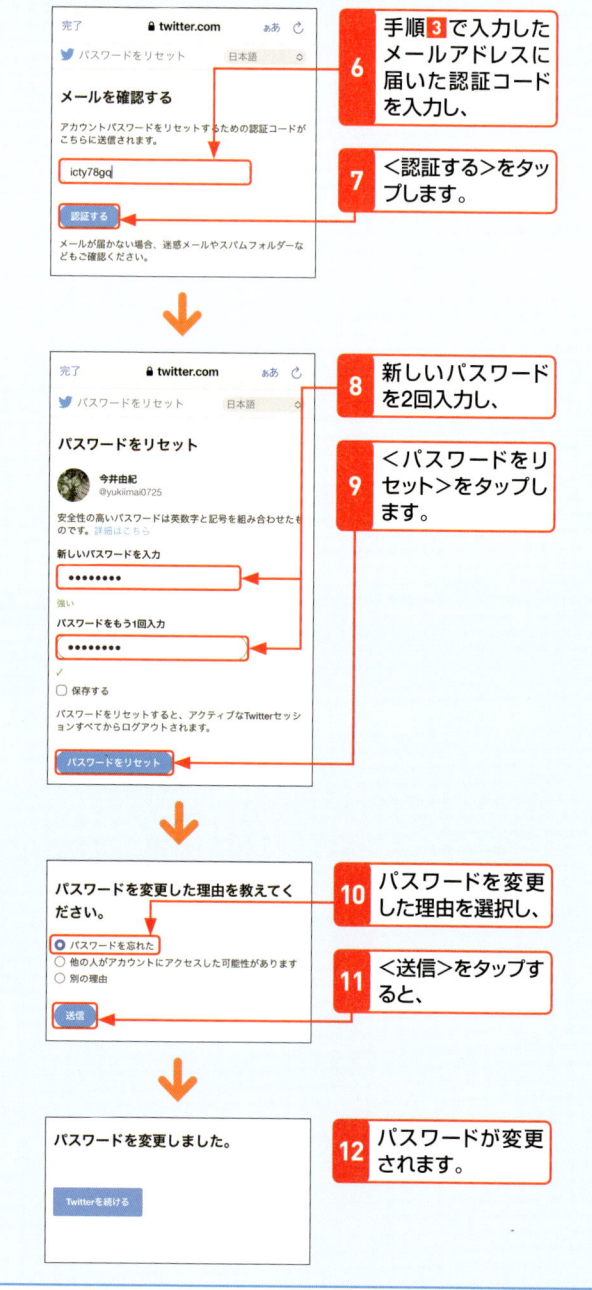

6 手順3で入力したメールアドレスに届いた認証コードを入力し、

7 ＜認証する＞をタップします。

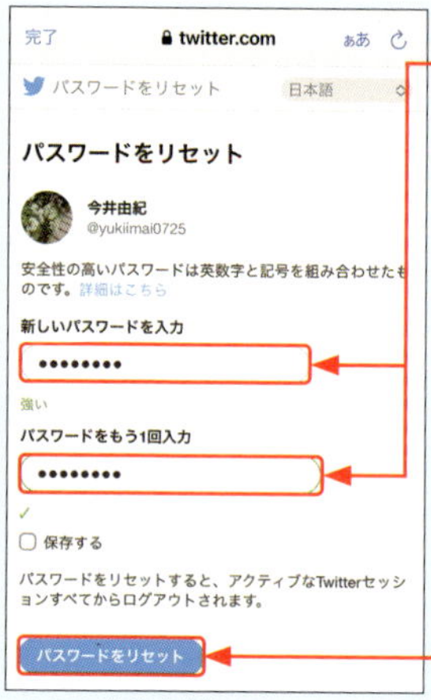

8 新しいパスワードを2回入力し、

9 ＜パスワードをリセット＞をタップします。

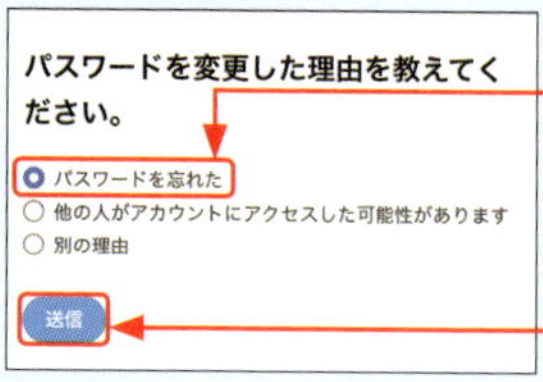

10 パスワードを変更した理由を選択し、

11 ＜送信＞をタップすると、

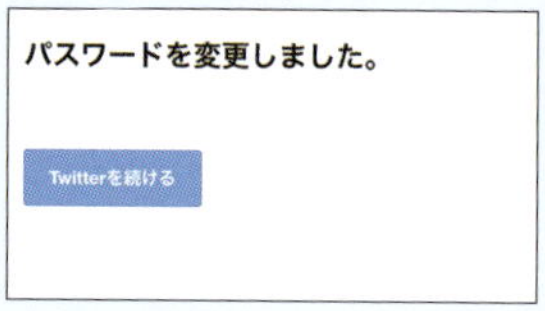

12 パスワードが変更されます。

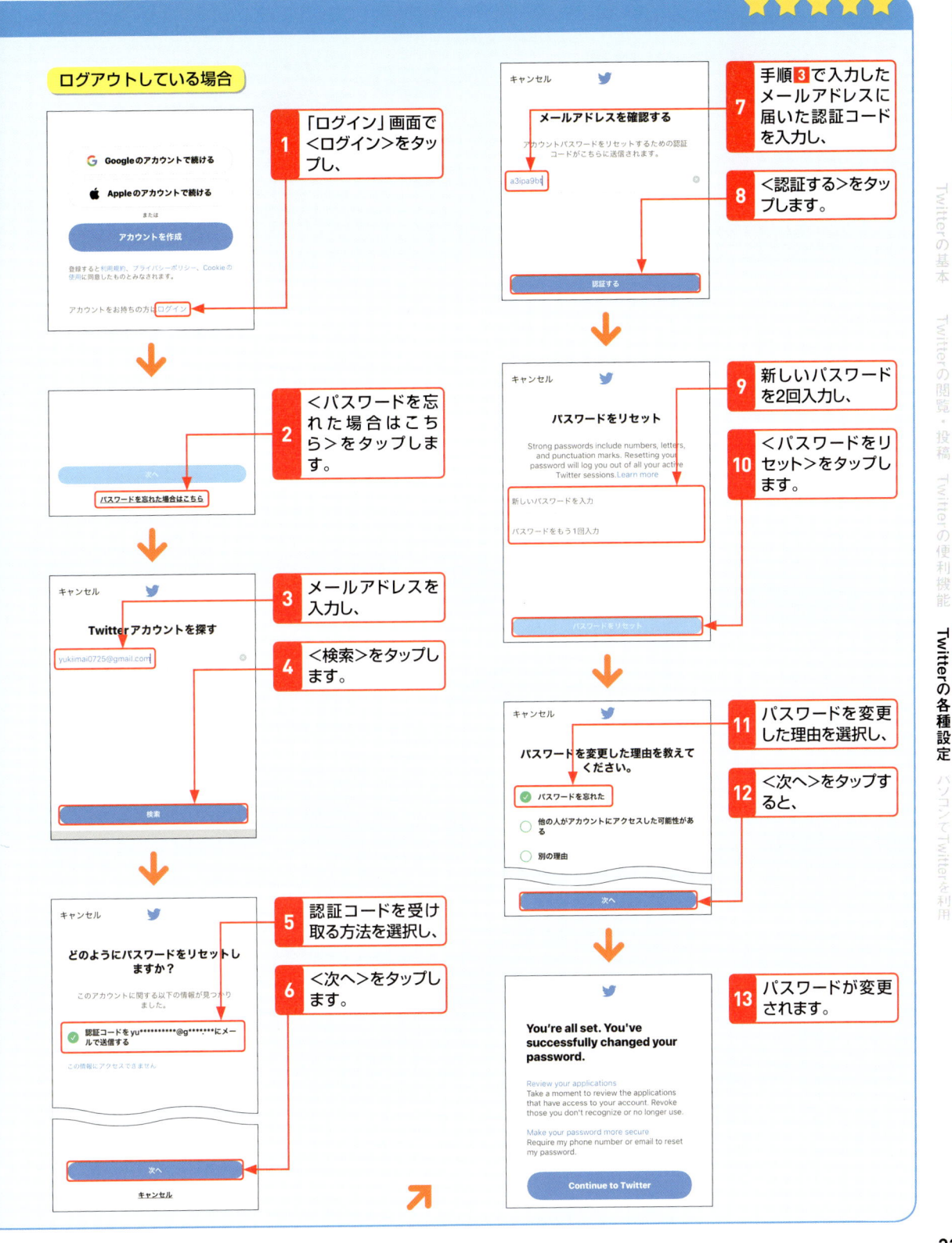

ログアウトしている場合

1 「ログイン」画面で＜ログイン＞をタップし、

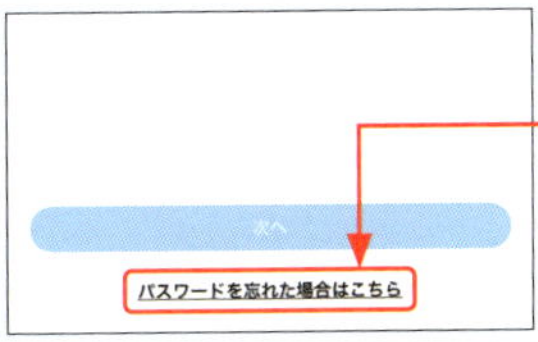

2 ＜パスワードを忘れた場合はこちら＞をタップします。

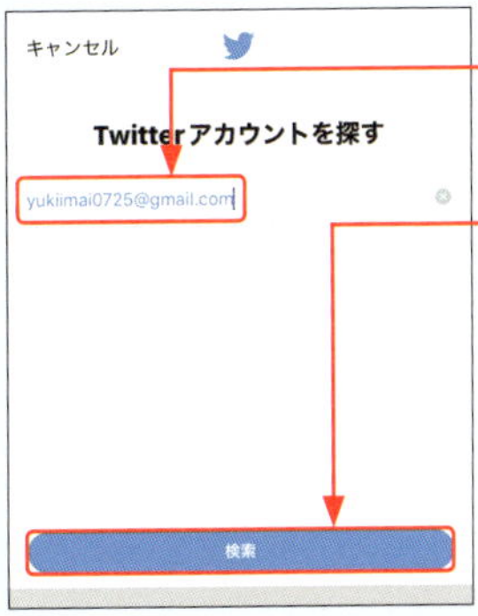

3 メールアドレスを入力し、

4 ＜検索＞をタップします。

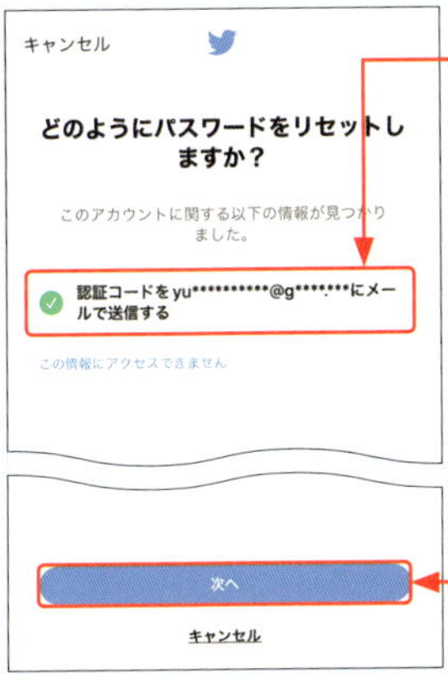

5 認証コードを受け取る方法を選択し、

6 ＜次へ＞をタップします。

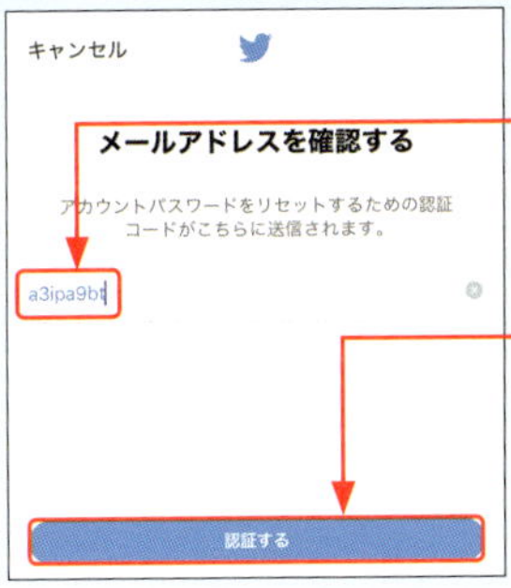

7 手順**3**で入力したメールアドレスに届いた認証コードを入力し、

8 ＜認証する＞をタップします。

9 新しいパスワードを2回入力し、

10 ＜パスワードをリセット＞をタップします。

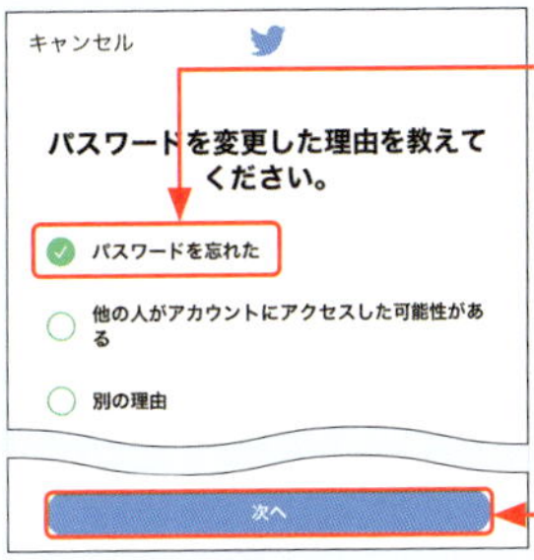

11 パスワードを変更した理由を選択し、

12 ＜次へ＞をタップすると、

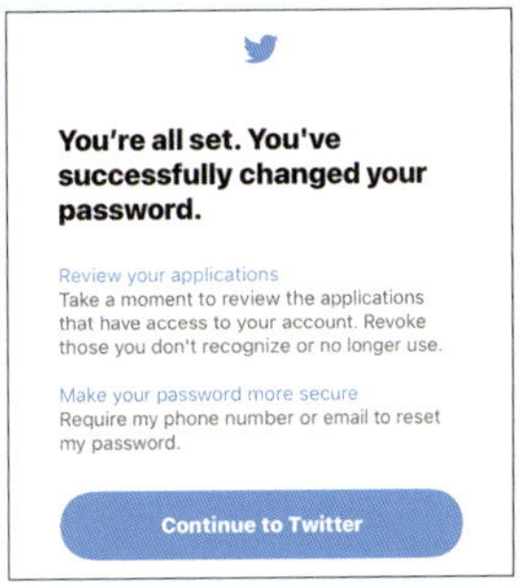

13 パスワードが変更されます。

Q セキュリティ ★★★★★

329 » メールアドレスを変更するには？

A 「メールアドレスを変更」画面から変更します。

1つのアカウントに1つのメールアドレスが登録されています。登録したメールアドレスを変更するには、「メールアドレスを変更」画面で新しいメールアドレスを入力します。

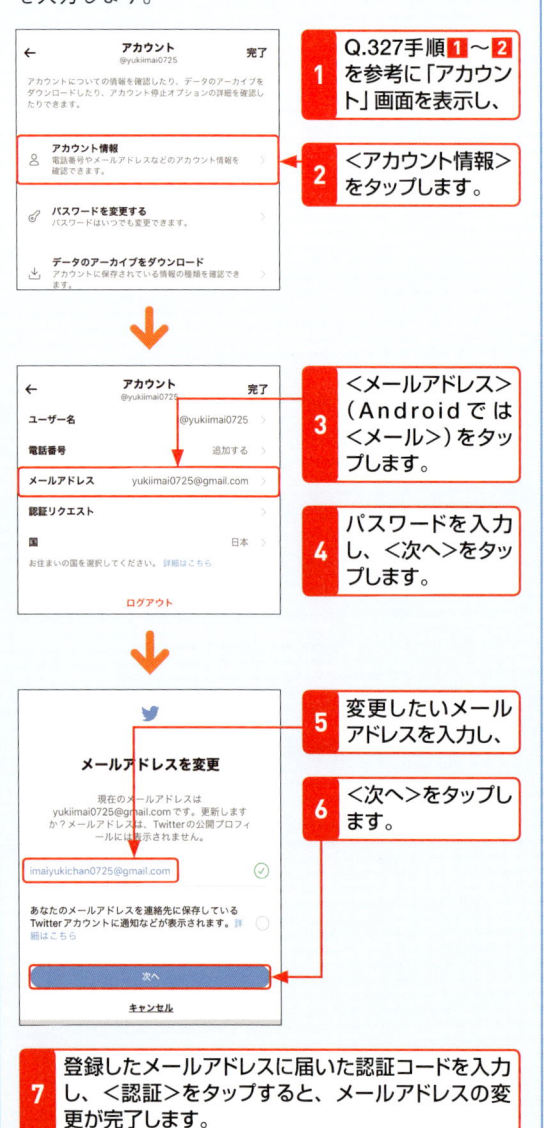

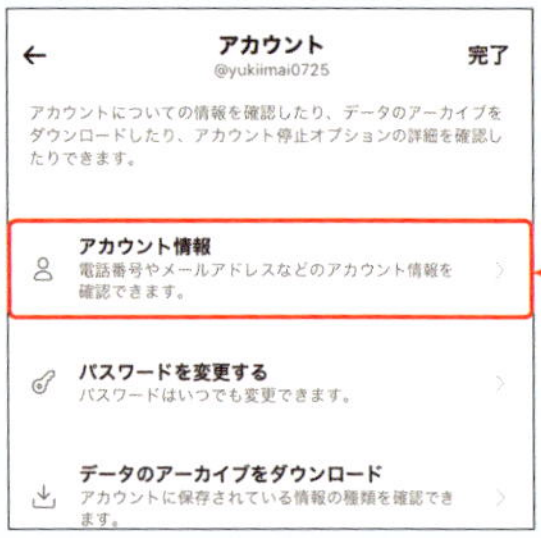

1 Q.327手順1～2を参考に「アカウント」画面を表示し、

2 <アカウント情報>をタップします。

3 <メールアドレス>（Androidでは<メール>）をタップします。

4 パスワードを入力し、<次へ>をタップします。

5 変更したいメールアドレスを入力し、

6 <次へ>をタップします。

7 登録したメールアドレスに届いた認証コードを入力し、<認証>をタップすると、メールアドレスの変更が完了します。

Q セキュリティ ★★★★★

330 » アカウントを非公開にするには？

A 「ツイートを非公開にする」をオンにします。

自分のツイートをフォロワー以外のユーザーに見せたくないという場合は、「ツイートを非公開にする」をオンにして非公開にします。非公開にすると、フォロワー以外のユーザーが自分の「プロフィール」画面を見た際に、「ツイートは非公開です。」と表示され、ツイートを見ることができなくなります。

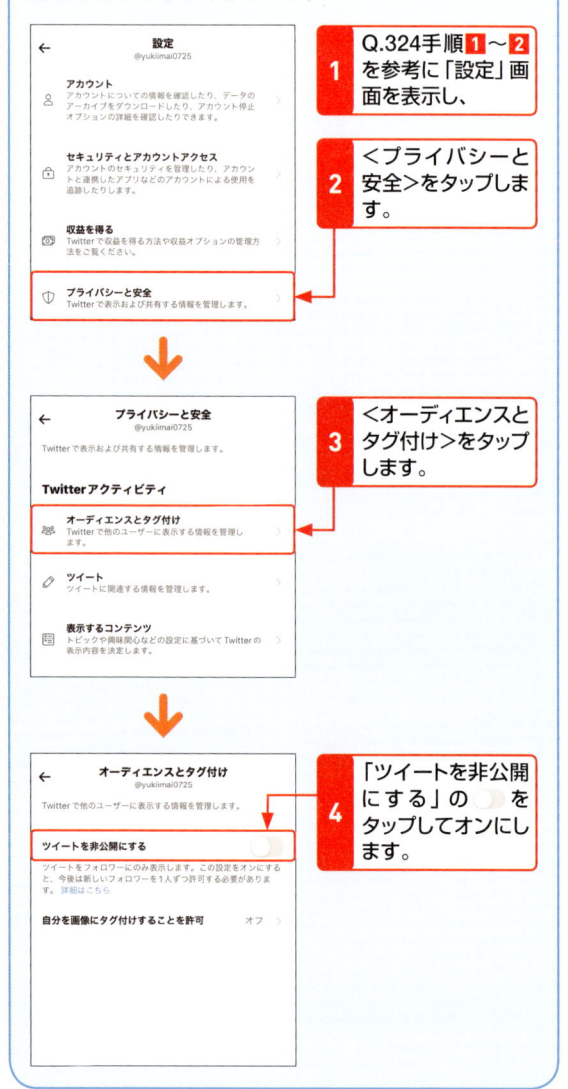

1 Q.324手順1～2を参考に「設定」画面を表示し、

2 <プライバシーと安全>をタップします。

3 <オーディエンスとタグ付け>をタップします。

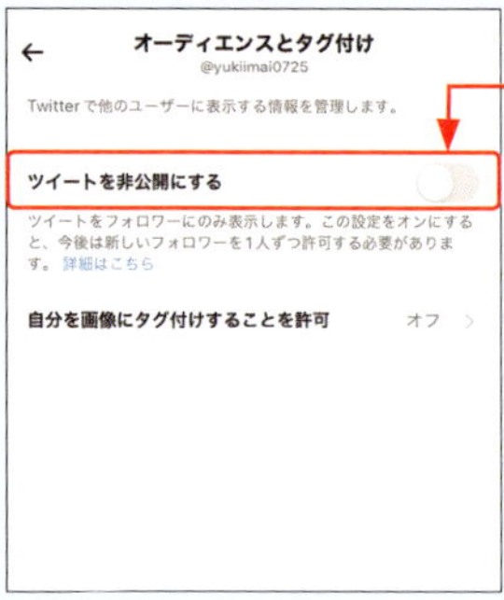

4 「ツイートを非公開にする」のを タップしてオンにします。

Q 331 セキュリティ

すべてのユーザーからダイレクトメッセージが届くようにするには？

A 「すべてのアカウントからのメッセージリクエストを許可する」をオンにします。

初期設定では、ダイレクトメッセージは相互フォローしているユーザーどうしでないと送受信できません。「すべてのアカウントからのメッセージリクエストを許可する」をオンにすると、全ユーザーからダイレクトメッセージを受け取ることができます。この設定をすると、「プロフィール」画面に ✉ が表示されます。

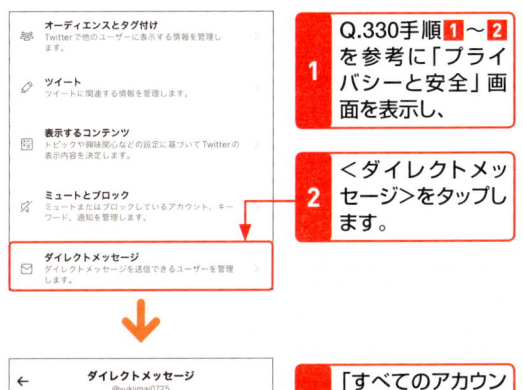

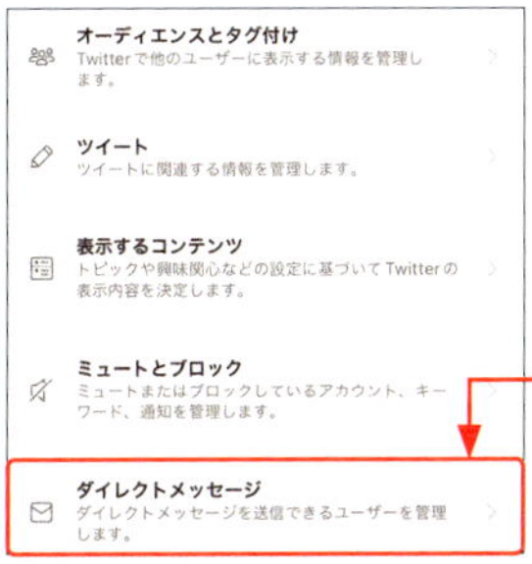

1 Q.330手順1～2を参考に「プライバシーと安全」画面を表示し、

2 <ダイレクトメッセージ>をタップします。

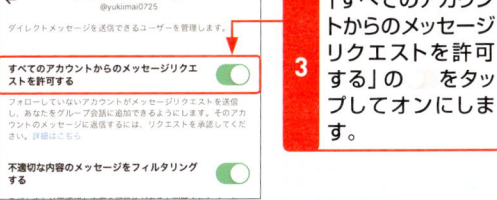

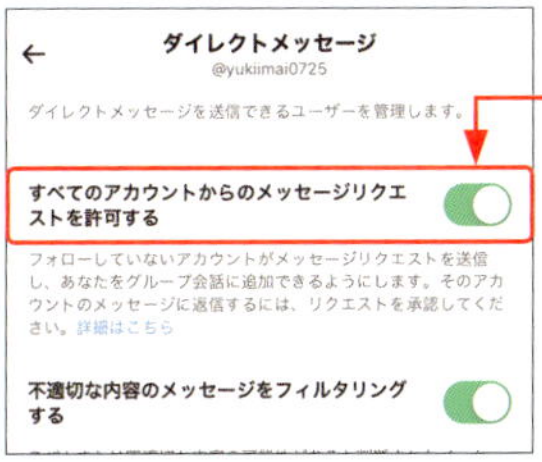

3 「すべてのアカウントからのメッセージリクエストを許可する」の ◯ をタップしてオンにします。

4 設定が完了すると、ほかのユーザーの「プロフィール」画面を表示したときに ✉ が表示されます。

「プロフィール」画面に ✉ が表示されているユーザーの ✉ をタップすると、そのユーザーにダイレクトメッセージを送信することができます。

Q 332 ツイート・リツイート

特定の投稿を非公開にするには？

A アカウントを非公開にします。

Twitterでは、特定の投稿だけを非公開にする機能はありません。投稿を非公開にしたいときは、アカウントを非公開に設定する必要があります。プロフィールアイコン→<設定とプライバシー>→<プライバシーと安全>→<オーディエンスとタグ付け>の順にタップして、「ツイートを非公開にする」をオンにしましょう。なお、ツイートを非公開にしても、フォロワーになっているユーザーは投稿を見られます。

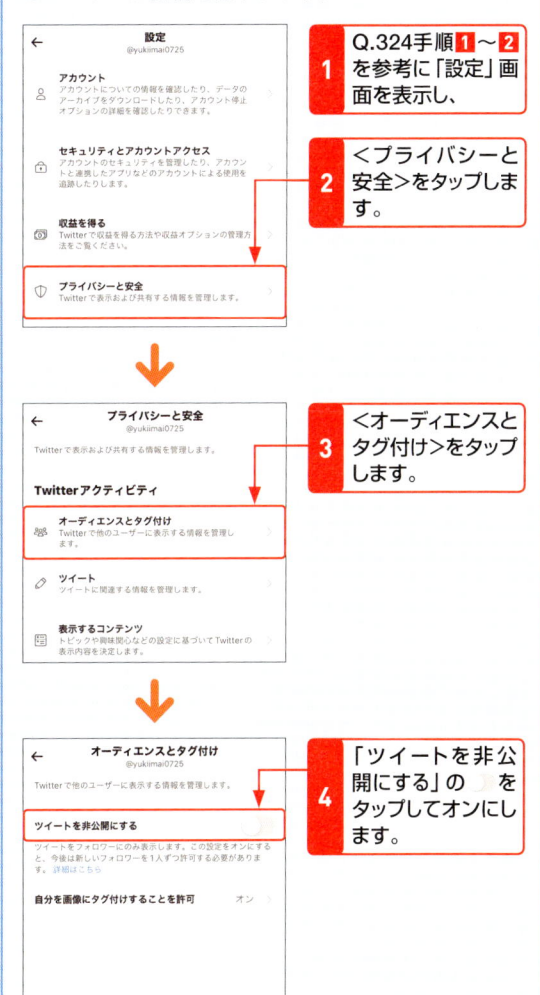

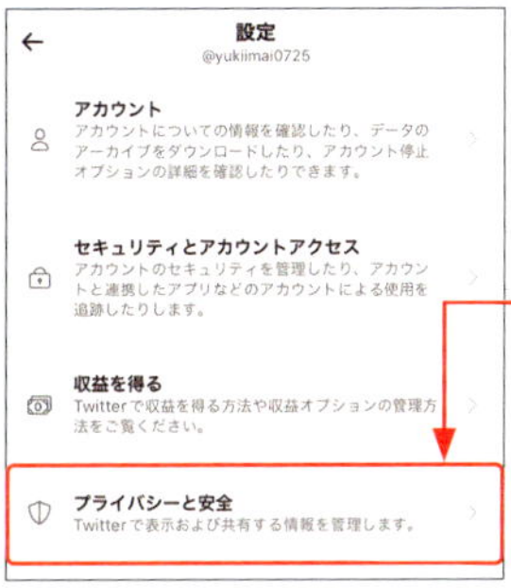

1 Q.324手順1～2を参考に「設定」画面を表示し、

2 <プライバシーと安全>をタップします。

3 <オーディエンスとタグ付け>をタップします。

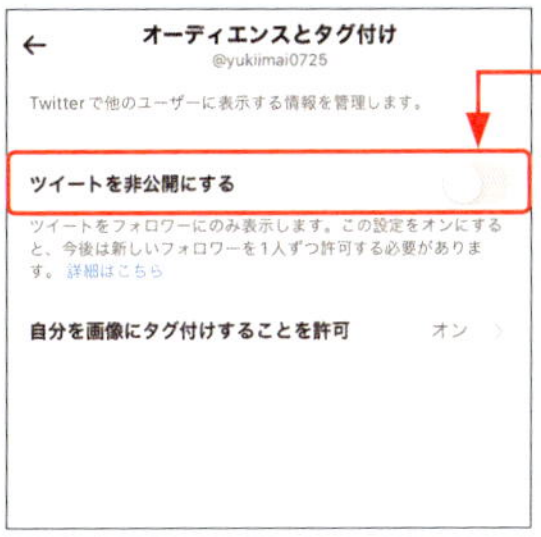

4 「ツイートを非公開にする」の ◯ をタップしてオンにします。

セキュリティ ★★★★★

Q 333 » フォローしているユーザーをミュートしたい!

A ユーザーの→<@〇〇さんをミュート>の順にタップします。

ミュートしたユーザーのツイートは、自分のタイムラインに表示されなくなります。ブロック（Q.335参照）とは異なり、相手にはミュートしたことはわかりません。なお、ミュートした相手からのリプライやダイレクトメッセージは届きます。

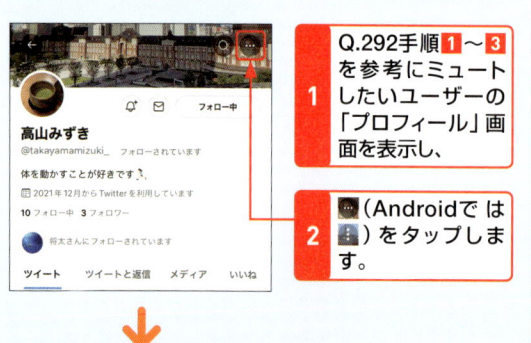

1 Q.292手順1～3を参考にミュートしたいユーザーの「プロフィール」画面を表示し、

2 （Androidでは）をタップします。

3 <@〇〇さんをミュート>（Androidでは<ミュート>）をタップします。

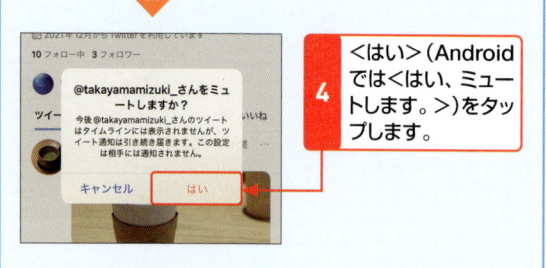

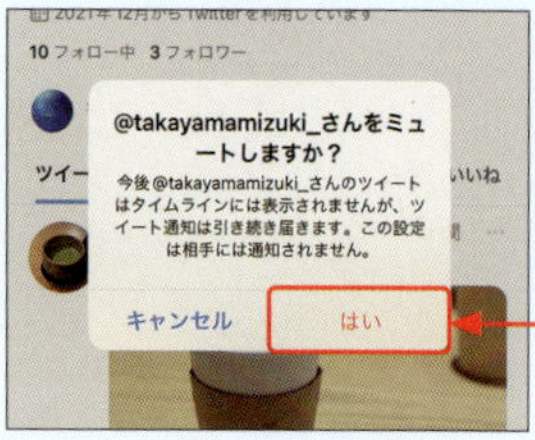

4 <はい>（Androidでは<はい、ミュートします。>）をタップします。

ミュートを解除する

Q.330手順1～2を参考に「プライバシーと安全」画面を表示し、<ミュートとブロック>→<ミュートしているアカウント>の順にタップして、ミュートを解除したいアカウントのをタップすると、ミュートを解除できます。

セキュリティ ★★★★★

Q 334 » 迷惑なユーザーを報告したい!

A ユーザーの→<@〇〇さんを報告する>の順にタップします。

攻撃的な内容をツイートしたり、迷惑行為を行ったりするユーザーがいる場合は、Twitterの運営側に報告することができます。ユーザーの「プロフィール」画面を表示し、→<@〇〇さんを報告する>の順にタップしたら、理由を選択します。なお、通報しても、相手に通知されることはありません。

1 Q.292手順1～3を参考に報告したいユーザーの「プロフィール」画面を表示し、

2 （Androidでは）をタップします。

3 <@〇〇さんを報告する>（Androidでは<報告>）をタップします。

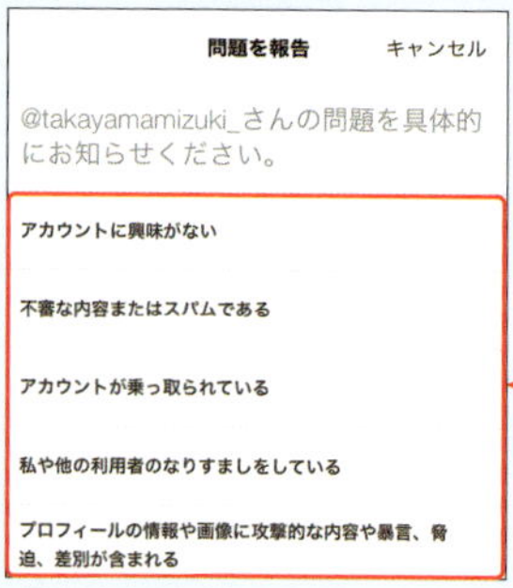

4 報告する理由をタップし、画面の指示に従って報告します。

Q セキュリティ ★★★★★

335 » フォロワーをブロックするには？

A ユーザーの…→＜@○○さんをブロック＞の順にタップします。

スパムや迷惑なユーザーにフォローされてしまい、困ってしまった場合は、ブロックして関わりを断つことができます。ブロックすると、フォローが強制解除され、再度フォローできなくなります。

1 Q.292手順1～3を参考にブロックしたいユーザーの「プロフィール」画面を表示し、

2 …（Androidでは⋮）をタップします。

3 ＜@○○さんをブロック＞（Androidでは＜ブロック＞）をタップします。

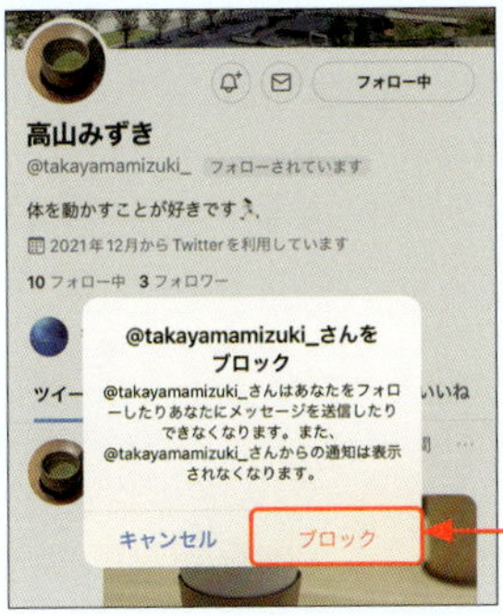

4 ＜ブロック＞をタップします。

5 ブロックが完了します。

ブロックを解除する

Q.330手順1～2を参考に「プライバシーと安全」画面を表示し、＜ミュートとブロック＞→＜ブロックしたアカウント＞（Androidでは＜ブロック済みアカウント＞）の順にタップして、ブロックを解除したいアカウントの＜ブロック中＞をタップすると、ブロックを解除できます。

Q セキュリティ ★★★★★

336 » Twitterを退会するには？

A 「アカウントを削除」画面で<アカウント削除>をタップします。

Twitterの利用をやめたくなったときは、アカウントを削除しましょう。「設定」画面で<アカウント>→<アカウントを停止する>の順にタップして「アカウントを削除」画面を表示し、<アカウント削除>をタップします。なお、この操作を行っても、削除してから30日以内であれば、再度ログインすることでアカウントを復活させることができます。

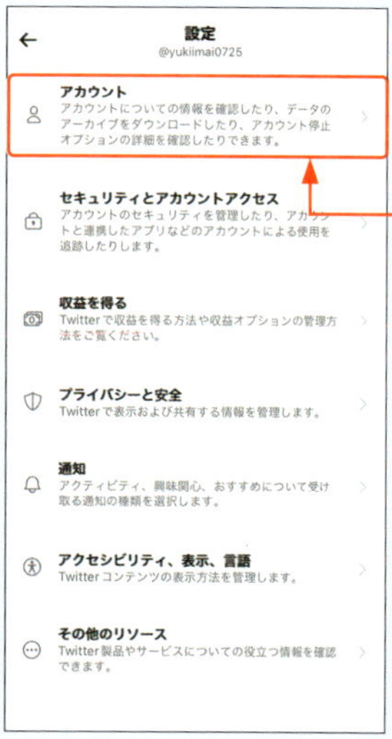

1 Q.324手順1～2を参考に「設定」画面を表示し、

2 <アカウント>をタップします。

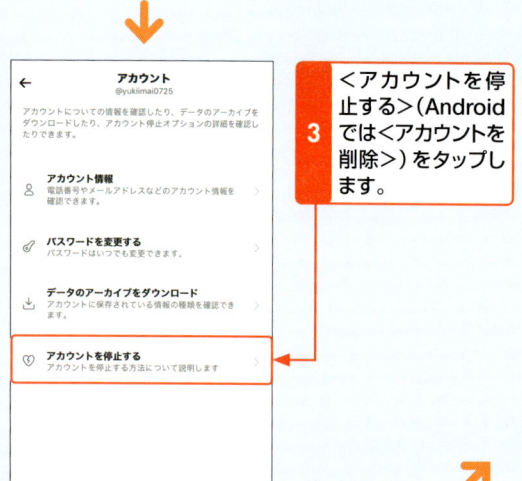

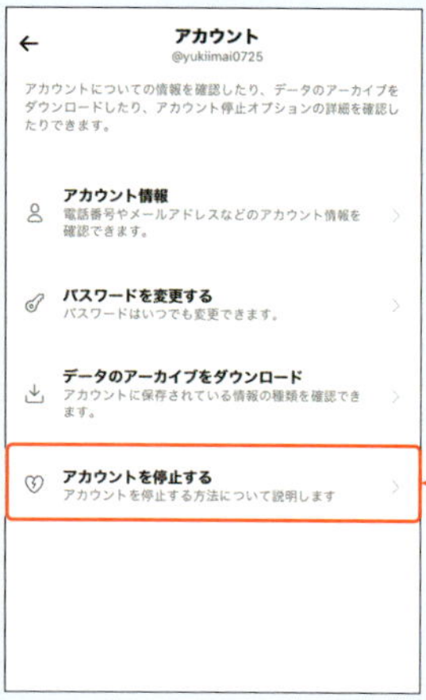

3 <アカウントを停止する>(Androidでは<アカウントを削除>)をタップします。

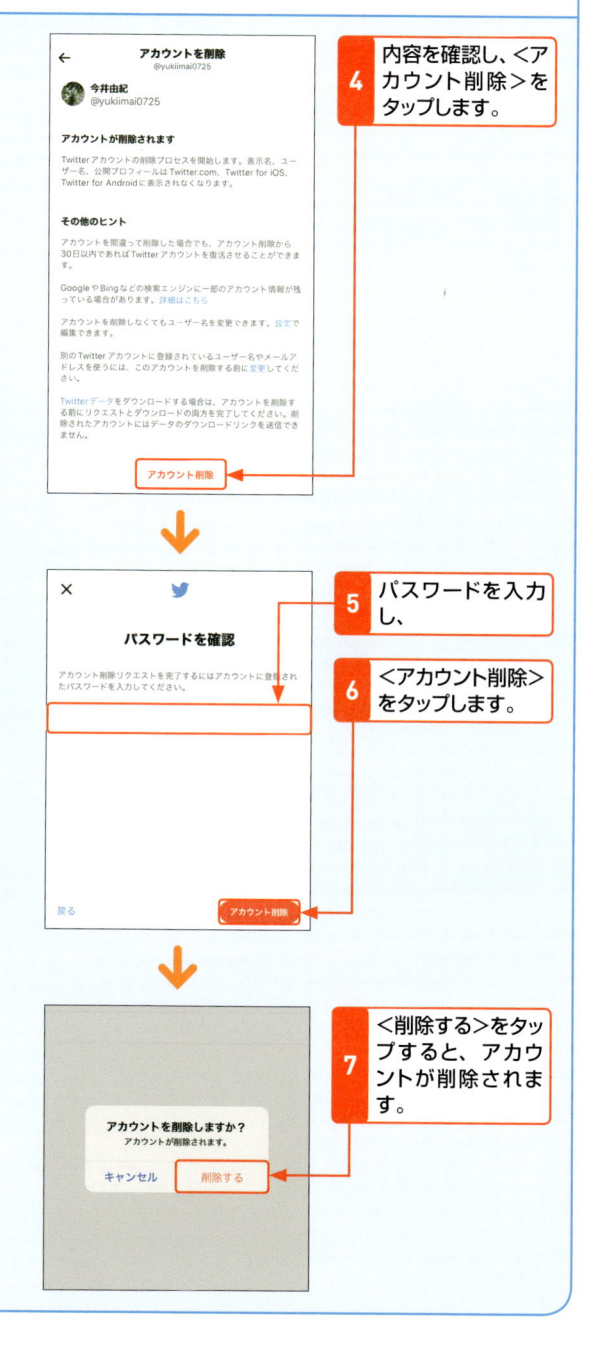

4 内容を確認し、<アカウント削除>をタップします。

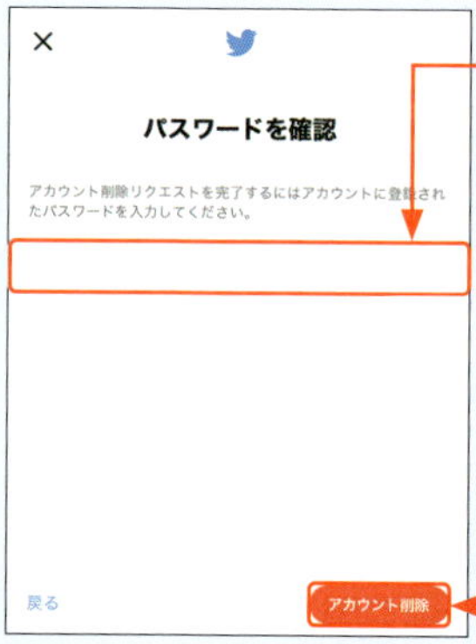

5 パスワードを入力し、

6 <アカウント削除>をタップします。

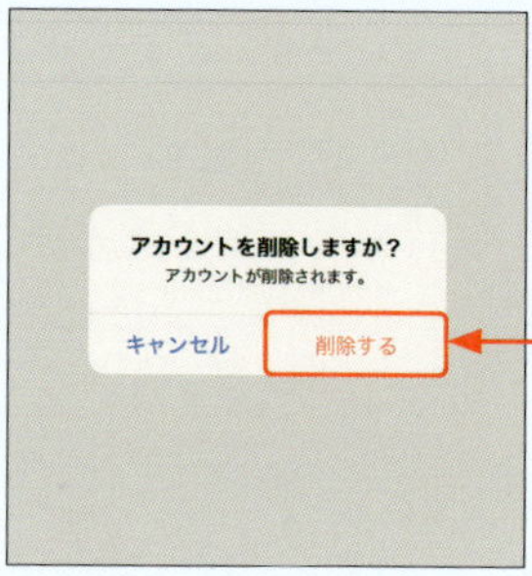

7 <削除する>をタップすると、アカウントが削除されます。

第5章

パソコンでTwitterを利用

Q Twitterの基本 ★★★★★

337 » Twitterのアカウントを作成したい！

A パソコンのWebブラウザでTwitterにアクセスし、<電話番号またはメールアドレスで登録>をクリックします。

パソコンでTwitterを利用する場合は、Microsoft EdgeなどのWebブラウザを使います。Webブラウザの検索ボックスに「https://www.twitter.com」と入力して、TwitterのWebサイトにアクセスしたら、<電話番号またはメールアドレスで登録>をクリックします。アカウント作成には、名前、電話番号もしくはメールアドレス、パスワード、生年月日が必要です。これらを入力し、ユーザー名を入力すればアカウント作成は完了です。

1 Webブラウザ（ここではMicrosoft Edge）を起動し、検索ボックスに「https://www.twitter.com」と入力して、Twitterにアクセスします。

2 <電話番号またはメールアドレスで登録>をクリックします。

3 名前を入力し、

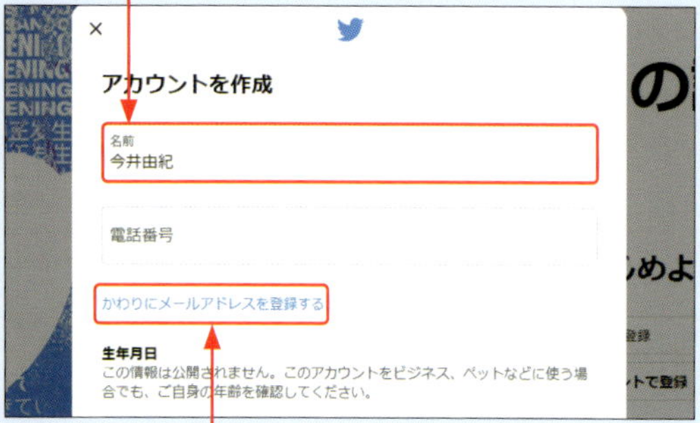

4 <かわりにメールアドレスを登録する>をクリックします。

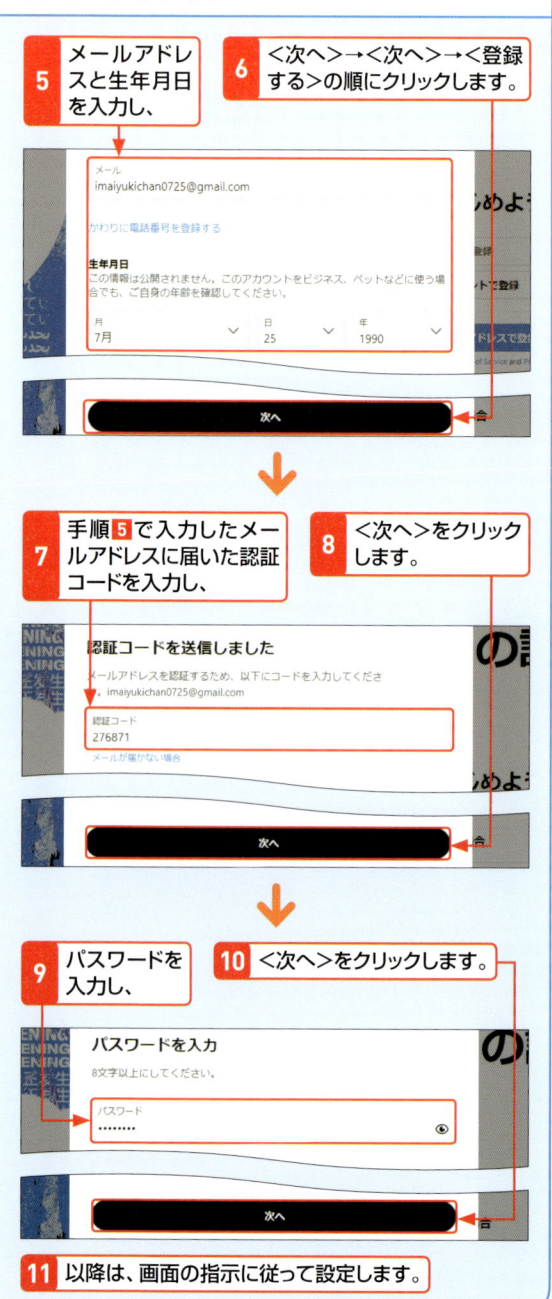

5 メールアドレスと生年月日を入力し、

6 <次へ>→<次へ>→<登録する>の順にクリックします。

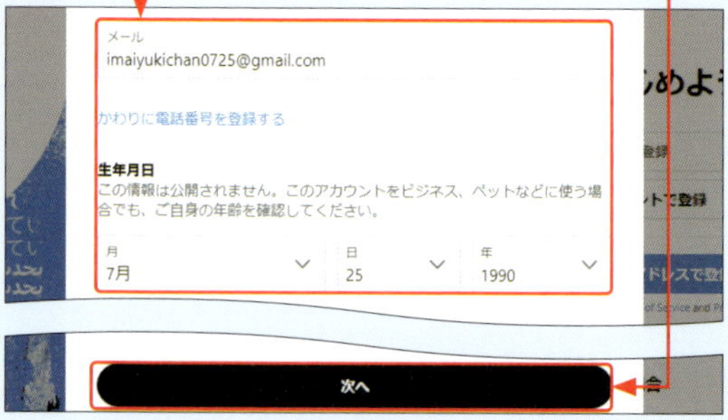

7 手順5で入力したメールアドレスに届いた認証コードを入力し、

8 <次へ>をクリックします。

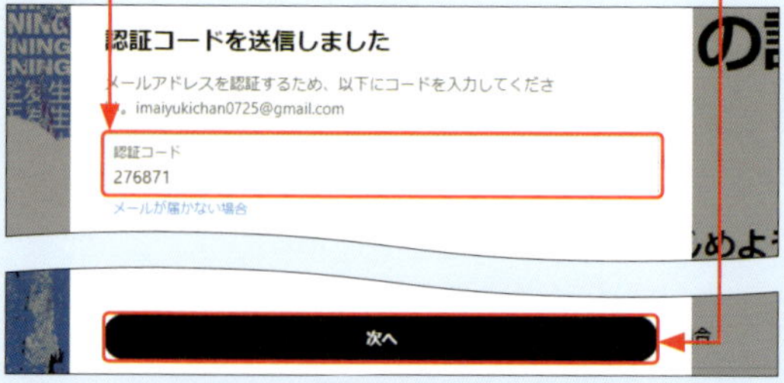

9 パスワードを入力し、

10 <次へ>をクリックします。

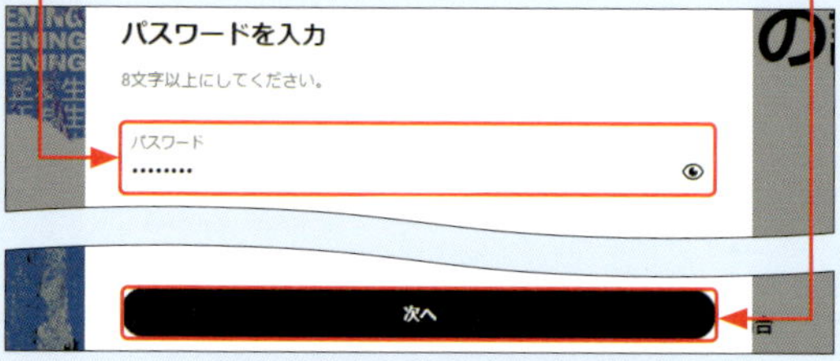

11 以降は、画面の指示に従って設定します。

Twitterの基本

★★★★★

Q 338 » Twitterにログイン・ログアウトするには？

A ログインは「ホーム」タブの<ログイン>をクリックし、ログアウトはプロフィールアイコン→<@○○からログアウト>の順にクリックします。

アカウントを作成したら、登録したメールアドレスもしくは電話番号とパスワードでログインできます。Twitterの公式サイト（https://www.twitter.com）にアクセスし、<ログイン>をクリックします。ログアウトする場合は、画面左下の自分のプロフィールアイコンをクリックして、<@○○からログアウト>をクリックします。

ログイン

1 Q.337手順1を参考に、パソコンのWebブラウザでTwitterにアクセスします。

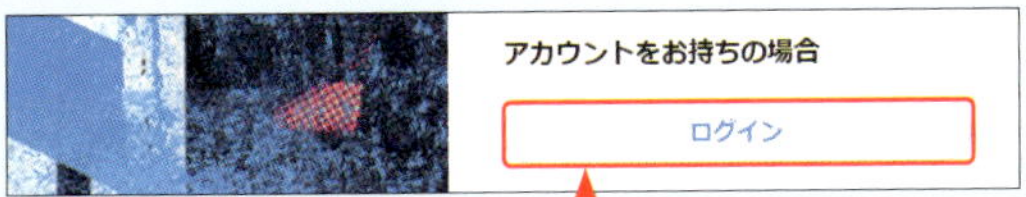

2 <ログイン>をクリックします。

3 登録したメールアドレスまたは電話番号またはユーザー名を入力し、

4 <次へ>をクリックします。

5 電話番号またはユーザー名を入力し、

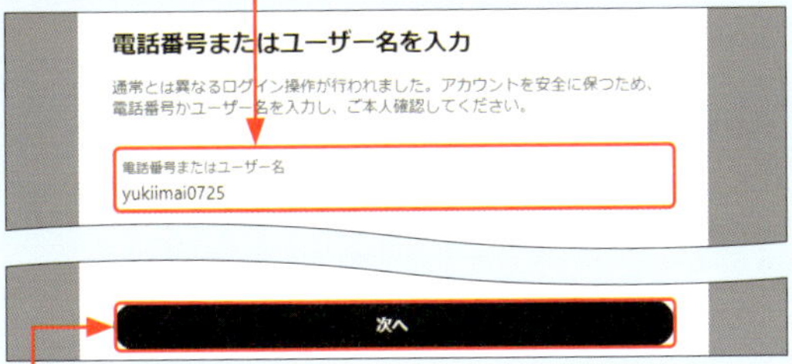

6 <次へ>をクリックします。

7 パスワードを入力し、<ログイン>をクリックします。

ログアウト

1 自分のプロフィールアイコンをクリックします。

2 <@○○からログアウト>→<ログアウト>の順にクリックします。

Q 画面構成 ★★★★★

339 » パソコン版Twitterの画面の見方がわからない！

A 「ホーム」タブの見方を覚えましょう。

Twitterでは、「ホーム」タブからさまざまな機能へアクセスします。左側に表示されているメニュー項目をクリックすると、それぞれの画面へ移動します。「ホーム」タブの中央には、フォローしているユーザーのツイートをまとめて読むことができる「タイムライン」が表示されています。画面右側には今注目の話題やおすすめのユーザーが表示されています。

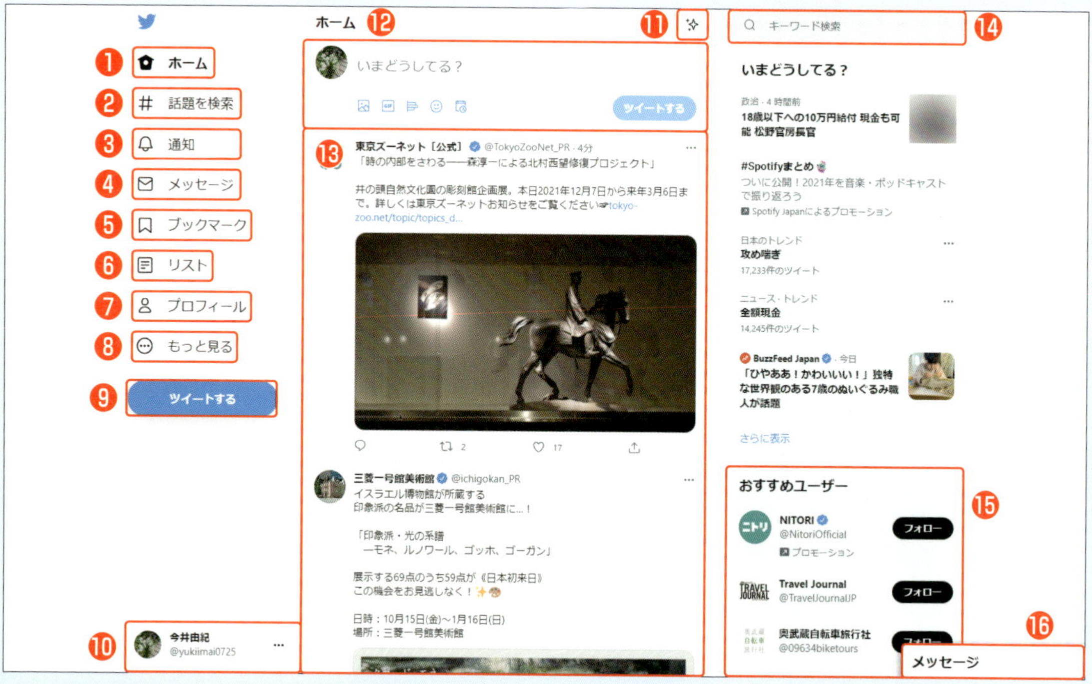

❶ホーム	「ホーム」タブが表示されます。
❷話題を検索	今注目の話題に関連したキーワードが表示されます。
❸通知	届いた通知を確認できます。
❹メッセージ	友だちにダイレクトメッセージを送ることができます。
❺ブックマーク	ブックマークしたツイートを確認できます。
❻リスト	複数のアカウントを管理できるリストを作成できます。
❼プロフィール	自分のプロフィールを確認できます。
❽もっと見る	設定画面などに移動できます。
❾ツイートする	ツイートができます。

❿プロフィールアイコン	アカウントの切り替えやログアウトなどが行えます。
⓫表示順序	表示方法をトップツイートまたは最新ツイートに切り替えられます。
⓬いまどうしてる?	❾と同様にツイートができます。
⓭タイムライン	自分やフォローしているユーザーのツイートが表示されます。
⓮検索ボックス	キーワード検索ができます。
⓯おすすめユーザー	自分のフォローやツイートから、おすすめのユーザーが表示されます。
⓰メッセージ	右下に常時表示されており、❹と同様にメッセージを送信できます。

Q プロフィール設定 ★★★★★

340 » プロフィールアイコンやヘッダーの画像を変更したい！

A <プロフィールを編集>をクリックしてアイコンやヘッダーをクリックします。

プロフィールアイコンとヘッダー画像は、いつでも好きな画像に変更することができます。変更するには、「プロフィール」画面で<プロフィールを編集>をクリックします。画像を変更したい部分をクリックし、好きな画像を選択します。なお、はじめてプロフィール画像を設定する場合は、手順1のあとに手順4の画面へ移動しますが、そのあとの手順は同様です。

1 <プロフィール>をクリックし、

2 <プロフィールを編集>をクリックします。

3 をクリックします。

ヘッダーの画像を変更したい場合は、ヘッダーのをクリックします。

4 画像を選択し、 5 <開く>をクリックします。

6 ドラッグして画像のサイズを調整し、 7 <適用>をクリックします。

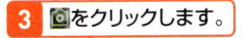

8 <保存>をクリックします。

Q 341 フォロー ★★★★★ 気になる人のプロフィールを確認するには？

A ユーザーのプロフィールアイコンをクリックします。

ユーザーのプロフィールアイコンをクリックすると、そのユーザーの「プロフィール」画面が表示され、自己紹介文やこれまでに投稿されたツイートを確認することができます。＜フォロー中＞や＜フォロワー＞をクリックすると、そのユーザーがフォローしているユーザーやフォロワーを見ることができます。

1 タイムラインや検索結果などから、気になるユーザーのプロフィールアイコンをクリックします。

2 ユーザーの「プロフィール」画面が表示されます。プロフィールやフォロー、フォロワー、ツイートなどを確認することができます。

Q 342 フォロー ★★★★★ おすすめユーザーをフォローするには？

A 「ホーム」タブの「おすすめユーザー」からフォローします。

ユーザーをフォローすると、関連ユーザーが「おすすめユーザー」として「ホーム」タブに表示されます。＜フォロー＞をクリックするとフォローできますが、プロフィールアイコンをクリックすると「プロフィール」画面が表示され、この画面で＜フォロー＞をクリックすると、関連するおすすめユーザーが表示されます。

1 「ホーム」タブの「おすすめユーザー」の任意のユーザーのプロフィールアイコンをクリックします。

＜フォロー＞をクリックすると、すぐにフォローできます。フォローが完了すると、「おすすめユーザー」の一覧が更新され、ほかの関連ユーザーが表示されます。

2 ユーザーの「プロフィール」画面が表示されます。＜フォロー＞をクリックします。

3 フォローが完了すると、「おすすめ」という表示が現れ、関連するユーザーが表示されます。

Q 343 » ツイートするには？

ツイート・リツイート ★★★★★

A <いまどうしてる？>または<ツイートする>をクリックします。

ツイートを作成するには、「ホーム」タブで<いまどうしてる？>または<ツイートする>をクリックします。「投稿」画面が表示されるので、ツイートを入力して<ツイートする>をクリックすると、投稿されます。

1 「ホーム」タブの<いまどうしてる?>をクリックします。

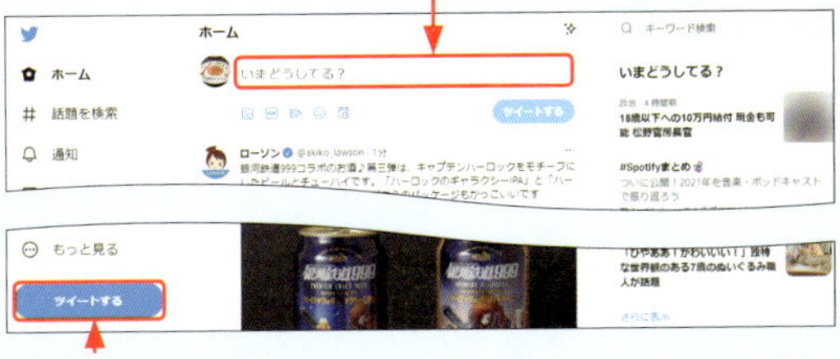

「ホーム」タブの<ツイートする>をクリックしても、ツイートできます。

2 ツイートを入力して、

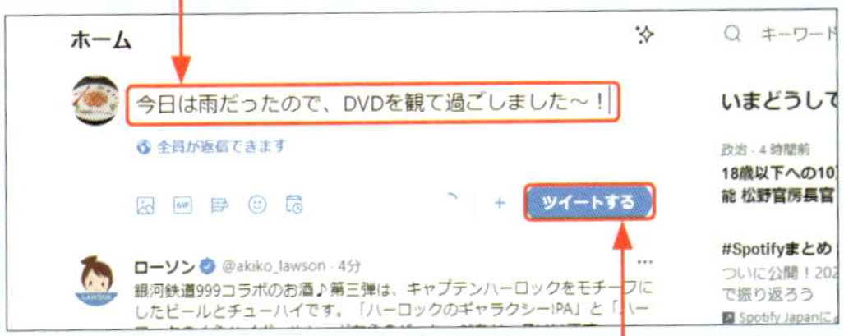

3 <ツイートする>をクリックします。

4 タイムラインに投稿したツイートが表示されます。

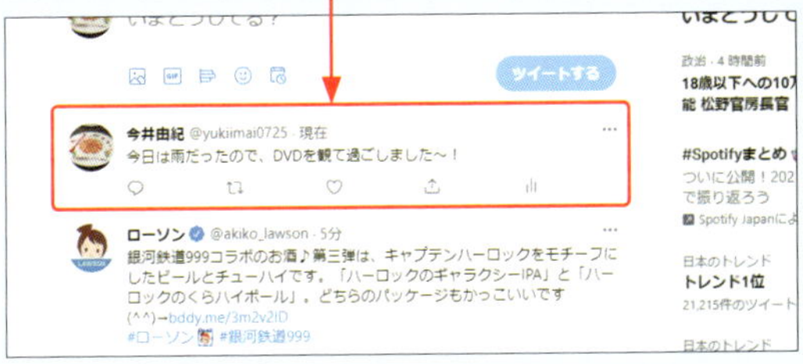

Q 344 » 自分宛のツイートを確認するには？

ツイート・リツイート ★★★★★

A <通知>→<@ツイート>の順にクリックします。

ツイートを投稿すると、フォロワーやそのほかのユーザーから返信（リプライ）が届くことがあります。リプライが届くと、「通知」画面に通知が届きます。<通知>→<@ツイート>の順にクリックすると、自分宛のツイートを確認することができます。

1 <通知>をクリックします。

2 <@ツイート>をクリックすると、

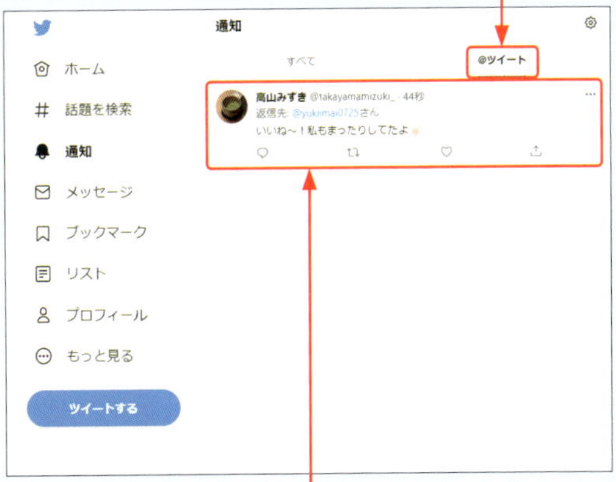

3 自分宛のツイートが表示されます。

ツイート・リツイート ★★★★★

Q 345 » ほかのユーザーの投稿をリツイートしたい！

A ツイートの下にある⇆→<リツイート>の順にクリックします。

「リツイート」とは、ほかのユーザーのツイートをそのまま転用して投稿することをいいます。リツイートすると、自分のフォロワーに向けてツイートが再投稿され、より多くの人に見てもらえます。リツイートする場合は、ツイートの⇆をクリックします。

1 リツイートしたいツイートの⇆をクリックします。

2 <リツイート>をクリックすると、

3 ⇆が⇆に変わり、リツイートが完了します。

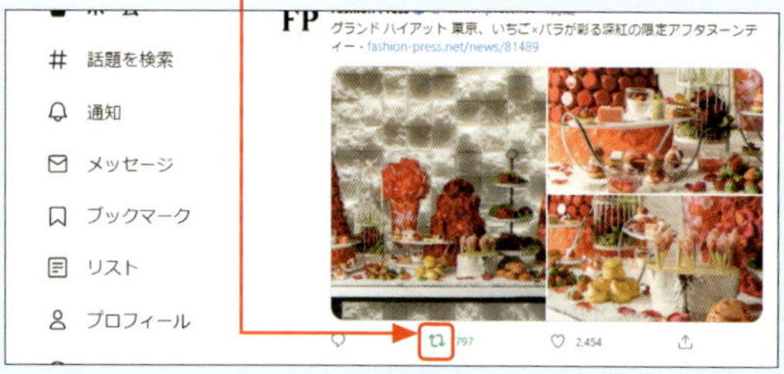

ツイート・リツイート ★★★★★

Q 346 » コメントを付けてリツイートするには？

A ⇆→<引用ツイート>の順にクリックしてコメントを入力します。

コメントを付けてリツイートすることを、「引用ツイート」といいます。ツイートにコメントを付けて再投稿できるため、そのツイートに感想などを載せたいときに使うとよいでしょう。引用ツイートすると、もとのツイートはリンクとなって表示されます。

1 引用ツイートしたいツイートの⇆→<引用ツイート>の順にクリックします。

2 入力ボックスにツイートを入力して、

3 <ツイートする>をクリックします。

4 ツイートすると、引用したツイートがツイートの下部に表示されます。

Q 347 ツイート・リツイート ★★★★★
ほかのユーザーの投稿に「いいね」するには？

A ツイートの下にある♡をクリックします。

「おもしろい！」、「このツイートは気に入った」というツイートを見つけたら、「いいね」して共感や賞賛の気持ちを送りましょう。ツイートの下にある♡をクリックするだけで「いいね」がかんたんに送れます。自分が「いいね」したことは、ツイートしたユーザーに通知されます。

1 「いいね」したいツイートの♡をクリックします。

2 ♡が❤に変わり、「いいね」が完了します。

Q 348 ツイート・リツイート ★★★★★
ほかの人のツイートに返信したい！

A 💬をクリックして返信を入力します。

ユーザーのツイートに返信することを「リプライ」といいます。リプライしたいツイートの💬をクリックして返信を入力し、<返信>をクリックします。リプライをすると、もとのツイートの下にリプライが表示されます。

1 リプライしたいツイートの💬をクリックします。

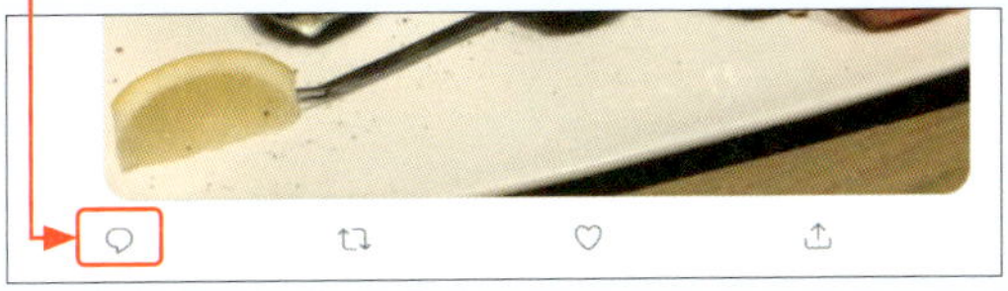

2 入力ボックスに返信を入力して、

3 <返信>をクリックします。

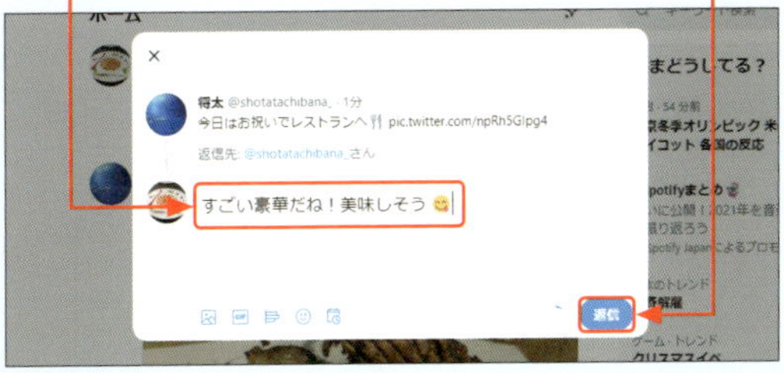

4 もとのツイートの下にリプライが表示されます。

5 もとのツイートとリプライは、線で結ばれます。

ツイート・リツイート ★★★★★

Q 349 » 写真を付けてツイートしたい！

A 「投稿」画面のをクリックします。

写真を付けてツイートするには、「投稿」画面でをクリックして画像を選択します。ツイートを入力して＜ツイートする＞をクリックすれば、写真付きでツイートができます。投稿できる写真は最大4枚までで、15MBまでのサイズの写真が投稿できます。

1 Q.343手順1を参考に「投稿」画面を表示し、をクリックします。

2 ツイートする写真をクリックして選択し、

3 ＜開く＞をクリックします。

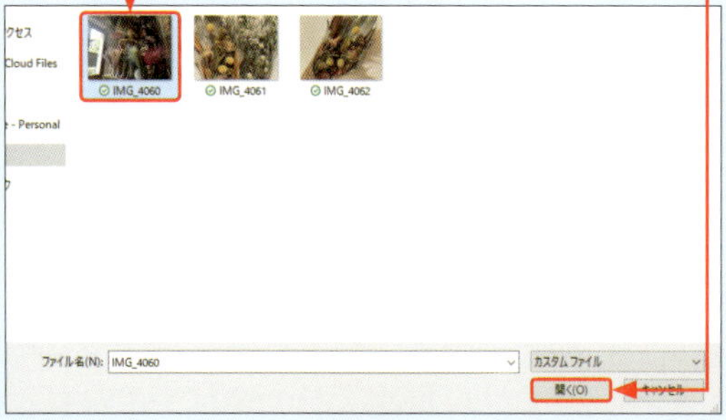

4 入力ボックスにツイートを入力して、

5 ＜ツイートする＞をクリックします。

ツイート・リツイート ★★★★★

Q 350 » ハッシュタグを使ってツイートしたい！

A 「#」+「キーワード」を入力してツイートします。

ハッシュタグとは、話題やキーワードを明示して、ツイートを探しやすくするタグのことです。「#」+「キーワード」を組み合わせるとハッシュタグになります。ハッシュタグはリンクになっており、クリックすると同じタグのツイートが一覧で表示されます。なお、「#」は半角で入力する必要があります。

1 Q.343手順1を参考に「投稿」画面を表示し、ツイートを入力します。

2 「#」+「任意のキーワード」を入力します。ハッシュタグは青文字で表示されます。

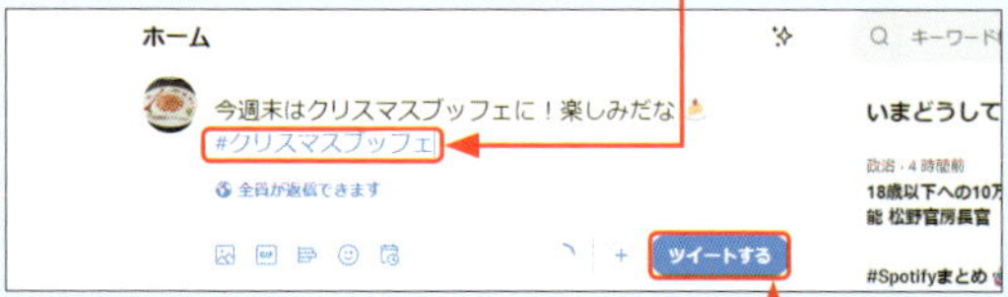

3 ＜ツイートする＞をクリックします。

4 ツイートが完了します。ツイートのハッシュタグをクリックすると、

5 同じハッシュタグが付いたツイートが一覧で表示されます。

Q 351 ダイレクトメッセージ ★★★★★

ダイレクトメッセージを送信したい！

A <メッセージ>をクリックして宛先を指定し、メッセージを送信します。

ダイレクトメッセージとは、ほかのユーザーに見られることなく、特定のユーザーと直接やり取りできる機能です。初期設定では、相互にフォローしているユーザーのみメッセージを送信できます。ダイレクトメッセージを送信するには、画面左側の<メッセージ>をクリックします。相手のユーザー名を入力し、<次へ>をクリックすると、メッセージのやり取りができます。

1 <メッセージ>→<メッセージを作成>の順にクリックします。

2 入力ボックスにメッセージを送信したいユーザー名またはグループを入力します。

3 表示された候補の中から相手をクリックして選択し、

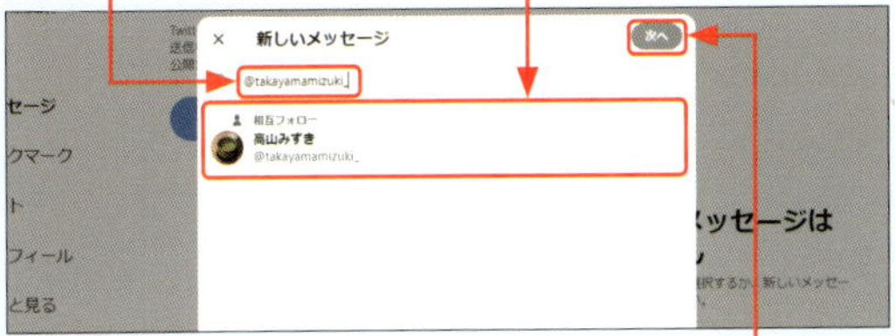

4 <次へ>をクリックします。

5 入力ボックスにメッセージを入力して、

6 ▷ をクリックします。

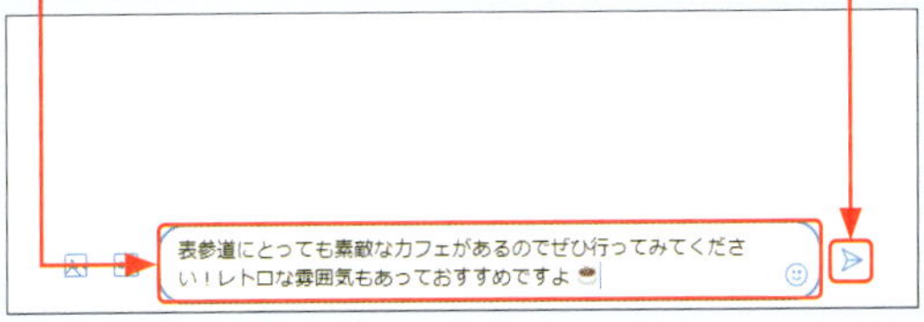

Q 352 情報収集 ★★★★★

最新の話題をチェックしたい！

A <話題を検索>をクリックします。

最新の話題をチェックするなら「話題を検索」を確認するとよいでしょう。「話題を検索」には、Twitterで話題になっている注目のツイートがまとめられています。「話題を検索」画面には、「おすすめ」「トレンド」「ニュース」などのカテゴリで分けられており、クリックするとその話題に関するツイートを見ることができるので、情報収集に役立ちます。

1 <話題を検索>をクリックします。

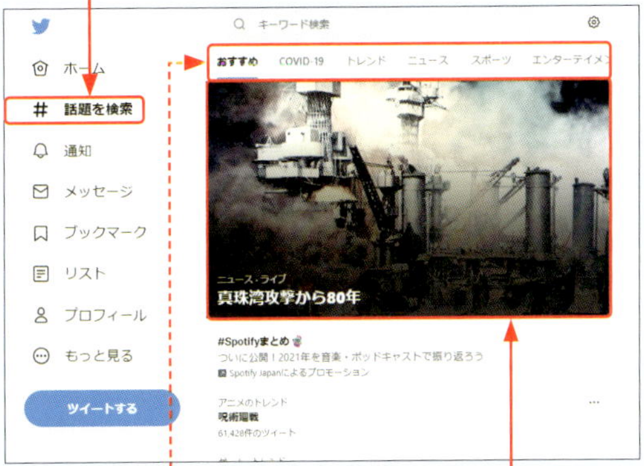

最新の話題がジャンルごとに分けられています。

2 任意の話題をクリックすると、

3 ツイートを見ることができます。

情報収集 ★★★★★

Q 353 » キーワードでツイートを検索したい！

A 画面右上の検索ボックスにキーワードを入力して検索します。

検索ボックスにキーワードを入力すると、下に候補が表示されます。任意のキーワードをクリックすると、そのキーワードに関連するツイートの検索結果が表示されます。「検索結果」画面上部のカテゴリをクリックすると、より詳細にツイートを絞り込めます。

1 検索ボックスにキーワードを入力します。

2 候補が表示されるので、任意のキーワードをクリックします。

3 検索結果が表示されます。

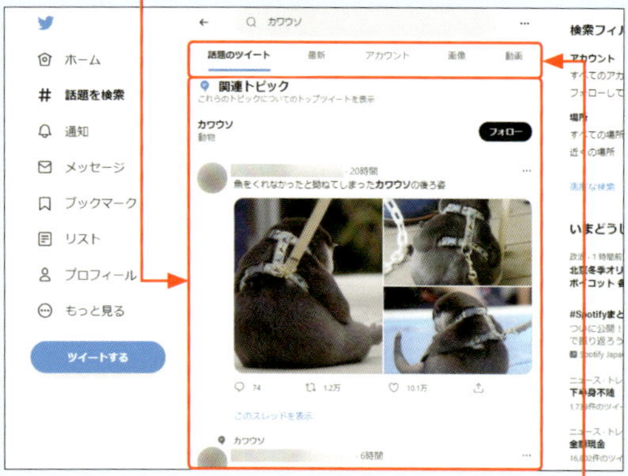

4 任意のカテゴリをクリックすると、そのカテゴリのツイートやユーザーを検索できます。

情報収集 ★★★★★

Q 354 » 「高度な検索」でツイートを検索するには？

A 検索フィルターを表示し、「高度な検索」から検索します。

詳細にツイートを検索したい場合は、「高度な検索」を使ってみましょう。「検索フィルター」の＜高度な検索＞をクリックすると、さまざまな条件で検索が行えます。「次のキーワードを含まない」などで検索キーワードをカスタマイズしたり、ユーザーや投稿期間を指定して検索したりすることができます。

1 Q.353手順1〜3を参考に「検索結果」画面を表示し、

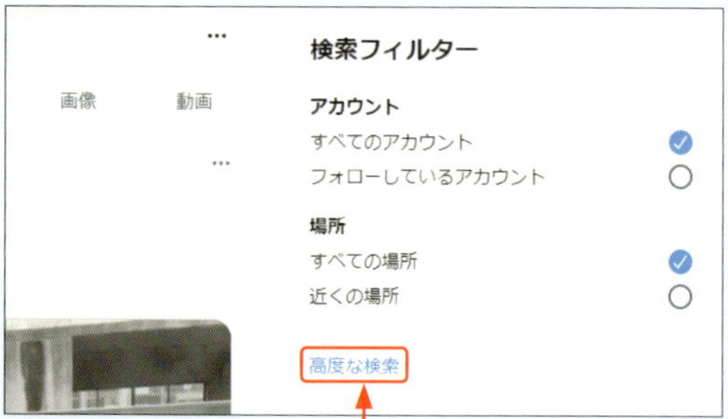

2 ＜高度な検索＞をクリックします。

3 任意のキーワードや条件を追加して、

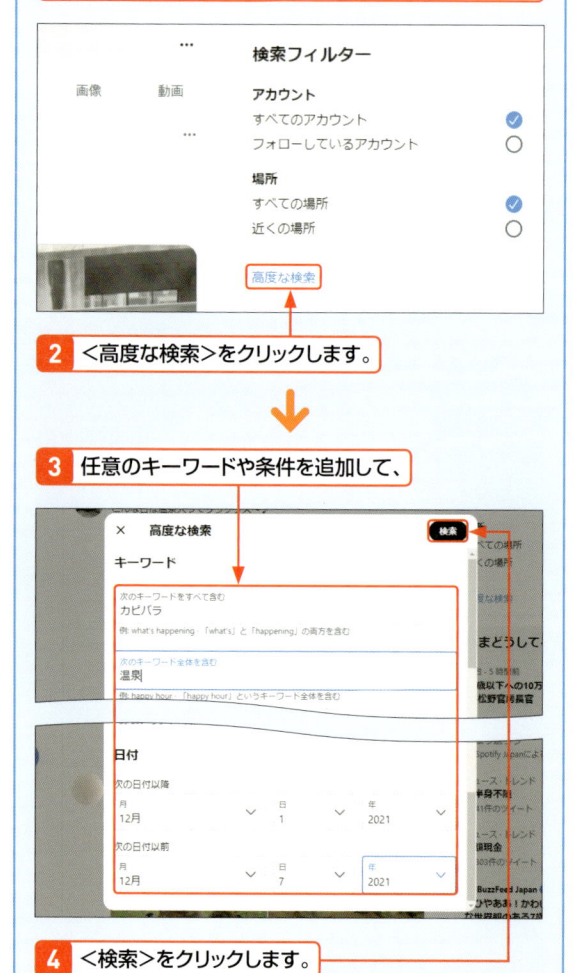

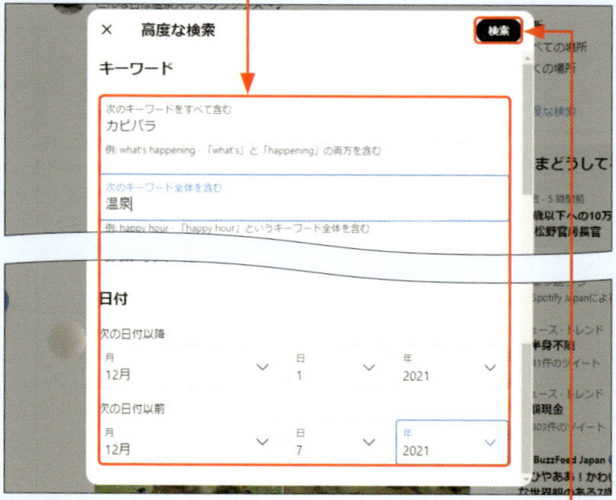

4 ＜検索＞をクリックします。

Q リスト ★★★★★

355 » フォローしたユーザーをリストで整理するには？

A フォローしたユーザーをリストへ追加して整理します。

リストを使ってフォローしたユーザーをジャンルごとに整理しましょう。リストごとにツイートを見ることができるので、非常に便利です。リストは、画面左側の＜リスト＞をクリックして作成します。作成したあとに、フォローしているユーザーをリストに追加します。

1 Q.356手順 1 を参考に「リスト」画面を表示し、をクリックします。

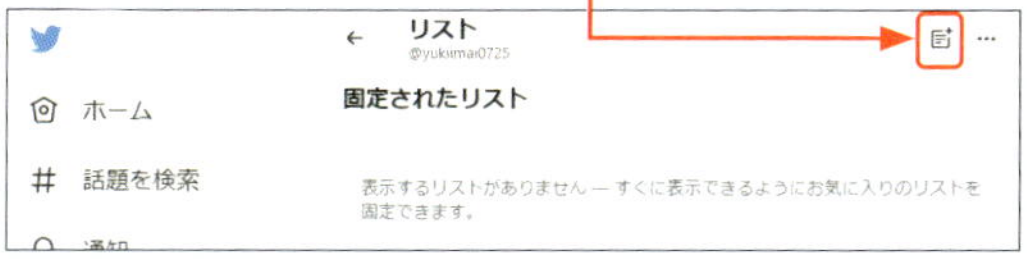

2 リスト名や説明を入力して、

3 ＜次へ＞をクリックします。

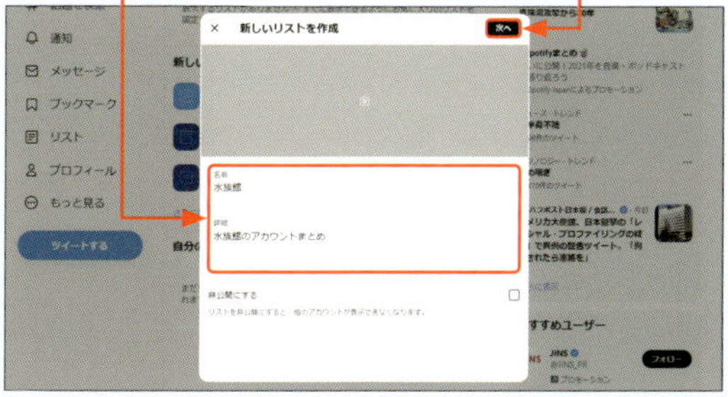

4 関連したユーザーが表示されるので、リストに追加したいユーザーの＜追加＞をクリックし、

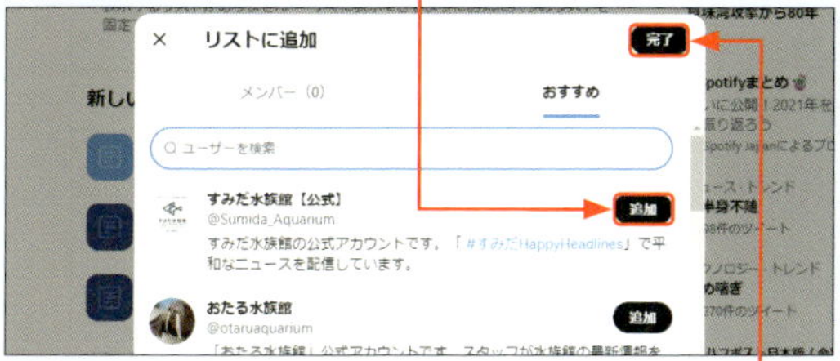

5 ＜完了＞をクリックします。

Q リスト ★★★★★

356 » リストを編集するには？

A リストを表示し、＜リストを編集＞をクリックします。

リストを編集したいときは、画面左側の＜リスト＞をクリックして行います。編集したいリスト名をクリックして、＜リストを編集＞をクリックすると、リストの名前や公開・非公開の変更が行えます。公開にするとリスト名やリストのユーザーが公開されますが、非公開にするとほかのユーザーからは見られません。

1 ＜リスト＞をクリックします。

2 編集したいリストをクリックして、

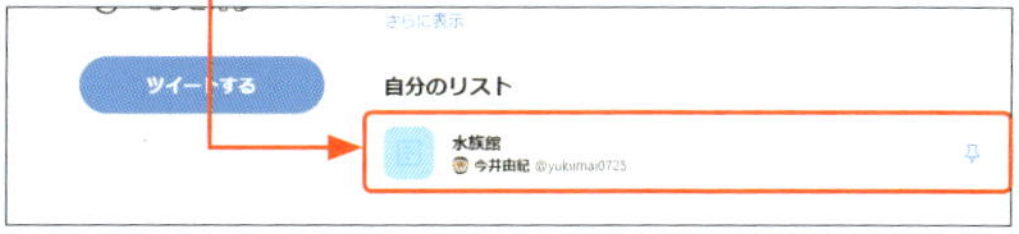

3 ＜リストを編集＞をクリックします。

4 リスト名や説明の変更、リストの公開／非公開の設定をして、

5 ＜完了＞をクリックします。

Q 通知設定 ★★★★★

357 » 通知の設定を変更するには？

A 「プッシュ通知」画面で設定します。

Twitterを使っていると、いろいろな通知が届きます。通知が多すぎるとチェックできなくなるので、不必要な通知はオフにしたほうがよいでしょう。<設定とプライバシー>→<通知>→<設定>→<プッシュ通知>の順にクリックし、通知をオフにしたい項目の<オフ>をクリックしましょう。

1 <もっと見る>→<設定とプライバシー>の順にクリックし、

2 <通知>をクリックして、

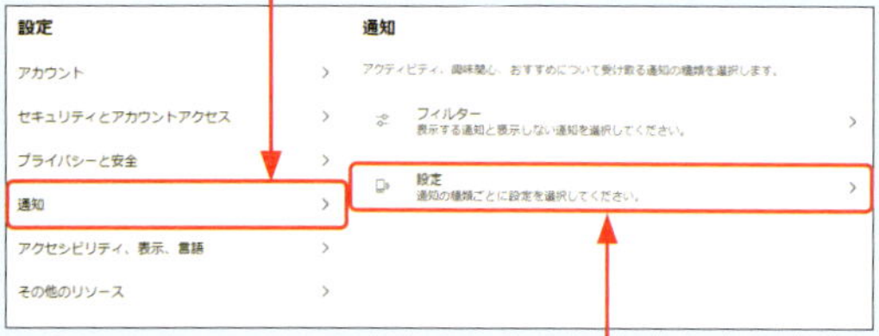

3 <設定>→<プッシュ通知>の順にクリックします。

4 通知をオフにしたい項目の<オフ>をクリックします。

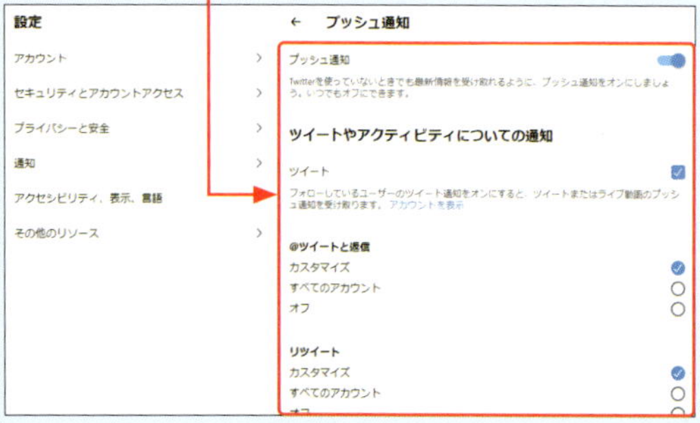

Q 通知設定 ★★★★★

358 » リプライやフォローの通知をメールで受け取るには？

A 「メール通知」画面で設定します。

ほかのユーザーにフォローされたときやリツイートされたとき、リプライが届いたときなどの通知をメールで受け取ることができます。<設定とプライバシー>→<通知>→<設定>→<メール通知>の順にクリックし、メールで受け取りたい通知や受け取るタイミングをクリックしてオンにしましょう。

1 Q.357手順1～3を参考に通知の「設定」画面を表示し、

2 <メール通知>をクリックします。

3 メールで通知を受け取りたい項目をクリックしてオンにします。

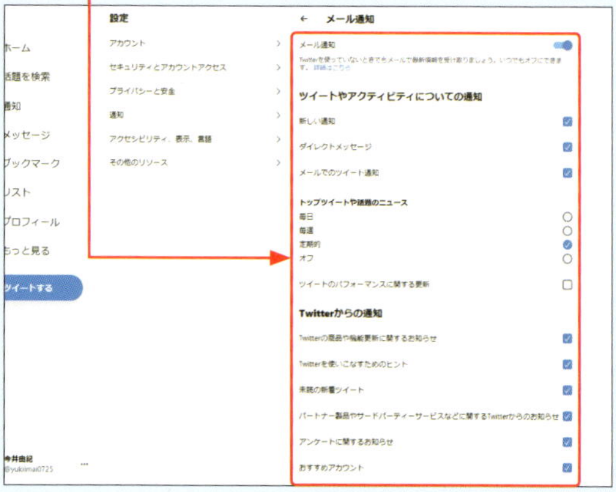

Q 359 セキュリティ ★★★★★ 苦手な投稿をミュートするには？

A ミュートしたいユーザーの … →<@○○さんをミュート>の順にクリックします。

フォローは外したくないけれど、タイムラインにツイートを表示したくない場合は、ミュート機能を使います。ミュートは相手に知られずにツイートをタイムライン上で非表示にできます。ミュートしても、相手からのリプライやダイレクトメッセージを受け取ることはできます。

1 Q.341を参考にミュートしたいユーザーの「プロフィール」画面を表示し、

2 … をクリックします。

3 <@○○さんをミュート>をクリックします。

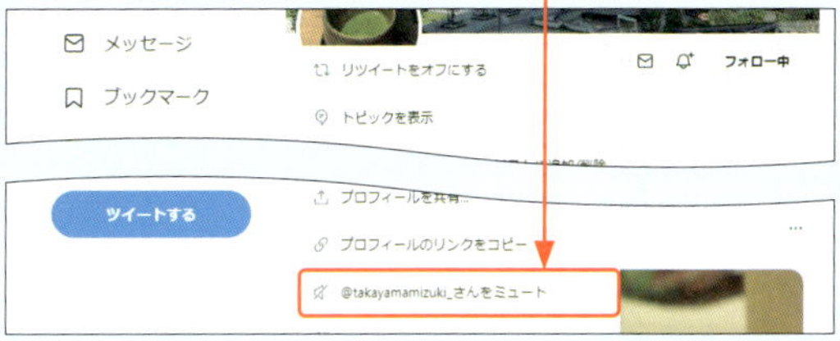

4 ミュートしたユーザーには、「このアカウントのツイートをミュートしました。」と表示されます。

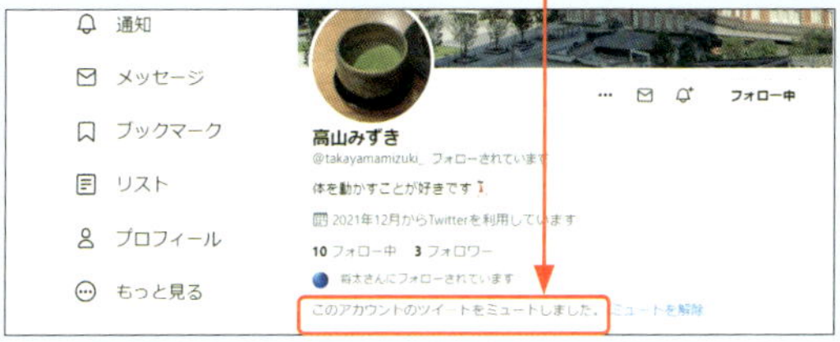

Q 360 セキュリティ ★★★★★ 迷惑なユーザーをブロックするには？

A ブロックしたいユーザーの … →<@○○さんをブロック>の順にクリックします。

「このユーザーは迷惑だから関わりたくない」という場合は、ブロックして関わりを断つことができます。ブロックするとフォローが解除され、そのユーザーはあなたをフォローできなくなり、ツイートの閲覧やダイレクトメッセージの送付もできなくなります。

1 Q.341を参考にブロックしたいユーザーの「プロフィール」画面を表示し、

2 … をクリックして、

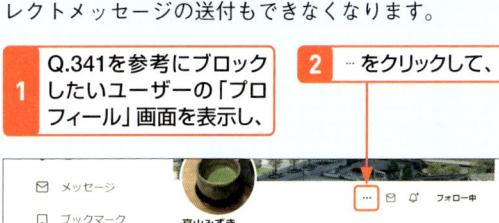

3 <@○○さんをブロック>をクリックします。

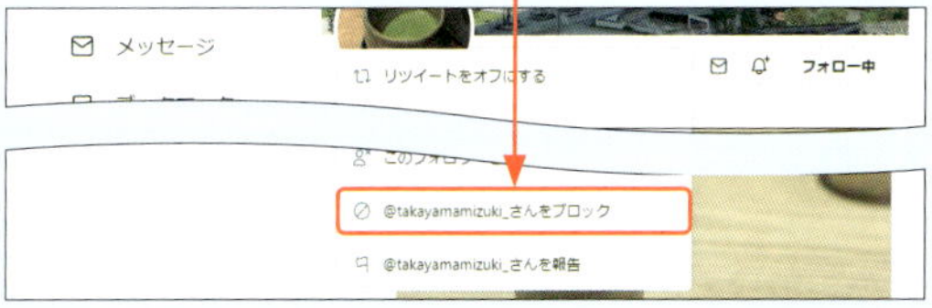

4 <ブロック>をクリックします。

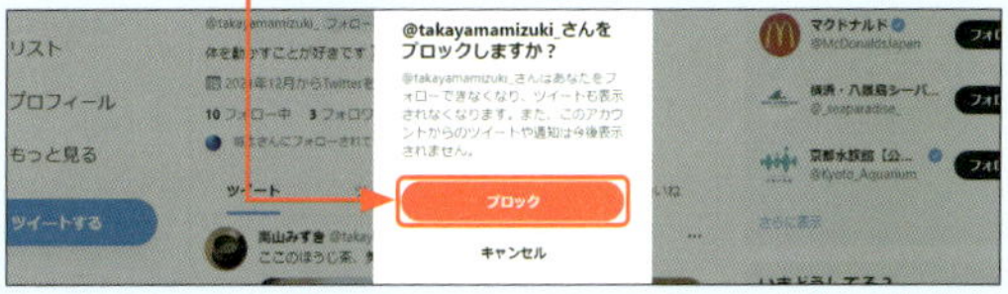

5 「@○○さんはブロックされています」と表示され、ブロックが完了します。

Q 361 セキュリティ ★★★★★

ミュートやブロックしたアカウントを確認するには？

A 「ブロックしているアカウント」画面から確認します。

自分がどのユーザーをミュートして、どのユーザーをブロックしたのかを確認したい場合は、＜設定とプライバシー＞→＜プライバシーと安全＞→＜ミュートとブロック＞の順にクリックします。＜ミュートしたアカウント＞もしくは＜ブロックしているアカウント＞をクリックすると、ミュートあるいはブロックしたユーザーをそれぞれ確認することができます。

1 Q.357手順**1**を参考に「設定」画面を表示し、

2 ＜プライバシーと安全＞をクリックして、

3 ＜ミュートとブロック＞をクリックします。

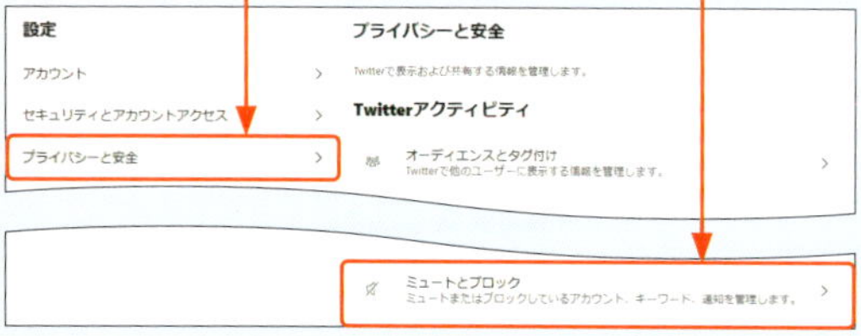

4 ＜ブロックしているアカウント＞をクリックします。

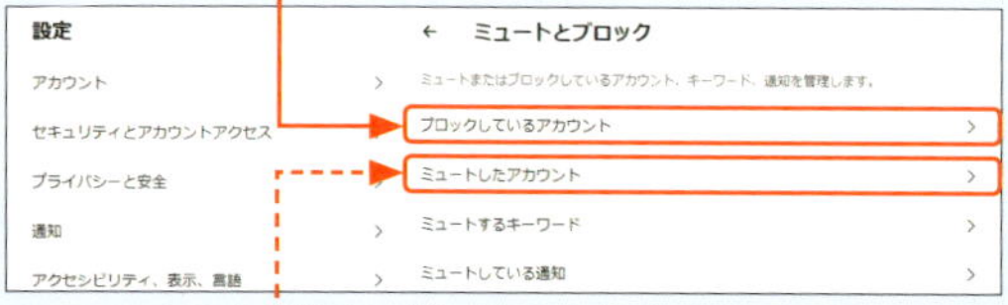

＜ミュートしたアカウント＞をクリックすると、ミュートしたアカウントを確認できます。

5 ブロックしているアカウントが一覧で表示されます。

Q 362 セキュリティ ★★★★★

ツイートを非公開にするには？

A 「ツイートを非公開にする」をオンにします。

自分のツイートをフォロワー以外に見られたくない場合は、ツイートを非公開に設定しましょう。ツイートを非公開にすると、現時点のフォロワーと、以降にフォローを許可したユーザーだけに、あなたのツイートが表示されるようになります。非公開にしたあと、あなたをフォローしたいユーザーがいた場合は、そのユーザーからフォローリクエストが届きます。リクエストを承認することで、そのユーザーはフォロワーになります。

1 Q.361手順**1**〜**2**を参考に「プライバシーと安全」画面を表示し、

2 ＜オーディエンスとタグ付け＞をクリックします。

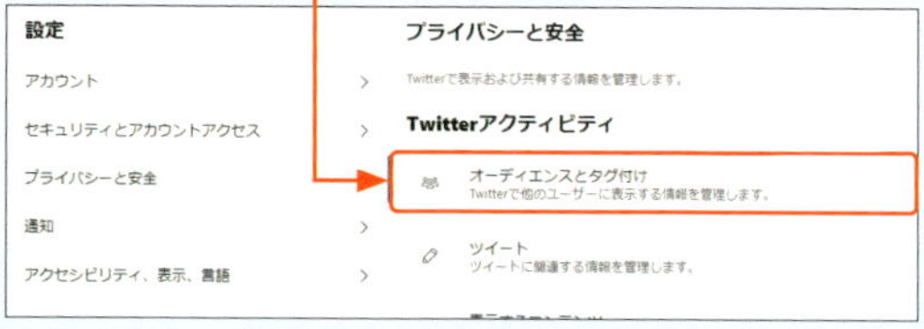

3 ＜ツイートを非公開にする＞をクリックし、

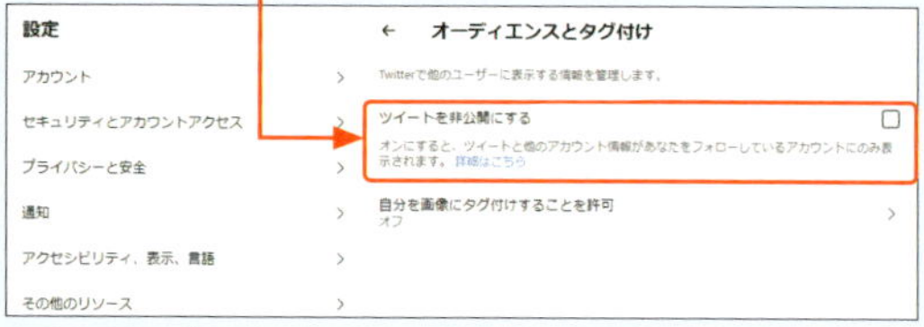

4 ＜非公開にする＞をクリックします。

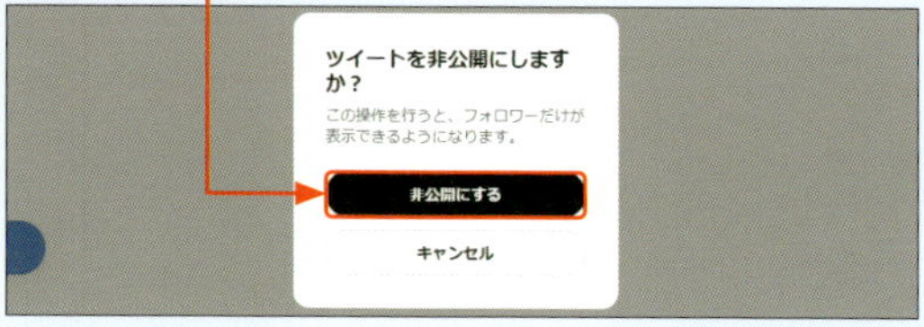

Q 363 » セキュリティ ★★★★★

ログイン中の端末を確認したい！

A 「ログインしている端末とアプリ」画面で確認します。

アカウントの乗っ取りが不安になったときは、現在ログインしている端末を確認してみましょう。＜設定とプライバシー＞→＜セキュリティとアカウントアクセス＞→＜アプリとセッション＞→＜ログインしている端末とアプリ＞の順にクリックすると、ブラウザと携帯端末でのログイン状況を確認することができます。万一不正なログインがあったときは、パスワードを変更しましょう（Q.364参照）。

1 Q.357手順1を参考に「設定」画面を表示し、

2 ＜セキュリティとアカウントアクセス＞をクリックして、

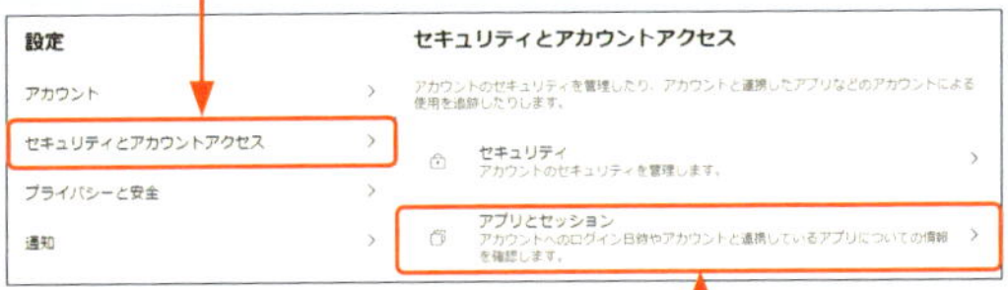

3 ＜アプリとセッション＞→＜ログインしている端末とアプリ＞の順にクリックします。

4 パスワードを入力し、

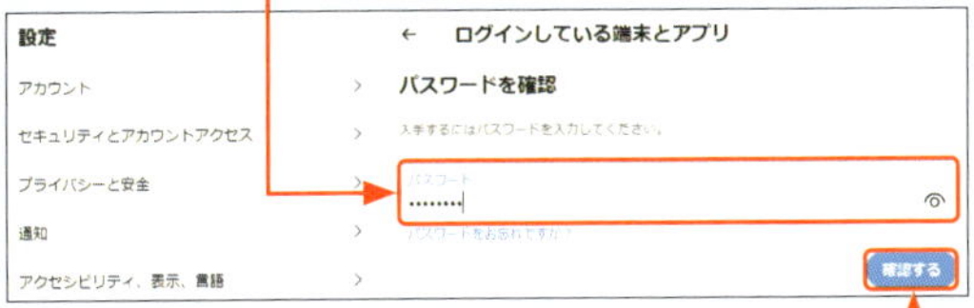

5 ＜確認する＞をクリックします。

6 ログイン中の端末を確認できます。

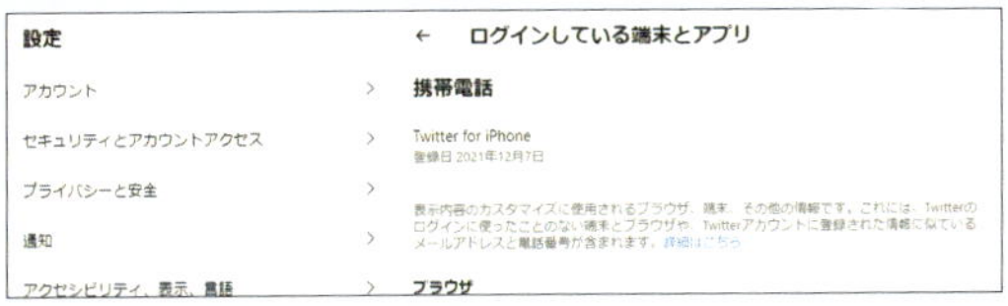

Q 364 » セキュリティ ★★★★★

パスワードを変更するには？

A ＜アカウント＞→＜パスワードを変更する＞の順にクリックして設定します。

ログイン中にパスワードを変更したい場合は、＜設定とプライバシー＞→＜アカウント＞→＜パスワードを変更する＞の順にクリックします。パスワードを変更する場合は、現在のパスワードと新しいパスワードを入力します。万が一現在のパスワードがわからない場合はパスワードを再設定します（Q.365参照）。

1 Q.357手順1を参考に「設定」画面を表示し、

2 ＜アカウント＞をクリックして

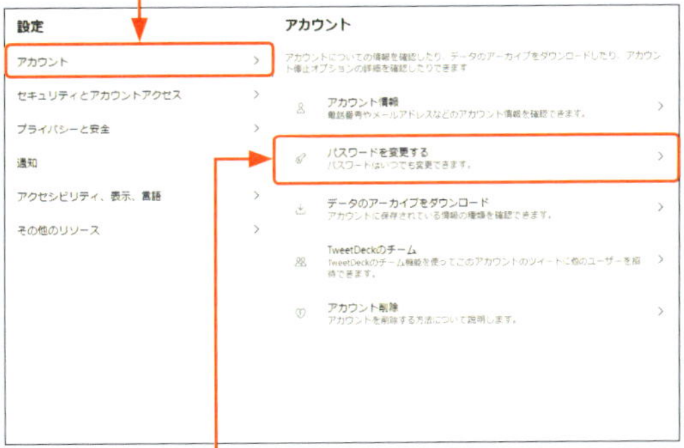

3 ＜パスワードを変更する＞をクリックします。

4 現在のパスワードと新しいパスワードを2回入力し、

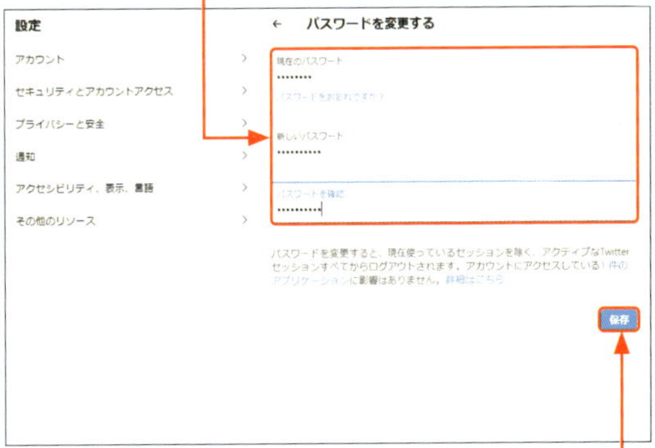

5 ＜保存＞をクリックします。

Q セキュリティ ★★★★★

365 » パスワードを再設定するには？

A <パスワードを忘れた場合はこちら>をクリックします。

パスワードを忘れてしまってログインできないときは、パスワードを再設定しましょう。パソコンのWebブラウザでTwitter（https://www.twitter.com）にアクセスし、<ログイン>→<パスワードを忘れた場合はこちら>の順にクリックします。登録したメールアドレスまたは電話番号またはユーザー名でアカウントを検索します。メールまたはSMSでパスワードリセットの認証コードが届くので、以降は画面の指示に従ってパスワードを再設定します。

1 Q.338手順1～2を参考にパソコンのWebブラウザでTwitterにアクセスして、「ログイン」画面を表示します。

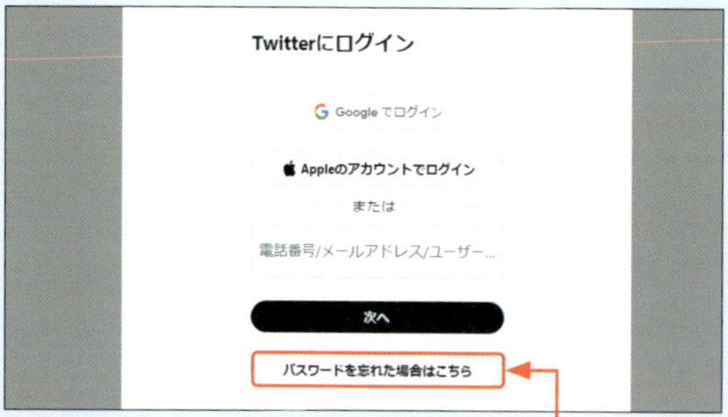

2 <パスワードを忘れた場合はこちら>をクリックします。

3 登録しているメールアドレスまたは電話番号またはユーザー名を入力して、

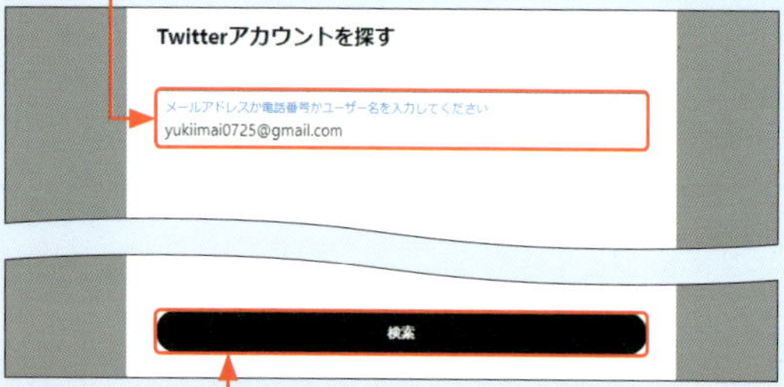

4 <検索>をクリックします。

5 パスワードのリセット方法を選択します。ここでは<認証コードを○○にメールで送信する>をクリックして選択し、

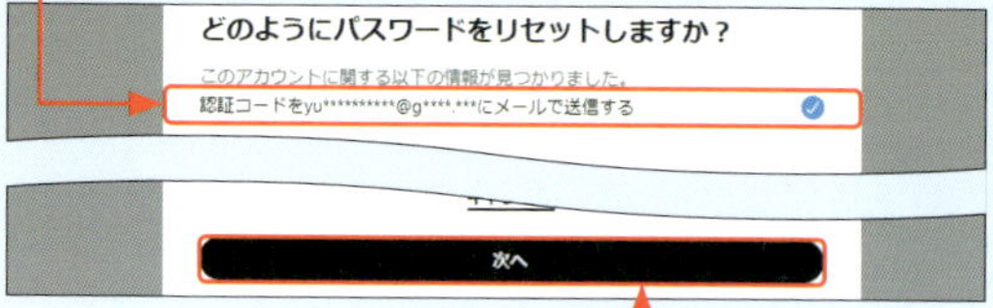

6 <次へ>をクリックします。

7 登録しているメールアドレスに届いた認証コードを入力し、

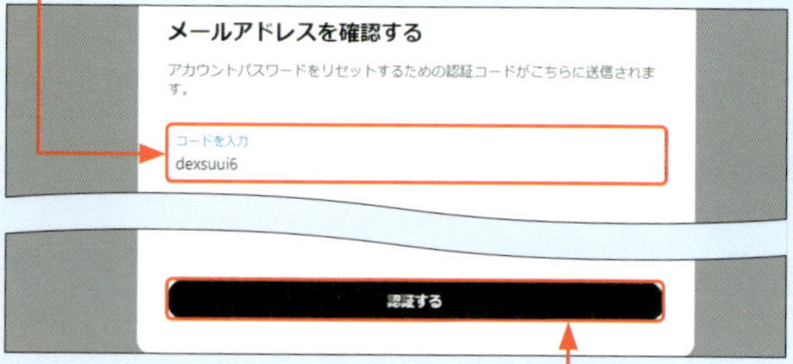

8 <認証する>をクリックします。

9 新しいパスワードを2回入力し、

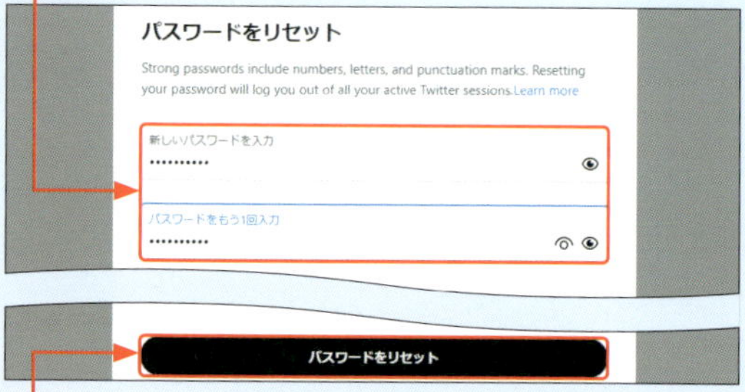

10 <パスワードをリセット>をクリックして、画面の指示に従って設定を完了させます。

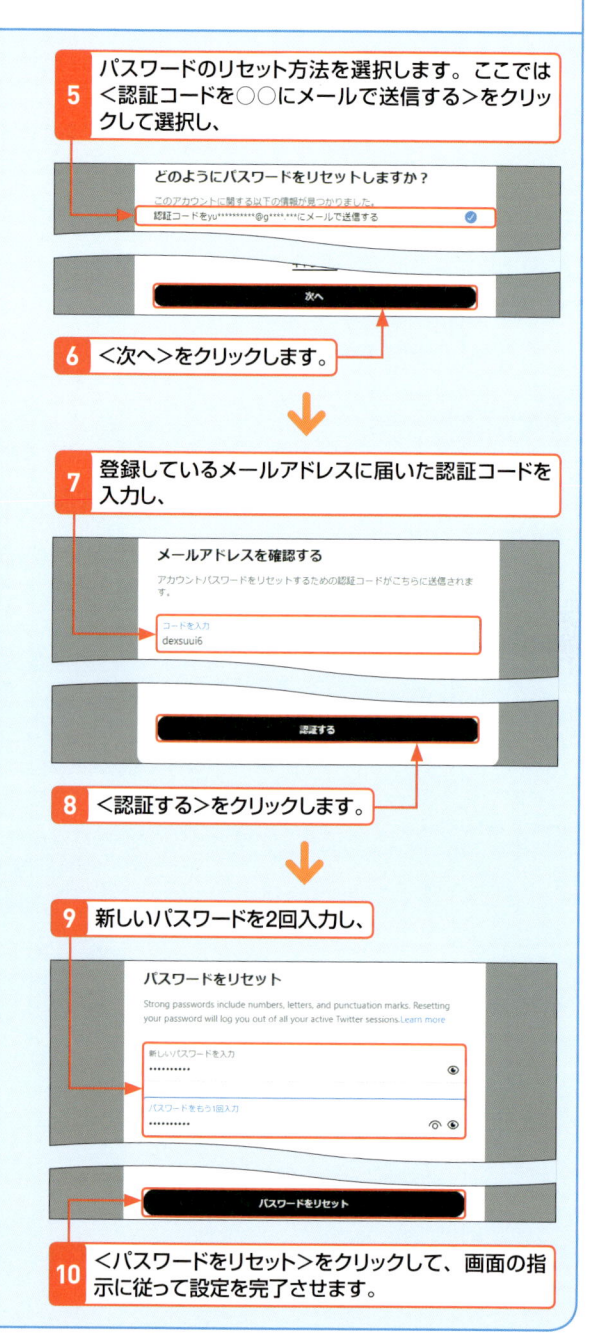

第1章

Facebookの基本

Q ||| Facebookの基本 |||

366 » Facebookのアカウントを登録するには？

A メールアドレスや電話番号を使って登録します。

Facebookを利用するには、自分のアカウントを新規作成する必要があります。アカウントの作成は、スマートフォンの電話番号もしくはメールアドレスを登録します。ここではメールアドレスでの登録方法を紹介します。

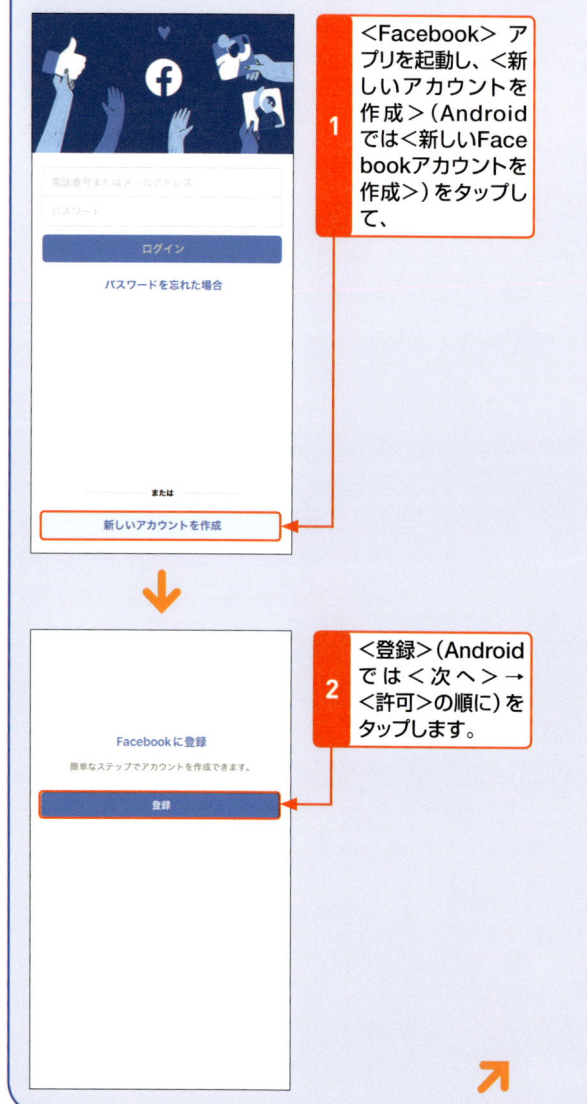

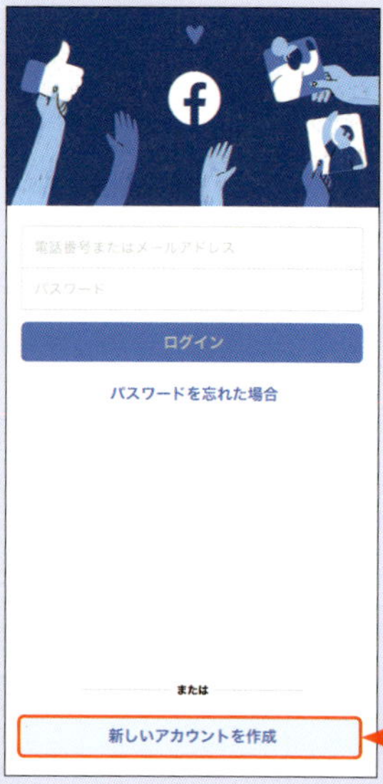

1 ＜Facebook＞アプリを起動し、＜新しいアカウントを作成＞（Androidでは＜新しいFacebookアカウントを作成＞）をタップして、

2 ＜登録＞（Androidでは＜次へ＞→＜許可＞の順に）をタップします。

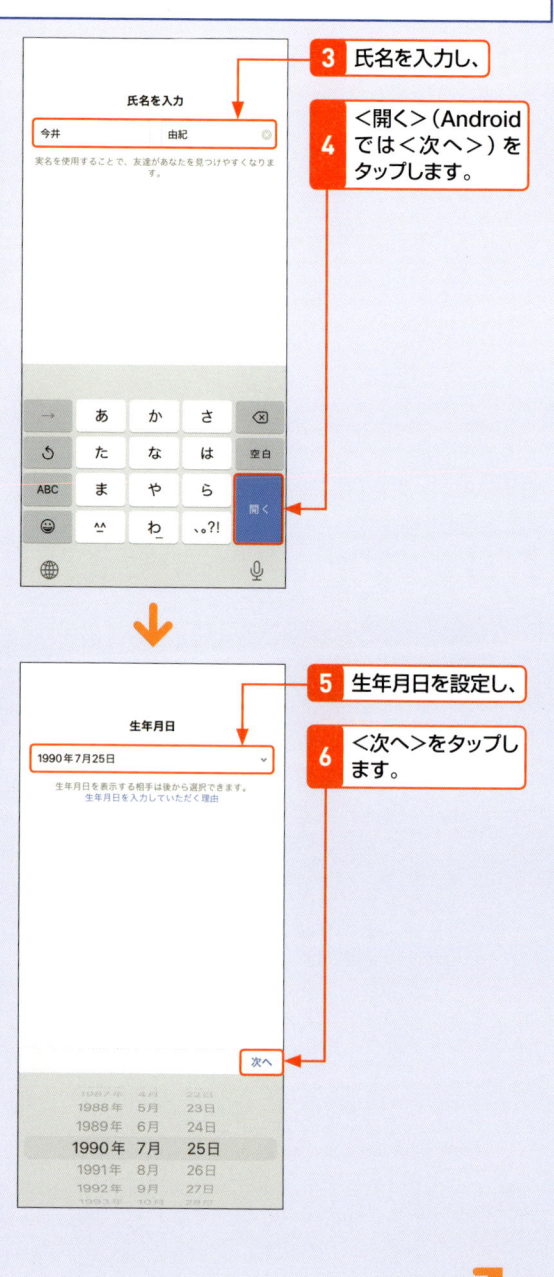

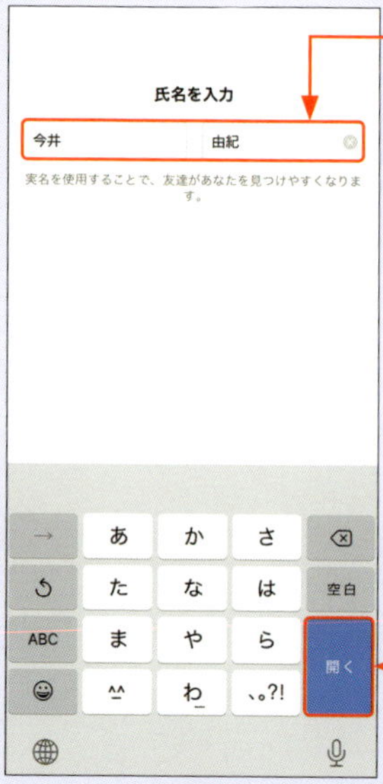

3 氏名を入力し、

4 ＜開く＞（Androidでは＜次へ＞）をタップします。

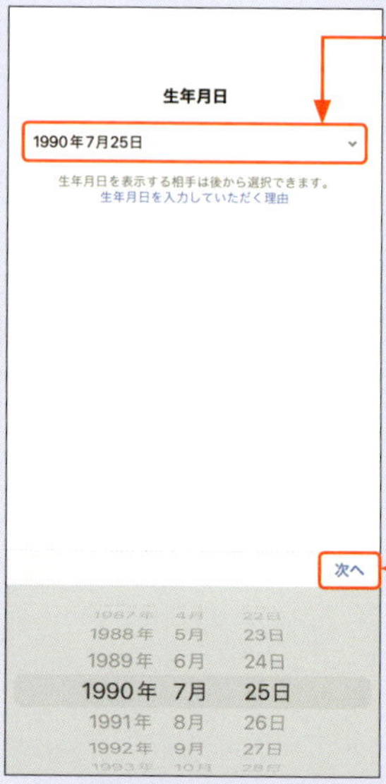

5 生年月日を設定し、

6 ＜次へ＞をタップします。

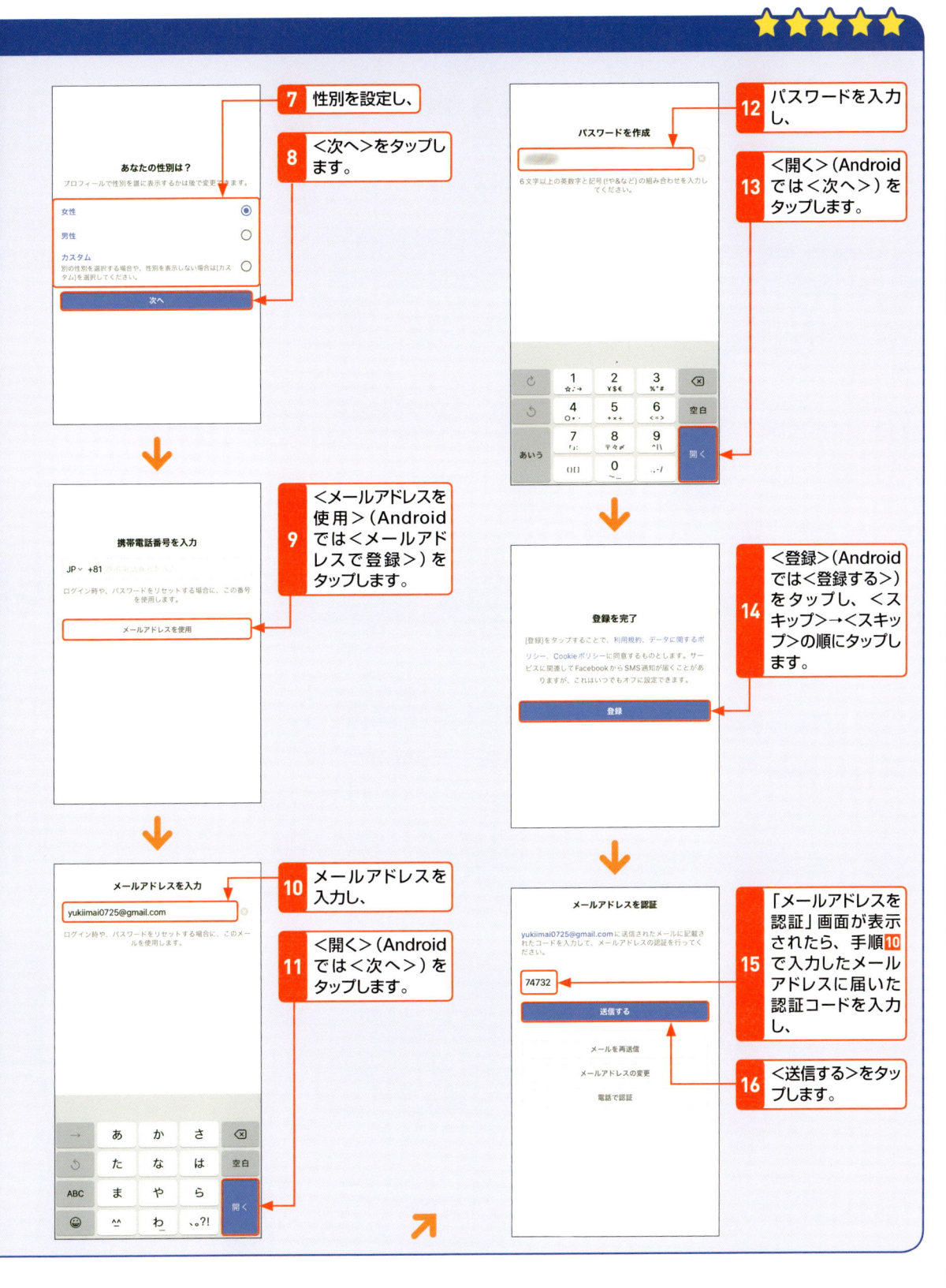

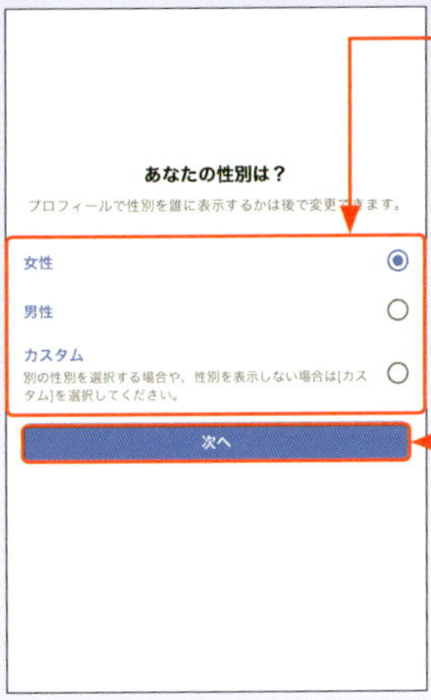

7 性別を設定し、
8 <次へ>をタップします。
あなたの性別は？
プロフィールで性別を誰に表示するかは後で変更できます。
女性
男性
カスタム
別の性別を選択する場合や、性別を表示しない場合は[カスタム]を選択してください。
次へ
9 <メールアドレスを使用>（Androidでは<メールアドレスで登録>）をタップします。
携帯電話番号を入力
JP +81
ログイン時や、パスワードをリセットする場合に、この番号を使用します。
メールアドレスを使用
10 メールアドレスを入力し、
11 <開く>（Androidでは<次へ>）をタップします。
メールアドレスを入力
yukiimai0725@gmail.com
ログイン時や、パスワードをリセットする場合に、このメールを使用します。
12 パスワードを入力し、
13 <開く>（Androidでは<次へ>）をタップします。
パスワードを作成
6文字以上の英数字と記号(!や&など)の組み合わせを入力してください。
14 <登録>（Androidでは<登録する>）をタップし、<スキップ>→<スキップ>の順にタップします。
登録を完了
[登録]をタップすることで、利用規約、データに関するポリシー、Cookieポリシーに同意するものとします。サービスに関連してFacebookからSMS通知が届くことがありますが、これはいつでもオフに設定できます。
登録
15 「メールアドレスを認証」画面が表示されたら、手順10で入力したメールアドレスに届いた認証コードを入力し、
16 <送信する>をタップします。
メールアドレスを認証
yukiimai0725@gmail.comに送信されたメールに記載されたコードを入力して、メールアドレスの認証を行ってください。
74732
送信する
メールを再送信
メールアドレスの変更
電話で認証

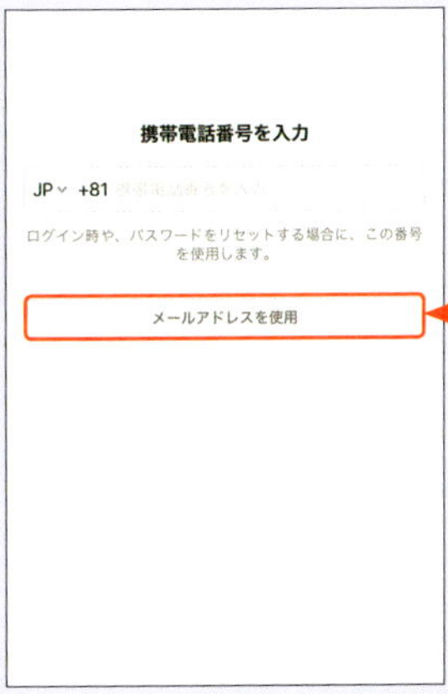

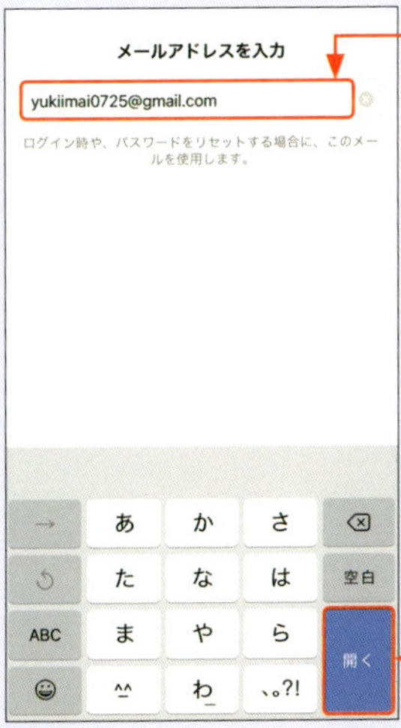

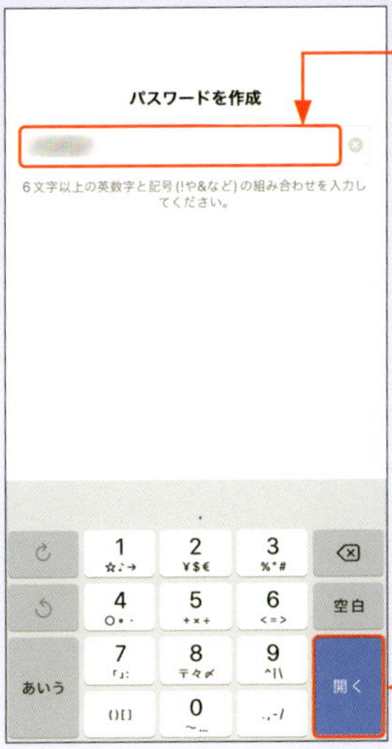

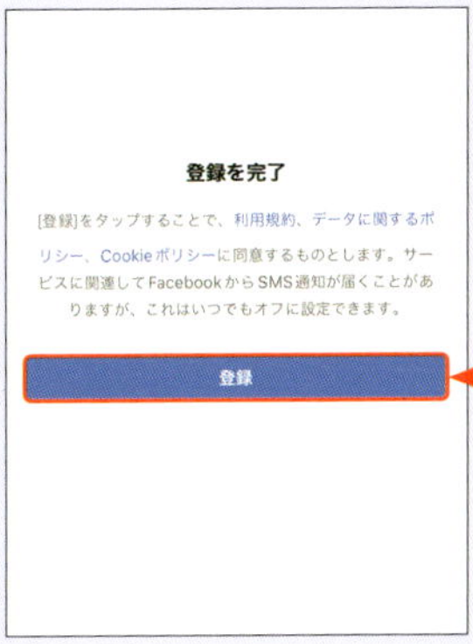

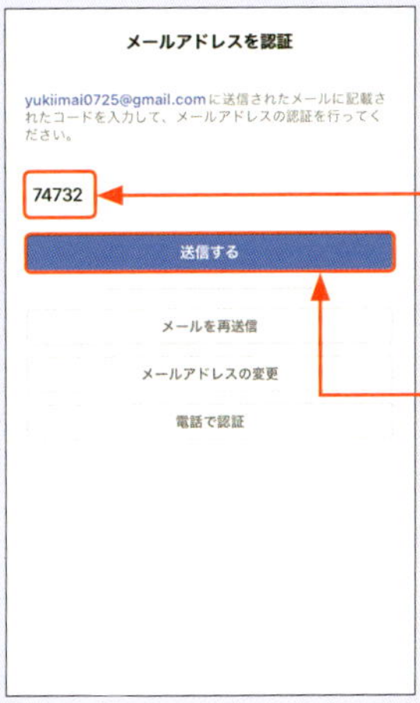

Q 画面構成 ★★★★★

367 » Facebookの画面の見方がわからない！

A メインとなる「ニュースフィード」画面の各機能を紹介します。

<Facebook>アプリは、「ニュースフィード」「友達」「プロフィール」「グループ」「お知らせ」「メニュー」の6画面で構成されており、画面下のショートカットバーからアイコンをタップすることで各種機能を活用できるようになっています。

iPhone版での画面構成

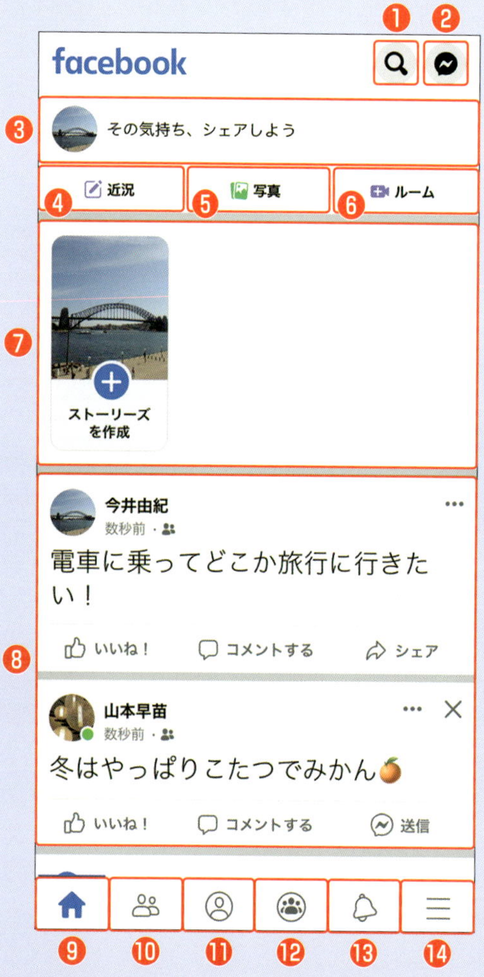

❶検索	名前を入力して友達を検索することができます。
❷メッセンジャー	<Messenger>アプリを起動します。
❸その気持ち、シェアしよう	タップすると、「投稿を作成」画面が表示されます。
❹近況	❸と同様に「投稿を作成」画面が表示されます。
❺写真	スマートフォン内の画像を指定して投稿できます。
❻ルーム	<Messenger>アプリを使ってビデオ通話することができます。
❼ストーリーズ	複数の写真や動画を、24時間限定で友達と共有できる機能です。
❽「ニュースフィード」画面	自分や友達の投稿が表示されます。
❾ホーム	ほかの画面を表示中にタップすると、「ニュースフィード」画面が表示されます。
❿友達	「知り合いかも」やリクエストを送った友達が確認できます。
⓫プロフィールアイコン	自分のプロフィールが表示されます。
⓬グループ	ほかのユーザーと交流することができます。
⓭お知らせ	友達リクエストの申請が届いたり、投稿に「いいね!」やコメントがあると通知が届きます。
⓮メニュー	さまざまな設定を行うことができます。

Android版の画面は、iPhone版では下部にあるショートカットバーが上部にあるなどの違いはありますが、そのほかの大きな違いはありません。また、Facebookの画面は頻繁に更新されるため、表示されているアイコンや機能が本書とは異なる場合もあります。ショートカットバーが本書と異なる場合は、☰をタップして設定するメニューをタップしてください。

画面構成 ★★★★★

Q 368 » ニュースフィードって何？

A 友達の投稿やいいね！したページの最新情報を閲覧できます。

⌂をタップすると「ニュースフィード」画面が表示されます。「ニュースフィード」画面は、自分の投稿や友達の投稿、コメント、いいね！したページの情報など、Facebookの情報がまとめて表示される「情報を受け取る場所」です。記事を投稿できるほか、24時間だけ公開できる「ストーリーズ」を作成・閲覧することができます。

友達の投稿は「ニュースフィード」画面に表示されます。

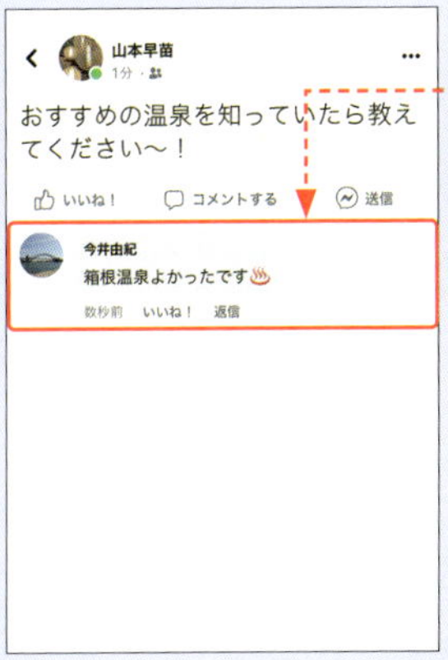

投稿をタップすると、自分のいいね!やコメント、ほかの人からの反応が表示されます。

「ニュースフィード」画面は投稿を非表示に指定することで、表示頻度を減らすこともできます。

画面構成 ★★★★★

Q 369 » タイムラインって何？

A 自分や友達が発信した記事がまとまっています。

タイムラインでは、自分や友達の投稿やいいね！などの詳細な情報が、時系列順に表示されます。特定の友達やグループの投稿だけを見たいときは、それぞれのページからタイムラインを表示するとよいでしょう。ほかのユーザーのタイムラインでは、投稿やコメントを行ったり、シェアやいいね！をしたりすることも可能です。

「ニュースフィード」画面で友達のアイコンをタップすると、友だちの「プロフィール」画面のタイムラインが表示されます（以降、Facebook編の第1章から第4章まででは「タイムライン」と表記します）。友達のタイムラインは、友達の投稿が時系列順で表示されています。

友達の投稿にいいね!をしたりコメントしたりできます。

Q プロフィール設定 ★★★★★

370 » 自己紹介文を入力するには？

A 「プロフィール」画面で＜プロフィールを編集＞をタップし、「自己紹介」に入力します。

実名でコミュニケーションを行うFacebookでは、プロフィールは大切です。出身地や出身校などさまざまな項目があり、文章で自分を表現する「自己紹介」という項目もあります。「自己紹介」では、自分の人となりを101文字以内の文章で表現できます。簡潔にまとめて、自分が「どんな人」なのかを伝えましょう。

1 ホーム画面で＜Facebook＞をタップして起動します。

2 ㊀をタップし、

「ニュースフィード」画面左上のプロフィールアイコンをタップすることでも手順3の画面が表示されます。

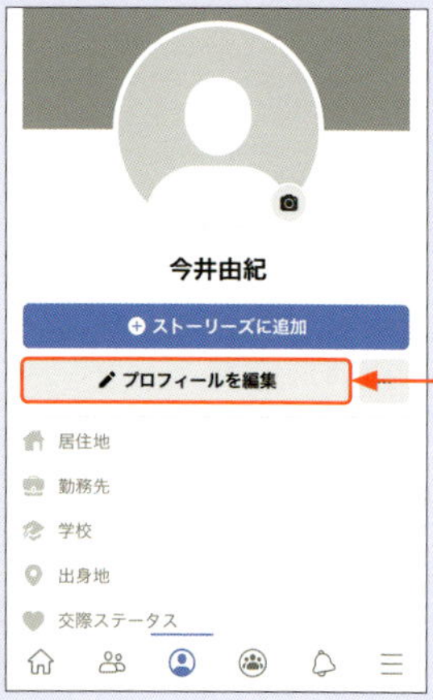

3 ＜プロフィールを編集＞をタップします。

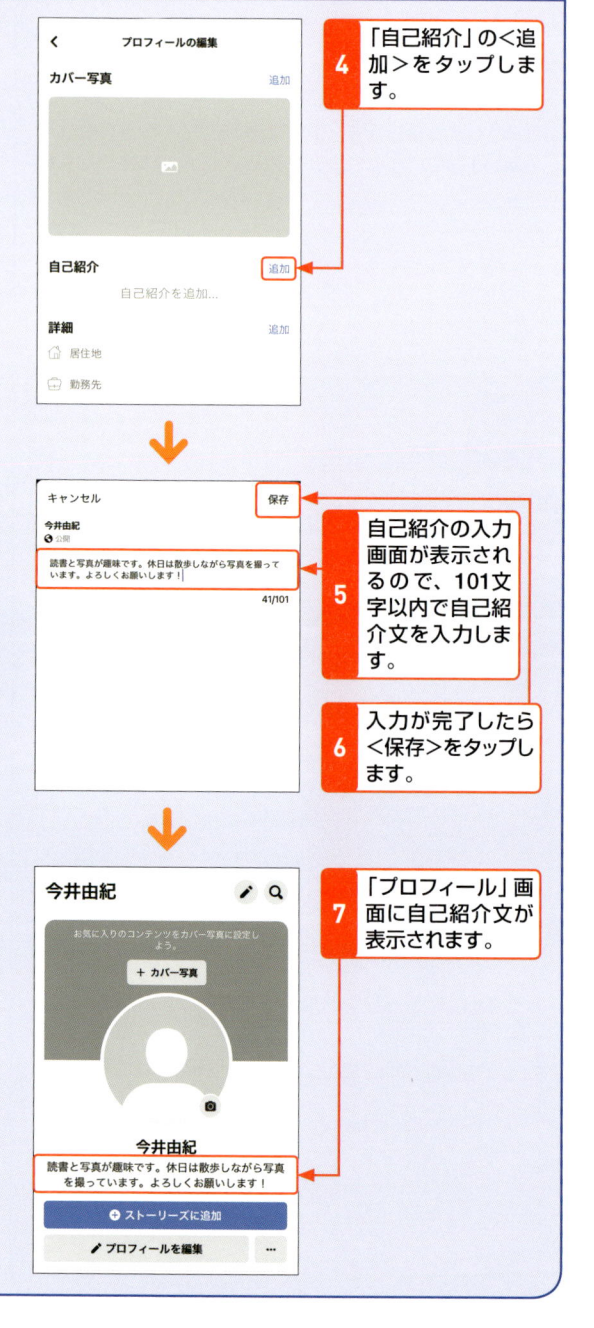

4 「自己紹介」の＜追加＞をタップします。

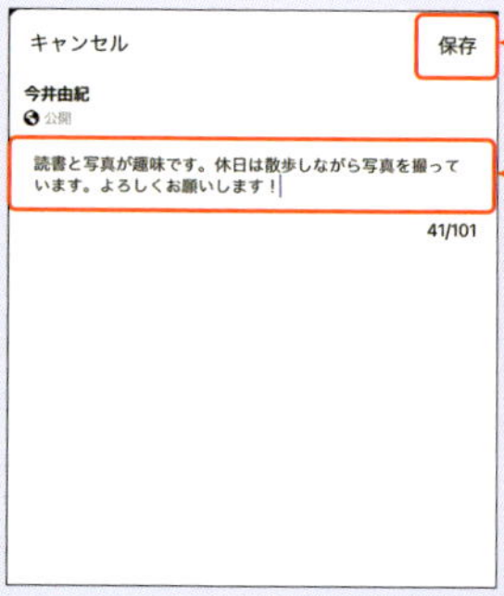

5 自己紹介の入力画面が表示されるので、101文字以内で自己紹介文を入力します。

6 入力が完了したら＜保存＞をタップします。

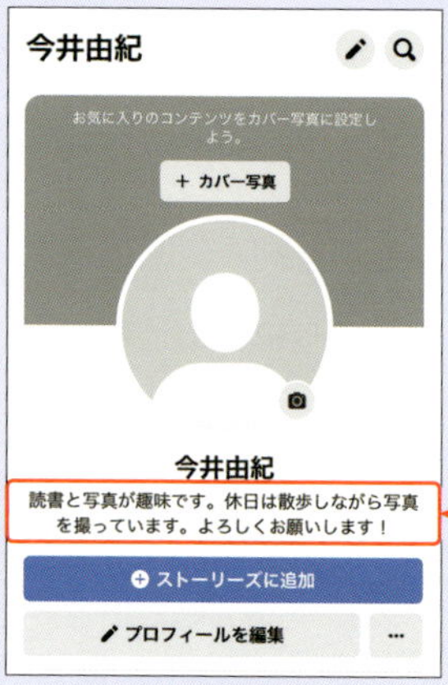

7 「プロフィール」画面に自己紹介文が表示されます。

Q プロフィール設定 ★★★★★

371 » プロフィールに写真を設定したい！

A 「プロフィール」画面から写真を追加しましょう。

プロフィールの写真は、Facebookのアイコンとしてさまざまな場所に表示されます。顔写真を設定すると本人だとわかるので便利なうえ、なりすまし防止にもなります。顔写真ではなくイメージフォトを使ってもよいでしょう。<フレーム>をタップすると、慈善活動の支持や参加予定のイベント、国旗などのフレームを自分の写真に重ねて表示することができます。

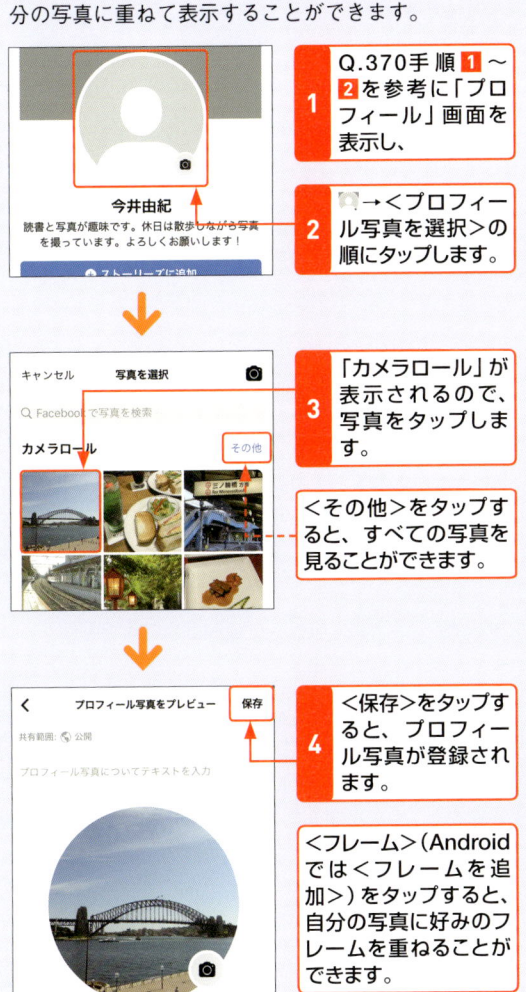

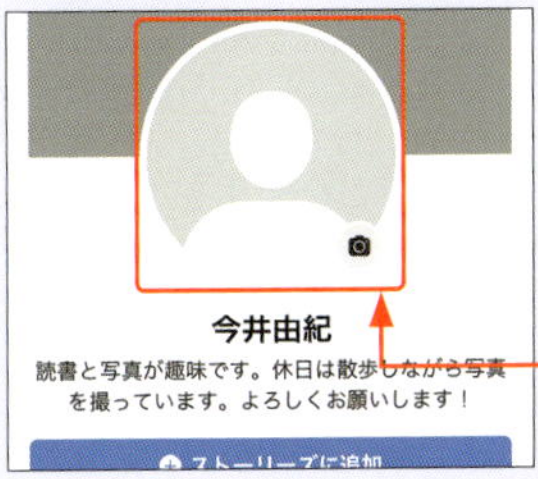

1 Q.370手順1～2を参考に「プロフィール」画面を表示し、

2 →<プロフィール写真を選択>の順にタップします。

3 「カメラロール」が表示されるので、写真をタップします。

<その他>をタップすると、すべての写真を見ることができます。

4 <保存>をタップすると、プロフィール写真が登録されます。

<フレーム>（Androidでは<フレームを追加>）をタップすると、自分の写真に好みのフレームを重ねることができます。

Q プロフィール設定 ★★★★★

372 » ニックネームを追加するには？

A 「設定とプライバシー」画面から追加します。

Facebookは名前とは別に、ニックネームを登録することができます。友達しか知らないあだ名などを登録しておくと、より多くの友達とつながることができます。ニックネームはプロフィールの各種項目の1つとして表示されますが、ニックネームの登録画面で<プロフィールのトップに表示>をタップしてオンにすると、自分の名前の横に（○○）と、ニックネームが表示されるようになります。

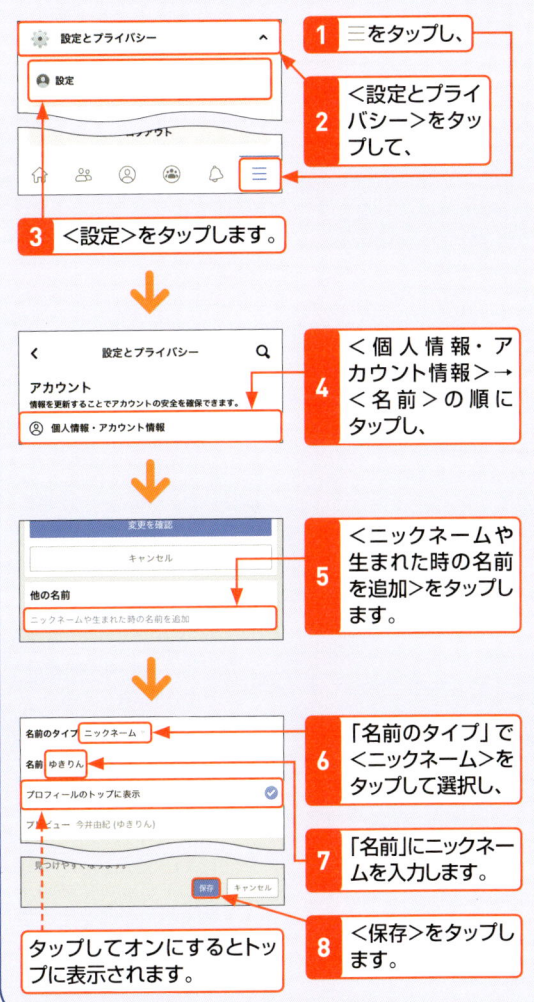

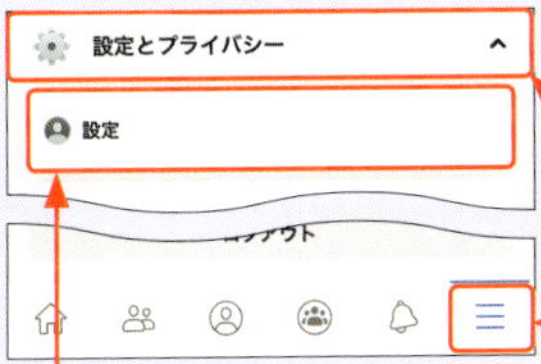

1 ☰をタップし、

2 <設定とプライバシー>をタップして、

3 <設定>をタップします。

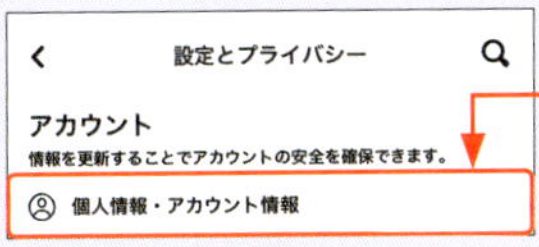

4 <個人情報・アカウント情報>→<名前>の順にタップし、

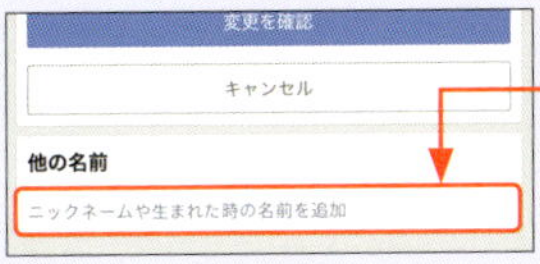

5 <ニックネームや生まれた時の名前を追加>をタップします。

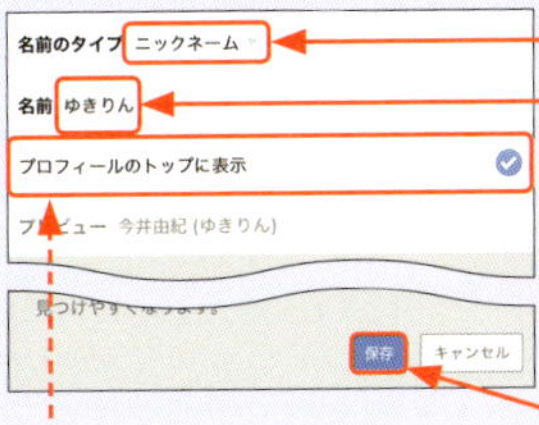

6 「名前のタイプ」で<ニックネーム>をタップして選択し、

7 「名前」にニックネームを入力します。

8 <保存>をタップします。

タップしてオンにするとトップに表示されます。

Q プロフィール設定 ★★★★★

373 » プロフィールに登録する情報について詳しく知りたい！

A 居住地から学歴、勤務先、交際ステータスなどさまざまな項目があります。

Facebookには、生年月日やニックネーム、自己紹介文などの基本情報のほか、「居住地」「勤務先」「学歴」「出身地」「交際ステータス」「家族」「趣味」など、さまざまな項目を登録することができます。プロフィールを充実させると検索してもらいやすくなるため、多くの友達とつながることができます。なお、各情報は「プロフィール」画面への表示／非表示を設定できたり、公開範囲を細かく設定したりすることもできるので、プライバシー面でも安心です。ここでは主な項目を紹介します。

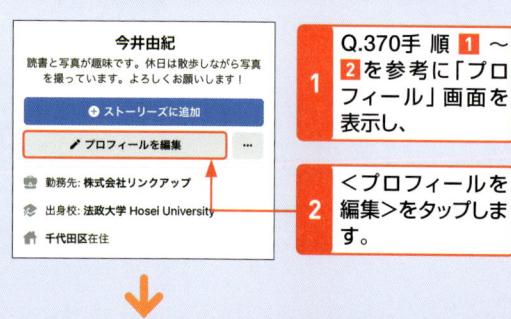

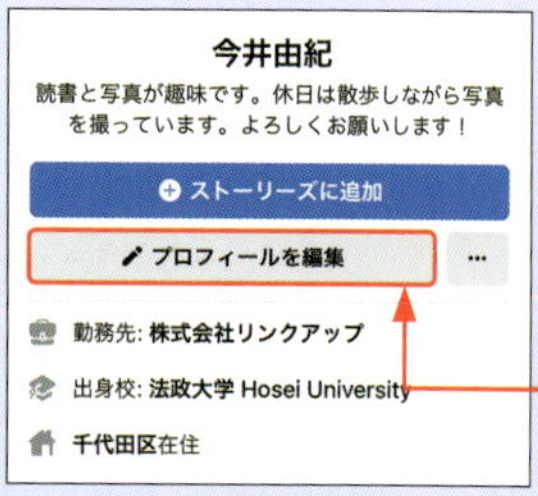

1 Q.370手順 1 ～ 2 を参考に「プロフィール」画面を表示し、

2 ＜プロフィールを編集＞をタップします。

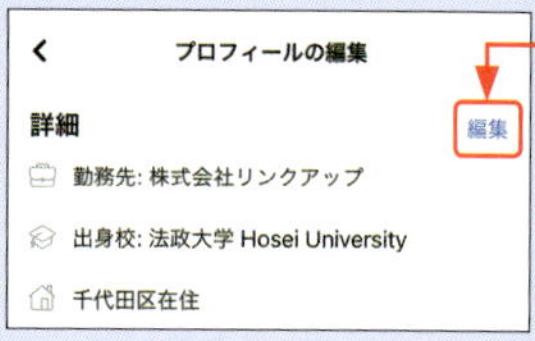

3 ＜編集＞をタップします。

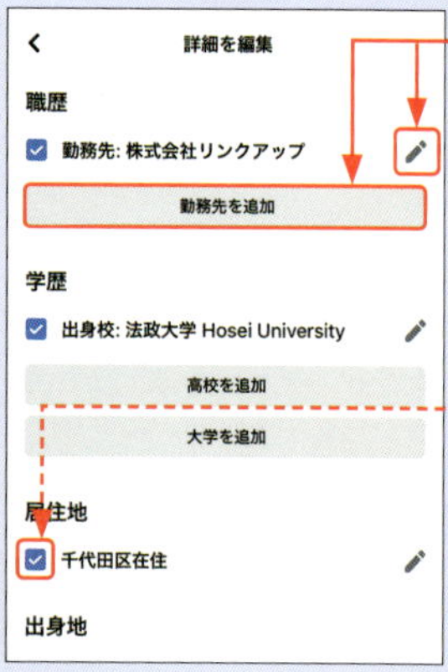

4 各項目の＜○○を追加＞をタップすると新たに情報を追加でき、✎をタップすると編集できます。

チェックを外すと「プロフィール」画面には表示されません。

居住地

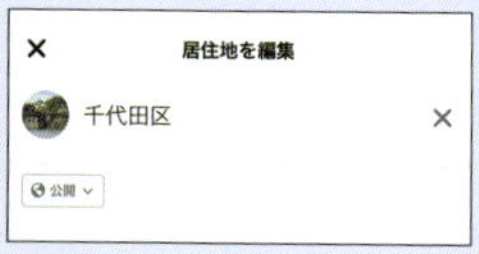

県や市・区の名前を入力すると、Facebookのデータベースに登録されている住所が表示されます。

勤務先

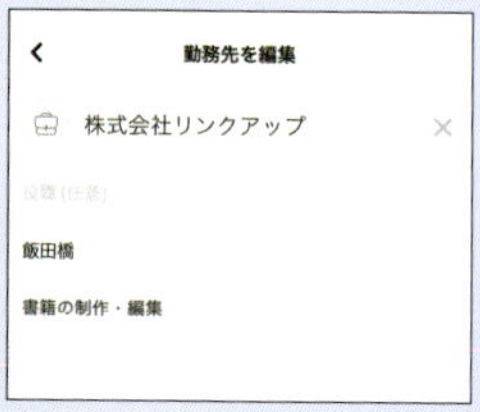

会社名のほか、役職や所在地、仕事内容、勤務開始日などを設定することができます。ただし、本人が特定されるリスクがあるため、公開範囲の設定には注意が必要です。

学歴

高校と大学を登録することができます。学部や学科のほか、卒業年度も設定可能です。Facebookでは学校名で検索することができるため、同じ高校や大学の友達から見つけてもらいやすくなります。

出身地

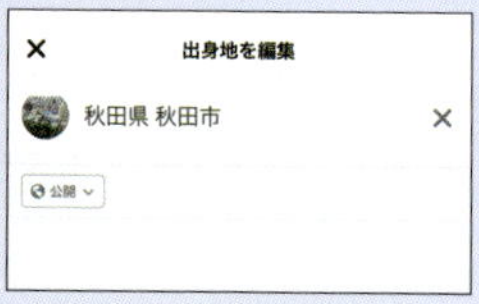

居住地と同様、Facebookのデータベースに登録されている住所が表示されます。地元の友達から見つけてもらいやすくなります。

交際ステータス

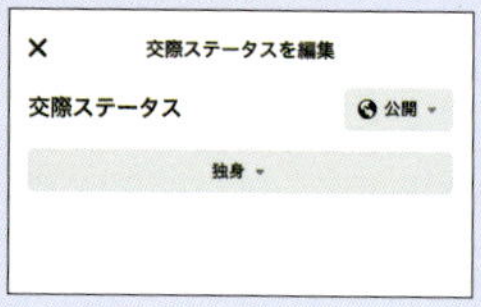

自分の交際状況を登録できます。交際中や婚約中、既婚などさまざまな項目があるため、近況を伝えたいときに便利です。

Q 374 プロフィール設定 ★★★★★

プライバシー設定を確認したい！

A 「プライバシー設定の確認」画面から設定します。

☰→＜設定とプライバシー＞→＜設定＞→＜プライバシー設定の確認＞の順にタップすると、投稿の公開範囲やプロフィールの公開範囲を設定できます。公開範囲は「公開」（Facebook全体に公開）、「友達」（友達にのみ公開）、「自分のみ」から選択しますが、特定のユーザー以外のすべての友達に公開するなどのカスタマイズも行えます。

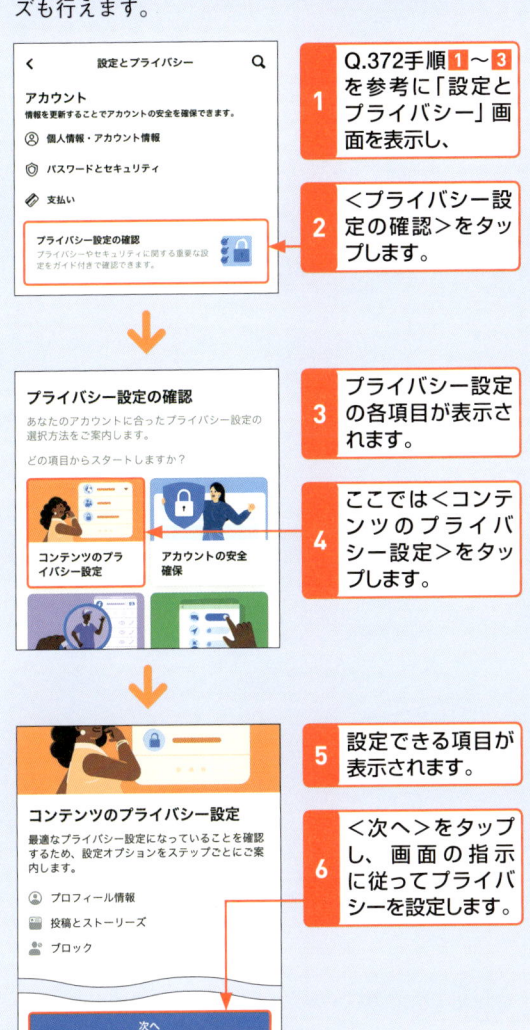

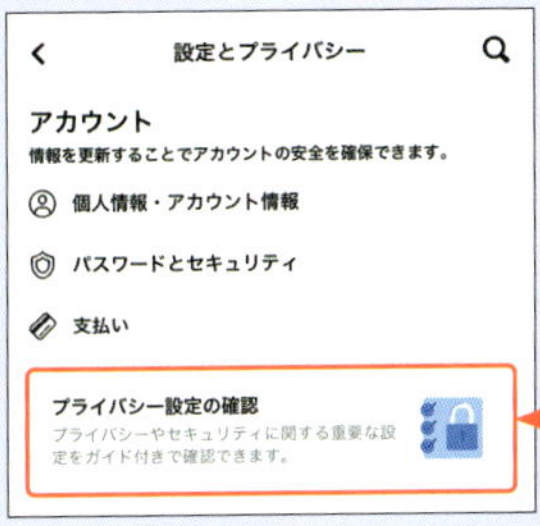

1 Q.372手順1〜3を参考に「設定とプライバシー」画面を表示し、

2 ＜プライバシー設定の確認＞をタップします。

3 プライバシー設定の各項目が表示されます。

4 ここでは＜コンテンツのプライバシー設定＞をタップします。

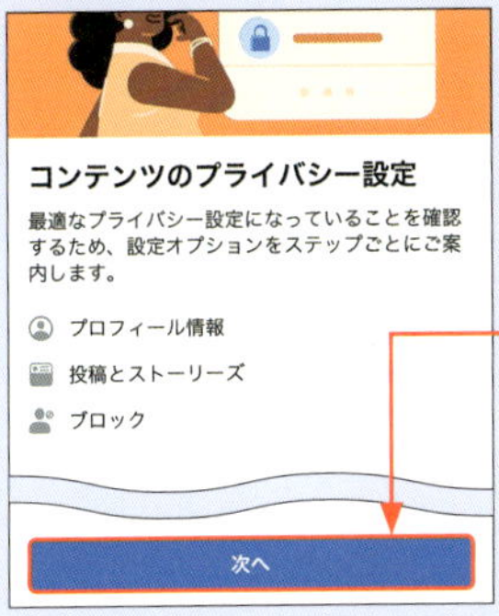

5 設定できる項目が表示されます。

6 ＜次へ＞をタップし、画面の指示に従ってプライバシーを設定します。

Q 375 プロフィール設定 ★★★★★

メールアドレスの公開範囲を変更したい！

A 「設定とプライバシー」画面で＜個人情報・アカウント情報＞をタップして変更します。

Facebookに登録したメールアドレスは、初期設定の状態ではFacebookのユーザー全員に公開されます。個人メールアドレスを非公開にしたい場合は、公開範囲を変更しましょう。Facebookには、友達とメッセージのやり取りができる「Messenger」アプリ（Q.427参照）もあるので、非公開にしても連絡を取り合うのに困ることはありません。

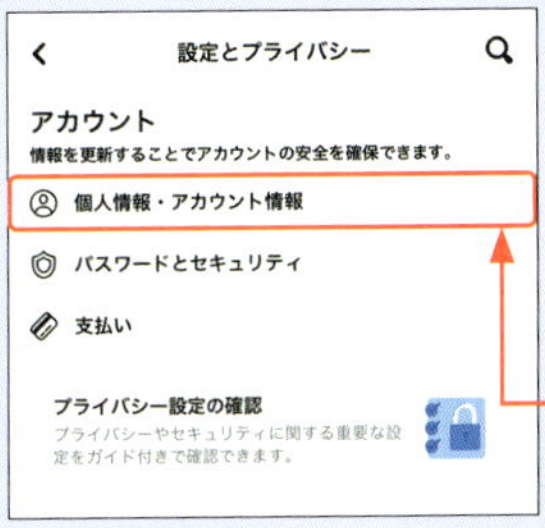

1 Q.372手順1〜3を参考に「設定とプライバシー」画面を表示し、

2 ＜個人情報・アカウント情報＞→＜連絡先情報＞の順にタップします。

3 メールアドレスをタップし、

4 ＜公開＞をタップします。

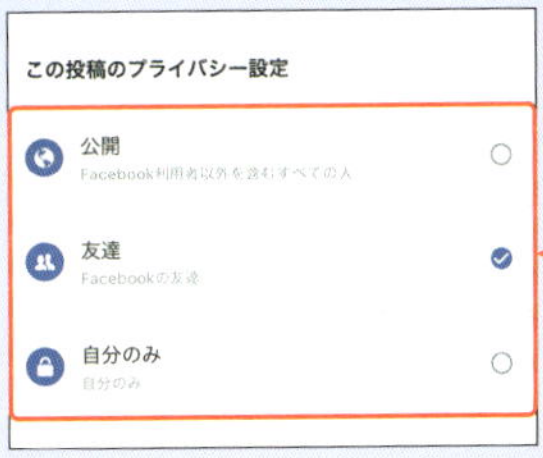

5 公開範囲をタップして変更します。

Q 友達追加 ★★★★★

376 » 友達を名前で検索したい!

A 「友達」画面で名前を入力して検索します。

👥をタップして「友達」画面を表示したら、🔍をタップして友達の名前を入力して検索しましょう。同姓同名のユーザーがたくさん検出される場合もあります。プロフィールアイコンをタップすると、そのユーザーの「プロフィール」画面に移動するので、プロフィールの基本データなどを見て、友達本人であることを確認しましょう。<友達になる>をタップすると、友達にリクエスト申請が送信されます。

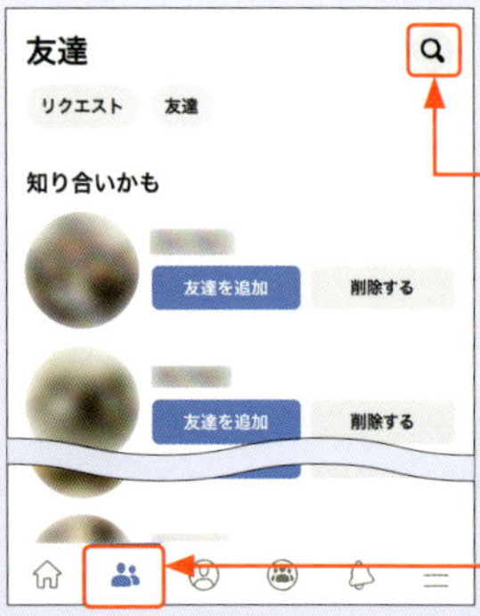

1 👥をタップし、

2 🔍をタップします。

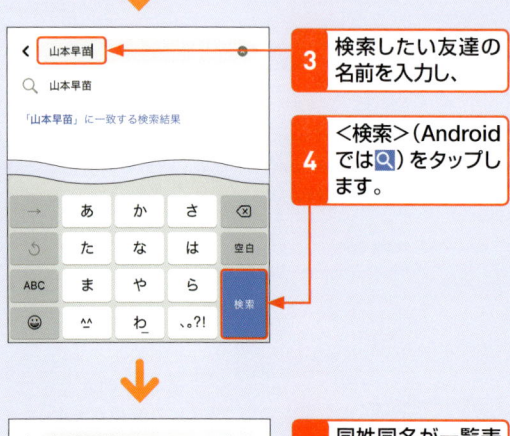

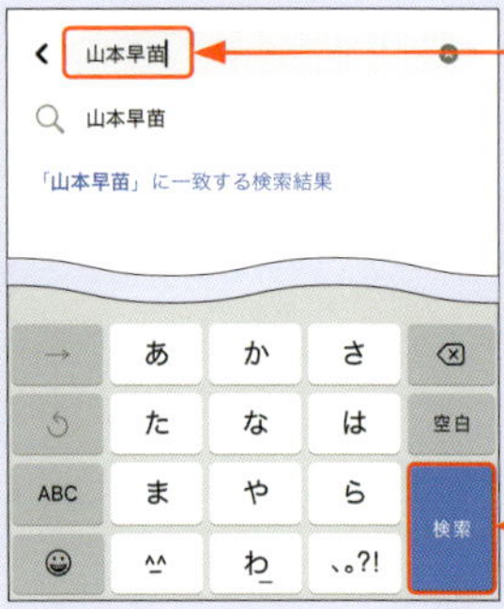

3 検索したい友達の名前を入力し、

4 <検索>(Androidでは🔍)をタップします。

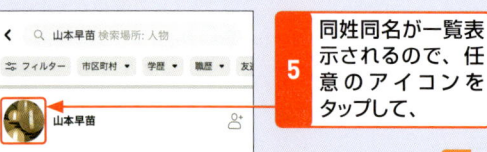

5 同姓同名が一覧表示されるので、任意のアイコンをタップして、

6 <○○さんの基本データを見る>をタップしてプロフィールなどを確認します。

7 <友達になる>(Androidでは<友達を追加>)をタップします。

手順7のあとに「もっと友達を探す」画面が表示された場合は、<プロフィールへ戻る>をタップします。

8 友達にリクエストが送信され、「リクエストを取り消す」(Androidでは「リクエスト済み」)と表示されます。

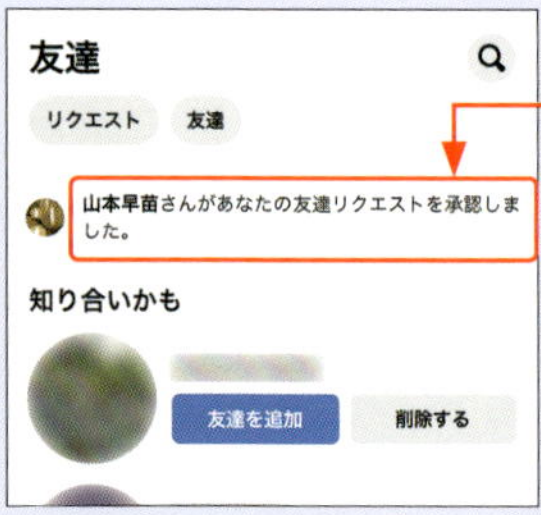

9 リクエストを受信した友達があなたを友達として承認すると、「友達」画面に「○○さんがあなたの友達リクエストを承認しました。」と表示されます。

友達追加 ★★★★★

Q 377 アドレス帳を使って友達になるには？

A スマートフォンの<連絡先>アプリに登録されたデータを使って友達を検索します。

スマートフォンの<連絡先>アプリと連携して友達を探すこともできます。「設定とプライバシー」画面で<連絡先のアップロード>をタップすると、<連絡先>アプリに登録されているデータから自動的にFacebookユーザーを探してくれます。親しくない人も検出される可能性があるので、友達申請は慎重に行いましょう。

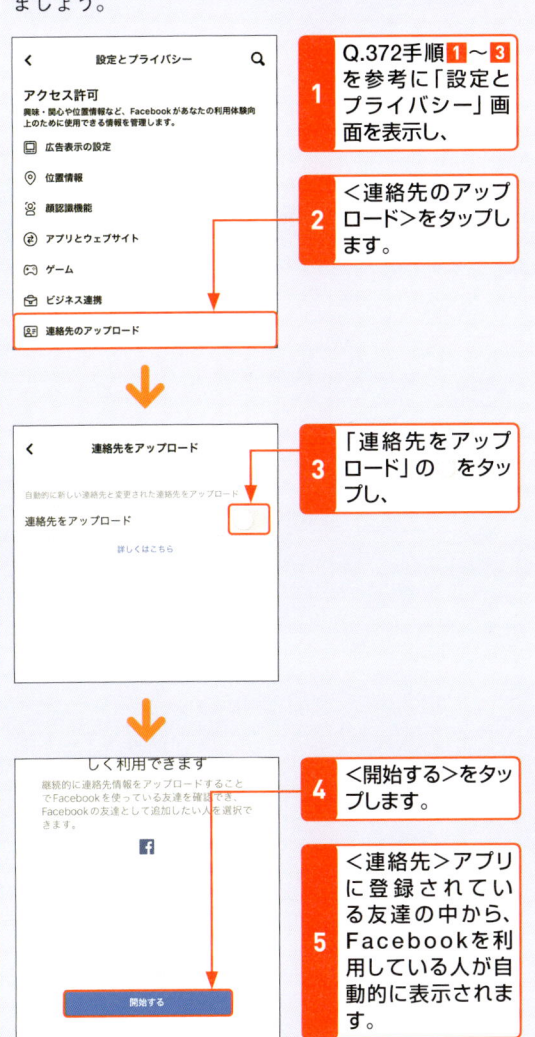

1 Q.372手順1〜3を参考に「設定とプライバシー」画面を表示し、

2 <連絡先のアップロード>をタップします。

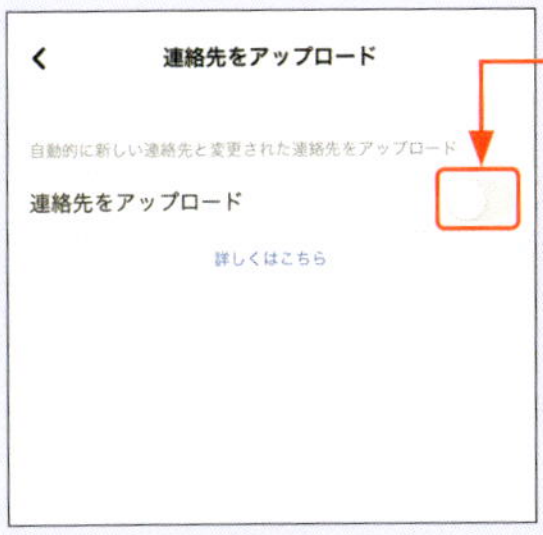

3 「連絡先をアップロード」の　をタップし、

4 <開始する>をタップします。

5 <連絡先>アプリに登録されている友達の中から、Facebookを利用している人が自動的に表示されます。

友達追加 ★★★★★

Q 378 「知り合いかも」で友達になるには？

A 「友達」画面で「知り合いかも」のユーザーに友達リクエスト申請を送ります。

Facebookでは、「知り合いかも」と記載されたFacebookユーザーのリストが表示されます。これは共通の友達や職歴、学歴などを通して、お互いに知り合いである可能性の高いユーザーが自動的に検出されています。「友達」画面に「知り合いかも」のリストが表示されているので、これを利用して友達を増やしましょう。

1 をタップします。

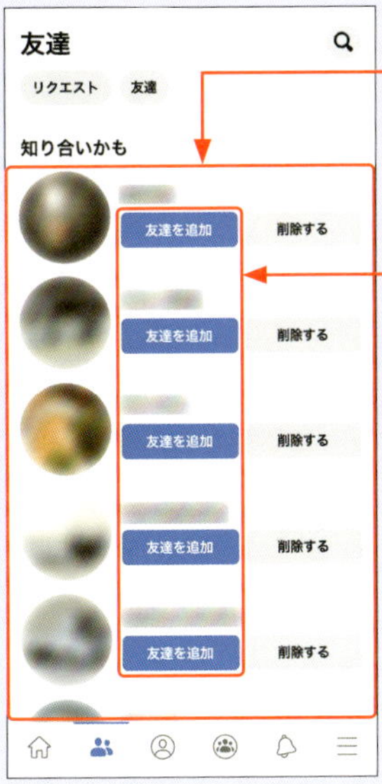

2 「知り合いかも」のリストが表示されます。

3 Facebook上で友達になりたい人の<友達を追加>をタップすると、相手に友達リクエストの申請が送付されます。

Q 友達追加 ★★★★★

379 » 友達リクエストを承認するには？

A 相手のプロフィールを確認してから<承認>をタップします。

友達リクエストが来ると、に数字が表示されます。タップして誰から送信されたのかを確認し、必ず相手のプロフィールを確認しましょう。宣伝目当てで、まったく知らない人からリクエストが来た場合は、<削除>をタップして、友達になることを拒否することもできます。なお、拒否したことは相手に通知されません。

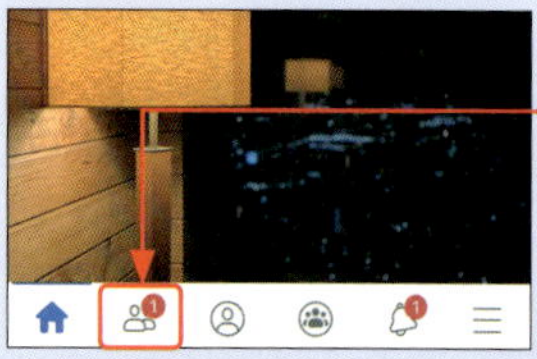

1 ほかのユーザーから友達リクエスト申請が届くと、に数字が表示されるので、をタップします。

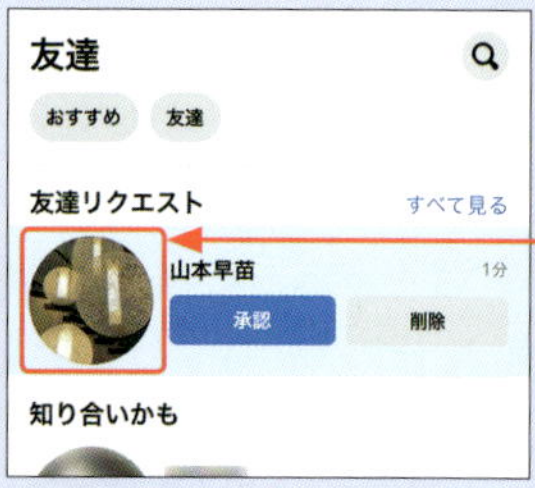

2 友達リクエストの申請が届いている友達のプロフィールアイコンをタップします。

3 表示された画面で<○○さんの基本データを見る>をタップし、プロフィールを確認します。

4 手順2の画面に戻り、<承認>をタップして、友達リクエストを承認します。

Q 友達追加 ★★★★★

380 » 知らない人から友達リクエストが来たときの対応方法は？

A <削除>をタップしてリクエスト自体を取り消します。

友達リクエストが来たものの、プロフィールを確認してもまったく知らない人だった場合は、<削除>をタップしましょう。相手が送ったリクエスト自体を取り消すことができます。削除したことが相手に通知されることはありません。

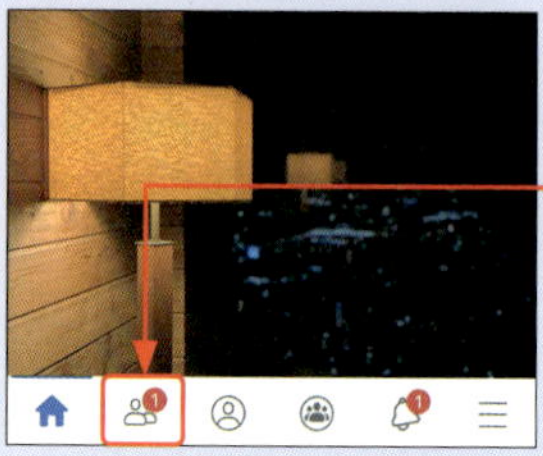

1 ほかのユーザーから友達リクエスト申請が届くとに数字が表示されるので、をタップします。

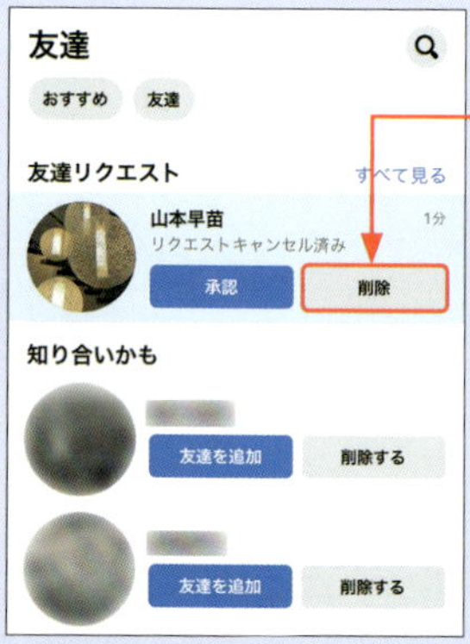

2 友達リクエストを拒否する場合は、<削除>をタップします。

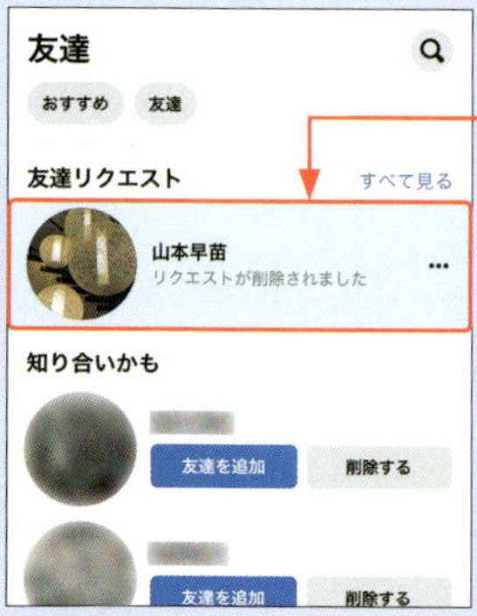

3 「リクエストが削除されました」と表示され、リクエストが取り消されます。

第2章

Facebookの閲覧・投稿

Q 投稿 ★★★★★

381 » 友達の投稿を閲覧したい！

A 「ニュースフィード」画面に表示されます。

「ニュースフィード」画面には、友達の投稿が時系列順に表示されています。プロフィールアイコンをタップすると「プロフィール」画面が表示され、これまでに投稿された内容を閲覧することができます。共感を得たり、気持ちを伝えたくなったりしたときは、「いいね！」したり（Q.383参照）、コメントを付けたりしてみましょう（Q.384参照）。

1 ⌂をタップして「ニュースフィード」画面を表示すると、投稿が時系列順に表示されます。

2 友達のプロフィールアイコンをタップすると、

3 友達がこれまでに投稿した内容を閲覧することができます。

一番上の投稿を下方向にスワイプすると、新着の投稿を確認することができます。

Q 投稿 ★★★★★

382 » 友達のプロフィールを確認したい！

A 👥→＜友達＞の順にタップします。

友達の「プロフィール」画面を確認したいときは、👥をタップし、＜友達＞をタップします。友達の一覧が表示され、プロフィールを確認したい友達をタップすると、その友達の「プロフィール」画面が表示されます。＜○○さんの基本データを見る＞をタップすると、「プロフィール」画面には表示させていない情報を見ることができます。

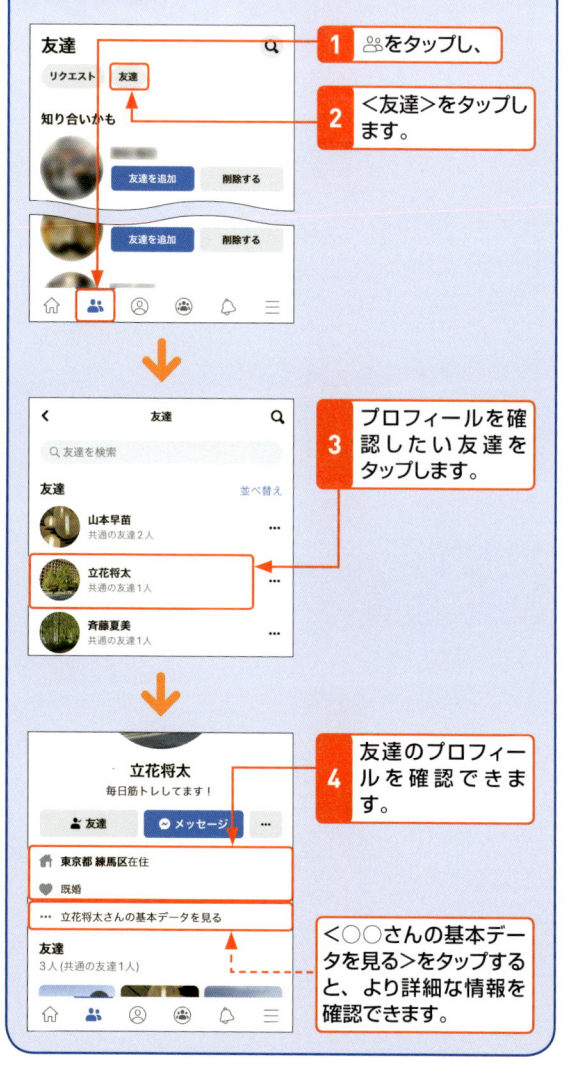

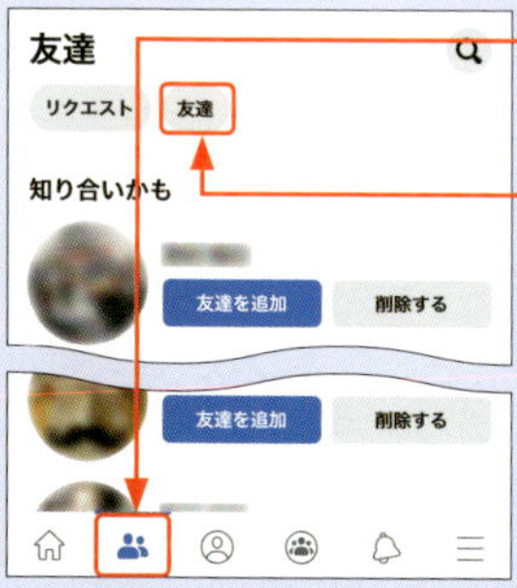

1 👥をタップし、

2 ＜友達＞をタップします。

3 プロフィールを確認したい友達をタップします。

4 友達のプロフィールを確認できます。

＜○○さんの基本データを見る＞をタップすると、より詳細な情報を確認できます。

Q383 投稿

友達の投稿に「いいね！」したい！

A 友達の投稿にある<いいね！>をタップします。

友達の投稿は「ニュースフィード」画面に表示されます。友達の投稿にある<いいね！>をタップすると青字に変わり、友達のFacebookに「〇〇さんがあなたの投稿に「いいね！」しました」と通知されます。「いいね！」すると投稿に「いいね！」のアイコンとともに自分の名前が表示され、この投稿を見ることができるすべての人に公開されます。

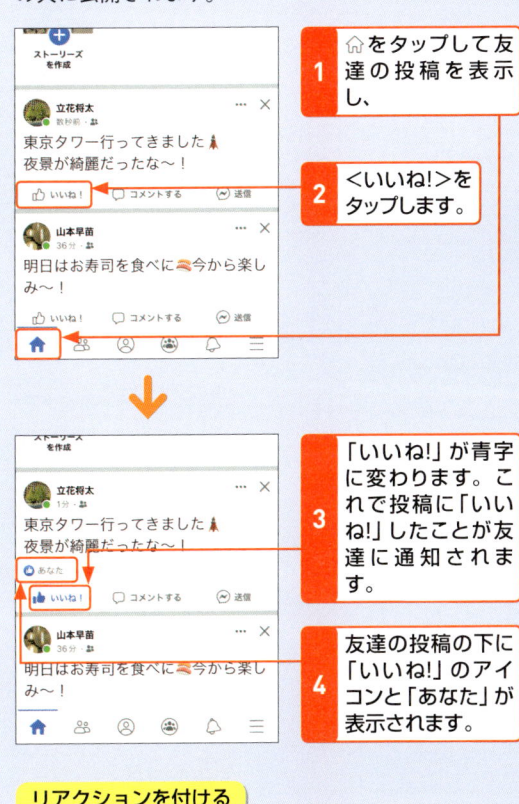

1 ⌂をタップして友達の投稿を表示し、

2 <いいね!>をタップします。

3 「いいね!」が青字に変わります。これで投稿に「いいね!」したことが友達に通知されます。

4 友達の投稿の下に「いいね!」のアイコンと「あなた」が表示されます。

リアクションを付ける

5 手順2で「いいね!」を長押しするとリアクションアイコンが表示され、タップするとリアクションを付けることができます。

Q384 投稿

友達の投稿にコメントしたい！

A <コメントする>をタップしてコメントを入力します。

友達の投稿に感想を述べたり、新たな情報を付け加えたりする場合は「コメント」を使います。<コメントする>をタップすると、コメントが入力できます。「コメント」は画像を投稿したり、スタンプを投稿したりする機能も備えています。「コメント」は、友達の投稿を見ることができるすべての人に公開されます。

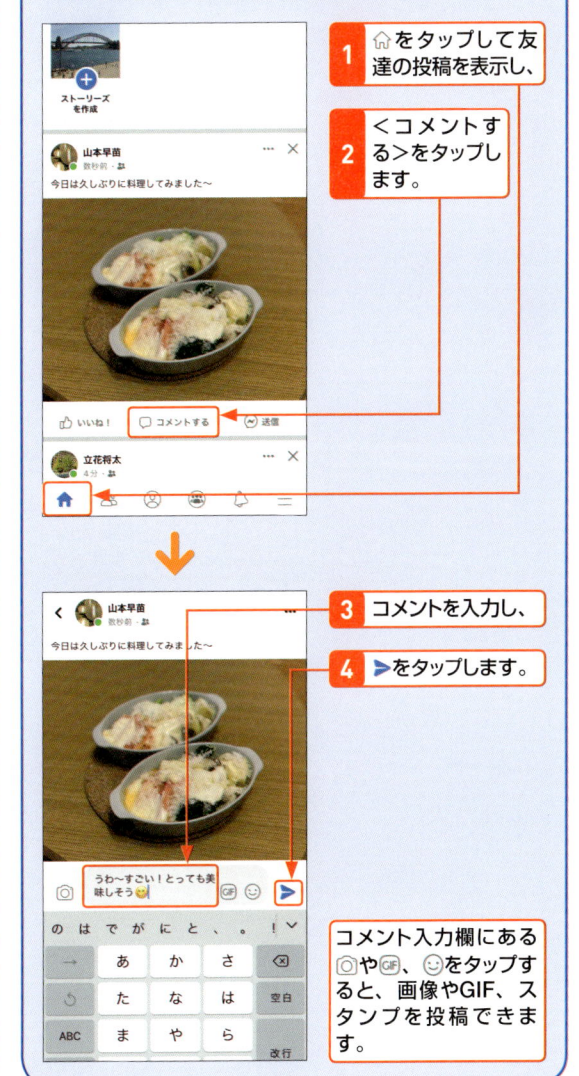

1 ⌂をタップして友達の投稿を表示し、

2 <コメントする>をタップします。

3 コメントを入力し、

4 ➤をタップします。

コメント入力欄にある📷や GIF、☺をタップすると、画像やGIF、スタンプを投稿できます。

Q 投稿 ★★★★★

385 » コメントを編集したい！

A <コメント○件>をタップしてテキストを変更します。

友達の投稿に付けたコメントは、あとから編集して内容を変更できます。コメントを付けると、「コメント○件」と表示されます。<コメント○件>をタップすると、コメントが一覧表示されます。その中から自分のコメントをタップし、表示されたメニューから<編集>をタップして内容を更新しましょう。

1 <コメント○件>をタップします。

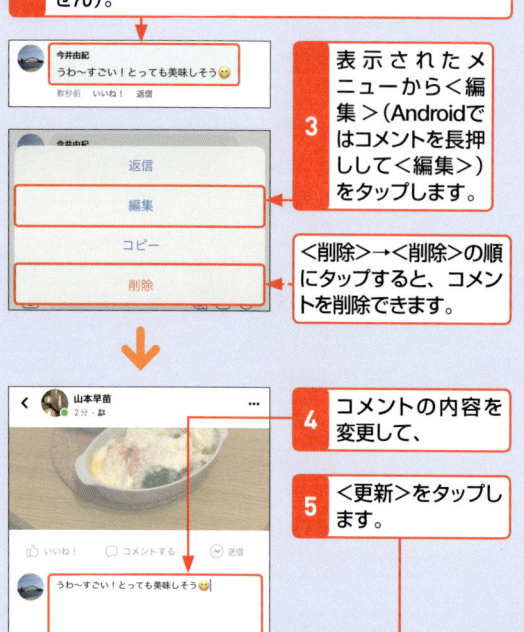

2 表示されたコメントの中から、編集したい自分のコメントをタップします（Androidには手順2はありません）。

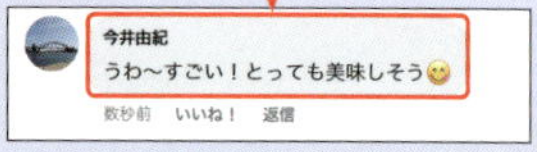

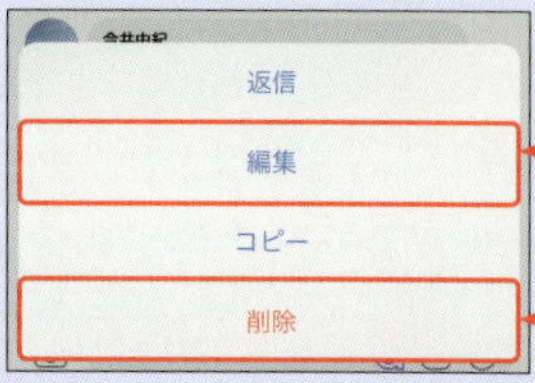

3 表示されたメニューから<編集>（Androidではコメントを長押しして<編集>）をタップします。

<削除>→<削除>の順にタップすると、コメントを削除できます。

4 コメントの内容を変更して、

5 <更新>をタップします。

Q 投稿 ★★★★★

386 » 友達の近況をシェアするには？

A <シェア>をタップします。

友達の投稿をほかの友達に広めたいときに使うのがシェア機能です。<シェア>をタップすると、友達の投稿を再投稿できます。シェアした投稿を見た人は、投稿の情報に加えて、あなたがその投稿を推奨していることがわかります。友達のタイムラインやグループのタイムラインを指定して投稿することで、効率的に情報を広めることができます。

1 ⌂をタップして友達の投稿を表示し、

2 <シェア>をタップします。

3 必要に応じて投稿内容を入力し、

4 <シェアする>（Androidでは<今すぐシェア>）をタップします。

投稿 ★★★★★

Q 387 » 自分の近況を投稿したい!

A <その気持ち、シェアしよう>をタップして、投稿内容を入力します。

Facebookに投稿するには、「ニュースフィード」画面で<その気持ち、シェアしよう>をタップします。投稿した内容は、背景に好みの色を付けることもできます。鮮やかなカラーリングに白抜きの文字でインパクトのある投稿が行えます。投稿は、Facebookの友達など指定した公開範囲の人に公開されます(Q.407参照)。

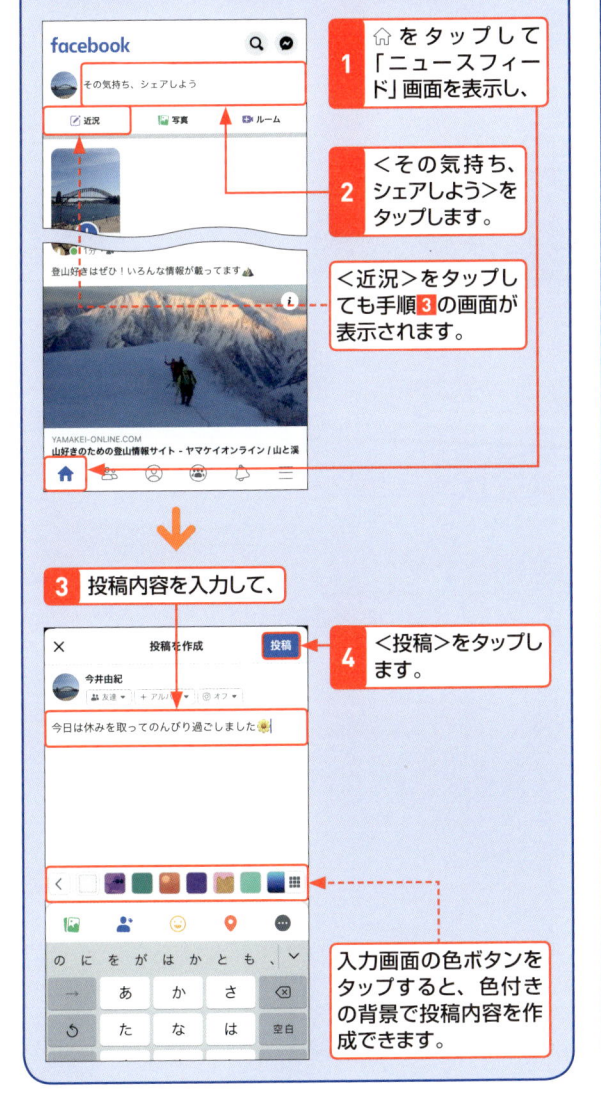

1 ⌂をタップして「ニュースフィード」画面を表示し、

2 <その気持ち、シェアしよう>をタップします。

<近況>をタップしても手順3の画面が表示されます。

3 投稿内容を入力して、

4 <投稿>をタップします。

入力画面の色ボタンをタップすると、色付きの背景で投稿内容を作成できます。

投稿 ★★★★★

Q 388 » 自分の今までの投稿を確認したい!

A 「プロフィール」画面から確認できます。

自分のこれまでの投稿を確認したいときは、ⓐをタップして「プロフィール」画面を表示します。画面を上方向にスワイプすると自分のタイムラインが表示され、これまでの投稿を時系列順に確認することができます。投稿に付けられた「いいね！」やコメントなども確認できます。

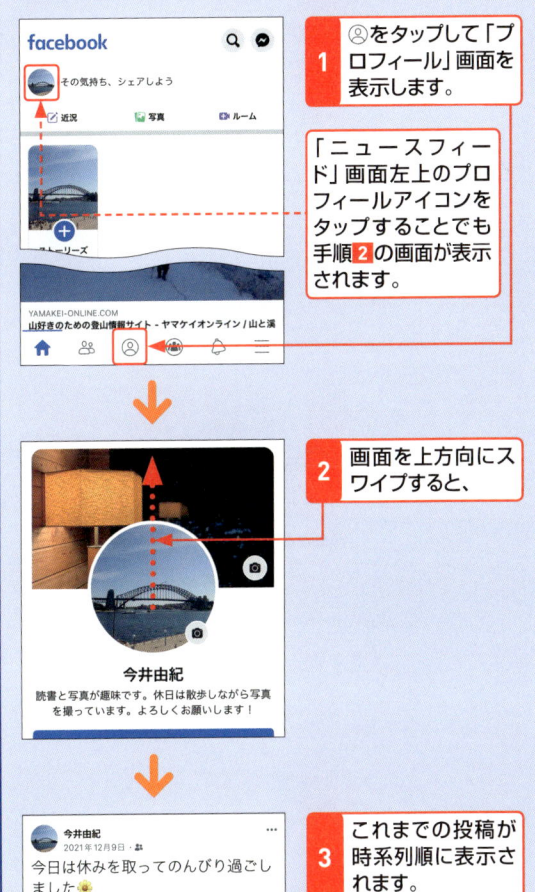

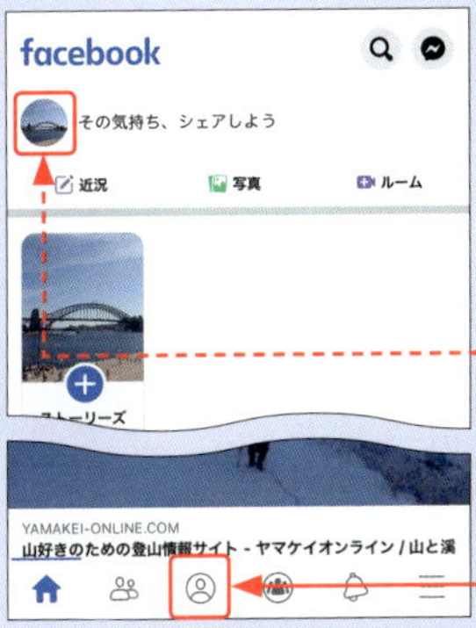

1 ⓐをタップして「プロフィール」画面を表示します。

「ニュースフィード」画面左上のプロフィールアイコンをタップすることでも手順2の画面が表示されます。

2 画面を上方向にスワイプすると、

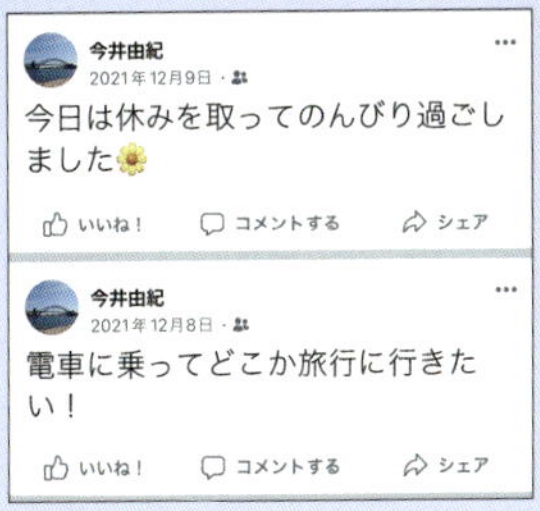

3 これまでの投稿が時系列順に表示されます。

Q 投稿 ★★★★★

389 » 写真や動画を付けて投稿したい！

A <写真 や 動画>をタップして投稿します。

写真や動画の投稿で、日々の出来事や発見をビジュアルで友達に伝えましょう。「ニュースフィード」画面で<その気持ち、シェアしよう>をタップし、「投稿を作成」画面で<写真・動画>をタップして、「カメラロール」から投稿したい写真や動画を選択します。

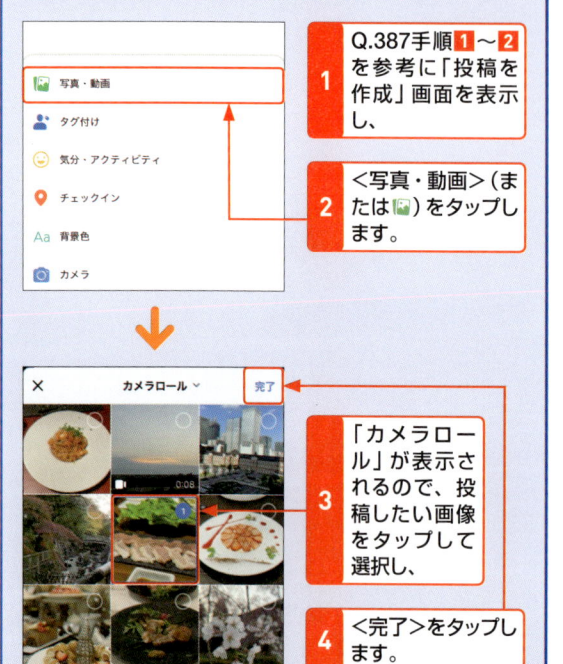

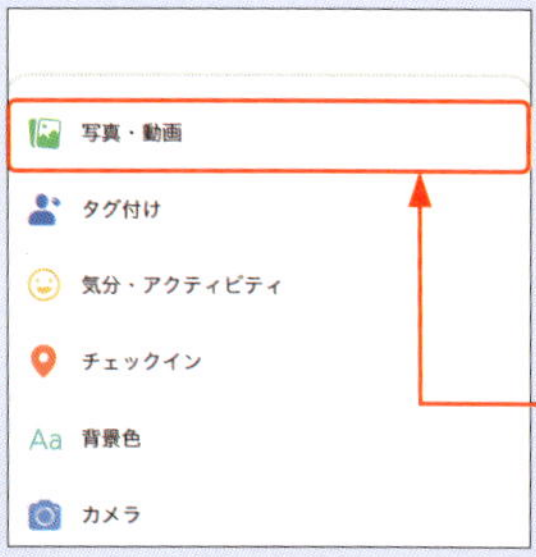

1 Q.387手順1～2を参考に「投稿を作成」画面を表示し、

2 <写真・動画>（または）をタップします。

3 「カメラロール」が表示されるので、投稿したい画像をタップして選択し、

4 <完了>をタップします。

5 投稿内容を入力して、

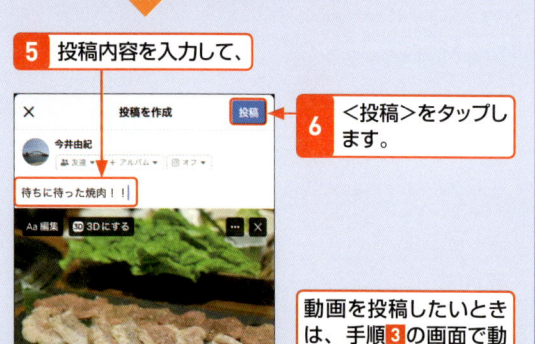

6 <投稿>をタップします。

動画を投稿したいときは、手順3の画面で動画を選択します。

Q 投稿 ★★★★★

390 » 写真をその場で撮って投稿するには？

A <カメラ>をタップしてカメラを起動します。

撮影済みの写真を投稿できるほかに、その場で撮って投稿することもできます。「投稿を作成」画面を表示し、<カメラ>をタップすると、カメラが起動して撮影が行えます。画像内には文字を入力したり、エフェクトを付けたりすることもできます。撮影後は<次へ>をタップし、投稿内容を入力して投稿しましょう。

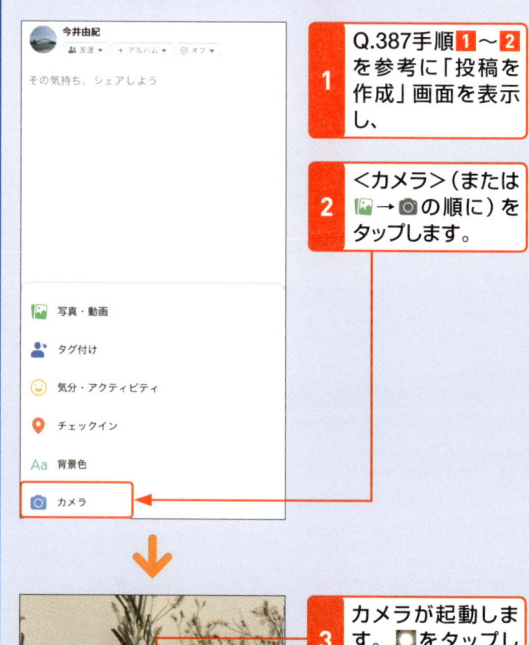

1 Q.387手順1～2を参考に「投稿を作成」画面を表示し、

2 <カメラ>（または→の順に）をタップします。

3 カメラが起動します。をタップして撮影します。

撮影後は撮影した写真が表示されるので、<次へ>（Androidでは<完了>）をタップして投稿内容を入力し、<投稿>をタップします。

Q391 投稿 ★★★★★

動画をその場で撮って投稿するには？

A <動画>をタップして動画を撮影します。

Q.390手順3の画面で下部の<動画>をタップすると、カメラが動画撮影に切り替わります。をタップして撮影しましょう。撮影後はプレビューが表示され、投稿する動画の範囲を調整することができます。<次へ>をタップし、投稿内容を入力して投稿します。

1 Q.390手順1〜2を参考にカメラを起動し、

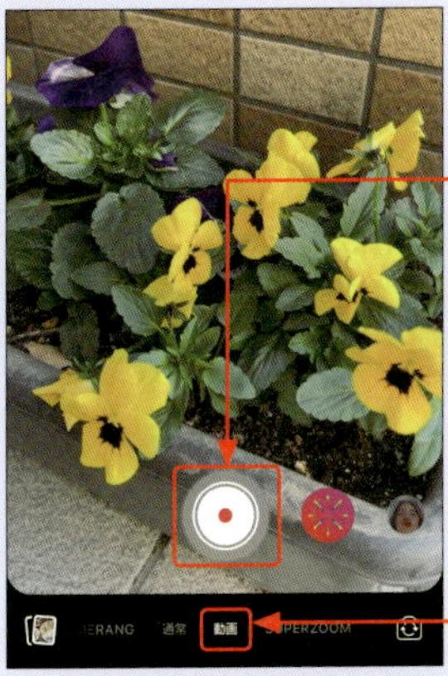

2 <動画>をタップします。

3 をタップして撮影します。再度タップして撮影を終了します。

4 プレビューが表示されるので、問題なければ<次へ>（Androidでは<完了>）をタップし、投稿内容を入力して<投稿>をタップします。

Q392 投稿 ★★★★★

ハッシュタグを付けて投稿したい！

A 投稿の最後に半角の#とキーワードとなる言葉を入力します。

投稿する際、ハッシュタグを付けて投稿すると、どのような話題について投稿しているのかがわかりやすくなります。また、同じハッシュタグを付けたほかのユーザーの投稿と結び付けることもできます。ハッシュタグの付け方は、投稿の最後に#（半角のシャープ）とキーワードとなる言葉を入力します。ハッシュタグをタップすると、同じハッシュタグが付いている投稿が一覧表示されます。

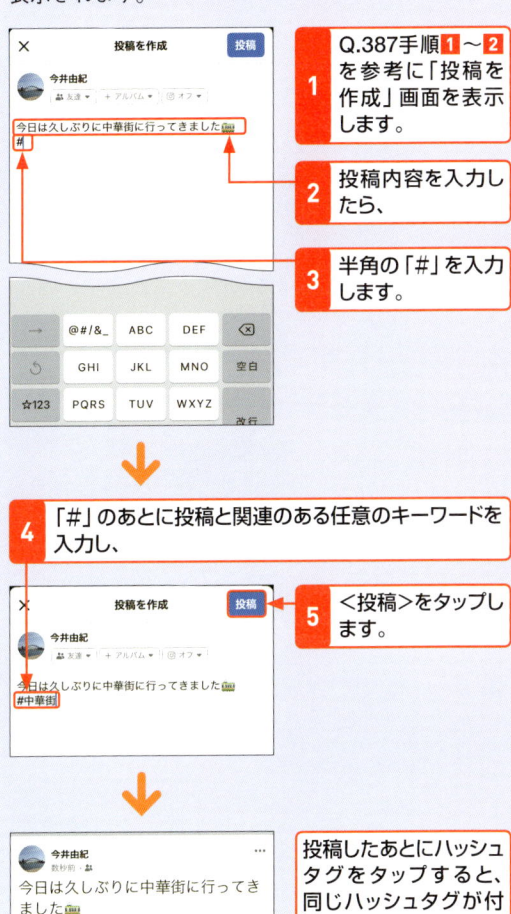

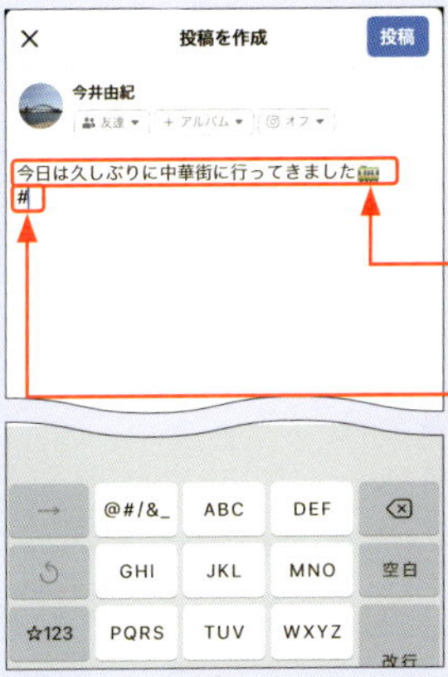

1 Q.387手順1〜2を参考に「投稿を作成」画面を表示します。

2 投稿内容を入力したら、

3 半角の「#」を入力します。

4 「#」のあとに投稿と関連のある任意のキーワードを入力し、

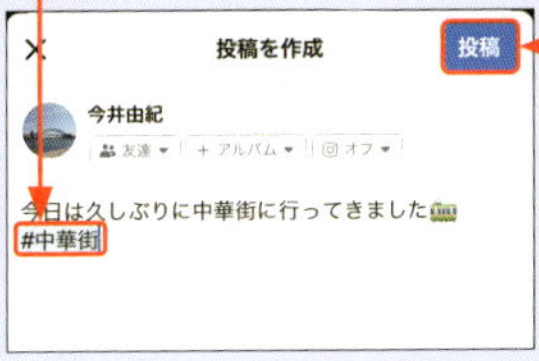

5 <投稿>をタップします。

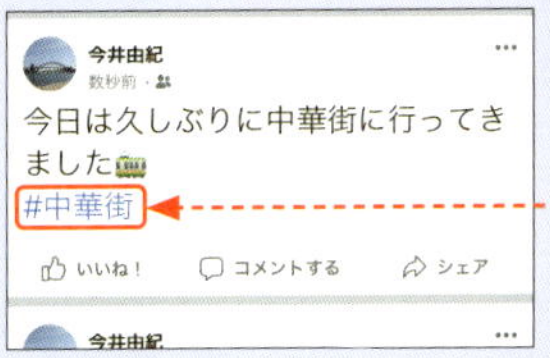

投稿したあとにハッシュタグをタップすると、同じハッシュタグが付いた投稿がまとめて表示されます。

投稿 ★★★★★

Q 393 » 現在いる場所を付けて投稿するには？

A チェックイン機能を使います。

スマートフォンの位置情報を使って、今いる場所を投稿することができます。「投稿を作成」画面で＜チェックイン＞をタップすると、現在の場所を自動的に検索します。表示された候補の中から、今いる場所をタップして選択し、＜投稿＞をタップすると投稿されます。

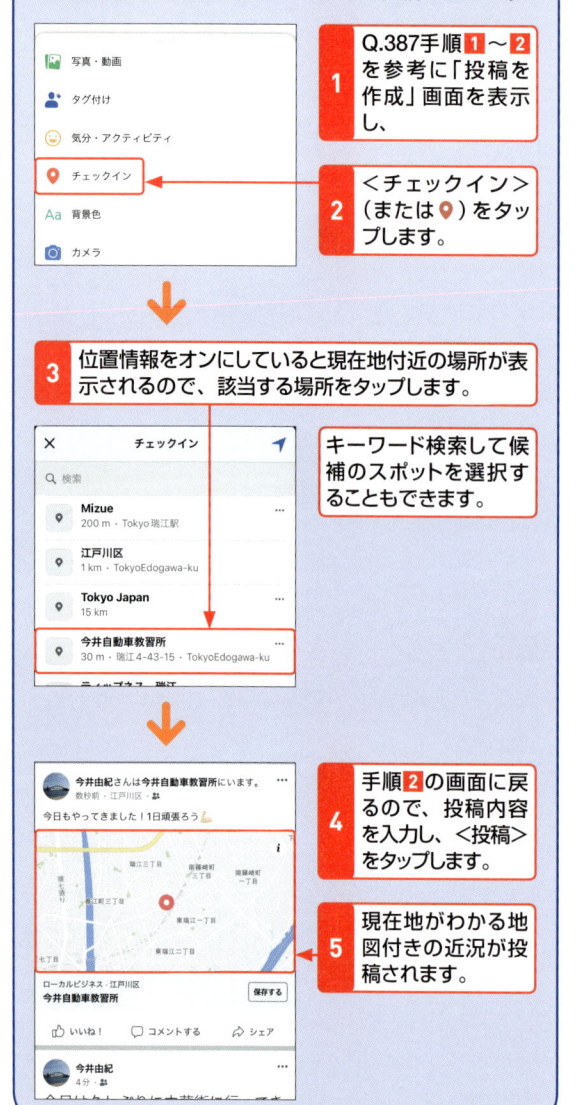

1 Q.387手順1～2を参考に「投稿を作成」画面を表示し、

2 ＜チェックイン＞（または📍）をタップします。

3 位置情報をオンにしていると現在地付近の場所が表示されるので、該当する場所をタップします。

キーワード検索して候補のスポットを選択することもできます。

4 手順2の画面に戻るので、投稿内容を入力し、＜投稿＞をタップします。

5 現在地がわかる地図付きの近況が投稿されます。

投稿 ★★★★★

Q 394 » 「タグ付け」で一緒にいる人を伝えるには？

A ＜タグ付け＞をタップします。

近況を投稿する際に、友達をタグ付けすることで「一緒にいるよ」と知らせることができます。一緒に行動しているときや何かを体験しているときに使うと楽しい機能で、複数の友達をタグ付けすることもできます。投稿によって友達の行動も公開されてしまうので、勝手に投稿せず、ひと声かけてからタグ付けしましょう。また、投稿は、自分の友達だけでなく、タグ付けした友達の友達にも公開されます。

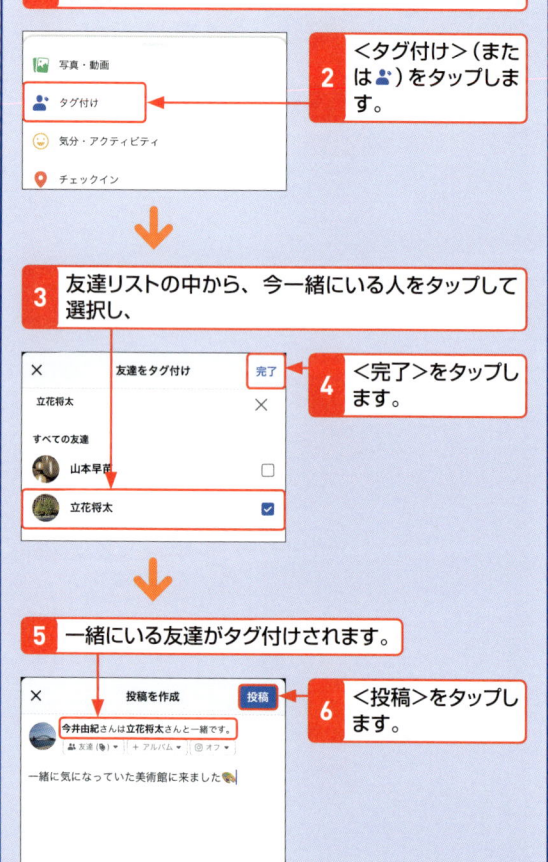

1 Q.387手順1～2を参考に「投稿を作成」画面を表示し、

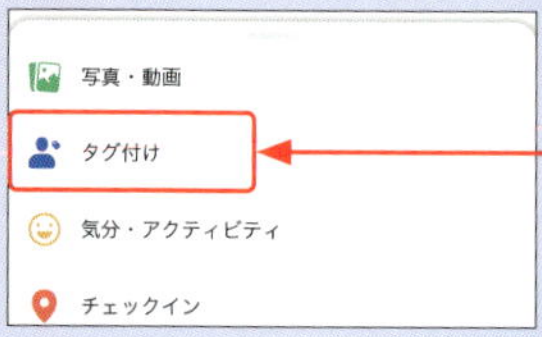

2 ＜タグ付け＞（または👥）をタップします。

3 友達リストの中から、今一緒にいる人をタップして選択し、

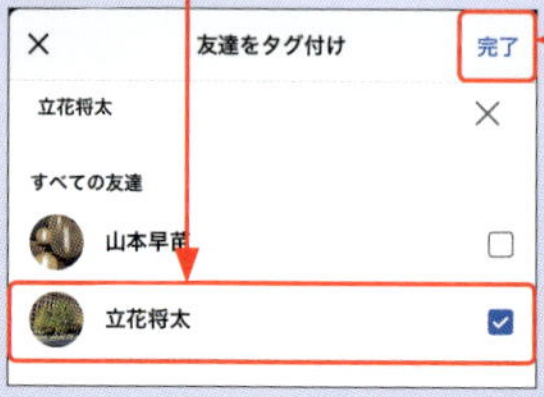

4 ＜完了＞をタップします。

5 一緒にいる友達がタグ付けされます。

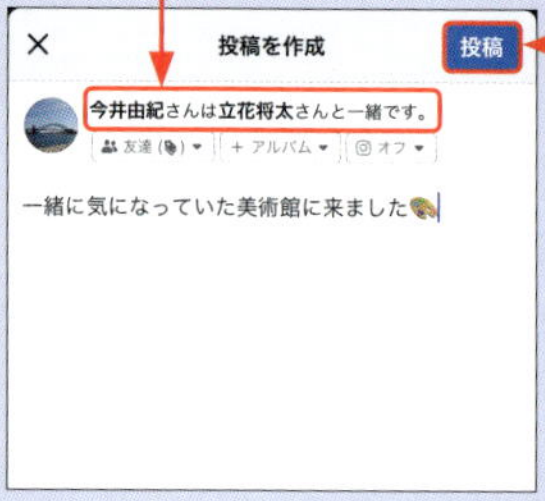

6 ＜投稿＞をタップします。

投稿 ★★★★★

Q 395 » 写真に「タグ付け」して一緒にいる人を伝えたい！

A 画像の<編集>をタップし、をタップします。

人物写真を投稿すると、左上に「編集」と表示されます。<編集>をタップし、をタップして顔の部分をタップすると、Facebookの友達が一覧表示され、リストから名前をタップすることで写真にタグ付けできます。投稿後にタグをタップすると、その友達のタイムラインが表示されるので、投稿を見た人に友達を紹介する感覚で利用しましょう。

1 Q.389を参考に人物写真を投稿し、<編集>→の順にタップします。

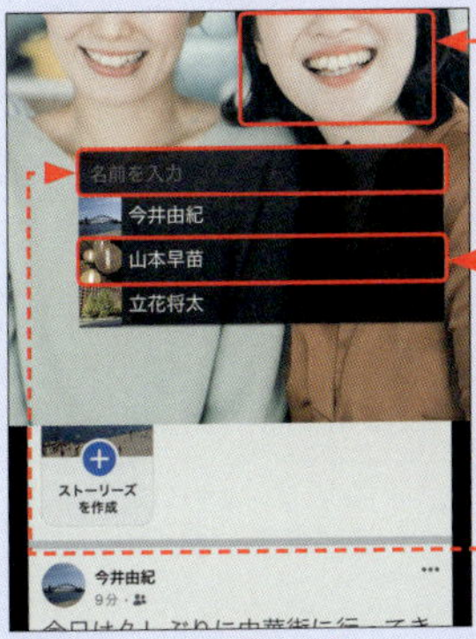

2 顔をタップし、

3 リストから名前をタップします。

4 <完了>→<次へ>の順にタップします。

<名前を入力>をタップすると、自由に名前を入力できます。

5 タグはこのように表示されます。

投稿 ★★★★★

Q 396 » 「タグ付け」のタグを削除するには？

A 自分の名前のタグは、自分で削除できます。

タグ付けすると、「○○さんと一緒にいます」と投稿に表示されます。身に覚えのない画像に自分の名前がタグ付けされていたり、自分に許可なく好ましくない画像にタグ付けされたりしていたら、タグを削除してしまいましょう。自分の名前のタグは、自由に削除することができます。

1 タグ付けされた投稿の ••• をタップして、

2 <タグを削除>をタップすると、タグを削除できます。

投稿 ★★★★★

Q 397 » ストーリーズを投稿したい！

A <ストーリーズを作成>をタップします。

「ストーリーズ」は通常の投稿とは異なり、写真や動画をラフな形で友達と共有する機能です。友達がストーリーズに写真や動画を投稿すると、「ニュースフィード」画面上部のストーリーズのエリアに表示され、タップすると閲覧できます。閲覧できるのは24時間のみで、時間が過ぎると消えてしまいます。画像にはさまざまな加工を施すこともできるので、ライブ感を共有して楽しみましょう。

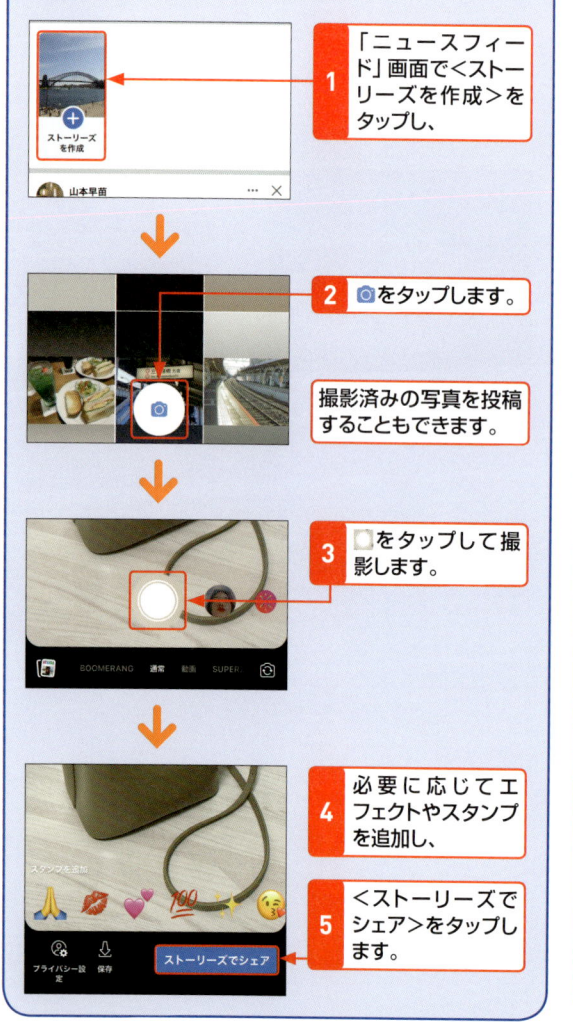

1 「ニュースフィード」画面で<ストーリーズを作成>をタップし、

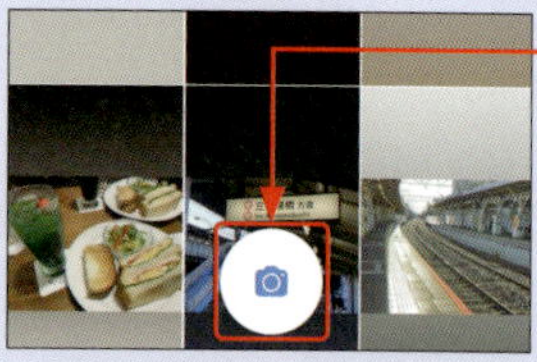

2 📷をタップします。

撮影済みの写真を投稿することもできます。

3 ◯をタップして撮影します。

4 必要に応じてエフェクトやスタンプを追加し、

5 <ストーリーズでシェア>をタップします。

投稿 ★★★★★

Q 398 » Facebook Watchって何？

A Facebookの動画配信サービスです。

Facebook Watchは、Facebookに投稿された動画をまとめて視聴できる機能です。動画は「おすすめ」「ライブ動画」「ゲーム」の3種類のジャンルに分けられており、自分の視聴傾向に基づいて、関連した動画が表示されるようになっています。気になる動画には「いいね！」やコメントを付けたり、アカウントをフォローしたりすることもできます。また、キーワードを指定して検索することも可能なので、興味のあるテーマで検索してみてもよいでしょう。

Facebook Watchを見たいときは、☰→<Watchの動画>の順にタップします。

画面下部の▶をタップしても見ることができます。

「いいね！」やコメントを付けたり、友達にシェアしたりすることができます。

Q 投稿 ★★★★★

399 » 投稿を下書きに保存したい！

A ×→<下書きを保存>の順にタップします。

Facebookでは、入力中の文章を下書きに保存しておくことができます。「投稿を作成」画面で投稿内容を入力し、×→<下書きを保存>の順にタップしましょう。次に「投稿を作成」画面を開くと下書きが表示され、続きから入力することができます。急な用事で入力を中断しなければならなくなっても安心です。なお、下書きに保存できるのは1つの投稿だけです。

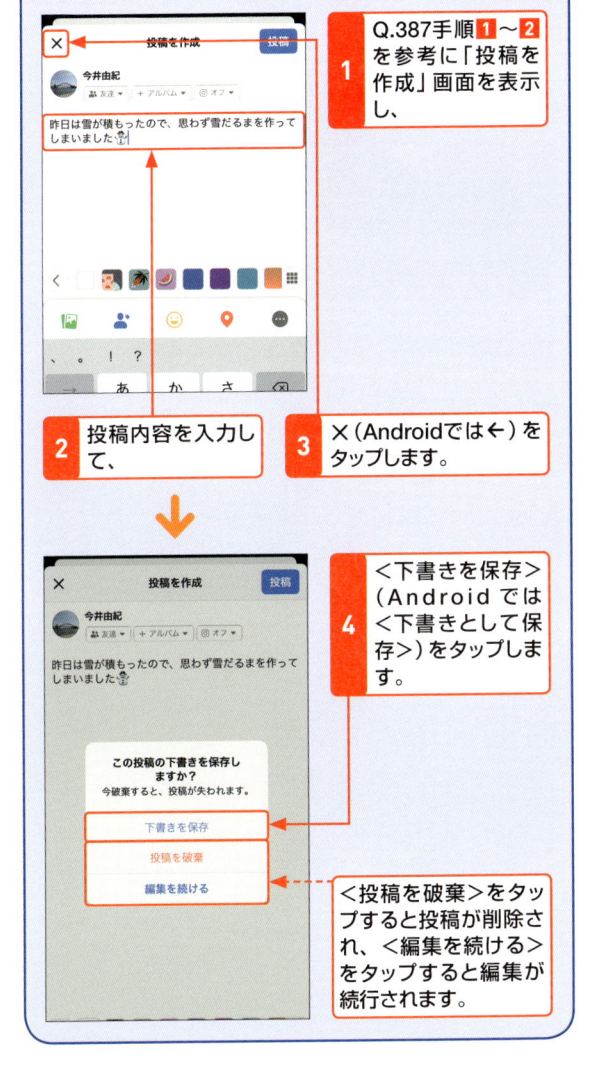

1 Q.387手順1～2を参考に「投稿を作成」画面を表示し、

2 投稿内容を入力して、

3 ×（Androidでは←）をタップします。

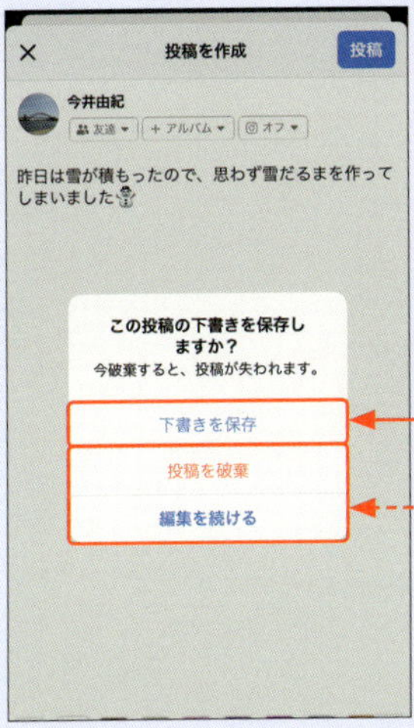

4 <下書きを保存>（Androidでは<下書きとして保存>）をタップします。

<投稿を破棄>をタップすると投稿が削除され、<編集を続ける>をタップすると編集が続行されます。

Q 投稿 ★★★★★

400 » 下書きに保存した投稿を見るには？

A 「投稿を作成」画面を表示します。

「ニュースフィード」画面で、<その気持ち、シェアしよう>をタップして「投稿を作成」画面を表示すると、下書き保存した投稿内容が表示されて、続きから編集できるようになります。必要に応じて編集を加え、投稿しましょう。

1 「ニュースフィード」画面で<その気持ち、シェアしよう>をタップします。

2 下書きの続きから編集することができます。

Androidの場合は、下書きを保存するとスマートフォンに通知が届きます。通知をタップし、編集したい下書きをタップすると、続きから編集できます。通知が表示されない場合は、アプリの通知設定を確認してください。

Q 投稿 ★★★★★

401 » 投稿内容を修正したい!

A ••• →<投稿を編集>の順にタップして修正します。

すでに投稿してしまっても、あとから内容を変更することができます。編集したい投稿の ••• をタップし、<投稿を編集>をタップすると、「投稿を編集」画面が表示されます。テキストや画像を変更するなど内容の修正を行い、<保存する>をタップします。投稿内容が更新され、変更した内容が表示されるようになります。

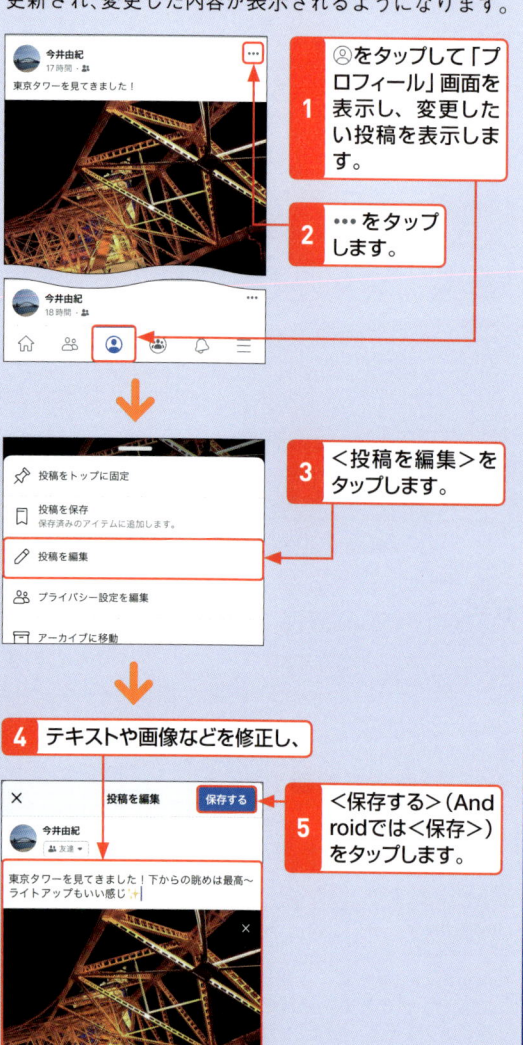

1 ◎をタップして「プロフィール」画面を表示し、変更したい投稿を表示します。

2 ••• をタップします。

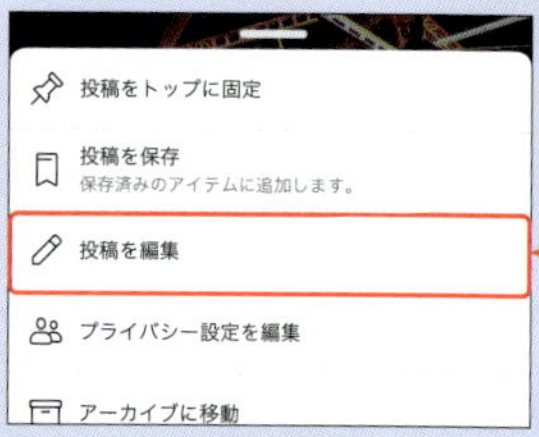

3 <投稿を編集>をタップします。

4 テキストや画像などを修正し、

5 <保存する>（Androidでは<保存>）をタップします。

Q 投稿 ★★★★★

402 » 投稿を削除するには？

A ••• →<ゴミ箱に移動>の順にタップします。

投稿内容を削除することもできます。削除したい投稿の ••• をタップし、<ゴミ箱に移動>をタップします。なお、ゴミ箱に移動した投稿は、30日以内であれば復元することができます（Q.403参照）。

1 ◎をタップして「プロフィール」画面を表示し、削除したい投稿を表示します。

2 ••• をタップします。

3 <ゴミ箱に移動>をタップし、

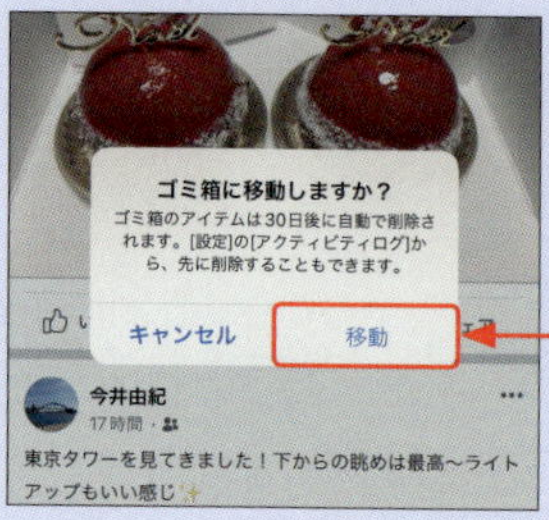

4 <移動>をタップします。

Q 投稿 ★★★★★

403 » 削除した投稿をもとに戻したい！

A 「プロフィール」画面で •••→ <アクティビティログ>の順にタップします。

何らかの操作で投稿を間違えて削除してしまったときは、投稿を復元しましょう。削除した投稿はゴミ箱に保管され、30日以内であれば復元することができます。「プロフィール」画面で ••• をタップし、<アクティビティログ>→<ゴミ箱>の順にタップします。なお、30日が経過すると、自動的に削除されます。

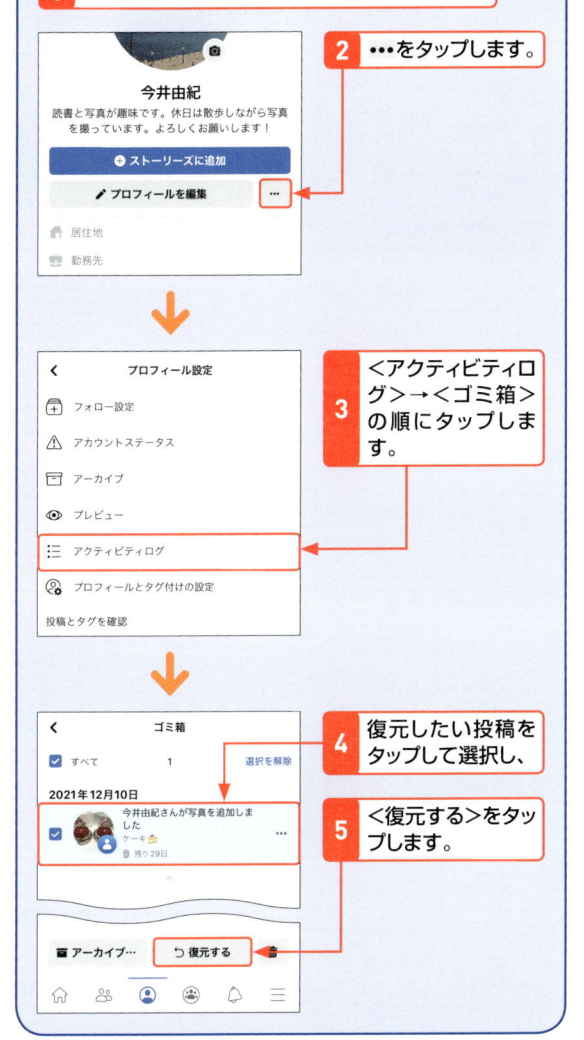

1 をタップして「プロフィール」画面を表示し、

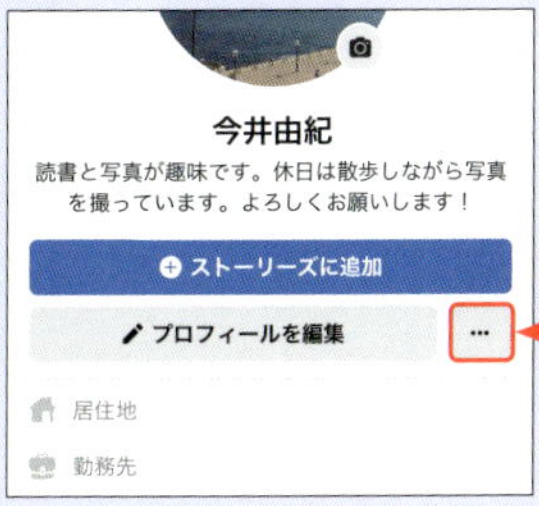

2 •••をタップします。

3 <アクティビティログ>→<ゴミ箱>の順にタップします。

4 復元したい投稿をタップして選択し、

5 <復元する>をタップします。

Q 投稿 ★★★★★

404 » 投稿をフォローしたい！

A Facebookページの<フォロー>をタップします。

Facebookページは、個人で利用しているFacebook とは異なり、企業やブランド、アーティストや公官庁、観光地、さまざまなグループや団体が運営するページです。告知や情報収集、情報共有などで活用されています。気になるFacebookページをフォローすると、そのページの更新情報が「ニュースフィード」画面に表示され、お知らせを受け取ることができます。投稿に「いいね！」することはもちろん、コメントを付けたりシェアしたりすることも可能です。

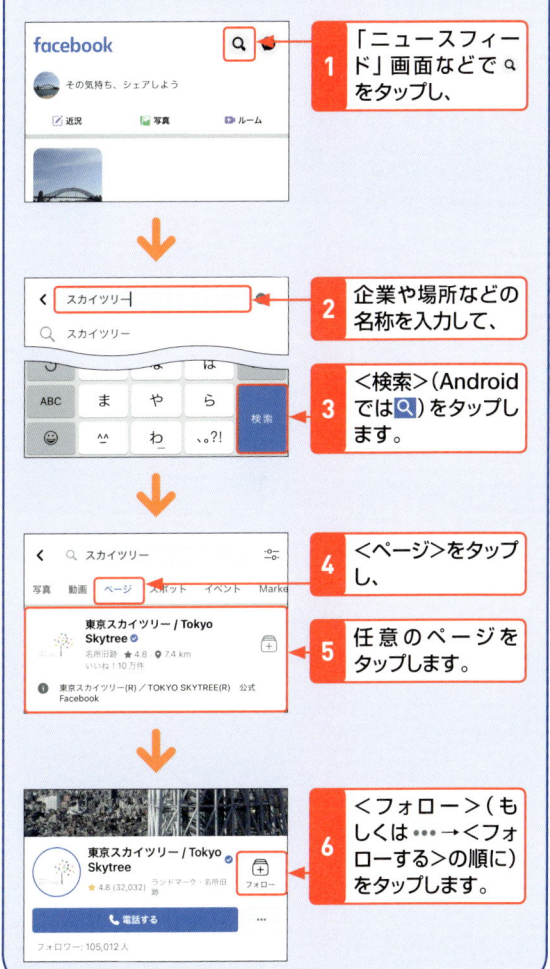

1 「ニュースフィード」画面などで をタップし、

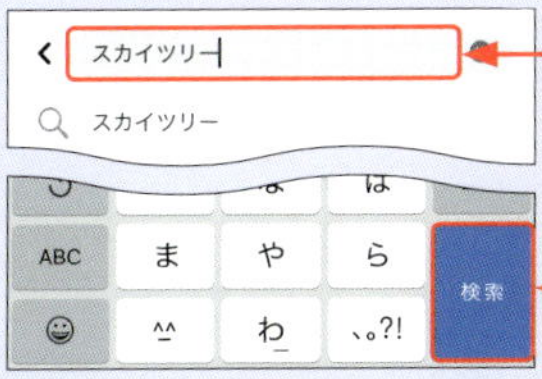

2 企業や場所などの名称を入力して、

3 <検索>（Androidでは）をタップします。

4 <ページ>をタップし、

5 任意のページをタップします。

6 <フォロー>（もしくは •••→<フォローする>の順に）をタップします。

Q 投稿 ★★★★★

405 » 友達の投稿を優先的に表示したい！

A 「お気に入り」に登録して、ニュースフィードの最初に表示させます。

ニュースフィードにはたくさんの情報が表示されます。表示される投稿数が増えれば、親しい友だちの更新情報も埋もれてしまいます。＜ニュースフィード＞→＜お気に入り＞の順にタップして、特定の友達の投稿がニュースフィードのトップに表示されるように設定しておきましょう。指定した友達が新しく投稿すると、「ニュースフィード」画面のトップに表示され、見逃すことがなくなります。

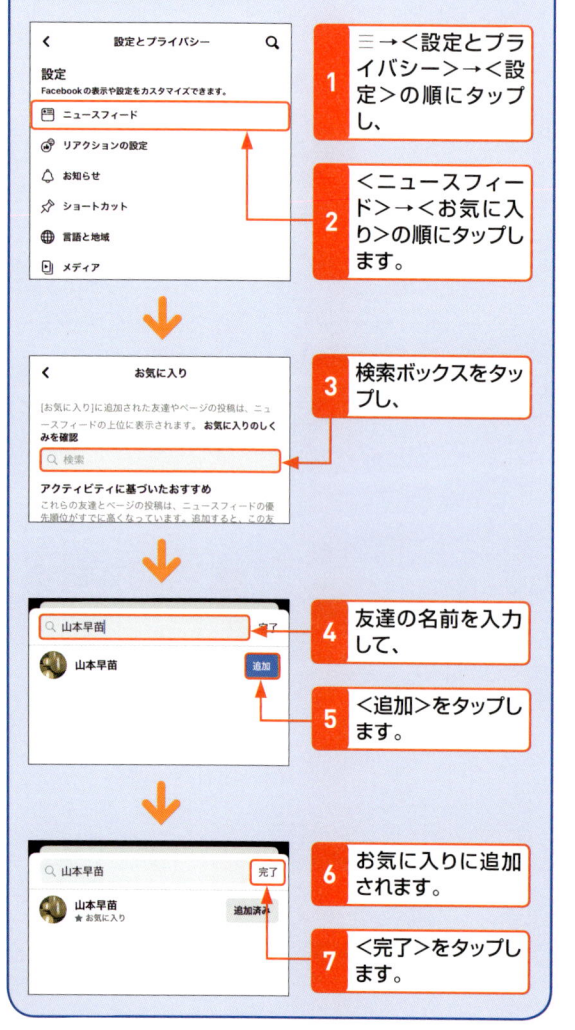

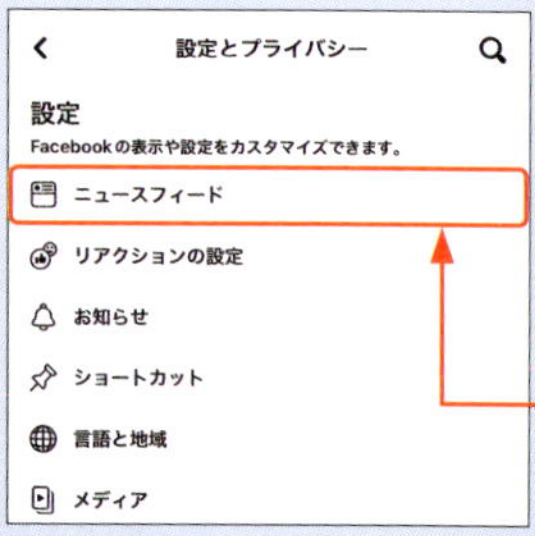

1 ☰→＜設定とプライバシー＞→＜設定＞の順にタップし、

2 ＜ニュースフィード＞→＜お気に入り＞の順にタップします。

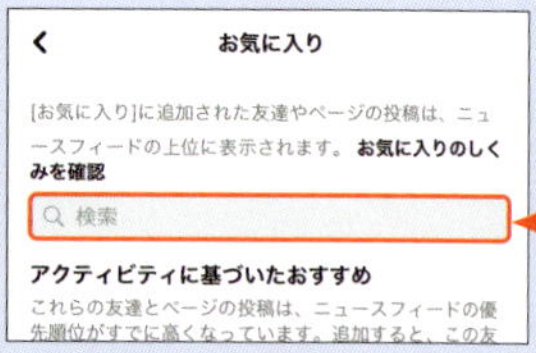

3 検索ボックスをタップし、

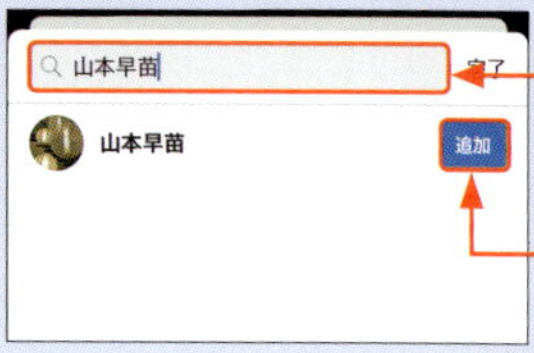

4 友達の名前を入力して、

5 ＜追加＞をタップします。

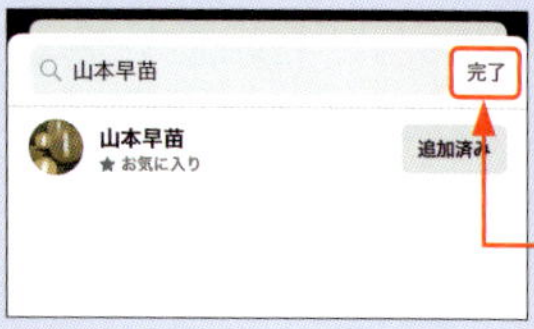

6 お気に入りに追加されます。

7 ＜完了＞をタップします。

Q 投稿 ★★★★★

406 » 気になる投稿のリンクを保存したい！

A ••• をタップして＜リンクを保存＞をタップします。

Facebookで気になる投稿を見つけたらリンクの保存機能を利用しましょう。投稿の右上にある ••• をタップして＜リンクを保存＞をタップすると保存できます。保存したリンクは、☰→＜保存済み＞の順にタップすることで閲覧できます。一度保存すれば削除されない限り保存されたままなので、何度でもチェックできます。

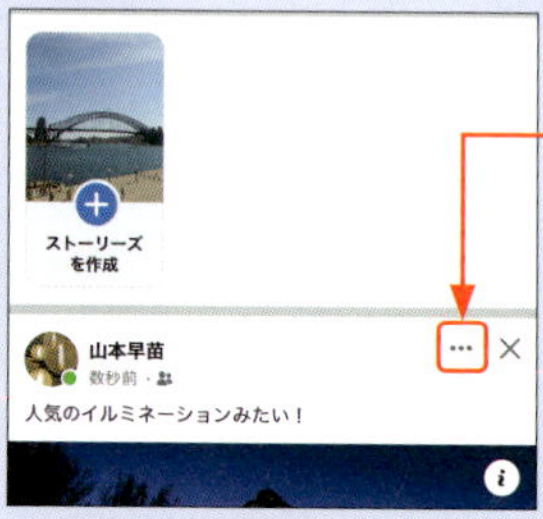

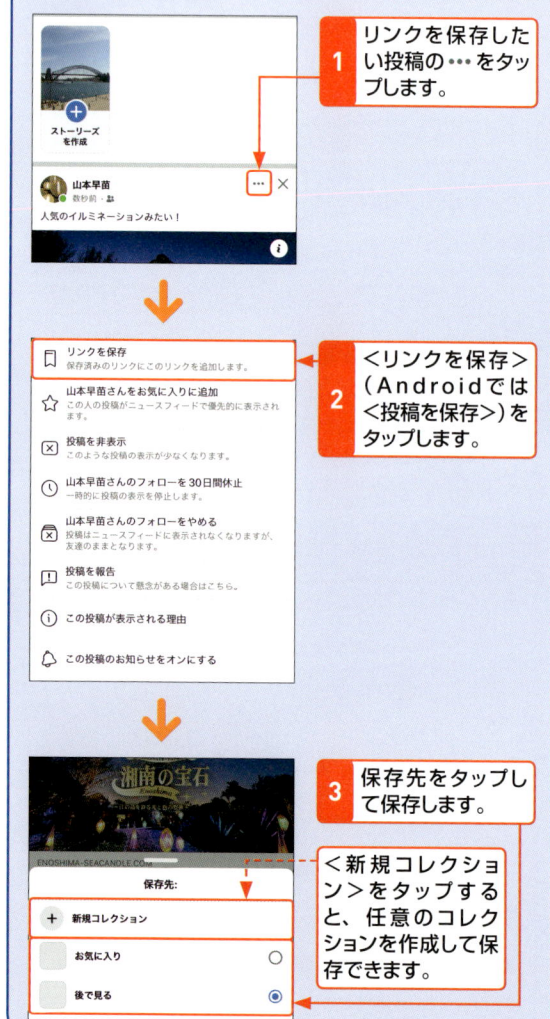

1 リンクを保存したい投稿の ••• をタップします。

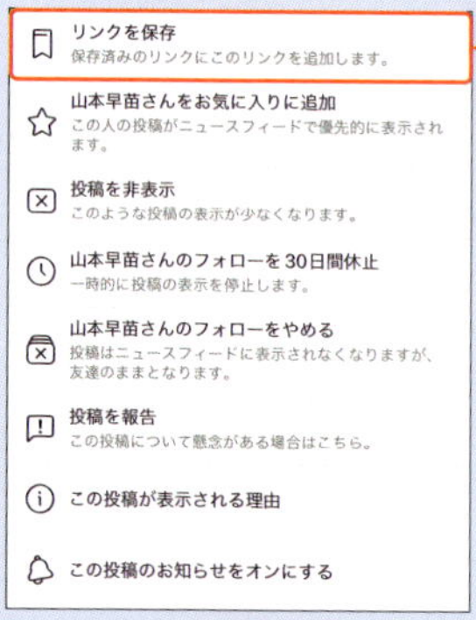

2 ＜リンクを保存＞（Androidでは＜投稿を保存＞）をタップします。

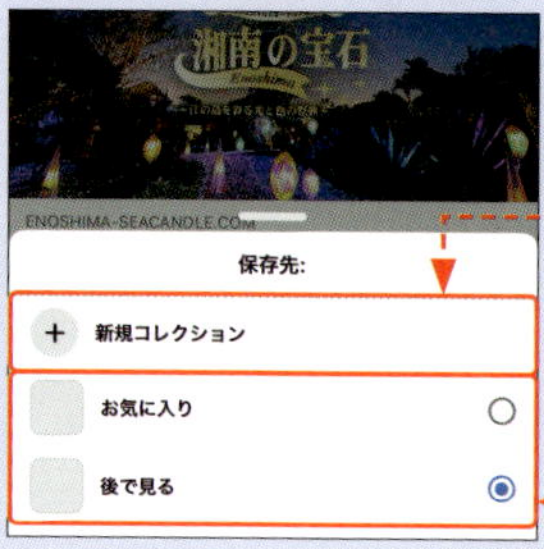

3 保存先をタップして保存します。

＜新規コレクション＞をタップすると、任意のコレクションを作成して保存できます。

Q 407 投稿の公開範囲を設定するには？

投稿の公開範囲 ★★★★★

A 「投稿を作成」画面の公開範囲をタップして、公開範囲を設定します。

投稿の公開範囲は、投稿ごとに設定することができます。全体公開や友達のほか、一部の友達のみに公開を設定することも可能です。「投稿を作成」画面で、名前の下にある公開範囲から設定を行いましょう。

1 Q.387手順1～2を参考に「投稿を作成」画面を表示し、

2 公開範囲（ここでは＜友達＞）をタップします。

3 公開したい範囲をタップして選択し、

4 ＜完了＞をタップします。

Q 408 特定の友達のみに投稿を公開したい！

投稿の公開範囲 ★★★★★

A 「オーディエンスを編集」画面の「一部の友達」で特定の友達を設定します。

Facebookの公開設定は、詳細に設定することができます。公開範囲をタップするとさまざまな項目が表示され、＜一部の友達＞をタップすると、友達の中から特定の友達だけを選択して公開することが可能です。一度設定しておくと、その設定は保存されて、「投稿を作成」画面の公開範囲から選択できるようになります。

1 Q.407手順1～2を参考に「オーディエンスを編集」画面を表示し、

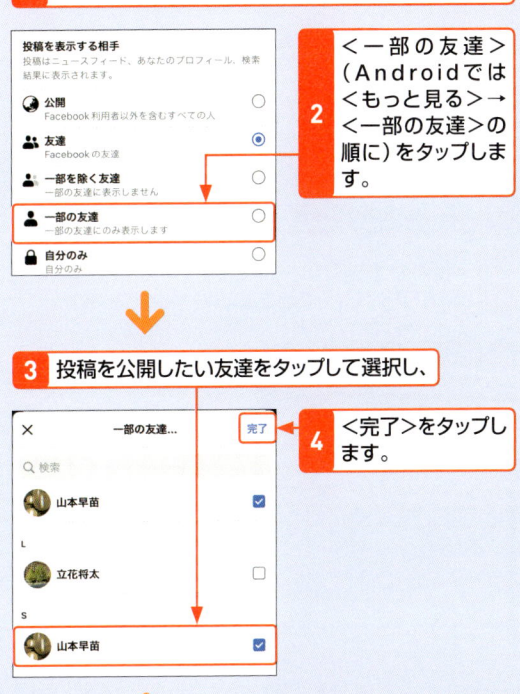

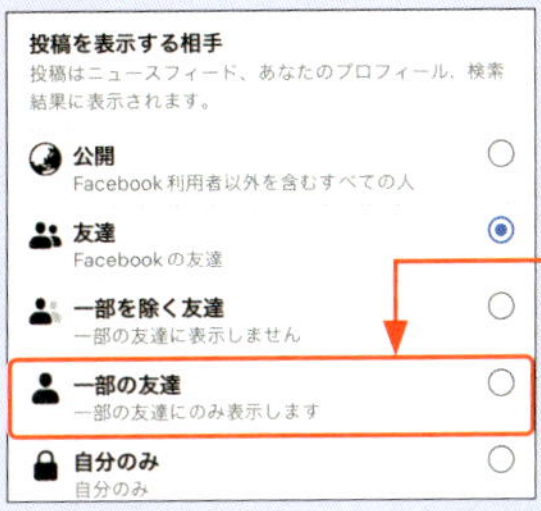

2 ＜一部の友達＞（Androidでは＜もっと見る＞→＜一部の友達＞の順に）をタップします。

3 投稿を公開したい友達をタップして選択し、

4 ＜完了＞をタップします。

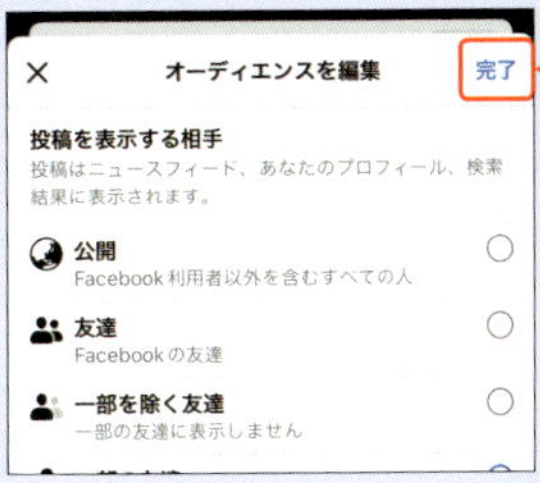

5 ＜完了＞をタップして公開範囲を確定し、表示された画面で＜投稿＞をタップして投稿します。

Q 投稿の公開範囲 ★★★★★

409 » 投稿した写真の公開範囲を個別に変更したい!

A <投稿のプライバシーを編集>をタップして変更します。

投稿した写真は、投稿後に公開範囲を変更することができます。投稿した写真をタップし、•••をタップして、<投稿のプライバシーを編集>をタップします。「プライバシー設定を編集」画面が表示され、公開範囲を変更することができます。

1 投稿した写真をタップします。

2 •••(Androidでは⋮)をタップして、

3 <投稿のプライバシーを編集>(Androidでは<投稿のプライバシー設定を編集>)をタップします。

4 「プライバシー設定を編集」画面が表示されます。任意の公開範囲を設定して<完了>(Androidでは←)をタップします。

5 投稿の公開範囲が変更されます。

特定の友達を除くなどカスタムした公開範囲の場合は⚙が表示されます。

Q 投稿の公開範囲 ★★★★★

410 » 「タグ付け」の公開範囲を設定するには?

A 「プロフィールとタグ付け」画面の設定で、あらかじめ公開範囲を設定しておきます。

友達があなたをタグ付けして投稿した場合、その投稿は友達の友達へはもちろん、Facebook全ユーザーに公開される可能性があります。そのため、自分をタグ付けした投稿の公開範囲を、あらかじめ設定しておくとよいでしょう。「プロフィールとタグ付け」画面で<プロフィールであなたがタグ付けされた投稿を見ることができる人>をタップし、任意の設定にします。

1 Q.405手順1を参考に「設定とプライバシー」画面を表示し、

2 <プロフィールとタグ付け>をタップします。

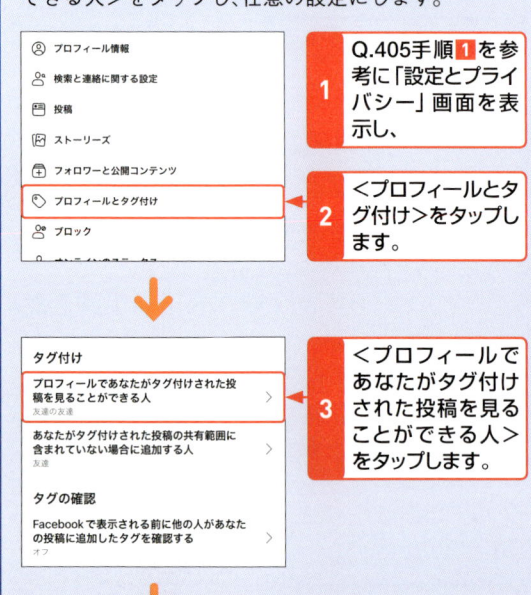

3 <プロフィールであなたがタグ付けされた投稿を見ることができる人>をタップします。

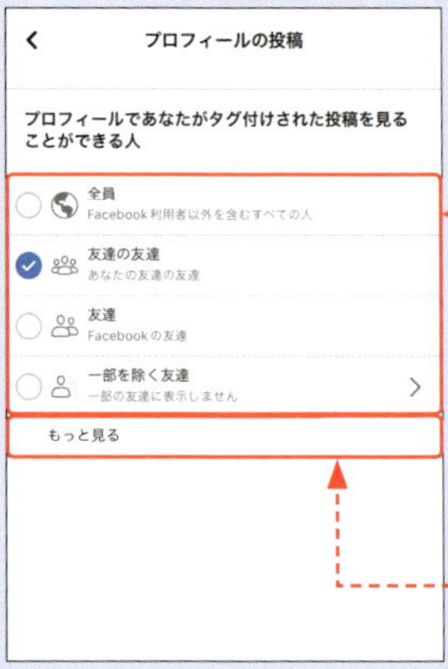

4 自分がタグ付けされた画像や投稿の公開範囲をあらかじめ設定しておくことができます。

<もっと見る>をタップすると、公開範囲がさらに表示されます。

第3章

Facebookの便利機能

Q アルバム ★★★★★

411 » アルバムを作成したい!

A 「プロフィール」画面を表示して、<写真>→<アルバム>の順にタップします。

「アルバム」は、写真をまとめて投稿したり、特定の人に写真を公開したりしたいときに活用する機能です。旅行先で撮影した写真を友達に見てもらう、友達みんなで楽しんだイベントの写真を公開するなどといったときに便利です。アルバムの作成は、自分のタイムラインの<写真>をタップして行います。作成したアルバムは、同じく自分のタイムラインの<写真>をタップして閲覧します。

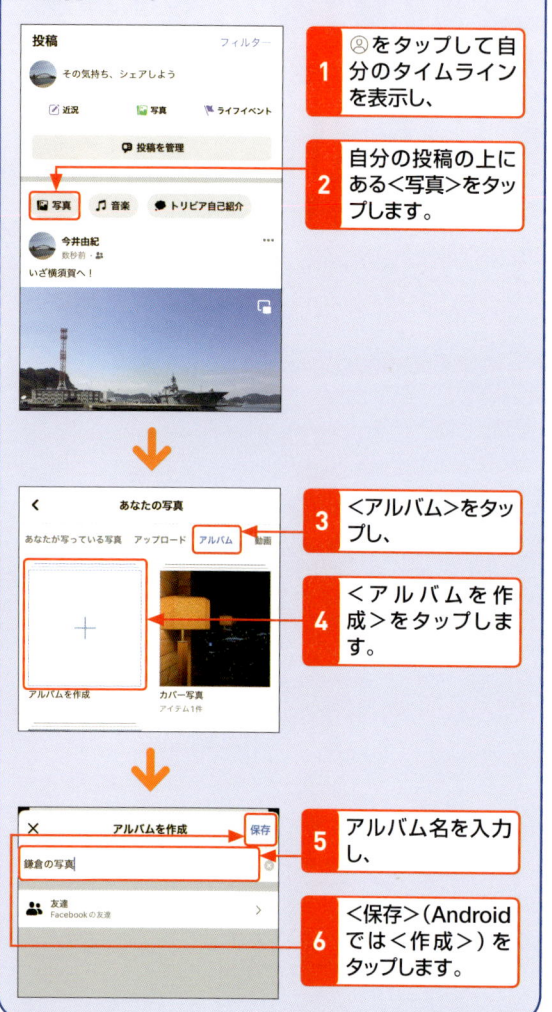

1 をタップして自分のタイムラインを表示し、

2 自分の投稿の上にある<写真>をタップします。

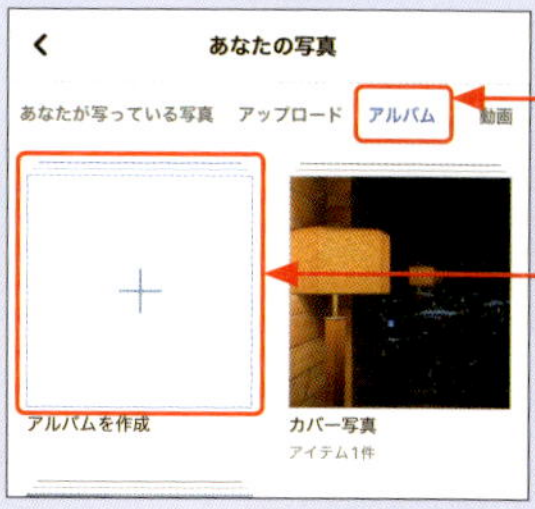

3 <アルバム>をタップし、

4 <アルバムを作成>をタップします。

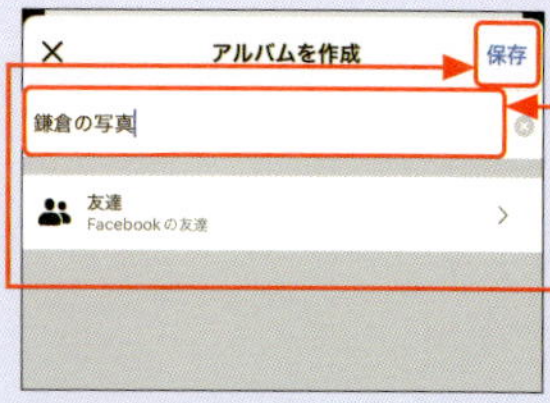

5 アルバム名を入力し、

6 <保存>(Androidでは<作成>)をタップします。

Q アルバム ★★★★★

412 » アルバムに写真を追加したい!

A 追加したいアルバムをタップして、<写真/動画を追加>をタップします。

アルバムを作成したら、写真を追加しましょう。追加したいアルバムをタップし、<写真/動画を追加>をタップして、追加したい写真をタップして選択します。複数の写真をタップしてまとめて追加することも可能です。写真を選択したら、<完了>→<アップロード>の順にタップするとアップロードできます。<カメラロール>をタップし、<ビデオ>をタップすると、動画も追加できます。

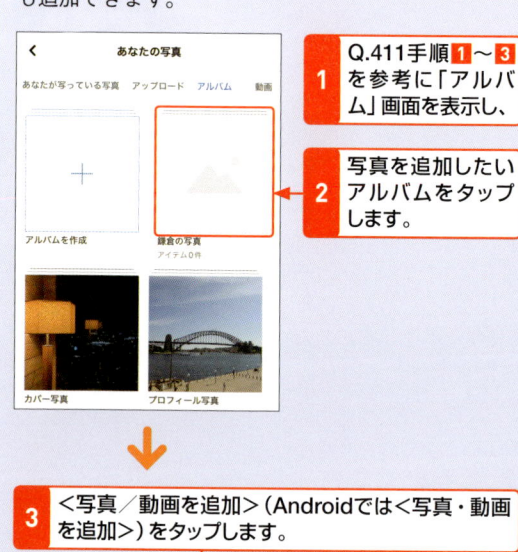

1 Q.411手順1〜3を参考に「アルバム」画面を表示し、

2 写真を追加したいアルバムをタップします。

3 <写真/動画を追加>(Androidでは<写真・動画を追加>)をタップします。

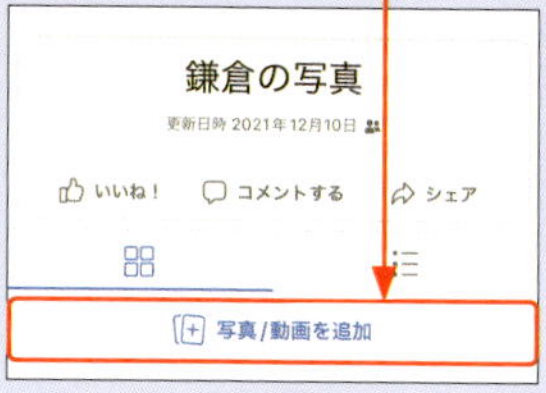

4 追加したい写真をタップして選択し、<完了>(Androidでは<次へ>)をタップします。

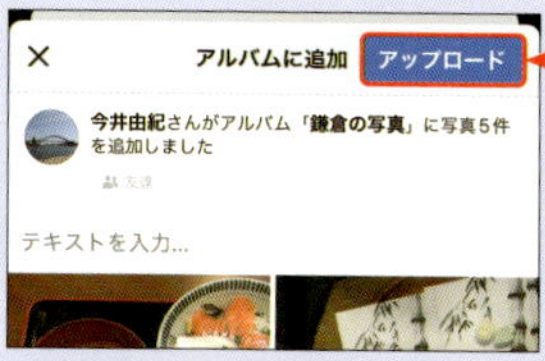

5 <アップロード>(Androidでは<投稿>)をタップすると、アルバムに写真が追加されます。

Q 413 アルバム ★★★★★

アルバムから写真を削除するには？

A アルバムに保存されている写真をタップして、メニューから削除します。

アルバム内に追加した写真を削除するには、アルバムを表示し、削除したい写真をタップします。写真の拡大画面が表示されるので、…をタップして、<写真を削除>をタップします。確認画面が表示されたら、<削除>をタップすると、削除が実行できます。

1 Q.411手順1～3を参考に「アルバム」画面を表示し、任意のアルバムをタップして、

2 削除したい写真をタップします。

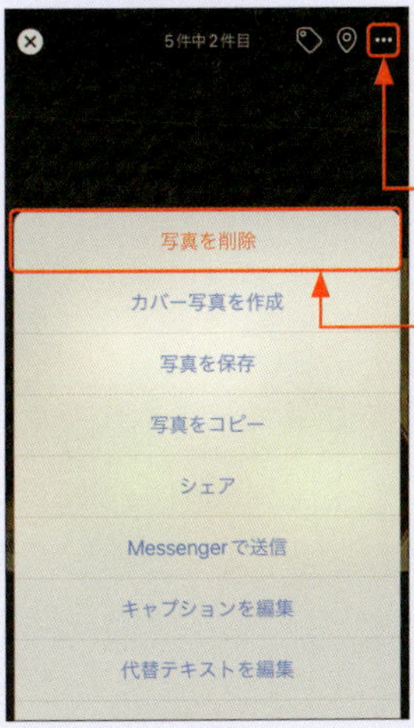

3 写真の拡大画面が表示されます。

4 …（Androidでは⋮）をタップして、

5 <写真を削除>をタップします。

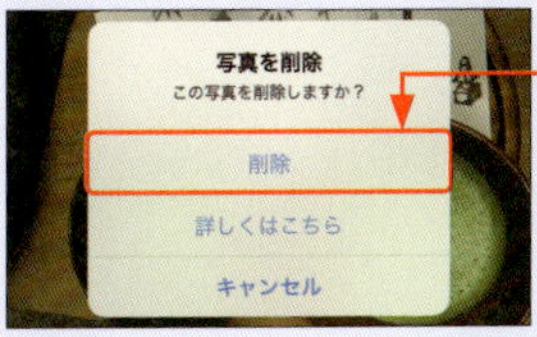

6 <削除>をタップして実行します。

Q 414 アルバム ★★★★★

アルバムを削除するには？

A …→<アルバムを編集>の順にタップします。

アルバムをまるごと削除したいときは、「アルバム」画面を表示し、削除したいアルバムをタップします。…→<アルバムを編集>→<アルバムを削除>の順にタップし、<削除>をタップすれば、アルバムの削除は完了です。アルバムを削除すると、もとには戻せません。アルバムに保存していた写真も削除されてしまうので注意が必要です。

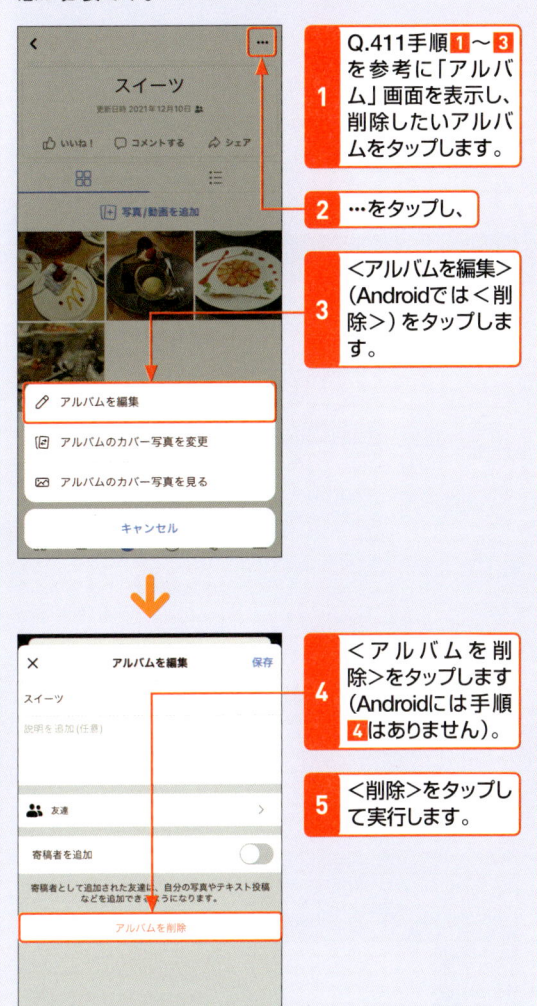

1 Q.411手順1～3を参考に「アルバム」画面を表示し、削除したいアルバムをタップします。

2 …をタップし、

3 <アルバムを編集>（Androidでは<削除>）をタップします。

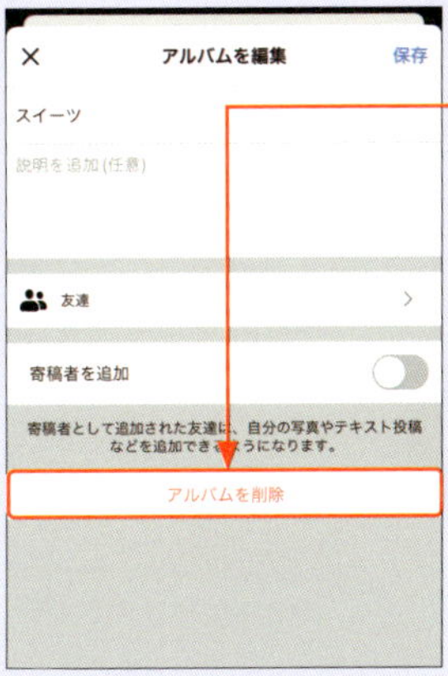

4 <アルバムを削除>をタップします（Androidには手順4はありません）。

5 <削除>をタップして実行します。

Q アルバム ★★★★★

415 » 友達のアルバムを閲覧したい!

A 友達のプロフィールアイコンをタップして<写真>からアルバムを閲覧します。

友達のアルバムを閲覧することもできます。友達のプロフィールアイコンをタップすると、友達のタイムラインが表示されます。<写真>をタップして、「アルバム」画面から友達のアルバムを閲覧することができます。アルバムをタップすると、アルバム内の写真のサムネイル画像が一覧表示されます。写真をタップすると、全画面表示で見ることができます。

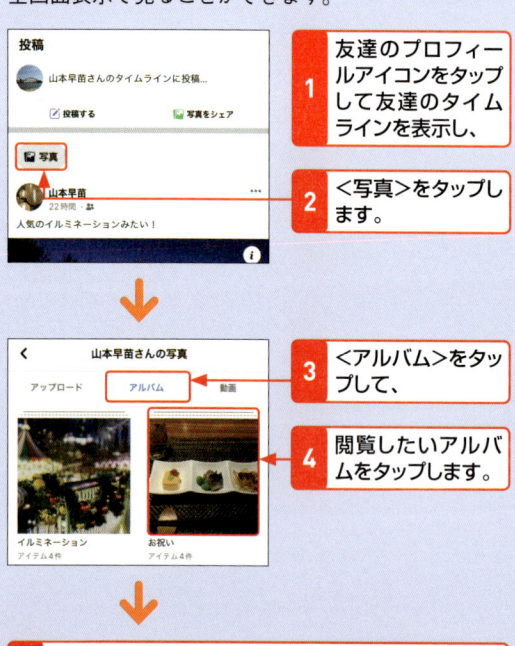

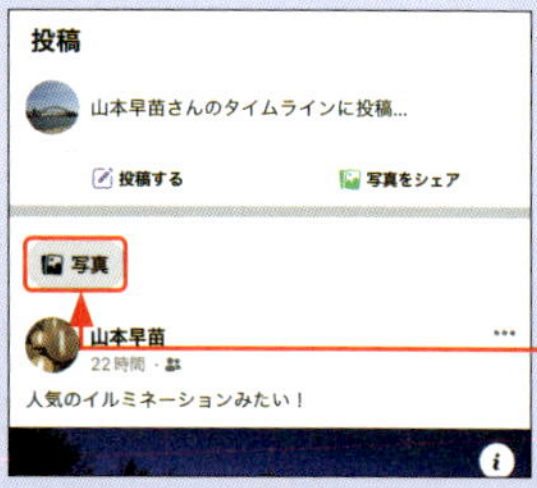

1 友達のプロフィールアイコンをタップして友達のタイムラインを表示し、

2 <写真>をタップします。

3 <アルバム>をタップして、

4 閲覧したいアルバムをタップします。

5 アルバム内に保存されている写真を閲覧できます。写真をタップすると、全画面で表示されます。

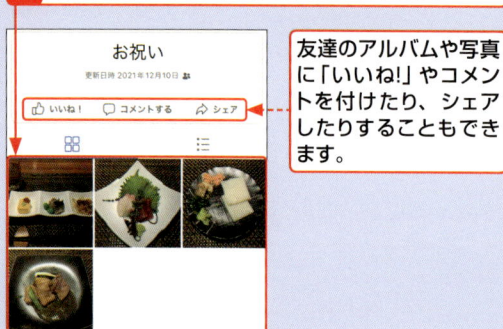

友達のアルバムや写真に「いいね!」やコメントを付けたり、シェアしたりすることもできます。

Q アルバム ★★★★★

416 » 友達のアルバムの写真を保存するには?

A アルバム内の写真をタップし、…→<写真を保存>の順にタップします。

友達の写真をダウンロードして保存することができます。Q.415手順1～3を参考に友達の「アルバム」画面を開きます。任意のアルバムをタップして開き、保存したい写真をタップして全画面表示にします。…をタップして<写真を保存>をタップすると、友達の写真が自分のスマートフォン内に保存されます。

1 Q.415手順1～4を参考に友達の任意の「アルバム」を表示し、

2 保存したい写真をタップします。

3 …(Androidでは⋮)をタップし、

4 <写真を保存>(Androidでは<スマートフォンに保存>)をタップします。

Q アルバム ★★★★★

417 » アルバムの公開範囲を設定したい！

A 「アルバムを編集」画面で設定できます。

友達との集まりの写真を集めたアルバムなら、プライバシーを考慮して、参加した友達やグループだけに公開するのがよいでしょう。Facebookの友達はもちろん、一部の友達だけに限定して公開することもできます。…→＜アルバムを編集＞の順にタップして、公開範囲を設定しましょう。

1 Q.411手順1～3を参考に「アルバム」画面を表示し、公開範囲を設定したいアルバムをタップします。

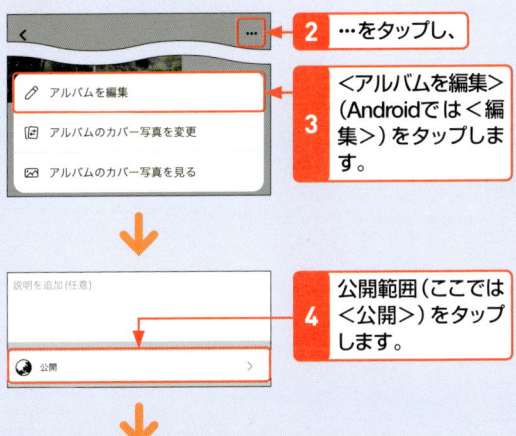

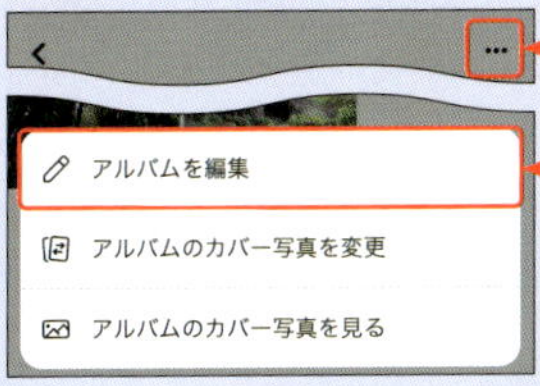

2 …をタップし、

3 ＜アルバムを編集＞（Androidでは＜編集＞）をタップします。

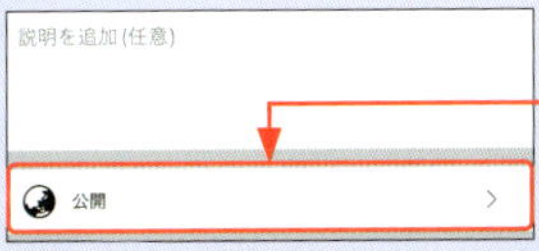

4 公開範囲（ここでは＜公開＞）をタップします。

5 任意の公開範囲をタップして選択し、

6 ＜完了＞（Androidでは←）をタップします。

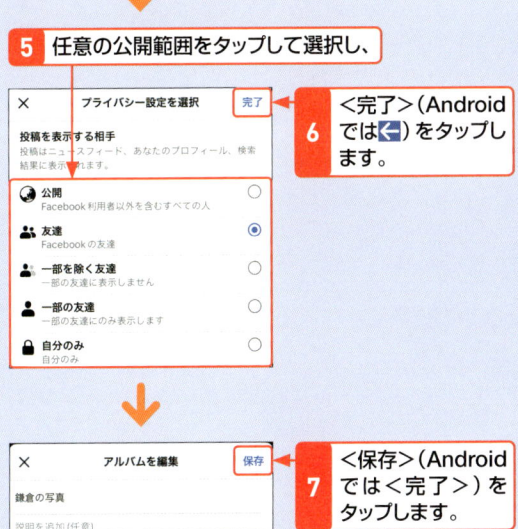

7 ＜保存＞（Androidでは＜完了＞）をタップします。

Q グループ ★★★★★

418 » グループって何？

A 仲間だけで投稿や画像の共有などが行えるコミュニティです。

Facebookでは、参加者を限定したグループを設けることができます。同窓生のコミュニティやビジネスや学びの場など、目的に応じて使うことができます。グループには、投稿やコメントをすべて公開する「公開」、投稿やコメントを参加者にしか公開しない「プライベート」の2種類があります。

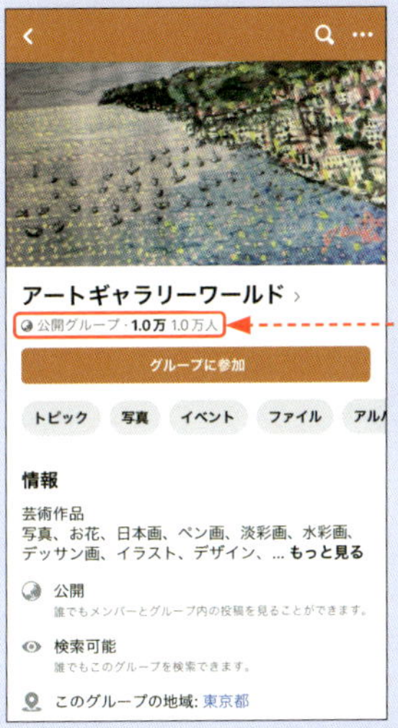

グループのページには、グループの名称とメンバーの人数が表示されています。自分の好きな分野のグループに参加して新たな交流ができるのもFacebookの楽しみの1つです。

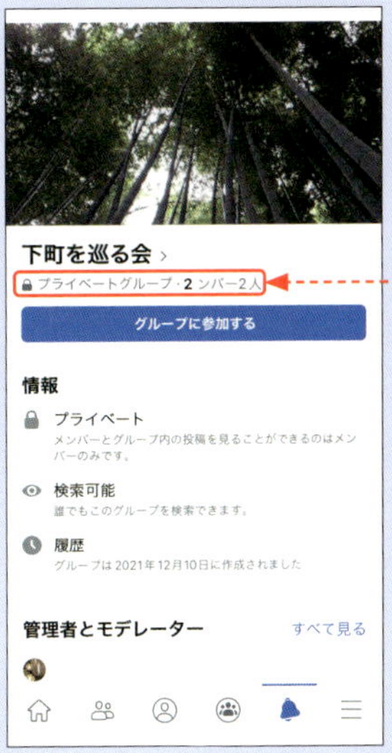

Facebookのグループは個人でもかんたんに作成できます。趣味を前面に出して広くメンバーを募るほか、仲間内で楽しくコミュニケーションを取る場としても利用できます。

Q グループ ★★★★★

419 » グループに参加したい！

A 参加したいグループを検索で探し出し、<グループに参加する>をタップします。

興味のある分野のキーワードを検索してみましょう。表示された候補で「メンバー○○人」などと書かれている項目がグループです。参加したいグループがあれば、<グループに参加する>をタップします。公開グループの場合はすぐに参加できますが、プライベートグループの場合はグループ管理者の承認が必要になります。承認されるとお知らせが届き、グループに参加できます。

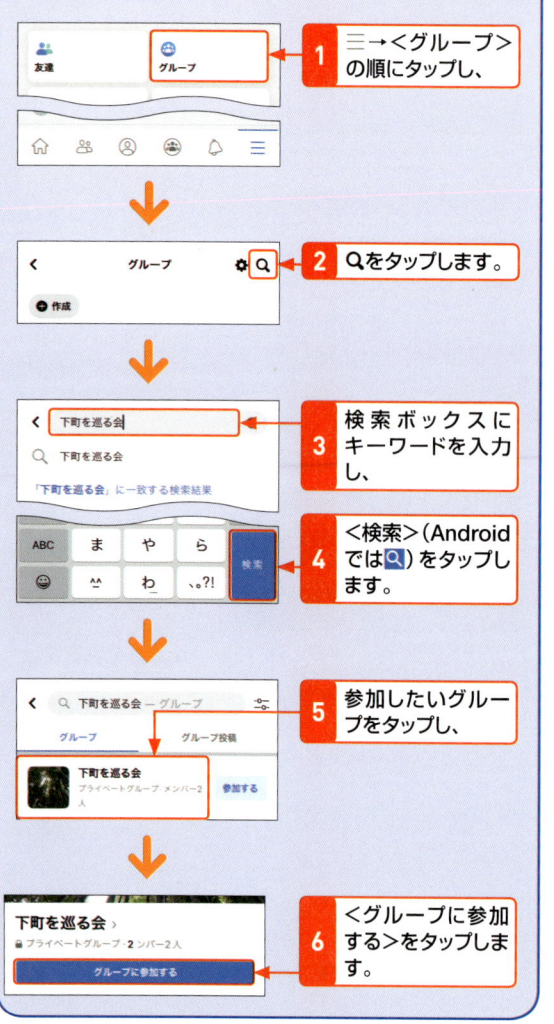

1 ☰→<グループ>の順にタップし、

2 🔍をタップします。

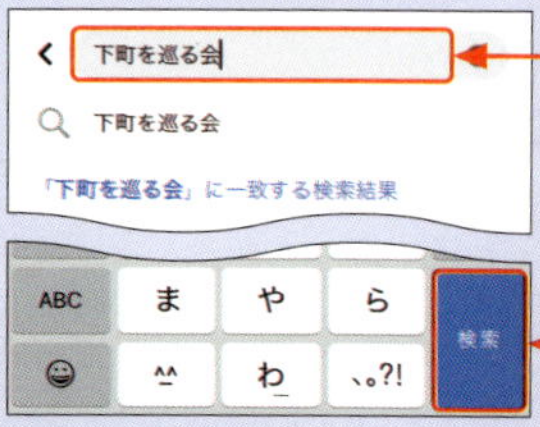

3 検索ボックスにキーワードを入力し、

4 <検索>（Androidでは🔍）をタップします。

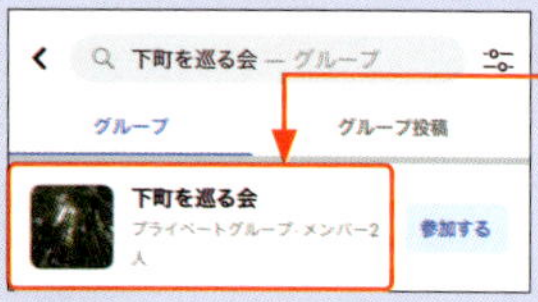

5 参加したいグループをタップし、

6 <グループに参加する>をタップします。

Q グループ ★★★★★

420 » グループを作成したい！

A 「グループ」画面で<作成>をタップして作成します。

好みのグループが見つからないときなどは、自分でグループを作成することができます。「グループ」画面で<作成>をタップし、グループ名を入力しましょう。グループの運営方法は、「公開」または「プライベート」のいずれかを設定できます。また、グループの検索可否についても設定できるので、扱うテーマなどにあわせて設定するとよいでしょう。

1 Q.419手順1を参考に「グループ」画面を表示し、

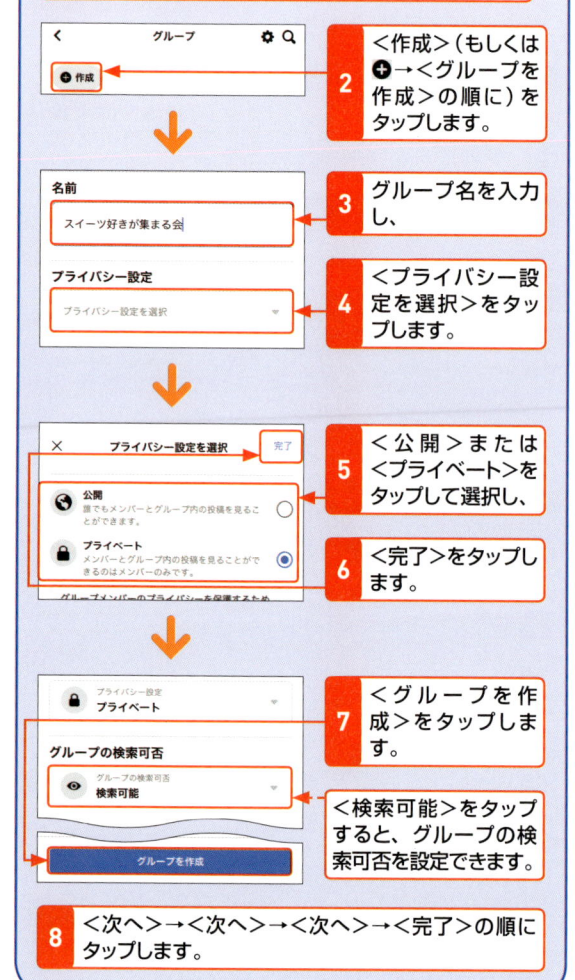

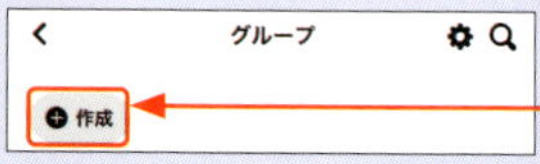

2 <作成>（もしくは➕→<グループを作成>の順に）をタップします。

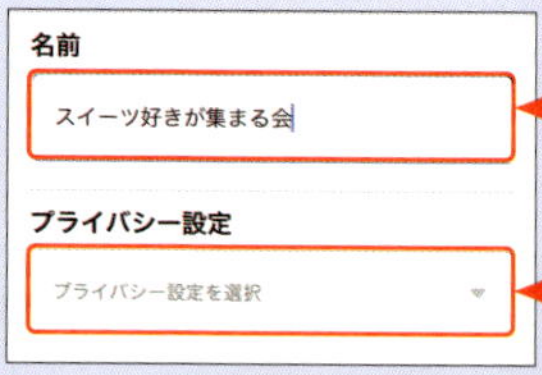

3 グループ名を入力し、

4 <プライバシー設定を選択>をタップします。

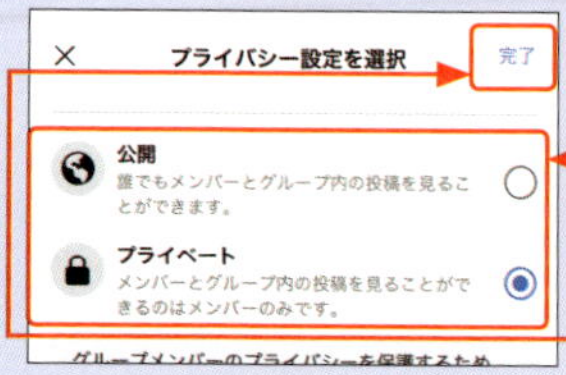

5 <公開>または<プライベート>をタップして選択し、

6 <完了>をタップします。

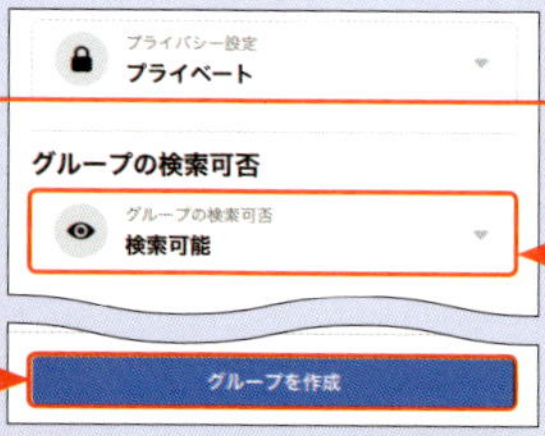

7 <グループを作成>をタップします。

<検索可能>をタップすると、グループの検索可否を設定できます。

8 <次へ>→<次へ>→<次へ>→<完了>の順にタップします。

Q グループ ★★★★★

421 » グループのカバー写真を設定するには？

A **<編集>をタップして、写真を選択します。**

「グループ」画面のカバー写真は自由に設定することができます。「グループ」画面で<編集>→<写真をアップロード>の順にタップして写真を選択します。「カメラロール」画面でをタップすると、その場で撮影した写真をカバー写真に設定できます。どんなグループなのかがひと目でわかるカバー写真を設定しましょう。

1 Q.419手順1を参考に「グループ」画面を表示し、<参加しているグループ>をタップして、作成した任意のグループをタップします。

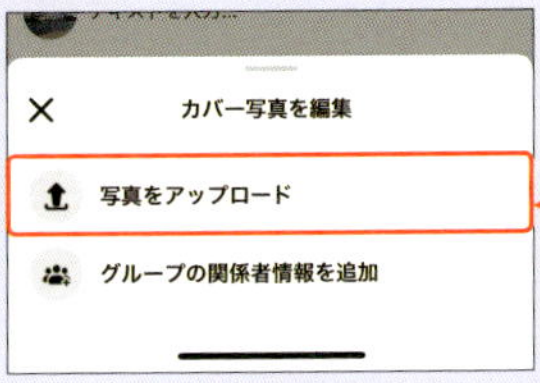

2 <編集>をタップし、

3 <写真をアップロード>をタップします。

4 写真をタップして選択し、

5 ドラッグして位置を調整して（Androidでは<完了>をタップしてから位置を調整し）、

6 <保存>（Androidでは<保存する>）をタップします。

Q グループ ★★★★★

422 » グループに投稿するには？

A **<テキストを入力>をタップして、通常の投稿と同じように投稿します。**

グループに参加すると、グループのメンバーどうしで自由に投稿できます。任意のグループの画面で<テキストを入力>をタップすると、通常の投稿と同じ画面で投稿が可能です。グループに投稿すると、グループのメンバーの「ニュースフィード」画面に投稿が表示され、「いいね！」やコメントを付けることもできます。

1 Q.421手順1を参考に任意のグループの画面を表示して、<テキストを入力>をタップします。

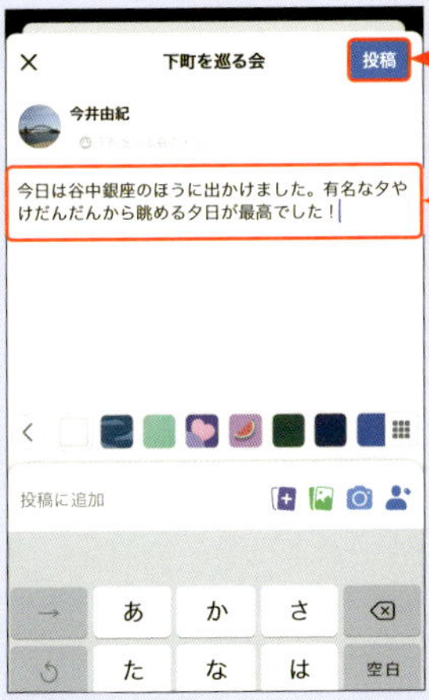

2 投稿内容を入力して、

3 <投稿>をタップします。

Q 423 グループ

グループに写真を投稿したい！

A ＜写真＞をタップして写真を選択します。

グループにも写真や動画を投稿できます。＜写真＞をタップし、投稿したい写真や動画を選択して＜投稿＞をタップすれば投稿完了です。投稿はグループのメンバーの「ニュースフィード」画面に表示されます。また、投稿した写真や動画は、グループの＜写真＞をタップすると確認できます。

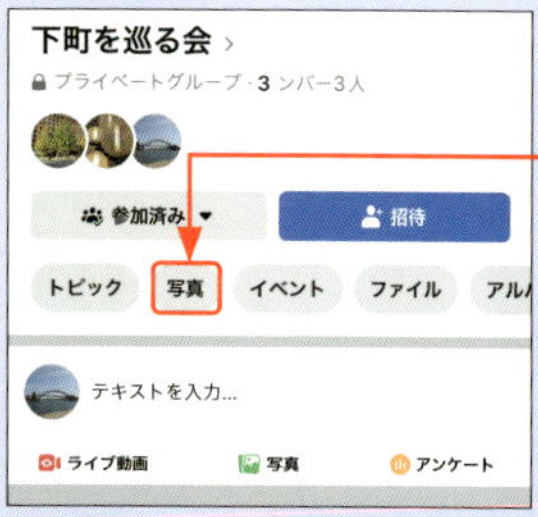

1 Q.421手順 1 を参考に任意のグループの画面を表示し、＜写真＞をタップします。

2 投稿したい写真をタップして選択し、

3 ＜完了＞（Androidでは＜次へ＞）をタップします。

4 投稿内容を入力し、

5 ＜投稿＞をタップします。

Q 424 グループ

グループにアンケートを投稿するには？

A ＜アンケート＞をタップして投稿します。

＜アンケート＞をタップすると、グループのメンバー向けにアンケートを投稿することができます。作成方法は、アンケートの質問を記入し、回答を複数用意します。メンバーがアンケートに答えると、集計結果がリアルタイムに表示されます。

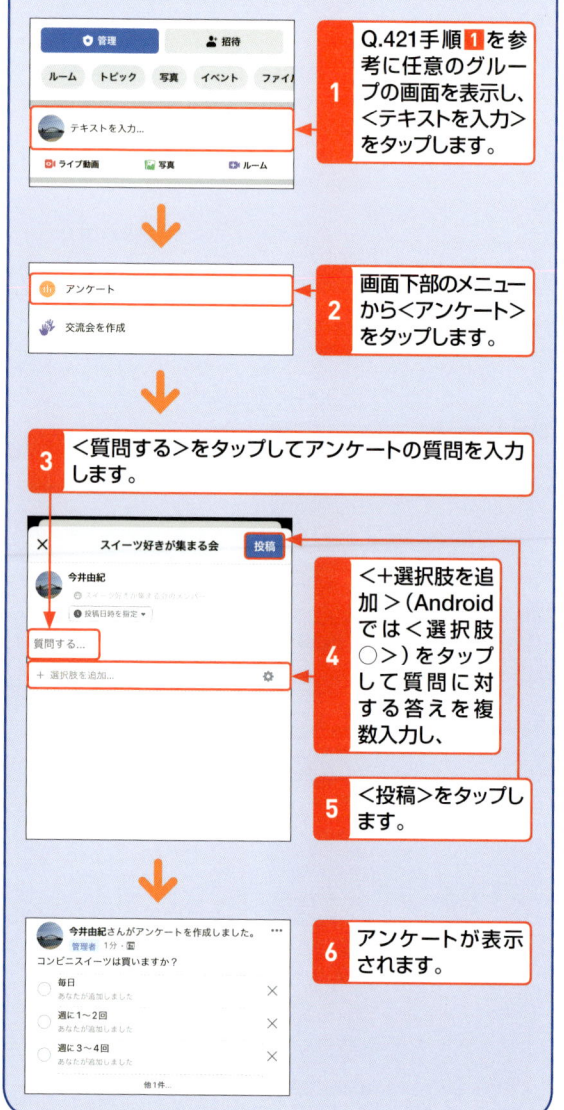

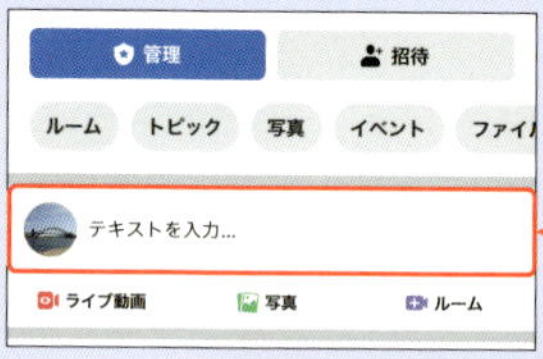

1 Q.421手順 1 を参考に任意のグループの画面を表示し、＜テキストを入力＞をタップします。

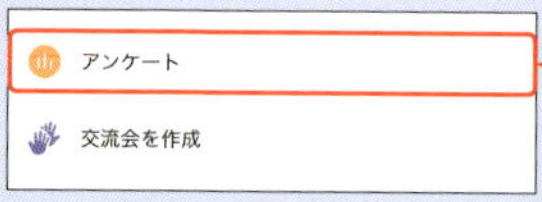

2 画面下部のメニューから＜アンケート＞をタップします。

3 ＜質問する＞をタップしてアンケートの質問を入力します。

4 ＜+選択肢を追加＞（Androidでは＜選択肢○＞）をタップして質問に対する答えを複数入力し、

5 ＜投稿＞をタップします。

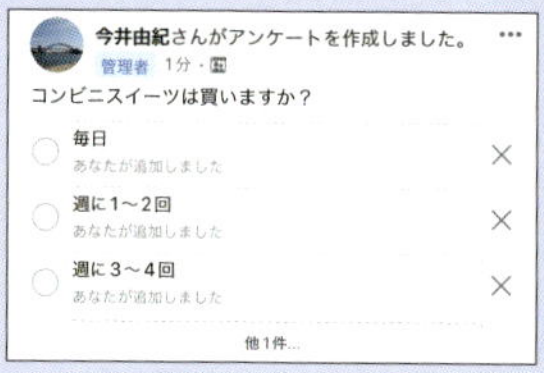

6 アンケートが表示されます。

Q グループ ★★★★★

425 » グループの公開範囲を限定したい！

A 「グループ設定」画面から行います。

グループの公開範囲には、誰でも参加できて投稿も閲覧できる「公開」と、投稿はメンバーのみに公開され、グループの存在や参加メンバーは公開される「プライベート」の2種類があります。グループの公開範囲は「公開」で作成した場合のみ変更することができます。「プライベート」で作成した場合は、プライバシー保護の観点から、あとから設定を変更することはできません。

1 Q.421手順1を参考に作成した任意のグループの画面を表示し、<管理>（Androidでは⚙）をタップして、

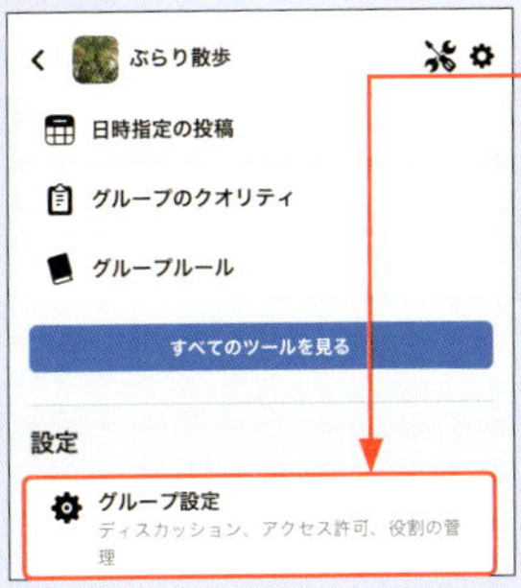

2 <グループ設定>をタップします。

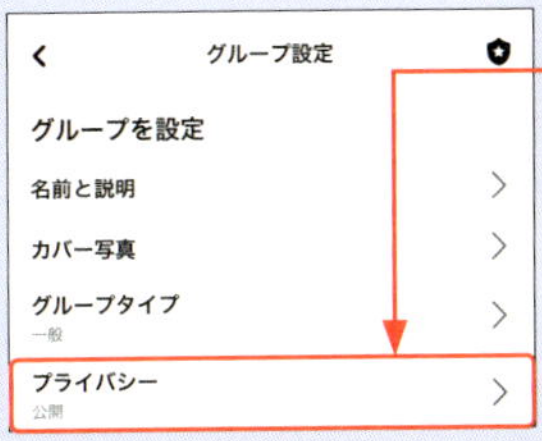

3 <プライバシー>をタップします。

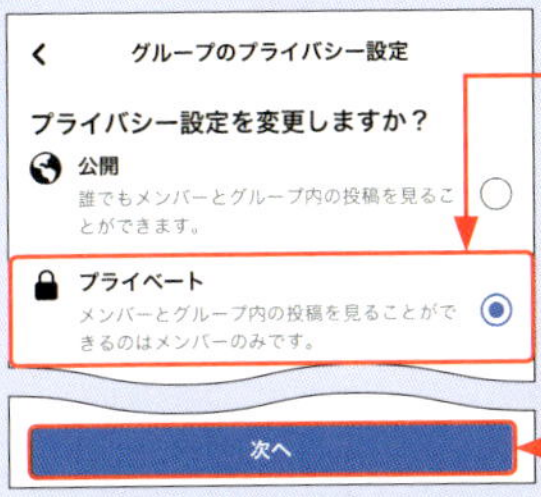

4 <プライベート>をタップして選択し、

5 <次へ>→<次へ>→<プライバシー設定を変更>の順にタップします。

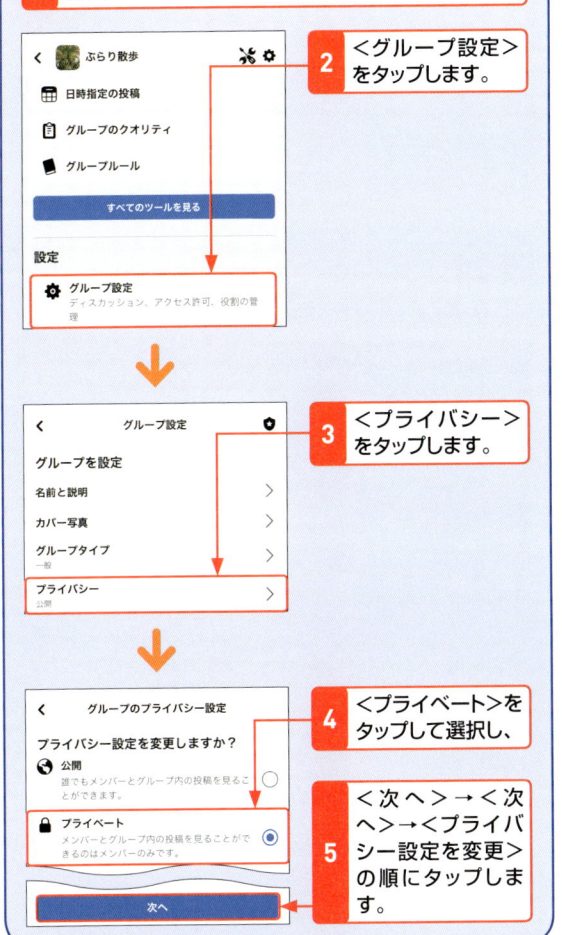

Q グループ ★★★★★

426 » グループを退会するには？

A <参加済み>をタップして<グループを退会>をタップします。

「グループが増えたので整理したい」「しばらく動きがないのでグループを退会したい」というときは、グループから退会しましょう。「グループ」画面で<参加済み>をタップして、<グループを退会>をタップし、確認画面で<グループを退会>をタップすれば退会できます。なお、退会してもメンバーに通知されることはありません。

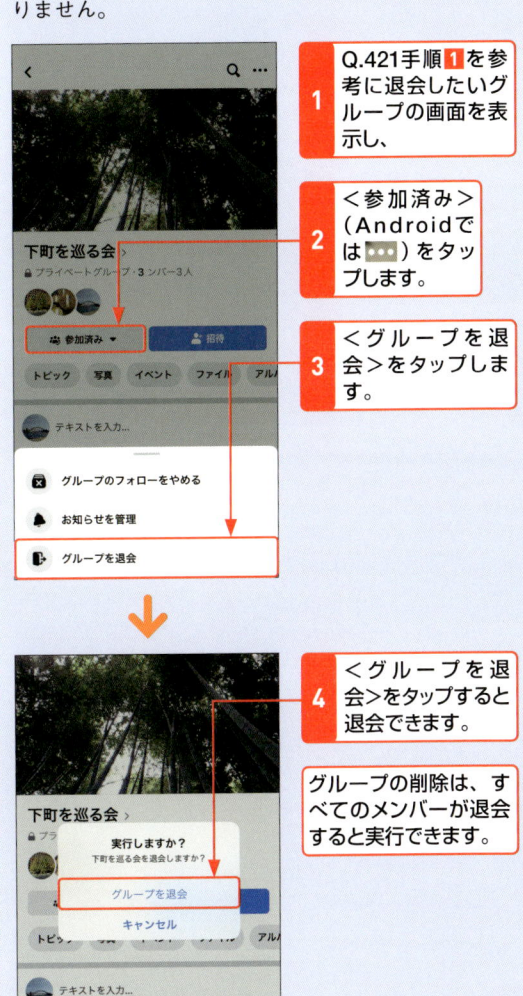

1 Q.421手順1を参考に退会したいグループの画面を表示し、

2 <参加済み>（Androidでは…）をタップします。

3 <グループを退会>をタップします。

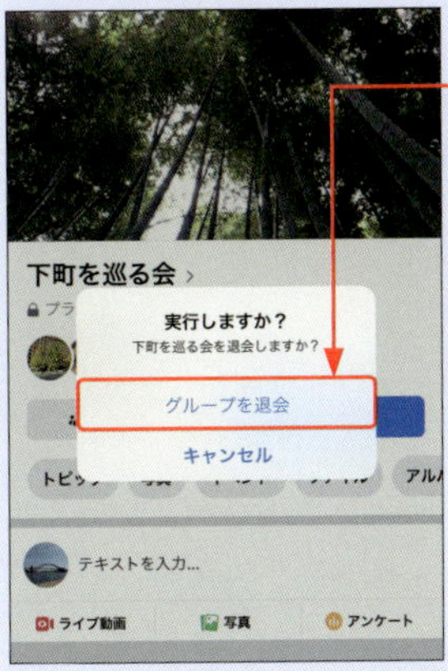

4 <グループを退会>をタップすると退会できます。

グループの削除は、すべてのメンバーが退会すると実行できます。

Q Messenger ★★★★★

427 » 友達とメッセージを直接やり取りしたい！

A Facebookの関連アプリ<Messenger>アプリを使います。

Facebookの友達と直接やり取りしたい場合は、<Messenger>アプリが便利です。<Messenger>アプリは、すばやくメッセージのやり取りができるうえ、テキストだけでなく画像の送付や音声通話も可能です。また、複数人でメッセージをやり取りしたり、パソコン版のFacebookとチャットしたりすることも可能です。

1 <App Store>（Androidでは<Playストア>）を起動して「Messenger」を検索し、<入手>→<インストール>（Androidでは<インストール>）の順にタップしてインストールします。

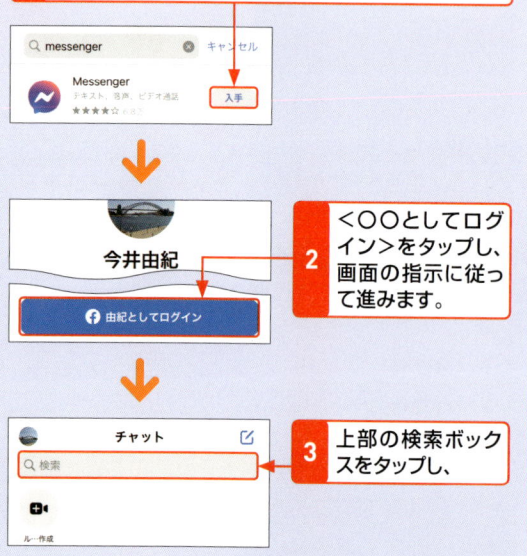

2 <〇〇としてログイン>をタップし、画面の指示に従って進みます。

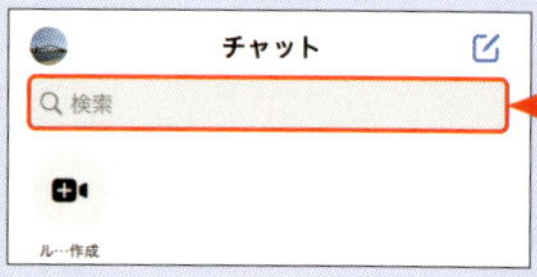

3 上部の検索ボックスをタップし、

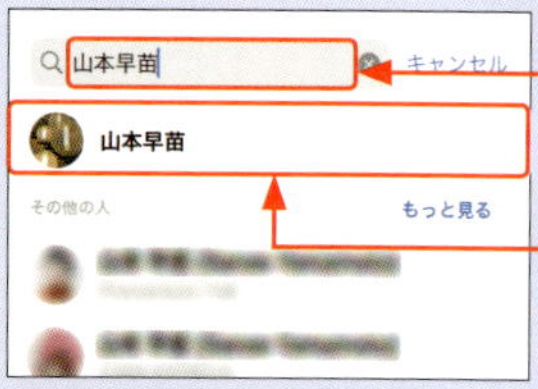

4 友達の名前を入力して、

5 候補からタップします。

6 入力ボックスにメッセージを入力し、➤をタップして送信します。

Q Messenger ★★★★★

428 » Messengerで写真を送信したい！

A 🖼をタップして写真を送信します。

<Messenger>アプリでは写真や動画を送信することができます。🖼をタップして送信したい写真を選択し、<送信>をタップすると写真を送付できます。また、📷をタップすると、その場で写真を撮影したり、<動画>をタップして動画を撮影したりして送信することもできます。

1 ホーム画面で<Messenger>をタップして起動し、写真を送信したい相手やグループをタップします。

2 🖼をタップします。

3 写真が表示されます。上下にスワイプして送付したい写真をタップします。

4 <送信>をタップします。

<編集>をタップすると、テキストを追加したり、大きさを調整したりするなどの加工が行えます。

Q 429 Messenger ★★★★★

Messengerでスタンプを送信したい!

A ☺をタップし、スタンプを選択して送信します。

＜Messenger＞アプリにはスタンプを送信する機能があります。☺をタップして送りたいスタンプをタップすると、すぐに相手に送信されます。また、GIFをタップするとGIFアニメを送付でき、🔊をタップするとサウンド付きの絵文字を送ることができます。

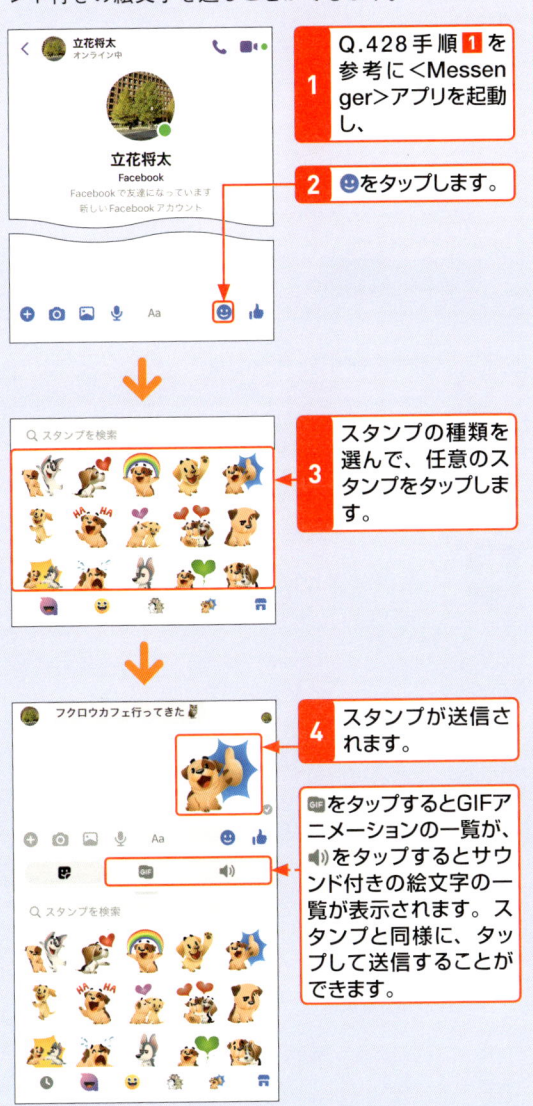

1 Q.428手順1を参考に＜Messenger＞アプリを起動し、

2 ☺をタップします。

3 スタンプの種類を選んで、任意のスタンプをタップします。

4 スタンプが送信されます。

GIFをタップするとGIFアニメーションの一覧が、🔊をタップするとサウンド付きの絵文字の一覧が表示されます。スタンプと同様に、タップして送信することができます。

Q 430 Messenger ★★★★★

Messengerでリアクションをしたい!

A メッセージを長押しします。

さまざまな感情をワンタップで送ることができる「リアクション」機能は、＜Messenger＞アプリでも利用できます。相手が発信したメッセージを長押しすると、リアクションアイコンが表示され、タップして選択すると相手のメッセージに「リアクション」を付けることができます。リアクションアイコンをタップすると、誰が何のリアクションを付けたのかを確認できます。

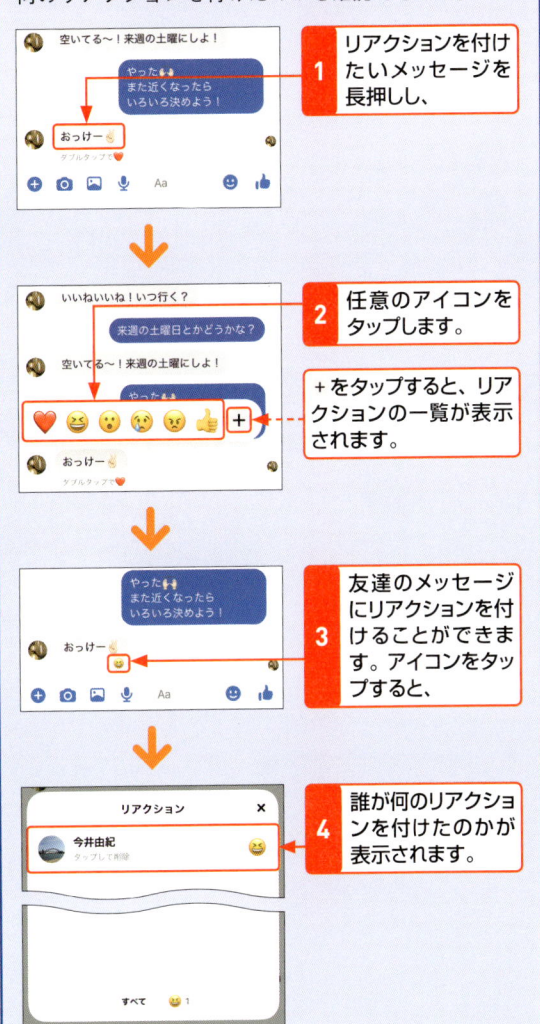

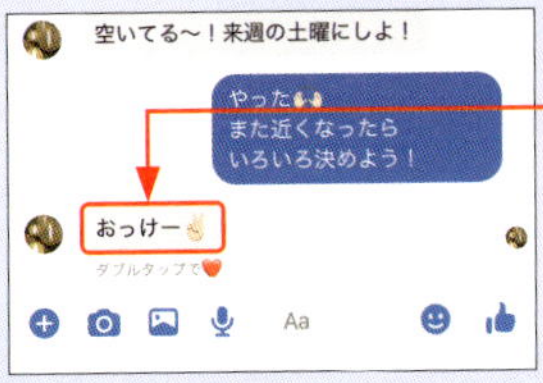

1 リアクションを付けたいメッセージを長押しし、

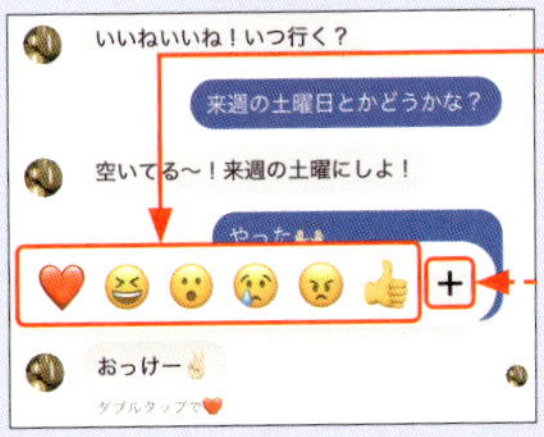

2 任意のアイコンをタップします。

＋をタップすると、リアクションの一覧が表示されます。

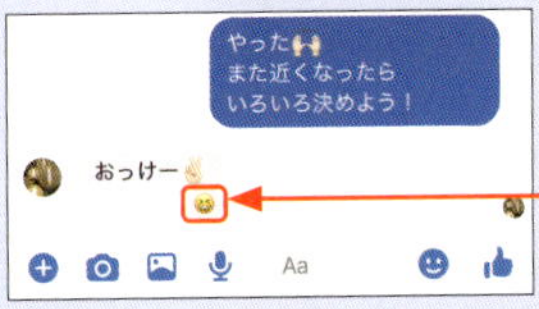

3 友達のメッセージにリアクションを付けることができます。アイコンをタップすると、

4 誰が何のリアクションを付けたのかが表示されます。

Q Messenger ★★★★★

431 » Messengerを オフライン状態にしたい!

A 「オンライン状態を表示する」を オフにします。

<Messenger>アプリでメッセージを受け取りたいけれど、移動中や仕事中でメッセージのやり取りはできないときに便利なのが、オフライン機能です。オンラインの状態では名前の横に●が表示されますが、オフに切り替えると●が消えるので、友達に「今はメッセージをやり取りできない」と伝えることができます。なお、Messengerがオフでもメッセージの送受信はできます。

1 Q.428手順1を参考に<Messenger>アプリを起動し、

2 画面左上のプロフィールアイコンをタップします。

3 <オンラインのステータス>をタップします。

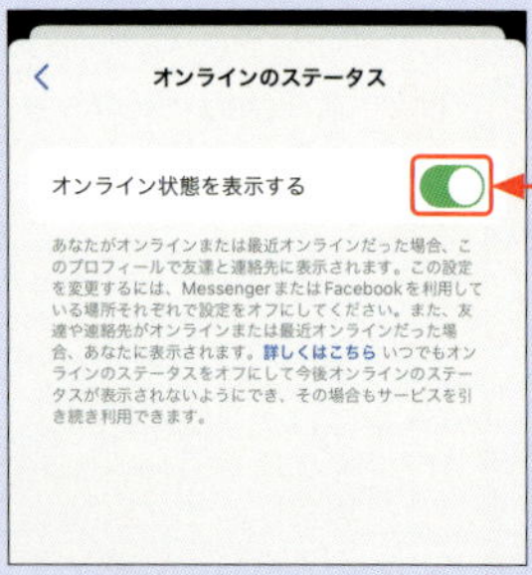

4 「オンライン状態を表示する」の→<オフにする>の順にタップします。

Q Messenger ★★★★★

432 » Messengerで 通話するには?

A をタップします。

<Messenger>アプリのをタップすると、相手に音声通話をかけることができます。1対1の通話だけでなく、複数人によるグループ通話にも対応しています。グループのチャット画面でをタップすれば、かんたんにグループ通話が行えます。

1 通話したい友達やグループのチャット画面を表示し、をタップします。

Q Messenger ★★★★★

433 » Messengerで ビデオ通話するには?

A をタップします。

<Messenger>アプリのをタップすると、ビデオ通話が行えます。ビデオ通話の画面には自分側の映像と相手側の映像の両方が映し出され、顔を見ながら話すことができます。ビデオ通話は最大6人までグループで利用することが可能で、6人の映像が1画面にいっせいに表示された状態で通話することができます。

1 チャット画面を表示し、をタップします。

グループ通話なら、通話している人数分の映像が画面に表示されます。

第4章

Facebookの各種設定

Q 通知設定 ★★★★★

434 » 不要な通知を止めたい！

A 「設定とプライバシー」画面で<お知らせ>をタップします。

Facebookでは、投稿にコメントがあったときやタグ付けされたとき、友達が近況をアップデートしたときや友達リクエストがあったときなどに通知が届きます。通知が多くて大変なときは、不要な通知はオフにしておきましょう。「設定とプライバシー」画面で<お知らせ>をタップすると、項目ごとに通知のオン／オフを設定できます。

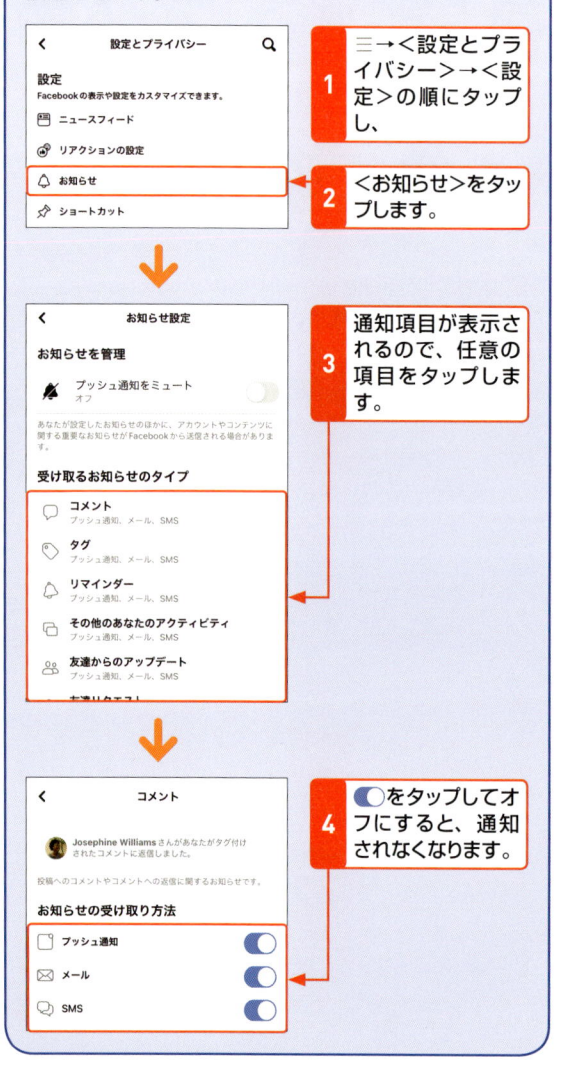

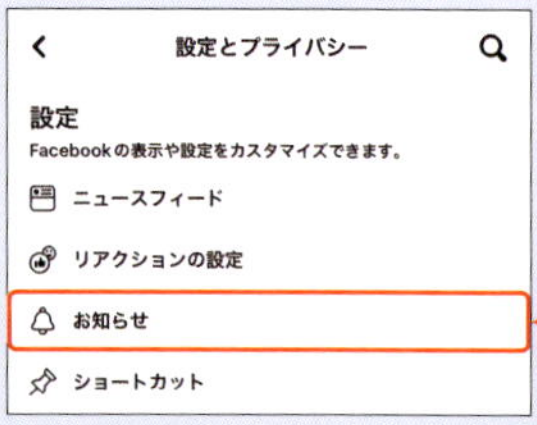

1 ☰→<設定とプライバシー>→<設定>の順にタップし、

2 <お知らせ>をタップします。

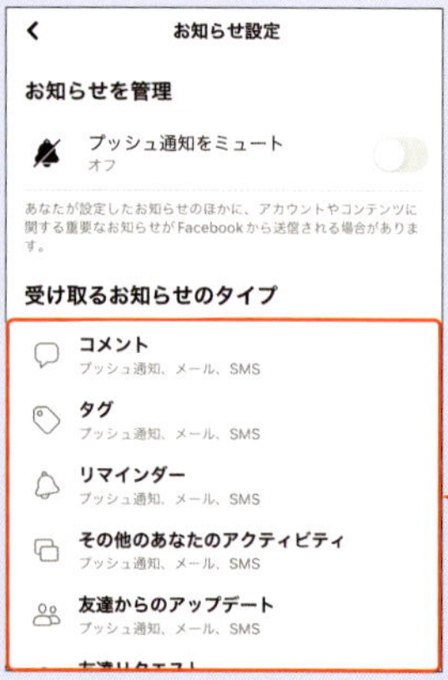

3 通知項目が表示されるので、任意の項目をタップします。

4 ●をタップしてオフにすると、通知されなくなります。

Q 通知設定 ★★★★★

435 » メールでの通知を設定するには？

A 「設定とプライバシー」画面で<お知らせ>をタップします。

Facebookに友達から投稿があったり、自分の投稿に「いいね！」やコメントが付いたりしたときに、メールにお知らせが届くと情報を見逃さずに済みます。「設定とプライバシー」画面で<お知らせ>をタップし、<メールアドレス>をタップして設定します。お知らせの頻度が多くて不便なときは、<アカウントに関するお知らせのみ>をタップしましょう。

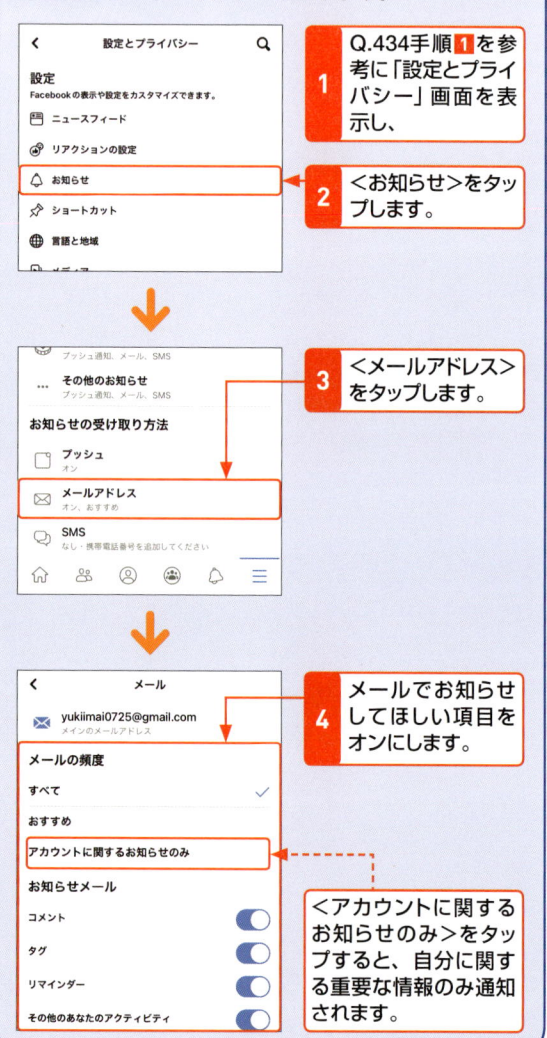

1 Q.434手順1を参考に「設定とプライバシー」画面を表示し、

2 <お知らせ>をタップします。

3 <メールアドレス>をタップします。

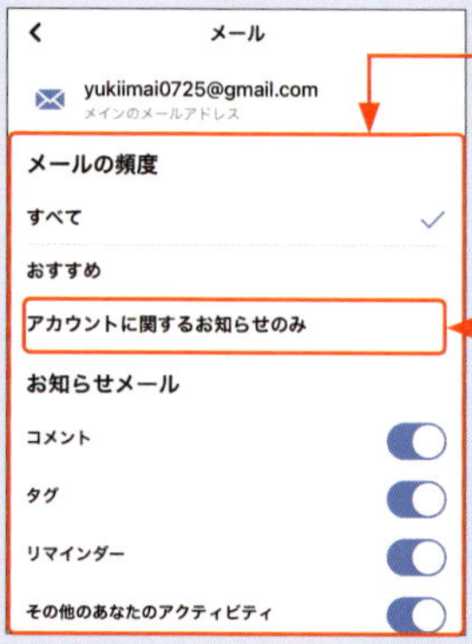

4 メールでお知らせしてほしい項目をオンにします。

<アカウントに関するお知らせのみ>をタップすると、自分に関する重要な情報のみ通知されます。

Q 436 通知設定 ★★★★★

プロフィールを検索エンジンの検索対象から外すには？

A 検索エンジンによるプロフィールページへのリンクを許可しない設定にします。

Facebookのプロフィールページには、Facebookに投稿した写真や個人情報が掲載されています。しかし、初期設定のまま使用していると、Googleなどで名前を検索した際に、Facebookのプロフィールページが検出され、掲載している写真や個人情報が見られてしまいます。外部の検索エンジンで検出されないようにしたい場合は、「検索と連絡に関する設定」画面から設定を行いましょう。

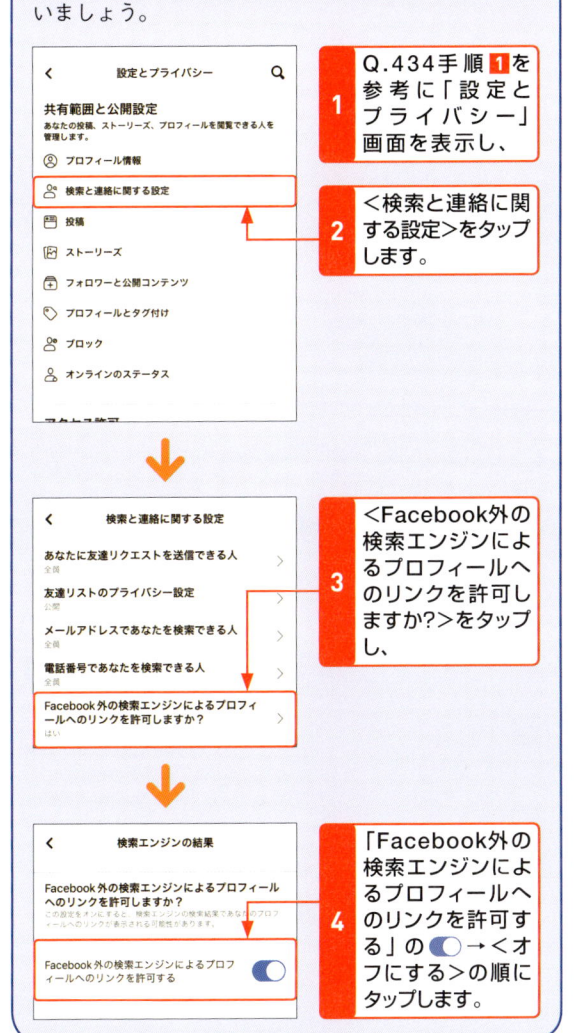

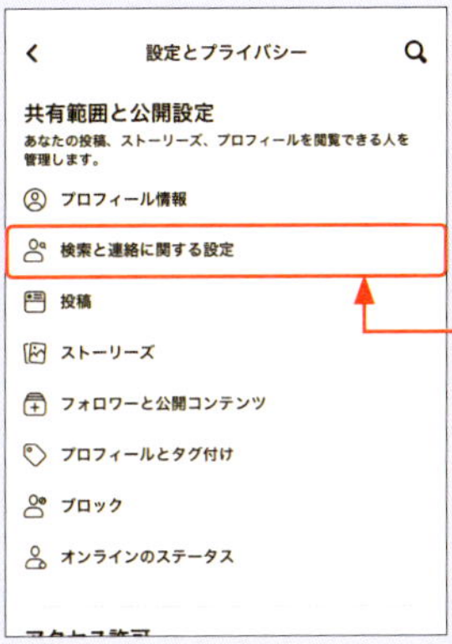

1 Q.434手順1を参考に「設定とプライバシー」画面を表示し、

2 <検索と連絡に関する設定>をタップします。

3 <Facebook外の検索エンジンによるプロフィールへのリンクを許可しますか?>をタップし、

4 「Facebook外の検索エンジンによるプロフィールへのリンクを許可する」の(トグル)→<オフにする>の順にタップします。

Q 437 通知設定 ★★★★☆

誕生日の通知をオフにしたい！

A 「基本データ」画面で<編集>をタップし、誕生日を「自分のみ」に設定します。

Facebookでは誕生日の登録が必須です。誕生日当日になると友達に通知されるため、タイムラインやニュースフィードが友達のコメントで埋め尽くされて、ほかの投稿が探しづらくなる場合があります。誕生日の公開範囲を「自分のみ」に設定しておけば、誕生日の通知をオフにできます。

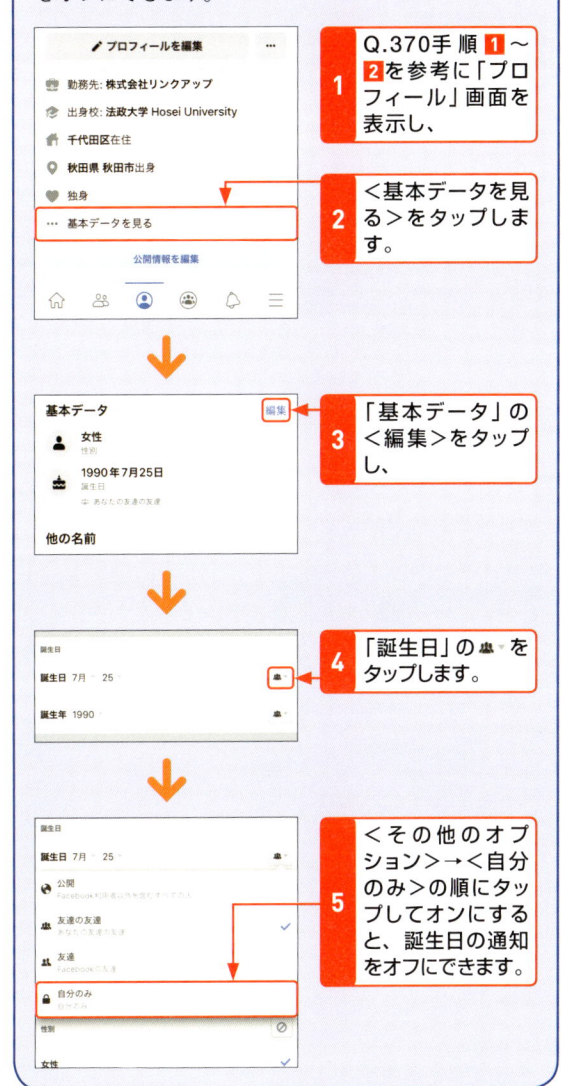

1 Q.370手順1～2を参考に「プロフィール」画面を表示し、

2 <基本データを見る>をタップします。

3 「基本データ」の<編集>をタップし、

4 「誕生日」の(公開範囲アイコン)をタップします。

5 <その他のオプション>→<自分のみ>の順にタップしてオンにすると、誕生日の通知をオフにできます。

Q セキュリティ ★★★★★

438 » 不正なログインを通知するには？

A ＜ログインアラートをオンにする＞をタップして設定します。

セキュリティ設定を行わないと、なりすましや不正アクセスが行われる危険性があります。不正アクセスを防止するために設定したいのが「ログインアラート」です。自分のスマートフォン以外の端末からFacebookにログインされた場合に、アラートが「お知らせ」に届くように設定しましょう。身に覚えのないログインがあった場合は、すぐにパスワードを変更し、Facebookに通知しましょう。

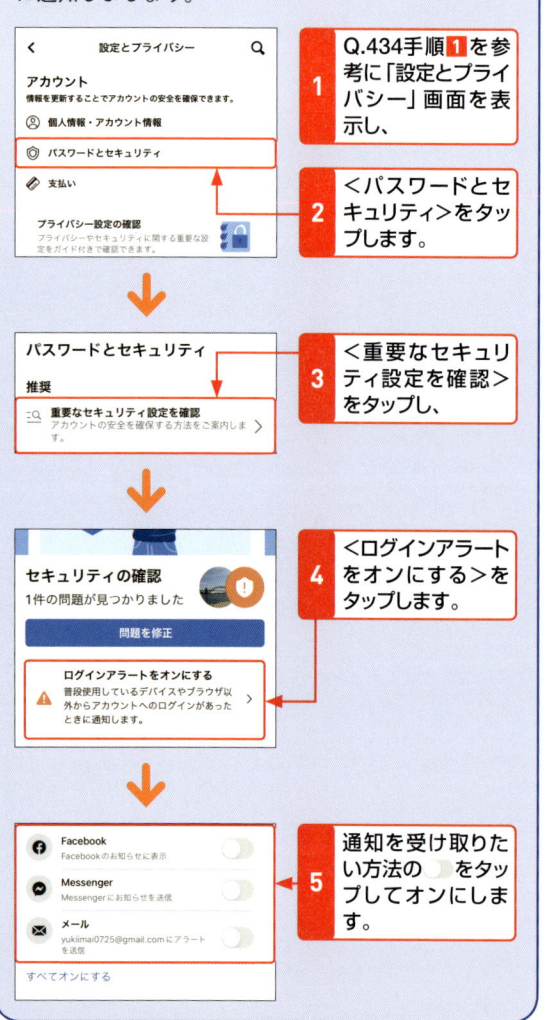

1 Q.434手順1を参考に「設定とプライバシー」画面を表示し、

2 ＜パスワードとセキュリティ＞をタップします。

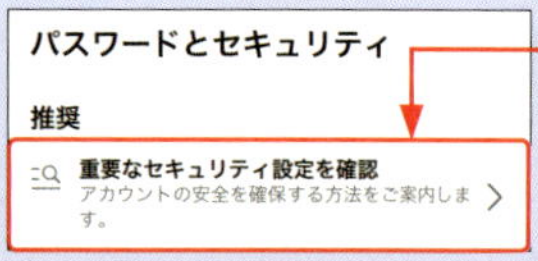

3 ＜重要なセキュリティ設定を確認＞をタップし、

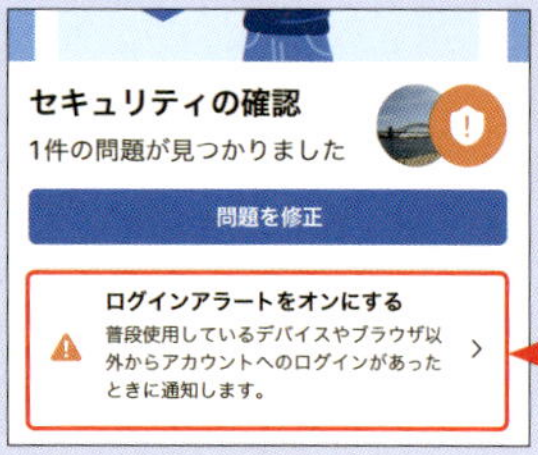

4 ＜ログインアラートをオンにする＞をタップします。

5 通知を受け取りたい方法の をタップしてオンにします。

Q セキュリティ ★★★★★

439 » 「信頼できる連絡先」を設定しておきたい！

A 信頼できる友達を3人以上登録します。

スマートフォンの紛失や、再ログインできないなどの緊急事態に備えて、「信頼できる連絡先」として連絡が取れる友達を3人以上登録しておきましょう。緊急事態が起きた場合、「信頼できる連絡先」を活用すれば友達にURLが送信されます。友達がURLをタップし、そこに記載されているセキュリティコードを教えてもらえば、ログインやパスワードの再設定が行えます。

1 Q.438手順1〜2を参考に「パスワードとセキュリティ」画面を表示し、

2 ＜アカウントにアクセスできなくなった時に助けてもらう友達を3〜5人選択＞をタップします。

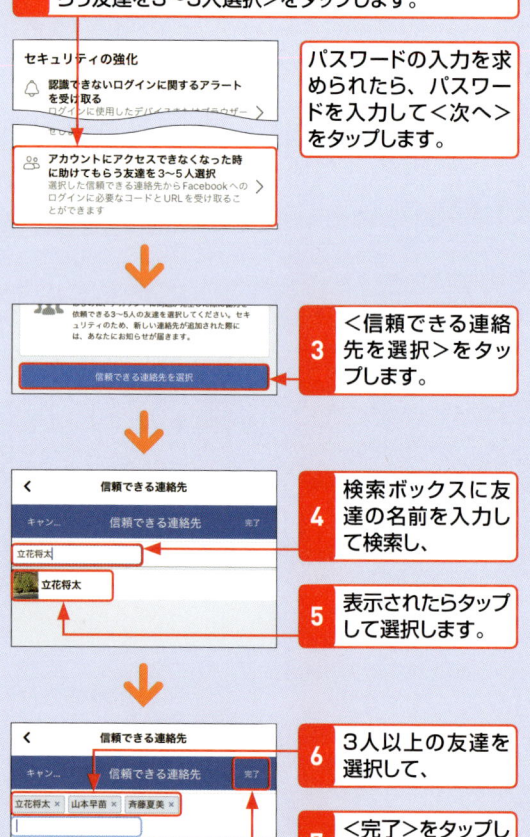

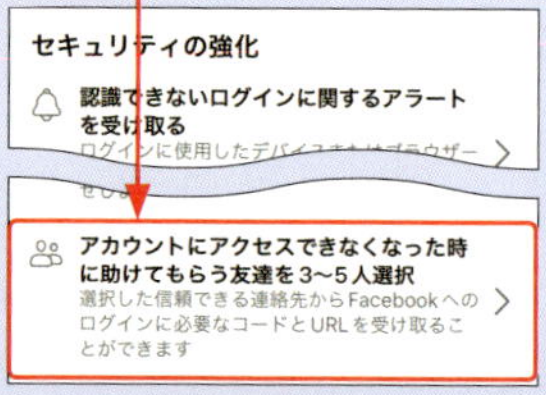

パスワードの入力を求められたら、パスワードを入力して＜次へ＞をタップします。

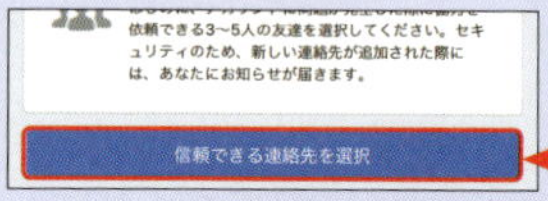

3 ＜信頼できる連絡先を選択＞をタップします。

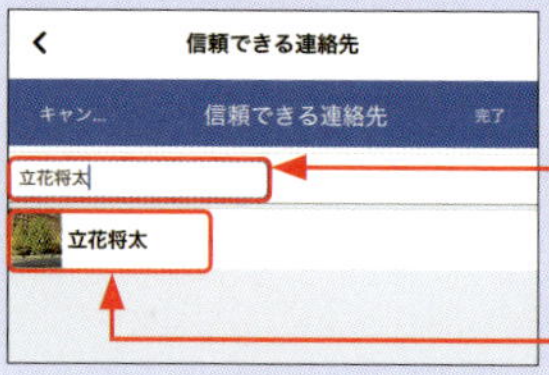

4 検索ボックスに友達の名前を入力して検索し、

5 表示されたらタップして選択します。

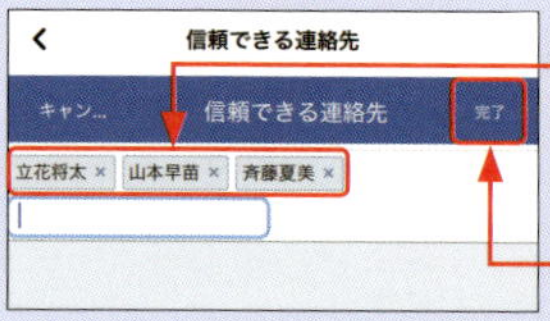

6 3人以上の友達を選択して、

7 ＜完了＞をタップします。

Q セキュリティ ★★★★★

440 » パスワードを変更したい！

A 「パスワードとセキュリティ」画面で＜パスワードを変更＞をタップして変更します。

セキュリティに不安を感じたら、まずはパスワードを変更しましょう。パスワードの変更は「パスワードとセキュリティ」画面から行います。パスワードを変更するには、これまでのパスワードと、新たに設定するパスワードの両方を入力する必要があります。パスワード変更後はセキュリティを守るため、＜他のデバイスを確認＞をタップし、ログアウトを行いましょう。

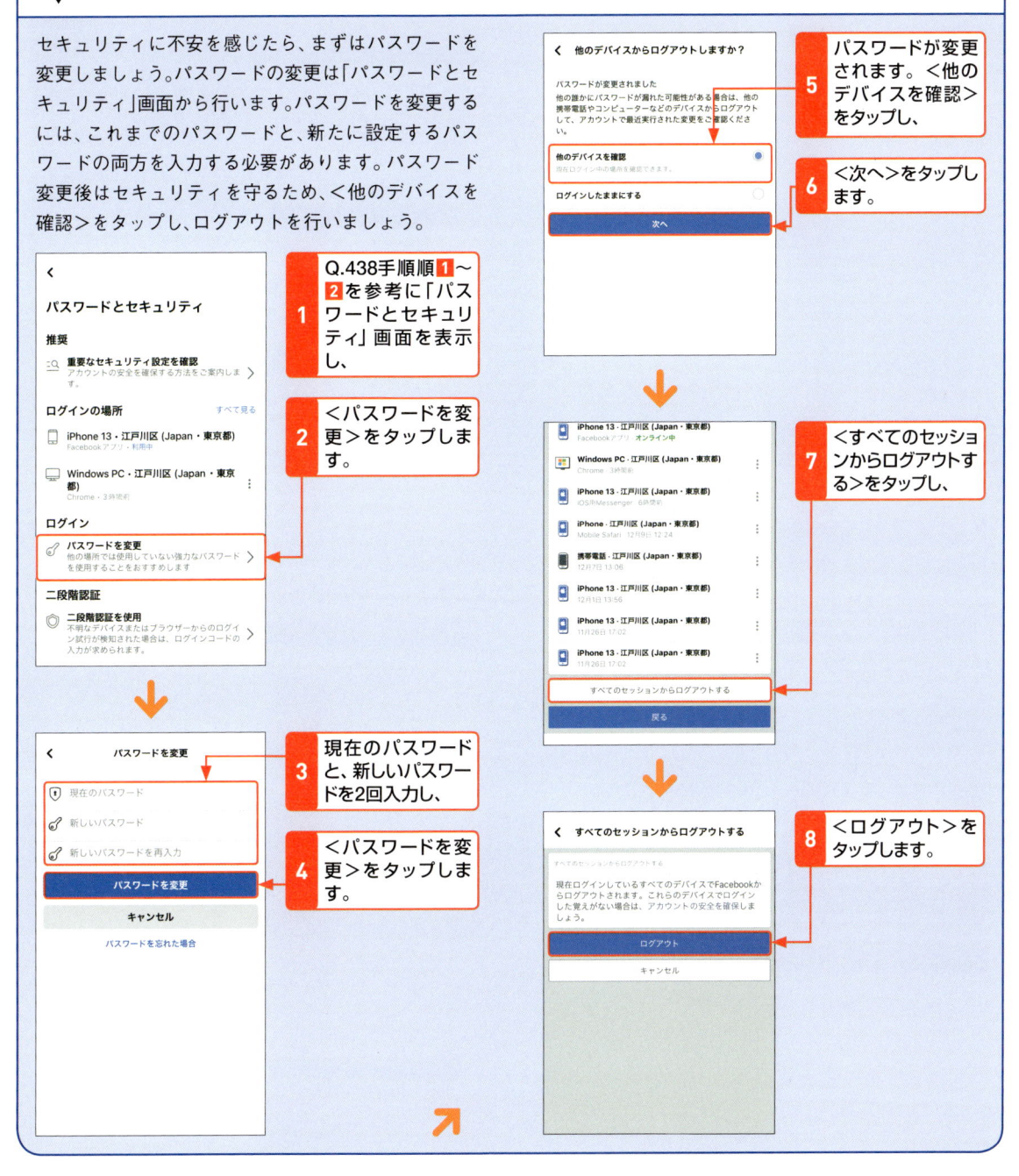

1 Q.438手順順1～2を参考に「パスワードとセキュリティ」画面を表示し、

2 ＜パスワードを変更＞をタップします。

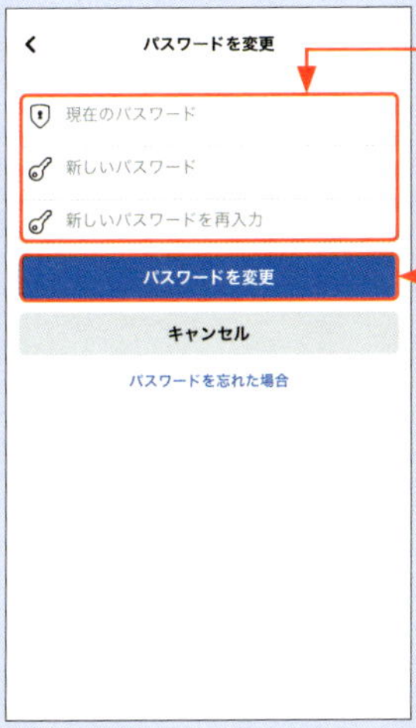

3 現在のパスワードと、新しいパスワードを2回入力し、

4 ＜パスワードを変更＞をタップします。

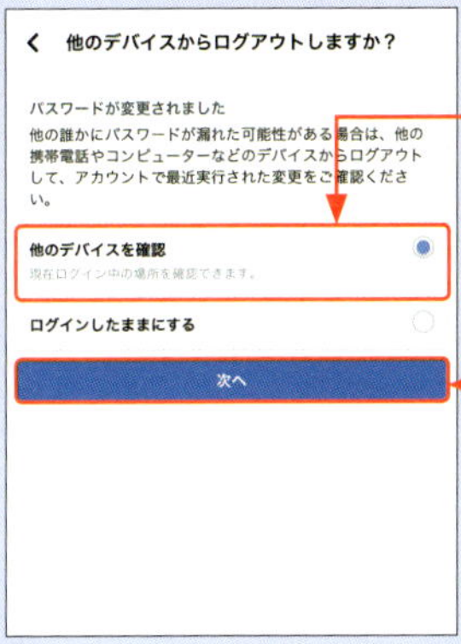

5 パスワードが変更されます。＜他のデバイスを確認＞をタップし、

6 ＜次へ＞をタップします。

7 ＜すべてのセッションからログアウトする＞をタップし、

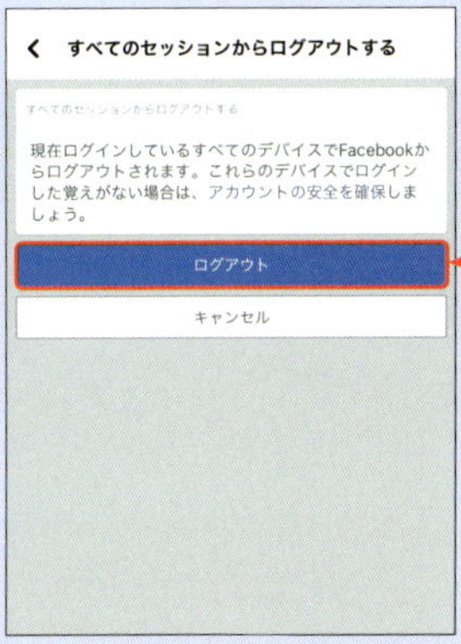

8 ＜ログアウト＞をタップします。

Q セキュリティ ★★★★★

441 » 忘れてしまったパスワードを再設定するには？

A ログアウトして<パスワードを忘れた場合>をタップし、再設定を行います。

万が一パスワードを忘れてしまったら、必ず再設定を行いましょう。<Facebook>アプリからログアウトして、自分のアカウントを検索します。同姓同名のユーザーがいても、プロフィールアイコンを設定していれば自分のアカウントか判断できます。認証コードを受け取ることで自分自身のアカウントであると証明し、そのうえで新しいパスワードを設定します。

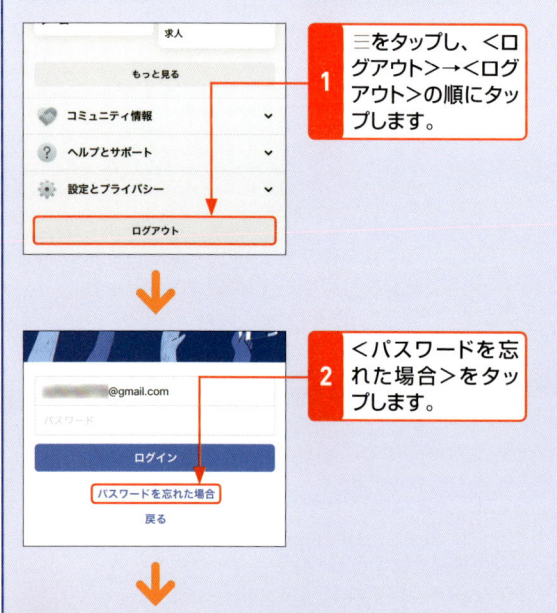

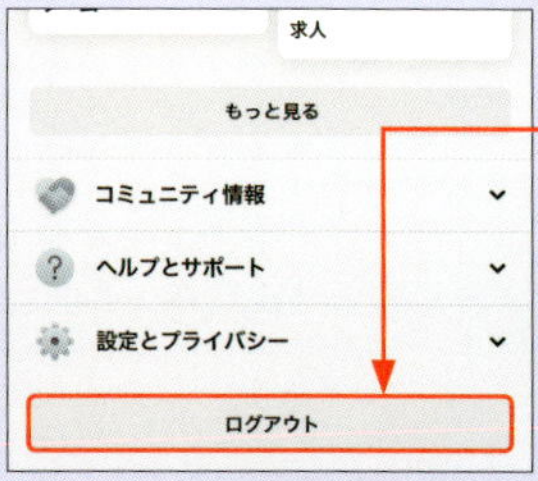

1 ☰をタップし、<ログアウト>→<ログアウト>の順にタップします。

2 <パスワードを忘れた場合>をタップします。

3 検索ボックスにFacebookに登録している名前、メールアドレス、電話番号のいずれかを入力して検索します（Androidでは電話番号を入力するか、<メールアドレスで検索>をタップしてメールアドレスを入力し、<アカウントを検索>をタップして、画面の指示に従って設定します）。

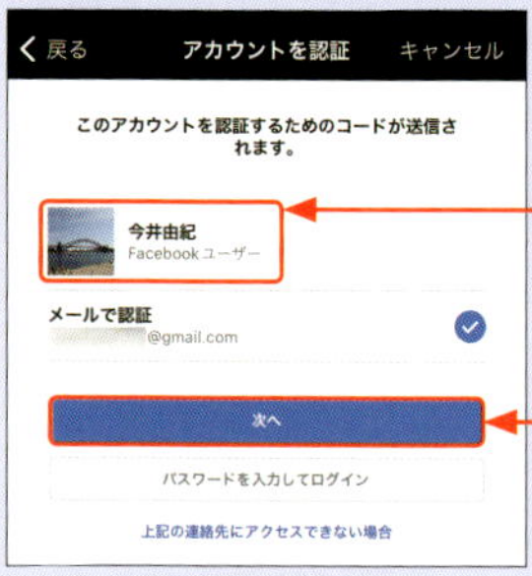

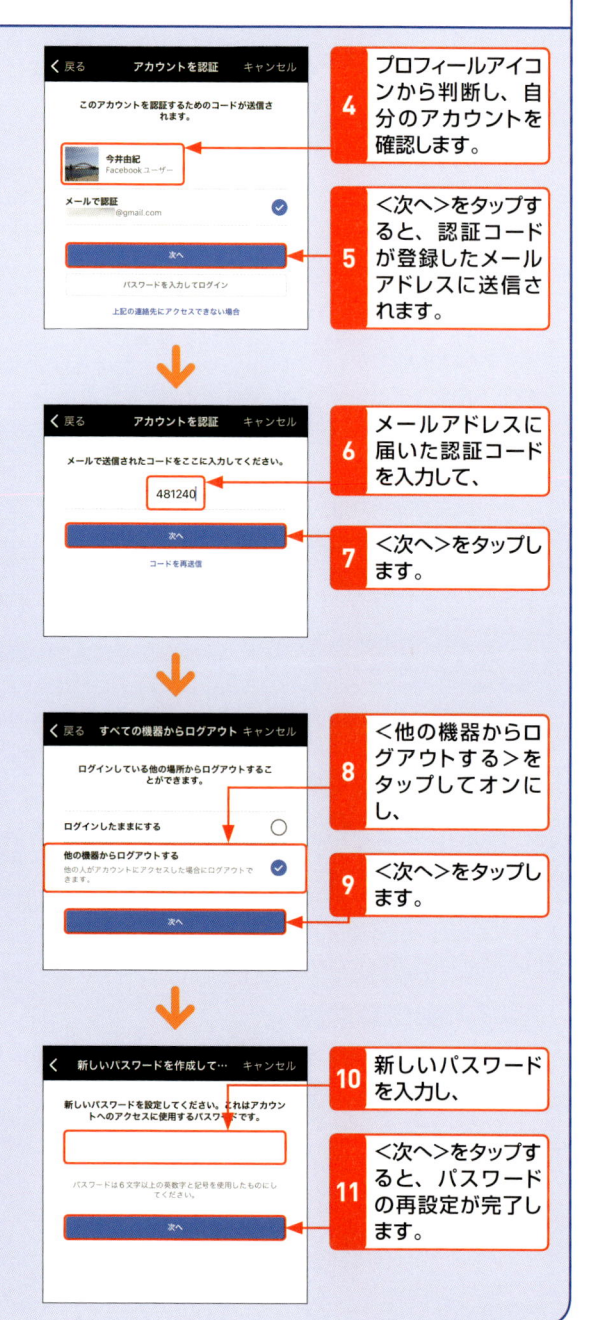

4 プロフィールアイコンから判断し、自分のアカウントを確認します。

5 <次へ>をタップすると、認証コードが登録したメールアドレスに送信されます。

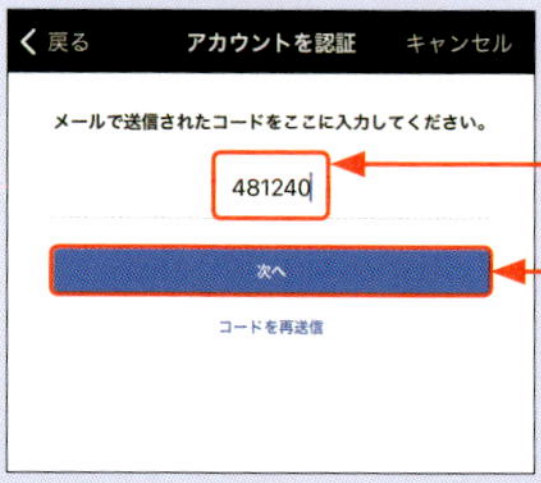

6 メールアドレスに届いた認証コードを入力して、

7 <次へ>をタップします。

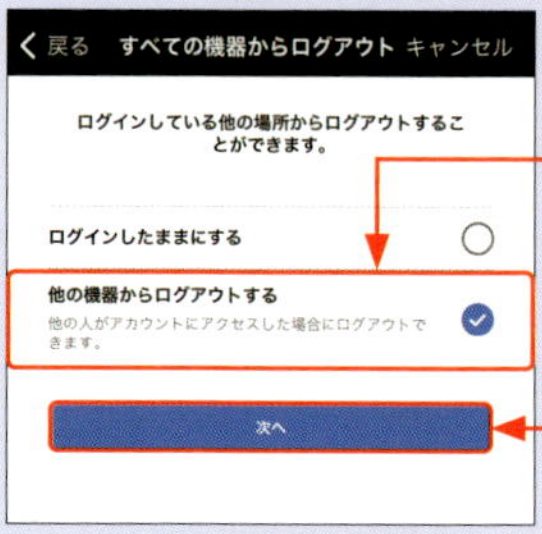

8 <他の機器からログアウトする>をタップしてオンにし、

9 <次へ>をタップします。

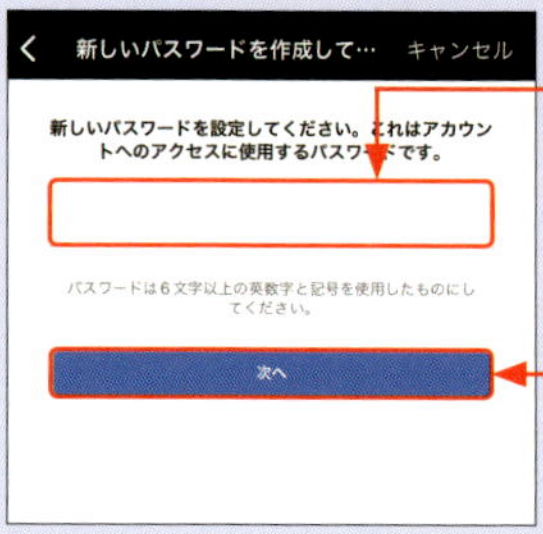

10 新しいパスワードを入力し、

11 <次へ>をタップすると、パスワードの再設定が完了します。

Q セキュリティ ★★★★

442 »「追悼アカウント管理人」って何？

A 自分が亡くなった場合に、責任をもってFacebookを操作する人です。

自分が亡くなったときに、アカウントをそのまま放置するのはあまりよいことではないでしょう。そのようなときに活用したいのが追悼アカウント管理人です。管理人はあなたが亡くなったことをFacebookに投稿して最後のメッセージをプロフィールに記載し、新たな友達リクエストへの対応と、プロフィール写真やカバー写真の更新、アカウント削除をかわりに行ってくれます。家族や信頼できる友達にあらかじめ頼んでおくと安心です。

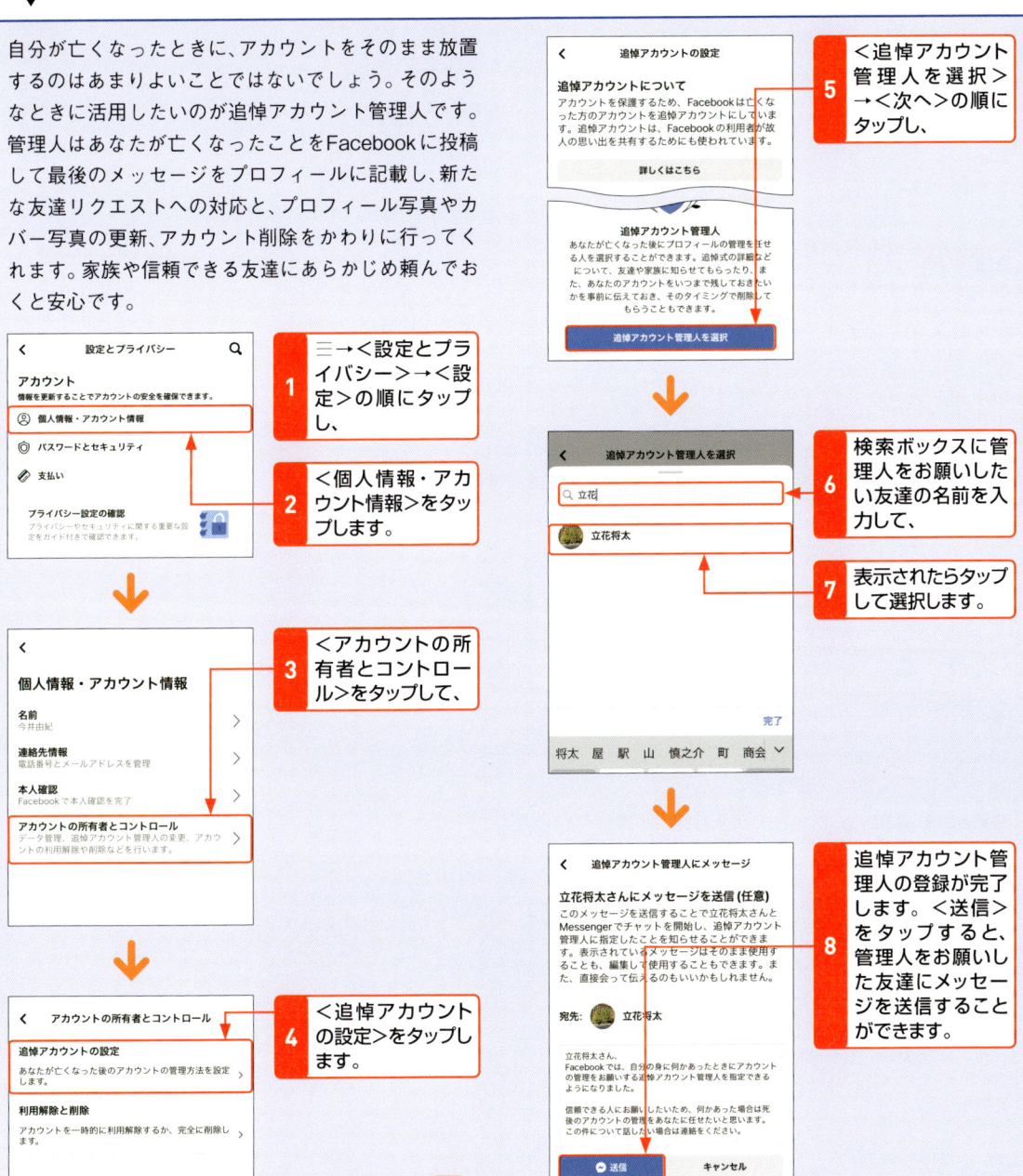

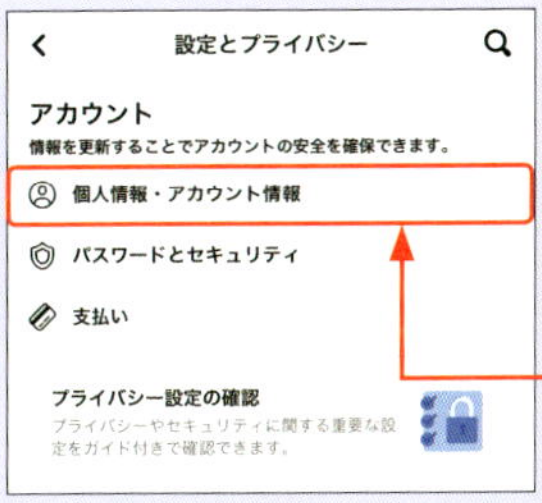

1 ☰→＜設定とプライバシー＞→＜設定＞の順にタップし、

2 ＜個人情報・アカウント情報＞をタップします。

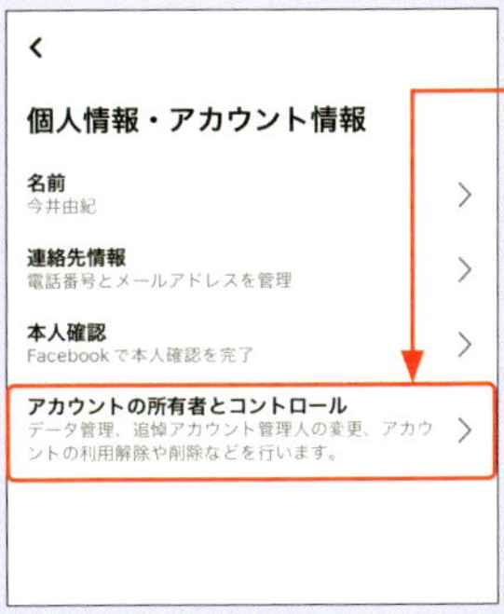

3 ＜アカウントの所有者とコントロール＞をタップして、

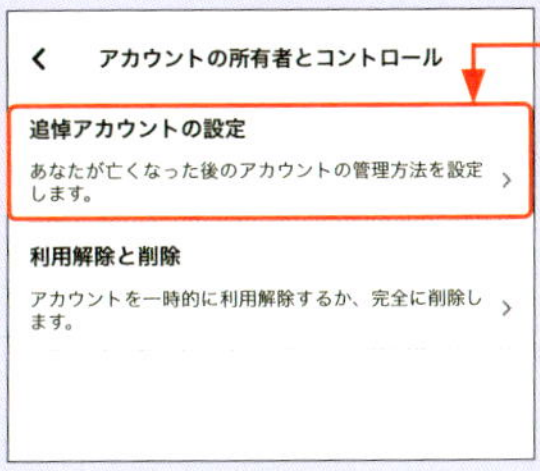

4 ＜追悼アカウントの設定＞をタップします。

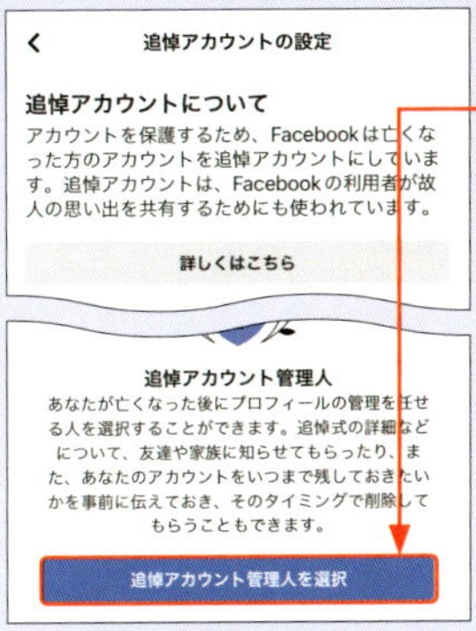

5 ＜追悼アカウント管理人を選択＞→＜次へ＞の順にタップし、

6 検索ボックスに管理人をお願いしたい友達の名前を入力して、

7 表示されたらタップして選択します。

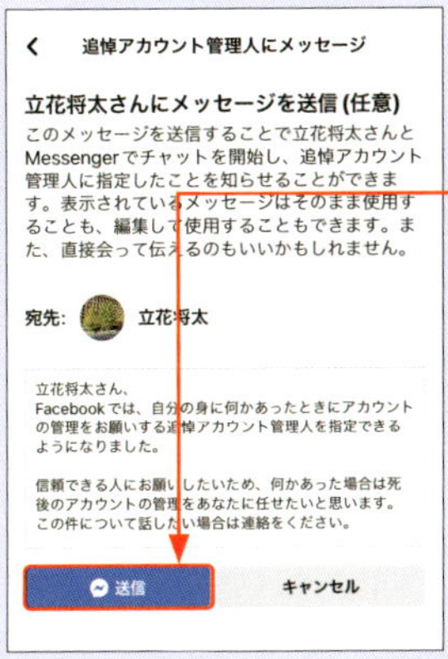

8 追悼アカウント管理人の登録が完了します。＜送信＞をタップすると、管理人をお願いした友達にメッセージを送信することができます。

Q セキュリティ ★★★★★

443 » メールアドレスを変更するには？

A 新しいメールアドレスを登録し、＜メインにする＞をタップします。

登録しているメールアドレスを変更するには、新たに登録したいメールアドレスをFacebookに追加し、＜メインにする＞をタップします。必要があれば、もとのメールアドレスは削除しましょう。

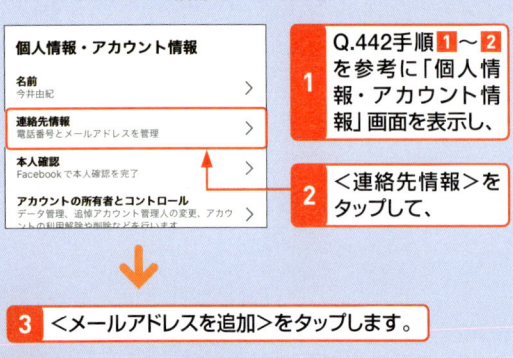

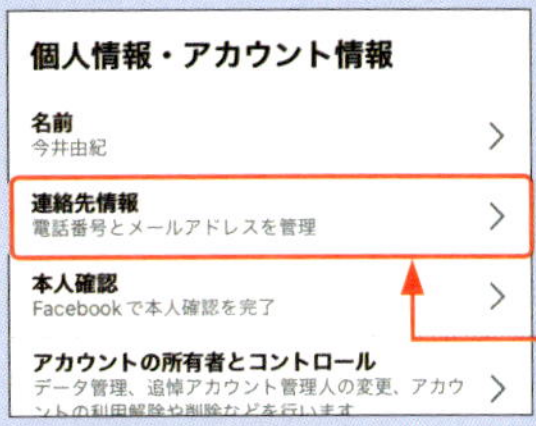

1 Q.442手順1〜2を参考に「個人情報・アカウント情報」画面を表示し、

2 ＜連絡先情報＞をタップして、

3 ＜メールアドレスを追加＞をタップします。

4 新しいメールアドレスとパスワードを入力し、＜メールアドレスを追加＞をタップします。

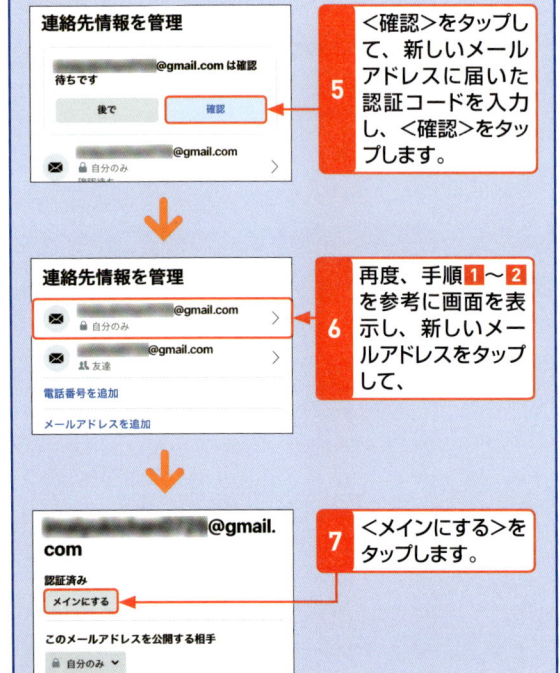

5 ＜確認＞をタップして、新しいメールアドレスに届いた認証コードを入力し、＜確認＞をタップします。

6 再度、手順1〜2を参考に画面を表示し、新しいメールアドレスをタップして、

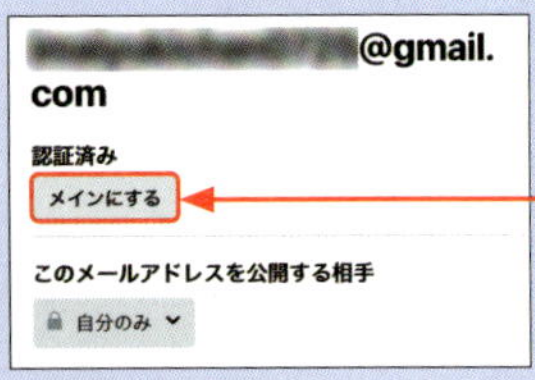

7 ＜メインにする＞をタップします。

Q セキュリティ ★★★★★

444 » 友達リクエストできる人を限定するには？

A リクエストできる人を＜友達の友達＞に設定します。

友達申請のリクエストを受け取ると、断るのは難しいものです。最初から友達になる人の範囲をある程度限定しておく方法もあります。＜検索と連絡に関する設定＞→＜あなたに友達リクエストを送信できる人＞の順にタップし、範囲を設定します。友達の知り合いからのみリクエストを受けたいという場合は、＜友達の友達＞を選択します。

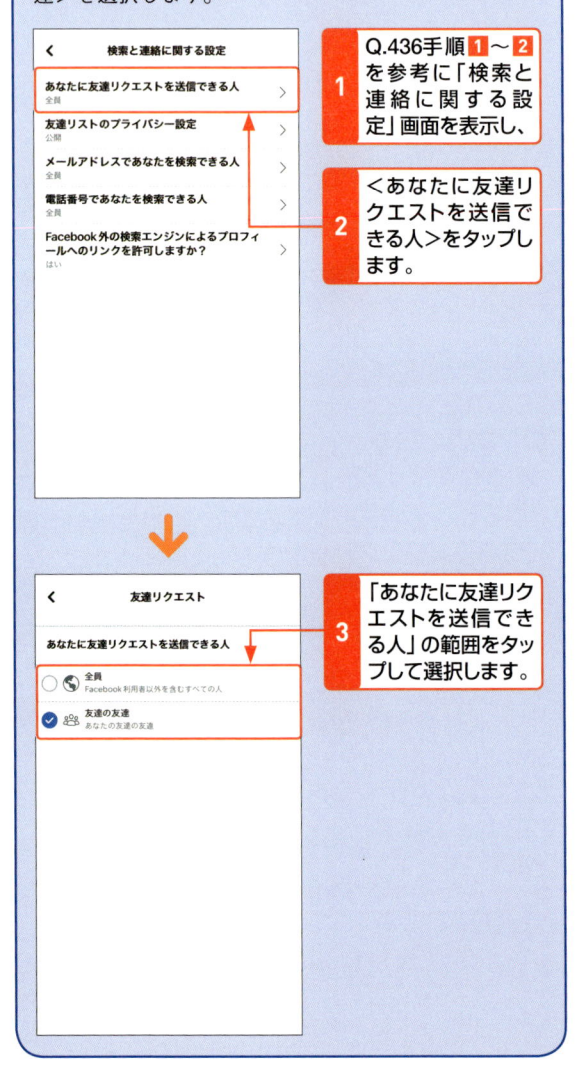

1 Q.436手順1〜2を参考に「検索と連絡に関する設定」画面を表示し、

2 ＜あなたに友達リクエストを送信できる人＞をタップします。

3 「あなたに友達リクエストを送信できる人」の範囲をタップして選択します。

Q セキュリティ ★★★★★

445 » 友達のフォローをやめるには？

A 「友達」画面で…→<○○のフォローをやめる>の順にタップします。

やり取りの少ない友達やかかわりがなくなった友達は、フォローを解除して整理しておくとよいでしょう。「友達」画面でフォローを解除したい友達の…→<○○のフォローをやめる>の順にタップします。なお、フォローをやめても相手に通知されることはありませんが、友達一覧からは削除されてしまうため、相手が友達一覧を確認した際はフォローを解除したことが知られてしまいます。

1 👥→<友達>の順にタップして「友達」画面を表示し、

2 フォローを解除したい友達の…をタップします。

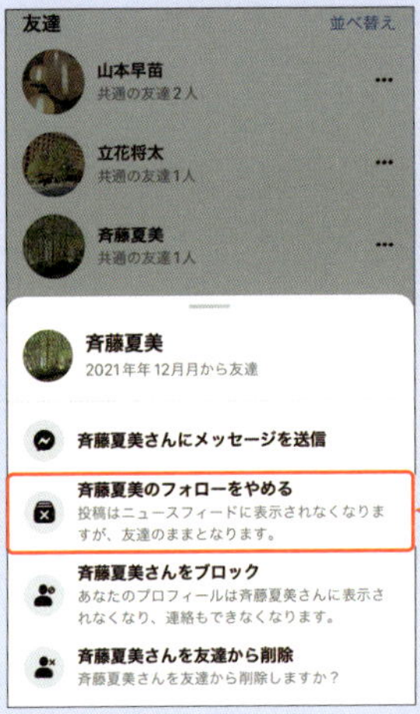

3 <○○のフォローをやめる>をタップします。

Q セキュリティ ★★★★★

446 » 友達をブロックするには？

A 「友達」画面で…→<○○さんをブロック>の順にタップします。

特定の友達とFacebookでの関係を断ち切りたいときは、ブロックします。ブロックすると相手はあなたに連絡できなくなり、あなたの投稿やプロフィールを見ることもできなくなります。ブロックを解除しない限り、状況は変わりません。ブロックは、友達ではないFacebookユーザーに対しても行えます。

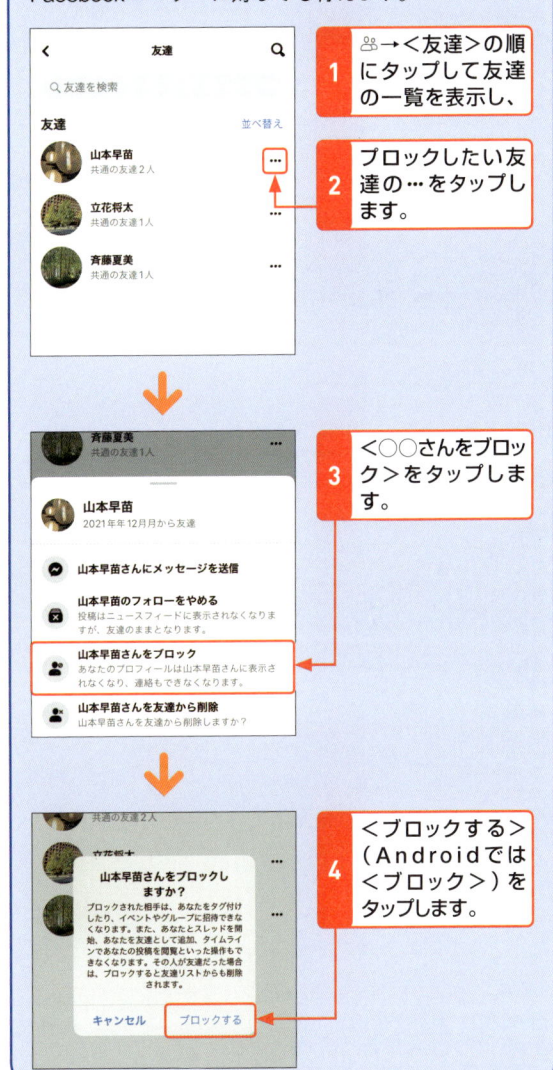

1 👥→<友達>の順にタップして友達の一覧を表示し、

2 ブロックしたい友達の…をタップします。

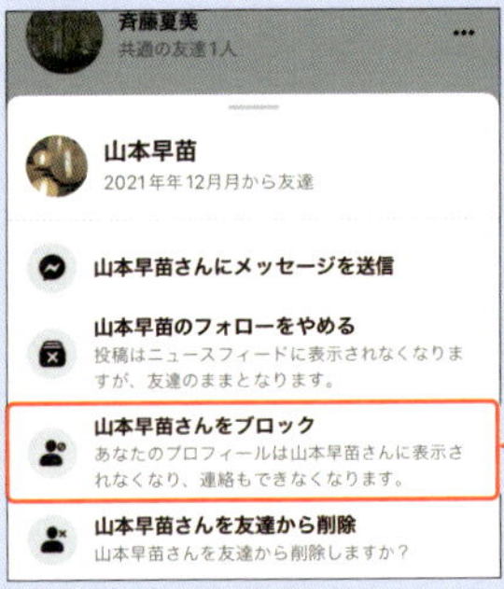

3 <○○さんをブロック>をタップします。

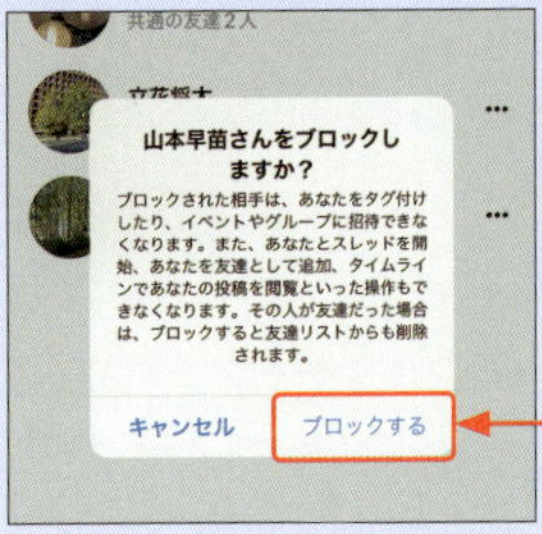

4 <ブロックする>（Androidでは<ブロック>）をタップします。

Q セキュリティ ★★★★★

447 » ブロックした友達を確認したい！

A 「設定とプライバシー」画面で<ブロック>をタップします。

「設定とプライバシー」画面で<ブロック>をタップすると、ブロックした友達を確認することができます。万一誤ってブロックしてしまったときなどは、この画面から友達の<ブロックを解除>→<ブロックを解除>の順にタップすることでブロックを解除できます。なお、ブロック解除後に友達になる場合は、再度友達リクエストを申請する必要があります。

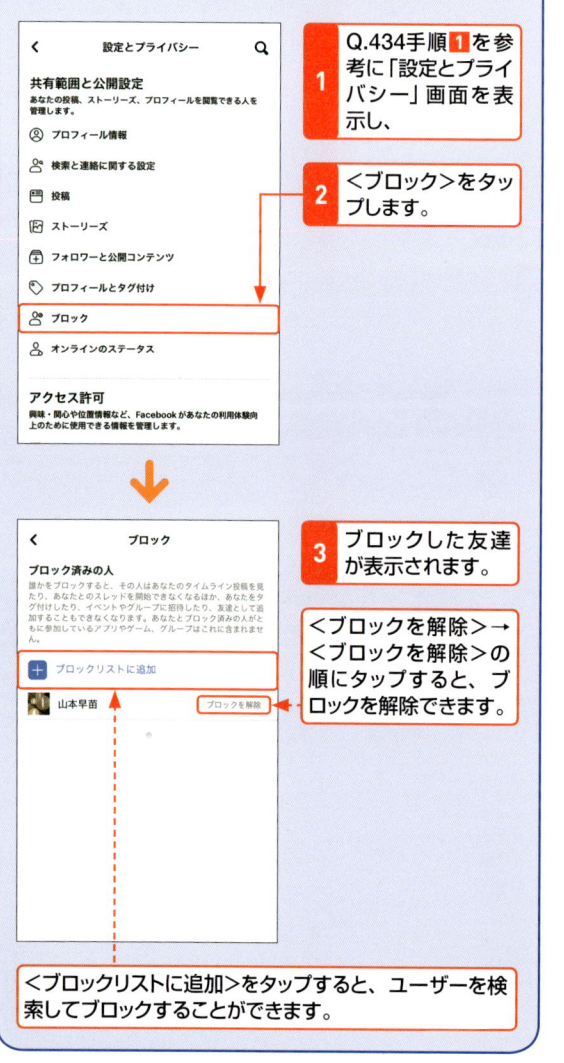

1 Q.434手順1を参考に「設定とプライバシー」画面を表示し、

2 <ブロック>をタップします。

3 ブロックした友達が表示されます。

<ブロックを解除>→<ブロックを解除>の順にタップすると、ブロックを解除できます。

<ブロックリストに追加>をタップすると、ユーザーを検索してブロックすることができます。

Q セキュリティ ★★★★★

448 » 友達を削除するには？

A 「友達」画面で…→<○○さんを友達から削除>の順にタップします。

ブロック（Q.446参照）以外にも、友達を削除することで、友達と疎遠になる方法もあります。友達から削除する場合は、関係を完全に断ち切るわけではなく、解消するだけです。ブロックとは異なり、相手は再度、友達リクエストの申請を送ることができます。

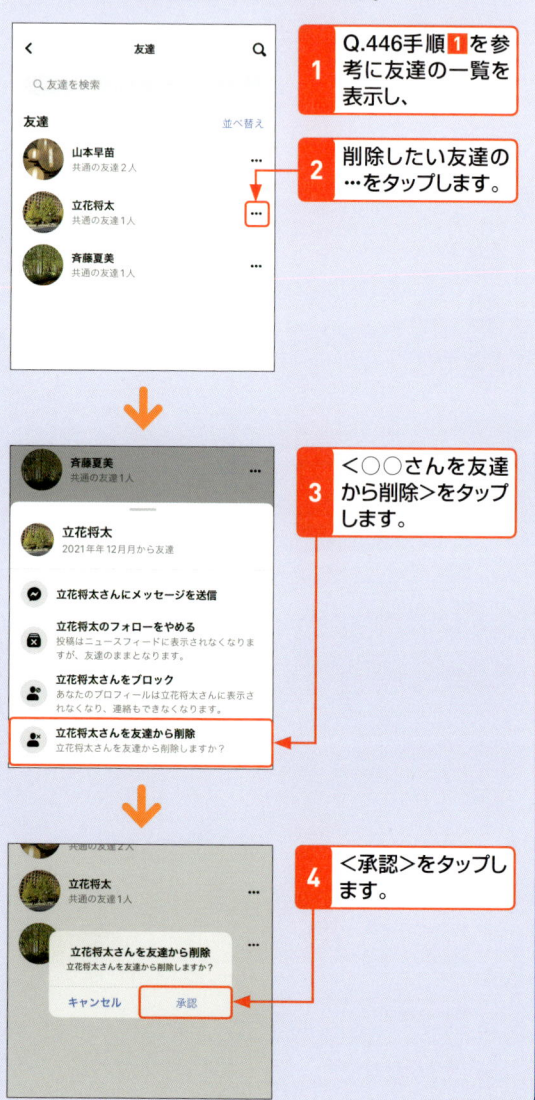

1 Q.446手順1を参考に友達の一覧を表示し、

2 削除したい友達の…をタップします。

3 <○○さんを友達から削除>をタップします。

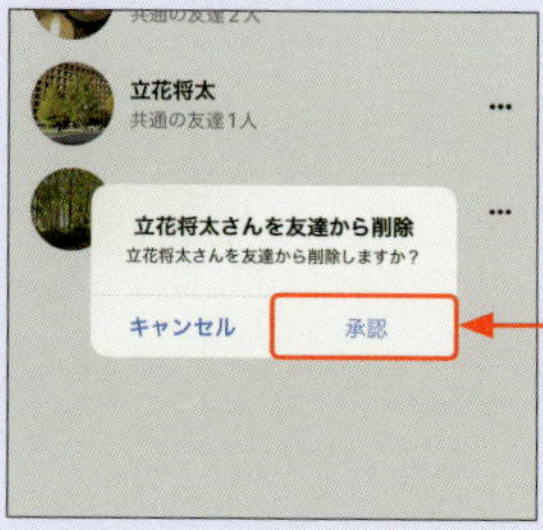

4 <承認>をタップします。

Q セキュリティ ★★★★★

449 » Messengerでメッセージの受信設定がしたい！

A プロフィールアイコン→＜プライバシー設定＞の順にタップします。

＜Messenger＞アプリで自分にメッセージを送信できる人を管理したいときは、プロフィールアイコンをタップし、＜プライバシー設定＞→＜メッセージの受信設定＞の順にタップします。友達以外からのメッセージリクエストを受け取りたくない場合は、＜リクエストを受信しない＞をタップしましょう。

1 ホーム画面で＜Messenger＞をタップして起動し、

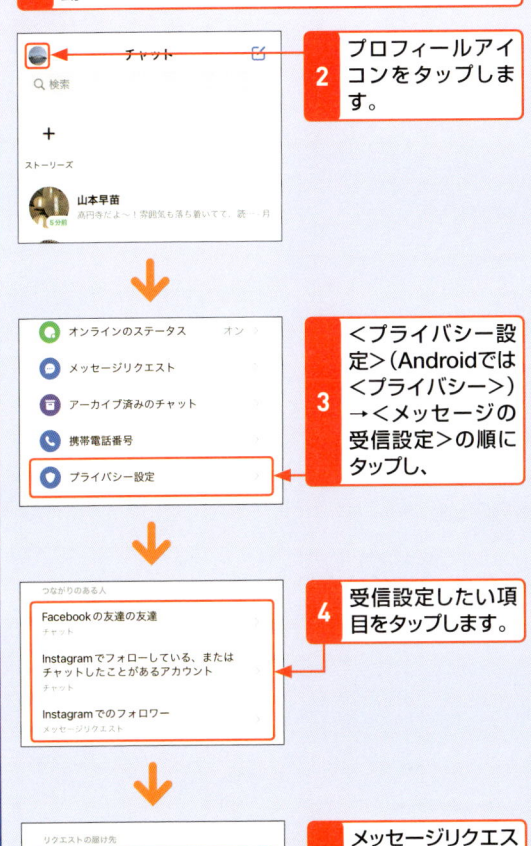

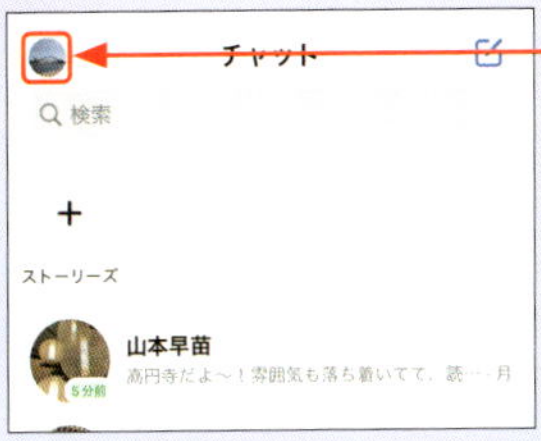

2 プロフィールアイコンをタップします。

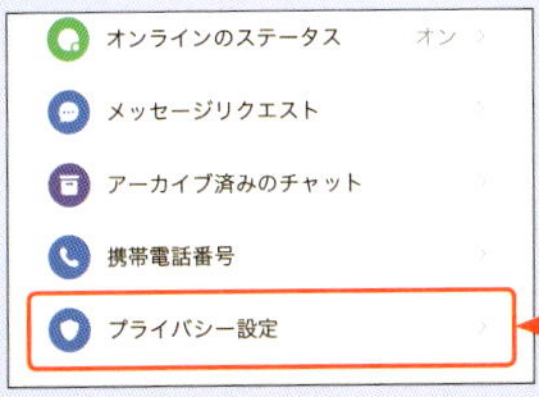

3 ＜プライバシー設定＞（Androidでは＜プライバシー＞）→＜メッセージの受信設定＞の順にタップし、

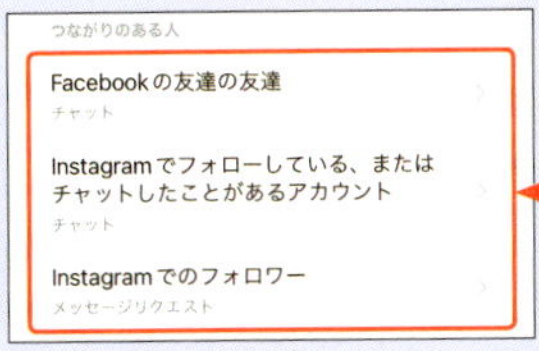

4 受信設定したい項目をタップします。

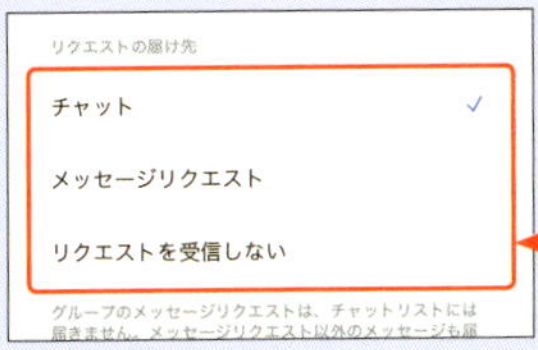

5 メッセージリクエストの受け取り方法を選択します。

Q セキュリティ ★★★★★

450 » Messengerでメッセージや通話をブロックしたい！

A メッセージ画面でプロフィールアイコンをタップして設定します。

＜Messenger＞アプリでは、Facebookで友達になっていない相手にもメッセージを送ることができます。知らない人や不信な人からメッセージが届いたときはブロックしておきましょう。メッセージ画面を表示し、プロフィールアイコンをタップして設定します。なお、ブロックしても相手に通知されることはありませんが、通話しようとすると「応答なし」と表示されます。

1 友達のメッセージ画面を表示し、

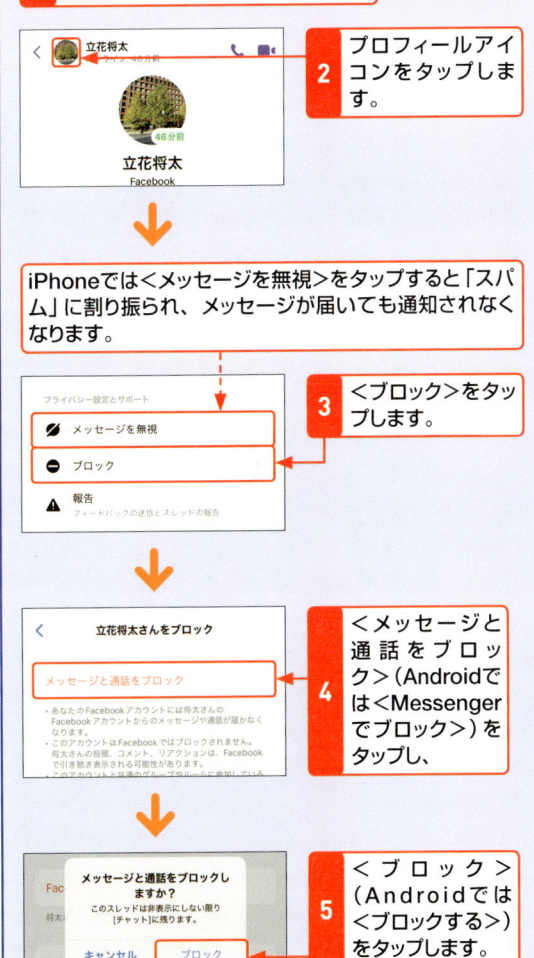

2 プロフィールアイコンをタップします。

iPhoneでは＜メッセージを無視＞をタップすると「スパム」に割り振られ、メッセージが届いても通知されなくなります。

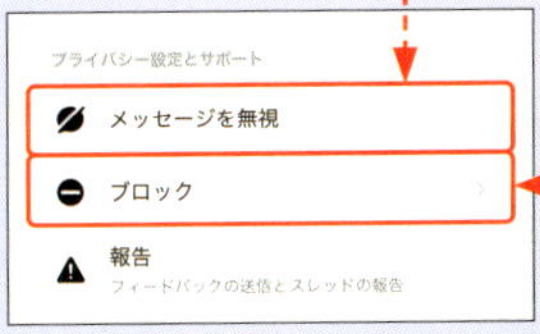

3 ＜ブロック＞をタップします。

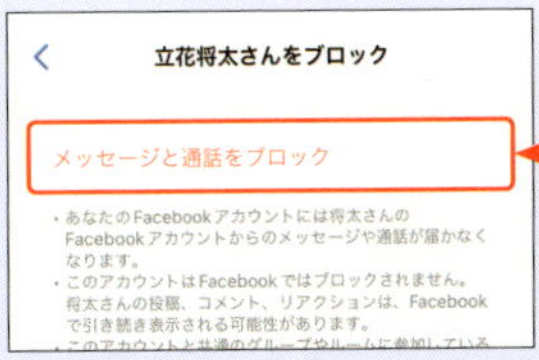

4 ＜メッセージと通話をブロック＞（Androidでは＜Messengerでブロック＞）をタップし、

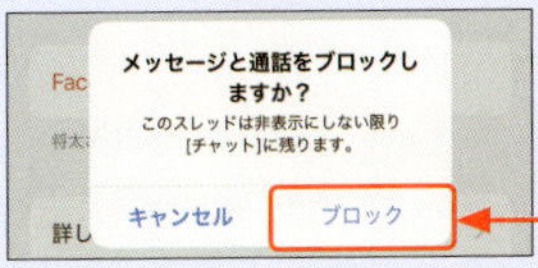

5 ＜ブロック＞（Androidでは＜ブロックする＞）をタップします。

Q セキュリティ ★★★★★

451 » Facebookを退会するには？

A 「個人情報・アカウント情報」画面から行います。

Facebookを退会するには、アカウントの削除が必要です。「個人情報・アカウント情報」画面で＜アカウントの所有者とコントロール＞→＜利用解除と削除＞の順にタップして退会の手続きを行います。

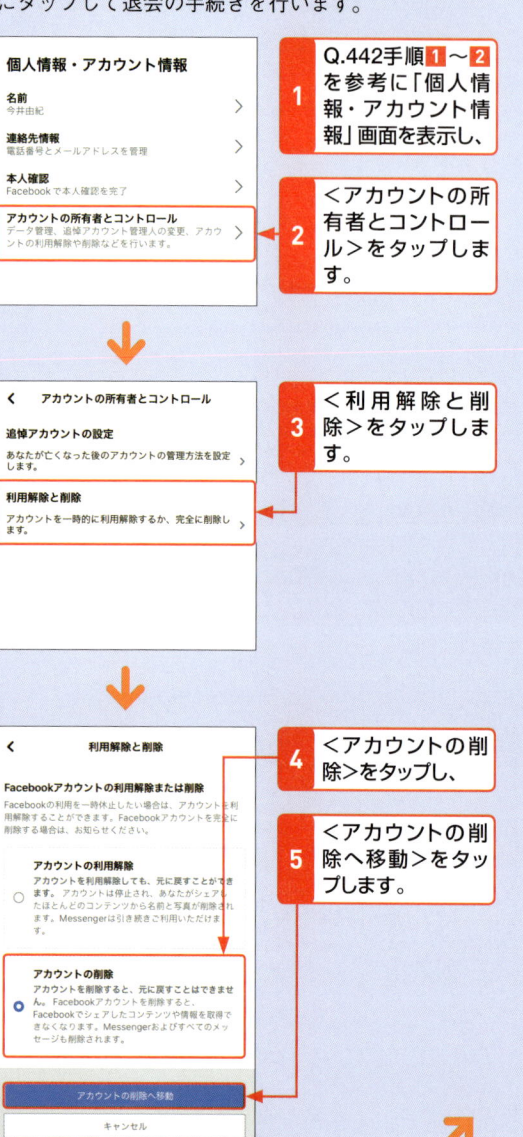

1 Q.442手順1～2を参考に「個人情報・アカウント情報」画面を表示し、

2 ＜アカウントの所有者とコントロール＞をタップします。

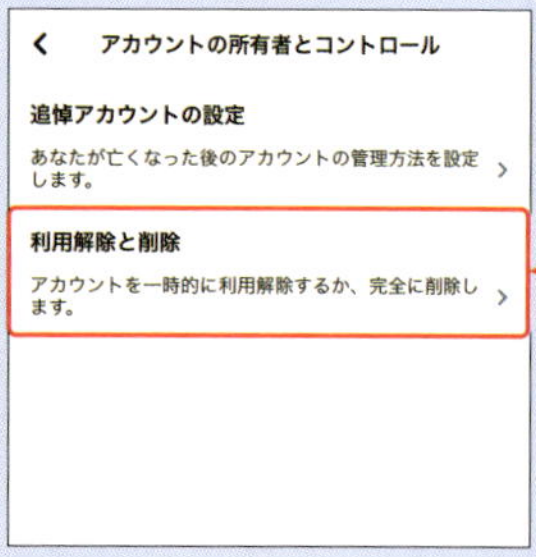

3 ＜利用解除と削除＞をタップします。

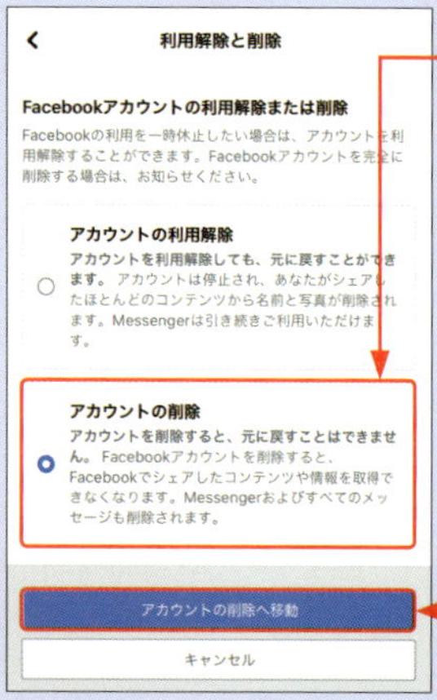

4 ＜アカウントの削除＞をタップし、

5 ＜アカウントの削除へ移動＞をタップします。

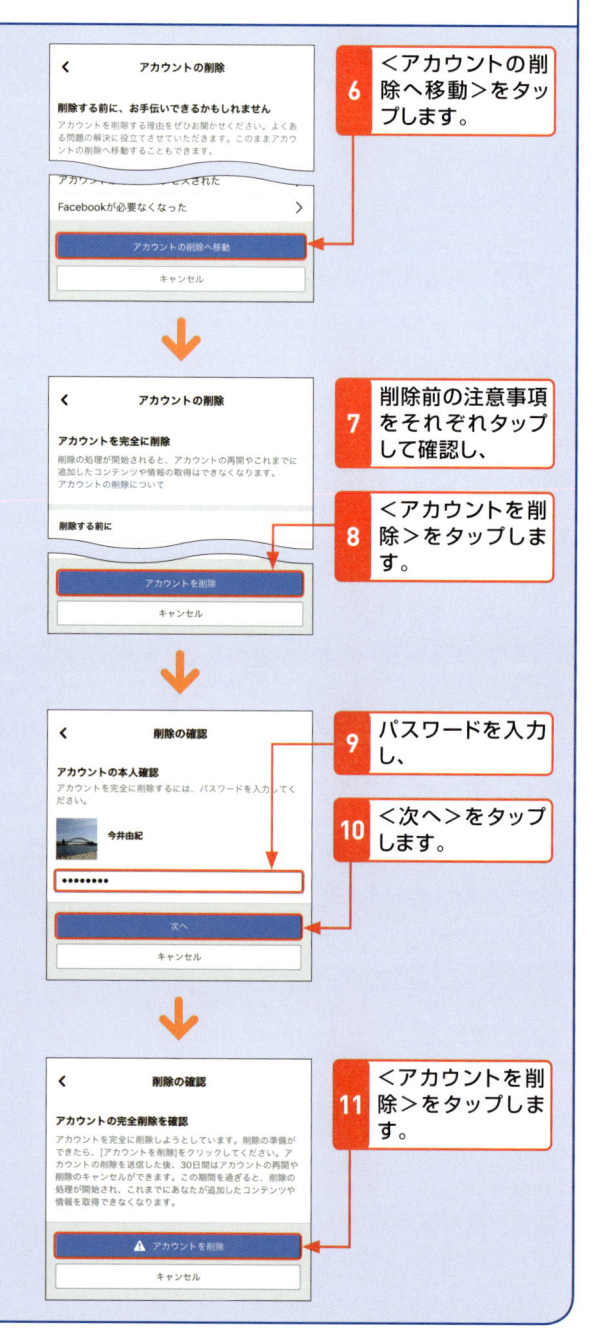

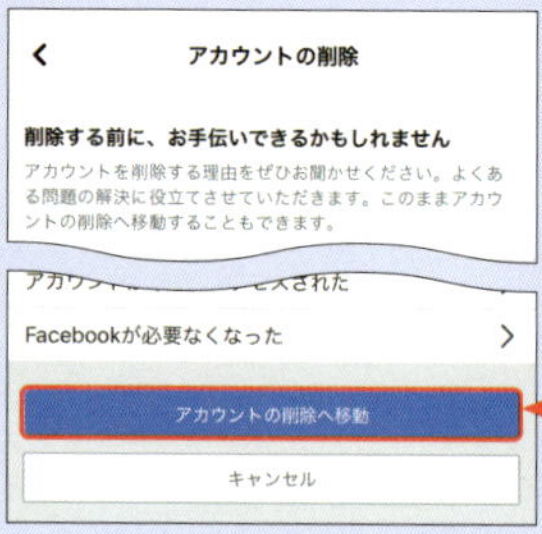

6 ＜アカウントの削除へ移動＞をタップします。

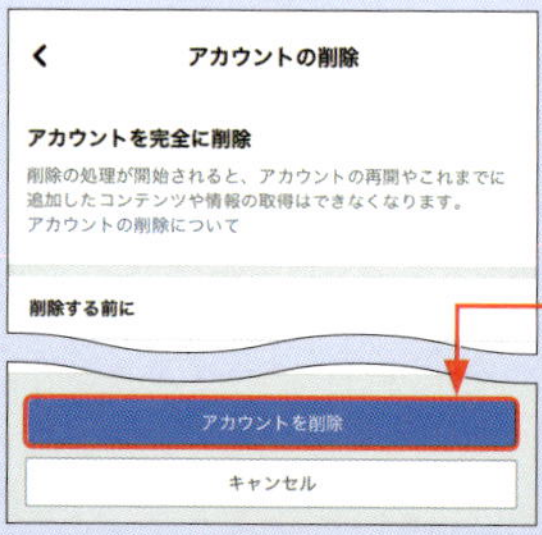

7 削除前の注意事項をそれぞれタップして確認し、

8 ＜アカウントを削除＞をタップします。

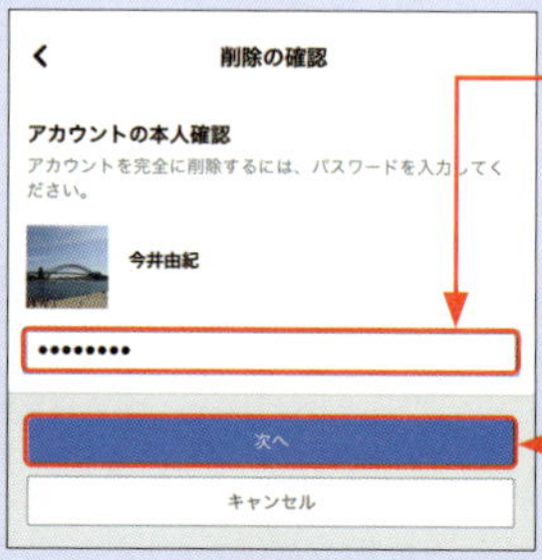

9 パスワードを入力し、

10 ＜次へ＞をタップします。

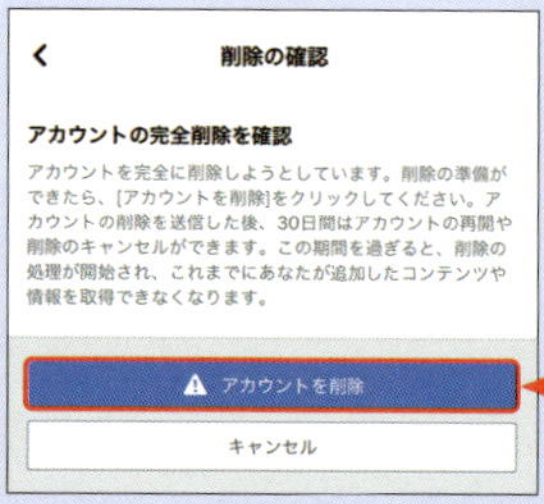

11 ＜アカウントを削除＞をタップします。

第5章

パソコンでFacebookを利用

Q Facebookの基本 ★★★★★

452 » Facebookのアカウントを作成したい!

A パソコンのWebブラウザでFacebookにアクセスし、アカウントを作成します。

Facebookを利用するには、アカウントの作成が必要です。アカウントの作成には、名前、電話番号またはメールアドレス、任意のパスワード、誕生日と性別の登録が必要です。Microsoft EdgeなどのWebブラウザで「https://www.facebook.com」にアクセスし、<新しいアカウントを作成>をクリックすると、「アカウント登録」画面が表示されるので、必要事項を入力し、<アカウント登録>をクリックします。

1 Webブラウザ(ここではMicrosoft Edge)を起動し、検索ボックスに「https://www.facebook.com」と入力して、Facebookにアクセスします。

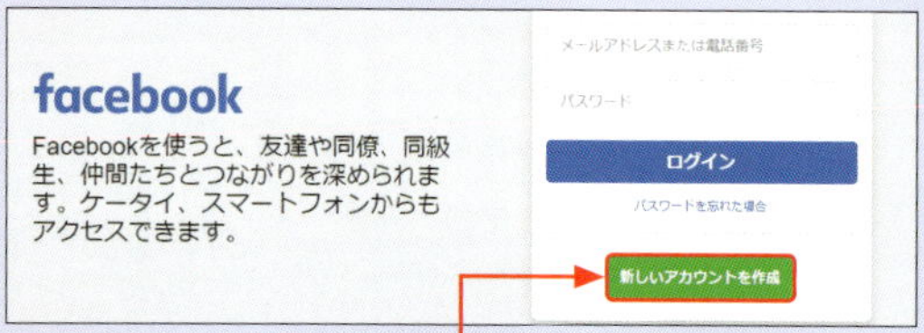

2 <新しいアカウントを作成>をクリックします。

3 「アカウント登録」画面が表示されたら、名前、携帯電話番号またはメールアドレス、パスワードを入力します。

メールアドレスで登録する場合は、メールアドレスを2回入力する必要があります。

4 誕生日と性別を選択して、

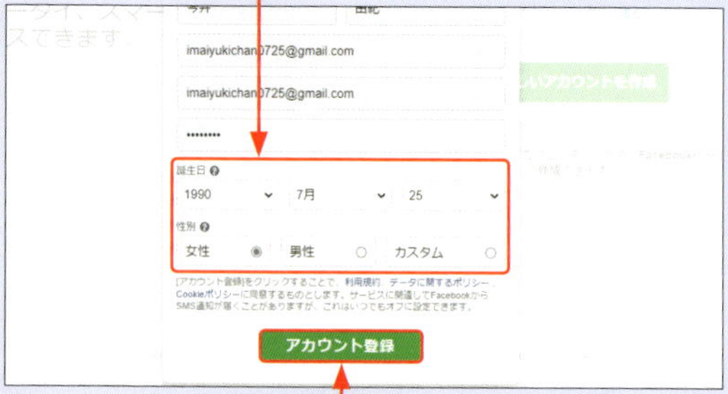

5 <アカウント登録>をクリックします。

6 手順2で入力した電話番号またはメールアドレスに届いた認証コードを入力し、

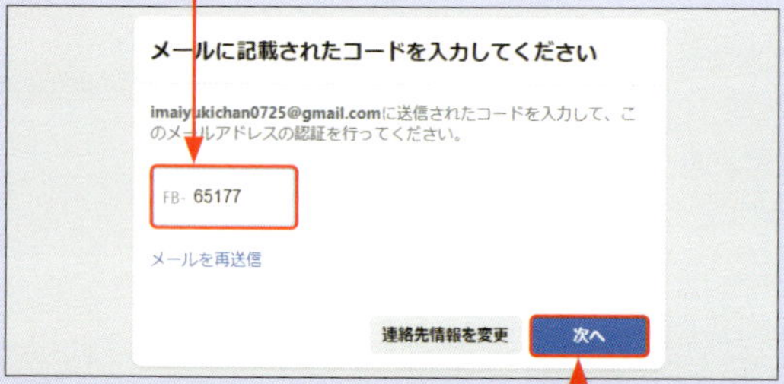

7 <次へ>をクリックします。

8 アカウントが認証されます。<OK>をクリックするとログインできます。

Q 453 Facebookの基本 ★★★★★

Facebookにログインしたい！

A メールアドレスまたは電話番号とパスワードを入力してログインします。

すでにアカウントを作成済みであれば、パソコンのWebブラウザでFacebookにアクセスし、メールアドレスまたは電話番号とパスワードを入力して、<ログイン>をクリックすることでログインできます。

1 Q.452手順1を参考にパソコンのWebブラウザでFacebookにアクセスします。

2 メールアドレスまたは電話番号とパスワードを入力して、

3 <ログイン>をクリックします。

4 ログインが完了し、「ニュースフィード」画面が表示されます。

Q 454 Facebookの基本 ★★★★★

自分だけのURLを取得したい！

A 「ユーザーネーム」を変更します。

Facebookの自分のページは、通常「https://www.facebook.com/profile.php?id=○○○○…」のURLが割り当てられますが、「https://www.facebook.com/」以降の部分は「ユーザーネーム」を変更することで自由に設定できます。ただし、変更は1回しかできないので注意が必要です。なお、「ユーザーネーム」を変更するには、あらかじめ「アカウント認証」が必要です。画面に従ってスマートフォンで認証しておきましょう。

1 ▼をクリックして、

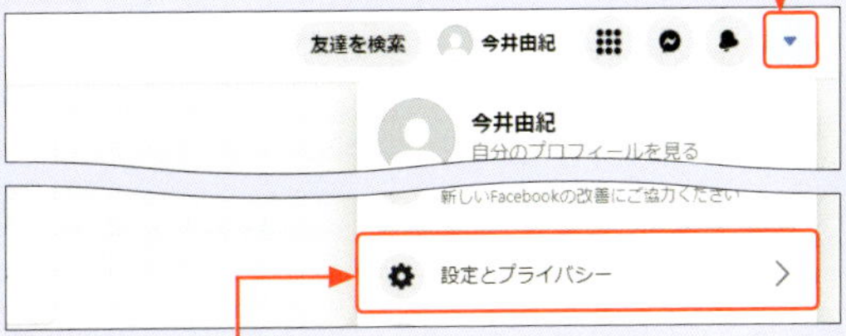

2 <設定とプライバシー>→<設定>の順にクリックします。

3 「ユーザーネーム」の<編集>をクリックします。

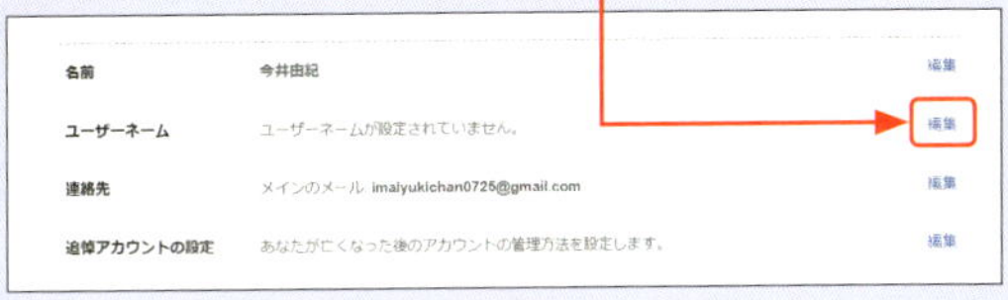

4 入力ボックスに新しいURLを入力し、

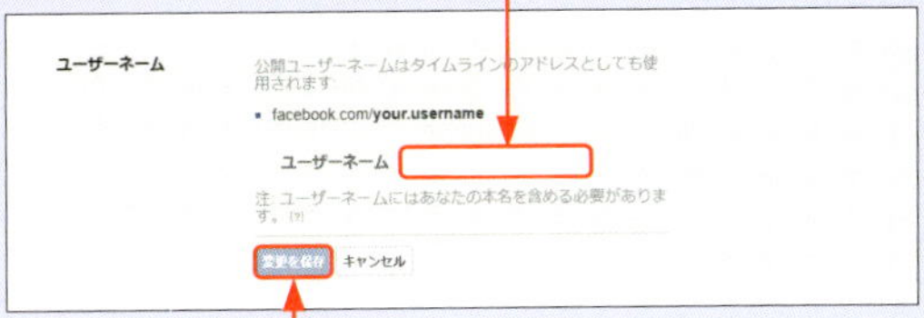

5 <変更を保存>をクリックします。

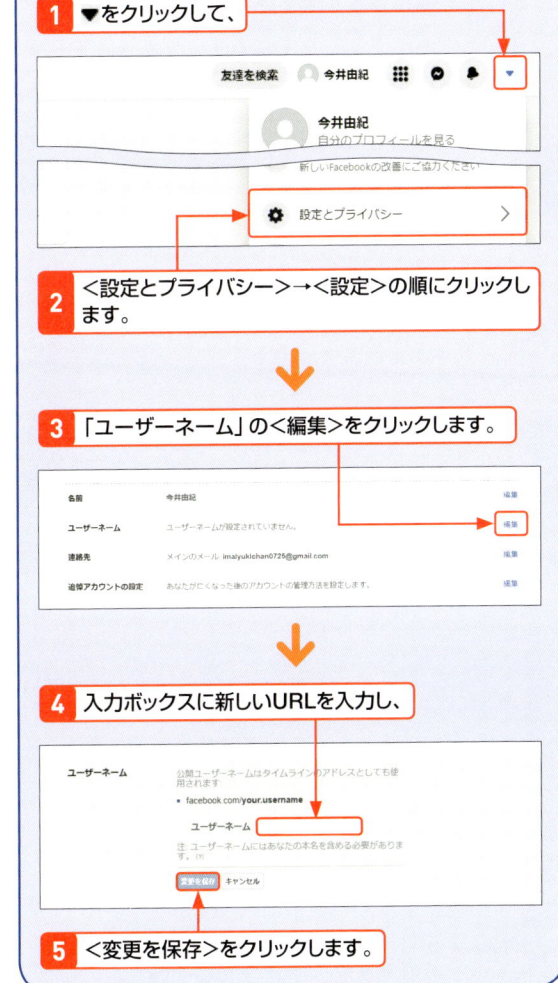

Q 画面構成 ★★★★★

455 » パソコン版Facebookの画面の見方がわからない！

A ニュースフィードの画面の見方を覚えましょう。

Facebookは、友達やフォローしたFacebookページの投稿が表示される「ニュースフィード」が主に使うページです。このほかに画面右上の▼→＜設定とプライバシー＞→＜設定＞の順にクリックして開く各種設定のページから、さまざまな設定変更が行えます。また、どのページにも画面左上に検索ボックスがあり、ここから友達やグループなどを検索して探すことができます。なお、表示されるメニューやアイコンはアカウントによって異なる場合があります。

ニュースフィード

❶検索ボックス	名前などを入力して友達を検索できます。
❷ホーム	「ニュースフィード」画面に移動します。
❸友達	「知り合いかも」やリクエストを送った友達などを確認できます。
❹グループ	おすすめのグループや、参加または管理しているグループが表示されます。
❺友達を検索	❸と同様です。
❻自分の名前	自分の「プロフィール」画面に移動します。
❼メニュー	Facebookのさまざまなメニューが表示されます。
❽Messenger	「Messenger」を利用できます。

❾お知らせ	申請が届いたり、友達が投稿したりすると数字が表示されます。
❿アカウント	さまざまな設定を行うことができます。
⓫カテゴリ	Facebookの機能が一覧で表示されます。
⓬ストーリーズ	ストーリーズの投稿や閲覧ができます。
⓭投稿	記事を投稿することができます。
⓮ルーム	複数人でビデオ通話することができます。
⓯ニュースフィード	自分や友達の投稿が表示されます。
⓰連絡先／グループスレッド	友達とメッセージでやり取りすることができます。

Q ‖プロフィール設定‖ ★★★★★

456 » プロフィールの写真を変更したい！

A <写真を追加>をクリックします。

プロフィール写真を変更するには、画面右上の<自分の名前>をクリックして「プロフィール」画面を表示します。プロフィールアイコン→<写真を追加>の順にクリックすると、画像選択の画面が表示されます。手順3の画面で<フレームを追加>をクリックすると、写真にフレームを付けてプロフィール写真に設定することもできます。

1 自分の名前をクリックして、

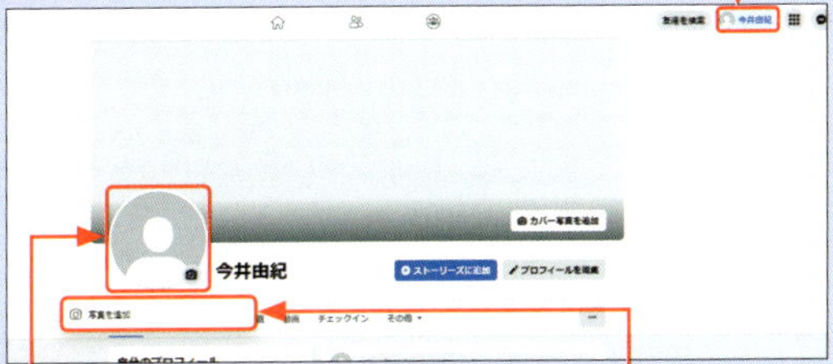

2 プロフィールアイコンをクリックし、

3 <写真を追加>をクリックします。

4 <写真をアップロード>をクリックします。

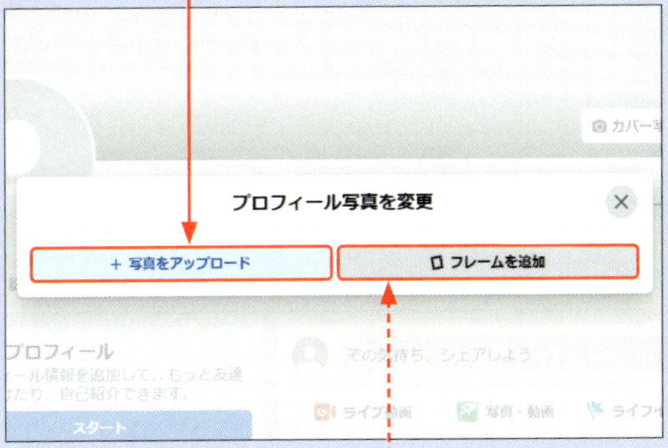

<フレームを追加>をクリックすると、写真にフレームを付けることができます。

5 写真をクリックして選択し、

6 <開く>をクリックします。

7 写真をドラッグして位置を調整し、

8 <保存>をクリックします。

9 プロフィール写真が設定されます。

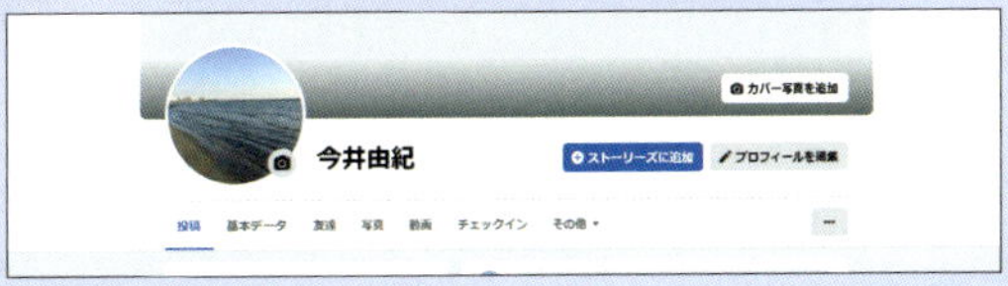

Q 457 プロフィール設定 ★★★★★

カバー写真を変更したい！

A <カバー写真を追加>をクリックして写真をアップロードします。

プロフィール写真の後ろには、カバー写真を設定することができます。お気に入りの写真を設定しましょう。自分の「プロフィール」画面を表示し、<カバー写真を追加>→<写真をアップロード>の順にクリックしたら、写真を選択してアップロードしましょう。ドラッグして写真の位置を調整し、<変更を保存>をクリックすれば設定が完了します。

1 Q.456手順1を参考に「プロフィール」画面を表示し、<カバー写真を追加>をクリックして、

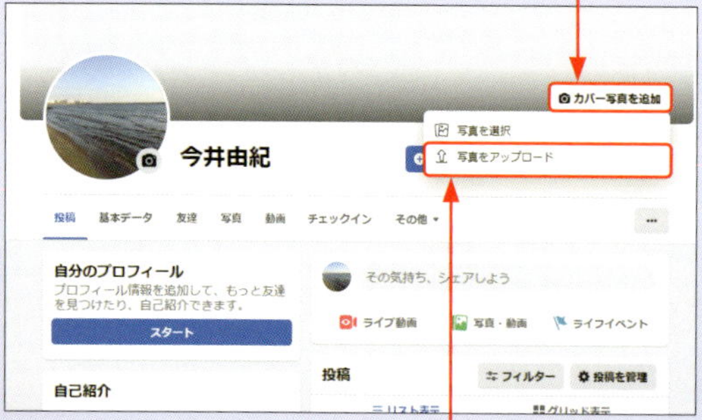

2 <写真をアップロード>をクリックします。

3 表示された画面で、カバー写真に使いたい写真をクリックして選択し、<開く>をクリックします。

4 写真の位置をドラッグして調整し、

5 <変更を保存>をクリックします。

Q 458 友達追加 ★★★★★

検索して友達を探すには？

A 検索ボックスに友達の名前を入力して検索します。

Facebookは実名登録が基本なので、親しい友達だけでなく、地元の同級生やお世話になった先生の名前を検索してみると、Facebookで見つかることがあります。漢字で見つからない場合は、英字で探すと見つかることもあります。

1 検索ボックスに検索したい友達の名前を入力して、Enterキーを押します。

2 友達の候補が一覧で表示されます。該当する友達のプロフィールアイコンまたは名前をクリックします。

3 「プロフィール」画面が表示されるので、知り合いであれば<友達を追加>をクリックします。

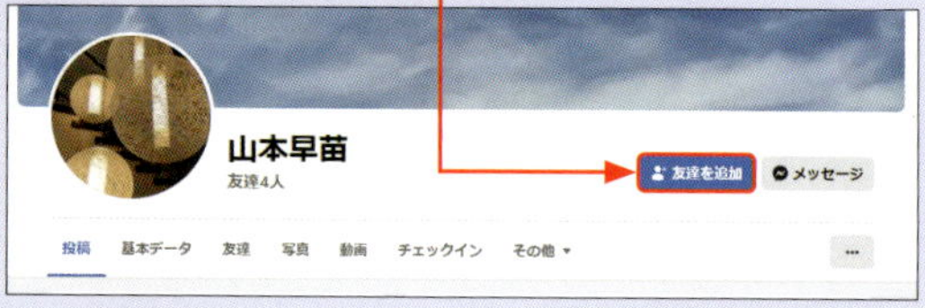

Q 友達追加 ★★★★★

459 » 友達リクエストを承認するには？

A 👥をクリックし、友達の「プロフィール」画面に移動して承認します。

友達から友達リクエストが送られてくることがあります。リクエストが届くと、👥にバッジ（赤い小さな数字）が付きます。クリックすると友達の名前が表示され、名前をクリックすると友達の「プロフィール」画面が表示されます。内容を確認して、知り合いであれば<リクエストを承認>をクリックします。

1 友達リクエストが届くと、👥にバッジが付くのでクリックします。

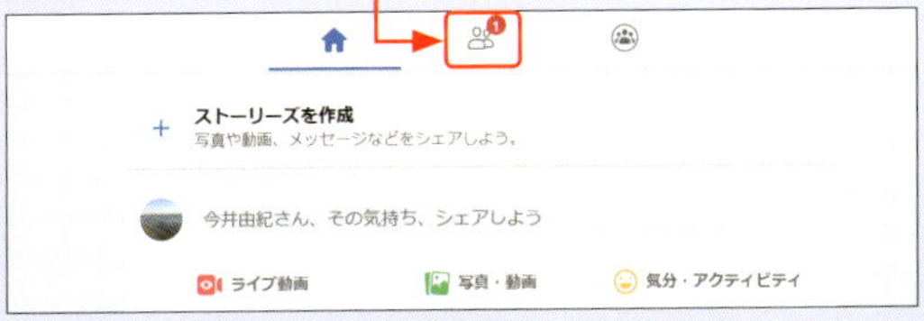

2 リクエストを送ってきた友達が表示されるので、名前をクリックします。

3 プロフィールなどを確認して、知り合いであれば<リクエストを承認>をクリックします。

Q 投稿 ★★★★★

460 » 近況を投稿したい！

A <○○さん、その気持ち、シェアしよう>をクリックして投稿内容を入力します。

「ニュースフィード」画面には、「○○さん、その気持ち、シェアしよう」と表示された入力ボックスがあり、クリックすると近況をFacebookに投稿できます。自分が投稿した近況は、「プロフィール」画面から確認することができます。

1 🏠をクリックして「ニュースフィード」画面を表示し、

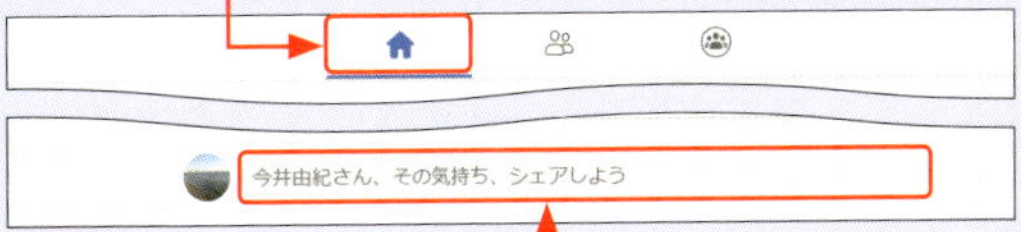

2 <○○さん、その気持ち、シェアしよう>をクリックします。

3 投稿内容を入力し、

☺をクリックすると絵文字を入力できます。

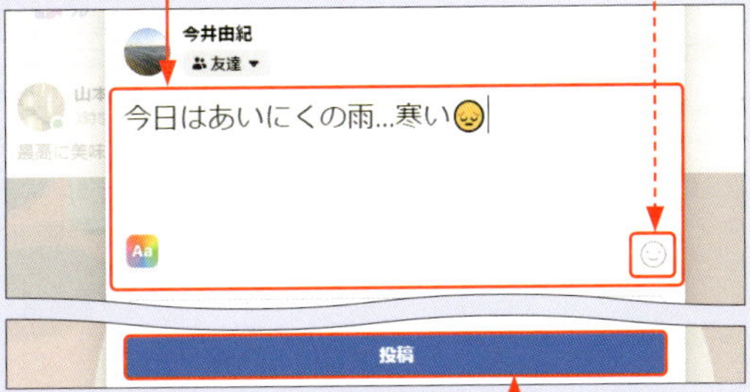

4 <投稿>をクリックします。

5 投稿のプロフィールアイコンをクリックすると「プロフィール」画面が表示され、投稿の一覧を確認できます。

投稿 ★★★★★

Q 461 » 友達の投稿に「いいね！」したい！

A 友達の投稿にある<いいね！>をクリックします。

友達の投稿を読んだら、「いいね！」を付けましょう。「いいね！」は、ワンクリックで「読んだよ！」「よい記事だね！」といった気持ちを伝えることができる便利な機能です。<いいね！>は投稿の下にあり、クリックすると青字になります。<いいね！>をクリックしたことは、その投稿を見ることができるすべての人に、自分の名前とともに公開されます。

1 Q.460手順1を参考に「ニュースフィード」画面を表示し、友達の投稿の<いいね!>にマウスカーソルを合わせます。

2 7つのアイコンが表示されます。👍をクリックします。

3 「いいね!」が青字に変わり、自分の名前が表示されます。

投稿 ★★★★★

Q 462 » 友達の投稿にコメントするには？

A 友達の投稿にある<コメントする>をクリックします。

友達の投稿にコメントをしたい場合は、<コメントする>をクリックしましょう。テキストを入力し、Enterキーを押して送信します。コメント欄の右側のアイコンをクリックすると、写真や動画、絵文字、スタンプなどを送信することができます。

1 Q.460手順1を参考に「ニュースフィード」画面を表示し、友達の投稿の<コメントする>をクリックします。

2 コメントを入力し、Enterキーを押すとコメントが送信されます。

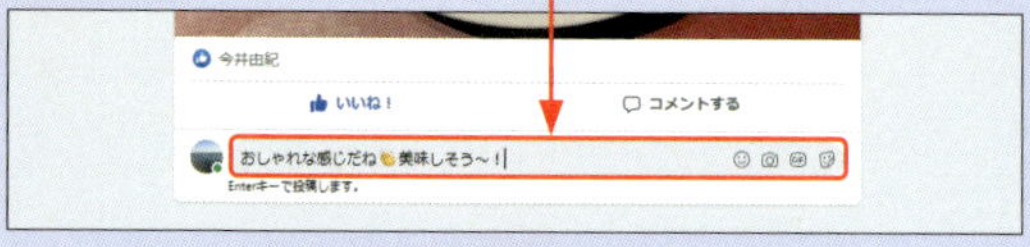

3 送信したコメントは、自分の名前といっしょに投稿の下に表示されます。

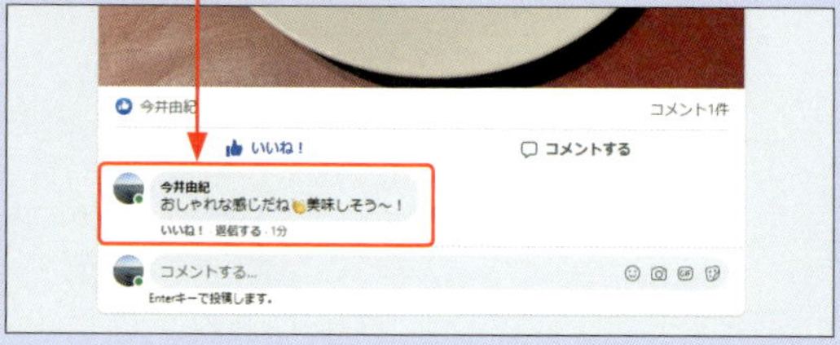

Q 463 投稿 ★★★★★

投稿の公開範囲を設定するには？

A 「投稿を作成」画面の公開範囲から設定できます。

<〇〇さん、その気持ち、シェアしよう>をクリックすると、「投稿を作成」画面に公開範囲が表示され、クリックすると、その投稿に新たに公開範囲を設定することができます。たとえば、通常は投稿の公開範囲を「公開」に設定しているけれど、この投稿は「友達」に設定するという使い方ができます。「一部を除く友達」では、より詳細に投稿相手を絞り込むこともできます。

1 Q.460手順1を参考に「ニュースフィード」画面を表示し、<〇〇さん、その気持ち、シェアしよう>をクリックします。

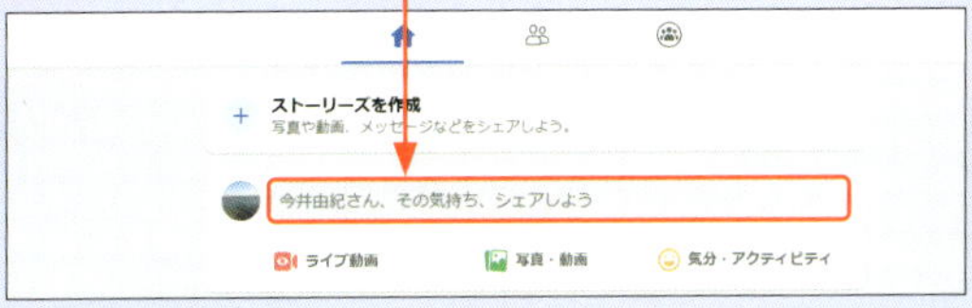

2 公開範囲（ここでは<友達>）をクリックします。

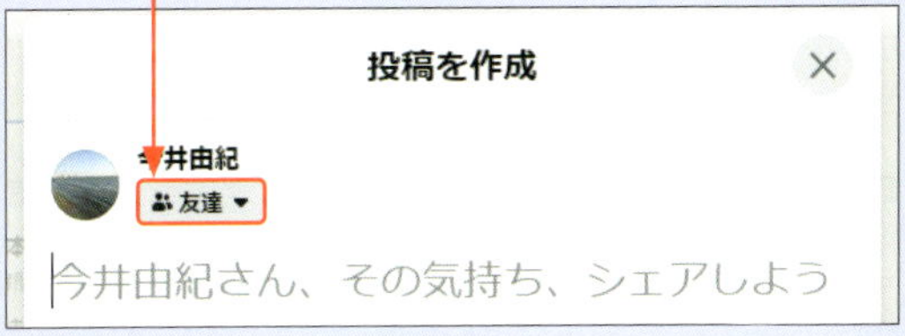

3 公開範囲をクリックして選択します。

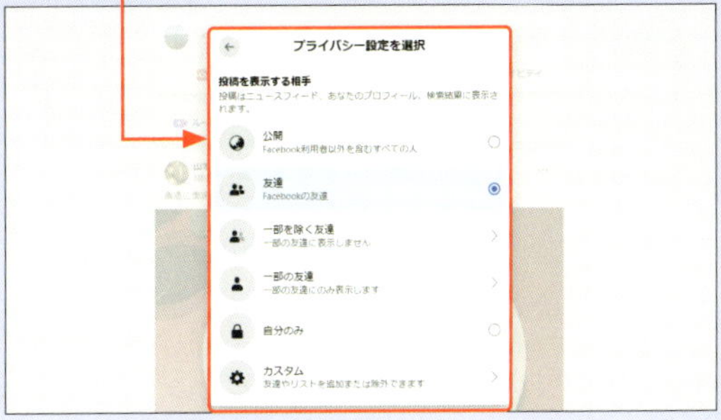

Q 464 投稿 ★★★★★

友達をタグ付けして投稿するには？

A をクリックして友達の名前を入力します。

友達の話題を出したり、一緒にいることを伝えたりしたいときは、「タグ付け」が便利です。「投稿を作成」画面でをクリックして、友達の名前を入力します。タグ付けすると、投稿に友達へのリンクが表示されます。

1 Q.460手順1を参考に「ニュースフィード」画面を表示し、<〇〇さん、その気持ち、シェアしよう>をクリックします。

2 をクリックして、

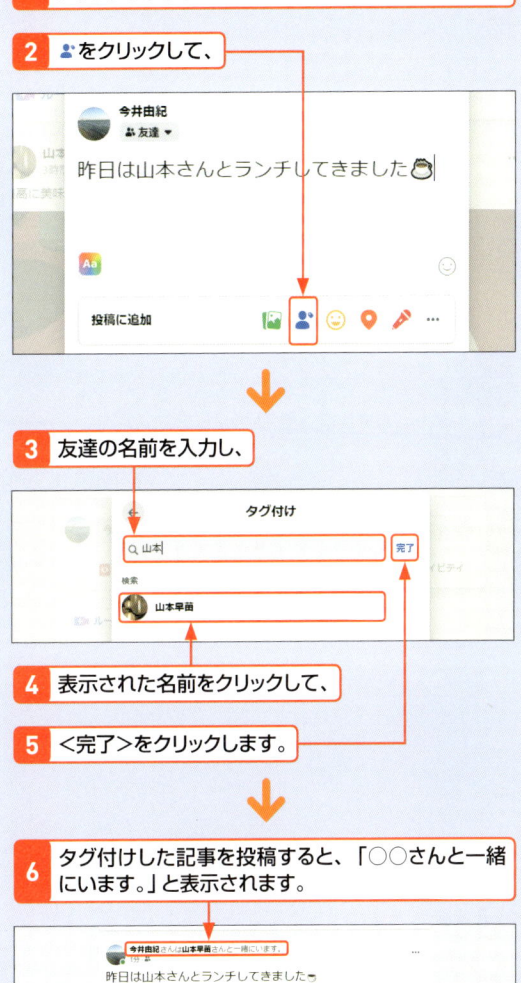

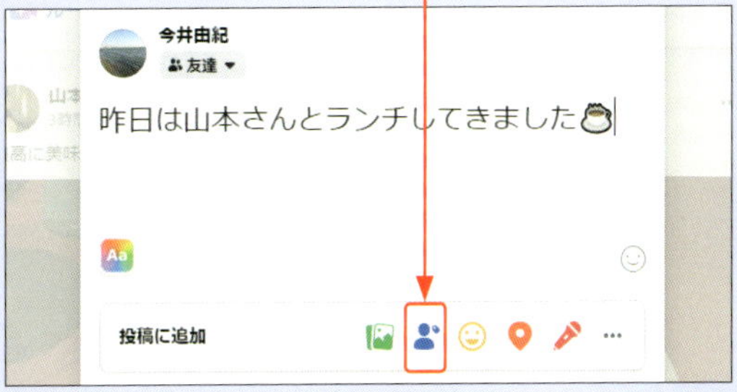

3 友達の名前を入力し、

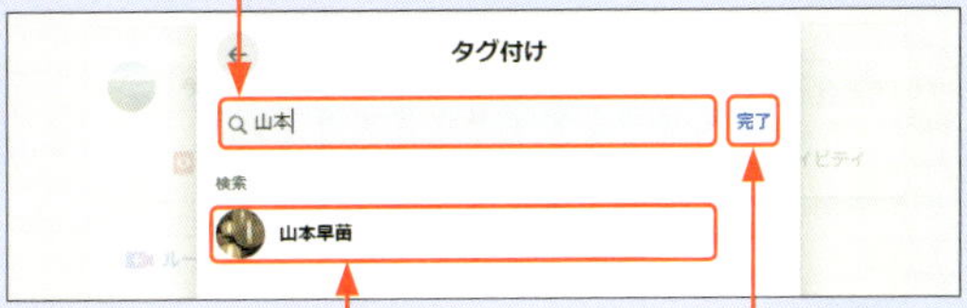

4 表示された名前をクリックして、

5 <完了>をクリックします。

6 タグ付けした記事を投稿すると、「〇〇さんと一緒にいます。」と表示されます。

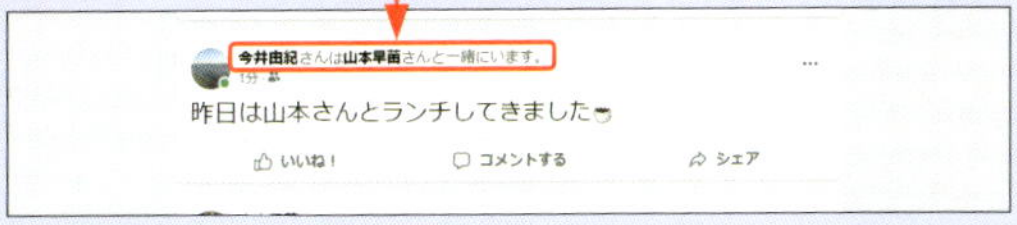

Q 465 アルバム ★★★★★
写真のアルバムを作成したい！

A 「プロフィール」画面で＜写真＞をクリックします。

テーマごとに写真をまとめておける「アルバム」を作成して公開することができます。アルバムの作成は、「プロフィール」画面で＜写真＞をクリックし、＜アルバム＞→＜アルバムを作成＞の順にクリックします。写真を選択してアップロードすると、アルバムが作成されます。

1 Q.456手順1を参考に「プロフィール」画面を表示し、＜写真＞をクリックします。

2 ＜アルバム＞をクリックし、

3 ＜アルバムを作成＞をクリックします。

4 アルバム名を入力し、

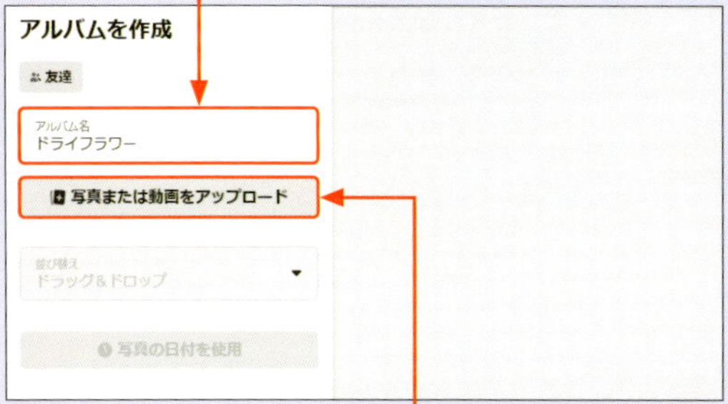

5 ＜写真または動画をアップロード＞をクリックします。

6 アルバムに登録したい写真をクリックして選択し、＜開く＞→＜投稿＞の順にクリックします。

Q 466 グループ ★★★★★
友達が参加しているグループに参加したい！

A 友達にグループに招待してもらい、＜グループに参加＞をクリックします。

友達が参加しているグループに興味を持ったら、参加してみましょう。グループに参加すれば、グループのテーマについて投稿のやり取りを行うことができ、趣味の話題で盛り上がることができます。グループに参加するには、すでに参加済みの友達に招待してもらい、＜グループに参加＞をクリックしましょう。

1 グループに招待されると、お知らせに通知が届きます。🔔をクリックして、

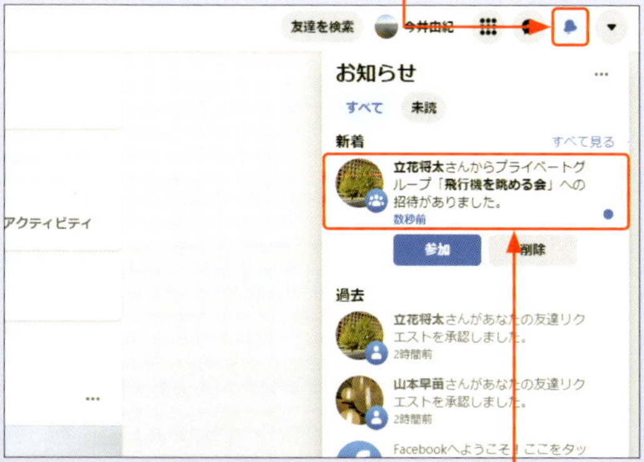

2 通知をクリックします。

3 ＜グループに参加＞をクリックします。

手順2で＜参加＞をクリックしても、グループに参加することができます。

Q 467 グループ
★★★★★

新規のグループを作成したい！

A <新しいグループを作成>をクリックして作成します。

グループの作成はかんたんに行うことができます。グループには「公開」「プライベート」の2種類があり、個人で作成する場合は、「プライベート」に設定しておくと安心です。「プライベート」は、グループ名や参加メンバーは公開されますが、投稿はグループのメンバーのみ閲覧できます。

1 Q.460手順1を参考に「ニュースフィード」画面を表示し、<グループ>をクリックします。

2 <新しいグループを作成>をクリックします。

3 グループの名前を入力し、

4 グループの公開範囲を設定して、

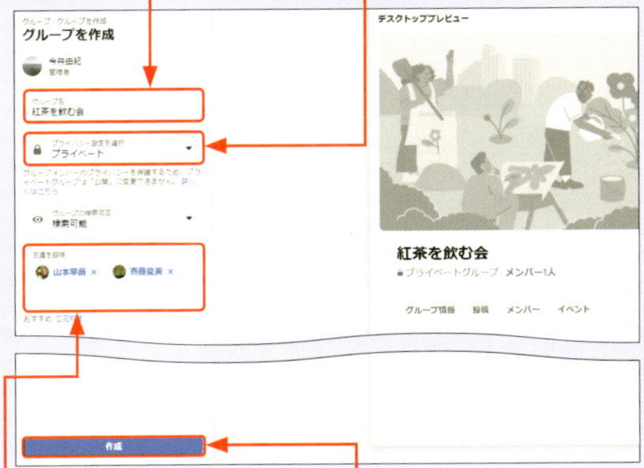

5 招待したいメンバーを入力します。

6 <作成>をクリックすると、グループが作成されます。

Q 468 グループ
★★★★★

グループ内でファイルを共有するには？

A <ファイル>をクリックしてパソコン内のファイルをアップロードします。

グループでは、ファイルをメンバー全員で共有することができます。投稿したファイルはメンバー全員が自由にダウンロードできるので、写真や動画などのファイル共有に便利です。「投稿を作成」画面で ••• →<ファイルを追加>の順にクリックしてファイルをアップロードしましょう。

1 Q.467手順1を参考に「グループ」画面を表示し、任意のグループをクリックして、<テキストを入力>をクリックします。

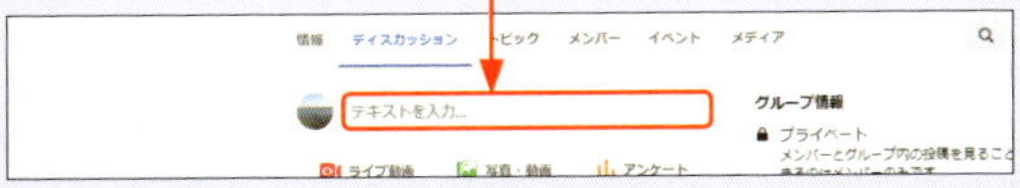

2 ••• →<ファイルを追加>の順にクリックし、

3 <ファイルを選択>をクリックします。

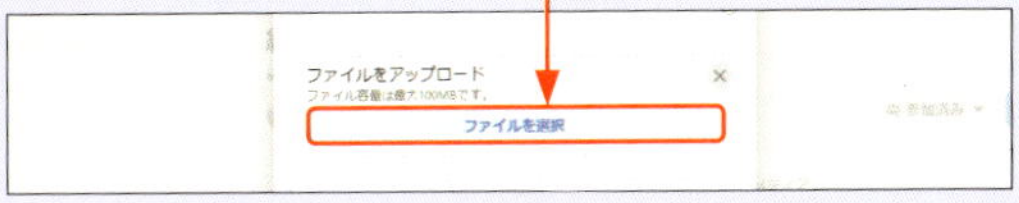

4 アップロードしたいファイルをクリックして選択し、

5 <開く>をクリックします。

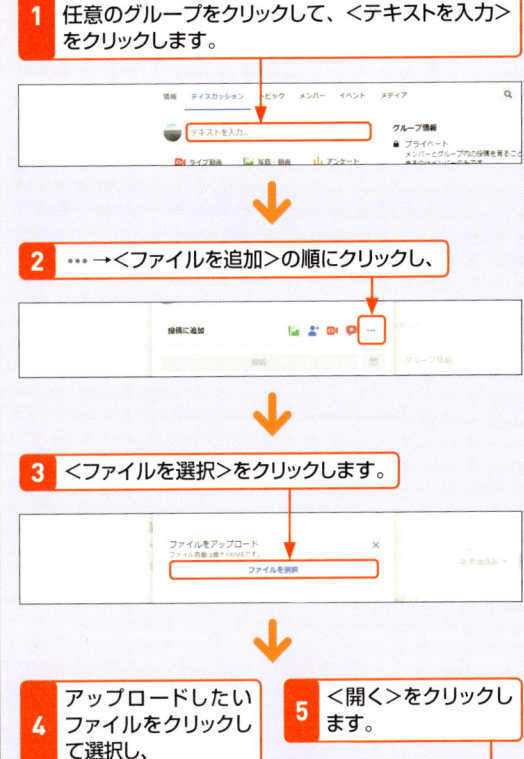

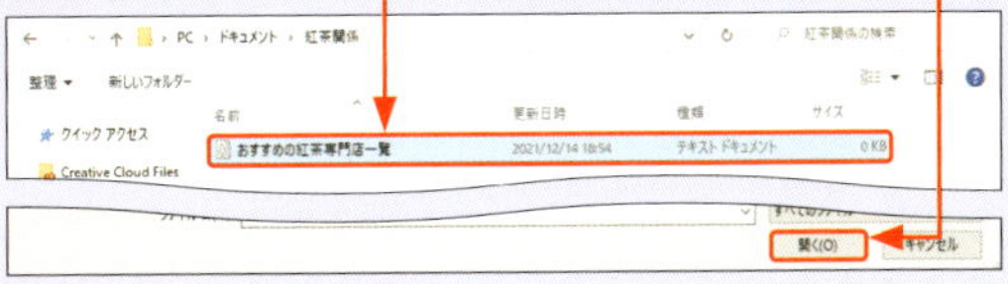

6 手順2の画面に戻るので、<投稿>をクリックします。

Q 469 グループ

★★★★★

グループ内でアンケートを取るには？

A <アンケート>をクリックします。

グループにはメンバー全員を対象にアンケートを取れる機能が備わっています。<アンケート>をクリックすると、質問と回答を入力して投稿することができます。投稿したあとに回答の選択肢を増やせるほか、グループのメンバーであれば、自由に選択肢を増やすことができます。

1 Q.468手順1を参考に「投稿を作成」画面を表示し、…→<アンケート>の順にクリックします。

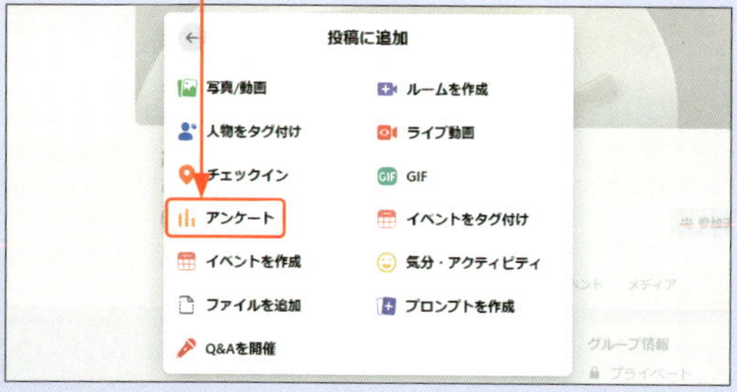

2 アンケートの質問と回答を入力して、

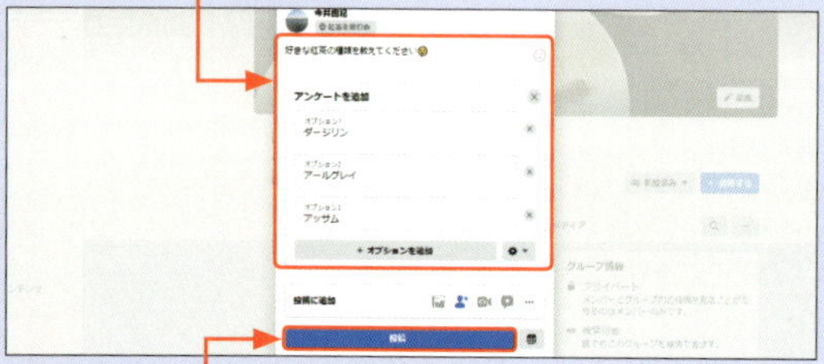

3 <投稿>をクリックします。

4 投稿後に<選択肢を追加>をクリックすると、回答を追加入力できます。

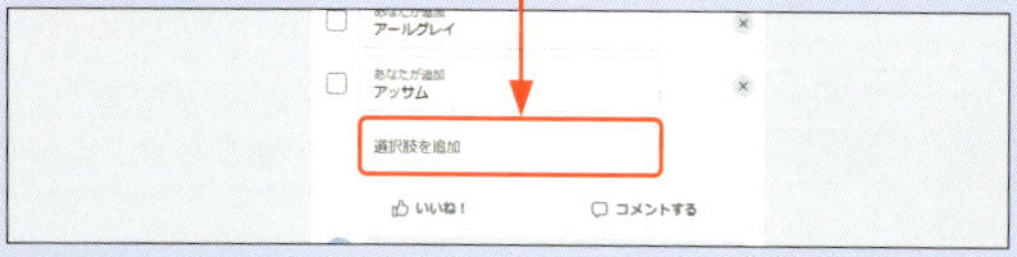

Q 470 メッセージ・チャット

★★★★★

チャットとMessengerの違いを知りたい！

A 同様の機能を持っているので、用途に応じて使い分けましょう。

パソコンのWebブラウザでは「チャット」を、「ニュースフィード」画面左側のメニューから<Messenger>をクリックすると「Messenger」を利用することができます。両者に大きな違いはなく、メッセージが届くと「チャット」と「Messenger」の両方に同じメッセージが表示されます。「チャット」はほかの画面を見ながら会話でき、「Messenger」はスレッドを切り替えて複数人と同時に会話できます。

チャット

「ニュースフィード」画面を表示し、右上の「連絡先」に表示されている友達一覧からチャットしたい友達をクリックすると、右下に「チャット」画面が表示されます。メッセージを入力してチャットをします。

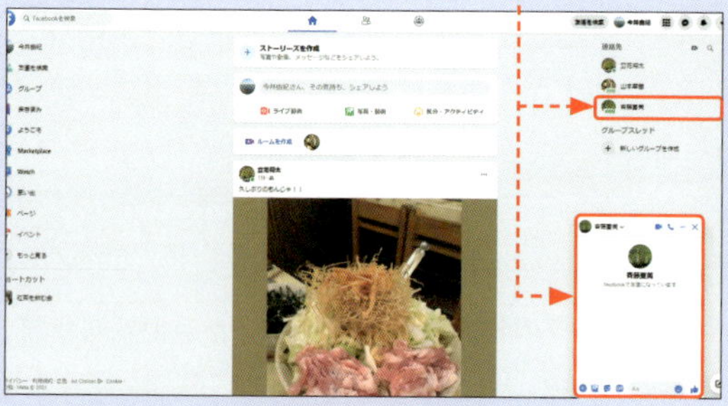

Messenger

「ニュースフィード」画面左側のメニューから<Messenger>をクリックすると、「Messenger」が起動します。メッセージを入力してやり取りをします。

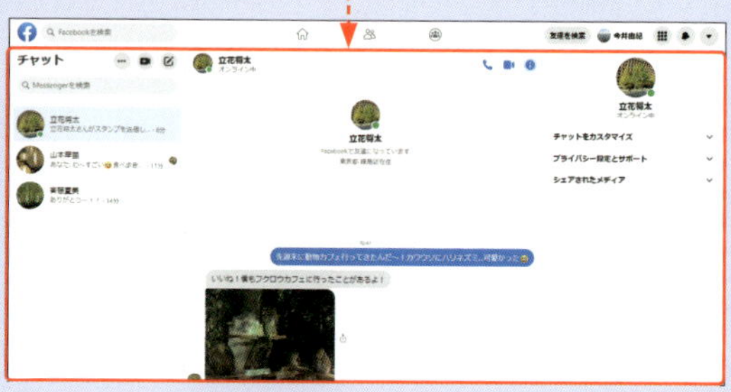

Q 471 メッセージ・チャット ★★★★★

Messengerで友達にメッセージを送信するには?

A 「Messenger」画面で友達を指定してメッセージを送信します。

「Messenger」からは、友達にダイレクトにメッセージを送信することができます。「Messenger」画面を表示し、をクリックして宛先に友達の名前を入力します。画面下にある入力ボックスにメッセージを入力し、Enter キーを押すと送信されます。メッセージは宛先の友達のみに送信されます。

1 Q.460手順1を参考に「ニュースフィード」画面を表示し、<もっと見る>→<Messenger>の順にクリックして、

2 をクリックします。

3 「宛先」に友達の名前を入力し、

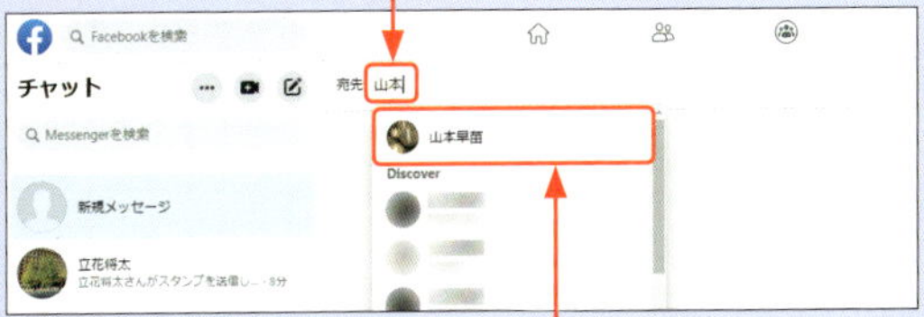

4 候補の中からメッセージを送信したい友達をクリックして選択します。

5 入力欄にメッセージを入力し、Enter キーを押して(または➤をクリックして)送信します。

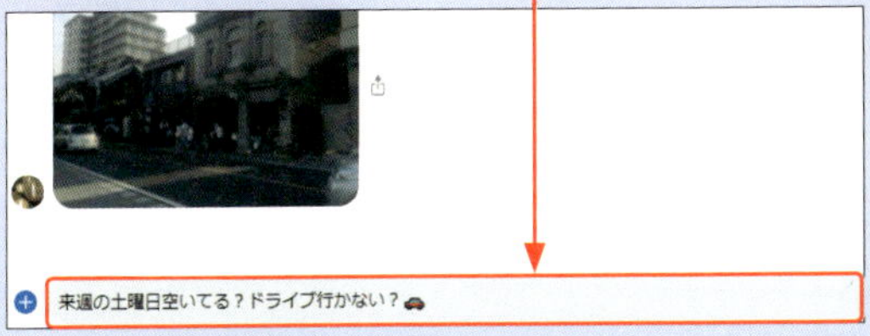

Q 472 メッセージ・チャット ★★★★★

複数人でチャットを行うには?

A <新しいグループを作成>をクリックします。

「ニュースフィード」画面で、「グループスレッド」の<新しいグループを作成>をクリックし、複数人の友達の名前を入力すると、グループチャットができます。ほかにも、「Messenger」画面でをクリックし、「宛先」に複数人の友達の名前を入力してグループチャットを立ち上げる方法もあります。ここでは、「チャット」画面での方法を紹介します。

1 「ニュースフィード」画面で、「グループスレッド」の<新しいグループを作成>をクリックします。

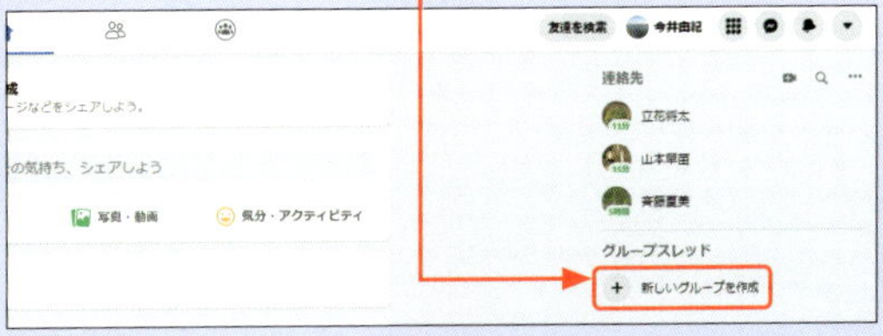

2 「宛先」に複数人の友達を入力し、

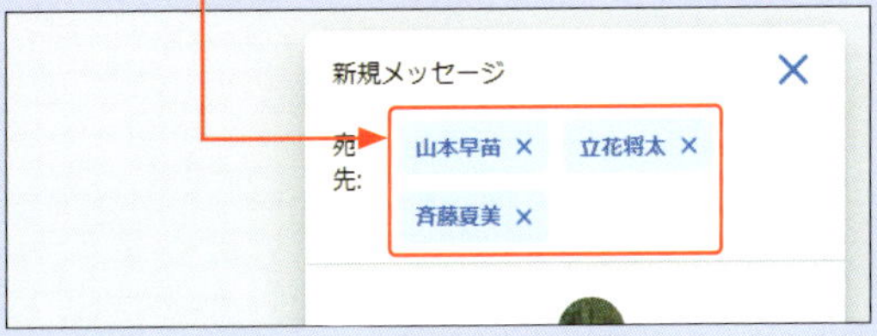

3 メッセージを入力し、

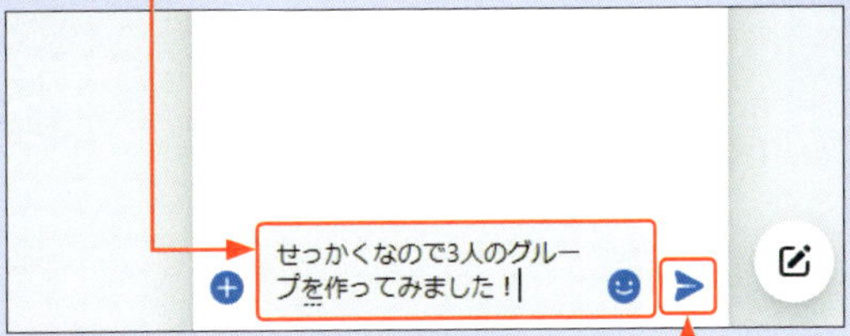

4 Enter キーを押して(または➤をクリックして)送信します。

Q 設定 ★★★★★

473 » パスワードを再設定するには？

A <パスワードを変更>の<パスワードを忘れた場合はこちら>から再設定します。

パスワードがわからなくなってしまったときは、パスワードを再設定しましょう。「設定」画面で<セキュリティとログイン>をクリックし、<パスワードを変更>→<パスワードを忘れた場合はこちら>の順にクリックして、画面の指示に従って設定します。

1 Q.454手順1～2を参考に「設定」画面を表示し、<セキュリティとログイン>をクリックして、

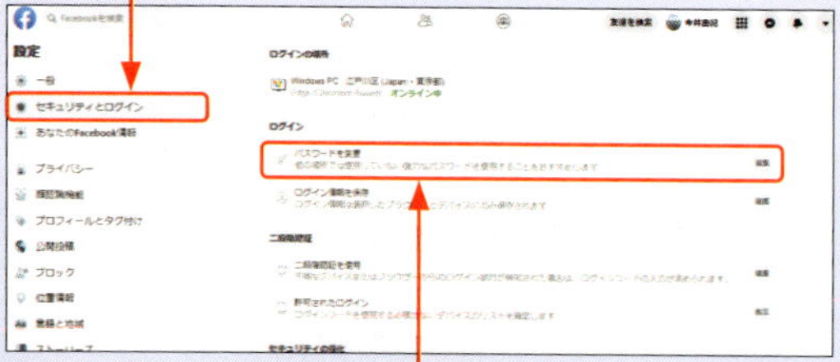

2 <パスワードを変更>をクリックします。

3 <パスワードを忘れた場合はこちら>をクリックし、

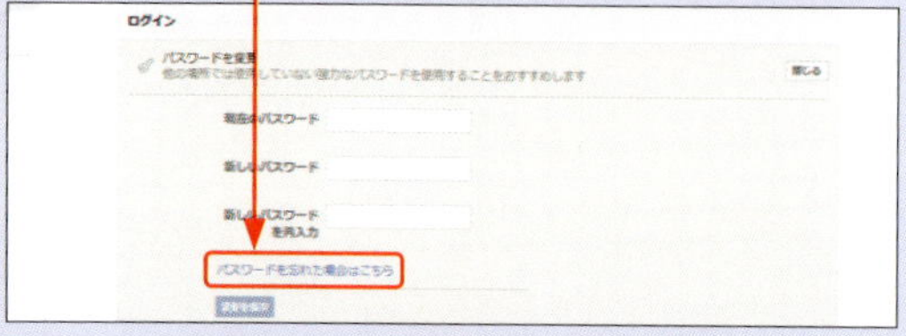

4 <次へ>をクリックします。

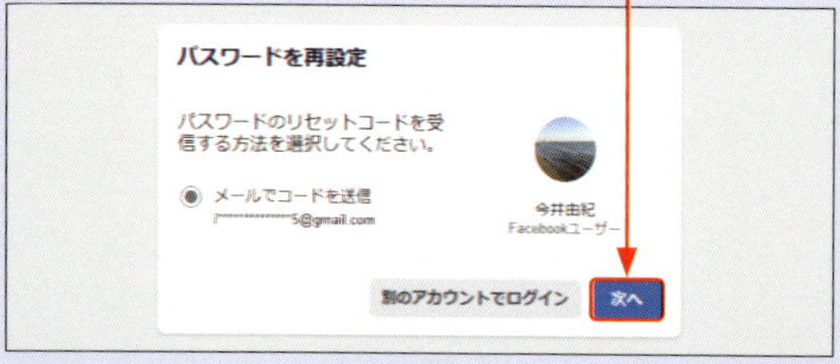

5 メールアドレスに届いた認証コードを入力し、

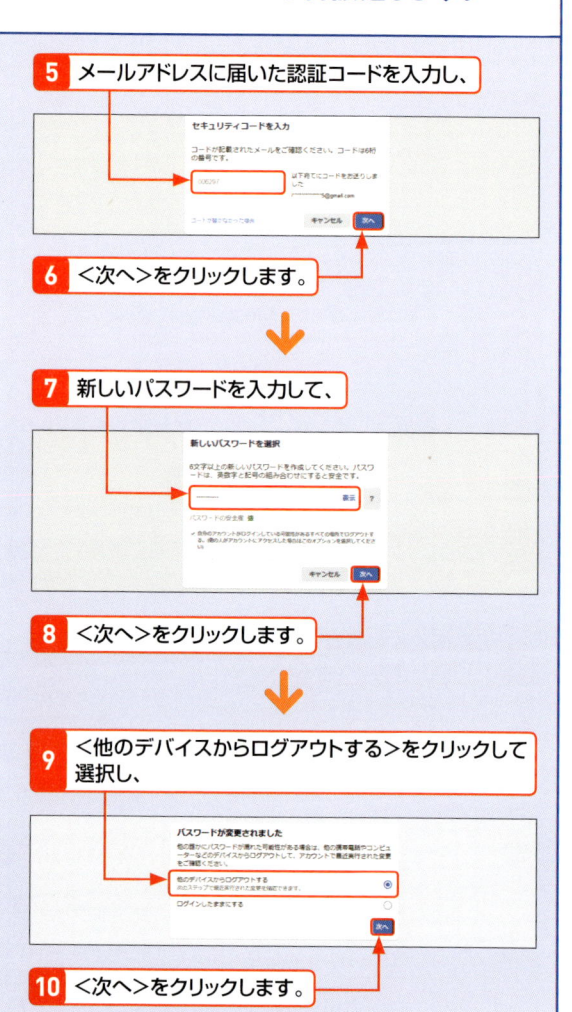

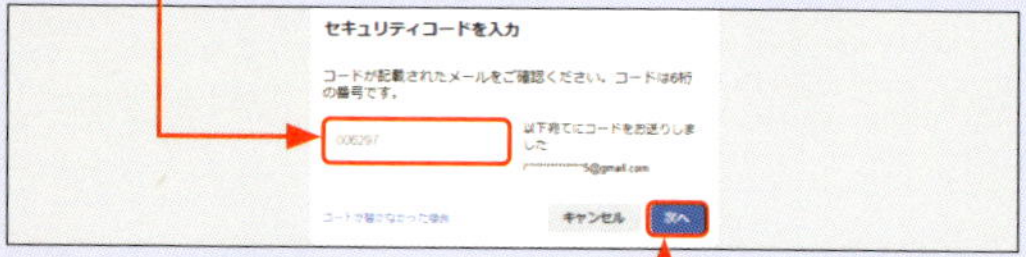

6 <次へ>をクリックします。

7 新しいパスワードを入力して、

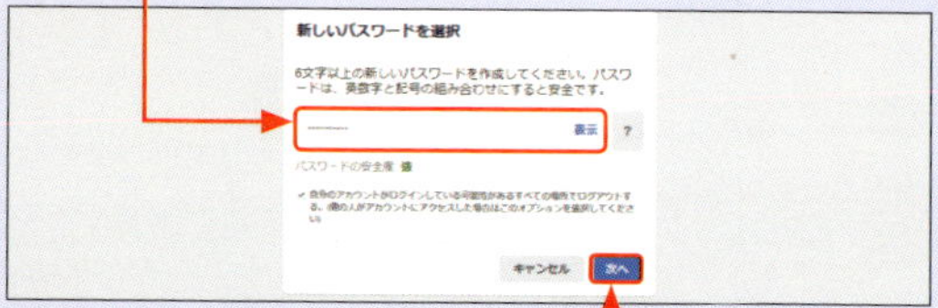

8 <次へ>をクリックします。

9 <他のデバイスからログアウトする>をクリックして選択し、

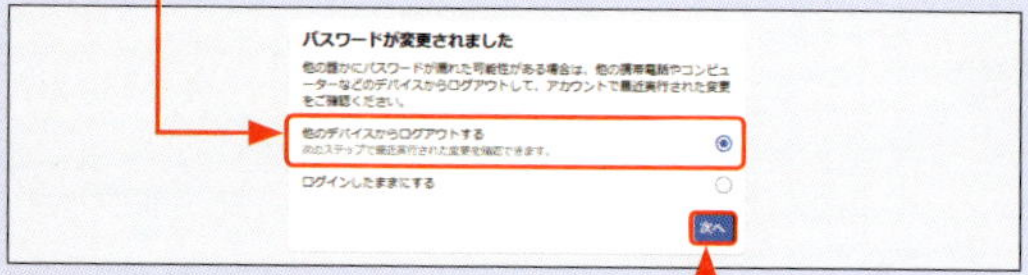

10 <次へ>をクリックします。

11 「○○さん、アカウントの安全を確保しましょう」と表示されたら、<スタート>をクリックし、画面の指示に従って進みます。

設定 ★★★★★

Q 474 不正なログインを通知するには？

A <認識できないログインに関するアラートを受け取る>を設定します。

なりすましや不正ログインなど、万が一の事態に備えてアラートを設定しましょう。ほかのデバイスからログインがあったときに、「お知らせ」やメールで通知を受け取ることができます。

1 Q.454手順1～2を参考に「設定」画面を表示し、<セキュリティとログイン>をクリックします。

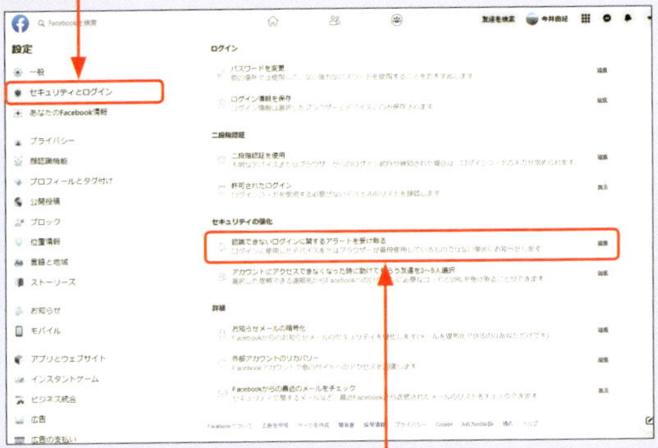

2 <認識できないログインに関するアラートを受け取る>をクリックします。

3 「お知らせ」と「Messenger」の<お知らせを受け取る>をクリックしてオンにし、

4 <○○でアラートメールを受け取る>をクリックしてオンにします。

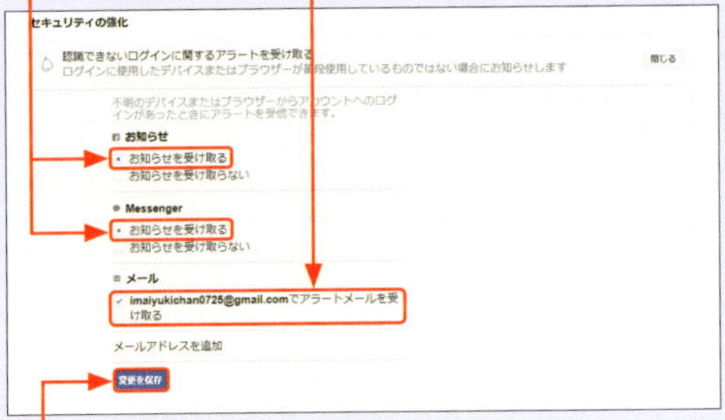

5 <変更を保存>をクリックします。

設定 ★★★★★

Q 475 「プロフィール」画面がどう表示されるかを確認するには？

A 「プレビュー」機能を使います。

ほかの人に自分の「プロフィール」画面がどう表示されているのかを確認したいときは、「プレビュー」機能を利用しましょう。自分の「プロフィール」画面で ••• → <プレビュー>の順にクリックします。

1 Q.456手順1を参考に「プロフィール」画面を表示し、 ••• をクリックします。

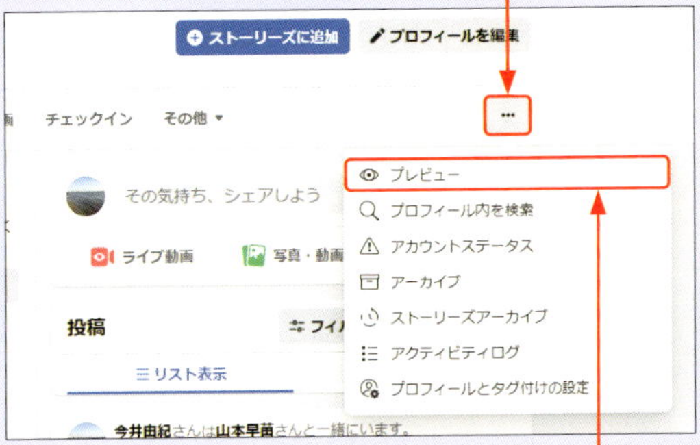

2 <プレビュー>をクリックします。

3 ほかの人に自分の「プロフィール」画面がどう表示されているのか確認できます。

Q 設定

476 » リストで友達を整理したい！

A 「友達」画面で<カスタムリスト>をクリックしてリストを作成します。

リストは友達を「同級生」「同僚」などのジャンルごとに分けたいときに便利な機能です。新規リストを作成したいときは、「友達」画面で<カスタムリスト>→<リストを作成>の順にクリックして作成しましょう。そのまま友達を振り分けることも可能です。リストは自分が管理するための機能なので、相手に通知されることはありません。なお、リストの作成はスマートフォンの<Facebook>アプリからはできません。

リストを作成する

1 Q.460手順**1**を参考に「ニュースフィード」画面を表示し、👥または<友達を検索>をクリックします。

2 <カスタムリスト>をクリックし、

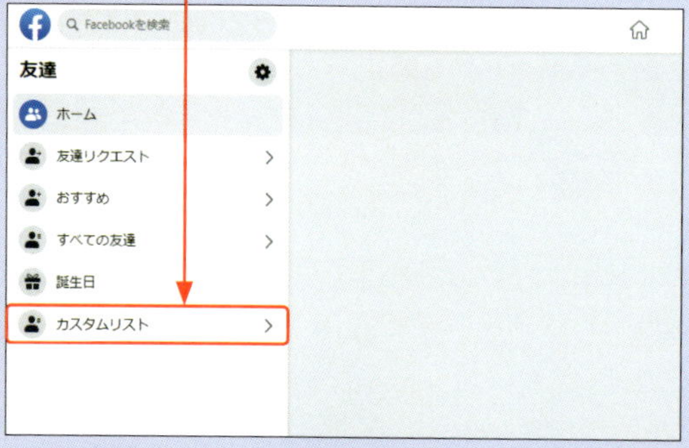

3 <リストを作成>をクリックします。

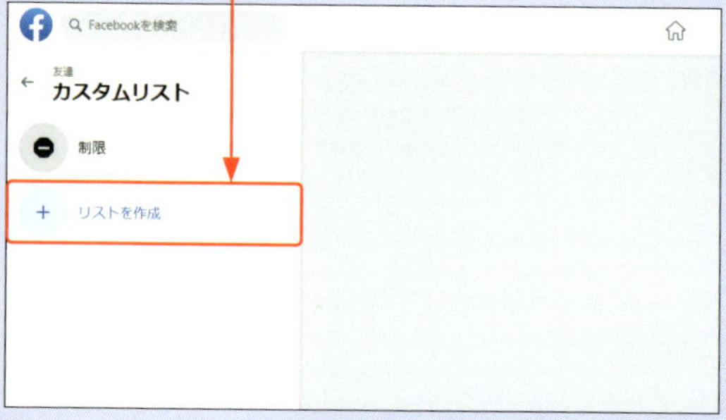

4 リスト名を入力し、

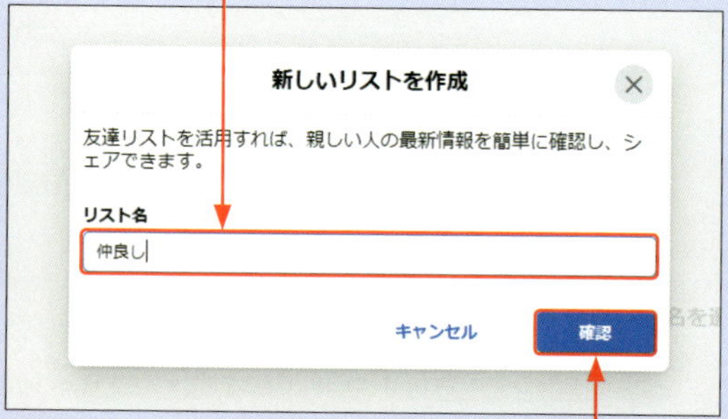

5 <確認>をクリックします。

6 リストが作成されます。

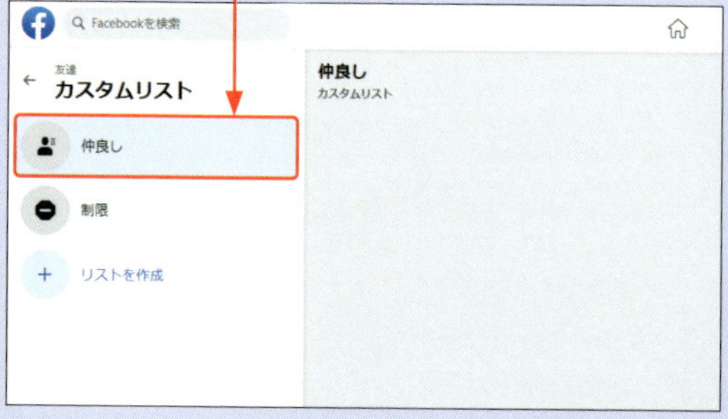

リストに友達を追加する

1 左ページ手順6の画面で友達を追加したいリスト名をクリックします。

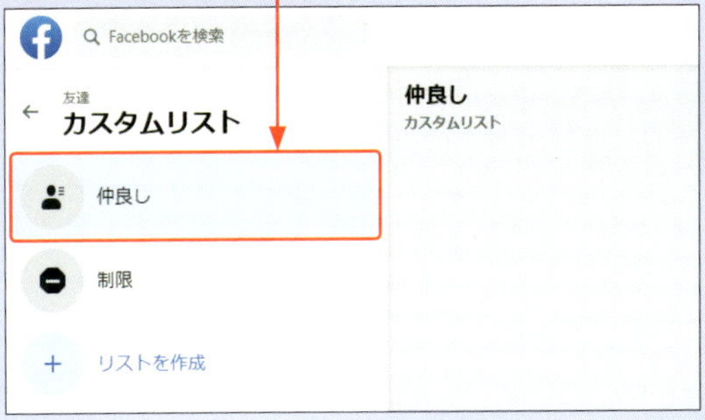

2 追加したい友達をクリックして選択し、

3 <変更を保存>をクリックします。

4 リストに友達が追加されます。

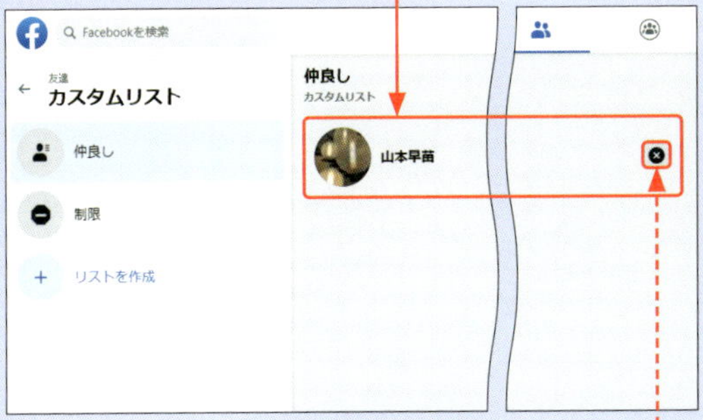

⊗をクリックすると、リストから削除できます。

「プロフィール」画面から追加する

1 Q.456手順1を参考に「プロフィール」画面を表示し、<友達>をクリックします。

2 リストに追加したい友達の…をクリックし、

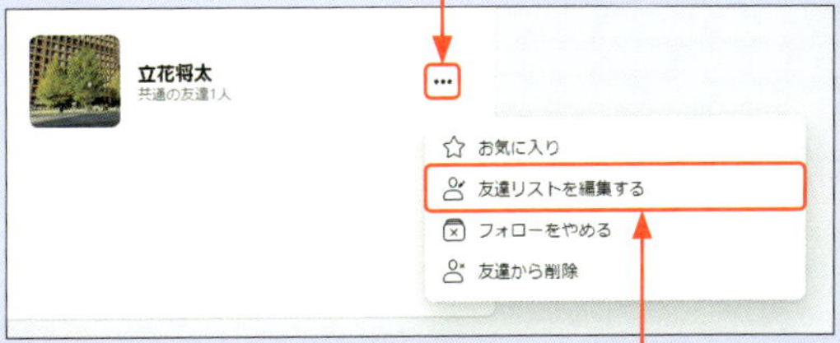

3 <友達リストを編集する>をクリックします。

4 リスト名をクリックしてチェックを付け、

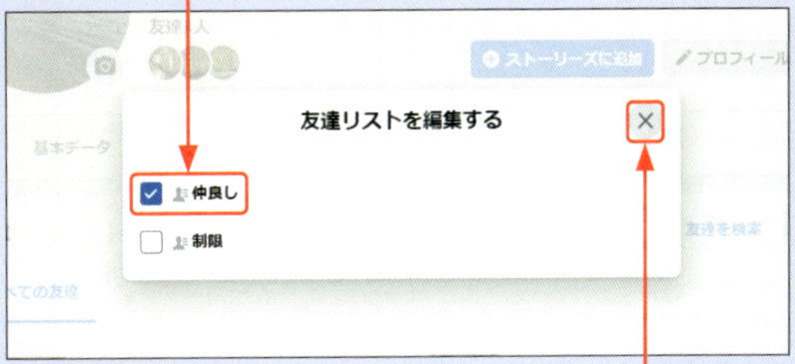

5 ×をクリックします。

Q 設定 ★★★★★

477 » ユーザーをブロックするには？

A <ブロック>でユーザーの名前を指定します。

「ブロック」は友達だけでなく、友達になっていないユーザーに対しても行えます。ブロックすると相手は自分に友達申請することができなくなります。

1 Q.454手順**1**～**2**を参考に「設定」画面を表示し、<ブロック>をクリックします。

2 ブロックしたいユーザーの名前を入力して、

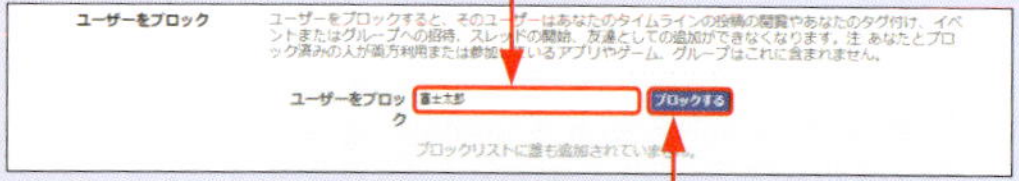

3 <ブロックする>をクリックします。

4 該当する名前のユーザーが一覧で表示されるので、ブロックしたいユーザーの<ブロックする>をクリックします。

5 <〇〇さんをブロック>をクリックします。

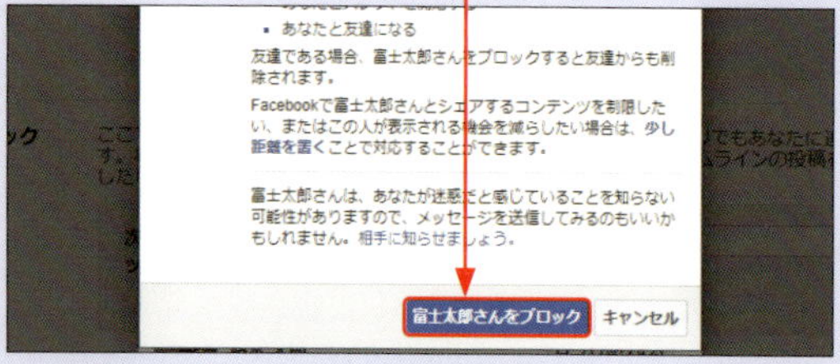

Q 設定 ★★★★★

478 » 友達を制限リストに追加するには？

A <ブロック>の<制限リスト>に登録します。

制限リストに登録すれば、お互いに「公開」の設定にした投稿しか表示されなくなります。ブロックと違い、制限リストに登録したことは相手には知られないので安心です。

1 Q.454手順**1**～**2**を参考に「設定」画面を表示し、<ブロック>をクリックします。

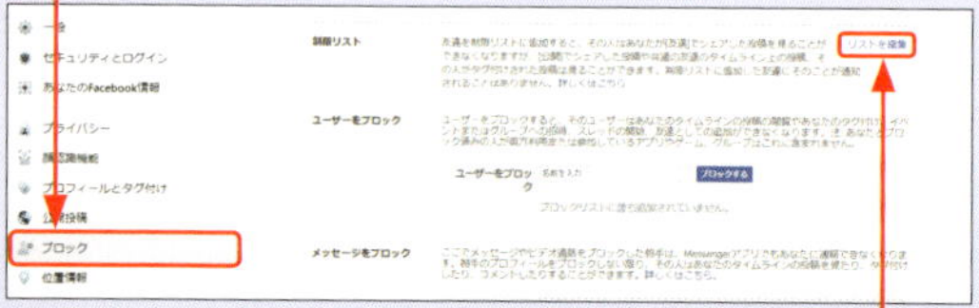

2 「制限リスト」の<リストを編集>をクリックします。

3 <このリストのメンバー>をクリックして、

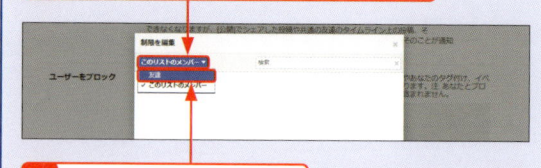

4 <友達>をクリックします。

5 自分のFacebookの友達が一覧表示されます。制限リストに追加したい友達をクリックして選択し、

6 <終了>をクリックします。

Q 設定 ★★★★★

479 » 友達を制限リストへ入れずに距離を置きたい！

A 相手の投稿を「投稿を非表示」にし、自分の投稿も「一部を除く友達」に設定します。

友達の投稿が自分の「ニュースフィード」画面に表示される頻度を下げたいときは、友達の投稿の ••• →＜投稿を非表示＞の順にクリックします。また、自分が投稿するときは、公開範囲で「一部を除く友達」に友達を登録し、その友達だけに投稿が表示されないようにします。

ニュースフィードの表示

1 Q.460手順1を参考に「ニュースフィード」画面を表示し、友達の投稿の ••• をクリックします。

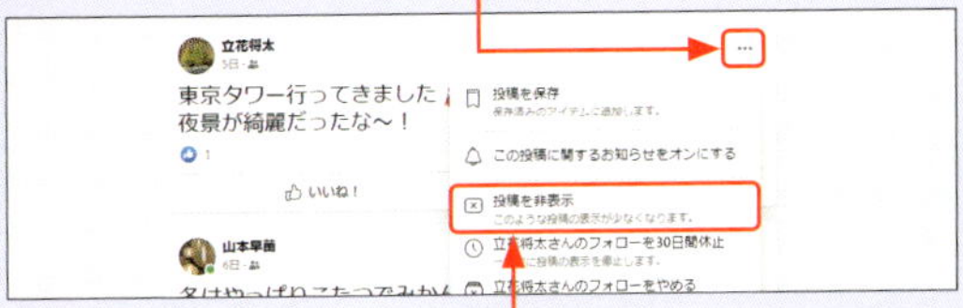

2 ＜投稿を非表示＞をクリックします。何度かこの操作を続けることで、その友達からの投稿が表示されにくくなります。

投稿時の公開範囲

1 Q.454手順1～2を参考に「設定」画面を表示し、＜プライバシー＞をクリックして、＜今後の投稿の共有範囲＞をクリックします。

2 ＜友達＞→＜一部を除く友達＞の順にクリックし、

3 距離を置きたい友達をクリックして、

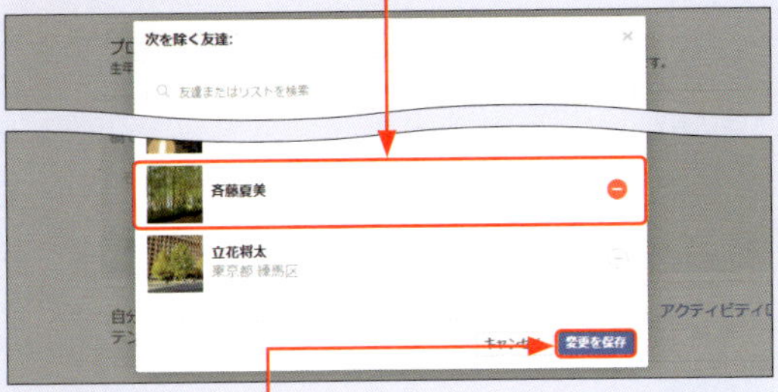

4 ＜変更を保存＞をクリックします。

Q 設定 ★★★★★

480 » 「タグ付け」された投稿を事前にチェックするには？

A タグ付けされた投稿をタイムラインに表示する前に確認できるよう設定します。

友達が自分を勝手にタグ付けして投稿すると、知らないうちにプライバシーが公開されてしまうことになりかねません。タグ付けされた投稿を事前に確認できるよう、「設定」画面で＜プロフィールとタグ付け＞をクリックして設定しましょう。

1 Q.454手順1～2を参考に「設定」画面を表示し、＜プロフィールとタグ付け＞をクリックします。

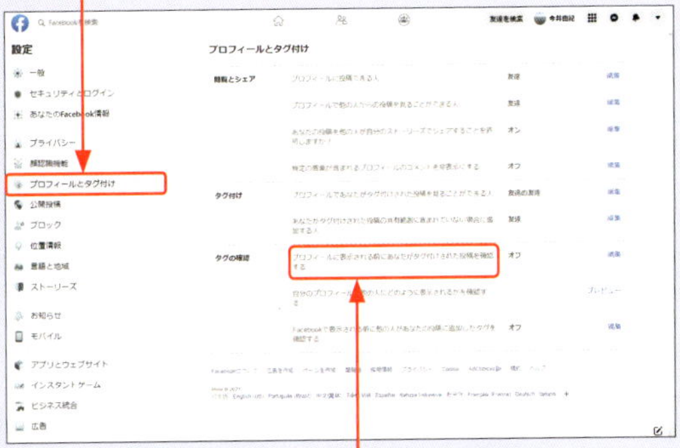

2 ＜プロフィールに表示される前にあなたがタグ付けされた投稿を確認する＞をクリックします。

3 ＜オフ＞をクリックし、

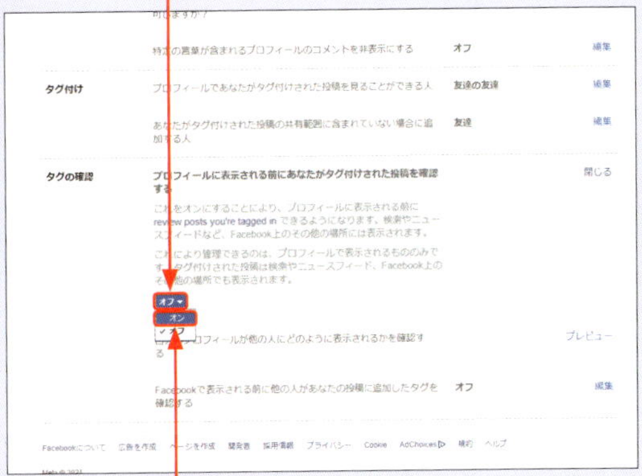

4 ＜オン＞をクリックします。

基本編

アルファベット

あ・か行

な・ら行

LINE 編

アルファベット

あ行

か行

さ行

た行

た行

は行

ま・や行

ら行

Twitter 編

アルファベット

あ行

か行

さ行

た行

は行

ま行

や・ら・わ行

Facebook 編

お問い合わせについて

本書に関するご質問については、本書に記載されている内容に関するもののみとさせていただきます。本書の内容と関係のないご質問につきましては、一切お答えできませんので、あらかじめご了承ください。また、電話でのご質問は受け付けておりませんので、必ずFAXか書面にて下記までお送りください。
なお、ご質問の際には、必ず以下の項目を明記していただきますようお願いいたします。

1 お名前
2 返信先の住所またはFAX番号
3 書名（今すぐ使えるかんたん LINE & Instagram & Twitter & Facebook 完全ガイドブック　困った解決＆便利技［改訂2版］）
4 本書の該当ページ
5 ご使用の機種・OSのバージョン
6 ご質問内容

なお、お送りいただいたご質問には、できる限り迅速にお答えできるよう努力いたしておりますが、場合によってはお答えするまでに時間がかかることがあります。また、回答の期日をご指定なさっても、ご希望にお応えできるとは限りません。あらかじめご了承くださいますよう、お願いいたします。

■お問い合わせの例

FAX

1 お名前
技術　太郎

2 返信先の住所またはFAX番号
03-XXXX-XXXX

3 書名
今すぐ使えるかんたん
LINE & Instagram &
Twitter & Facebook
ガイドブック 困った解決＆便利技
［改訂2版］

4 本書の該当ページ
52ページ

5 ご使用の機種・OSのバージョン
iPhone 13
iOS 15.2.1

6 ご質問内容
Q.047の手順3の画面が
表示されない

質問の際にお送り頂いた個人情報は、質問の回答に関わる作業にのみ利用します。回答が済み次第、情報は速やかに破棄させて頂きます。

問い合わせ先

〒162-0846
東京都新宿区市谷左内町21-13
株式会社技術評論社　書籍編集部
「今すぐ使えるかんたん　LINE & Instagram & Twitter & Facebook　完全ガイドブック 困った解決＆便利技［改訂2版］」質問係
FAX番号　03-3513-6167
URL：https://book.gihyo.jp/116

今すぐ使えるかんたん LINE & Instagram & Twitter & Facebook 完全ガイドブック 困った解決&便利技［改訂2版］

2017年10月17日　初　版　第1刷発行
2022年　3月　8日　第2版　第1刷発行

著　者●リンクアップ
発行者●片岡　巌
発行所●株式会社 技術評論社
東京都新宿区市谷左内町21-13
電話　03-3513-6150　販売促進部
03-3513-6160　書籍編集部
カバーデザイン●志岐デザイン事務所（岡崎　善保）
本文デザイン／DTP●リンクアップ
編集●リンクアップ
担当●田中　秀春
製本／印刷●大日本印刷株式会社

定価はカバーに表示してあります。

ISBN978-4-297-12599-8 C3055
Printed in Japan